Aspects of FRENCH LITERATURE

ROBERT J. NELSON , 1925-
UNIVERSITY OF PENNSYLVANIA

and

NEAL OXENHANDLER
UNIVERSITY OF CALIFORNIA - LOS ANGELES

Aspects of

FRENCH LITERATURE

New York

APPLETON-CENTURY-CROFTS, INC.

ACKNOWLEDGEMENTS

CALMANN-LÉVY, EDITEURS: for permission to reprint: "J'écris pour que le jour où je ne serai plus . . ." by Anna de Noailles.

EDITIONS DU ROCHER: for permission to reprint "Anna la bonne," from *Théâtre de poche* by Jean Cocteau.

EDITIONS MAGNARD: for permission to reprint an extract from "Gormont et Isembart" translated into modern French, from *Moyen-Age* by Bogaert and Passeron.

EDITIONS MERMOD and THE HEIRS OF CHARLES-FERDINAND RAMUZ: for permission to reprint "L'Homme et les trois fantômes," from *Les Oeuvres complètes* by Charles-Ferdinand Ramuz.

LIBRAIRIE GALLIMARD: for permission to reprint "Liens" and "La Jolie Rousse," from *Calligrammes*, "Cortège," from *Alcools*, "Si je mourais là-bas . . .," from *Poèmes à Lou* by Guillaume Apollinaire; "L'Hôte," from *L'Exil et le royaume* by Albert Camus; "A force de plaisirs . . .," and *Les Parents terribles* by Jean Cocteau; "Les Espaces du sommeil," from *Domaine publique* by Robert Desnos; "Kiosque," from *Ludion* by Léon-Paul Fargue; "Contre," from *L'Espace du dedans* by Henri Michaux; "La Guerre," from *Spectacle* by Jacques Prévert; "Confession d'une jeune fille," from *Les Plaisirs et les jours* by Marcel Proust; "Sur la route à demi," from *Plupart du temps* by Pierre Reverdy; "Les Grenades," "Baignée," and "Le Cimetière marin" by Paul Valéry; and an extract from *Journal* by André Gide.

LIBRAIRIE ERNEST FLAMMARION: for permission to reprint "La Fille de Bastienne," from *L'Envers du music-hall* by Colette.

MERCURE DE FRANCE: for permission to reprint "C'est un coq," from *Clairières dans le ciel* by Francis Jammes and "Le Départ," from *Choix de poèmes* by Emile Verhaeren.

METHUEN & CO. LTD.: for permission to reprint *L'Alouette* by Jean Anouilh.

MODERN LANGUAGE QUARTERLY: for permission to reprint portions of the analysis of "Ses purs ongles . . .," by Stéphane Mallarmé; previously published in "Mallarmé's Mirror of Art: An Explication of *Ses purs ongles* . . .," *Modern Language Quarterly*, XX (March, 1959), 49-56.

PAUL MORAND: for permission to reprint "Mort d'un autre juif," from *Lampes à arc* by Paul Morand.

RÉGINE PERNOUD: for permission to reprint the translation into modern French of "Laustic: Le Lai de l'oiselet," from *La Poésie médiévale française* by Régine Pernoud (Paris, Editions du Chêne, 1947).

JEAN-PAUL SARTRE: for permission to reprint "Mise au point" by Jean Paul Sartre from *Lettres* (Geneva, 1945).

PREFACE

ASPECTS OF FRENCH LITERATURE takes for its starting point what two eminent contemporary scholars described long ago as the "natural and sensible one for work in literary scholarship," namely, "the interpretation and analysis of the works of literature themselves."[1]

To be sure, neither the events of an author's life, nor the milieu in which he lived, nor any facts throwing light on the language and thought of an author's works can ever be dispensed with if one is to achieve full knowledge of his writings. But, while any teacher demands for himself a full knowledge of the texts he would teach, he surely wishes at the same time to find a manageable framework for presenting first of all "the works of literature themselves." In an introductory survey in particular, he will want to place what is most important first, closely rationing relevant historical and cultural materials until the student has attained some concrete, "existential" knowledge of a number of texts of French literature. "After all, only the works themselves justify all our interest in the life of the author, in his social environment and the whole process of literature."[2]

The texts in ASPECTS OF FRENCH LITERATURE should speak for themselves, and we have allowed them to do precisely that by presenting them unabridged and by adopting a critical or explicative framework.

Explication de texte is primarily a teaching method devised for French secondary schools. We do not limit ourselves to the rather formal plan of the French model, although we have provided in the Appendix a "form" which can be followed. *Questionnaires* in French and essays in English are additional ways by which we seek to illuminate structure, style, and meaning.

Although not established at random, the position of these explanatory essays follows no more definite plan than the book's own rhythmic unfolding. Hence, for example, the essay on versification appears after the first group of poems. While the student may thereby be deprived of this material in reading narrative and descriptive poetry, he will, on the other hand, have already gained some concrete experience of poems with which to illuminate his reading of the essay. Throughout the book this inductive approach has been followed.

These essays, in the student's native language, should serve to renew his intellectual curiosity and to point to problems of greater complexity than could be handled in French by means of the *questionnaires*.

As he learns to analyze texts, the student must also learn to relate one text to another. An anthology must have principles of unity which suggest how this is to be done. The texts in ASPECTS OF FRENCH LITERATURE are grouped under the major genres: poetry, fiction, essay, drama. The poetry section is further subdivided into narrative and descriptive poetry, baroque poetry, poetry of ideas, lyric poetry, and pure poetry. These sub-categories, though arbitrary, are, we believe, pedagogically convenient.

The evolution of poetry, fiction, the essay and drama, as suggested here, is certainly not *the* truth on this vast and complex subject. Any relationships we bring out among the texts of each major genre are only suggestive and possible ones. Teachers who use this book will undoubtedly find others, perhaps more significant.

Obviously there are more texts included here than can well be covered in any full year course. The instructor is thus free to choose his materials within each genre and sub-genre. Undoubtedly he will wish to treat all four of the major groups, and probably in the order given.

Poetry, it seems to us, should be studied first since the brevity and condensation of poems makes them most suitable for explication. The fiction selections are more difficult because more diffuse, yet their texture and language present fewer difficulties than do poems. And essays, when they are studied as esthetic objects as well as vehicles of ideas, present more difficulties than the two preceding groups. Finally the drama, which reflects many of the problems and techniques of the other groups, makes a rich conclusion to the year's work.

The *questionnaires* should be studied along with the texts. Although the student should read all of the

---

[1] Rene Wellek and Austin Warren, *Theory of Literature* (New York, Harcourt, Brace, 1942), p. 139.

[2] *Ibid.*

questions, the instructor will probably wish to assign only a limited number to be prepared for class discussion. In this way he can require the student to be responsible for certain precise aspects of the work, and the student will have a basis for discussion in French of his own views.

Except in the case of longer works, it is obviously preferable that the *entire* text be read before discussion begins.

The instructor will find, as he and his class progress through the book, that the *élan acquis* is not lost, as normally happens in a survey course which treats bits and pieces of unrelated works. Instead, the course will develop in an accelerating rhythm as the student follows the unfolding of each major genre. He will also want to refer back from one genre to another, for example, to the poetry section when he studies Racine. This firm factual understanding of texts will provide a foundation for whatever background materials the instructor may choose to add.

We trust that teachers who use this book will remember that it offers an approach, not a formula. To students who use this book we say, in the words of Guillaume Apollinaire,

> Nous ne sommes pas vos ennemis
> Nous voulons vous donner de vastes et d'étranges domaines
> Où le mystère en fleur s'offre à qui veut le cueillir . . .

ACKNOWLEDGEMENTS

It was with his usual interest in innovation that Professor Henri M. Peyre of Yale in 1955 gave us the direction of a third-year literature course to use as a "laboratory" for the methods and materials that here make their appearance. We are grateful not only for this act of confidence when our method had yet to prove itself, but also for his influence on the entire field of French studies, for the intellectual daring that assures to American teaching and research a life of its own, at once independent and in harmony with the work of teachers and scholars on the continent.

Our colleagues in the course at Yale–Pierre Capretz, Kenneth Cornell, Kenneth Douglas, Lionel Duisit, Paul Mankin and William Matheson–contributed valuable insights and kept our dialectic constantly vigorous. Our students rose instinctively to the challenge of a new approach and provided that sense of excitement that was our best reward for the years spent in elaboration and refinement of the book. Other students at the University of Michigan, the University of Pennsylvania and the University of California at Los Angeles, helped us to broaden and generalize the pattern set down at Yale.

At an early stage we consulted with Robert Penn Warren, then Professor at Yale. We discussed with him the special difficulties inherent in an adaptation of the "critical" approach to French literature; we were encouraged and set on our guard against certain dangers, to which we trust we have not succumbed. Mr. Warren sent us to Allen S. Wilber, then Vice-President of Appleton-Century-Crofts, Inc., whose commitment to us led to the actual production of the book.

Numerous friends and colleagues have read the manuscript, either in whole or in part. We are deeply grateful for the incisive comments of Professors John C. Lapp of UCLA and Michael Riffaterre of Columbia University, whose readings of the entire manuscript led to many major and minor changes. Others who have helped us to refine the material, and in particular the French questionnaires, are Marc Dupuis and Yvone Lenard. Many of the notes were provided by Melvin Phillips. Our wives helped us to read and correct proofs.

All of these expert and friendly people have helped us to prepare for our present publication. Yet we know that such a book as this can never be perfect and we hope that those whom we name here are only the first voices in a discussion of this book and its method to be carried on with colleagues throughout the country.

Finally, we would like to express our gratitude to Mlle Régine Pernoud and to Jean-Paul Sartre for permission to reprint without cost "Laustic" and "A Propos De L'Existentialisme".

R.J.N.
N.O.

CONTENTS

II

FICTION

III

THE ESSAY

IV

DRAMA

APPENDIX

I
POETRY

NARRATIVE POETRY

In analyzing narrative poems, we first find the story line. What are the main events of the poem? How much or little time is covered? And how does the poet suggest the passage of time—cursorily, as in "Il était trois petits enfants . . . ," or does he take a briefer period of time and explore it thoroughly, as in "Gormont et Isembart?" In what way does he treat the characters who appear in the poem? How much does their specific psychological make-up contribute to the action?

Of course, appreciating a poem fully means being able to deal with such specific poetic devices as image, symbol, rhythm, and verse forms. In narrative poetry these devices usually help create the proper atmosphere for poetic action. For example, there may be an overarching symbol that conveys the theme of the poem in a compressed form, as in "Laustic."

These narrative poems appear at the beginning of our survey because they are readily accessible, easily grasped at the level of story and character. Many of these poems are also obviously of an early date. This is not to suggest that people in the Middle Ages were unsophisticated, or that they did not write and appreciate poems of complex form, thought, and emotion. Certain medieval poetic works are extremely complex and sophisticated, comparable to late nineteenth century or modern poetry in density and difficulty. Although narrative poetry was the most popular genre, it was by no means the only one practiced.

Old French is in many respects a different language from Modern French. Yet the one leads to the other. We could not hope to give a complete study of the formal relationship here, but we can explain a few key aspects.

Old French had a two-case system which showed in the definite article and noun as follows:

MASCULINE

	SINGULAR	PLURAL
Subject:	li granz murs	li grant mur
Object:	lo, le grant mur	les granz murs

FEMININE

Both cases: la (certain dialects: le) les beles femes
bele feme

The article contracted as follows:

SINGULAR	PLURAL
a + le > al > au	a + les > aus (aux)
de + le > del > deu (dou) > du	de + les > des
en + le > el > eu (ou)	en les > ès (survives in Modern French in certain expressions, e.g. docteur ès lettres.)

Also, grammatically Old French differs in several respects from Modern French—the partitive was infrequent, for example, and the verbs of compound subjects might agree in the singular with the most recently named of the subjects.

The vocabulary of Old French contains many words which have survived, with appropriate phono-

logical and morphological changes, in Modern French. A comparison of the original and Modern French versions of "Gormont et Isembart" (pp. 5–7) shows the nature of many of these changes (for example: jeo tenc > je tiens in verse 16). Old French also contains a number of forms, Latin in root, which did not continue to evolve, as well as dialectal forms or words borrowed from other languages which dropped out of the languages. We do not feel it necessary to translate or give the modern version of many of these forms, since the meaning can often be grasped from the context or by reasonable conjecture about the modern word toward which a given form has evolved. Forms which are less readily apparent are explained in the notes. For convenience, the following abbreviations are used in identifying forms: O.F. = Old French; M.F. = Modern French. The infrequent forms of the intermediate stage of the language will be identified as Middle French.

Il était trois petits enfants...[1]

Il était trois petits enfants
Qui s'en allaient glaner[2] aux champs.

S'en vont un soir chez un boucher:
— Boucher voudrais-tu nous loger?
— Entrez, entrez, petits enfants,   5
Il y a de la place assurément.

Ils n'étaient pas si tôt entrés
Que le boucher les a tués,
Les a coupés en petits morceaux,
Mis au saloir[3] comme pourceaux.   10

Saint Nicolas au bout de sept ans,
Saint Nicolas vint dans ce champ,
Il s'en alla chez le boucher:
— Boucher voudrais-tu me loger?

— Entrez, entrez, saint Nicolas,   15
Il y a de la place, il n'en manque pas.
Il n'était pas sitôt entré
Qu'il a demandé à souper.

— Voulez-vous un morceau de jambon?
— Je n'en veux pas, il n'est pas bon.   20
— Voulez-vous un morceau de veau?
— Je n'en veux pas, il n'est pas beau.

Du petit salé je veux avoir
Q'il y a sept ans qu'est dans le saloir!

Quand le boucher entendit cela,   25
Hors de sa porte il s'enfuya.[4]

— Boucher, boucher, ne t'enfuis pas,
Reprends-toi, Dieu te pardonnera.
Saint Nicolas posa trois doigts
Dessus le bord de ce saloir: 30

Le premier dit: J'ai bien dormi.
Le second dit: Et moi aussi.
Et le troisième répondit:
Je croyais être en paradis.

Il était trois petits enfants   35
Qui s'en allaient glaner aux champs.

1. *Que se passe-t-il dans ce poème?*
2. *Quels sont les procédés employés pour ajouter au réalisme du récit? pour rendre les personnages vivants?*
3. *Tous les événements du récit ont le même relief et la même importance: Est-ce que ce fait diminue ou augmente son réalisme?*
4. *Les trois enfants passent sept ans dans le saloir. Le poète nous fait-il sentir le passage de ce temps?*
5. *Ce poème est-il gai ou triste? Justifiez votre réponse.*
6. *Quelle est la leçon morale de « Il était trois petits enfants . . . »?*

[1] A folk poem collected by Gérard de Nerval (1808–1855), in his *Bohême Galante*
[2] to glean
[3] salting tub

[4] [M.F.] *s'enfuit*

Gormont et Isembart[1]

(FRAGMENT DE CHANSON DE GESTE DU XIIe SIÈCLE)

The chanson de geste *is the great narrative genre of the Middle Ages. The following selection is drawn from a fragment, all that remains of a much longer work. It suggests the typical features of this type of heroic poetry which was sung by* troubadours at courts and monasteries throughout Europe.

Here is a brief summary of the legend which inspired the poem: Isembart, son of a French noble, betrays his country and his church to become lieutenant to the pagan king Gormont. The latter dreams of conquering France; when he invades northern France, he is vanquished by King Louis, probably Louis III who reigned over Western France from 879–882.

XII

Quant Lowis, le rei preisié	Quant Louis, le roi renommé	
Vit si murir ses chevaliers	Vit ainsi mourir ses chevaliers	
E ses cumpainnes detrenchier,	Et mettre en pièces ses compagnies,	
Mut fut dolenz e esmaié.	Il fut fort chagrin et abattu.	
« Aie, Deu, pere del ciel ! » 5	« A l'aide, Dieu, père du ciel ! » 5	
Dist Lowis, li reis présié.	Dit Louis, le roi renommé.	
« Tant par me tenc enginné	« Je me tiens vraiment pour égaré	
Ke n'i jostai oi premier	De n'avoir pas lutté aujourd'hui le premier	
Tot cors a cors a l'aversier !	En plein corps à corps avec cet adversaire !	
Ja est il rei e rei sui jeo: 10	Il est un roi et roi je suis: 10	
La nostre avenist bien.	Notre [lutte] eût été bien venue.	
Le quel de nus idune venquist,	Il n'importe qui de nous eût alors vaincu,	
N'en fussent mort tant chevalier	Tant de chevaliers n'eussent point été tués	
Ne tanz francs homes detrenchiez.	Ni tant de vaillants hommes mis en pièces.	
Ber saint Denise, or m'an aidiez ! 15	Grand saint Denis, maintenant aidez-moi ! 15	
Jeo tene de vus quite mun fiev;	Je tiens de vous possession de mon fief;	
De nul autre n'en conois ren,	De nul autre je n'ai rien à connaître	
Fors sul Deu, le veir del ciel.	Sauf de Dieu seul, le vrai Dieu du ciel.	
Ber seint Richier, or m'en aidiez !	Grand saint Riquier, maintenant aidez-moi !	
Ja vus arst il vostre mustier; 20	Il vous a brûlé votre moustier;[2] 20	
En l'onur Deu, le pur eshaucier,	En l'honneur de Dieu, pour le relever,	
Jeo vus crestrai trente set piez.	Je vous l'agrandirai de trente-sept pieds.	
Pernez les resnes del destrier,	Prenez les rênes de mon destrier,[3]	
Gesques a lui me cunduiez. »	Jusques à lui conduisez-moi. »	
A icest mot, s'est eslessé. 25	A ce mot il s'est élancé. 25	
Gorm[un]d li ad treis darz lanciez;	Gormont lui a trois dards lancé;	
Deu le guarri, par sa pitié,	Dieu le garda, par sa bonté,	
K'il ne l'ad mie en char tochié.	Qu'il ne l'ait touché dans sa chair.	
Reis Lowis fud mut irrié;	Le roi Louis fut fort irrité;	
A joste mie nel requiert; 30	Il ne provoque plus à la lutte; 30	
Encuntre munt drescha l'espié;	Il brandit son épieu[4] vers le haut;	
Si l'ad feru par mi le chief	Il l'a frappé au milieu de la tête,	

[1] Modern French version by J. Bogaert and J. Passeron, (Paris, Editions Magnard, 1954)

[2] [O.F.] monastery
[3] battle horse
[4] wooden lance with metal fittings

Que les heaumes ad trenchié
E del hauberc le chapelier;
Gesqu'al brael le purfendié,   35
Que en pre en cheent les mertez;
En terre cola li espié.

XV

Or vint G[ormund] mort en la pree
Envers, sanglent, gule baee.
Eis Isembart par une estree;   40
Vers li ad sa resne uuree;
La fist grant del e grant pasmee;
Oimes orresz grant regretee;
« Ahi! » dist-il, « rei emperrere,
Tant le vus dis, plusures fiez,   45
A Cirencestre, a voz cuntrées
Que Franceis sunt gent aduree!
Mut le vus dis en la galee:
De ça troverez tel meisnee;
Mes veirement l'avez trovee,   50
La gentil gent e l'onuree!
Tele ne fut de mere nee.
Sur eus n'ert terre cunquestee.
Ahi! Gorm[un]d, rei emperrere,
Cum aviez la face clere,   55
La chere bele e culuree,
Cum l'avez ja teinte e muee!

A! Lowis, bon emperere,
Cum as oi France bien aquitee
E Gorm[un]d l'ad chier cumparee!   60
Ja ne faudrai a sa meisnee,
Pur tant cum pusse ceindre espee. »
Isembart dist a sa voiz clere:
« U fuiez vus, gent esguaree,
Senz seinur en autre cuntree?   65
Turnez ariere les estrees,
Si vengerom nostre emperere. »

Si bien qu'il lui a fendu son heaume[5] pointu
Et la coiffe de son haubert;[6]
Jusqu'à la ceinture il l'a fendu,   35
Si bien que sur le pré en tombent les moitiés:
A terre glissa l'épieu.

Gormont est tombé mort sur le pré,
Sur le dos, sanglant, la bouche ouverte.
Voici Isembart, par une piste!   40
Vers lui il a tourné ses rênes;
Là fit grand deuil et grande pâmoison;
Ensuite vous entendrez grande lamentation:
« Ahi! » dit-il, « roi empereur,
Je vous l'avais bien dit, plusieurs fois,   45
A Cirencestre, en vos contrées,
Que les Français sont race aguerrie!
Je vous l'ai bien dit sur le vaisseau:
Que vous trouveriez ici une telle armée;
Mais vraiment vous l'avez trouvé,   50
La noble race et l'honorée!
Une pareille, née de mère, ne fut jamais.
Sur eux nulle terre ne sera conquise.
Ahi! Gormont, roi empereur,
Comme vous aviez la face claire,   55
La mine belle et colorée,
Comme vous l'avez maintenant déteinte et
    changée!

Ah! Louis, bon empereur,
Comme tu as aujourd'hui bien protégé la France
Et Gormont l'a payé cher!   60
Je ne ferai pas défaut à son armée,
Aussi longtemps que je pourrai ceindre une épée. »
Isembart dit de sa voix claire:
« Où fuyez-vous, race égarée,
Sans seigneur en terre étrangère?   65
Rebroussez chemin en arrière,
Nous vengerons notre empereur. »

1. *Racontez l'action du poème.*
2. *Dressez une liste des verbes employés dans ce poème. Dénotent-ils le repos ou le mouvement?*
3. *Ces verbes rendent-ils le poème plus mouvementé? Plus dramatique? Pourrait-on affirmer que le verbe est l'élément grammatical le plus important dans un poème narratif? Justifiez votre réponse.*
4. *D'après les indications données dans le texte, brossez les portraits des trois personnages principaux. Sont-ils très différents les uns des autres?*

5. *Quel est l'adjectif qui décrit la réaction du roi Louis en voyant ses chevaliers mourir? Lequel décrit sa réaction lorsque les dards de Gormont le frappent?*
6. *La psychologie du roi Louis vous paraît-elle bien dévelopée? Le portrait de Gormont bien dessiné du point de vue psychologique?*

[5] helmet
[6] *coiffe . . . haubert:* headpiece of the hauberk [long garment of mail]

7. *A cet égard comparez Isembart aux deux autres personnages principaux. Décrivez sa réaction devant la mort de Gormont.*

8. *Quelle est l'impression dominante que le poète veut nous donner? L'impression du pathétique? Celle du sublime? Quelles vertus veut-il louer? L'héroïsme? Le dévouement?*

9. *Quel est le but du poème? Instruire? Édifier? Inspirer? Divertir?*

Laustic[1]

Le Lai de l'oiselet

MARIE DE FRANCE (c. 1175)

Une aventure vous dirai
Dont les Bretons firent un lai;
Laustic a nom, ce m'est avis
(Si l'appellent en leur pays):
C'est le *rossignol* en français,   5
Et le *nightingale* en droit anglais.

A Saint-Malo en la contrée
Fut une ville renommée.
Deux chevaliers là demeuraient
Et deux proches maisons avaient.   10
Par la bonté des deux barons
Fut de la ville bon le nom.
L'un avait femme épousée
Sage, courtoise et acesmée[2]
A merveille se tenait chère   15
Selon l'usage et la manière
Et l'autre fut un bachelier
— Très bien connu entre ses pairs —
De prouesse, de grand valeur;
Et volontiers faisait honneur,   20
Moult tournoyait et dépensait
Et bien donnait ce qu'il avait.
La femme son voisin aima:
Tant la requit, tant la pria
Et tant il eut en lui grand bien,   25
Qu'elle l'aima sur toute rien
Tant pour le bien qu'elle en ouit

Que pour ce qu'il fut près de lui.[3]
Sagement et bien s'entr'aimèrent
Moult[4] se couvrirent et gardèrent   30
Qu'ils en fussent aperceüs
Ni dérangés ni mécreüs.
Et ce le pouvaient-ils bien faire,
Car près étaient leurs deux repaires,
Prochaines eurent leurs maisons   35
Et leurs salles et leurs donjons.
N'y avait ni barre ni divise[5]
Fors un haut mur de pierre bise.
De la chambre où la dame gisait
Quand à la fenêtre elle était   40
Pouvait parler à son ami
Lui de là-bas, elle d'ici,
Et leurs cadeaux échanger
Et par jeter et par lancer.
Moult étaient tous les deux à aise,   45
Fors tant qu'ils ne pouvaient venir
Du tout ensemble à leur plaisir;
Car la dame est bien gardée,
Quand l'autre était en la contrée.
Ou fût par nuit ou fût par jour   50
Qu'ensemble ils pouvaient parler;
Nul ne les pouvait ce garder
Qu'à la fenêtre ne venissent
Et illec[6] ne s'entreveïssent.
Longuement se sont entr'aimés   55
Tant que ce vint à un été
Que bois et prés sont reverdis
Et les vergers furent fleuris.
Les oiselets par grand douceur
Mènent leur joie dessus la fleur.   60
Qui amour a à son talent,[7]
N'est merveille s'il y entend.
Du chevalier vous dirai voir:[8]
Il y entend à son pouvoir,
Et la dame de l'autre part,   65
Et de parler et de regard.
La nuit quand la lune luisait
Et son sire couché était
De jouste[9] lui souvent levait
Et de son mantel s'affublait.   70
A la fenêtre ester[10] venait

---

[1] This version in modern French is based chiefly on that of Régine Pernoud, *La Poésie médiévale française* (Paris, Editions du Chêne, 1947)

[2] [O.F.] charming

[3] *d'elle*

[4] [intensifier varying in meaning according to context: much, very, etc.]

[5] [O.F.] division

[6] [O.F.] there

[7] [O.F.] wish

[8] [O.F.] *vrai*

[9] [O.F.] from alongside

[10] [O.F.] standing

Pour son ami qu'elle savait
Que telle vie y démenait
Et le plus de la nuit venait.
Plaisir ils avaient à se voir   75
Quand plus ils ne pouvaient avoir.
Tant elle y fut, tant y leva
Que son sire s'en courrouça
Et mantes fois lui demanda
Pourquoi levait et où alla.   80
« Sire, la dame lui répond,
Il n'en a joie en ce monde
Qui n'entend le laustic chanter.
Pour ce me vais ici ester;
Tant doucement l'ouis la nuit   85
Que moult me semble grand déduit.[11]
Tant me délecte et tant le veuil
Que je ne puis dormir de l'œil. »
Quand le sire ouit qu'elle dit,
D'ire et de mautalent en rit;   90
D'une chose se pourpensa:
Que le laustic engignera.
Il n'eut valet en sa maison
Ne fasse engins, rets ou laçons;
Puis les mettent par le verger.   95
N'y eut coudre ni châtaignier
Où ils ne mettent lacs ou glu
Tant que l'ont pris et retenu.
Quand le laustic ils eurent pris
Au seigneur fut rendu tout vif.   100
Moult en fut gai, quand il le tint;
Aux chambres de sa dame vint.
« Dame, fait-il, où êtes-vous?
Venez avant! Parlez à nous!
Que j'ai le laustic englué   105
Pour qui vous avez tant veillé.
Dès or pouvez gésir en paix,
Il ne vous éveillera mais! »
Quand la dame l'entendu,
Dolente et courrouceuse fut.   110
A son seigneur l'a demandé,
Et il l'occit par angreté.[12]
Le col lui rompt de ses deux mains:
De ce fit-il que trop vilain.
Sur le dame le corps jeta,   115
Que sa chemise ensanglanta
Un peu dessus le sein devant;
De la chambre en sortit atant.
La dame prend le corps petit,
Durement pleure et si maudit   120
Tous ceux qui le laustic trahirent

Et les engins et laçons firent,
Car moult lui ont ravi grand joie.
« Ne pourrai mais la nuit lever
N'aller à la fenêtre ester   125
Où je soulais mon ami voir.
Une chose sais-je de voir,
Il croira que j'essaie de feindre
De ce m'estuet[13] quel conseil prendre:
Le laustic tôt lui transmettrai;   130
L'aventure lui manderai! »
En une pièce de samit
A or brodé a tout écrit
Et l'oiselet enveloppé.
Un sien valet a appelé;   135
Son message lui a chargé,
A son ami l'a envoyé.
Cil est au chevalier venu,
De part sa dame dit salut
Tout son message lui conta   140
Et le laustic lui présenta.
Quand tout lui a dit et montré
— Et il l'avait bien écouté —
De l'aventure fut dolent
Mais ne fut pas vilain ni lent.   145
Un vaisselet[14] a fait forger.
Oncques n'y eut fer ni acier
Tout fut d'or fin et belles pierres
Moult précieuses et moult chères;
Couvercle y eut très bien assis.   150
Le laustic y a dedans mis
Puis fit la chasse ensceëller
Toujours l'eut avec lui portée.

Cette aventure fut contée,
Ne put être longtemps celée.   155
Un lai en firent les Bretons
Le Laustic l'appellent les hommes.

This poem, by the first great poetess of the Middle Ages, is typical of the conception of love called courtly love. In the high Middle Ages, aristocratic circles subordinated primitive, sensual relations between the sexes to a more spiritual, though not necessarily religious, ideal. Courtly love reaches its highest expression in poetic symbols and, perhaps most typical of all, it is somehow frustrated, difficult, even impossible. (The greatest example of courtly love is that of Dante for

---

[11] [O.F.] pleasure
[12] [O.F.] anger

[13] [O.F.] de ce m'estuet: from this I must (decide)
[14] [O.F.] a coffer

Beatrice.) But the obstacles—be they a jealous husband, a difference in social rank or geographical separation—are necessary to this love which finds its satisfaction in lyricism rather than in deeds.

"Laustic" is a drama that achieves its intensity through understatement, through the suppression of all but the most essential bits of dialogue. Note that the lady never speaks to her lover; and the words which her husband says to her only suggest the intensity of a domestic drama which does not become explicit. Finally, the drama achieves its resolution in a symbol, the murdered nightingale. The sophistication of the manner in which the story is told is a perfect counterpart to the refined conception of love which it embodies.

1. *Quels sont les événements principaux de ce poème? Lequel de ces événements noue l'action ou l'intrigue du poème? Lequel la porte à son dénouement?*

2. *Quel est l'obstacle à l'amour du chevalier et de la dame?*

3. *En quel sens leur amour est-il né de cet obstacle?*

4. *Comment le poète prépare-t-il le symbole central du laustic? Considérez à cet égard les vers 55–62.*

5. *Le laustic est le symbole dominant du poème. Comment ce symbole donne-t-il plus d'unité au poème? Comment rattache-t-il le thème aux événements?*

6. *Pourquoi, à partir du vers 81, le poète abandonne-t-il la narration pour le dialogue? Quels sont les avantages du dialogue?*

7. *Est-ce que le baron accuse sa femme d'infidélité? Comment peut-on expliquer sa violence envers le laustic?*

8. *Analysez le caractère du baron tel qu'il se révèle dans les vers 103–108.*

9. *Le sang du laustic est répandu sur la chemise de la dame. En quel sens ce sang est-il une menace? Un sacrement? Et enfin une union corporelle des deux amants?*

10. *Est-ce que le geste de l'amant, qui enferme le laustic dans une boîte et le porte toujours avec*

lui, est un véritable dénouement du drame? Quel autre dénouement plus violent pourrait-on imaginer?

11. *Trouvez les mots-clefs qui suggèrent les différents aspects de l'amour courtois.*

Chanson

AUTEUR INCONNU (XIIIe SIÈCLE)

Por quoi me bat mes maris,
    lassette?[1]
Je ne li ai riens mesfait
ne riens ne li ai mesdit,
fors qu'accoler mon ami   5
    seulette.
Por quoi me bat mes maris,
    lassette?

Et s'il ne m'y lait[2] durer
ne bonne vie mener,   10
je le ferai cous[3] clamer,
    a certes.
Por quoi me bat mes maris,
    lassette?

Or sai bien que je ferai   15
et coment m'en vengerai:
avec mon ami girai[4]
    nuette.
Por quoi me bat mes maris,
    lassette?   20

Pastourelle

THIBAUT, COMTE DE CHAMPAGNE
(1201–1253)

The *pastourelle* was highly popular with medieval poets. It tells of a knight's efforts to seduce a shepherdess or *pastourelle*.

[1] miserable (as I am)
[2] *laisse*
[3] cuckold
[4] I will lie down

J'allais l'autrier[1] errant
    Sans compagnon
Sur mon palefroi, pensant
    A faire une chanson
Quand j'oï,[2] ne sais comment,   5
    Lez[3] un buisson
La voix du plus bel enfant
    Qu'onques veïst nus hom;[4]
Et n'était pas enfant si
N'eût[5] quinze ans et demi,   10
N'onques nul rien ne vis[6]
    De si gente façon.

Vers li m'en vais maintenant,
    Mis l'a raison:[7]
« Belle, dites moi comment,   15
    Pour Dieu, vous avez nom! »
Et elle saut maintenant
    A son bâton:
« Si vous venez plus avant
    Ja vroiz la tençon.[8]   20
Sire, fuyez vous de ci!
N'ai cure de tel ami,
Que j'ai mult plus beau choisi,
    Qu'on claime[9] Robeçon. »

Quant je la vis esfreer[10]   25
    Si durement
Qu'elle ne me daigne regarder
    Ne faire autre semblant,
Lors commençai a penser
    Comfaitement[11]   30
Elle me pourrait aimer
    Et changer son talent.[12]
A terre lez li m'assis
Quand plus regarde son cler vis,
Tant est plus mon cœur épris.   35
    Qui double mon talent.

Lors le pris a demander
    Mult bellement

Que me daignast regarder[13]
    Et faire autre semblant.   40
Elle commence a plorer
    Et dit itant:
« Je ne vous puis écouter;
    Ne sais qu'allez querant. »
Vers li me trais, si li dis: 45
« Ma belle, pour Dieu merci! »
Elle rit, si répondit:
    « Ne faites pour la gent! »[14]

Devant moi lors la montai
    De maintenant   50
Et trestout droit m'en allai
    Vers un bois verdoyant.
Aval les prés regardai,
    S'oi criant[15]
Deux pastors parmi un blé,   55
    Qui venaient huant
Et leverent un grand cri.
Assez fis plus que ne dis.
Je la les, si m'en foï,
N'ai cure de tel gent.[16]   60

1. *Quel événement forme le dénouement du poème? Citez les vers qui s'y rapportent.*
2. *Est-ce que le chevalier comprend bien la psychologie de la bergère? Appuyez votre réponse sur le texte.*
3. *En quel sens la conduite du chevalier reflète-t-elle une attitude typiquement masculine?*
4. *Comment la finesse psychologique du portrait rend-elle cette histoire vivante?*
5. *Remarquez (vers 3, 4) que le chevalier pensait à faire une chanson. A-t-il fait la chanson qu'il voulait? Est-il conscient de la tournure ironique de son aventure?*
6. *Est-ce que les distinctions de classe jouent un rôle important dans le poème? Est-ce un document social?*
7. *Trouvez les mots-clefs qui font ressortir un aspect documentaire du poème.*

[1] *l'autre jour*
[2] *I heard*
[3] *near*
[4] *Qu'onques . . . hom: Qu'aucun homme a jamais vu.*
[5] *Et . . . N'eut: Elle n'etait pas si enfant qu'elle n'eût .*
[6] *N'onques . . . vis: Je n'ai jamais rien vu . . .*
[7] *Mis l'a raison: I began to speak with her*
[8] *Ja . . . tençon: You'll have trouble*
[9] *named*
[10] *s'effrayer*
[11] *comment*
[12] *desire*

[13] *daigne me regarder*
[14] *because of the people [who might see us]*
[15] *J'ai entendu crier . . .*
[16] *Je la laisse, je m'en suis enfui, Je ne me souciais pas de tels gens.*

Complainte populaire du XVe siècle

Complainte populaire du XVe siècle

AUTEUR INCONNU

« Gentilz gallans de France,
Qui en la guerre allez,
Je vous prie qu'il vous plaise
Mon amy saluer. »

« Comment le saluroye   5
Quand point ne le congnois? »
« Il est bon a congnoistre,
Il est de blanc armé;

« Il porte la croix blanche,
Les esperons dorez,   10
Et au bout de sa lance
Ung fer d'argent doré. »

« Ne plorez plus, la belle,
Car il est trespassé:
Il est mort en Bretaigne,   15
Les Bretons l'ont tué.

« J'ay veu faire sa fousse
L'orée[1] d'ung vert pré,
Et veu chanter sa messe
A quatre cordelliers. »[2]   20

1. *Trouvez-vous l'entrée en matière trop brusque? En quoi cette brusquerie contribue-t-elle à l'effet du poème?*
2. *La jeune fille demande des nouvelles de son amant sans même le décrire: Pourquoi présume-t-elle que le soldat le connaisse?*
3. *Que dit le soldat à la jeune fille en guise de consolation?*
4. *Pourquoi ne répond-elle pas?*
5. *Y a-t-il des descriptions? Comment le poète indique-t-il la classe sociale des personnages dans ce texte qui n'est que dialogue d'un bout à l'autre?*
6. *Comment l'anonyme de tous les personnages rend-il le poème émouvant?*

[1] [O.F.] on the edge of
[2] Franciscan monks

Madrigal

PIERRE PATRIX (1583–1671)

Je songeais cette nuit que, de mal consumé,
Côte à côte d'un pauvre on m'avait inhumé,
Et que, n'en pouvant pas souffrir le voisinage,
En mort de qualité je lui tins ce langage:
« — Retire-toi, coquin; va pourrir loin d'ici.   5
Il ne t'appartient pas de m'approcher ainsi.
— Coquin? ce me dit-il d'une arrogance extrême;
Va chercher tes coquins ailleurs, coquin toi-même;
Ici tous sont égaux; je ne te dois plus rien,
Je suis sur mon fumier comme toi sur le tien. »   10

D'habitude un madrigal est un court poème d'un ton tendre et galant traitant d'un sujet assez mince. Commentez l'emploi de ce titre pour ce poème.

Les Animaux malades de la peste

JEAN DE LA FONTAINE (1621–1695)

Un mal qui répand la terreur,
Mal que le ciel en sa fureur
Inventa pour punir les crimes de la terre,
La peste (puisqu'il faut l'appeler par son nom),
Capable d'enrichir en un jour l'Achéron,[1]   5
Faisait aux animaux la guerre.
Ils ne mouraient pas tous, mais tous étaient
                                                       frappés.
On n'en voyait point d'occupés
A chercher le soutien d'un mourante vie;
Nul mets[2] n'excitait leur envie.   10
Ni loup ni renard n'épaient
La douce et l'innocente proie.
Les tourterelles se fuyaient;
Plus d'amour, partant plus de joie.
Le lion tint conseil, et dit: « Mes chers amis,   15
Je crois que le ciel a permis
Pour nos péchés cette infortune.
Que le plus coupable de nous
Se sacrifie aux traits du céleste courroux:
Peut-être il obtiendra la guérison commune.   20
L'histoire nous apprend qu'en de tels accidents

[1] one of the rivers of Hades which could be crossed only once
[2] delicacy

On fait de pareils dévouements.
Ne nous flattons donc point, voyons sans
                                    indulgence
    L'état de notre conscience.
Pour moi, satisfaisant mes appétits gloutons,   25
    J'ai dévoré force³ moutons.
    Que m'avaient-ils fait? Nulle offense.
Même il m'est arrivé quelquefois de manger
            Le berger.
Je me dévouerai donc, s'il le faut; mais je pense   30
Qu'il est bon que chacun s'accuse ainsi que moi:
Car on doit souhaiter, selon toute justice,
    Que le plus coupable périsse.
— Sire, dit le renard, vous êtes trop bon roi;
Vos scrupules font voir trop de délicatesse;   35
Eh bien! manger moutons, canaille,⁴ sotte espèce,
Est-ce un péché? Non, non: vous leur fîtes,
                                Seigneur,
    En les croquant beaucoup d'honneur;
    Et quant au berger, l'on peut dire
    Qu'il était digne de tous maux,   40
Etant de ces gens qui sur les animaux
    Se font un chimérique empire. »
Ainsi dit le renard, et flatteurs d'applaudir.
    On n'osa trop approfondir.
Du tigre, ni de l'ours, ni des autres puissances,   45
    Les moins pardonnables offenses.
Tous les gens querelleurs, jusqu'aux simples
                                mâtins,⁵
Au dire de chacun étaient de petits saints.
L'âne vint à son tour et dit: « J'ai souvenance⁶
    Qu'en un pré de moines passant,   50
La faim, l'occasion, l'herbe tendre, et, je pense,
    Quelque diablé aussi me poussant,
Je tondis de ce pré la largeur de ma langue.
Je n'en avais nul droit, puisqu'il faut parler net. »
A ces mots, on cria haro⁷ sur le baudet.⁸   55
Un loup quelque peu clerc prouva par sa harangue
Qu'il fallait dévouer ce maudit animal,
Ce pelé,⁹ ce galeux,¹⁰ d'où venait tout le mal.
Sa peccadille fut jugée un cas pendable.
Manger l'herbe d'autrui! quel crime abominable!   60
    Rien que la mort n'était capable

---

³ many
⁴ riff-raff
⁵ mastiffs
⁶ J'ai souvenance: je me souviens
⁷ on . . . haro: they turned on
⁸ l'âne
⁹ bald-pate, i.e., nobody
¹⁰ afflicted with scabies, i.e., one whose presence is to
be avoided

D'expier son forfait:¹¹ on le lui fit bien voir.
Selon que serez puissant ou misérable,
Les jugements de cour vous rendront blanc ou
                                noir.

1. *Racontez l'action du poème. Vous semble-t-elle violente et emportée ou sobre et mesurée?*

2. *Remarquez le vers 4. Pourquoi le poète hésite-t-il à appeler la peste par son nom?*

3. *Quoiqu'il s'agisse de plusieurs animaux est-il vrai qu'en général La Fontaine évite d'employer des détails réalistes? Appuyez votre réponse sur le texte.*

4. *Si le lion représente le grand siegneur, que représente le renard? Est-ce que sa flatterie présume déjà de l'hypocrisie du lion?*

5. *Comment faut-il voir les animaux—comme des hommes? Comme des symboles des vices?*

6. *Quelle morale faut-il tirer de cette fable? Est-ce que La Fontaine met l'accent sur la morale ou sur les événements?*

7. *Le style de La Fontaine est fondé sur un argument logique incorporé dans une situation dramatique. Ce style vous semble-t-il apte à l'expression d'une telle morale? Justifiez votre réponse.*

8. *La Fontaine est-il optimiste? Pessimiste? Ces catégories conviennent-elles ici?*

Les Deux Pigeons

JEAN DE LA FONTAINE (1621–1695)

Deux pigeons s'aimaient d'amour tendre.
L'un d'eux, s'ennuyant au logis,
Fut assez fou pour entreprendre
Un voyage en lointain pays.
L'autre lui dit: « Qu'allez-vous faire?   5
Voulez-vous quitter votre frère?
L'absence est le plus grand des maux:
Non pas pour vous, cruel. Au moins, que les
                                travaux,

---

¹¹ crime

Les dangers, les soins du voyage,
        Changent un peu votre courage.
Encor si la saison s'avançait davantage!   10
Attendez les zéphyrs. Qui vous presse? Un corbeau
Tout à l'heure annonçait malheur à quelque oiseau.
Je ne songerai plus que rencontre funeste,
Que faucons, que réseaux.[1] « Hélas! dirai-je, il
                                            pleut,   15
        «Mon frère a-t-il tout ce qu'il veut,
        « Bon soupé, bon gîte,[2] et le reste? »
        Ce discours ébranla le cœur
        De notre imprudent voyageur,
Mais le désir de voir et l'humeur inquiète   20
L'emportèrent enfin. Il dit: « Ne pleurez point:
Trois jours au plus rendront mon âme satisfaite;
Je reviendrai dans peu conter de point en point
        Mes aventures à mon frère.
Je le désennuierai: quiconque ne voit guère   25
N'a guère à dire aussi. Mon voyage dépeint
        Vous sera d'un plaisir extrême
Je dirai: « J'étais là; telle chose m'avint. »
        Vous y croirez être vous-même. »
A ces mots, en pleurant ils se dirent adieu.   30
Le voyageur s'éloigne, et voilà qu'un nuage
L'oblige de chercher retraite en quelque lieu.
Un seul arbre s'offrit, tel encor que l'orage
Maltraita le pigeon en dépit du feuillage.
L'air devenu serein, il part tout morfondu,[3]   35
Sèche du mieux qu'il peut son corps chargé de
                                            pluie,
Dans un champ à l'écart voit du blé répandu
Voit un pigeon auprès: cela lui donne envie
Il y vole, il est pris: ce blé couvrait d'un lacs[4]
        Les menteurs et traîtres appas.   40
Le lacs était usé; si bien que de son aile,
De ses pieds, de son bec, l'oiseau le rompt
                                            enfin.
Quelque plume y périt, et le pis du destin
Fut qu'un certain vautour[5] à la serre[6] cruelle
Vit notre malheureux qui, traînant la ficelle   45
Et les morceaux du lacs qui l'avait attrapé,
        Semblait un forçat echappé.
Le vautour s'en allait le lier, quand des nues
Fond à son tour un aigle aux ailes étendues.
Le pigeon profita du conflit des voleurs,   50
S'envola, s'abattit auprès d'une masure,[7]

Crut pour ce coup que ses malheurs
        Finiraient par cette aventure;
Mais un fripon d'enfant (cet âge est sans pitié)
Prit sa fronde,[8] et du coup tua plus d'à moitié   55
        La volatile[9] malheureuse,
        Qui, maudissant sa curiosité,
        Traînant l'aile et tirant le pié,[10]
        Demi-morte et demi-boiteuse,
        Droit au logis s'en retourna.   60
        Que bien que mal elle arriva
        Sans autre aventure fâcheuse.
Voilà nos gens rejoints; et je laisse à juger
De combien de plaisirs ils payèrent leurs peines.
Amants, heureux amants, voulez-vous voyager?   65
        Que ce soit aux rives prochaines;
Soyez-vous l'un à l'autre un monde toujours beau,
        Toujours divers, toujours nouveau;
Tenez-vous lieu de tout, comptez pour rien le reste.
J'ai quelquefois aimé; je n'aurais pas alors   70
        Contre le Louvre[11] et ses trésors
Contre le firmament et sa voûte céleste,
        Changé les bois, changé les lieux
Honorés par les pas, éclairés par les yeux
        De l'aimable et jeune bergère   75
        Pour qui sous le fils de Cythère[12]
Je servis engagé par mes premiers serments.
Hélas! quand reviendront de semblables moments?
Faut-il que tant d'objets si doux et si charmants
Me laissent vivre au gré de mon âme inquiète?   80
Ah! si mon cœur osait encor se renflammer!
Ne sentirai-je plus de charme qui m'arrête?
        Ai-je passé le temps d'aimer?

La Jeune Tarentine

ANDRÉ CHÉNIER (1762–1794)

Chénier's theme of a young virgin, drowned on the way to her wedding, is taken from the Greeks, although the first verses of the poem are based on some lines of the Astronomica, *a Latin poem by Marcus Manilius who wrote around the*

[1] nets
[2] resting-place
[3] chilled to the bone
[4] snare
[5] vulture
[6] talon
[7] building in ruin

[8] sling-shot
[9] winged creature
[10] *pied*
[11] the royal palace, already in the 17th century a rich repository of art treasures
[12] *le fils de Cythère:* Cupid, son of Venus, who was often referred to as Cytherea

start of the Christian era. Like many of his contemporaries, Chénier took classical themes and poetic forms as his models. To what use does he put these borrowings?

Pleurez, doux alcyons![1] ô vous, oiseaux sacrés,
Oiseaux chers à Thétis,[2] doux alcyons, pleurez!
Elle a vécu, Myrto, la jeune Tarentine![3]
Un vaisseau la portait aux bords de Camarine:[4]
Là, l'hymen, les chansons, les flûtes, lentement   5
Devaient la reconduire au seuil de son amant.
Une clef vigilante a, pour cette journée,
Dans le cèdre[5] enfermé sa robe d'hyménée,
Et l'or dont au festin ses bras seraient parés,
Et pour ses blonds cheveux les parfums préparés.   10
Mais, seule sur la proue, invoquant les étoiles,
Le vent impétueux qui soufflait dans les voiles
L'enveloppe: étonnée et loin des matelots,
Elle crie, elle tombe, elle est au sein des flots.

Elle est au sein des flots, la jeune Tarentine!   15
Son beau corps a roulé sous la vague marine.
Thétis, les yeux en pleurs, dans le creux d'un
                                              rocher,
Aux monstres dévorants eut soin de le cacher.
Par ses ordres bientôt les belles Néréides[6]
L'élèvent au-dessus des demeures humides,   20
Le portent au rivage, et dans ce monument
L'ont au cap du Zéphir[7] déposé mollement;
Puis de loin, à grands cris appelant leurs
                                          compagnes,
Et les nymphes des bois, des sources, des
                                          montagnes,
Toutes, frappant leur sein et traînant un long
                                          deuil,   25
Répétèrent, hélas! autour de son cercueil:

[1] mythological bird, halcyon, said to make its nest only on a calm sea; thus, a good omen. Notice how the poet stresses this meaning in his adjectives
[2] a sea goddess, mother of Achilles
[3] inhabitant of Tarentum (Taranto) on the upper part of the heel within the instep of the boot of Italy. The poet calls *la jeune Tarentine* Myrto, a reminiscence of his readings of the poet said to be the father of pastoral poetry, the Greek Theocritus, who flourished around 270 B.C., author of *Idylls* and *Epigrams*
[4] a Sicilian port on the southwest coast of the island, founded 598 B.C. and destroyed 258 B.C.
[5] cedar chest
[6] sea nymphs
[7] a cape on the Bruttium coast which you pass when you sail from Tarentum to Camarina

« Hélas! chez ton amant tu n'es point
                                          ramenée;
Tu n'as point revêtu ta robe d'hyménée;
L'or autour de tes bras n'a point serré de nœuds;
Les doux parfums n'ont point coulé sur tes
                                          cheveux. »   30

Clair de lune

VICTOR HUGO (1802–1885)

The Greek War of Independence from the Ottoman Empire began in 1821. In 1827, upon the formation of a Free Greek Government, France, England, and Russia demanded that Turkey sign an armistice. When she refused, the allies attacked her. In 1828 Paris newspapers reported that the Sultan disposed of his prisoners by throwing them into the Bosporous Strait. But long before 1828, drowning had been the traditional Turkish method of eliminating rivals for the throne and of punishing unfaithful wives.

La lune était sereine et jouait sur les flots. —
La fenêtre enfin libre est ouverte à la brise,
La sultane[1] regarde, et la mer qui se brise,
Là-bas, d'un flot d'argent brode les noirs flots.

De ses doigts en vibrant s'échappe la guitare.   5
Elle écoute . . . Un bruit sourd frappe les sourds
                                          échos.
Est-ce un lourd vaisseau turc qui vient des eaux
                                          de Cos,[2]
Battant l'archipel grec de sa rame tartare?

Sont-ce des cormorans[3] qui plongent tour à tour,
Et coupent l'eau, qui roule en perles sur leur aile?   10
Est-ce un djinn[4] qui là-haut siffle d'une voix grêle,[5]
Et jette dans la mer les créneaux[6] de la tour?

Qui trouble ainsi les flots près du sérail des
                                          femmes? —
Ni le noir cormoran, sur la vague bercé,

[1] the sultaness
[2] Aegean island
[3] cormorants
[4] jinn [in Arabic, a demon, not necessarily malevolent]
[5] high-pitched
[6] battlements

Ni les pierres du mur, ni le bruit cadencé 15
D'un lourd vaisseau, rampant sur l'onde des rames.

Ce sont des sacs pesants, d'où partent des sanglots.
On verrait, en sondant la mer qui les promène,
Se mouvoir dans leurs flancs comme une forme
                     humaine . . . —
La lune était sereine et jouait sur les flots. 20

1. *Remarquez le fait que les vers 3 et 4 de la première strophe ne contiennent, après la virgule, presque exclusivement que des mots d'une syllabe. Pensez vous que l'effet soit de rendre le rythme des vers plus ou moins régulier?*
2. *Pouvez-vous trouver d'autres formes de répétition? Y a-t-il par exemple abondance de* r *ou d'autres sons liquides?*
3. *Comment les répétitions contribuent-elles à la description et l'évocation de la mer? A cet égard remarquez aussi dans la deuxième strophe la répétition de* sourd *et de* lourd.
4. *Comment l'entrée en matière est-elle préparée? quel préambule précède l'action du poème?*
5. *Qu'est-ce que ce préambule ajoute au poème? tension dramatique? intensité? une optique? Justifiez vos réponses.*
6. *Dans ce poème le cadre de l'action (dont ce préambule fait partie) est aussi important que l'action elle-même. Analysez la fonction des autres éléments du poème (par exemple les effets de sons) par rapport à son action.*
7. *Est-ce qu'Hugo insiste sur l'horreur du crime? Ou préfère-t-il mettre devant nos yeux une évocation plus ou moins objective et dépouillée?*
8. *Comparez ce texte au suivant, où le poète insiste sur la morale à tirer du poème.*

Souvenir de la nuit du quatre

VICTOR HUGO (1802–1885)

Louis-Napoléon, nephew of the great emperor, had been elected President of the Deuxième République. Wishing to consolidate his power and to become emperor in his turn, he dissolved the Assembly and arrested the opposition leaders in a coup d'état which began on the night of December 2, 1851. The brief opposition, in which Hugo participated before his flight to Belgium and England, lasted for several days.

L'enfant avait reçu deux balles dans la tête.
Le logis était propre, humble, paisible, honnête;
On voyait un rameau bénit[1] sur un portrait.
Une vieille grand'mère était là qui pleurait.
Nous le déshabillions en silence. Sa bouche, 5
Pâle, s'ouvrait; la mort noyait son œil farouche;
Ses bras pendants semblaient demander des appuis.
Il avait dans sa poche une toupie[2] en buis.[3]
On pouvait mettre un doigt dans les trois de ses
                    plaies.
Avez-vous vu saigner la mûre[4] dans les haies? 10
Son crâne était ouvert comme un bois qui se fend.
L'aïeule regarda déshabiller l'enfant,
Disant: — Comme il est blanc! approchez donc la
                    lampe.
Dieu! ses pauvres cheveux sont collés sur sa
                    tempe! —
Et quand ce fut fini, le prit sur ses genoux. 15
La nuit était lugubre; on entendait des coups
De fusil dans la rue où l'on en tuait d'autres.
— Il faut ensevelir l'enfant, dirent les nôtres,
Et l'on prit un drap blanc dans l'armoire en
                    noyer.[5]
L'aïeule cependant l'approchait du foyer, 20
Comme pour réchauffer ses membres déjà roides.
Hélas! ce que la mort touche de ses mains froides
Ne se réchauffe plus aux foyers d'ici-bas!
Elle pencha la tête et lui tira ses bas,
Et dans ses vieilles mains prit les pieds du cadavre. 25
— Est-ce que ce n'est pas une chose qui navre!
Cria-t-elle; monsieur, il n'avait pas huit ans!
Ses maîtres, il allait en classe, étaient contents.
Monsieur, quand il fallait que je fisse une lettre,
C'est lui qui l'écrivait. Est-ce qu'on va se mettre 30
A tuer les enfants maintenant? Ah! mon Dieu!
On est donc des brigands? Je vous demande un peu,
Il jouait ce matin, là, devant la fenêtre!
Dire qu'ils m'ont tué ce pauvre petit être!

[1] *rameau bénit:* palm branch [a memento of a Palm Sunday]
[2] child's toy top
[3] box-wood
[4] mulberry
[5] walnut

Il passait dans la rue, ils ont tiré dessus.   35
Monsieur, il était bon et doux comme un Jésus.
Moi je suis vieille, il est tout simple que je parte;
Cela n'aurait rien fait à monsieur Bonaparte
De me tuer au lieu de tuer mon enfant! —
Elle s'interrompit, les sanglots l'étouffant,   40
Puis elle dit, et tous pleuraient près de l'aïeule:
— Que vais-je devenir à présent toute seule?
Expliquez-moi cela, vous autres, aujourd'hui.
Hélas! je n'avais plus de sa mère que lui.
Pourquoi l'a-t-on tué? je veux qu'on me l'explique.   45
L'enfant n'a pas crié vive la République. —

Nous nous taisions, debout et graves, chapeau bas,
Tremblant devant ce deuil qu'on ne console pas.

    Vous ne compreniez point, mère, la politique.
Monsieur Napoléon, c'est son nom authentique,   50
Est pauvre, et même prince; il aime les palais;
Il lui convient d'avoir des chevaux, des valets,
De l'argent pour son jeu, sa table, son alcôve,[6]
Ses chasses;[7] par la même occasion, il sauve
La famille, l'église et la société;   55
Il veut avoir Saint-Cloud,[8] plein de roses l'été,
Où viendront l'adorer les préfets et les maires;
C'est pour cela qu'il faut que les vieilles
                          grand'mères,
De leurs pauvres doigts gris que fait trembler le
                          temps,
Cousent dans le linceul des enfants de sept ans.   60

1. *Pourquoi le poète a-t-il choisi d'abréger l'histoire en ne commençant qu'après la mort de l'enfant?*
2. *Caractérisez le style d'Hugo en décrivant le petit garçon et sa grand'mère: -est-il sentimental? exagéré? emphatique ou sobre? objectif?*
3. *Le pathétique de cette scène vient-il des observations du poète ou de celles de la grand'mère?*
4. *Malgré l'incapacité de la grand'mère à s'exprimer et son style pauvre, ressent-on pleinement le pathétique de cette scène?*
5. *Par rapport aux questions 2, 3, et 4 analysez les vers 26–30. Que pensez-vous du verbe* navrer *(au vers 26)? Exprime-t-il pleinement la douleur de la grand'mère?*
6. *Quel est le commentaire de la grand'mère sur*

[6] bed-chamber
[7] hunts
[8] former imperial residence famed for its park

le coup d'état (vers 30–32)? Comparez-le à celui du poète lui-même à la fin du poème.

La Colère de Samson

ALFRED DE VIGNY (1797–1863)

Le désert est muet, la tente est solitaire.
Quel pasteur courageux la dressa sur la terre
Du sable et des lions? — La nuit n'a pas calmé
La fournaise du jour dont l'air est enflammé.
Un vent léger s'élève à l'horizon et ride   5
Les flots de la poussière ainsi qu'un lac limpide.
Le lin blanc de la tente est bercé mollement;
L'œuf d'autruche[1] allumé veille paisiblement,
Des voyageurs voilés intérieure étoile,
Et jette longuement deux ombres sur la toile.   10

L'une est grande et superbe, et l'autre est à ses
                          pieds:
C'est Dalila, l'esclave, et ses bras sont liés
Aux genoux réunis du maître jeune et grave
Dont la force divine obéit à l'esclave.
Comme un doux léopard elle est souple, et répand   15
Ses cheveux dénoués aux pieds de son amant.
Ses grands yeux, entr'ouverts comme s'ouvre
                         l'amande,
Sont brûlants du plaisir que son regard demande
Et jettent, par éclats, leurs mobiles lueurs.
Ses bras fins tout mouillés de tièdes sueurs,   20
Ses pieds voluptueux qui sont croisés sous elle,
Ses flancs plus élancés que ceux de la gazelle,
Pressés de bracelets, d'anneaux, de boucles d'or,
Sont bruns; et, comme il sied aux filles de Hatsor,[2]
Ses deux seins, tout chargés d'amulettes anciennes, 25
Sont chastement pressés d'étoffes Syriennes.

Les genoux de Samson fortement sont unis
Comme les deux genoux du colosse Anubis.[3]
Elle s'endort sans force et riante et bercée
Par la puissante main sous sa tête placée.   30
Lui, murmure ce chant funèbre et douloureux
Prononcé dans la gorge avec des mots hébreux.[4]
Elle ne comprend pas la parole étrangère,
Mais le chant verse un somme en sa tête légère.

« Une lutte éternelle en tout temps, en tout lieu   35
Se livre sur la terre, en présence de Dieu,

[1] a type of lamp
[2] Hazor, a Palestinian town
[3] Egyptian jackal-faced god of the dead
[4] Hebrew

Entre la bonté d'Homme et la ruse de Femme
Car la Femme est un être impur de corps et d'âme.

« L'Homme a toujours besoin de caresse et
                        d'amour
Sa mère l'en abreuve alors qu'il vient au jour,   40
Et ce bras le premier l'engourdit, le balance
Et lui donne un désir d'amour et d'indolence.
Troublé dans l'action, troublé dans le dessein,
Il rêvera partout à la chaleur du sein,
Aux chansons de la nuit, aux baisers de l'aurore,   45
A la lèvre de feu que sa lèvre dévore,
Aux cheveux dénoués qui roulent sur son front,
Et les regrets du lit, en marchant, le suivront.
Il ira dans la ville, et là les vierges folles
Le prendront dans leurs lacs aux premières paroles.   50
Plus fort il sera né, mieux il sera vaincu,
Car plus le fleuve est grand et plus il est ému.
Quand le combat que Dieu fit pour la créature
Et contre son semblable et contre la Nature
Force l'Homme à chercher un sein où reposer,   55
Quand ses yeux sont en pleurs il lui faut un baiser.
Mais il n'a pas encor fini toute sa tâche:
Vient un autre combat plus secret, traître et lâche;
Sous son bras, sur son cœur se livre celui-là;
Et, plus ou moins, la Femme est toujours DALILA.   60

« Elle rit et triomphe; en sa froideur savante,
Au milieu de ses sœurs elle attend et se vante
De ne rien éprouver des atteintes du feu.
A sa plus belle amie elle en a fait l'aveu:
« Elle se fait aimer sans aimer elle-même.   65
« Un maître lui fait peur. C'est le plaisir qu'elle
                        aime,
« L'Homme est rude et le prend sans savoir le
                        donner.
« Un sacrifice illustre et fait pour étonner
« Rehausse mieux que l'or, aux yeux de ses
                        pareilles,
« La beauté qui produit tant d'étranges merveilles   70
« Et d'un sang précieux sait arroser ses pas. »

— » Donc, ce que j'ai voulu, Seigneur, n'existe pas!
Celle à qui va l'amour et de qui vient la vie,
Celle-là, par orgueil, se fait notre ennemie.
La Femme est à présent pire que dans ces temps   75
Où, voyant les humains, Dieu dit : « Je me repens! »
Bientôt, se retirant dans un hideux royaume,
La Femme aura Gomorrhe et l'Homme aura
                        Sodome,[5]

[5] Biblical cities destroyed by the wrath of God for their unnatural carnal sins, as Vigny indicates in the next two verses

Et, se jetant de loin un regard irrité,
Les deux sexes mourront chacun de son coté.   80

« Eternel! Dieu des forts! vous savez que mon âme
N'avait pour aliment que l'amour d'une femme,
Puisant dans l'amour seul plus de sainte vigueur
Que mes cheveux divins n'en donnaient à mon
                        cœur.
— Jugez-nous. — La voilà sur mes pieds endormie!   85
Trois fois elle a versé des pleurs fallacieux
Qui n'ont pu me cacher la rage de ses yeux;
Honteuse qu'elle était plus encor qu'étonnée
De se voir découverte ensemble et pardonnée;
Car la bonté de l'Homme est forte, et sa douceur   90
Ecrase, en l'absolvant, l'être faible et menteur.

« Mais enfin je suis las. — J'ai l'âme si pesante
Que mon corps gigantesque et ma tête puissante
Qui soutiennent le poids des colonnes d'airain[6]
Ne la peuvent porter avec tout son chagrin.   95
Toujours voir serpenter la vipère dorée
Qui se traîne en sa fange et s'y croit ignorée!
Toujours ce compagnon dont le cœur n'est pas sûr,
La Femme, enfant malade et douze fois impur!
Toujours mettre sa force à garder sa colère   100
Dans son cœur offensé, comme en un sanctuaire
D'où le feu s'échappant irait tout dévorer,
Interdire à ses yeux de voir ou de pleurer,
C'est trop! — Dieu, s'il le veut, peut balayer ma
                        cendre.
J'ai donné mon secret, Dalila va le vendre.   105
Qu'ils seront beaux les pieds de celui qui viendra
Pour m'annoncer la mort! — Ce qui sera, sera! »

Il dit et s'endormit près d'elle jusqu'à l'heure
Où les guerriers, tremblant d'être dans sa demeure,
Payant au poids de l'or chacun de ses cheveux,   110
Attachèrent ses mains et brûlèrent ses yeux,
Le traînèrent sanglant et chargé d'une chaîne
Que douze grands taureaux ne tiraient qu'avec
                        peine,
Le placèrent debout, silencieusement,
Devant Dagon, leur Dieu, qui gémit sourdement   115
Et deux fois, en tournant, recula sur sa base
Et fit pâlir deux fois ses prêtres en extase;
Allumèrent l'encens, dressèrent un festin
Dont le bruit s'entendait du mont le plus lointain,
Et près de la génisse aux pieds du Dieu tuée   120
Placèrent Dalila, pâle prostituée,
Couronnée, adorée et reine du repas,
Mais tremblante et disant : « IL NE ME VERRA
                        PAS! »

[6] brazen

Terre et Ciel! avez-vous tressailli d'allégresse
Lorsque vous avez vu la menteuse maîtresse   125
Suivre d'un œil hagard les yeux tachés de sang
Qui cherchaient le soleil d'un regard impuissant,
Et quand enfin Samson, secouant les colonnes
Qui faisaient le soutien des immenses Pylônes,
Ecrasa d'un seul coup sous les débris mortels   130
Ses trois mille ennemis, leurs diex et leurs autels?
Terre et Ciel! punissez par de telles justices
La trahison ourdie en des amours factices,
Et la délation du secret de nos cœurs
Arraché dans nos bras par des baisers menteurs!   135

Les Effarés

ARTHUR RIMBAUD (1854–1891)

Noirs dans la neige et dans la brume,
Au grand soupirail[1] qui s'allume,
   Leurs culs[2] en rond,

A genoux, cinq petits — misère! —
Regardent le Boulanger faire   5
   Le lourd pain blond.

Ils voient le fort bras blanc qui tourne
La pâte[3] grise et qui l'enfourne[4]
   Dans un trou clair.

Ils écoutent le bon pain cuire.   10
Le Boulanger au gras sourire
   Grogne[5] un vieil air.

Ils sont blottis,[6] pas un ne bouge,
Au souffle du soupirail rouge
   Chaud comme un sein.   15

Quand pour quelque médianoche,[7]
Façonné comme une brioche[8]
   On sort le pain,

Quand, sous les poutres[9] enfumées,
Chantent les croûtes parfumées   20
   Et les grillons,[10]

Que ce trou chaud souffle la vie,
Ils ont leur âme si ravie
   Sous leurs haillons,

Ils se ressentent si bien vivre,   25
Les pauvres Jésus pleins de givre,
   Qu'ils sont là tous,

Collant leurs petits museaux roses
Au treillage, grognant des choses
   Entre les trous,   30

Tout bêtes, faisant leurs prières
Et repliés vers ces lumières
   Du ciel rouvert

Si fort, qu'ils crèvent leur culotte[11]
Et que leur chemise tremblote   35
   Au vent d'hiver.

Anna la Bonne

JEAN COCTEAU (1889–   )

Ah! mademoiselle, ah! mademoiselle,
Mademoiselle Annabel,
Mademoiselle Annabel Lee,
Depuis que vous êtes morte
Vous avez encore embelli.   5
Chaque soir, sans ouvrir la porte,
Vous venez au pied de mon lit.
Mademoiselle, mademoiselle,
Mademoiselle Annabel Lee.

Sans doute vous étiez trop bonne,   10
Trop belle et même trop jolie . . .
On vous portait des fleurs comme sur un autel.
Et moi, j'étais Anna la Bonne,
Anna, la bonne de l'hôtel.
Vous étiez toujours si polie   15
Et peut-être un peu trop polie.
Vous habitiez toujours le grand appartement
Et la chose arriva je ne sais plus comment.

---

  [1] ventilator
  [2] [colloquial] bottoms
  [3] dough
  [4] *enfourner:* put in the oven
  [5] grunts
  [6] huddled against
  [7] [Spanish] meal served after midnight, following a day
of fasting
  [8] type of pastry-bread

  [9] (wooden) beams
  [10] crickets
  [11] *qu'ils . . . culotte:* that they split their trousers

Si. Bref, j'étais celle qu'on sonne.
Vous m'avez sonnée une nuit   20
Comme beaucoup d'autres personnes
Et ce n'est pas assez d'ennuis
Pour . . . enfin . . . pour qu'on assassine.
Nous autres, on travaille, on dort:
Les escaliers . . . les corridors . . .   25
Mais vous, c'étaient les médecines
Pour dormir: « Ma petite Anna,
Voulez-vous me verser dix gouttes . . .
Dix, pas plus ! » Je les verse toutes.
Je commets un assassinat.   30

Que voulez-vous, j'étais la bonne;
Vous étiez si belle, si bonne,
Vous receviez un tas de gens,
Vous dépensiez un tas d'argent,
Et les sourcils qu'on vous épile,[1]   35
Les ongles . . . et le sex-appeal !
Ah ! mademoiselle, mademoiselle,
Mademoiselle Annabel,
Mademoiselle Annabel Lee,
Depuis que vous êtes morte,   40
Vous avez encore embelli.
Mademoiselle . . . mademoiselle . . .
Mademoiselle Annabel Lee.

Vous croyez que l'on me soupçonne —
La police, les médecins . . .   45
Je suis Anna, celle qu'on sonne,
On cherche ailleurs les assassins.

Mais vos princes, vos ducs, vos comtes
Qui vous adoraient à genoux,
Plus rien de ces gens-là ne compte.   50
Le seul secret est entre nous.
Vous pensez que je m'habitue?
Jamais. Elle viendra demain.
Vraiment, ce n'est pas soi qui tue:
Le coupable, c'est votre main.   55
« Dix gouttes, Anna, mes dix gouttes »
Et je verse tout le flacon.
Ah ! cette histoire me dégoûte :
Un jour, je finirai par sauter d'un balcon.

Et cet enterrement ! Avez-vous une idée   60
De ce qu'il coûte, au prix où revient l'orchidée?
Elle devait partir sur son yacht pour Java.
La Java !

    Sonnette.
    On y va. On y va . . . On y va.

[1] *Et . . . épile:* And your plucked eyebrows

1. *Quel préambule précède la révélation du crime d'Anna la bonne?*

2. *Quel est le ton de ce préambule: ironique? sentimental? repentant?*

3. *Quel est l'effet produit quand nous apprenons que c'est Anna qui est coupable?*

4. *Quels détails indiquent qu'Anna la bonne est jalouse d'Annabel Lee?*

5. *Quel contraste dans la condition sociale des deux femmes est accentué? Par quels moyens poètiques le poète souligne-t-il le contraste?*

6. *Remarquez la ressemblance des noms qui sont en effet des anagrammes. Ce fait suggère-t-il que les deux femmes soient semblables à certains égards? Justifiez votre avis.*

7. *Pourquoi Anna dit-elle qu'Annabel Lee était trop bonne, trop belle et même trop jolie? Comment ces qualités ont-elles aggravé la jalousie d'Anna?*

8. *Comment expliquez-vous le ton de douceur et de tendresse avec lequel Anna parle de la morte? Aimait-elle Annabel en même temps qu'elle la haïssait? Maintenant qu'Annabel est morte, devient-il plus facile à Anna de l'aimer?*

9. *Anna ne fait aucune réflexion de nature morale sur ce qu'elle a fait. Comment savons-nous pourtant qu'elle est rongée par le remords?*

10. *Le rhythme du poème est rapide et fortement accentué, et les vers sont liés par toutes sortes de répétitions. Indiquez-en quelques-unes. Ces procédés sont typiques de la ballade ou chanson populaire comme l'est aussi l'emploi de mots réalistes voire banals: Quel rapport pouvez-vous établir entre la forme (la ballade) et le sujet du poème? entre la forme et le caractère d'Anna la bonne?*

11. *Ce poème a été écrit pour être récité dans une boîte de nuit par la célèbre diseuse Marianne Oswald. Il représente ainsi un retour à la fonction primitive de la poésie narrative, qui est d'amuser. De ce point de vue comparez-le aux deux poèmes de Victor Hugo.*

DESCRIPTIVE POETRY

Descriptive poetry paints a picture, a somewhat different and more subtle form of literary behavior than that of narrative poetry, which aims to stir or inspire by means of an action. The emphasis on things and places (nouns) rather than on actions (verbs) tends to make descriptive poetry static and prosaic. It tends to rely on words and situations that are supposed to have poetic value in and of themselves.

In reading the following poems, look for key words (mots-clef) which suggest particular aspects of the object the poet wishes to convey. Try also to see how the poet overcomes the static tendency of descriptive poetry,—how, for instance, Ronsard injects drama and movement into his description of the lark.

l'Alouette

PIERRE DE RONSARD (1524–1585)

Hé Dieu que je porte d'envie
Aux félicités de ta vie,
Alouette, qui de l'amour
Caquettes dès le point du jour,
Secouant la douce rosée   5
En l'air, dont tu es arrosée!
D'avant que Phoebus[1] soit levé,
Tu enlèves ton corps lavé
Pour l'essuyer près de la nue,
Trémoussant[2] d'une aile menue;   10
Et, te sourdant a petits bonds,
Tu dis en l'air de si doux sons
Composés de ta tirelire,[4]
Qu'il n'est Amant qui ne désire
Comme toi devenir oiseau   15
Pour dégoiser[5] un chant si beau.
Puis, quand tu t'es bien élevée,
Tu tombes comme une fusée[6]
Qu'une jeune pucelle, au soir,
De sa quenouille[7] laisse choir,[8]   20
Quand au foyer elle sommeille,

Frappant son sein de son oreille,
Ou bien quand, en filant le jour,
Voit celui qui lui fait l'amour
Venir près d'elle à l'impourvue,   25
De honte elle abaisse la vue,
Et son tors fuseau[9] délié
Loin de sa main roule à son pié.
Ainsi tu roules, Alouette,
Ma doucelette mignonnette,   30
Alouette, que j'aime mieux
Que tous oiseaux qui sont aux cieux.
      Tu vis sans offenser personne,
Ton bec innocent ne moissonne
Le froment,[10] comme ces oiseaux   35
Qui font aux hommes mille maux,
Soit que le blé rongent en herbe,
Ou soit qu'ils l'égrènent en gerbe;
Mais tu vis par les sillons verts,
De petits fourmis et de vers,   40
Ou d'une mouche, ou d'une achée,[11]
Tu portes aux tiens la béchée,[12]
Ou d'une chenille[13] qui sort
Des feuilles, quand l'Hiver est mort.
      Et pource, à grand tort les Poètes   45
Ont mal feint que vous, Alouettes,
Avez votre père haï
Jadis jusqu'au l'avoir trahi,
Coupant de sa tête Royale
La blonde perruque fatale,   50
Dans laquelle un crin d'or portait

[1] god of the sun who was said to drive his fiery chariot across the heavens
[2] fluttering
[3] springing up
[4] carol
[5] spout, give forth
[6] spindleful of thread
[7] distaff
[8] *tomber*

[9] *tors fuseau:* entwined spindle
[10] wheat
[11] generic term for worms, larvae, etc.
[12] beakful
[13] caterpillar

En qui toute sa force était.[14]
Mais quoi? vous n'êtes pas seulettes
A qui les mensongers Poètes
Ont fait grand tort: dedans le bois   55
Le Rossignol à haute voix,
Caché dessous quelque verdure,
Se plaint d'eux, et leur dit injure.
Si fait bien l'Arondelle[15] aussi
Quand elle chante son cossi.[16]   60
Ne laissez pas pourtant de dire,
Mieux que devant, la tirelire,
Et faites crever par dépit
Ces menteurs de ce qu'ils ont dit.
    Ne laissez pour cela de vivre,   65
Joyeusement, et de poursuivre
A chaque retour du Printemps
Vos accoutumés passe-temps.
Ainsi jamais la main pillarde
D'une pastourelle mignarde   70
Parmi les sillons épiant
Votre nouveau nid pépiant,
Quand vous chantez, ne le dérobe
Ou dans son sein, ou dans sa robe.
Vivez, oiseaux, et vous haussez   75
Toujours en l'air, et annoncez
De votre chant et de votre aile
Que le Printemps se renouvelle.

1. *La description que fait Ronsard de l'alouette est-elle exacte? réaliste? scientifique? Qu'omet-il de nous dire?*
2. *Combien de syllabes y a-t-il dans chaque vers? Est-ce que le rythme des vers suggère le vol de l'oiseau? Pourquoi Ronsard n'emploie-t-il pas l'alexandrin?*
3. *Dans les vers 4 et 5 il dit que l'alouette caquette de l'amour. Quelle a pu être l'intention symbo-*

lique du poète en attribuant de l'amour à un oiseau?
4. *Examinez la comparaison de l'alouette à une jeune pucelle (vers 17–28). Quelles sont les qualités attribuées à l'alouette grâce à cette comparaison?*
5. *Y a-t-il un élément de sensualité dans l'évocation de la pastourelle mignarde (vers 70)? Commentez la sensualité du poème entier. Est-elle explicite ou discrète?*
6. *Comparez l'idée de l'alouette exprimée par Ronsard au mythe grec que le poète veut combattre.*
7. *Trouvez les mots-clefs ou les formules qui nous donnent l'image que Ronsard se fait de l'alouette.*

l'Hiver de Paris

A. M. d'Avaux, maître des requêtes

BOISROBERT[1] *(1592–1662)*

    D'Avaux, qui me vois tout transi,[2]
Trouves-tu pas ce froid ici
Plus grand que celui de décembre,
Et qu'il fait meilleur dans ta chambre,
Le dos tourné devers le feu   5
Passer le temps à quelque jeu,
Rire et se provoquer à boire,
Que pour aller chercher la foire,
Passer, comme je fais souvent,
Sur le Pont-Neuf, le nez au vent?   10
L'air qu'on y respire est de glace:
On n'y peut marcher sans grimace,
Le manteau tout autour du cou,
Le nez caché, comme un filou[3]
Qui guette, quand les jours sont troubles,   15
La laine au bout du Pont-aux-doubles,[4]
Les doigts dans les ongles gênés,
Et la roupie[5] au bout du nez.
Cette froidure est bien étrange
Qui fait des roches de la fange,   20

[14] *Et pour ce . . . force était:* Reference to myth of Scylla, daughter of King of Megara. In love with Minos, who was besieging the city, she cut a golden hair from her father's head and gave it to her lover. This hair possessed a magic power which enabled Minos to take the city. Abandoned, Scylla threw herself into the ocean, only to be transformed, through the pity of Neptune's wife, into a lark (*alouette*)
[15] [O.F.] *hirondelle*
[16] call of the swallow. Lines 56–60 allude to the legend of the two sisters Philomèle and Procné, who were transformed into a nightingale [*rossignol*] and a swallow [*hirondelle*] respectively

[1] François Le Métel, sieur de Boisrobert
[2] numb with cold
[3] pickpocket
[4] *Pont-aux-doubles:* a bridge that once connected the Quai de Montebello and the Quai de l'Archevêché
[5] snot

Qui fend les massifs fondements
Des plus assurés bâtiments,
Et se raidit contre la Seine
Qui ne va plus qu'avecques peine;
Tout se ressent de son effort,   25
Les bateaux sont cloués au port;
La Samaritaine[6] enrhumée
N'a plus sa voix accoutumée;
Sa cruche, sèche jusqu'au fond,
Ne verse plus d'eau sur le pont;   30
Les moulins, sans changer de place,
Demeurent oisifs sur la glace,
Les crocheteurs[7] demi-troublés
Rappellent à coups redoublés
Toutes leurs chaleurs naturelles,   35
Frappant des bras sous les aisselles;[8]
Les misérables porteurs d'eau
Tremblant en l'attente du seau,
Qui se remplit dans la fontaine,
Chauffent leurs mains à leur haleine;   40
Les plus pénibles artisans
Partout chagrins et déplaisants,
Demeurent, avec leurs pratiques,
Les bras croisés dans les boutiques;
Les pauvres, gelés et transis,   45
Contre la terre mal assis,
Aux lieux publics, d'une voix lente
Et d'une main sèche et tremblante,
Demandent l'aumône aux passants,
Mais le froid leur glace les sens;   50
Les dames ne font plus la presse
Comme elles soulaient,[9] à la messe.
Celles qui s'écartent du feu,
La lèvre pâle et le nez bleu,
Paraissent toutes morfondues[10]   55
En carosse au milieu des rues;
Celles qui restent aux maisons,
Troussent leurs jupes aux tisons;[11]
Le courtisan tout taillladé[12]
Gèle dans son satin brodé;   60

Ceux que la pauvreté dispense
De se porter à la dépense,
De bonne heure se vont coucher
Parce que le bois est trop cher.
On voit la bourgeoise proprette   65
Avec sa petite soubrette[13]
Qui trottent comme des souris
Dessus le pavé de Paris.
Les carrefours sont sans tripières,[14]
Les sergents quittent leurs barrières,   70
Les femmes qui vendent du fruit
Au marché ne font plus de bruit.
Tout divertissement nous manque:
Tabarin[15] ne va plus en banque;
L'Hôtel de Bourgogne[16] est désert,   75
Chacun se tient clos et couvert:
Et moi, d'Avaux, j'en fais de même,
Car j'ai le visage si blême
Du froid que je viens d'endurer,
Que je suis contraint d'en pleurer,   80
Et bien que je sois à mon aise
Auprès de toi, devant la braise,[17]
Pour te conter ces accidents,
J'ai peine à desserrer les dents.

Pâleur

A Madame Delphine de Girardin[1]

ALFRED DE VIGNY (1797–1863)

Lorsque sur ton beau front riait l'adolescence,
Lorsqu'elle rougissait sur tes lèvres de feu,
Lorsque ta joue en fleur célébrait ta croissance,
Quand la vie et l'amour ne te semblaient qu'un jeu;

Lorsqu'on voyait encor grandir ta svelte taille[2]   5
Et la Muse germer dans tes regards d'azur;

---

[6] name given the hydraulic machine built by order of Henri IV (17th cent.) on the Pont Neuf, and whose purpose was to supply the royal residence with water
[7] porters who made use of hooks [crochets] to carry their burdens
[8] armpits
[9] Comme elles soulaient: comme elles avaient l'habitude
[10] frozen
[11] Troussent ... tisons: Lift their skirts before the fire
[12] refers to ornamental perforations [taillades] that decorated the clothing of the courtiers

[13] chamber-maid
[14] tripe-vendors [tripe: part of the stomach of a ruminant, used as food]
[15] comedian of the epoch, famed for his performances in farces
[16] theater of great renown
[17] live embers

---

[1] one of the infatuations of Vigny's youth
[2] figure

Quand tes deux beaux bras nus pressaient la blonde
écaille[3]
Dans la blonde forêt de tes cheveux d'or pur;

Quand des rires d'enfant vibraient dans ta poitrine
Et soulevaient ton sein sans agiter ton cœur,   10
Tu n'étais pas si belle en ce temps-là, Delphine,
Que depuis ton air triste et depuis ta pâleur.

Le Matin—en dormant

VICTOR HUGO (1802–1885)

J'entends des voix. Lueurs à travers ma paupière.
Une cloche est en branle à l'église Saint-Pierre.
Cris des baigneurs: « Plus près! plus loin! non,
par ici!
Non, par là! » Les oiseaux gazouillent, Jeanne[1]
aussi.
Georges l'appelle. Chant des coqs. Une truelle[2]   5
Racle un toit. Des chevaux passent dans la ruelle.
Grincement d'une faulx qui coupe le gazon.
Chocs. Rumeurs. Des couvreurs marchent sur la
maison.
Bruits du port. Sifflement des machines chauffées.
Musique militaire arrivant par bouffées.   10
Brouhaha[3] sur le quai. Voix françaises: « Merci.
Bonjour. Adieu. » Sans doute il est tard, car voici
Que vient tout près de moi chanter mon rouge-
gorge.
Vacarme de marteaux lointains dans une forge.
L'eau clapote. On entend haleter un steamer.   15
Une mouche entre. Souffle immense de la mer.

La Source

Nymphis Aug. Sacrum [1]

JOSÉ-MARIA DE HÉRÉDIA (1842–1905)

L'autel gît sous la ronce[2] et l'herbe enseveli;
Et la source sans nom qui goutte à goutte tombe

[3] tortoise-shell comb

---

[1] Jeanne and Georges were Hugo's grandchildren
[2] trowel
[3] hullabaloo

---

[1] Nymphis . . . Sacrum: Consacré aux nymphes saintes [inscription on a Roman monument]
[2] brambles

D'un son plaintif emplit la solitaire combe.[3]
C'est la nymphe qui pleure un éternel oubli.

L'inutile miroir que ne ride aucun pli   5
A peine est effleuré[4] par un vol de colombe
Et la lune, parfois, qui du ciel noir surplombe,
Seule, y reflète encore un visage pâli.

De loin en loin, un pâtre[5] errant s'y désaltère.[6]
Il boit, et sur la dalle[7] antique du chemin   10
Verse un peu d'eau resté dans le creux de sa main.

Il a fait, malgré lui, le geste héréditaire,
Et ses yeux n'ont pas vu sur le cippe romain[8]
Le vase libatoire auprès de la patère.[9]

1. *Quelle est l'atmosphère créée par le poème? Citez les mots-clefs qui y contribuent le plus.*
2. *Pouvez-vous caractériser le genre de description que ce poème représente? Cette description est-elle surtout pittoresque? plastique? est-elle évocatrice?*
3. *Par quels moyens le poète réalise-t-il sa description de l'antiquité? Quelle est par exemple l'importance des noms tels que le cippe ou le vase libatoire ou la patère dans la dernière strophe?*
4. *Quelle preuve y a-t-il que l'antiquité romaine continue à vivre dans les hommes du présent?*
5. *Comment l'intensité de la description souligne-t-elle cette continuité?*
6. *Dans quel sens est-il vrai que les yeux du lecteur ont vu plus que ceux du pâtre descendu des Romains?*

[3] hollow [in the earth]
[4] A peine . . . effleure: is scarcely grazed
[5] herdsman
[6] quenches his thirst
[7] flagstone [paving]
[8] cippe romain: small funerary column frequently used by Romans as a grave marker
[9] vase libatoire; la patère: ceremonial cup and plate employed by Romans in sacrifices

A Une Ville morte

Cartagena de Indias[1] 1532-1583-1697

JOSÉ-MARIA DE HÉRÉDIA (1842–1905)

Morne Ville, jadis reine des Océans!
Aujourd'hui le requin[2] poursuit en paix les
                                          scombres[3]
Et le nuage errant allonge seul des ombres
Sur ta rade[4] où roulaient les galions géants.

Depuis Drake et l'assaut des Anglais mécréants,[5]   5
Tes murs désemparés[6] croulent en noirs décombres
Et, comme un glorieux collier de perles sombres,
Des boulets de Pointis[7] montrent les trous béants.

Entre le ciel qui brûle et la mer qui moutonne,
Au somnolent soleil d'un midi monotone,   10
Tu songes, ô Guerrière, aux vieux Conquistadors;

Et dans l'énervement des nuits chaudes et calmes,
Berçant ta gloire éteinte, ô Cité, tu t'endors
Sous les palmiers, au long frémissement des palmes.

1. *Comparez ce poème au précédent. En quel sens pourrait-on dire que les poèmes de Hérédia abolissent le temps?*
2. *Quelle est le sentiment dominant de ces deux poèmes: indifférence au passé? souci objectif de l'histoire? nostalgie?*

[1] Colombian city (founded 1532) that underwent attack by Drake (1583), English occupation, and bombardment by the French (1697), and was finally devastated by yellow fever
   [2] shark
   [3] mackerels
   [4] roadstead [sheltered place where ships may ride at anchor]
   [5] unbelieving
   [6] crippled
   [7] French naval officer

Midi

CHARLES-MARIE-RENÉ LECONTE DE LISLE
(1818–1894)

Midi, roi des étés, épandu sur la plaine,
Tombe en nappes[1] d'argent des hauteurs du ciel
                                          bleu.
Tout se tait. L'air flamboie et brûle sans haleine;
La terre est assoupie en sa robe de feu.

L'étendue est immense, et les champs n'ont point
                                          d'ombre,   5
Et la source est tarie où boivent les troupeaux;
La lointaine forêt, dont la lisière[2] est sombre,
Dort là-bas, immobile, en un pesant repos.

Seuls, les grands blés mûris, tels qu'une mer dorée,
Se déroulent au loin, dédaigneux du sommeil;   10
Pacifiques enfants de la terre sacrée,
Ils épuisent sans peur la coupe du soleil.

Parfois, comme un soupir de leur âme brûlante,
Du sein des épis[3] lourds qui murmurent entre eux,
Une ondulation majestueuse et lente   15
S'éveille, et va mourir à l'horizon poudreux.

Non loin, quelques bœufs blancs, couchés parmi
                                          les herbes,
Bavent avec lenteur sur leurs fanons[4] épais,
Et suivent de leurs yeux languissants et superbes
Le songe intérieur qu'ils n'achèvent jamais.   20

Homme, si, le cœur plein de joie ou d'amertume,
Tu passais vers midi dans les champs radieux,
Fuis! la nature est vide et le soleil consume:
Rien n'est vivant ici, rien n'est triste ou joyeux.

Mais si, désabusé des larmes et du rire,   25
Altéré de l'oubli[5] de ce monde agité,
Tu veux, ne sachant plus pardonner ou maudire,
Goûter une suprême et morne volupté,

Viens! Le soleil te parle en paroles sublimes;
Dans sa flamme implacable absorbe-toi sans fin;   30
Et retourne à pas lents vers les cités infimes,[6]
Le cœur trempé sept fois dans le néant divin.

[1] cascades
[2] periphery
[3] ears [of grain]
[4] fold of skin hanging from the neck of the ox
[5] *Altéré de l'oubli:* Thirsting for forgetfulness
[6] lowly, base

1. *Remarquez la formule qui commence le poème :* « Midi, roi des étés... » *En quel sens cette formule est-elle typique de l'attitude de Leconte de Lisle à l'égard de la Nature? Trouvez d'autres mots-clefs ou formules qui attribuent de la grandeur ou de la majesté à la Nature.*

2. *Quelle impression affective est créée par des mots tels que: tombe, se tait, assoupie, sombre, immobile, etc?*

3. *Dans la deuxième partie du poème (vers 21 et suivants) le poète décrit deux types d'hommes. Identifiez-les.*

4. *Le poète ne fait pas de distinction entre la joie et l'amertume, entre les larmes et le rire. Il nous invite à jouir d'une suprême et morne volupté. Expliquez ces contradictions apparentes.*

5. *Essayez de définir le genre d'expérience quasi-mystique décrite par le dernier quatrain. Pensez-vous qu'une telle expérience rende l'homme plus humain?*

6. *Qu'est-ce que la partie descriptive du poème (qui nous donne la sensation d'assourdissement) ajoute à l'idée philosophique que nous avons discutée dans la troisième question? Cette idée*

serait-elle valide sans le cadre descriptif? serait-elle aussi émouvante?

Chinoiserie

THÉOPHILE GAUTIER (1811–1872)

Ce n'est pas vous, non, madame, que j'aime,
Ni vous non plus, Juliette, ni vous
Ophélia, ni Béatrix, ni même
Laure la blonde, avec ses grands yeux doux.

Celle que j'aime, à présent, est en Chine;   5
Elle demeure avec ses vieux parents,
Dans une tour de porcelaine fine,
Au fleuve Jaune, où sont les cormorans.

Elle a des yeux retroussés vers les tempes,
Un pied petit à tenir dans la main,   10
Le teint plus clair que le cuivre des lampes,
Les ongles longs et rougis de carmin.

Par son treillis elle passe sa tête,
Que l'hirondelle, en volant, vient toucher,
Et, chaque soir, aussi bien qu'un poète,   15
Chante le saule et la fleur du pêcher.

FRENCH VERSIFICATION

The study of French versification may be divided for convenience into two parts: (1) the study of rhythm, which is concerned with the movement of language and thought; and (2) the study of verse forms, stanzas, and rimes. This second subject, although it has close connections with the study of rhythm, is more external in nature. We shall, therefore, leave these more readily grasped questions of external form to the Glossary and concentrate our remarks on the question of rhythm, with special reference to the Classical alexandrin or twelve syllable line.

Until the seventeenth century, poets had preferred the décasyllabe (line of ten syllables):

> Sacrés coteaux, et vous, saintes ruines,
> Qui le seul nom de Rome retenez,
> Vieux monuments, qui encor soutenez
> L'honneur poudreux de tant d'âmes divines . . .
> (du Bellay)

In the seventeenth century, however, a precise rhythmical pattern was established for the alexandrin producing a line of great symmetry, both ample enough for the expression of a complex and articulated thought and, at the same time, sufficiently tight to maintain the rhythm. In the nineteenth century, the Romantics introduced minor changes in the alexandrin, but it continued to be the typical and preferred French line of verse until about 1885 when its supremacy was seriously contested by the vers libre (free verse) of the Symbolists.

Rhythm in general might be defined as the recurrence of some gesture or event at equal periods of time. The basic units for measuring clock time are the second, the minute, and so forth; the basic units for measuring poetic time are the mesure (a combination of syllables, also called the groupe rythmique) and the vers (a line of poetry). The recurrent element which marks off (somewhat like the tick of a clock) the rhythmic time units is the accent. The accents of a line of poetry help communicate to the reader a rhythm that is at once emotional, intellectual and, even when the poetry is not read aloud, auditory. This rhythm—indeed all rhythm—is temporal; that is, it takes place in time and can be measured, at least in rough fashion. Even when we find it difficult to measure the time units of poetic rhythm, we are constantly listening for them subconsciously with the inner ear.

Various types of accents can be distinguished in French poetry. The most readily identifiable accent (called the accent du groupe rythmique) falls on the last accented syllable of the mesure (logically united group of words). This accentuation on the last syllable of the group—or of the single word if by itself it forms a sense unit—is a permanent feature of French speech. This tonique (accented syllable) will have longer quantité (duration) and greater or less intensité (loudness) than the atones (unaccented syllables). In addition to the accent du groupe rythmique, we can distinguish two other types of accent: Certain words may receive an accent d'insistance (a rhetorical accent to increase their expressiveness). The accent d'insistance may reinforce the tonique or may fall on an atone, thereby providing a secondary pattern of accentuation. Finally, we distinguish the accent musical (a rise or fall in pitch), as in this line by Corneille, where the meaning corresponds perfectly to the melodic pattern:

Et monté sur le faîte on aspire à descendre.

The alexandrin, as defined by seventeenth-century theory and practice, was divided into two hémistiches (two equal time units) by a median pause or césure after the sixth syllable and a rime at the twelfth syllable which, in combination with the ending of the line, also produced a momentary pause. Syllables at the césure and the rime were both toniques. These toniques are called accents fixes. Given this framework which already begins to appear fairly rigid (twelve syllables; two accents fixes), how does the poet produce rhythmical mesures, that is, groups of syllables of approximately equal duration? In the most highly regular type of alexandrin he does this by placing two further accents libres on the third and ninth syllables:

Un des*tin*|plus heur*eux*||vous con*duit*|en É*pire*   3-3||3-3*
(Racine)

Je n'o*sais*|dans mes *pleurs*||me no*yer*|à loi*sir*,   3-3||3-3
Je goû*tais*|en trem*blant*||ce fu*nes*|te plai*sir*   3-3||3-3
(Racine)

In order for the mesures to be of approximately equal duration it is obvious that the sum of the quantité or time value of syllables in the mesures should be approximately equal. Hence, in the first example above, Un-des-tin must be approximately equal to plus-heur-eux, to vous-con-duit and to en-Épire. This approximate equality of time units is the basic rhythm-producing device of French poetry.

However, although we may assume that this type of regularity exists in all French poetry, the task of describing it is extremely difficult, since the quantité of syllables in French is quite indeterminate. Syllables, even the very same syllable, will vary in duration according to their position in the word or group, their meaning, and their emotive value. The poet is limited, on the one hand, by the demands of a tradition which prescribes that the alexandrin shall have twelve syllables, two accents fixes at the césure, and the rime; on the other hand, the sounds of French, being of indeterminate quantité, do not lend themselves to being easily arranged in regular time units. It is this combination of formal rigidity and freedom which makes French poetry extremely varied and rich, yet also formal and controlled.

The creation of equal time units is achieved by the correlation of three sets of factors:

1. The poet may shift the position of the accents libres, as in the following examples which depart from the regular 3-3/,/3-3 pattern:

Jé*hu*,|le fier Jé*hu*,||*trem*|ble dans Sama*rie*   2-4||1-5
(Racine)

Dans un si *grand*|re*vers*||que *vous*|reste-t-*il*? — *Moi*.   4-2||2-4
(Corneille)

Tou*jours* ai*mer*,||tou*jours* souf*frir*,||tou*jours* mou*rir*   3||3||3
(Corneille)

2. Theoretically, no matter what pattern of accent and pause may appear, the poet must use syllables which add up to an approximately equal time value for each mesure.

3. Obviously, however, this does not always happen. In our first example above, the first mesure

* Accented syllables are in italics. The numbers after each line indicate the count of syllables in each *mesure*.

(Jéhu) is shorter than the second (le fier Jéhu). How does this temporal irregularity affect the rhythm? First of all, we should note that the accent d'insistance *will fall more strongly on the first* mesure, *giving it a longer duration. The first syllable of the strongly emotive word* tremble *will also be prolonged by an* accent d'insistance. *This pattern of secondary accentuation will tend to regularize the rhythm, but it should be noted that, except in very monotonous sing-song verse, the rhythm of a poem is syncopated, that is, it runs ahead of or falls behind perfect regularity.*

Let us recall our earlier statement that poetic rhythm is intellectual and emotional as well as auditory. Even more accurately, we might say that the meaning of the poem has a rhythm of its own—an idea is stated, developed, contradicted, modified, or repeated. The sense rhythm will tend to depart from perfect regularity as the ideas and emotions that it expresses move ahead slowly or quickly, overcoming stresses and strains, creating obstacles and removing them by insight or logic; so too will the rhythm of sound reproduce and embellish those starts and stops of the process of creative discovery and expression. The name generally given to this phenomenon is l'harmonie imitative, *that is, sound imitates sense. More accurately, we should say that sound and sense blend indissolubly into the poetic fact, the poem itself.*

As an example of harmonie imitative, *let us examine one of the lines quoted from Corneille in its proper context:*

Nérine

* * *

| Dans un si grand revers que vous reste-t-il? | 1 |

Médée

| | Moi, | 1, cont. |
| Moi, dis-je, et c'est assez. | | 2 |

Nérine

Quoi! vous seule, madame?

| | 2, cont. |

Médée

Oui, tu vois en moi seule et le fer et la flamme,	3
Et la terre, et la mer, et l'enfer, et les cieux,	4
Et le sceptre des rois, et le foudre des dieux.	5

(Médée, Pierre Corneille)

We should start our discussion of these lines with two facts in mind: first, the pattern of secondary accentuation is variable. Hence, there might be a slight accent d'insistance *on* si *in line 1 or again on* reste *which is logically a stronger word than the pronoun* il *which ends the* mesure *and automatically receives the* accent du groupe rythmique. *This pattern of secondary accentuation will vary from speaker to speaker and cannot be set once and for all. Our second fact is the meaning and emotional impact of the lines. If we remind ourselves that Médée, a powerful and passionate woman, is here reasserting belief in her own powers in the face of Nérine's weakness, we can assume that this pattern of meaning will be reflected in the sound pattern of the lines.*

Line 1 is divided 4-2//2-4. Note how the descriptive force of the qualifying prepositional phrase dans un si grand *seems to enlarge the proportions of the disaster* revers *through an accumulation of four syllables,* grand *being the longest because it is a* tonique. *Then come the two brief, tense syllables of* revers. *The* césure *is almost an equality sign, equating* revers *and* que vous. *Nérine expresses the belief that Médée's life is a disaster. Within the last* mesure *of line 1* (reste-t-il?—Moi), *a logical pause is forced* upon us by the change of speakers and by the question mark, indicating a rise in pitch. Yet the natural rhythm of the alexandrin (and the impetuosity of Médée herself) forces us onward.

The first eleven syllables of the line present a disaster; the last syllable an alternative. Médée is not confounded by the disaster of which her confidante, Nérine, speaks. The logical pause between the eleventh and twelfth syllables is suppressed by the rhythm of the alexandrin, just as Médée suppresses Nérine's doubts.

The emphatic repetion of Moi at the start of line 2, echoed once again by je, suggests the outcome of this dialogue—Médée will not be reduced to helplesness. (We should remember that words appearing at the beginning or end of a line, by their isolation, automatically stand out in greater relief than those enclosed within the line.) In line 2, the argument is still going on; the first hémistiche emphasizes Médée's self-confidence, balanced by Nérine's doubt in the second hémistiche. And then, as Médée powerfully asserts her strength, the intricate pattern of repetition (fer, terre, mer, enfer) emphasizes Médée's feeling of psychological self-possession and unity, that is, the unity of sound within the words themselves suggests the interlocking forces of her character. The words themselves, all chosen for sound as well as meaning, suggest the violent nature of the action Médée is going to take, namely, the murder of her own children.

As a final illustration of harmonie imitative, we offer a partial rhythmic analysis of "Demain dès l'aube . . ." by Victor Hugo.

Demain, dès l'aube . . .

1.	Demain, dès l'aube, à l'heure|où blanchit la campagne,	2-2-2|3-3
2.	Je partirai. Vois-tu,||je sais que tu m'attends.	4-2||2-2-2
3.	J'irai par la forêt,||j'irai par la montagne.	2-4||2-4
4.	Je ne puis demeurer|loin de toi plus longtemps.	3-3|3-3
5.	Je marcherai|les yeux fixés|sur mes pensées,	4-4-4
6.	Sans rien voir au dehors,||sans entendre aucun bruit,	3-3||3-3
7.	Seul,|inconnu,|le dos courbé,|les mains croisées,	1-3-4-4
8.	Triste, et le jour pour moi||sera comme la nuit.	1-3-2||2-4
9.	Je ne regarderai||ni l'or du soir qui tombe,	6||2-2-2
10.	Ni les voiles au loin||descendant vers Harfleur,*	3-3||3-3
11.	Et quand j'arriverai,||je mettrai sur ta tombe	2-4||3-3
12.	Un bouquet de houx vert||et de bruyère en fleur.	3-3||4-2

The numbers following each line of poetry indicate the number of syllables in each measure. The double lines \|\| indicate a cesure or strong pause that divides the line into two equal hémistiches; a single line \| indicates only the coupe or division between mesures (or, if there is no cesure) between hémistiches. Line 5 is divided into three parts. It is therefore a trimètre rather than a tetramètre (e.g., verse 6).

You will note that scansion, or the definition of a poem's rhythmic pattern, involves both syllabification and accentuation. Yet, since speech is produced in continuous blocks, our divisions between syllables are only theoretical; and, therefore, our placing of accents on specific syllables is not wholly accurate. Those syllables in italics receive a strong accent tonique. These are the accents fixes that come at the end of each mesure and constitute the basic rhythm. Many other syllables, however, receive weaker or secondary accents. We have not marked these since they may vary considerably with the interpretation and reading of the poem; the toniques are relatively fixed (although subject to the restriction that syllabification is in some measure artificial). A musical notation would be necessary to indicate accurately

* City on the Seine estuary, near Le Havre

the degree of rise and fall in the pattern of accents; but even if we wished to attempt such a system, we could do no more than approximate, since there would always be variation from one reader to another.

"*Demain dès l'aube*..." is the best known of the numerous poems written by Victor Hugo in memory of his daughter, Léopoldine, who drowned in the Seine on September 4, 1843. The grief-stricken poet, seeking to relieve his sorrow, describes a pilgrimage that he plans to make to the tomb of his daughter.

The use of repetition is often associated with sorrow (the monotonous rhythm of sobs, for example) and in the first two lines we can find various subtle forms of repetition:

> Demain, dès l'aube, à l'heure où blanchit la campagne,
> Je partirai. Vois- tu, je sais que tu m'attends.

Note the two initial d's in the first two measures; the related vowel sounds of aube- heure, demain-campagne are long in quantité and both are open; the pronouns je and tu reappear in the same order in both hémistiches of line 2; and, most significant of all for the rhythm, the first hemistiche of line 1 and the second of line 2 are divided into two syllable measures:

> Demain, dès l'aube, à l'heure . . .
>   . . . je sais que tu m'attends.

Further, the rhythmic 2–4 pattern of Je partirai: Vois-tu is repeated doubly in line 3: J'irai par la forêt, J'irai par la montagne. The possible monotony of these repetitions is alleviated by subtle forms of variation —for example the closed i sound of blanchit which produces a peak of muscular tension, in contrast to the open vowel sounds which otherwise predominate. This sound returns in the Je ne puis of the last line where the muscular tension corresponds to the emotional tension of the poet himself.

Repetition produces at least three effects: first, as we have suggested, that of sorrow; second, the monotonous exertion of the poet's pilgrimage on foot to the tomb of his daughter; third, repetition is an evocative device. It is frequently used in poetry to call up and fortify past emotions and memories and hence the persons and places associated with them. Note that the pilgrimage is only contemplated, it has not yet been made; hence, it is in a way "absent" just as the poet's daughter is absent. The poet imagines the pilgrimage while at the same time he imagines his daughter—not as dead and gone but as present, someone to whom he can speak in a direct and intimate way. This intimacy is reflected in the direct and simple language of the poem, in the use of the familiar tu and the almost casual manner of the poet, as if his daughter were sitting next to him. The simplicity of the poem is therefore important to the creation of a subtle effect, the conveying of the sense of Léopoldine's effective presence in imagination. This effect is related to what has been called the magic of poetry, that is, its ability to render absent things, persons, places, and past emotions somehow real or, to repeat the term used above, effectively present.

The poet is well aware, of course, that he cannot really restore his daughter, and therefore the direct address in which he speaks is only a device; he is turned inward in contemplation (note lines 5 and 6), lost in his own thoughts while he engages in the poetic meditation. It is this meditation alone which, admittedly only in partial degree, can restore to him the sense of his daughter's presence; or rather the poetic meditation, coupled with the physical act of a pilgrimage to his daughter's tomb.

The poem ends with the description of a symbolic act, the placing of flowers on Léopoldine's grave, again an act which the poet will perform out of his own need, out of the desire to create in himself a state of love and longing which will be a partial substitute for the tenderness he has lost. This act is, further, an analogy to the poetic meditation. The rhythmic movements of the poet's footsteps are echoed in the poem, for example in the rai endings of the verbs; and the poem itself becomes, like the bouquet of wild flowers, a gesture which is useless to the dead girl but essential to the peace of mind of the grieving father.

GLOSSARY: POETRY

(Note: See also Glossary at end of book)

GENERAL TERMS:

1E COUPLET   *the stanza of a song. Do not confuse with English* couplet.

L'ENJAMBEMENT *(m)*   *run on line, i.e. a line whose sense runs on to the next line, thus eliminating the final pause.*

L'ENVOI *(m)*   *a dedication of the poem, included as part of the poem. Found chiefly in the* ballade.

L'HOMOPHONIE *(f)*   *identity of sounds, as in a true rime.*

L'ONOMATOPÉE *(f)*   *onomatopoeia: the sound imitates the sense* (gloogloo: *a gurgling;* tintamarre: *a din*). *Often the basis of* l'harmonie imitative.

LA STROPHE   *stanza, group of verses forming divisions of lyric poem.*

Rule regarding the mute e: *It is pronounced in all poetry, except when it does not count in the number of syllables, and when it precedes a vowel or ends a line. Also, in modern poetry, the e is not counted after an unaccented vowel* (tu joueras) *and in certain other cases.*

TYPES OF LINES:

By count of syllables

IMPAIR *(having an odd number of syllables)*
le vers de sept syllables
le vers de neuf syllables, *etc.*

PAIR *(having an even number of syllables)*
l'octosyllabe *(eight syllables)*
le décasyllabe *(ten syllables)*
le dodécasyllabe *(twelve syllables)*

By count of measures

LE DIMÈTRE   *two measures*

LE TRIMÈTRE   *three measures*

LE TETRAMÈTRE   *four measures*

LE PENTAMÈTRE   *five measures*

VERS LIBRE   *free verse: lines of random length as found in the symbolist and modern poets, but also used to refer to alexandrins alternating with shorter lines as in the* Fables *of La Fontaine.*

TYPES OF RIMES:

MASCULINE   *rime of syllables which do not end with a mute e.*

FÉMININE   *rime of syllables ending with a mute e.*

SUFFISANTE   *rime of final consonant and vowel only* (fini, banni).

RICHE   *rime with another element in addition to the final syllable* (parti, sorti).

PLATE OU SUIVIE   *rime of the type aa, bb (English: rimed couplet).*

CROISÉE   *alternation of masculine and feminine rimes.*

EMBRASSÉE   *a quatrain of the type abba.*

TYPES OF STANZAS (strophes):

QUATRAIN   *quatrain or four line stanza*
QUINTAIN   *five line stanza*
SIXAIN   *six line stanza*
HUITAIN   *eight line stanza*
DIZAIN, *etc.*   *ten line stanza, etc.*

TYPES OF POEMS:

LA BALLADE   *usually has three stanzas and an envoi on the same rimes, verses of eight or ten syllables with as many lines in the stanzas as syllables in the line, and a refrain. The subject is usually legendary or folklorish.*

LA CHANSON DE GESTE   *epic poem originally designed to be accompanied by music.*

LE DISTIQUE   *two riming verses, usually an epigram.*

L'ÉLÉGIE (f)   *lyric poem, usually melancholy in tone, often expressing a personal loss (e.g., through death).*

L'ÉPIGRAMME (f)   *brief poem ending with an ironic twist, with the point (la pointe) usually occurring at the very end.*

L'ÉPOPÉE (f)   *epic poem.*

LE LAI   *poem with an indefinite number of stanzas, each based on two rimes, using lines of 7, 6, 3 syllables.*

L'ODE (f)   *long lyric poem of complex stanzaic form, usually serious and elevated in tone.*

LE SONNET   *14 lines divided into two stanzas of four lines each on two rimes (les quatrains) and one of six lines on three rimes (les tercets). Often, the quatrains constitute the question (i.e., they pose a problem) and the tercets the response (or solution).*

LE TERCET   *three riming verses, often in distinct stanzas. An important species is the terza rima in which the first and third verses rime, while the middle verse ending provides the rime for the following stanza, and so forth.*

BAROQUE POETRY

The poems in the narrative section were chosen to illustrate a characteristic treatment of event, character, theme. Many of these poems were drawn from the Middle Ages, a choice justified by the abundance of narrative material in that period. Yet, certainly not all medieval poems are narrative; nor is narrative poetry confined to the Middle Ages. The descriptive poems that followed likewise illustrated a general characteristic rather than an historical phenomenon: the poet renders or evokes a place or thing. Naturally, such poetry is found in all periods.

We now depart from these generic categories to introduce a vital concept of historical literary scholarship: the baroque. The term is generally taken to refer to a specific style and a specific period, around the latter half of the sixteenth century in most European countries, although there is some disagreement about the precise dates, especially in France. But some scholars go so far as to see the baroque as a recurrent phenomenon; they point to the existence of baroque characteristics in poems well beyond the outermost limits set by those who regard these characteristics as the particular response of a particular moment of history.

Both schools of thought see in the baroque language that is highly imaged, unusual rythmic effects, involved syntax, exaggeration, distortion, love of paradox, contrast, and surprise. These complex stylistic features reflect complex themes: the contrast of illusion and reality, of artifice and sincerity, of carnal and spiritual love, of life and death—with a special preoccupation with death in the latter contrast.

Most of our examples do in fact come from that period where most literary historians have come to locate the French baroque: the late sixteenth and early seventeenth century. On the other hand, reflecting the minority view of the baroque as a recurrent genre, we have included one poem from the late nineteenth century. Yet, whether historical or universal phenomenon, each poem is above all an individual poem. No label of any kind can ever express the complexity of a given work. A label is at best approximate, not exhaustive. Narrative poems may contain descriptive, dramatic, ideological elements; descriptive poems may relate events, project ideas, express feelings. And poems of any kind may show some of the features described here as baroque. Labels should be no more than incitements to knowledge. In this spirit we have chosen them throughout this book.

Comme un qui s'est perdu ...

ETIENNE JODELLE (1532–1573)

Comme un qui s'est perdu dans la forêt profonde
Loin de chemin, d'orée,[1] et d'addresse,[2] et de gens;
Comme un qui en la mer grosse d'horribles vents,
Se voit presque engloutir des grands vagues de
                                              l'onde;

Comme un qui erre aux champs, lors que la nuit au
                                              monde 5
Ravit toute clarté, j'avais perdu longtemps
Voie, route et lumière, et presque avec le sens,
Perdu longtemps l'objet où plus mon heur[3] se
                                              fonde.

Mais quand on voit (ayant ces maux fini leur tour)
Aux bois, en mer, aux champs, le bout, le port,
                                              le jour, 10
Ce bien présent plus grand que son mal on vient
                                              croire.

[1] [O.F.] the edge [of a forest]
[2] [O.F.] path

[3] *bonheur*

Moi donc qui ai tout tel en votre absence été,
J'oublie en revoyant votre heureuse clarté,
Fôret, tourmente, et nuit, longue, orageuse, et
                                         noire.

1. *A quoi le poète compare-t-il la forêt profonde du premier vers?*
2. *Quel est l'effet de la série de phrases en de du deuxième vers?*
3. *Quelle est le sentiment central que le poète essaie de dramatiser dans les quatrains?*
4. *Quel rapport voyez-vous entre les images de la forêt profonde, la mer grosse d'horribles vents et les champs pendant la nuit?*
5. *Quel verbe des tercets répond au perdre des quatrains?*
6. *Quel vers des tercets répond en forme et en idée au deuxième vers du premier quatrain?*
7. *Par quelle image le poète essaie-t-il de contre-balancer toutes les images négatives du poème? Y réussit-il? (Remarquez que le poème se termine par une suite d'images noires).*
8. *La forme très soignée du poème vous semble-t-elle mettre en doute la sincérité du poète?*

Passant dernièrement des Alpes…

ETIENNE JODELLE (1532–1573)

Passant dernièrement des Alpes au travers
(J'entends[1] ces Alpes hauts, dont les roches
                                         cornues[2]
Paraissent en hauteur outrepasser les nues)
Lors qu'ils étaient encore de neige tous couverts,

J'aperçus deux effets étrangement divers,   5
Et choses que je crois jamais n'être advenues
Ailleurs: car par le feu les neiges sont fondues,
Le chaud chasse le froid par tout cet univers.

Autre preuve j'en fis que je n'eusse peu croire:
La neige dans le feu, son élément contraire,   10
Et moi dedans le froid de la neige brûler,

[1] Je veux dire
[2] pointed; [literally] horned

Sans que la neige en fût nullement consommée:
Puis tout en un instant cette flamme allumée
M'environnait de feu et me faisait geler.

1. *Le poète parle-t-il d'un vrai voyage? Si non, de quel voyage s'agit-il?*
2. *En quoi les images des roches cornues et des nues sont-elles particulièrement convenables pour représenter un couple amoureux?*
3. *Quels sont les deux effets étrangement divers que le poète aperçoit (vers 5)?*
4. *Le paradoxe du vers 11 (la neige qui brûle) correspond à une expérience physique. Laquelle?*
5. *Expliquez les termes de la métaphore du feu et de la neige: le poète se compare-t-il, par exemple, au feu? ou les deux termes s'appliquent-ils en quelque sens à sa dame?*
6. *Dans le dernier vers le poète dit-il que sa dame le laisse froid ou veut-il indiquer par ce paradoxe la durée de son amour? Justifiez votre réponse.*
7. *Pour quelles raisons le poète voudrait-il cacher, pour ainsi dire, sa déclaration d'amour dans un poème si hermétique?*

L'Arc de vos bruns sourcils…

PHILIPPE DESPORTES (1546–1606)

L'arc de vos bruns sourcils mon cœur tyrannisants,
C'est l'arc même d'Amour, dont traître il nous
                                         martyre:[1]
Et ne crois point qu'en nous d'autres flèches il tire
Que les traits[2] de vos yeux si prompts et si luisants.

De leur vive splendeur sortent les feux cuisants,[3]   5
Qui font que tout le monde a peur de son empire:
Ses rets[4] sont vos cheveux où toute âme il attire,
Ravie en si beaux nœuds, si blonds et si plaisants.

[1] *dont . . . martyre:* with which the traitor torments us
[2] darts [i.e. the glances]
[3] *les feux cuisants:* the burning flames [of love]
[4] nets used to ensnare game

C'est pourquoi ce vainqueur, qui par vous se fait
                                        craindre
Ne saurait vous blesser, vous brûler, vous
                                        étreindre,[5] 10
Prenant de vous son feu, son cordage[6] et ses traits.

Craignez donc seulement qu'en voyant votre
                                        image,
Vous ne puissiez souffrir tant d'amours et
                                        d'attraits,
Et ne fassiez, vaincue, à vous-même hommage.

1. *La comparaison des sourcils à l'arme du dieu de
   l'amour est assez audacieuse. Expliquez.*
2. *Le langage de ce poème est plus abstrait que
   celui de Jodelle dans « Comme un qui s'est
   perdu . . . » Expliquez.*
3. *Quel état d'âme ce langage abstrait suggère-t-il
   chez le poète: le détachement? la dérision? la
   déception?*
4. *Expliquez le paradoxe de Ravie en si beaux
   nœds.*
5. *Est-ce que ce poème est logique? Quel en est
   l'argument?*
6. *Les treize premiers vers ne sont qu'une préparation du paradoxe du dernier tercet. Expliquez.*
7. *Les soucis de ce poète amoureux vous semblent-
   ils aussi profonds que ceux de Jodelle dans
   « Comme un qui s'est perdu . . .? »*

Complainte

PHILIPPE DESPORTES (1546–1606)

Quelle manie est égale à ma rage?
Quel mal se peut à mon mal comparer?
Je ne saurais ni crier ni pleurer
Pressé du deuil qui grossit mon courage.
  Hélas! j'étouffe, et la fureur soudaine   5
Me clôt l'ouïe, et m'aveugle les yeux!
Mais ce m'est heur[1] de ne voir plus les cieux,
Les cieux cruels, coupables de ma peine.

---

[5] *vous étreindre:* to fetter you
[6] string of a bow [*l'arc*]

---

[1] *bonheur*

  Au vase étroit maintenant je ressemble,
Qui, tout plein d'eau, goutte à goutte la rend: 10
Mon œil aussi larme à larme répand
Ce qu'en mon cœur de rivières j'assemble.
  Maudit le jour que premier je vis luire,
Pour être esclave à si forte douleur!
Le ciel alors pleuvant tout son malheur   15
Versa sur moi ce qu'il avait de pire.
  Astres maudits, qui trop pleins de license,
Maux et plaisirs aux humains destinez,
Puisqu'en naissant de nous vous ordonnez,
Que nuit la faute, ou que sert l'innocence?   20
  Hélas! de rien! j'en puis servir de preuve,
Qui n'ai jamais un tourment mérité:
Et toutesfois par votre cruauté
Plus misérable au monde ne se trouve.
  Tout est bandé pour me faire la guerre,   25
Par mes amis mille ennuis je reçois,
Que dois-je faire? il n'y a point pour moi
De Dieux au ciel, ni de fortune en terre.
  Dans les enfers cherchons donc allegeance,[2]
Parmi l'effroi, les fureurs et les cris,   30
Accompagné des malheureux esprits,
Qui pour ma peine oublieront leur souffrance.
  Hâtons la mort, seul but du miserable:
Mais tout ainsi que mes jours ont été
Couverts d'ennuis, d'horreur, d'obscurité,   35
Soit mon trépas horrible et détestable.

1. *La complainte du poète vient-elle d'une déception amoureuse ou d'une plus grande désillusion?*
2. *Le poète s'exprime-t-il surtout par images ou de
   manière directe pour peindre son mal?*
3. *Quel mot revient le plus souvent dans le poème?
   Quel est l'effet de cette répétition?*
4. *Dressez une liste des images noires du poème
   (par exemple, guerre, Enfer). Ces images suggè-
   rent-elles une noirceur qu'il essaie de contenir?*
5. *Comment le poète réussit-il à maintenir la force
   et la puissance qu'il accumule dans les premiers
   vers? Considérez à ce propos l'évocation du
   tout dernier vers du poème.*
6. *Ce poème fait partie d'une série de poèmes que
   le poète a écrit sur commande, pour un mécène
   peu cultivé. Ceci vous semble-t-il de nature à
   mettre en doute la sincérité de Desportes?*

---

[2] relief

Mais si mon faible corps ...

JEAN DE SPONDE (1557–1595)

Mais si mon faible corps, qui comme l'eau s'écoule
(Et s'affermit encore plus longtemps qu'un plus
                                            fort)
S'avance à tous moments vers le seuil de la mort,
Et que mal dessus mal dans le tombeau me roule,

Pourquoi tiendrai-je raide à ce vent qui saboule[1]   5
Le Sablon[2] de mes jours d'un invincible effort?
Faut-il pas réveiller cette Ame qui s'endort,
De peur qu'avec le corps la Tempête la foule?[3]

Laisse dormir ce corps, mon Ame, et quant à toi
Veille, veille, et te tiens alerte à tout effroi,   10
Garde que çe Larron ne te trouve endormie:

Le point de sa venue est pour nous incertain,
Mais, mon Ame, il suffit que cet Autheur de vie
Nous cache bien son temps, mais non pas son
                                            dessein.

Mortel, pense ...

JEAN-BAPTISTE CHASSIGNET (1570?–1635?)

Mortel, pense quel est dessous la couverture
D'un charnier mortuaire[1] un corps mangé de vers,
Décharné,[2] dénervé,[3] où les os découverts,
Dépoulpés,[4] dénoués, délaissent leur jointure.

Ici, l'une des mains tombe de pourriture,   5
Les yeux d'autre côté détournés à l'envers
Se distillent en glaire,[5] et les muscles divers
Servent aux goulus[6] d'ordinaire pâture:

---

[1] *ce ... saboule:* this wind that buffets
[2] *sand*
[3] *de peur ... foule:* for fear that, with the body, the Tempest might trample it

---

[1] *charnier mortuaire:* cemetery [ossuary]
[2] stripped of flesh
[3] [Middle French] literally unnerved
[4] [Middle French] deprived of flesh
[5] mucous
[6] gluttonous

Le ventre déchiré cornant[7] de puanteur
Infecte l'air voisin de mauvaise senteur,   10
Et le nez mi-rongé difforme le visage;

Puis connaissant l'état de ta fragilité,
Fonde en DIEU seulement, estimant vanité
Tout ce qui ne te rend plus savant et plus sage.

1. *En quel rôle le poète se présente-t-il? (Notez que le premier vers est un impératif.)*
2. *Remarquez que le préfixe de et la consonne d reviennent partout dans le poème. Qu'est-ce que la monotonie de cette répétition ajoute à l'effet total du poème?*
3. *Dans l'avant dernier vers le d se résume pour ainsi dire en un seul mot. Lequel?*
4. *Comment le poète envisage-t-il les rapport entre Dieu et les hommes?*
5. *Sur quelle citation biblique ce poème pourrait-il être basé?*

Sur les yeux de Madame la Duchesse de Beaufort

HONORAT LAUGIER, SIEUR DE PORCHÈRES (1572–1653)

Ce ne sont pas des yeux, ce sont plutôt des dieux:
Ils ont dessus les rois la puissance absolue.
Dieux? non, ce sont des cieux; ils ont la couleur
                                            bleue
Et le mouvement prompt comme celui des cieux.

Cieux? non; mais des soleils clairement radieux   5
Dont les rayons brillants nous offusquent[1] la vue;
Soleils? non, mais éclairs de puissance inconnue,
Des foudres de l'Amour signes présagieux;[2]

Car s'ils étaient des dieux, feraient-ils tant de mal?
Si des cieux? ils auraient leur mouvement égal;   10
Deux soleils? ne se peut; le soleil est unique.

---

[7] [Middle French] stinking

---

[1] obscure [here, through bedazzling]
[2] portentous

Eclairs? non: car ceux-ci durent trop et trop clairs.
Toutefois je les nomme, afin que je m'explique,
Des yeux, des dieux, des cieux, des soleils, des
                                                    éclairs.

Délie (XLVI)[1]

MAURICE SCÈVE (1504?–1570?)

Si le désir, image de la chose
Que plus on aime, est du cœur le miroir,
Qui toujours fait par mémoire apparoir[2]
Celle où l'esprit de ma vie repose,
A quelle fin mon vain vouloir propose   5
De m'éloigner de ce qui plus me suit?
    Plus fuit le cerf[3] et plus on le poursuit,
Pour mieux le rendre aux rets de servitude:
Plus je m'absente, et plus le mal s'ensuit
De ce doux bien, Dieu de l'amaritude.[4]   10

1. *Le sixain pose une question:* Si le désir . . . etc. à
   quel fin . . . etc. *Le désir est vu d'abord par
   rapport à l'objet désiré* (image de la chose que
   plus on aime) *et, ensuite, par rapport au cœur
   dont il est le miroir. Qui est-ce qui apparaît
   dans le miroir du cœur?*
2. *Pourquoi le poète ne peut-il pas s'éloigner de
   cette image obsédante?*
3. *Les vers 7 et 8 renforcent, par une métaphore,
   cette image d'un attachement fatal. A quoi le
   poète se compare-t-il?*
4. *Les vers 9 et 10 sont un retour à la condition du
   poète. Quel paradoxe y est renfermé?*
5. *Commentez le style du poème. Qu'est-ce qui le
   rend si compliqué: les images? la syntaxe? la
   pensée?*
6. *Quel est le rapport entre la complexité du style
   et l'angoisse d'un amour insatisfait?*

Délie (VI)

MAURICE SCÈVE (1504?–1570?)

Libre vivais en l'avril de mon âge,
De cure[1] exempt sous cette adolescence,
Où l'œil, encor non expert de dommage,
Se voit surpris de la douce présence,
Qui par sa haute et divine excellence   5
M'étonna l'âme et le sens tellement,
Que de ses yeux l'archer tout bellement
Ma liberté lui a toute asservie:
Et dès ce jour continuellement
En sa beauté gît[2] ma mort et ma vie.   10

1. *Remarquez que le premier vers commence avec
   une syllabe accentuée. Quel est le mot ainsi mis
   en relief? Expliquez l'image* l'avril de mon âge.
2. *Quelle est l'émotion dont l'absence constitue
   l'essentiel de la liberté de l'adolescent?*
3. *Du point de vue physique où l'amour se fait-il
   sentir d'abord pour le poète?*
4. *Quelles qualités sont requises dans la femme
   aimée? Essayez de préciser* bonté *et* divine
   excellence.
5. *Est-ce que l'amour de Scève est purement
   sensuel?*
6. *L'adolescence fait place à l'âge mûr. A quoi la
   liberté fait-elle place?*
7. *Citez les vers qui expriment l'angoisse de
   l'amour. Avec quelle image d'insouciance dans
   le premier vers cette angoisse fait-elle contraste?*
8. *Le poème entier est fait de combien de phrases?
   Les images sont-elles nombreuses? Le style est-il
   compliqué? Justifiez votre réponse.*

Délie (CCXXXV)

MAURICE SCÈVE (1504?–1570?)

Au moins toi, claire et heureuse fontaine,
Et vous, ô eaux fraiches, et argentines,

---

[1] "Délie" (anagram of "l'idée) is the fictitious name of
the woman whose praises Scève sings in the 449 *dizains*
of this work.
   [2] [Middle French] *apparaître*
   [3] stag
   [4] [Middle French] *amertume*

[1] [Middle French] care
[2] lie

Quand celle en vous (de tout vice lointaine)
Se vient laver ses deux mains ivoirines,
Ses deux Soleils, ses lèvres corallines,   5
De Dieu créés pour ce Monde honorer,
Devriez garder pour plus vous décorer
L'image d'elle en vos liqueurs profondes.
    Car plus souvent je viendrais adorer
Le saint miroir de vos sacrées ondes.   10

Complainte

A Notre-Dame Des Soirs

JULES LA FORGUE (1860–1887)

L'Extase du soleil, peuh! La Nature, fade
Usine de sève aux lymphatiques parfums.
Mais les lacs éperdus des longs couchants défunts
Dorlotent mon voilier dans leurs plus riches rades,[1]
    Comme un ange malade . . .   5
    O Notre-Dame des Soirs,
    Que Je vous aime sans espoir!

Lampes des mers! blancs bizarrants! mots à
                    vertiges!
Axiomes *in articulo mortis*[2] déduits!
Ciels vrais! Lunes aux échos dont communient les
                    puits!   10
Yeux des portraits! Soleil qui, saignant son
                    quadrige,[3]

    [1] *Dorlotent . . . rades:* rock my sailboat in their richest harbors
    [2] *in . . . mortis:* at the moment of death
    [3] *quadriga* [chariot drawn by four horses]

Cabré, s'y crucifige![4]
O Notre-Dame des Soirs,
Certes, ils vont haut vos encensoirs![5]

Eux sucent des plis dont le frou-frou les suffoque;[6]   15
Pour un regard, ils battraient du front les pavés;
Puis s'affligent sur maint sein creux, mal abreuvés;
Puis retournent à ces vendanges sexciproques.[7]
    Et moi, moi, Je m'en moque!
    Oui, Notre-Dame des Soirs,   20
    J'en fais, paraît-il, peine à voir.

En voyage, sur les fugitives prairies,
Vous me fuyez; ou du ciel des eaux m'invitez;
Ou m'agacez au tournant d'une vérité;
Or vous ai-je encor dit votre fait, je vous prie?   25
    Ah! coquette Marie,
    Ah! Notre-Dame des Soirs,
    C'est trop pour vos seuls Reposoirs![8]

Vos Rites, jalonnés[9] de sales bibliothèques,
Ont voûté mes vingt ans, m'ont tari[10] de chers
                    goûts.   30
Verrai-je l'oasis fondant au rendez-vous,
Où . . . vos lèvres (dit-on!) à jamais nous
                    dissèquent?[11]
    O Lune sur la Mecque![12]
    Notre-Dame, Notre des Soirs,
    De *vrais* yeux m'ont dit: au revoir!   35

    [4] a neologism composed of *crucifier* and *figer*
    [5] censers
    [6] *Eux . . . suffoque:* they [the believers] suck the robes whose rustling suffocates them
    [7] an obvious play on words, the second element being *réciproque*
    [8] altars
    [9] landmarked
    [10] dried up
    [11] dissect
    [12] Mecca [the holy city of the Moslem world, in Saudi Arabia]

POETRY OF IDEAS

All poetry is to some extent concerned with ideas, but the poems in this section place particular emphasis on the idea as such. However, in doing so, they do not cease to be poetry, to be concerned, that is, with the communication of feelings and attitudes through various devices (rhythm, meter, rime, and so forth) which we have studied in the poems of the preceding sections. Like any other poem, a poem of ideas offers not merely a proposition but an experience.

We might say that a poem of ideas offers a double challenge. We have first to see what the poem is about. Does the poet state some proposition, some truth of morality or religion? Does he wish to defend or attack this proposition? How does he try to modify it? by irony? by argument? The second challenge is to see in just what way this particular poetic expression of an idea is unique. Here again, it is only analysis of imagery, rhythm, and the other poetic devices which can reveal the specific qualities that ideas acquire in the poetic imagination.

Le Chêne et le roseau

JEAN DE LA FONTAINE (1621–1695)

Le chêne un jour dit au roseau:
« Vous avez bien sujet d'accuser la nature;
Un roitelet[1] pour vous est un pesant fardeau.
    Le moindre vent qui d'aventure
    Fait rider la face de l'eau   5
    Vous oblige à baisser la tête,
Cependant que mon front, au Caucase[2] pareil,
Non content d'arrêter les rayons du soleil,
    Brave l'effort de la tempête.
Tout vous est aquilon, tout me semble zéphyr.[3]   10
Encor si vous naissiez à l'abri du feuillage
    Dont je couvre le voisinage,
    Vous n'auriez pas tant à souffrir:
    Je vous défendrais de l'orage.
    Mais vous naissez le plus souvent   15
Sur les humides bords des royaumes du vent.
La nature envers vous me semble bien injuste.
— Votre compassion, lui répondit l'arbuste,
Part d'un bon naturel[4]; mais quittez ce souci.
    Les vents me sont moins qu'a vous redoutables.   20

[1] wren
[2] Caucasus [chain of mountains in Asia]
[3] *aquilon:* violent north wind; *zéphyr:* gentle breeze
[4] *un bon naturel:* a good heart

Je plie, et ne romps pas. Vous avez jusqu'ici
    Contre leurs coups épouvantables
    Résisté sans courber le dos;
Mais attendons la fin. » Comme il disait ces mots,
Du bout de l'horizon accourt avec furie
    Le plus terrible des enfants
Que le Nord eût portés jusque-là dans ses flancs.
    L'arbre tient bon, le roseau plie;
    Le vent redouble ses efforts,
    Et fait si beau qu'il déracine
Celui de qui la tête au ciel était voisine,
Et dont les pieds touchaient à l'empire des morts.

If we were asked to state the theme of this poem, each of us would probably give a different answer: "the bigger they come, the harder they fall"; "you can't tell a book by its cover"; "don't count your chickens before they are hatched"; "he who laughs last laughs best"; or "pride goeth before the fall". These and other themes come to mind and the appropriateness of each shows the thematic richness of this seemingly slender poem. Each of these themes is an aspect of a greater and more universal theme: the discrepancy between appearance and reality.

The poem is in the form of a dramatic narrative. This is to say that there are really three characters or voices involved in the drama: the oak, the reed, and the narrator. The role of the narrator cannot be underestimated in the final assessment of the poem, but for the moment let us consider only those two characters who are overtly involved in the dramatic conflict: the oak and the reed.

A potential drama exists between the two in their very sizes: big and little are natural opposites. We may say, therefore, that the first movement of the dramatic action occurs in the very title of the poem. But the real drama of the poem obviously lies in more than this physical contrast; it lies in the sense of size with which each actor confronts his vis-à-vis. The particular sense of size is conveyed by the poet more in the manner than in the substance of the actor's remarks.

The oak speaks in long rhythms: fully one-half of his lines are alexandrins. But even his octosyllabic lines continue to a certain extent the long-winded effect of the alexandrins through the run-on device of enjambement. Consider, in particular, verses 4-6 and 11-13, where the longwinded effect of the enjambement is re-enforced by the tone of pompous solicitude conveyed by the choice of words.

The rhythm of the lines (a fairly regular alternation of alexandrins and octos) reflects the condescending gestures of the great oak who alternately bends down to the feeble reed and comes back to his full stature in pompous consideration of himself. Now he compares himself to the great Caucasian mountains; now he contrasts his strength with that of the sun. His very long speech builds upon the somewhat artificial rhetorical device of antithesis, and it concludes in nicely rounded fashion with the same statement with which it began: approval of the reed's presumed complaint against nature. The entire speech is an act of exhibitionism, pompous and self-congratulatory, its very form belying the sympathy it purports to express.

The reed, on the other hand, speaks in simpler language and in more direct fashion. For one thing, his speech is less than half as long. For another, its rhythms reflect the balanced ideas conveyed in its language. His remarks are divided into short, inherently meaningful parts. In general, his speech is crisp without being terse, dense without being cryptic. It is true that he has a relatively long enjambement (Vous avez jusqu'ici/etc.), but notice how it hammers home its meaning through alliteration and assonance, tightening devices consistent with the characteristically concise speech of the reed. This short speech gives the picture of a balanced, if rather sly character, neither boasting nor self-effacing.

The narrator's voice which concludes the poem continues the rhythmic effects of the first act of this little drama. It announces the arrival of the wind in a long enjambement of alexandrin, octosyllable, alexandrin—as if only such a long gust of wind could compete against the long-winded oak. Then in the dramatic rapidity of two octos, the wind lashes at the oak and the reed. Finally, in a brilliant ironic effect achieved almost through rhythm alone, the narrator records the fall of the great oak in the rhythm of the great oak, the alexandrin.

We have said that the theme of the poem is the discrepancy between appearance and reality— the stout but "short" strength of the oak, the pliable but permanent strength of the reed. Readers of La Fontaine's day could not fail to associate the great oak with the kings and nobles, the slender reed with the lesser nobles, the bourgeoisie, and possibly even the peasants. A reader in our own day can extend the two characters of the drama into many other spheres of activity. Implied in this contrast is a moral lesson: not even the greatest endowments, whether natural or acquired, can guarantee survival; it is sometimes better to give with the wind than to stand against it. Behind this lesson lies a still more serious one; its presence gives to this slender poem an unexpected philosophical dimension: the oak could not bend with the wind any more than the reed could stand against it. Either to take pride in what we are not really responsible for, or even to assume that nature (or fate) is aware of human values, is naive.

Perhaps the poem contains yet another dimension. In attesting to the survival of the reed, La Fontaine may be recording his own survival as a poet, particularly as the creator of the "inconsequential" poetic genre of the Fable.

Ballade des dames du temps jadis

FRANÇOIS VILLON (1431–14??)

Dites-moi où, n'en quel pays,
Est Flora la belle Rommaine,[1]
Archipiada,[2] ne Thaïs,[3]
Qui fut sa cousine germaine,
Echo,[4] parlant quand bruit on mène   5
Dessus rivière ou sus étang,
Qui beauté eut trop plus qu'humaine.
Mais où sont les neiges d'antan?

Où est la très sage Helloïs,
Pour qui châtré fut et puis moine   10
Pierre Esbaillart[5] à Saint Denis?
Pour son amour eut cette essoyne.[6]
Semblablement, où est la reine
Qui commanda que Buridan[7]
Fut jeté en un sac en Seine?   15
Mais où sont les neiges d'antan?

La reine Blanche[8] comme lis
Qui chantait à voix de sirene,
Berte au grant pié,[9] Bietris, Alis,
Haremburgis[10] qui tint la Maine,   20
Et Jehanne, la bonne Lorraine,[11]
Qu'Anglais brulèrent à Rouen;
Où sont-ils, Vierge souveraine?
Mais où sont les neiges d'antan?

Prince, n'enquerez de sepmaine[12]   25
Où elles sont, ne de cet an,
Qu'à ce reffrain ne vous remaine:
Mais où sont les neiges d'antan?

1. *Résumez le poème. En quoi votre récit diffère-t-il du poème? Quels sont les avantages du poème sur votre récit?*
2. *A qui le poète s'adresse-t-il au premier vers? Pourquoi le poète remonte-t-il jusqu'aux Anciens?*
3. *Comment le poète nous fait-il sentir la fragilité de la beauté humaine?*
4. *Quel est le mouvement chronologique du poème? Quel en est le rapport avec l'idée centrale?*
5. *Par ses allusions historiques le poète évoque certaines qualités morales. Lesquelles? Est-ce que ces qualités sont aussi des neiges d'antan?*
6. *Pourquoi Villon a-t-il choisi les neiges comme symbole? Quel est l'effet de la répétition?*
7. *Remarquez que le refrain pose une seconde question en réponse à celle posée par le poème entier. En refusant de parler de la mort la rend-il plus ou moins menaçante? plus ou moins horrible?*

---

[1] *Flora:* Roman courtisane
[2] *Archipiada:* Alcibiades, an Athenian general, was often mistaken for a woman by medieval writers
[3] *Thais:* Greek courtesan
[4] *Echo:* a nymph, in love with Narcissus
[5] *Pierre Esbaillart:* Abélard, 12th century theologian, who seduced his pupil, Héloïse, and for punishment was castrated
[6] [Middle French] punishment
[7] *Buridan:* According to legend, Queen Marguerite de Bourgogne had him thrown in the Seine after having seduced him

[8] *La reine Blanche:* Blanche de Castille, mother of Saint-Louis
[9] *Berte au grant pié:* the mother of Charlemagne
[10] *Bietris, Alis, Haremburgis:* obscure historical figures
[11] *Jehanne:* Joan of Arc
[12] *Prince, etc.:* Don't ask this week, for I shall send you back to the refrain

Sacrés Costeaux...[1]

JOACHIM DU BELLAY (1522–1566)

Sacrés costaux, et vous saintes ruines,
Qui le seul nom de Rome retenez,
Vieux monuments, qui encore soutenez
L'honneur poudreux de tant d'âmes divines,

Arcs triomphaux, pointes du ciel voisines,   5
Qui de vous voir le ciel même étonnez,
Las, peu à peu cendre vous devenez,
Fable du peuple, et publiques rapines!

Et bien qu'au temps pour un temps fassent guerre
Les bâtiments, si[2] est-ce que le temps   10
Oeuvres et noms finablement atterre.[3]

Tristes désirs, vivez donc contents:
Car si le temps finit chose si dure,
Il finira la peine que j'endure.

1. *Définissez l'idée centrale du poème. Comment
   dans sa version le poète a-t-il modifié cette
   idée? Comme poème d'idées ce poème vous
   semble-t-il plus réussi que « Ballade des Dames
   du Temps Jadis »? Justifiez votre réponse.*
2. *Pourquoi les ruines sont-elles saintes? (vers 1).*
3. *Comment le poète évoque-t-il l'ancienne grandeur de Rome?*
4. *Ce sonnet se divise classiquement en question
   et réponse. Identifiez-les.*
5. *Quels sont les bâtiments qui font la guerre?
   (vers 9–10).*
6. *Quel est le conseil du poète à ses désirs à la fin
   du poème: de cesser? de patienter? de continuer?*
7. *Quelle est la peine que j'endure? (dernier vers).*
8. *Comment le poète nous fait-il sentir le pouvoir
   inexorable du temps dans la réponse du sonnet?
   Comparez ses attitudes envers le temps dans ce
   poème et dans la « Ballade des Dames ».*

---

[1] the seven hills of Rome
[2] pourtant
[3] finalement atterre: finalement jette à terre

9. *Quelle est la philosophie suggérée par le poète:
   l'hédonisme? le stoïcisme? etc. Sa conclusion
   est-elle optimiste ou pessimiste?*

Épitaphe de Régnier

MATHURIN RÉGNIER (1573–1613)

J'ai vécu sans nul pensement,
Me laissant aller doucement
A la bonne loi naturelle,
Et si m'étonne fort pourquoi
La mort osa songer à moi   5
Qui ne songeai jamais à elle.

1. *L'idée exprimée dans l'épitaphe est-elle moins
   sérieuse pour y être exprimée si spirituelle-
   ment?*
2. *Le poète a-t-il peur de la mort?*
3. *Cherchez une définition de la loi naturelle dans
   une encyclopédie ou ailleurs. Croyez vous que
   Régnier entende cette expression dans le sens
   traditionnel? Dans quel sens l'entend-il?*

Les Hommes

JEAN OGIER DE GOMBAUD (1570?–1666)

Le monde a ses lois immuables,
Qu'il observe en toute saison.
Les seuls animaux raisonnables
N'ont point de loi ni de raison.

1. *Comme « L'Épitaphe de Régnier » ce poème a
   la forme d'une épigramme. Que semble être le
   trait essentiel de cette forme?*
2. *La forme est très étudiée, très raisonnée (typique
   de l'une des plus fortes tendances de l'époque).
   Quel est donc le paradoxe du poème, dans le
   rapport du contenu à la forme?*

A Monsieur le Comte de Bussy de Bourgogne

Ode

RACAN[1] (1589–1670)

Bussy, notre printemps s'en va presque expiré;
Il est temps de jouir du repos assuré
    Où l'âge nous convie;
Fuyons donc ces grandeurs qu'insensés nous
                                 suivons,
Et, sans penser plus loin, jouissons de la vie   5
    Tandis que nous l'avons.

Donnons quelque relâche à nos travaux passés;
Ta valeur et mes vers ont eu du nom assez.
    Dans le siècle où nous sommes,
Il faut aimer notre aise, et, pour vivre contents,   10
Acquérir par raison ce qu'enfin tous les hommes
    Acquièrent par le temps.

Que te sert de chercher les tempêtes de Mars,
Pour mourir tout en vie au milieu des hasards
    Où la gloire te mène?   15
Cette mort qui promet un si digne loyer
N'est toujours que la mort qu'avecque moins de
                          peine
    L'on trouve en son foyer.

Que sert à ces galants ce pompeux appareil
Dont ils vont dans la lice éblouir le soleil   20
    Des trésors du Pactole?[2]
La gloire qui les suit après tant de travaux
Se passe en moindre temps que la foudre qui vole
    Du pied de leurs chevaux.

A quoi sert d'élever ces murs audacieux   25
Qui de nos vanités font voir jusques aux cieux
    Les folles entreprises?
Maints châteaux, accablés dessous leur propre faix,[3]
Enterrent avec eux les noms et les devises
    De ceux qui les ont faits.   30

Employons mieux le temps qui nous est limité;
Quittons ce fol espoir par qui la vanité
    Nous en fait tant accroire;

---

¹ Honorat de Bueil, seigneur de Racan
² The river in which King Midas bathed thereby acquiring the power to change objects into gold; hence, a source of wealth
³ weight

Qu'Amour soit désormais la fin de nos désirs,
Car pour eux seulement les dieux ont fait la gloire,   35
    Et pour nous les plaisirs.

Heureux qui, dépouillé de toutes passions,
Aux lois de son pays règle ses actions
    Exemptes d'artifice!
Et qui libre du soin qui t'est trop familier,   40
Aimerait mieux mourir dans les bras d'Arthénice[4]
    Que devant Montpellier.[5]

1. *Comparez ce poème avec « Sacrés costaux » de Du Bellay. Exprime-t-il la même idée? les mêmes sentiments? (voyez en particulier la cinquième strophe de ce poème-ci).*
2. *Quel poème vous semble le meilleur comme poème d'idées: « Ode », « Sacrés costaux », ou « Ballade des Dames du Temps Jadis »? Lequel est le plus poétique? Justifiez vos réponses.*

Satire II

à M. de Molière

BOILEAU[1] (1636–1711)

Rare et fameux esprit, dont la fertile veine
Ignore en écrivant le travail et la peine,
Pour qui tient Apollon[2] tous ses trésors ouverts,
Et qui sais à quel coin se marquent les bons vers,
Dans les combats d'esprit savant maître d'escrime,   5
Enseigne-moi, Molière, où tu trouves la rime.
On dirait, quand tu veux, qu'elle te vient chercher;
Jamais au bout du vers on ne te voit broncher;
Et, sans qu'un long détour t'arrête ou
                        t'embarrasse,
A peine as-tu parlé, qu'elle-même s'y place.   10
Mais moi, qu'un vain caprice, une bizarre humeur,
Pour mes péchés, je crois, fit devenir rimeur,
Dans ce rude métier où mon esprit se tue,

---

⁴ The nickname of the Marquise de Rambouillet, famous for her salon and her friendships with writers
⁵ Site of a battle between the Protestant Huguenots and Catholics in 1622

---

¹ Nicolas Boileau-Despréaux
² Apollo was the patron god of poets

En vain, pour la trouver, je travaille et je sue.
Souvent j'ai beau rêver du matin jusqu'au soir,   15
Quand je veux dire blanc, la quinteuse[3] dit noir.
Si je veux d'un galant dépeindre la figure,
Ma plume pour rimer trouve l'abbé de Pure;[4]
Si je pense exprimer un auteur sans défaut,
La raison dit Virgile, et la rime Quinault;[5]   20
Enfin, quoi que je fasse ou que je veuille faire,
La bizarre toujours vient m'offrir le contraire.
De rage, quelquefois, ne pouvant la trouver,
Triste, las et confus, je cesse d'y rêver;
Et, maudissant vingt fois le démon qui m'inspire,   25
Je fais mille serments de ne jamais écrire.
Mais, quand j'ai bien maudit et muses et Phébus,[6]
Je la vois qui paraît quand je n'y pense plus:
Aussitôt, malgré moi, tout mon feu se rallume,
Je reprends sur-le-champ le papier et la plume,   30
Et, de mes vains serments perdant le souvenir,
J'attends de vers en vers qu'elle daigne venir.
Encor si, pour rimer, dans sa verve indiscrète,
Ma muse au moins souffrait une froide épithète,
Je ferais comme un autre; et, sans chercher si loin,   35
J'aurais toujours des mots pour les coudre au besoin
Si je louais Philis *en miracles féconde*,
Je trouverais bientôt, *à nulle autre seconde;*
Si je voulais vanter un objet *non pareil*,
Je mettrais à l'instant, *plus beau que le soleil;*   40
Enfin, parlant toujours d'*astres* et de *merveilles*,
De *chefs-d'œuvre des cieux*, de *beautés sans pareilles*,
Avec tous ces beaux mots, souvent mis au hasard,
Je pourrais aisément, sans génie et sans art,
Et transposant cent fois et le nom et le verbe,   45
Dans mes vers recousus mettre en pièces Malherbe.[7]
Mais mon esprit, tremblant sur le choix de ses mots,
N'en dira jamais un s'il ne tombe à propos,
Et ne saurait souffrir qu'une phrase insipide
Vienne à la fin d'un vers remplir la place vide: 50
Ainsi, recommencant un ouvrage vingt fois,
Si j'écris quatre mots, j'en effacerai trois.
    Maudit soit le premier dont la verve insensée
Dans les bornes d'un vers renferma sa pensée,
Et, donnant à ses mots une étroite prison,   55
Voulut avec la rime enchaîner la raison!

Sans ce métier fatal au repos de ma vie,
Mes jours pleins de loisir couleraient sans envie:
Je n'aurais qu'à chanter, rire, boire d'autant,
Et, comme un gras chanoine,[8] a mon aise et content,   60
Passer tranquillement, sans souci, sans affaire,
La nuit à bien dormir, et le jour à rien faire.
Mon cœur, exempt de soins, libre de passion,
Sait donner une borne à son ambition;
Et, fuyant des grandeurs la présence importune,   65
Je ne vais point au Louvre[9] adorer la fortune;
Et je serais heureux si, pour me consumer,
Un destin envieux ne m'avait fait rimer.
    Mais depuis le moment que cette frénesie
De ses noires vapeurs troubla ma fantaisie,   70
Et qu'un démon, jaloux de mon contentement,
M'inspira le dessein d'écrire poliment,[10]
Tous les jours, malgré moi, cloué sur un ouvrage,
Retouchant un endroit, effaçant une page,
Enfin passant ma vie en ce triste métier,   75
J'envie, en écrivant, le sort de Peletier.[11]
    Bienheureux Scudéry[12] dont la fertile plume
Peut tous les mois sans peine enfanter un volume!
Tes écrits, il est vrai, sans art et languissants,
Semblent etre formés en dépit du bon sens,   80
Mais ils trouvent pourtant, quoi qu'on en puisse dire,
Un marchand pour les vendre, et des sots pour les lire;
Et quand la rime enfin se trouve au bout des vers,
Qu'importe que le reste y soit mis de travers?
Malheureux mille fois celui dont la manie
Veut aux règles de l'art asservir son génie!
Un sot, en écrivant, fait tout avec plaisir:
Il n'a point en ses vers l'embarras de choisir;
Et, toujours amoureux de ce qu'il vient d'écrire,
Ravi d'étonnement, en soi-même il s'admire.   90
Mais un esprit sublime en vain veut s'élever
A ce degré parfait qu'il tâche de trouver;
Et, toujours mécontent de ce qu'il vient de faire,
Il plaît à tout le monde, et ne saurait se plaire;
Et tel, dont en tous lieux chacun vante l'esprit,   95
Voudrait pour son repos n'avoir jamais écrit.
    Toi donc qui vois les maux où ma muse s'abîme,

---

[3] the capricious one
[4] Abbé Michel de Pure, best remembered for the preciosity of his writings
[5] Philippe Quinault, playwright, also a *"précieux"*
[6] Apollo
[7] François de Malherbe (1555–1628), poet and founder of the Classical poetic style. He was much admired by Boileau

[8] a Church dignitary
[9] the royal palace where artists and poets sought the favor of the king
[10] with polish [a meaning added to the usual meaning here]
[11] Pierre Le Peletier, an insipid poet
[12] Georges de Scudéry, one of the more prolific of the *"précieux"*

De grâce, enseigne-moi l'art de trouver la rime;
Ou, puisque enfin tes soins y seraient superflus,
Molière, enseigne-moi l'art de ne rimer plus.   100

1. *Quel est le sujet de ce poème? Le badinage de Boileau est-il de sa part un simple jeu d'esprit?*

2. *Boileau se croit-il si mauvais qu'il le prétend?*

3. *Boileau croit-il à l'inspiration soudaine comme cause de la réussite artistique? (voyez vers 53 et suivants).*

4. *Pense-t-il que le travail en soit la seule cause? (voyez les vers 85–86).*

5. *Définissez la position exacte de Boileau vis-à-vis du problème de l'inspiration.*

6. *Identifiez les types de poètes décrits par Boileau. A quel type appartient-il lui-même?*

7. *Dans la note du vers 73 nous avons indiqué un exemple de l'esprit (anglais: wit) de Boileau. Expliquez le double entendre dans poliment. Trouvez d'autres exemples de l'esprit de Boileau.*

8. *Analysez le ton du poème (par exemple: élégant, sobre, emporté, vif, calme, sarcastique, détaché, etc.). En quel sens le ton indique-t-il la position de Boileau vis-à-vis des questions soulevées dans le poème?*

9. *Par quel procédé Boileau arrive-t-il à prouver la supériorité de Molière comme poète?*

Le Rat qui s'est retiré du monde

JEAN DE LA FONTAINE (1621–1695)

Les Levantins[1] en leur légende
Disent qu'un certain rat, las des soins d'ici-bas,
    Dans un fromage de Hollande
    Se retira loin du tracas.
    La solitude était profonde,   5
    S'étendant partout à la ronde.
Notre ermite nouveau subsistait là-dedans.
    Il fit tant de pieds et de dents,

[1] Some of La Fontaine's fables are from the Levant
i.e. Orient

Qu'en peu de jours il eut au fond de l'hermitage
Le vivre et le couvert; que faut-il davantage?   10
Il devint gros et gras: Dieu prodigue ses biens
    A ceux qui font vœu d'être siens.
    Un jour au dévot personnage
    Des députés du peuple rat
S'en vinrent demander quelque aumône légère: 15
    Ils allaient en terre étrangère
Chercher quelque secours contre le peuple chat;
    Ratopolis était bloquée:
On les avait contraints de partir sans argent,
    Attendu l'état indigent   20
    De la république attaquée.
Ils demandaient fort peu, certains que le secours
    Serait prêt dans quatre ou cinq jours.
    « Mes amis, dit le solitaire,
Les choses d'ici-bas ne me regardent plus: 25
    En quoi peut un pauvre reclus
    Vous assister? que peut-il faire,
Que de prier le Ciel qu'il vous aide en ceci?
J'espère qu'il aura de vous quelque souci. »
    Ayant parlé de cette sorte,   30
    Le nouveau saint ferma sa porte.
    Qui désignai-je, à votre avis,
    Par ce rat si peu secourable?
    Un moine? Non, mais un dervis:
Je suppose qu'un moine est toujours charitable.   35

1. *La Fontaine nous transmet son message sous la forme d'une narration. Quels en sont les avantages et les désavantages?*

2. *Pourquoi le poète attribue-t-il sa fable à la légende levantine?*

3. *Quel sacrifice y-a-t-il pour un rat à se retirer dans un fromage de Hollande?*

4. *Quelle réponse pourriez vous imaginer à la question posée dans le dixième vers—si tout au moins le poète en demandait une.*

5. *La phrase Dieu prodigue ses biens (vers 11) serait dans un autre contexte d'une piété admirable. Pourquoi est-elle ironique ici?*

6. *La Fontaine pense-t-il que le moine aurait dû participer à la guerre comme combattant? Que reproche-t-il au moine?*

7. *Ce poème est-il anti-religieux? Les derniers vers semblent-ils adoucir l'accusation portée contre le moine par le reste du texte? Ou sont-ils plutôt ironiques?*

La Grenouille qui se veut faire aussi grosse que le bœuf

JEAN DE LA FONTAINE (1621–1695)

Une grenouille vit un bœuf
Qui lui sembla de belle taille.
Elle, qui n'était pas grosse en tout comme un œuf,
Envieuse s'étend, et s'enfle, et se travaille
    Pour égaler l'animal en grosseur,   5
      Disant : « Regardez bien, ma sœur ;
Est-ce assez ? Dites-moi. N'y suis-je point encore ?
— Nenni. — M'y voici donc ? — Point du tout.
                    — M'y voilà ?
— Vous n'en approchez point. » Le chétive
                  pecore[1]
    S'enfla si bien qu'elle creva.   10
Le monde est plein de gens qui ne sont pas plus
                  sages :
Tout bourgeois veut bâtir comme les grands
                  seigneurs ;
    Tout petit prince a des ambassadeurs ;
    Tout marquis veut avoir des pages.

Le Soleil fixe au milieu des planètes

*JACQUES-CHARLES-LOUIS DE CLINCHAMP
DE MALFILÂTRE (1732–1767)*

    L'homme a dit : « Les cieux m'environnent,
Les cieux ne roulent que pour moi ;
De ces astres qui me couronnent
La nature me fit le roi ;
Pour moi seul le soleil se lève,   5
Pour moi seul le soleil achève
Son cercle éclatant dans les airs ;
Et je vois, souverain tranquille,
Sur son poids la terre immobile
Au centre de cet univers. »   10

    Fier mortel, bannis ces fantômes ;
Sur toi-même jette un coup d'œil :
Que sommes-nous, faibles atomes,
Pour porter si loin notre orgueils ?

Insensés ! nous parlons en maîtres,   15
Nous, qui dans l'océan des êtres
Nageons tristement confundus ;
Nous dont l'existence légère,
Pareille à l'ombre passagère,
Commence, paraît, et n'est plus !   20

Mais quelles routes immortelles
Uranie entr'ouvre à mes yeux !
Déesse, est-ce toi qui m'appelles
Aux voûtes brillantes des cieux ?
Je te suis. Mon âme agrandie,   25
S'élançant d'une aile hardie,
De la terre a quitté les bords :
De ton flambeau la clarté pure
Me guide au temple où la nature
Cache ses augustes trésors.   30

    Grand Dieu ! quel sublime spectacle
Confond mes sens, glace ma voix !
Où suis-je ? Quel nouveau miracle
De l'Olympe a changé les lois ?
Au loin, dans l'étendue immense,   35
Je contemple seul en silence,
Le marche du grand univers ;
Et dans l'enceinte qu'elle embrasse,
Mon œil surpris voit sur la trace
Retourner les orbes divers.   40

    Portés du couchant à l'aurore
Par un mouvement éternel,
Sur leur axe ils tournent encore
Dans les vastes plaines du ciel.
Quelle intelligence secrète   45
Règle en son cours chaque planète
Par d'imperceptibles ressorts ?
Le soleil est-il le génie
Qui fait avec tant d'harmonie
Circuler les célestes corps ?   50

    Au milieu d'un vaste fluide
Que la main du Dieu créateur
Versa dans l'abîme du vide,
Cet astre unique est leur moteur.
Sur lui-même agité sans cesse,   55
Il emporte, il balance, il presse
L'éther et les orbes errants ;
Sans cesse une force contraire
De cette ondoyante matière
Vers lui repousse les torrents.   60

[1] *La . . . pécore:* the miserable creature

Ainsi se forment les orbites
Que tracent ces globes connus:
Ainsi, dans des bornes prescrites,
Volent et Mercure et Vénus.
La terre suit: Mars, moins rapide,   65
D'un air sombre, s'avance et guide
Les pas tardifs de Jupiter;
Et son père, le vieux Saturne,
Roule à peine son char nocturne
Sur les bords glacés de l'éther.   70

Oui, notre sphère, épaisse masse,
Demande au soleil ses présents,
A travers sa dure surface
Il darde ses feux bienfaisants.
Le jour voit les heures légères   75
Présenter les deux hémisphères
Tour à tour à ses doux rayons;
Et sur les signes inclinée,
La terre, promenant l'année,
Produit des fleurs et des moissons.   80

Je te salue, ami du monde,
Sacré soleil, astre du feu,
De tous les biens source féconde,
Soleil, image de mon Dieu!
Aux globes qui, dans leur carrière,   85
Rendent hommage à ta lumière,
Annonce Dieu par ta splendeur:
Règne à jamais sur ses ouvrages,
Triomphe, entretiens tous les âges
De son éternelle grandeur.   90

ALLUSION

Du ciel, auguste souveraine,
C'est toi que je peins sous ces traits;
Le tourbillon qui nous entraîne,
Vierge, ne t'ébranla jamais.
Enveloppés de vapeurs sombres,   5
Toujours errants parmi les ombres,
Du jour nous cherchons la clarté.
Ton front seul, aurore nouvelle,
Ton front sans nuage étincelle
Des feux de la divinité.   10

1. *Résumez l'idée centrale du poème. Le but que
   le poète s'est proposé est-il scientifique ou
   moral?*
2. *Que pensez-vous de l'exposition des idées du
   point de vue scientifique?*
3. *Le poète croit-il en Dieu?*
4. *Quels sont les rapports entre l'homme et l'univers?*
5. *Le poète veut-il exalter ou humilier l'homme?
   Commentez à ce propos le ton extatique.*
6. *Quel est le point de vue du poète: celui du chef
   politique? du professeur? du prêtre? etc.*
7. *Est-ce que vous trouvez dans le poème trace de
   cette confiance excessive en la science que
   certains ont attribuée au 18e siècle?*

L'Occident

ALPHONSE-MARIE-LOUIS DE LAMARTINE
(1790–1869)

Et la mer s'apaisait comme une urne écumante
Qui s'abaisse au moment où le foyer pâlit,
Et, retirant du bord sa vague encor fumante,
Comme pour s'endormir, rentrait dans son grand
                                            lit;

Et l'astre qui tombait de nuage en nuage   5
Suspendait sur les flots un orbe sans rayon,
Puis plongeait la moitié de sa sanglante image,
Comme un navire en feu qui sombre à l'horizon;

Et la moitié du ciel pâlissait, et la brise
Défaillait dans la voile, immobile et sans voix,   10
Et les ombres couraient, et sous leur teinte grise
Tout sur le ciel et l'eau s'effaçait à la fois;

Et dans mon âme, aussi pâlissant à mesure,
Tous les bruits d'ici-bas tombaient avec le jour,
Et quelque chose en moi, comme dans la nature,   15
Pleurait, priait, souffrait, bénissait tour à tour.

Et, vers l'occident seul, une porte éclatante
Laissait voir la lumière à flots d'or ondoyer,
Et la nue empourprée imitait une tente
Qui voile sans l'éteindre un immense foyer;   20

Et les ombres, les vents, et les flots de l'abîme,
Vers cette arche de feu tout paraissait courir,
Comme si la nature et tout ce qui l'anime
En perdant la lumière avait craint de mourir.

La poussière du soir y volait de la terre,   25
L'écume à blancs flocons sur la vague y flottait;
Et mon regard long, triste, errant, involontaire,
Les suivait, et de pleurs sans chagrin s'humectait.

Et tout disparaissait; et mon âme oppressée
Restait vide et pareille à l'horizon couvert;   30
Et puis il s'élevait une seule pensée,
Comme une pyramide au milieu du désert.

O lumière! où vas-tu? Globe épuisé de flamme,
Nuages, aquilons, vagues, où courez-vous?
Poussière, écume, nuit; vous, mes yeux, toi, mon
                                                    âme,   35
Dites, si vous savez, où donc allons-nous tous?

A toi, grand Tout, dont l'astre est la pâle
                                                    étincelle,
En qui la nuit, le jour, l'esprit vont aboutir!
Flux et reflux divin de vie universelle,
Vaste océan de l'Etre où tout va s'engloutir!...   40

1. *Comparez ce poème avec les poèmes d'idées que nous avons lus jusqu'ici. Quel changement profond remarquez-vous dans le point de vue et dans le ton?*
2. *Le language du poème est-il plutôt affectif ou plutôt objectif? Soulignez les mots-clefs. (Commentez la prédominance des mots qui évoquent l'eau).*
3. *Quel est l'effet de la répétition de Et au commencement de chaque strophe?*
4. *Distinguez trois parties ou mouvements dans le poème. Quel est le rapport entre le premier et le deuxième mouvement: contradiction? renforcement des mêmes idées? Quel est le rapport entre le deuxième et le troisième mouvement?*
5. *Que veut dire le poète par ses pleurs sans chagrin? (vers 28).*
6. *Le grand Tout (vers 37) est-il Dieu? Sinon, que désigne-t-il?*

La Prière

ALPHONSE-MARIE-LOUIS DE LAMARTINE
(1790–1869)

Le roi brillant du jour, se couchant dans sa gloire,
Descend avec lenteur de son char de victoire;
Le nuage éclatant qui le cache à nos yeux
Conserve en sillons d'or sa trace dans les cieux,
Et d'un reflet de pourpre inonde l'étendue.   5
Comme une lampe d'or dans l'azur suspendue,
La lune se balance aux bords de l'horizon;
Ses rayons affaiblis dorment sur le gazon,
Et le voile des nuits sur les monts se déplie
C'est l'heure où la nature, un moment recueillie,   10
Entre la nuit qui tombe et le jour qui s'enfuit,
S'élève au créateur du jour et de la nuit,
Et semble offrir à Dieu, dans son brillant langage,
De la création la magnifique hommage.
Voilà le sacrifice immense, universel!   15
L'univers est le temple et la terre est l'autel;
Les cieux en sont le dôme; et ses astres, sans
                                                    nombre,
Ces feux demi-voilés, pâle ornement de l'ombre,
Dans la voûte d'azur avec ordre semés,
Sont les sacrés flambeaux pour ce temple allumés;   20
Et ces nuages purs qu'un jour mourant colore,
Et qu'un souffle léger, du couchant à l'aurore,
Dans les plaines de l'air repliant mollement,
Roule en flocons de pourpre aux bords du
                                                    firmament,
Sont les flots de l'encens qui monte et s'évapore   25
Jusqu'au trône du Dieu que la nature adore.

Mais ce temple est sans voix. Où sont les saints
                                                    concerts?
D'où s'élèvera l'hymne au roi de l'univers?
Tout se tait: mon cœur seul parle dans ce silence.
La voix de l'univers, c'est mon intelligence.   30
Sur les rayons du soir, sur les ailes du vent,
Elle s'élève à Dieu comme un parfum vivant,
Et, donnant un langage à toute créature,
Prête, pour l'adorer, mon âme à la nature.
Seul, invoquant ici son regard paternel,   35
Je remplis le désert du nom de l'Eternel;
Et celui qui, du sein de sa gloire infinie,
Des sphères qu'il ordonne écoute l'harmonie,
Ecoute aussi la voix de mon humble raison,
Qui contemple sa gloire et murmure son nom.   40
Salut, principe et fin de toi-même et du monde!
Toi qui rends d'un regard l'immensité féconde,
Ame de l'univers, Dieu, père, créateur,
Sous tous ces noms divers je crois en toi, Seigneur;
Et, sans avoir besoin d'entendre ta parole,   45
Je lis au front des cieux mon glorieux symbole.
L'étendue à mes yeux révèle ta grandeur,
La terre ta bonté, les astres ta splendeur.
Tu t'es produit toi-même en ton brillant ouvrage!
L'univers tout entier réfléchit ton image,   50
Et mon âme à son tour réfléchit l'univers.
Ma pensée, embrassant tes attributs divers,

Partout autour de toi te découvre et t'adore,
Se contemple soi-même, et t'y découvre encore:
Ainsi l'astre du jour éclate dans les cieux, 55
Se réfléchit dans l'onde et se peint à mes yeux.

C'est peu de croire en toi, bonté, beauté suprême!
Je te cherche partout, j'aspire à toi, je t'aime!
Mon âme est un rayon de lumière et d'amour,
Qui, du foyer divin détaché pour un jour, 60
De désirs dévorants loin de toi consumée,
Brûle de remonter à sa source enflammée.
Je respire, je sens, je pense, j'aime en toi!
Ce monde qui te cache est transparent pour moi;
C'est toi que je découvre au fond de la nature, 65
C'est toi que je bénis dans toute créature.
Pour m'approcher de toi, j'ai fui dans ces déserts:
Là, quand l'aube, agitant son voile dans les airs,
Entr'ouvre l'horizon qu'un jour naissant colore,
Et sème sur les monts les perles de l'aurore, 70
Pour moi c'est ton regard qui, du divin séjour,
S'entr'ouvre sur le monde et lui répand le jour;
Quand l'astre à son midi, suspendant sa carrière,
M'inonde de chaleur, de vie et de lumière,
Dans ses puissants rayons, qui raniment mes sens, 75
Seigneur, c'est ta vertu, ton souffle que je sens;
Et quand la nuit, guidant son cortège d'étoiles,
Sur le monde endormi jette ses sombres voiles,
Seul, au sein du désert et de l'obscurité,
Méditant de la nuit la douce majesté, 80
Enveloppé de calme et d'ombre et de silence,
Mon âme de plus près adore ta présence;
D'un jour intérieur je me sens éclairer,
Et j'entends une voix qui me dit d'espérer.

Oui, j'espère, Seigneur, en ta magnificence: 85
Partout à pleines mains prodiguant l'existence,
Tu n'auras pas borné le nombre de mes jours
A ces jours d'ici-bas, si troublés et si courts.
Je te vois en tous lieux conserver et produire:
Celui qui peut créer dédaigne de détruire. 90
Témoin de ta puissance et sûr de ta bonté,
J'attends le jour sans fin de l'immortalité.
La mort m'entoure en vain de ses ombres
                                    funèbres,
Ma raison voit le jour à travers ces ténèbres;
C'est le dernier degré qui m'approche de toi, 95
C'est le voile qui tombe entre ta face et moi.
Hâte pour moi, Seigneur, ce moment que
                                    j'implore;
Ou, si dans tes secrets tu le retiens encore,
Entends du haut du ciel le cri de mes besoins!
L'atome et l'univers sont l'objet de tes soins: 100
Des dons de ta bonté soutiens mon indigence,
Nourris mon corps de pain, mon âme d'espérance;

Réchauffe d'un regard de tes yeux tout-puissants
Mon esprit éclipsé par l'ombre de mes sens,
Et, comme le soleil aspire la rosée, 105
Dans ton sein à jamais absorbe ma pensée.

La Mort du Loup

ALFRED DE VIGNY (1797–1863)

I

Les nuages couraient sur la lune enflammée
Comme sur l'incendie on voit fuir la fumée,
Et les bois étaient noirs jusqu'à l'horizon.
Nous marchions, sans parler, dans l'humide gazon,
Dans la bruyère épaisse et dans les hautes brandes,[1] 5
Lorsque, sous des sapins pareils à ceux des Landes,[2]
Nous avons aperçu les grands ongles marqués
Par les loups voyageurs que nous avions traqués.
Nous avons écouté, retenant notre haleine
Et le pas suspendu. — Ni le bois ni la plaine 10
Ne poussaient un soupir dans les airs; seulement
La girouette[3] en deuil criait au firmament;
Car le vent, élevé bien au-dessus des terres,
N'effleurait de ses pieds que les tours solitaires,
Et les chênes d'en bas, contre les rocs penchés, 15
Sur leurs coudes semblaient endormis et couchés.
Rien ne bruissait[4] donc, lorsque, baissant la tête,
Le plus vieux des chasseurs qui s'étaient mis en
                                    quête
A regardé le sable en s'y couchant; bientôt,
Lui que jamais ici l'on ne vit en défaut, 20
A déclare tout bas que ces marques récentes
Annonçaient la démarche et les griffes puissantes
De deux grands Loups-cerviers et de deux
                                    louveteaux.[5]
Nous avons tous alors préparé nos couteaux
Et, cachant nos fusils et leurs lueurs trop blanches, 25
Nous allions, pas à pas, en écartant les branches.
Trois s'arrêtent, et moi, cherchant ce qu'ils
                                    voyaient,
J'aperçois tout à coup deux yeux qui
                                    flamboyaient,
Et je vois au delà quatre formes légères
Qui dansaient sous la lune au milieu des bruyères, 30

---

[1] dry heather
[2] a region on the Atlantic coast, north of the Pyrenees.
It is noted for its stands of timber
[3] weathervane
[4] *Rien ne bruissait: ne faisait de bruit*
[5] wolf-cubs

Comme font chaque jour, à grand bruit sous nos
                                            yeux,
Quand le maître revient, les lévriers[6] joyeux.
Leur forme était semblable et semblable la danse;
Mais les enfants du Loup se jouaient en silence,
Sachant bien qu'à deux pas, ne dormant qu'à demi,   35
Se couche dans ses murs l'homme, leur ennemi.
Le père était debout, et plus loin, contre un arbre,
Sa Louve reposait comme celle de marbre
Qu'adoraient les Romains, et dont les flancs velus[7]
Couvaient les demi-dieux Rémus et Romulus.[8]   40
Le Loup vient et s'assied, les deux jambes dressées
Par leurs ongles crochus dans le sable enfoncées.
Il s'est jugé perdu, puisqu'il était surpris,
Sa retraite coupée et tous ses chemins pris;
Alors il a saisi, dans la gueule brûlante,   45
Du chien le plus hardi la gorge pantelante[9]
Et n'a pas desserré ses mâchoires de fer,
Malgré nos coups de feu, qui traversaient sa chair
Et nos couteaux aigus qui, comme des tenailles,[10]
Se croisaient en plongeant dans ses larges entrailles,   50
Jusqu'au dernier moment où le chien étranglé,
Mort longtemps avant lui, sous ses pieds a roulé.
Le Loup le quitte alors et puis il nous regarde.
Les couteaux lui restaient au flanc jusqu'à la garde,
Le clouaient au gazon tout baigné dans son sang;   55
Nos fusils l'entouraient en sinistre croissant.
Il nous regarde encore, ensuite il se recouche
Tout en léchant le sang répandu sur sa bouche.
Et sans daigner savoir comment il a péri,
Refermant ses grands yeux, meurt sans jeter un cri.   60

II

J'ai reposé mon front sur mon fusil sans poudre,
Me prenant à penser, et n'ai pu me résoudre
A poursuivre sa Louve et ses fils, qui, tous trois,
Avaient voulu l'attendre, et, comme je le crois,
Sans ses deux Louveteaux la belle et sombre veuve   65
Ne l'eût pas laissé seul subir la grande épreuve;
Mais son devoir était de les sauver, afin
De pouvoir leur apprendre à bien souffrir la faim,
A ne jamais entrer dans le pacte des villes
Que l'homme a fait avec les animaux serviles   70
Qui chassent devant lui, pour avoir le coucher,
Les premiers possesseurs du bois et du rocher.

[6] hounds
[7] hairy
[8] the founders of Rome who were reputedly nourished
during their infancy by a wolf
[9] panting
[10] pincers

III

Hélas! ai-je pensé, malgré ce grand nom
                                    d'Hommes,
Que j'ai honte de nous, débiles que nous sommes!
Comment on doit quitter la vie et tous ses maux,   75
C'est vous qui le savez, sublimes animaux!
A voir ce que l'on fut sur terre et ce qu'on laisse,
Seul le silence est grand; tout le reste est faiblesse.
— Ah! je t'ai bien compris, sauvage voyageur,
Et ton dernier regard m'est allé jusqu'au cœur!   80
Il disait: « Si tu peux, fais que ton âme arrive,
A force de rester studieuse et pensive,
Jusqu'à ce haut degré de stoïque fierté
Où, naissant dans les bois, j'ai tout d'abord monté.
Gémir, pleurer, prier est également lâche.   85
Fais énergiquement ta longue et lourde tâche,
Dans la voie où le Sort a voulu t'appeler.
Puis après, comme moi, souffre et meurs sans
                                    pleurer. »

1. *Racontez brièvement l'action du poème. Comment un chasseur la raconterait-il? Par quoi sa version différerait-elle de celle du poète?*

2. *Quels sont les détails qui dépeignent l'atmosphère de cette chasse nocturne et la rendent présente à notre imagination?*

3. *Toute la nature semble triste. Mais, au contraire, ne pourrait-on pas dire que les loups dansent? (vers 30; leur formes sont légères). C'est la première étape du développement poétique qui transforme le Loup en symbole. Quelle valeur symbolique y a-t-il dans l'évocation de la Louve (notez la majuscule) qui a nourri Romulus et Rémus?*

4. *Le Loup tue le chien, animal servile qui s'est laissé dompté par l'homme. Comment interprétez-vous cet acte: défi? vengeance? menace? etc. De quelle manière le poète évite-t-il de dépeindre le Loup comme un animal féroce et fourbe?*

5. *Y a-t-il un parallèle entre la mort du Loup et celle de Jules César, assassiné par Brutus et les sénateurs romains?*

6. *Quelle est la qualité morale suggérée par le fait que le Loup meurt sans un cri?*

7. *Comment la deuxième partie du texte semble-*

t-elle confirmer la transformation soudaine du poème en un drame personnel pour le poète?

8. *C'est ici que Vigny commence à donner un sens plus général au récit. Pensez-vous que le mot* devoir *puisse être employé pour un animal? Ne vous semble-t-il pas de plus en plus clair que le poète veut suggérer sous l'image du Loup un comportement humain? Lequel serait-ce?*

9. *On parle souvent de Vigny comme d'un stoïque. Cherchez dans un dictionnaire la définition de ce terme. Définit-il la philosophie du poème?*

Stella

VICTOR HUGO (1802–1885)

Je m'étais endormi la nuit près de la grève.[1]
Un vent frais m'éveilla, je sortis de mon rêve,
J'ouvris les yeux, je vis l'étoile du matin.
Elle resplendissait au fond du ciel lointain
Dans une blancheur molle, infinie et charmante.   5
Aquilon[2] s'enfuyait emportant la tourmente.
L'astre éclatant changeait la nuée en duvet.[3]
C'était une clarté qui pensait, qui vivait;
Elle apaisait l'écueil où la vague déferle;[4]
On croyait voir une âme à travers une perle.   10
Il faisait nuit encor, l'ombre régnait en vain,
Le ciel s'illuminait d'un sourire divin.
La lueur argentait le haut du mât qui penche;
Le navire était noir, mais la voile était blanche;
Des goëlands[5] debout sur un escarpement,   15
Attentifs, contemplaient l'étoile gravement
Comme un oiseau céleste et fait d'une étincelle;
L'océan qui ressemble au peuple, allait vers elle,
Et, rugissant tout bas, la regardait briller,
Et semblait avoir peur de la faire envoler.   20
Un ineffable amour emplissait l'étendue.
L'herbe verte à mes pieds frissonnait éperdue,
Les oiseaux se parlaient dans les nids; une fleur
Qui s'éveillait me dit: c'est l'étoile ma sœur.
Et pendant qu'à longs plis l'ombre levait son voile,   25
J'entendis une voix qui venait de l'étoile

Et qui disait: — Je suis l'astre qui vient d'abord.
Je suis celle qu'on croit dans la tombe et qui sort.
J'ai lui sur le Sina,[6] j'ai lui sur le Taygète;[7]
Je suis le caillou d'or et de feu que Dieu jette,   30
Comme avec une fronde,[8] au front noir de la nuit;
Je suis ce qui renaît quand un monde est détruit.
O nations! je suis la poésie ardente.
J'ai brillé sur Moïse et j'ai brillé sur Dante.
Le lion océan est amoureux de moi.   35
J'arrive. Levez-vous, vertu, courage, foi!
Penseurs, esprits, montez sur la tour, sentinelles,
Paupières, ouvrez-vous, allumez-vous, prunelles,
Terre, émeus[9] le sillon, vie, éveille le bruit,
Debout, vous qui dormez! — car celui qui me suit,   40
Car celui qui m'envoie en avant la première,
C'est l'ange Liberté, c'est le géant Lumière!

1. *Quelle est l'idée centrale de ce poème? En quoi votre exposition diffère-t-elle de celle du poète?*

2. *Le ton du poème est-il sobre? froid? chaleureux? pressant? etc. Citez les mots et les rythmes qui justifient votre réponse.*

3. *Pourquoi le poète choisit-il l'aube comme décor à ses réflexions?*

4. *Si l'image dominante de « L'Occident » est celle de l'eau, quelle est l'image dominante ici? Quel est le rapport de cette imagerie avec l'idée centrale?*

5. *Pourquoi « Stella » comme titre au poème?*

6. *En quel sens pourrait-on considérer « Stella » comme une réponse à « L'Occident »?*

La Conscience

VICTOR HUGO (1802–1885)

Lorsque avec ses enfants vêtus de peaux de bêtes,
Echevelé, livide au milieu des tempêtes,
Caïn se fut enfui de devant Jéhovah,
Comme le soir tombait, l'homme sombre arriva

[1] beach
[2] North wind
[3] down [of a bird]
[4] *écueil . . . déferle:* reef where the waves break
[5] seagulls

[6] Mount Sinai
[7] mountain near the ancient city of Sparta
[8] *Comme . . . une fronde:* as with a slingshot
[9] imperative of the verb *émouvoir*

Au bas d'une montagne en une grande plaine; 5
Sa femme fatiguée et ses fils hors d'haleine
Lui dirent: « Couchons-nous sur la terre, et
                                        dormons. »
Caïn, ne dormant pas, songeait au pied des monts.
Ayant levé la tête, au fond des cieux funèbres
Il vit un œil, tout grand ouvert dans les ténèbres, 10
Et qui le regardait dans l'ombre fixement.
« Je suis trop près, » dit-il avec un tremblement.
Il réveilla ses fils dormant, sa femme lasse,
Et se remit à fuir sinistre dans l'espace.
Il marcha trente jours, il marcha trente nuits. 15
Il allait, muet, pâle et frémissant aux bruits,
Furtif, sans regarder derrière lui, sans trêve,
Sans repos, sans sommeil, il atteignit la grève
Des mers dans le pays qui fut depuis Assur.
« Arrêtons-nous, dit-il, car cet asile est sûr. 20
Restons-y. Nous avons du monde atteint les
                                        bornes. »
Et, comme il s'asseyait, il vit dans les cieux mornes
L'œil à la même place au fond de l'horizon.
Alors il tressaillit en proie au noir frisson.
« Cachez-moi ! » cria-t-il; et, le doigt sur la bouche, 25
Tous ses fils regardaient trembler l'aïeul farouche.
Caïn dit à Jabel, père de ceux qui vont
Sous des tentes de poil dans le désert profond:
« Étends de ce côté la toile de la tente. »
Et l'on développa la muraille flottante; 30
Et, quand on l'eut fixée avec des poids de plomb:
« Vous ne voyez plus rien ? » dit Tsilla, l'enfant
                                        blond,
La fille de ses fils, douce comme l'aurore;
Et Caïn répondit: « Je vois cet œil encore ! »
Jubal, père de ceux qui passent dans les bourgs 35
Soufflant dans des clairons et frappant des
                                        tambours,
Cria: « Je saurai bien construire une barrière. »
Il fit un mur de bronze et mit Caïn derrière.
Et Caïn dit: « Cet œil me regarde toujours ! »
Hénoch dit: « Il faut faire une enceinte de tours 40
Si terrible, que rien ne puisse approcher d'elle.
Bâtissons une ville avec sa citadelle,
Bâtissons une ville, et nous la fermerons. »
Alors Tubalcaïn, père des forgerons,[1]
Construisit une ville énorme et surhumaine. 45
Pendant qu'il travaillait, ses frères, dans la plaine,
Chassaient les fils d'Ennos et les enfants de Seth;
Et l'on crevait[2] les yeux à quiconque passait;

Et, le soir, on lançait des flèches aux étoiles.
Le granit remplaça la tente aux murs de toiles, 50
On lia chaque bloc avec des nœuds de fer,
Et la ville semblait une ville d'enfer;
L'ombre des tours faisait la nuit dans les
                                        campagnes;
Ils donnèrent aux murs l'épaisseur des montagnes;
Sur la porte on grava: « Défense à Dieu d'entrer. » 55
Quand ils eurent fini de clore et de murer,
On mit l'aïeul au centre en une tour de pierre,
Et lui restait lugubre et hagard. « O mon père !
L'œil a-t-il disparu ? » dit en tremblant Tsilla.
Et Caïn répondit: « Non, il est toujours là. » 60
Alors il dit: « Je veux habiter sous la terre
Comme dans son sépulcre un homme solitaire;
Rien ne me verra plus, je ne verrai plus rien. »
On fit donc une fosse, et Caïn dit: « C'est bien ! »
Puis il descendit seul sous cette voûte sombre. 65
Quand il se fut assis sur sa chaise dans l'ombre
Et qu'on eut sur son front fermé le souterrain,
L'œil était dans la tombe et regardait Caïn.

1. *Ce poème est un drame en raccourci. Qui en sont les acteurs? Citez-en les actes.*
2. *Pourquoi Caïn s'est-il enfui devant Jéhovah? Quelle idée de Dieu ce nom évoque-t-il: un Dieu de miséricorde? un Dieu vengeur? etc.*
3. *Comment le poète vous fait-il deviner le sentiment de culpabilité chez Caïn avant même que celui-ci ne parle?*
4. *Quel est cet œil qui traque Caïn? Pourquoi lui faut-il si longtemps pour comprendre ce fait?*
5. *Dressez une list des moyens employés par Caïn pour échapper à l'œil.*
6. *Etudiez l'emploi de l'alexandrin dans ce poème. Y a-t-il beaucoup d'enjambements? Trouvez vous des trimètres aussi bien que le dimètre classique? Quel rapport voyez-vous entre rythme et sujet?*
7. *Le poète veut-il raconter la naissance de la conscience chez Caïn en particulier ou chez l'homme en général? S'il s'agit de l'homme en général pourquoi emploie-t-il l'histoire de Caïn comme exemple?*

[1] Inventor of the blacksmith's art according to biblical tradition (*Genesis* 4 : 22)
[2] gouged out

A la Mi-Carême[1]

ALFRED DE MUSSET (1810–1857)

I

Le carnaval s'en va, les roses vont éclore;
Sur les flancs des coteaux déjà court le gazon.
Cependant du plaisir la frileuse[2] saison
Sous ses grelots[3] légers rit et voltige encore,
Tandis que, soulevant les voiles de l'aurore,   5
Le Printemps inquiet paraît à l'horizon.

II

Du pauvre mois de mars il ne faut pas médire,
Bien que le laboureur le craigne justement:
L'univers y renaît; il est vrai que le vent,
La pluie et le soleil s'y disputent l'empire.   10
Qu'y faire? Au temps des fleurs, le monde est un
                                              enfant;
C'est sa première larme et son premier sourire.

III

C'est dans le mois de mars que tente de s'ouvrir
L'anémone sauvage aux corolles[4] tremblantes.
Les femmes et les fleurs appellent le zéphyr;   15
Et du fond des boudoirs les belles indolentes,
Balançant mollement leurs tailles nonchalantes,
Sous les vieux marronniers commencent à venir.

IV

C'est alors que les bals, plus joyeux et plus rares,
Prolongent plus longtemps leurs dernières fanfares;   20
A ce bruit qui nous quitte, on court avec ardeur;
La valseuse se livre avec plus de langueur:
Les yeux sont plus hardis, les lèvres moins avares,
La lassitude enivre, et l'amour vient au cœur.

V

S'il est vrai qu'ici-bas l'adieu de ce qu'on aime   25
Soit un si doux chagrin qu'on en voudrait mourir,
C'est dans le mois de mars, c'est à la mi-carême,

Qu'au sortir d'un souper un enfant du plaisir
Sur la valse et l'amour devrait faire un poème,
Et saluer gaiement ses dieux prêts à partir.   30

VI

Mais qui saura chanter tes pas pleins d'harmonie,
Et tes secrets divins, du vulgaire ignorés,
Belle Nymphe allemande aux brodequins[5] dorés?
O Muse de la valse! ô fleur de poésie!
Où sont, de notre temps, les buveurs d'ambroisie   35
Dignes de s'étourdir dans tes bras adorés?

VII

Quand, sur le Cithéron,[6] la Bacchanale antique
Des filles de Cadmus[7] dénouait les cheveux,
On laissait la beauté danser devant les dieux;
Et si quelque profane, au son de la musique,   40
S'élançait dans les chœurs, la prêtresse impudique
De son thyrse[8] de fer frappait l'audacieux.

VIII

Il n'en est pas ainsi dans nos fêtes grossières;
Les vierges aujourd'hui se montrent moins sévères,
Et se laissent toucher sans grâce et sans fierté.   45
Nous ouvrons à qui veut nos quadrilles vulgaires;
Nous perdons le respect qu'on doit à la beauté,
Et nos plaisirs bruyants font fuir la volupté.

IX

Tant que régna chez nous le menuet gothique,
D'observer la mesure on se souvint encor.   50
Nos pères la gardaient aux jours de thermidor,[9]
Lorsqu'au bruit des canons dansait la République,

[1] Mid-Lent, Thursday of the third week of Lent and a day of festive rejoicing in the midst of Lenten fasting. Note that Mid-Lent coincides more or less with the beginning of Spring (see first stanza)
[2] cold (weather)
[3] sleigh bells
[4] corolla [the petals of a flower, collectively]

[5] a shoe worn by comic actors in ancient times
[6] a mountain which divided two provinces of ancient Greece
[7] legendary founder of Thebes, he was reported to have brought the Phoenician alphabet to Greece and invented the art of writing
[8] a staff with pine cones sculpted at both ends
[9] the eleventh month of the calendar adopted by the Convention after the French Revolution. As the name implies, it was a summer month. Here the poet also alludes to the events of "la journée du 9 thermidor" (July 27, 1794) when the terrorist Robespierre fell from power at the instigation of a number of "moderates", among them the husband of La Tallien alluded to in IX, 5

Lorsque la Tallien,[10] soulevant sa tunique,
Faisait de ses pieds nus craquer les anneaux d'or.

X

Autres temps, autres mœurs ; le rythme et la
                         cadence   55
Ont suivi les hasards et la commune loi.
Pendant que l'univers, ligué contre la France,
S'épuisait de fatigue à lui donner un roi,
La valse d'un coup d'aile a détrôné la danse.
Si quelqu'un s'en est plaint, certes, ce n'est pas moi.   60

XI

Je voudrais seulement, puisqu'elle est notre hôtesse,
Qu'on sût mieux honorer cette jeune déesse.
Je voudrais qu'à sa voix on pût régler nos pas,
Ne pas voir profaner une si douce ivresse,
Froisser d'un si beau sein les contours délicats,   65
Et le premier venu l'emporter dans ses bras.

XII

C'est notre barbarie et notre indifférence
Qu'il nous faut accuser ; notre esprit inconstant
Se prend de fantaisie et vit de changement ;
Mais le désordre même a besoin d'élégance ;   70
Et je voudrais du moins qu'une duchesse, en France,
Sût valser aussi bien qu'un bouvier[11] allemand.

1. *Le poème critique la tendence à trouver bon tout ce qui est moderne. Expliquez cette idée en vous rapportant au texte.*
2. *Distinguez les parties du poème. Bien qu'il s'agisse d'un poème d'idées, trouvez-vous que l'argument soit présenté avec la rigueur d'une démonstration de philosophie?*
3. *Quels procédés de rhétorique le poète emploie-t-il pour présenter ses idées: l'antithèse, l'apostrophe, etc.?*
4. *Quel procédé poétique Musset emploie-t-il le plus souvent pour mettre en relief ses idées: la métaphore, le rythme, etc.?*

5. *Le poète apparaît-il prude quand il critique les dames galantes de notre temps? Sinon, comment qualifier son attitude?*
6. *Que veut dire le poète par la commune loi (V. 56.)?*
7. *Analysez les contrastes politiques et sociaux dans les métaphores de la valse et de la danse (V. 57–58).*
8. *Quel rôle l'Allemagne joue-t-elle par rapport à la France dans l'esprit du poète? (Rappelez-vous bien que l'Allemagne de la première moitié du 19ème siècle était un pays beaucoup moins developpé politiquement et industriellement que la France).*

L'Illusion Suprême

CHARLES-MARIE-RENÉ LECONTE DE LISLE
(1818–1894)

Quand l'homme approche enfin des sommets où
                       la vie
Va plonger dans votre ombre inerte, ô mornes
                       cieux !
Debout sur la hauteur aveuglément gravie,
Les premiers jours vécus éblouissent ses yeux.

Tandis que la nuit monte et déborde les grèves,[1]   5
Il revoit, au delà de l'horizon lointain,
Tourbillonner le vol des désirs et des rêves
Dans la rose clarté de son heureux matin.

Monde lugubre, où nul ne voudrait redescendre
Par le même chemin solitaire, âpre et lent,   10
Vous stériles soleils, qui n'êtes plus que cendre,
Et vous ô pleurs muets, tombés d'un cœur sanglant !

Celui qui va goûter le sommeil sans aurore
Dont l'homme ni le Dieu[2] n'ont pu rompre le
                       sceau,[3]
Chair qui va disparaître, âme qui s'évapore,   15
S'emplit des visions qui hantaient son berceau.

---

[10] see n. 9. Under the Directory (1795–1799), La Tallien made Grecian costume the fashion
[11] cowherd

[1] shores
[2] allusion to the death of Christ
[3] seal

Rien du passé perdu qui soudain ne renaisse:
La montagne natale et les vieux tamarins,[4]
Les chers morts qui l'aimaient au temps de sa
                     jeunesse
Et qui dorment là-bas dans les sables marins.   20

Sous les lilas géants où vibrent les abeilles,
Voici le vert coteau, la tranquille maison,
Les grappes de letchis et les mangues vermeilles
Et l'oiseau bleu dans le maïs en floraison;[5]

Aux pentes des pitons,[6] parmi les cannes grêles   25
Dont la peaux d'ambre mûr s'ouvre au jus attiédi,[7]
Le vol vif et strident des roses sauterelles[8]
Qui s'enivrent de la lumière de midi;

Les cascades, en un brouillard de pierreries,
Versant du haut des rocs leur neige en éventail;   30
Et la brise embaumée autour des sucreries,
Et le fourmillement[9] des Hindous au travail;

Le café rouge, par monceaux,[10] sur l'aire[11] sèche;
Dans les mortiers massifs le son des calaous;[12]
Les grands-parents assis sous la varangue[13] fraîche   35
Et les rires d'enfants à l'ombre des bambous;

Le ciel vaste où le mont dentelé se profile,
Lorsque ta pourpre, ô soir, le revêt tout entier!
Et le chant triste et doux des bandes à la file
Qui s'en viennent des hauts et s'en vont au
                     quartier.   40

Voici les bassins clairs entre les blocs de lave;
Par les sentiers de la savane, vers l'enclos,
Le beuglement des bœufs bossus de Tamatave[14]
Mêlé dans l'air sonore au murmure des flots,

Et sur la côte, au pied des dunes de Saint-Gilles,[15]   45
Le long de son corail merveilleux et changeant,

[4] Tamarind-trees [tropical date tree]
[5] letchi: a tropical tree; mangues: mangoes; maïs: corn
[6] peaks
[7] jus attiédi: cooled juice, i.e., the oozing juice of the sugar cane
[8] grasshoppers
[9] swarming
[10] in heaps
[11] treshing floors
[12] pestles
[13] veranda
[14] seaport in Madagascar, important shipping point for cattle
[15] river on the Ile de la Réunion (near Madagascar, in the Indian Ocean) where Leconte de Lisle was born

Comme un essaim d'oiseaux les pirogues[16] agiles
Trempant leur aile aiguë aux écumes d'argent.

Puis, tout s'apaise et dort. La lune se balance,
Perle éclatante, au fond des cieux d'astres emplis;   50
La mer soupire et semble accroître le silence
Et berce le reflet des mondes dans ses plis.

Milles aromes légers émanent des feuillages
Où la mouche d'or rôde, étincelle et bruit;
Et les feux des chasseurs, sur les mornes[17]
                     sauvages,   55
Jaillissent dans le bleu splendide de la nuit.

Et tu renais aussi, fantôme diaphane,
Qui fis battre son cœur pour la première fois,
Et, fleur cueillie avant que le soleil te fane,
Ne parfumas qu'un jour l'ombre calme des bois!   60

O chère Vision, toi qui répands encore,
De la plage lointaine où tu dors à jamais,
Comme un mélancolique et doux reflet d'aurore
Au fond d'un cœur obscur et glacé désormais!

Les ans n'ont pas pesé sur ta grâce immortelle,   65
La tombe bienheureuse a sauvé ta beauté:
Il te revoit, avec tes yeux divins, et telle
Que tu lui souriais en un monde enchanté!

Mais quand il s'en ira dans le muet mystère
Où tout ce qui vécut demeure enseveli,   70
Qui saura que ton âme a fleuri sur la terre,
O doux rêve, promis à l'infaillible oubli?

Et vous, joyeux soleils des naïves années,
Vous, éclatantes nuits de l'infini béant,[18]
Qui versiez votre gloire aux mers illuminées,   75
L'esprit qui vous songea vous entraîne au néant.

Ah! tout cela, jeunesse, amour, joie et pensée,
Chants de la mer et des forêts, souffles du ciel
Emportant à plein vol l'Espérance insensée,
Qu'est-ce que tout cela, qui n'est pas éternel?   80

Soit! la poussière humaine, en proie au temps
                     rapide,
Ses voluptés, ses pleurs, ses combats, ses remords,
Les Dieux qu'elle a conçus et l'univers stupide
Ne valent pas la paix impassible des morts.

[16] dugout canoes
[17] small mountains
[18] yawning

1. *Pourquoi le poète tient-il tellement à nous peindre par des images précises et concrètes les endroits qu'il évoque?*
2. *Comment pourrait-on caractériser l'imagination de Leconte de Lisle: visuelle? plastique? auditive? etc.*
3. *L'expérience riche et colorée des vers 5-68 ne semble donnée que pour préparer l'expérience des vers 69-84, qui est toute différente. Caractérisez cette dernière.*
4. *Comparez ce poème avec « Stella » de Hugo et « L'Occident » de Lamartine. Lequel des trois vous semble le plus pessimiste?*
5. *Le poème débute par des pensées qui sont celles de la fin d'une vie mais il est frappant que la plus grande partie du texte évoque ce que le poète avait vu dans la rose clarté de son heureux matin (vers 8). Quelle est la valeur dramatique et morale de ce retour sur le passé?*
6. *Quelle est l'illusion suprême?*

Correspondances

CHARLES BAUDELAIRE (1821–1867)

This sonnet is often taken to express Baudelaire's theory of poetry. Yet Baudelaire nowhere mentions poetry in the sonnet; hence it would be better to take the poem as a suggestive exploration of a certain kind of experience which may be provided by poetry but is not limited to it. That experience culminates in ecstacy (les transports de l'esprit et des sens). The experience seems to result from the establishment of bonds or correspondances between different levels of the human personality and between the personality and the outside world.

The first stanza is concerned with the unity or bonding of man and nature. The second stanza discusses a different kind of unity, that which exists within experience, especially among the senses. This transposition of one sensorial impression into another (Les parfums, les couleurs et les sons se répondent) is called synesthesia (la synesthésie). The first tercet demonstrates synesthesia by specific examples; the second suggests the specific psychic effect produced by synesthesia, namely, the ecstasy mentioned above.

Other works of Baudelaire make it clear that he conceives of this bonding or unifying as the prime function of poetry. The poet discovers symbols that lead to the sudden experience of unity within man, between man and the world, between man and the mysteries which lie beyond the world.

La Nature est un temple où de vivants piliers
Laissent parfois sortir de confuses paroles;
L'homme y passe à travers des forêts de symboles
Qui l'observent avec des regards familiers.

Comme de longs échos qui de loin se confondent   5
Dans une ténébreuse et profonde unité,
Vaste comme la nuit et comme la clarté,
Les parfums, les couleurs et les sons se répondent.

Il est des parfums frais comme des chairs d'enfants,
Doux comme les hautbois,[1] verts comme les
                                        prairies,   10
— Et d'autres, corrompus, riches et triomphants,

Ayant l'expansion des choses infinies,
Comme l'ambre, le musc, le benjoin et l'encens,[2]
Qui chantent les transports de l'esprit et des sens.

1. *Si la Nature parlait clairement l'homme aurait-il besoin de symboles?*
2. *Quelle parenté, quelle complicité y a-t-il entre la Nature et l'homme? Pourquoi les regards de la Nature sont-ils familiers?*
3. *Quels sont les vivants piliers de la Nature?*
4. *Pourquoi les paroles de la Nature sont-elles confuses?*
5. *Le premier quatrain parle de l'unité de l'homme et de la Nature. Il s'agit d'unité dans le deuxième quatrain aussi. Mais cette unité est-elle la même?*

---

[1] oboes
[2] *l'ambre . . . encens:* amber, musk, benjamin, and incense

6. *Les deux tercets illustrent par des cas concrets l'unité dont parle le deuxième quatrain. Combien de cas différents sont mentionés?*

7. *Est-ce par son esprit ou par ses sens que l'homme est intégré dans la Nature?*

8. *Quelle émotion la perception de son unité profonde avec la Nature provoque-t-elle chez l'homme: mélancholie? désespoir? extase?*

9. *Expliquez le titre du poème.*

Bonheur, III

PAUL VERLAINE (1844–1896)

Après la chose faite, après le coup porté,
Après le joug très dur librement accepté,
Et le fardeau, plus lourd que le ciel et la terre,
Levé d'un dos vraiment et gaîment volontaire,
Après la bonne haine et la chère rancœur,[1]   5
Le rêve de tenir, implacable vainqueur,
Les ennemis du cœur et de l'âme et les autres;
De voir couler des pleurs plus affreux que les nôtres
De leurs yeux dont on est le Moïse au rocher,[2]
Tout ce train en fuite, et courez le chercher!   10
Alors, on est content comme au sortir d'un rêve,
On se retrouve net, clair, simple, on sent que crève
Un abcès de sottise et d'erreur, et voici
Que, de l'éternité symbole en raccourci,[3]
Toute une plénitude afflue, alme[4] et s'installe;   15
L'être palpite entier dans la forme totale,
Et la chair est moins faible et l'esprit est moins
                                        prompt;
Désormais, on le sait, on s'y tient, fleuriront
Le lys du faire pur, celui du chaste dire,[5]
Et, si daigne Jésus, la rose du martyre.   20
Alors on trouve, ô Jésus lent à vous venger,
Combien doux est le joug[6] et le fardeau léger!

Charité, la plus forte entre toutes les Forces,
Tu veux dire, saint piège aux célestes amorces,[7]
Les mains tendres du fort, de l'heureux et du grand   25
Autour du sort[8] plaintif du faible et du souffrant,
Le regard franc du riche au pauvre exempt d'envie
Ou jaloux, et ton nom encore signifie
Quelle douceur choisie, et quel droit dévouement,
Et ce tact virginal, et l'ange exactement!   30
Mais l'ange est innocent; essence bienheureuse,
Il n'a point à passer par notre vie affreuse,
Et toi, Vertu sans pair,[9] presqu'Une, n'es-tu pas
Humaine en même temps que divine, ici-bas?
Aussi la conscience a dû, pour des fins sures,   35
Surtout sentir en toi le pardon des injures.

Par toi nous devenons semblables à Jésus
Portant sa croix infâme et qui, cloué dessus,
Priait pour ses bourreaux[10] d'Israël et de Rome,
A Jésus qui, du moins, homme avec tout d'un
                                        homme,   40
N'avait, Lui, jamais eu de torts de son côté,
Et, par Lui, tu nous fais croire en l'éternité.

1. *Le développement des idées dans ce poème vous paraît-il logique?*

2. *Quel attribut de Dieu le poète célèbre-t-il ici: la justice? la miséricorde? la sagesse? etc.*

3. *Pour nous communiquer le sentiment de santé morale que lui apporte son salut en Dieu, quelles métaphores le poète emploie-t-il? Voyez, par exemple, les vers 12–13, et d'autres.*

4. *Que veulent dire le faire pur et le chaste dire du vers 19?*

5. *Commentez les paradoxes divers sur lesquels le poème est bâti: ce joug très dur librement accepté; La bonne haine; la chère rancœur; etc. (Pensez, par exemple, au paradoxe proposé par Saint Anselm: « je crois parce que c'est absurde. ») Selon quel système de valeurs ces contradictions sont-elles résolues?*

[1] rancor
[2] allusion to the miracle by which Moses caused water to flow from a rock
[3] *en raccourci:* in essence
[4] *bienfaisante*
[5] avowal
[6] yoke
[7] enticements
[8] fate
[9] The *Vertu sans pair* is the theological virtue of Charity (1.23) whose various meanings (*Tu veux dire,* 1. 24) are the subject of the entire stanza
[10] executioners

6. *Comparez ce poème à « La Prière » de Lamar-*
   tine. Lequel des deux vous touche le plus?
   Indiquez les procédés par lesquels le poète dans
   l'un et l'autre cas réussit à toucher le lecteur.
7. *Verlaine est-il un poète-penseur à la manière*
   de Malfilâtre ou d'Hugo? Auquel des poètes
   d'idées étudiés jusqu'ici ressemble-t-il le plus?
8. *Dans ce poème plus que dans nul autre étudié*
   jusqu'ici l'idée et le sentiment sont indissolubles.
   Expliquez.

Liens

GUILLAUME APOLLINAIRE (1880–1918)

Cordes faites de cris[1]

Sons de cloches à travers l'Europe
Siècles pendus

Rails qui ligotez[2] les nations
Nous ne sommes que deux ou trois hommes   5
Libres de tous liens
Donnons-nous la main

Violente pluie qui peigne les fumées
Cordes

Cordes tissées   10
Câbles sous-marins
Tours de Babel changées en ponts
Araignées-Pontifes[3]
Tous les amoureux qu'un seul lien a liés

D'autres liens plus ténus   15
Blancs rayons de lumière
Cordes et Concorde[4]
J'écris seulement pour vous exalter

O sens ô sens chéris
Ennemis du souvenir   20
Ennemis du désir

Ennemis du regret
Ennemis des larmes
Ennemis de tout ce que j'aime encore

1. *Quelle est l'idée maîtresse de ce poème?*
2. *Expliquez le vers 2: signifierait-il qu'on puisse*
   entendre simultanément toutes les cloches de
   l'Europe?
3. *Comment peut-on dire que les siècles ont été*
   pendus (vers 3)?
4. *Que pense le poète de la technique moderne*
   et du monde qu'elle a engendré? Considérez
   à ce propos la métaphore du premier vers et le
   vers 4, surtout le verbe ligotez.
5. *A qui le poète s'adresse-t-il dans les vers 1–7?*
6. *Commentez le paradoxe des vers 5–7. Qui sont*
   ces deux ou trois hommes?
7. *Quel est ce seul lien entre les amoureux, au*
   vers 14?
8. *Les sens que le poète exalte sont opposés aux*
   liens qu'il mentionne dans les vers 1–7. Ex-
   pliquez. Comment les sens peuvent-ils sup-
   primer ces autres liens—le souvenir, le désir,
   le regret, les larmes?
9. *Commentez la syntaxe du poème. Pourquoi le*
   poète supprime-t-il les liens syntaxiques dans
   un poème dont le sujet est liens?
10. *Relisez le poème en supprimant tous les mots*
    d'outil, c'est-a-dire, les mots qui n'ont qu'une
    valeur sémantique plus ou moins grammati-
    cale (prépositions, pronoms, articles) et qui ne
    servent qu'à lier des mots de plus grande
    valeur sémantique. Que pourrait-on dire de la
    proportion entre les deux espèces de mots?
    Par exemple, est-ce que le poème gagne (ou
    perd) en force intellectuelle et émotive?
11. *Les sens sont ennemis du souvenir, du désir,*
    du regret et de l'amour même. Mais est-ce
    que le poète prend résolument le parti de ce
    sensualisme? Discutez l'ambiguïté du poème.
    Est-elle un défaut? Le poème présente-t-il une
    attitude simple? Ou complexe et nuancée?

[1] *Cordes . . . de cris:* [telephone and telegraph wires]
[2] bind together
[3] *Araignées-Pontifes:* refers to a joke; *Le Pape est*
mort. Un nouveau Pape est appelé à régner. Araignée!
drôle de nom pour un Pape! Pourquoi pas papillon? But
also, the cobweb can be seen as an image of papal power
because of its extensive authority.
[4] allusion to the Place de la Concorde in Paris; also,
Concord or Peace

La Jolie Rousse

GUILLAUME APOLLINAIRE (1880–1918)

In this poem Apollinaire gives us his artistic credo, his affirmation of the value and meaning of poetry. In the name of all poets (nous), he speaks to all men (vous) who desperately need the knowledge which poetry can provide. This knowledge of past and present, of fantasy, of time, of human love is compressed for the poet in his love for his wife whose red hair inspired the title of the poem.

Me voici devant tous un homme plein de sens
Connaissant la vie et de la mort ce qu'un vivant
                      peut connaître
Ayant éprouvé les douleurs et les joies de l'amour
Ayant su quelquefois imposer ses idées
Connaissant plusieurs langages   5
Ayant pas mal voyagé
Ayant vu la guerre dans l'Artillerie et l'Infanterie
Blessé à la tête trépané sous le chloroforme[1]
Ayant perdu ses meilleurs amis dans l'effroyable
                      lutte
Je sais d'ancien et de nouveau autant qu'un
                    homme seul 10
      pourrait des deux savoir
Et sans m'inquiéter aujourd'hui de cette guerre
Entre nous et pour nous mes amis
Je juge cette longue querelle de la tradition et de
                    l'invention
      De l'Ordre de l'Aventure   15
Vous dont la bouche est faite à l'image de celle
                  de Dieu
Bouche qui est l'ordre même
Soyez indulgents quand vous nous comparez
A ceux qui furent la perfection de l'ordre
Nous qui quêtons partout l'aventure   20

Nous ne sommes pas vos ennemis
Nous voulons vous donner de vastes et
               d'étranges domaines
Où le mystère en fleurs s'offre à qui veut le
               cueillir
Il y a là des feux nouveaux des couleurs jamais vues
Mille phantasmes impondérables   25
Auxquels il faut donner de la réalité

Nous voulons explorer la bonté contrée énorme
           où tout se tait
Il y aussi le temps qu'on peut chasser ou faire
           revenir
Pitié pour nous qui combattons toujours aux
           frontières
De l'illimité et de l'avenir   30
Pitié pour nos erreurs pitié pour nos péchés
Voici que vient l'été la saison violente
Et ma jeunesse est morte ainsi que le printemps
O Soleil c'est le temps de la Raison ardente
      Et j'attends   35
Pour la suivre toujours la forme noble et douce
Qu'elle prend afin que je l'aime seulement
Elle vient et m'attire ainsi qu'un fer l'aimant[2]
      Elle a l'aspect charmant
      D'une adorable rousse   40

Ses cheveux sont d'or on dirait
Un bel éclair qui durerait
Ou ces flammes qui se pavanent
Dans les roses-thé qui se fanent

Mais riez riez de moi   45
Hommes de partout surtout gens d'ici
Car il y a tant de choses que je n'ose vous dire
Tant de choses que vous ne me laisseriez pas dire
Ayez pitié de moi

1. *De quelles* tradition et invention *s'agit-il ici?*
2. *Qu'est-ce qui donne au poète le droit de juger leur querelle?*
3. *Quel effet le poète cherche-t-il, en supprimant la ponctuation? (Notez que la syntaxe est presque normale si l'on ajoute la ponctuation qui convient).*
4. *Comment la forme décousue du poème exprime-t-elle le parti que le poète a pris dans la querelle de la tradition et de l'invention?*
5. Nous ne sommes pas vos ennemis *dit Apollinaire. Quels sont précisément, selon lui, les rapports entre nous et vous?*
6. *Pourquoi la jolie Rousse est-elle un si beau symbole de ce que le poète désire?*
7. *Pourquoi le poème se termine-t-il sur une note assez pessimiste? Le poète se sentirait-il écrasé par l'ordre et par la tradition?*
8. *Essayez de définir la pitié comme Apollinaire l'entend dans le dernier vers.*

[1] *trépané . . . chloroforme:* [reference to a trepanation or skull operation which Apollinaire underwent as the result of a war injury]

[2] *ainsi . . . l'aimant:* as iron attracts the magnet

POLEMICAL POETRY

Like those in the preceding section, the poems that follow place special emphasis on ideas, but here the feelings of the poet are much more directly involved. Now instead of simply dramatizing or contemplating an idea, the poet takes sides one way or the other and attempts to persuade the reader of the rightness of his position.

What devices (e.g. irony, sarcasm) does the poet use to persuade his reader? Does he try to convince by the logic of his argument or overwhelm by a weight of examples? Finally, we might suggest that a poem can convince merely by presenting a situation so vividly and dramatically that the reader responds to its implicit argument. Ronsard uses precisely this evocative and dramatic technique in "Quand vous serez bien vieille . . . " He projects the poem far into the future in order to influence a young woman here and now in the present.

Ballade sur le mariage de sa fille

EUSTACHE DESCHAMPS (1346–1406)

Je ne crois par mon jugement
qu'il soit plus grand merencolie,[1]
sans mal du corps et sans tourment,
que d'homme qui fille marie
en état de chevalerie,   5
de clerc, de bourgeois ou de lai;[2]
par ma fille bien appris l'ai
qui m'a rongé jusqu'aux os.
Pour ce à ceux qui fille ont dirai:
qui fille a n'est pas à repos.   10

Terre lui faut premièrement
à toujours, non pas à sa vie,
robes, joyaux, or et argent,
pannes,[3] draps d'or et pierrerie,
manteaux, anneaux, peleterie,[4]   15
menu vair, gris, chapel d'or gai,[5]
fronteaulx,[6] couronne; hé Dieu! quel glai![7]
vaisselle, plats, escuelles, pots;
jamais fille ne marierai:
qui fille a n'est pas à repos.   20

Court et long faut maint garnement,[8]
grandes noces faire et chiere lie,[9]
menestrels de maint instrument
pour ebattre la compagnie,
et si faut qu'elle soit fournie   25
de chambres, de lits, c'est tout vrai,
et de beau linge: je ne sais
comment les pères sont si sots.
J'en suis ratains jusqu'au hahay:[10]
qui fille a n'est pas à repos.   30

Princes, celui qui fille prend
est plus joyeux communement
que le père, qui plaint son dos,
quand le faix et la charge en sent;
nul ne peut savoir, s'il n'apprend: 35
Qui fille a n'est pas à repos.

1. *Quel est le rang social de celui qui parle?*
2. *Y a-t-il un certain ressentiment de classe dans les plaintes du père?*
3. *Quel est le point de vue du père? Celui du maître de la maison, de l'homme d'affaires, du père tendre, etc.?*
4. *Comment imaginez-vous la fille d'après les vers 11 et suivants?*
5. *Le père propose-t-il des remèdes à ses misères?*

[1] [O.F.] *mélancolie*
[2] [O.F.] lower class
[3] [O.F.] *plumes*
[4] [O.F.] furs
[5] [O.F.] *menu . . . gai:* many-colored, gray, gay hat of gold
[6] [O.F.] hairbands
[7] [O.F.] tumult
[8] [O.F.] furnishings
[9] [O.F.] *chiere lie:* good food and drink
[10] [O.F.] *ratains . . . hahay:* bothered to tears

Quand vous serez bien vieille...

PIERRE DE RONSARD (1524–1585)

Quand vous serez bien vieille, au soir à la
                           chandelle,[1]
Assise auprès du feu, dévidant et filant,[2]
Direz chantant mes vers, en vous émerveillant:
« Ronsard me célébrait du temps que j'étais belle. »

Lors vous n'aurez servante oyant telle nouvelle,   5
Déjà sous le labeur à demi sommeillant,
Qui au bruit de mon nom ne s'aille réveillant,[3]
Bénissant votre nom de louange immortelle.

Je serai sous la terre et, fantôme sans os,
Par les ombres myrteux[4] je prendrai mon repos;   10
Vous serez au foyer une vieille accroupie,[5]

Regrettant mon amour et votre fier dédain.
Vivez, si m'en croyez, n'attendez à demain:
Cueillez dès aujourd'hui les roses de la vie.

The idea at the heart of this poem is a favorite one among poets: the lasting quality of poetry, its triumph in time over the material circumstances which have been its immediate occasion or cause.

The poem is in the form of a love letter (the sonnet as a form has traditionally served this function, although it can serve many others as well). A lover writes to his mistress. Yet from the very first line we are struck by the very unloving terms in which the lover addresses the beloved. Instead of celebrating the eternal beauty of the beloved (in the usual manner of much Platonic love poetry, for example), the poet first reminds her that her beauty will pass. He then symbolically underlines this passing of beauty by evoking the

[1] *à la chandelle:* by candle-light
[2] *dévidant et filant:* spooling [thread] and spinning
[3] *Lors . . . réveillant:* Then even your servant, nodding at her work, will awaken at the sound of my name
[4] The myrtle was a symbol of glory for the Greeks
[5] crouched, squatting [an ungainly posture at best]

beloved in the evening, that time of day when beauty is in shadow. We may even see here a symbolical apposition between the age of the beloved and the age of the day (soir). The sad image of the old hag is then reinforced by the evocation of monotonous, purposeless activity (dévidant et filant) and the image having thus been firmly fixed in the beloved's·eyes, Ronsard bitterly underscores its meaning by reminding her that she once was so beautiful as to deserve songs of praise from a poet.

By beginning his poem in the future tense, the poet has been able to point to the present as if it were already the past (notice the insistent imperfect tense of the fourth line) and thus to emphasize the fleeting nature of physical beauty. But if the beauty has faded, the poetry has not; it is this idea that Ronsard cruelly develops in the remainder of his sonnet. Being considerably older than the beloved at the present moment, he will no doubt be dead when she will be an old woman. But his will be a poet's death——really no death at all, for his verse will live on (line 8). Notice, too, how poets seem to enjoy an especially peaceful death—an idea evoked in the ombres myrteux and the repos of line 12. Meanwhile, the beloved will be living the half-death of old age. The most telling of the poet's bitter thrusts in this respect is his evocation of the beloved pinned to her hearth as une vieille accroupie. This physical posture is a mockery of the haughty, upright beauty of which she was once so proud. Finally, the "eat-drink-and-be-merry" advice of the final tercet is not given in the usual hedonistic spirit of carpe diem or pleasure for its own sake, but rather as a means of banishing the horrible sight of tomorrow.

This final ironic reversal thus recapitulates the central movement of the poem. For the love letter is really a hate letter, filled not with tenderness but with bitterness. The immortality of poetry (the idea of the poem) thus serves as the instrument of revenge (the central emotion of the poem) for the poet who has been rejected in love. Is the nobility of the idea compromised by the meanness of feeling?

Épitaphe de sa femme

JACQUES DU LORENS (1583–1658)

Ci-gît[1] ma femme! Ah! qu'elle est bien
Pour son repos et pour le mien!

1. *Le sens du poème réside dans le double emploi
   du mot bien. Expliquez.*
2. *Quel autre mot fait double emploi?*
3. *Cette épigramme a quelque chose de féroce.
   Dans quelle mesure cette férocité est-elle due à
   sa brièveté même?*

La Mort de Mlle Lecouvreur

VOLTAIRE (1694–1778)*

*Adrienne Lecouvreur, a famous actress of
Voltaire's day, was refused burial in consecrated
ground by the Catholic Church in 1730.*

Que vois-je? quel objet! Quoi! ces lèvres
              charmantes,
Quoi! ces yeux d'où partaient ces flammes
              éloquentes,
Eprouvent du trépas[1] les livides horreurs!
Muses, Graces, Amours, dont elle fut l'image,
O mes dieux et les siens, secourez votre ouvrage!   5
Que vois-je? c'en est fait, je t'embrasse, et tu meurs!
Tu meurs; on sait déja cette affreuse nouvelle;
Tous les cœurs sont émus de ma douleur mortelle.
J'entends de tous côtés les beaux-arts éperdus
S'écrier en pleurant, « Melpomène[2] n'est plus! »   10
    Que direz-vous, race future,
Lorsque vous apprendez la flétrissante injure
Qu'à ces arts désolés font des hommes cruels?
    Ils privent de la sépulture[3]
Celle qui dans la Grèce aurait eu des autels.   15
Quand elle était au monde, ils soupiraient pour
              elle;

[1] here lies

---

* François-Marie Arouet
[1] death
[2] the Tragic Muse
[3] Christian burial

Je les ai vus soumis, autour d'elle empressés:
Sitôt qu'elle n'est plus, elle est donc criminelle!
Elle a charmé le monde, et vous l'en punissez!
Non, ces bords désormais ne seront plus profanes;   20
Ils côntiennent ta cendre; et ce triste tombeau,
Honoré par nos chants, consacré par tes mânes,[4]
    Est pour nous un temple nouveau!
Voilà mon Saint-Denis;[5] oui, c'est là que j'adore
Tes talents, ton esprit, tes graces, tes appas:[6]   25
Je les aimai vivants, je les encense encore
    Malgré les horreurs du trépas,
    Malgré l'erreur et les ingrats,
Que seuls de ce tombeau l'opprobre[7] déshonore.
Ah! verrai-je toujours ma faible nation,   30
Incertaine en ses vœux, flétrir ce qu'elle admire;
Nos mœurs avec nos lois toujours se contredire;
Et le Français volage endormi sous l'empire
    De la superstition?
    Quoi! n'est-ce donc qu'en Angleterre   35
    Que les mortels osent penser?
O rivale d'Athène, ô Londre! heureuse terre!
Ainsi que les tyrans vous avez su chasser
Les préjugés honteux qui vous livraient la guerre.
C'est là qu'on sait tout dire, et tout récompenser;   40
Nul art n'est méprisé, tout succès a sa gloire;
Le vainqueur de Tallard,[8] le fils de la victoire,
Le sublime Dryden,[9] et le sage Addison,[10]
Et la charmante Ophils,[11] et l'immortel Newton,[12]
    Ont part au temple de mémoire: 45
Et le Couvreur à Londre aurait eu des tombeaux
Parmi les beaux esprits, les rois, et les héros.
Quiconque a des talents à Londre est un grand
              homme.
    L'abondance et la liberté
Ont, après deux mille ans, chez vous ressuscité   50
    L'esprit de la Grèce et de Rome.
Des lauriers d'Appollon dans nos stériles champs
La feuille négligée est-elle donc flétrie?
Dieux! pourquoi mon pays n'est-il plus la patrie
    Et de la gloire et des talents?   55

[4] spirit [of the departed]
[5] church where members of royal families were buried
[6] physical charms
[7] infamy
[8] the Duke of Marlborough, John Churchill (1650–1722)
English general
[9] John Dryden (1631–1700), English poet
[10] John Addison (1672–1719), English writer
[11] Anne Oldfield (1683–1730), English actress, buried in
Westminster Abbey
[12] Isaac Newton (1624–1727), English mathematician
and physicist

Iambes, XI

ANDRE CHÉNIER (1762–1794)

Comme un dernier rayon, comme un dernier
                           zéphyre
   Animent la fin d'un beau jour,
Au pied de l'échafaud j'essaye encore ma lyre.
   Peut-être est-ce bientôt mon tour.
Peut-être avant que l'heure en cercle promenée   5
   Ait posé sur l'émail brillant,
Dans les soixante pas où sa route est bornée,
   Son pied sonore et vigilant,
Le sommeil du tombeau pressera ma paupière.
   Avant que de ses deux moitiés   10
Ce vers que je commence ait atteint la dernière,
   Peut-être en ces murs effrayés
Le messager de mort, noir recruteur des ombres,
   Escorté d'infâmes soldats,
Ebranlant de mon nom ces longs corridors sombres,   15
   Où seul dans la foule à grands pas
J'erre, aiguisant ces dards persécuteurs du crime,
   Du juste trop faibles soutiens,
Sur mes lèvres soudain va suspendre la rime;
   Et chargeant mes bras de liens,   20
Me traîner, amassant en foule à mon passage
   Mes tristes compagnons reclus,
Qui me connaissaient tous avant l'affreux
                          message,
   Mais qui ne me connaissent plus.
Eh bien! j'ai trop vécu. Quelle franchise auguste,   25
   De mâle constance et d'honneur,
Quels exemples sacrés, doux à l'âme du juste,
   Pour lui quelle ombre de bonheur,
Quelle Thémis[1] terrible aux têtes criminelles,
   Quels pleurs d'une noble pitié,   30
Des antiques bienfaits quels souvenirs fidèles,
   Quels beaux échanges d'amitié,
Font digne de regrets l'habitacle des hommes?
   La peur fugitive est leur Dieu;
La bassesse; la feinte. Ah! lâches que nous sommes   35
   Tous, oui, tous. Adieu, terre, adieu.
Vienne, vienne la mort! — Que la mort me
                          délivre!
   Ainsi donc, mon cœur abattu
Cède au poids de mes maux? Non, non. Puissé-je
                          vivre!
   Ma vie importe à la vertu.   40
Car l'honnête homme enfin, victime de l'outrage,
   Dans les cachots, près du cercueil,

Relève plus altiers son front et son langage,
   Brillants d'un généreux orgueil.
S'il est écrit aux cieux que jamais une épée   45
   N'étincellera dans mes mains;
Dans l'encre et l'amertume une autre arme trempée
   Peut encor servir les humains.
Justice, Vérité, si ma main, si ma bouche,
   Si mes pensers les plus secrets   50
Ne froncèrent jamais votre sourcil farouche,
   Et si les infâmes progrès,
Si la risée atroce, ou, plus atroce injure,
   L'encens de hideux scélérats
Ont pénétré vos cœurs d'une longue blessure;   55
   Sauvez-moi. Conservez un bras
Qui lance votre foudre, un amant qui vous venge.
   Mourir sans vider mon carquois![2]
Sans percer, sans fouler, sans pétrir dans leur fange
   Ces bourreaux barbouilleurs de lois![3]   60
Ces vers cadavéreux de la France asservie,
   Egorgée! Ô mon cher trésor,
O ma plume! fiel,[4] bile, horreur, Dieux de ma vie!
   Par vous seuls je respire encor:
Comme la poix[5] brûlante agitée en ses veines   65
   Ressuscite un flambeau mourant,
Je souffre; mais je vis. Par vous, loin de mes peines,
   D'espérance un vaste torrent
Me transporte. Sans vous, comme un poison livide,
   L'invisible dent du chagrin,   70
Mes amis opprimés, du menteur homicide
   Les succès, le sceptre d'airain;
Des bons proscrits par lui la mort ou la ruine,
   L'opprobre de subir sa loi,
Tout eût tari ma vie; ou contre ma poitrine   75
   Dirigé mon poignard. Mais quoi!
Nul ne resterait donc pour attendrir l'histoire
   Sur tant de justes massacrés?
Pour consoler leurs fils, leurs veuves, leur mémoire,
   Pour que des brigands abhorrés   80
Frémissent aux portraits noirs de leur
                         ressemblance,
   Pour descendre jusqu'aux enfers
Nouer le triple fouet, le fouet de la vengeance
   Dejà levé sur ces pervers?
Pour cracher sur leurs noms, pour chanter leur
                       supplice?   85
   Allons, étouffe tes clameurs;
Souffre, ô cœur gros de haine, affamé de justice.
   Toi, Vertu, pleure si je meurs.

---

[1] Greek goddess of Justice

[2] quiver [of arrows]
[3] *Ces . . . lois!:* These brutish butchers of laws!
[4] gall
[5] pitch

1. *Chénier écrivit ce poème en prison juste avant d'être guillotiné comme anti-révolutionnaire (juillet 1794). Bien que ces circonstances soient le prétexte du poème pensez-vous que celui-ci ait une portée plus générale?*
2. *Chénier vous semble-t-il ici réactionnaire ou anti-révolutionnaire?*
3. *Comment Chénier conçoit-il le rôle du poète? Avez-vous rencontré cette conception ailleurs?*
4. *Le poème se divise en deux grands mouvements, délimités par le vers 39. Quelle est l'idée centrale de chaque mouvement?*
5. *Comment le poète crée-t-il le ton pessimiste et sombre du premier mouvement? (Notez, par exemple, le peut-être des vers 4–5 et remarquez l'emploi fréquent de l'interrogatif (vers 25–33). Considérez d'autres procédés poétiques qui aident à créer le ton: images, rythme, etc.).*
6. *Comment le poète marque-t-il la rupture nette qui existe entre les deux mouvements?*
7. *Quel est le ton du deuxième mouvement? Comment le poète le crée-t-il (rythme, images, etc.)?*
8. *Le poète reprend-il, dans le deuxième mouvement, la métaphore des dards (vers 17)? Quelle en est l'importance?*

Féminin Singulier

TRISTAN CORBIÈRE (1845–1875)

Eternel Féminin de l'éternel Jocrisse![1]
Fais-nous sauter, pantins[2] nous payons les décors!
Nous éclairons la rampe[3] . . . Et toi, dans la
                                   coulisse,[4]
Tu peux faire au pompier[5] le pur don de ton corps.

Fais claquer sur nos dos le fouet de ton caprice,   5
Couronne tes genoux! . . . et nos têtes dix-cors;[6]

[1] a character of early farce, hence, a scapegoat and fool
[2] puppets
[3] footlights
[4] *dans la coulisse:* in the wings [theater]
[5] fireman
[6] a stag [in full adulthood, with splendid, intricately branching antlers; but horns are also the symbol of the cuckold (betrayed husband)]

Ris! montre tes dents! . . . mais . . . nous avons
                                   la police,
Et quelque chose en nous d'eunuque et de recors.[7]

. . . Ah, tu ne comprends pas? . . . — Moi non plus
                              — Fais la belle,
Tourne: nous sommes soûls![8] Et plats: Fais la
                              cruelle!   10
Cravache ton pacha,[9] ton humble serviteur! . . .

Après, sache tomber! — mais tomber avec grâce —
Sur notre sable fin ne laisse pas de trace! . . .
— C'est le métier de femme et de gladiateur. —

1. *Le poète oppose féminin singulier et éternel féminin: lequel des deux thèmes cependant l'emporte?*
2. *Quel est le genre d'expérience qui a inspiré le poème?*
3. *Le poète a écrit son sonnet sous forme d'un dialogue. Quel en est l'effet? L'image du décor de théâtre contribue-t-elle au même effet?*
4. *Comment le rythme saccadé du poème reflète-t-il les idées et les sentiments?*
5. *Que ressentez-vous avec le plus d'acuité: la cruauté de la femme ou la souffrance du poète?*
6. *Les images de ce poème sont particulièrement riches. Par exemple, quels sont les diverses significations de pompier? de dix-cors (voir la note 6)?*

Le Départ

EMILE VERHAEREN (1855–1916)

Avec leur chat, avec leur chien,
Avec, pour vivre, quel moyen?
S'en vont, le soir, par la grand'route,
Les gens d'ici, buveurs de pluie,
Lécheurs[1] de vent, fumeurs de brume   5

[7] *Et . . . recors:* And something in us of the eunuch and the servile [literally, Bailiff's man]
[8] glutted [drunk]
[9] *Cravache ton pacha:* Flog your pasha

Les gens d'ici n'ont rien de rien,
Rien devers eux
Que l'infini, ce soir, de la grand'route.

Chacun porte au bout d'une gaule,[2]
En un mouchoir à carreaux bleus,   10
Chacun porte dans un mouchoir,
Changeant de main, changeant d'épaule,
Chacun porte
Le linge usé de son espoir.

Les gens s'en vont, les gens d'ici,   15
Par la grand'route à l'infini.

L'auberge est là, près du bois nu,
L'auberge est là de l'inconnu;
Sur ses dalles,[3] les rats trimballent[4]
Et les souris.   20

L'auberge, au coin des bois moisis,[5]
Grelotte, avec ses murs mangés,
Avec son toit comme une teigne,[6]
Avec le bras de son enseigne
Qui tend au vent un os rongé.   25

Les gens d'ici sont gens de peur:
Ils font des croix sur leur malheur
Et tremblent;
Les gens d'ici ont dans leur âme
Deux tisons[7] noirs, mais point de flamme,   30
Deux tisons noirs en croix.

Par l'infini du soir, sur la grand'route,
Voici venir les ricochets des cloches
Là-bas, au carrefour des bois.

C'est les madones des chapelles   35
Qui, pareilles à des oiseaux au loin perdus,
Rappellent.

Les gens d'ici sont gens de peur,
Car leurs vierges n'ont plus de cierges
Et leur encens n'a plus d'odeur: 40
Seules, en des niches désertes,
Quelques roses tombent inertes
Sur une image en plâtre peint.

Les gens d'ici ont peur de l'ombre sur leurs champs,
De la lune sur leurs étangs,   45
D'un oiseau mort contre une porte;
Les gens d'ici ont peur des gens.

Les gens d'ici sont malhabiles,
La tête lente et les vouloirs débiles
Quoique tannés d'entêtement,   50
Ils sont ladres,[8] ils sont minimes[9]
Et s'ils comptent c'est par centimes,
Péniblement, leur dénûment.[10]

Leur récolte, depuis des chapelets d'années,[11]
S'égrena[12] morne en leurs granges minées;   55
Leurs socs taillèrent les cailloux,
Férocement, des terrains roux;
Leurs dents s'acharnèrent contre la terre
A la mordre, jusqu'au cœur même.

Avec leur chat, avec leur chien,   60
Avec l'oiseau dans une cage,
Avec, pour vivre, un seul moyen
Boire son mal, taire sa rage;
Les pieds usés, le cœur moisi,
Les gens d'ici,   65
Quittant leur gîte[13] et leur pays,
S'en vont, ce soir, par les routes, à l'infini.

Les mères traînent à leurs jupes
Leur trousseau long d'enfants bêlants,
Brinqueballés,[14] brinqueballants;   70
Les yeux clignant des vieux s'occupent
A refixer, une dernière fois,
Leur coin de terre morte et grise,
Où mord la lèpre comme la bise
Où mord la rogne comme les froids.   75
Suivent les gars des bordes,
Les bras usés comme des cordes,
Sans plus d'orgueil, sans même plus
Un seul élan vers les temps révolus
Et le bonheur des autrefois,   80
Sans plus la force en leurs dix doigts
De se serrer en poings contre le sort
Et la colère de la mort.

[1] lickers
[2] pole
[3] tiles
[4] trail about
[5] moldy
[6] *comme une teigne:* scaly
[7] fire-brand

[8] niggardly
[9] insignificant
[10] destitution
[11] *depuis . . . années:* for years on end [literally, for strings of years]
[12] dropped grain by grain. Cf. *égrener son chapelet:* to say one's rosary
[13] home [literally, resting place]
[14] shaken up

Les gens des champs, les gens d'ici
Ont du malheur à l'infini.   85

Leurs brouettes[15] et leurs charrettes
Brinqueballent aussi,
Cassant, depuis le jour levé,
Les os pointus du vieux pavé:

Quelques-unes, plus grêles que squelettes,   90
Entrechoquent des amulettes[16]
A leurs brancards,[17]
D'autres grincent, les ais[18] criards,
Comme les seaux dans les citernes
D'autres portent de vieillottes lanternes,   95
D'autres apparaissent, comme les proues
De vieux bateaux cassés, — et leurs deux roues,
Où l'on sculpta jadis le zodiaque,
Semblent rouler le monde entier dans leur
                                                        baraque.

Les chevaux las ballent au pas[19]   100
Le vieux lattis[20] de leur carcasse;
Le conducteur s'agite et se tracasse,
Comme un moulin qui serait fou,
Lançant parfois vers n'importe où,
Dans les espaces,   105
Une pierre lasse
Aux courbeaux noirs du sort qui passe.

Les gens d'ici
Ont du malheur — et sont soumis.

Et les troupeaux rêches[21] et maigres,   110
Par les chemins rapés et par les sablons aigres,
Également sont les chassés,
Aux coups de fouet inépuisés
Des famines qui exterminent:
Moutons dont la fatigue à tout caillou ricoche,   115
Bœufs qui meuglent vers la mort proche,
Vaches hydropiques et lourdes
Aux pis[22] vides comme des gourdes
Et les ânes, avec la mort crucifiée
Sur leurs côtes scarifiées.   120

Ainsi s'en vont bêtes et gens d'ici,
Par le chemin de ronde,
Qui fait dans la détresse et dans la nuit,
Immensément, le tour du monde,
Venant, dites, de quels lointains,   125
Par à travers les vieux destins,
Passants les bourgs et les bruyères,
Avec, pour seul repos, l'herbe des cimetières,
Allant, roulant, faisant des nœuds
De chemins noirs et tortueux,   130
Hiver, automne, été, printemps,
Toujours lassés, toujours partant
De l'infini pour l'infini.

Tandis qu'au loin, là-bas,
Sous les cieux lourds fuligineux et gras,   135
Avec son front comme un Thabor,
Avec ses suçoirs[23] noirs et ses rouges haleines
Hallucinant et attirant les gens des plaines,
C'est la ville que le jour plombe et que la nuit
                                                       éclaire
La ville en plâtre, en stuc, en bois, en marbre,
                                   en fer, en or,   140
— Tentaculaire.[24]

The polemical poet forthrightly expresses strong feelings on some vital issue. In most of the poems of this section, this is immediately apparent in the point of view of the poem. The speaker, whom we may or may not take to be the spokesman of the poet leaves no doubt about how he feels, for example, in "La Mort de Mlle Lecouvreur." In "Le Départ", however, the point of view is impersonal. Nevertheless, through a rich accumulation of carefully selected details the poet is obviously trying to move us and to persuade us of the rightness of his implied attack upon modern life.

Who are the gens d'ici? Numerous allusions throughout the poem lead us to say that they are uprooted farmers. In the concrete language of the poet, Verhaeren is recording here the social and economic phenomenon which social scientists have also noted (with varying degrees of pessimism): the move from the farm to the city, the urbanization of modern life.

[15] wheelbarrows
[16] amulets
[17] shafts
[18] planks
[19] *ballent au pas:* rattle at every step [au pas: literally, at a walk]
[20] lattice-work
[21] rough (to the touch)
[22] udders

[23] organs of suction, such as are found on the tentacles of the octopus
[24] tentacle-like

*Where are the gens d'ici going? They wander
sur la grande route, with no special destination:
Rien devers eux / Que l'infini . . . They travel at
night and, being tramps, (indicated in lines 9–11)
lack not only a place to go, but a place to return to.
The world in which they wander is peopled by
strangers (line 18). It is a world decaying just where
it should be most vital–in inns, which have
traditionally stood for human solidarity and well-
being. But the inns are peopled by rats, those
animals who take over when man relinquishes his
dwelling-places.*

*What have the gens d'ici lost? The central
cluster of images in the poem makes it clear that
it is spiritual security. The most obvious sense of
loss is religious, for the gens d'ici no longer hold
affirmatively to those things which sustained men
in an Age of Faith: chapel bells, roadside icons,
inner faith. At best they cling to religious values
in a negative, superstitious way (verses 26–31). But
they have lost other values as well: the sense of
belonging–to the earth, to family, to all living
creatures; in short, they have lost a sense of
purpose. One of the most telling images of this vast
uprooting is the drifting boat (lines 96–99), a
metaphor in a context where the poet has relied
mostly on the direct description of things to carry
his message. This is not the only metaphor in the
poem, of course. In fact, "Le Départ" contains in
the final verse the most striking image of all, one
which considerably enlarges the meaning of the
poem, with the implication that perhaps the gens
d'ici refers not only to the uprooted farmer but to
all modern men. In what way is this so?*

*Does Verhaeren suggest any cure for the
spiritual illness he describes?*

Contre

HENRI MICHAUX (1899–   )

Je vous construirai une ville avec des loques,[1] moi !
Je vous construirai sans plan et sans ciment

[1] rags

Un édifice que vous ne détruirez pas
Et qu'une espèce d'évidence écumante
Soutiendra et gonflera, qui viendra vous braire[2]
    au nez,   5
Et au nez gelé de tous vos *Parthénon*, vos *Arts
    Arabes*, et de vos *Mings*.[3]

Avec de la fumée, avec de la dilution de
    brouillard
Et du son de peau de tambour
Je vous assoirai des forteresses écrasantes et
    superbes
Des forteresses faites exclusivement de remous[4]
    et de secousses 10
Contre lesquels votre ordre multimillénaire[5] et
    votre géométrie
Tomberont en fadaises et galimatias[6] et
    poussière de sable sans raison.

Glas ![7] Glas ! Glas sur vous tous ! Néant sur les
    vivants !
Oui, je crois en Dieu ! Certes, il n'en sait rien !
Foi, semelle[8] inusable pour qui n'avance pas ! 15
Oh monde, monde étranglé, ventre froid !
Même pas symbole, mais néant, je contre,[9] je
    contre
Je contre et te gave[10] de chiens crevés.
En tonnes, vous m'entendez, en tonnes, je vous
arracherai ce que vous m'avez refusé en grammes. 20

Le venin du serpent est son fidèle compagnon,
Fidèle et il l'estime, à sa juste valeur.
Frères, mes frères damnés, suivez-moi avec
    confiance
Les dents du loup ne lâchent pas le loup
C'est la chair du mouton qui lâche. 25

Dans le noir nous verrons clair, mes frères,
Dans le labyrinthe nous trouverons la voie droite.

[2] bray
[3] *Parthénon*: Athenian temple (built 454–438 B.C. under the direction of Pericles), the glory of classical architecture; *arts arabes*: rich, decorative art, especially noteworthy for its architecture; *Ming*: Chinese dynasty (1368–1664) noted for its porcelain, cited here as still another example of consecrated taste
[4] whirlpools
[5] many thousands of years old
[6] *en fadaises et galimatias*: in nonsense and gibberish
[7] the death-knoll
[8] sole (of shoe)
[9] *contrer*: to counter [boxing term]
[10] cram (down your throat)

Carcasse, où est ta place ici, géneuse, pisseuse,[11]
                    pot cassé?
Poulie gémissante,[12] comme tu vas sentir les
            cordages tendus des quatre mondes.
Comme on va t'écarteler![13]   30

1. Contre *qui* ou *quoi le poète adresse-t-il son poème?*
2. *Qu'est-ce qui frappe immédiatement dans le point de vue où s'est placé le poète (par exemple, est-il moins personnel que certains poèmes précédents)?*
3. *A qui le poète s'adresse-t-il dans les vers 1–3?*
4. *Que pense la poète des grands monuments de l'humanité? Commentez le ton dans lequel il en parle.*
5. *Quel symbole le poète oppose-t-il à la géométrie (voyez les vers 7–10)? Expliquez ce symbole.*
6. *Le poète déteste-t-il les hommes (voyez le vers 13)? Ses idées sur les vivants (vers 13) ou la vie ressemblent-elles à celles de Leconte de Lisle?*
7. *Quelle idée le poète a-t-il de Dieu (voyez les vers 14–15)?*
8. *Dans la troisième strophe le poète proteste contre une certaine stérilité. Laquelle est-ce?*
9. *Expliquez l'image du serpent et de son venin (vers 21–22).*
10. *Qui sont les frères damnés du vers 23?*
11. *De quelle carcasse parle-t-il dans les vers 28–30?*
12. *Le poète est-il* pour *quelque chose?*

Mort d'un autre juif

PAUL MORAND (1888–   )

This poem is meant to follow one titled "Mort d'un juif".

However, it can be read independently. In this case, the word autre *in the title takes on another, larger meaning:* still another.

---

[11] *géneuse:* troublesome; *pisseuse:* one who urinates [also possibly: urine-colored]
[12] groaning pulley
[13] *écarteler:* to draw and quarter

C'est parce que ce régiment de tueurs est
                    strictement gouvernemental,
c'est parce que ce peuple a peur de sa révolution
comme tout ce qui pourrait le rendre à lui-même,
                    c'est-à-dire à son néant,
c'est parce qu'il n'imagine pas d'autre bien-être   5
que de se sentir tous blottis[1] autour de l'Etat
comme autour d'un poêle,[2]
c'est parce que les hommes sont heureux d'obéir
et de n'avoir pas à être libres,
qu'il y a du sang gelé   10
sur le quai de l'Isaar,[3]
Et qu'un cadavre de juif est là.
Mains liées derrière le dos,
nu jusqu'à la ceinture.
Tres vert sur la neige,   15
le front haut serré entre des cheveux de laine,
il a repris une majesté orientale
calme, comme de savoir que par sa mort
ce qu'il sentait en lui d'immortel
est assuré en effet de ne plus mourir   20
Ses joues portent l'empreinte de clous de souliers
et sa bouche brisée
pend, comme une boîte jadis pleine de cris;
cris d'une race éternellement rebelle
suant tant qu'il faudra le sang noir des révoltes
                    jamais taries   25
sous le pressoir des lois chrétiennes;
communiquant, sous les fondations mêmes des
                    Etats,
entre continents, par de mystérieux égouts,[4]
(laissant les radios aux propagandes nationales
            et les câbles aux arbitrages[5] de bourse),
et lui, parmi les plus grands de cette race,   30
sans autre patrie que son esprit,
heureux d'être pauvre et niant toute autre
                    possession que celle des Textes,[6]
courtier d'idéal touchant à chaque révolte sa
                    commission,
sécrétant une pensée acide qui corrode les
                    doctrines ariennes,[7]
inépuisablement généreux et fidèle à la vérité,   35
sous le masque d'une éternelle trahison,
mais singulièrement redoutable.

---

[1] huddled
[2] stove
[3] river on which the city of Munich is situated
[4] channels [literally, sewers]
[5] bargainings
[6] Bible
[7] Aryan

C'est pourquoi le cadavre dépouillé de ses
chaussures,
gît, par ce matin de gel,
au pied du Maximilianeum.[8]   40

Les enfants ont mis sous ses ongles
des aiguilles de gramophone.

1. *Quels traits du peuple allemand sont critiqués dans les vers 1–9? Quelle vertu le poète célèbre-t-il chez les juifs dans les vers 30–35?*
2. *Pourquoi, dans les vers 12–23 le poète s'attache-t-il tellement à décrire le cadavre de la victime?*
3. *Comment, dans les vers 24–26, le poète justifie-t-il l'esprit rebelle du juif?*
4. *Du point de vue chrétien, en quel sens les juifs sont-ils coupables d'une éternelle trahison (vers 36)?*
5. *Pourquoi le poète parle-t-il de cette trahison comme d'un masque (vers 36)?*
6. *Quelle est la situation du juif devant l'Etat symbolisée par le poète dans les vers 38–40?*
7. *La dernière image est particulièrement brutale. Comment peut-on dire qu'elle résume le sens du poème?*

[8] school for civil servants in Munich built (1857–1874) by Maximilian II

La Guerre

JACQUES PREVERT (1900–   )

Vous déboisez[1]
imbéciles
vous déboisez
Tous les jeunes arbres avec la vieille hache
vous les enlevez   5
Vous déboisez
imbéciles
vous déboisez
Et les vieux arbres avec leurs vieilles racines
leurs vieux dentiers[2]   10
vous les gardez
Et vous accrochez une pancarte[3]
Arbres du bien et du mal
Arbres de la Victoire
Arbres de la Liberté   15
Et la forêt déserte pue le vieux bois crevé
et les oiseaux s'en vont
et vous restez là à chanter
Vous restez là
imbéciles   20
à chanter et à défiler[4]

1. *A quelles personnes le poète s'adresse-t-il et que leur reproche-t-il?*
2. *Que désigne la vieille hache du vers 4?*
3. *Caractérisez le ton du poème (pressant, désespéré, découragé, etc.).*
4. *Les arbres qu'on abat sont-ils de vrais arbres?*

[1] to deforest, to cut down trees
[2] false teeth
[3] a sign
[4] to file past, to parade

LYRIC POETRY

The poetry in this section is more personal in tone, more intimate, more self-revelatory than that of preceding sections. Often it is introspective; often the poet speaks in the first person. There is an immediacy here, a direct concern with emotion, a sense of the emotional conflicts of living people. Hence, these poems are more dramatic than poetry of ideas. The character of the poet, or of his dramatic speakers, is revealed more fully than in narrative poetry, often through direct discourse or dialogue. We might thus have called this genre dramatic poetry, were it not for the possible confusion with poetry in the drama (Racine, for example). The term lyric is more extensive, while less ambiguous. Its literary usage includes, but goes somewhat beyond, the connotation of songlike.

Lyric poetry, whether of meditation, complaint, prayer or dramatic action is usually associated most directly with Romanticism (around 1770 to around 1840). Such terms of the Romantic vocabulary as inquiétude, ennui, doute, mélancolie, le Moi, épanchement, mal du siècle, pointed, after nearly two centuries of impersonal poetry, to a renewed and deepening concern with the Self or inner personality. But as the following examples show, lyric poetry is not limited to the Romantic period. Again, as various poems in other sections indicate, even in the so-called period of impersonal poetry, strong lyrical strains can be found (e.g., La Fontaine's "Les Deux Pigeons", p. 12).

All the themes and devices of the preceding genres are found here, and you might well ask: What specific differences would I expect to find in lyric poems? Are there specific devices which correspond to such vague words as intensity and introspective?

There is no single poetic device common to these poems which are grouped, rather arbitrarily, under the category of lyric poems. But one thing which they do have in common is a compression, a density of structure and meaning which gives them intensity. For example, see how Villon compresses two of the major dogmas of Catholic faith into two lines:

> Vierge portant, sans rompure encourir,
> Le sacrement qu'on célèbre à la messe.

Compression may be achieved by ellipsis, the dropping of words, phrases, or whole ideas; it may be achieved by metaphor, in which an image replaces an elaborate concept. In this line from "Rondeau," for example, the poet's whole condition is conveyed by the metaphoric coupling: Le jour m'est nuit. Compression may be achieved by the reduction of a vast problem to a brief, intimate drama. Thus, in Verlaine's "Colloque sentimental," the problem of lost youth and love is suggested by a brief, uncommented dialogue.

In these poems the student should be immediately and directly aware that poetry is an experience. Poetry of this type is not about anything; it IS.

Ballade que Villon fit a la requête de sa mère pour prier Notre-Dame

FRANÇOIS VILLON (1431–14??)

Dame des cieux, régente terrienne,
Emperière[1] des infernaux palus,[2]
Recevez-moi, votre humble chrétienne,
Que comprise soye entre vos élus,
Ce nonobstant qu'oncques rien ne valus.[3]   5
Les biens de vous, ma dame et ma maîtresse,
Sont trop plus grands que ne suis pécheresse,
Sans lesquels biens âme ne peut mérir,[4]
N'entrer aux cieux, je n'en suis menteresse.
En cette foi je veuil[5] vivre et mourir.   10

A votre Fils, dites que je suis sienne;
De lui soyent mes péchés abolus.[6]
Pardonnez-moi comme à l'Égyptienne,[7]
Ou comme il fit au clerc Théophilus,[8]
Lequel par vous fut quitte et absolus[9]   15
Combien qu'il[10] eût au diable fait promesse.
Préservez-moi, que point ne fasse cesse,
Vierge portant,[11] sans rompure encourir,[12]
Le sacrement qu'on célèbre à la messe.
En cette foi je veuil vivre et mourir.   20

Femme je suis, pauvrette et ancienne,
Qui rien ne sais; oncques lettre ne lus;
Au moustier[13] vois, dont suis paroissienne,
Paradis peint, où sont harpes et lus[14]
Et un enfer où damnés sont boullus:[15]   25
L'un me fait peur, l'autre, joie et liesse.
La joie avoir fais-moi, haute déesse,
A qui pécheurs doivent tous recourir,

[1] empress
[2] marshes
[3] *Ce . . . valus:* Although I have never had any merit
[4] to have merit
[5] *veux*
[6] pardoned
[7] St. Mary of Egypt, at one time a prostitute
[8] a cleric who sold his soul to the devil
[9] absolved
[10] *Combien qu'il: Bien qu'il*
[11] bearing [here, bearing the Child Jesus who is Himself the Eucharist or Sacrament of the Mass]
[12] *sans rompure encourir:* without sacrificing your virginity
[13] *monastère*
[14] *lutes*
[15] boiled

Comblés de foi, sans feinte ni paresse.
En cette foi je veuil vivre et mourir.   30

Vous portâtes, Vierge, digne princesse,
Jésus régnant, qui n'a ni fin ni cesse.
Le Tout-Puissant, prenant notre faiblesse,
Laissa les cieux et nous vint secourir,
Offrit à mort sa très chère jeunesse;   35
Notre Seigneur tel est, tel le confesse:
En cette foi je veuil vivre et mourir.

1. *Le poème est basé sur des antithèses, par exemple, le contraste entre le ciel en l'enfer. Trouvez-en d'autres.*
2. *Qui parle à la Vierge? Qu'est-ce que nous apprenons de son caractère?*
3. *Quel est le rythme du poème? Les coupes sont-elles régulières?*
4. *Comment la division des vers en deux parties, par la coupe, renforce-t-elle la forme anti-thétique de l'argument?*
5. *Quelle vertu théologale le refrain souligne-t-il chez la mère de Villon?*
6. *Fait-elle preuve de foi dans le poème même? Expliquez.*
7. *Si la mère de Villon était convaincue d'avance qu'elle serait sauvée, le poème serait-il drama-tique?*
8. *Quels sont les sentiments dominants du poème: l'amour? la haine? la crainte? etc.*
9. *La forme savante de cette ballade, les références bibliques, et la subtilité de l'argument nous font entendre le poète derrière sa mère. Pour-quoi se sert-il de sa mère pour exprimer ses propres idées et ses propres sentiments?*

En regardant vers le pais de France...[1]

CHARLES D'ORLÉANS (1394–1465)

En regardant vers le pays de France
Un jour m'advint, à Dovre[2] sur la mer,

[1] Charles, duc d'Orléans, was captured by the English at the Battle of Azincourt. He was held prisoner in England from 1415 to 1441.
[2] Dover

Qu'il me souvint de la douce plaisance
Que soulais au dit pays trouver;[3]
Si[4] commencai de cœur à soupirer,   5
Combine certes que[5] grand bien me faisait
De voir France que mon cœur aimer doit.

Je m'avisai que c'était non savance[6]
De tels soupirs dedans mon cœur garder,
Vu que je vois que la voie commence   10
De bonne paix, qui tous biens peut donner;
Pour ce, tournai en confort mon penser.
Mais non pourtant mon cœur ne se lassait
De voir France que mon cœur aimer doit.

Alors chargeai en la nef[7] d'Espérance   15
Tous mes souhaits, en leur priant d'aller
Outre la mer, sans faire demourance,[8]
Et a France de me recommander.
Or nous doint[9] Dieu bonne paix sans tarder!
Adonc aurai loisir, mais qu'ainsi soit,   20
De voir France que mon cœur aimer doit.

Paix est trésor qu'on ne peut trop louer.
Je hais guerre, point ne la dois priser;
Destourbé[10] m'a longtemps, soit tort ou droit,
De voir France que mon cœur aimer doit!   25

1. *Etudiez les vers 1–4. Semblent-ils particulière-*
   ment tristes? Quelle sorte de poème bien diffé-
   rent pourraient-ils préfacer?
2. *Le thème est énoncé dans les vers 5–7. Quel*
   est-il?
3. *Quelle lutte personnelle est suggérée par les*
   vers 8, 9?
4. *Le prisonnier réprime d'abord sa nostalgie.*
   Pourquoi se laisse-t-il enfin aller à la pleine
   expression de son mal du pays?
5. *Quelle métaphore donne ce sens de libération*
   et de débordement?
6. *Quel effet produit la répétition du même vers*
   à la fin de chaque strophe? Rattachez cet effet
   au thème central de la nostalgie.

[3] *Que . . . trouver:* That I used to find in the aforemen-
tioned country
   [4] *Ainsi*
   [5] *Combien . . . que: quoique* [although]
   [6] *non savance:* lack of wisdom
   [7] *chargeai . . . nef:* I loaded in the ship
   [8] delay
   [9] *donne*
   [10] prevented

7. *Est-ce que l'emploi de la première personne*
   rend le poème plus ou moins intime, personnel?
   Quels autres procédés contribuent à ce même
   effet?
8. *Commentez le ton du poème. Est-il détaché,*
   objectif, ironique? Quels autres adjectifs seraient
   plus exacts?

Rondeau

MARTIN LE FRANC (1410–1461)

Le jour m'est nuit,
   Joie me nuit,
Repos ne me sont que labours:
Brief j'embrace tout le rebours
De ce qu'aux autres plaît et duit.[1]   5

Espoir me fuit,
   Deuil me conduit,
Je despite contre secours:
   Le jour m'est nuit.

J'ai nom sans bruit,[2]   10
   Feuille sans fruit,
Dures epines me sont fleurs:
Ainsi me gouvernent Amours,
Sans avoir autre saufconduit:
   Le jour m'est nuit.   15

1. *Ce poème est construit sur une série de para-*
   doxes. Ces paradoxes sont-ils exprimés dans une
   langue concrète ou abstraite?
2. *Pourquoi le poète choisit-il un vers assez court?*
3. *Utilise-t-il autrement la concision? Commentez,*
   par exemple, la longueur des paroles et la
   qualité des rimes (complexité, tonalité, etc.)
4. *Quel est le rapport entre l'émotion et le style*
   concis?
5. *Le poète indique-t-il les causes particulières de*
   son état d'âme ou le décrit-il d'une manière
   générale?

[1] *convient*
[2] *J'ai du renom et point de gloire*

6. *Peut-on apprécier la détresse du poète s'il ne lui attribue pas une cause immédiate?*

Délie (CLXI)

MAURICE SCÈVE (1504?–1570?)

Seul avec moi, elle avec sa partie:[1]
Moi en ma peine, elle en sa molle couche.
Couvert d'ennui je me vautre en l'Ortie,[2]
Et elle nue entre ses bras se couche.
    Hà (lui indigne) il la tient, il la touche: 5
Elle le souffre: et comme moins robuste,
Viole amour par ce lien injuste,
Que droit humain, et non divin, a fait.
    O sainte loi, à tous, fors[3] à moi, juste,
Tu me punis pour elle avoir méfait.[4]   10

1. *Indiquez le contraste contenu dans les deux premiers vers.*
2. *Expliquez la métaphore du vers 3.*
3. *Du point de vue technique, quel est le rôle des quatre premiers vers?*
4. *Qui viole amour (vers 7)? En quel sens cette personne est-elle moins robuste?*
5. *A qui le poète se plaint-il? En quel sens est-il puni?*
6. *Expliquez le vers 8.*
7. *Pourquoi le poète s'efforce-t-il de se représenter son amante dans les bras d'un autre? Pourquoi se tourmente-t-il ainsi?*
8. *Comparez ce poème avec le rondeau de Martin Le Franc. Lequel des deux vous semble plus personnel?*

Baise m'encor . . .

LOUISE LABÉ (1524?–1566)

Baise m'encor, rebaise moi et baise:
Donne m'en un de tes plus savoureux,

---

[1] Pernette du Guillet, Scève's great love and the Délie of the poems, was a married woman
[2] *je . . . l'Ortie:* [literally] I toss on a bed of burrs
[3] except
[4] *Tu . . . méfait:* You punish me for her wrong-doings

Donne m'en un de tes plus amoureux:
Je t'en rendrai quatre plus chauds que braise.[1]

Las, te plains-tu? ça que ce mal j'apaise   5
En t'en donnant dix autres doucereux.[2]
Ainsi mêlant nos baisers tant heureux
Jouissons nous l'un de l'autre à notre aise.

Lors double vie à chacun en suivra.
Chacun en soi et son ami vivra.   10
Permets m'Amour penser quelque folie:

Toujours suis mal, vivant discrètement,
Si hors de moi ne fais quelque saillie.[3]

1. *Comment Louise Labé suggère-t-elle la passion dans le premier quatrain?*
2. *Comment paradoxalement donne-t-elle l'impression d'un grand abandon dans une forme aussi stricte que le sonnet?*
3. *L'amour auquel elle invite son amant vous semble-t-il platonicien? Voyez à ce propos le vers 9.*
4. *De quelle folie parle-t-elle dans le vers 11?*
5. *Quelle tension, quel conflit psychologique suggère-t-elle dans le dernier distique?*
6. *La saillie qu'elle se permet est peut-être tout simplement ce poème. Expliquez.*

Tant que mes yeux . . .

LOUISE LABÉ (1524?–1566)

Tant que mes yeux pourront larmes épandre
A l'heur passé avec toi regretter:
Et qu'aux sanglots et soupirs résister
Pourra ma voix, et un peu faire entendre:

Tant que ma main pourra les cordes tendres   5
Du mignart Lut,[1] pour tes grâces chanter:

---

[1] *plus. . . braise:* more ardent than burning coals
[2] sweetish [literally, of an affected sweetness—not necessarily pejorative here. What does it modify?]
[3] a brusque movement, a sally

---

[1] *mignon luth*

Tant que l'ésprit se voudra contenter
De ne vouloir rien fors que toi comprendre:

Je ne souhaite encore point mourir.
Mais quand mes yeux je sentirai tarir,   10
Ma voix cassée, et ma main impuissante,

Et mon esprit en ce mortel séjour
Ne pouvant plus montrer signe d'amante:
Prirai la Mort noircir mon plus cler jour.

*Comparez la conception de l'amour dans ce
poème à celle que nous avons rencontrée chez
Scève; voyez « Baroque Poetry », les trois
poèmes de la Délie.*

Maintenant je pardonne…
JOACHIM DU BELLAY (1522–1560)

Maintenant je pardonne à la douce fureur
Qui m'a fait consumer le meilleur de mon âge,
Sans tirer autre fruit de mon ingrat ouvrage,
Que le vain passetemps d'une si longue erreur.

Maintenant je pardonne à ce plaisant labeur,   5
Puisque seul il endort le souci qui m'outrage,
Et puisque seul il fait qu'au milieu de l'orage,
Ainsi qu'auparavant, je ne tremble de peur.

Si les vers ont été l'abus de ma jeunesse,
Les vers seront aussi l'appui de ma vieillesse: 10
S'ils furent ma folie, ils seront ma raison,

S'ils furent ma blessure, ils seront mon Achille,[1]
S'ils furent mon venin, le scorpion utile
Qui sera de mon mal la seule guérison.

1. *Quelle alliance de mots paradoxale se trouve
dans le premier vers?*
2. *Le premier quatrain élabore ce paradoxe, c'est-
à-dire, le poète pardonne à son ingrat ouvrage
bien qu'il le qualifie de vain passetemps et de*

[1] The rust of Achilles' lance could heal wounds which
the weapon had made

si longue erreur. *A quel endroit du poème com-
mençons-nous à savoir de quel ouvrage il
s'agit?*
3. *Le poète commence par l'expression d'un doute
sur le travail de toute sa vie. Dans le deuxième
quatrain, pourtant, le poète se montre plus
affirmatif. Se trouve-t-il, dans les tercets, des
affirmations encore plus fortes?*
4. *Vous semble-t-il que le poème exprime des
idées préconçues? Où est-ce que les énergiques
affirmations des tercets sortent plutôt de l'expérience même du poème?*

Heureux qui, comme Ulysse…
JOACHIM DU BELLAY (1522–1560)

Heureux qui, comme Ulysse, a fait un beau voyage,
Ou comme celui-là qui conquit la toison,[1]
Et puis est retourné, plein d'usage et raison,
Vivre entre ses parents le reste de son âge!

Quand reverrai-je, hélas, de mon petit village   5
Fumer la cheminée: et en quelle saison
Reverrai-je le clos[2] de ma pauvre maison,
Qui m'est une province, et beaucoup d'avantage?

Plus me plaît le séjour qu'ont bâti mes aieux
Que des palais Romains le front audacieux;   10
Plus que le marbre dur me plaît l'ardoise[3] fine,

Plus mon Loire Gaulois que le Tibre Latin,[4]
Plus mon petit Liré,[5] que le mont Palatin,[6]
Et plus que l'air marin la douceur Angevine.[7]

[1] *celui-là … toison:* Jason, who captured the golden
fleece
[2] yard
[3] slate
[4] the Loire and Tiber are rivers; where?
[5] district where the poet was born
[6] one of the seven hills of Rome
[7] d'Anjou [*sa province natale*]

France, mère des arts . . .

JOACHIM DU BELLAY (1522–1560)

France, mère des arts, des armes, et des lois,
Tu m'as nourri longtemps du lait de ta mamelle;
Ores,[1] comme un agneau qui sa nourrice appelle,
Je remplis de ton nom les antres et les bois.

Si tu m'as pour enfant avoué quelquefois,   5
Que ne me réponds-tu maintenant, ô cruelle?
France, France, réponds à ma triste querelle;
Mais nul, sinon Echo, ne répond à ma voix.

Entre les loups cruels j'erre parmi la plaine,
Je sens venir l'hiver, de qui la froide haleine   10
D'une tremblante horreur fait hérisser ma peau.

Las! tes autres agneaux n'ont faute de pâture,
Ils ne craignent le loup, le vent, ni la froidure;
Si[2] ne suis-je pourtant le pire du troupeau.

1. *Complétez cette comparaison, exprimée dans*
   la première strophe: $\dfrac{du\ Bellay}{France}$ *égale* $\dfrac{???}{???}$

2. *Est-ce que cette comparaison est encore élabo-*
   rée dans le deuxième quatrain?

3. *Constatez-vous un changement de ton entre*
   les quatrains et les tercets? Est-ce que les
   quatrains sont aussi nus, aussi simples et
   réalistes que les tercets?

4. *Quel effet est produit, dans le premier tercet,*
   par la répétition de certains sons, surtout le
   p et le r?

5. *La comparaison du premier quatrain devient,*
   dans le premier tercet, une métaphore. Le
   poète est l'agneau. Est-ce que ce changement
   intensifie ou atténue l'effet du poème?

6. *La psychologie du dernier vers, est-elle celle*
   d'un enfant?

7. *Comparez ce poème à « En regardant vers le*
   pays de France . . . » (p. 71). Quelles différences
   de ton et d'attitude trouvez-vous? Lequel des
   deux poètes emploie sa nostalgie de la France
   comme prétexte à une méditation profonde?

[1] *maintenant*
[2] *pourtant*

Las! où est maintenant . . .

JOACHIM DU BELLAY (1522–1560)

Las! où est maintenant ce mépris de Fortune?
Où est ce cœur vainqueur de toute adversité,
Cet honnête désir de l'immortalité,
Et cette honnête flamme au peuple non commune?

Où sont ces doux plaisirs, qu'au soir sous la nuit
                              brune   5
Les Muses me donnaient, alors qu'en liberté
Dessus le vert tapis d'un rivage écarté
Je les menais danser aux rayons de la Lune?

Maintenant la Fortune est maîtresse de moi,
Et mon cœur qui soulait[1] être maître de soi,   10
Est serf de mille maux et regrets qui m'ennuient.

De la posterité je n'ai plus de souci,
Cette divine ardeur, je ne l'ai plus aussi,
Et les Muses de moi, comme étranges, s'enfuient.

1. *A qui le poète s'adresse-t-il dans ces vers?*
   Expliquez-en le ton de reproche.

2. *La pensée et le sentiment sont-ils ici ceux d'un*
   enfant comme dans « France, mère des arts . . . »?

3. *Pourquoi le poète insère-t-il la belle image des*
   vers 7 et 8 dans ce poème pessimiste?

4. *Quelle est la perte que le poète regrette le plus?*

5. *La portée du poème va-t-elle ou non au-delà de*
   l'expérience du poète?

6. *Comparez ce poème à « La ballade des dames du*
   temps jadis » de Villon des points de vue du
   thème et de l'intérêt dramatique.

A Cassandre

PIERRE DE RONSARD (1524–1585)

Mignonne, allons voir si la rose
Qui ce matin avait déclose
Sa robe de pourpre au soleil

[1] *was habitually*

A point perdu, cette vesprée,[1]
Les plis de sa robe pourprée   5
Et son teint au vôtre pareil.

Las! voyez comme en peu d'espace,
Mignonne, elle a dessus la place,
Las! las! ses beautés laissé choir![2]
O vraiment marâtre[3] Nature,   10
Puisqu'une telle fleur ne dure
Que du matin jusques au soir!

Donc, si vous me croyez, mignonne,
Tandis que votre âge fleuronne
En sa plus verte nouveauté,   15
Cueillez, cueillez votre jeunesse.
Comme à cette fleur, la vieillesse
Fera ternir votre beauté.

1. *Comparez ce poème à « Quand vous serez bien
   vieille . . . » (p. 61). Dans les deux cas, le poète
   parle à une femme aimée. Chaque poème relève
   un aspect différent de son amour. Expliquez.*
2. *Dans ces deux poèmes, est-ce que Ronsard est
   absolument sincère? En quoi consiste la sincérité
   poétique?*

A Cassandre

PIERRE DE RONSARD (1524–1585)

L'absence, ni l'oubli, ni la course du jour
n'ont effacé le nom, les grâces ni l'amour
Qu'au cœur je m'imprimai dès ma jeunesse tendre,
Fait nouveau serviteur de toi belle Cassandre,
Qui me fus autrefois plus chère que mes yeux,   5
Que mon sang, que ma vie, et que seule en tous
                                                    lieux
Pour sujet éternel ma Muse avait choisie,
Afin de te chanter par longue poésie.
Car le trait qui sortit de ton regard si beau,
Ne fut l'un de ces traits qui déchirent la peau,   10

Mais ce fut un de ceux dont la pointe cruelle
Perce cœur et poumons, et veines et moelle.[1]
Ma Cassandre, aussitôt que je me vis blessé,
Jeune d'ans et gaillard, depuis je n'ai pensée
Qu'à toi, mon cœur, mon âme, à qui tu as ravie,   15
Absente si longtemps, la raison et la vie . . .
Et quand le bon destin jamais n'eut fait revoir
Tes yeux si beaux aux miens, le temps n'avait
                                                   pouvoir
D'enlever une esqierre,[2] ou d'amoindrir l'image   20
Qu'amour m'avait portraite[3] au vif de son visage;
Si bien qu'en souvenir je t'aimais tant ainsi
Que dès le premier jour où tu fus mon souci.
    Et si l'âge qui rompt et murs et forteresses,
En coulant a perdu un peu de nos jeunesses,   25
Cassandre, c'est tout un! car je n'ai pas égard
A ce qui est présent, mais au premier regard,
Au trait qui me navra de ta grâce enfantine,
Qu'encores tout sanglant je sens en la poitrine.
    Bienheureux soit le jour que tes yeux je revi . . . 30
Qui m'ont, et près et loin, de moi-même ravi! . . .
    Toujours me souvenait de cette heure première,
Où jeune je perdis mes yeux en ta lumière,
Et des propos qu'un soir nous eûmes, devisant,
Dont le seul souvenir, non autre, m'est plaisant.   35
Ce fut en la saison du Printemps qui est ores:
En la même saison je t'ai revue encores;
Fasse Amour que l'Avril où je fus amoureux
Me fasse aussi content que l'autre malheureux!

1. *Selon les évidences du poème, a quel moment
   de sa vie le poète écrit-il ce poème?*
2. *Dès le premier vers de ce poème adressé également à Cassandre on remarque une différence
   de ton avec le précédent. Discutez. Considérez
   surtout à ce propos l'emploi des mots abstraits.*
3. *Relevez les procédés artificiels et conventionnels dans les vers 9 à 23. Ces artifices
   nuisent-ils à la sincérité de l'expression?*
4. *Le poète souffre-t-il de son amour?*
5. *Se moque-t-il un peu de son amour?*
6. *Expliquez les deux derniers vers.*
7. *Y a-t-il une contradiction entre le thème du
   poème précédent (« cueillez, cueillez votre
   jeunesse ») et celui de ce poème?*

---

[1] vespers, that is, evening
[2] fall
[3] step-mother

---

[1] marrow
[2] scar [blemish]
[3] *Qu'amour . . . portraite:* That love had portrayed to
me

Le Lac

ALPHONSE-MARIE-LOUIS DE LAMARTINE
(1790–1869)

Ainsi, toujours poussés vers de nouveaux rivages,
Dans la nuit éternelle emportés sans retour,
Ne pourrons-nous jamais sur l'océan des âges
    Jeter l'ancre un seul jour?

O lac! l'année à peine a fini sa carrière,   5
Et près des flots chéris qu'elle devait revoir,
Regarde! je viens seul m'asseoir sur cette pierre
    Où tu la vis s'asseoir!

Tu mugissais ainsi sous ces roches profondes;
Ainsi tu te brisais sur leurs flancs déchirés;   10
Ainsi le vent jetait l'écume de tes ondes
    Sur ses pieds adorés.

Un soir, t'en souvient-il? nous voguions en
                silence;
On n'entendait au loin, sur l'onde et sous les
                cieux,
Que le bruit des rameurs qui frappaient en cadence   15
    Tes flots harmonieux.

Tout à coup des accents inconnus à la terre
Du rivage charmé frappèrent les échos,
Le flot fut attentif, et la voix qui m'est chère
    Laissa tomber ces mots: 20

« O temps, suspends ton vol! et vous, heures
              propices,
    Suspendez votre cours!
Laissez-nous savourer les rapides délices
    Des plus beaux de nos jours!

« Assez de malheureux ici-bas vous implorent: 25
    Coulez, coulez pour eux;
Prenez avec leurs jours les soins qui les dévorent;
    Oubliez les heureux.

« Mais je demande en vain quelques moments
              encore,
    Le temps m'échappe et fuit;   30
Je dis à cette nuit: « Sois plus lente »; et l'aurore
    Va dissiper la nuit.

« Aimons donc, aimons donc! de l'heure fugitive,
    Hâtons-nous, jouissons!

L'homme n'a point de port, le temps n'a point
              de rive;   35
    Il coule, et nous passons! »

Temps jaloux, se peut-il que ces moments
              d'ivresse,
Où l'amour à longs flots nous verse le bonheur,
S'envolent loin de nous de la même vitesse
    Que les jours de malheur?   40

Hé quoi! n'en pourrons-nous fixer au moins la
              trace?
Quoi! passés pour jamais? quoi! tout entiers
              perdus?
Ce temps qui les donna, ce temps qui les efface,
    Ne nous les rendra plus?

Éternité, néant, passé, sombres abîmes,   45
Que faites-vous des jours que vous engloutissez?
Parlez: nous rendrez-vous ces extases sublimes
    Que vous nous ravissez?

O lac! rochers muets! grottes! forêt obscure!
Vous que le temps épargne ou qu'il peut rajeunir,   50
Gardez de cette nuit, gardez, belle nature,
    Au moins le souvenir!

Qu'il soit dans ton repos, qu'il soit dans tes orages,
Beau lac, et dans l'aspect de tes riants coteaux,
Et dans ces noirs sapins, et dans ces rocs sauvages   55
    Qui pendent sur tes eaux!

Qu'il soit dans le zéphyr qui frémit et qui passe,
Dans les bruits de tes bords par tes bords répétés,
Dans l'astre au front d'argent qui blanchit ta
              surface
    De ses molles clartés!   60

Que le vent qui gémit, le roseau qui soupire,
Que les parfums légers de ton air embaumé,
Que tout ce qu'on entend, l'on voit ou l'on
              respire,
    Tout dise: « Ils ont aimé! »

1. *Le thème du poème se fond sur une opposition exprimée dans la première strophe. Laquelle?*
2. *A qui le poète parle-t-il dans la deuxième strophe? Trouvez ici les premiers éléments de l'animisme (attribution d'une âme à la nature).*
3. *Analysez le rythme des vers longs et courts. Comparez les deux rythmes aux deux éléments*

du thème que nous avons signalés dans la première question.

4. *Il y a trois personnages dans ce poème. Expliquez.*

5. *L'image centrale est celle du couler. Trouvez les différentes expressions de cette image.*

6. *Citez les vers qui expriment l'angoisse du poète. Quelle est la cause de cette angoisse? Est-elle exprimée directement ou par des sous-entendus? Appuyez votre réponse sur le texte.*

7. *Le poème commence par l'adverbe Ainsi. Le poème apparaît donc comme la réponse à un problème déjà soulevé. Quel problème? Qui l'a posé?*

8. *Les impératifs des trois dernières strophes représentent l'effort du poète de mettre fin à cette méditation angoissée. Réussit-il?*

9. *On peut trouver dans le poème une thèse, une antithèse et enfin une synthèse ou résolution. Expliquez.*

10. *Cette synthèse suggère l'échec de la poésie parce qu'elle ne suffit pas à soulager la détresse du poète. Pouvez-vous citer quelques poètes, antérieurs à Lamartine, pour lesquels la poésie était une force capable de résoudre les problèmes de la vie?*

Puisque j'ai mis ma lèvre…

VICTOR HUGO (1802–1885)

Puisque j'ai mis ma lèvre à ta coupe encor pleine,
Puisque j'ai dans tes mains posé mon front pâli,
Puisque j'ai respiré parfois la douce haleine
De ton âme, parfum dans l'ombre enseveli;

Puisqu'il me fut donné de t'entendre me dire   5
Les mots où se répand le cœur mystérieux,
Puisque j'ai vu pleurer, puisque j'ai vu sourire
Ta bouche sur ma bouche et tes yeux sur mes yeux;

Puisque j'ai vu briller sur ma tête ravie
Un rayon de ton astre, hélas! voilé toujours,   10
Puisque j'ai vu tomber dans l'onde de ma vie
Une feuille de rose arrachée à tes jours,

Je puis maintenant dire aux rapides années:
— Passez! passez toujours! je n'ai plus à vieillir!
Allez-vous-en avec vos fleurs toutes fanées;   15
J'ai dans l'âme une fleur que nul ne peut cueillir!

Votre aile en le heurtant ne fera rien répandre
Du vase où je m'abreuve et que j'ai bien rempli.
Mon âme a plus de feu que vous n'avez de cendre!
Mon cœur a plus d'amour que vous n'avez
                    d'oubli!   20

Tristesse d'Olympio

VICTOR HUGO (1802–1885)

Les champs n'étaient point noirs, les cieux
                   n'étaient pas mornes.
Non, le jour rayonnait dans un azur sans bornes
          Sur la terre étendu,
L'air était plein d'encens et les prés de verdures
Quand il revit ces lieux où par tant de blessures   5
          Son cœur s'est répandu!

L'automne souriait; les coteaux vers la plaine
Penchaient leurs bois charmants qui jaunissaient
                   à peine;
          Le ciel était doré;
Et les oiseaux, tournés vers celui que tout nomme,   10
Disant peut-être à Dieu quelque chose de l'homme,
          Chantaient leur chant sacré!

Il voulut tout revoir, l'étang près de la source,
La masure où l'aumône avait vidé leur bourse,
          Le vieux frêne plié,   15
Les retraites d'amour au fond des bois perdues,
L'arbre où dans les baisers leurs âmes confondues
          Avaient tout oublié!

Il chercha le jardin, la maison isolée,
La grille d'ou l'œil plonge en une oblique allée,   20
          Les vergers en talus.
Pâle, il marchait. — Au bruit de son pas grave et
                   sombre,
Il voyait à chaque arbre, hélas! se dresser l'ombre
          Des jours qui ne sont plus!

Il entendait frémir dans la forêt qu'il aime   25
Ce doux vent qui, faisant tout vibrer en nous-
                   même
          Y réveille l'amour,
Et, remuant le chêne ou balançant la rose,

Semble l'âme de tout qui va sur chaque chose
    Se poser tour à tour !   30

Les feuilles qui gisaient dans le bois solitaire,
S'efforçant sous ses pas de s'élever de terre,
    Couraient dans le jardin ;
Ainsi, parfois, quand l'âme est triste, nos pensées
S'envolent un moment sur leurs ailes blessées   35
    Puis retombent soudain.

Il contempla longtemps les formes magnifiques
Que la nature prend dans les champs pacifiques ;
    Il rêva jusqu'au soir ;
Tout le jour il erra le long de la ravine,   40
Admirant tour à tour le ciel, face divine,
    Le lac, divin miroir !

Hélas ! se rappelant ses douces aventures,
Regardant, sans entrer, par-dessus les clôtures,
    Ainsi qu'un paria,   45
Il erra tout le jour. Vers l'heure où la nuit tombe,
Il se sentit le cœur triste comme une tombe,
    Alors il s'écria :

« O douleur ! j'ai voulu, moi dont l'âme est
          troublée,
Savoir si l'urne encore conservait sa liqueur,   50
Et voir ce qu'avait fait cette heureuse vallée
De tout ce que j'avais laissé là de mon cœur !

« Que peu de temps suffit pour changer toutes
          choses !
Nature au front serein, comme vous oubliez !
Et comme vous brisez dans vos métamorphoses   55
Les fils mystérieux où nos cœurs sont liés !

« Nos chambres de feuillage en halliers sont
          changées !
L'arbre où fut notre chiffre est mort ou renversé ;
Nos roses dans l'enclos ont été ravagées
Par les petits enfants qui sautent le fossé.   60

« Un mur clôt la fontaine où, par l'heure échauffée,
Folâtre, elle buvait en descendant des bois ;
Elle prenait de l'eau dans sa main, douce fée,
Et laissait retomber des perles de ses doigts !

« On a pavé la route âpre et mal aplanie,   65
Où, dans le sable pur se dessinant si bien,
Et de sa petitesse étalant l'ironie,
Son pied charmant semblait rire à côté du mien !

« La borne du chemin, qui vit des jours sans
          nombre,
Où jadis pour m'attendre elle aimait à s'asseoir,   70
S'est usée en heurtant, lorsque la route est sombre,
Les grands chars gémissants qui reviennent le soir.

« La forêt ici manque et là s'est agrandie.
De tout ce qui fut nous presque rien n'est vivant ;
Et, comme un tas de cendre éteinte et refroidie,   75
L'amas des souvenirs se disperse à tout vent !

« N'existons-nous donc plus ? Avons-nous eu notre
          heure ?
Rien ne la rendra-t-il à nos cris superflus ?
L'air joue avec la branche au moment où je pleure ;
Ma maison me regarde et ne me connaît plus.   80

« D'autres vont maintenant passer où nous
          passâmes.
Nous y sommes venus, d'autres vont y venir ;
Et le songe qu'avaient ébauché nos deux âmes,
Il le continueront sans pouvoir le finir !

« Car personne ici-bas ne termine et n'achève ;   85
Les pires des humains sont comme les meilleurs ;
Nous nous réveillons tous au même endroit du
          rêve.
Tout commence en ce monde et tout finit ailleurs.

« Oui, d'autres à leur tour viendront, couples sans
          tache,
Puiser dans cet asile heureux, calme, enchanté,   90
Tout ce que la nature à l'amour qui se cache
Mêle de rêverie et de solennité !

« D'autres auront nos champs, nos sentiers, nos
          retraites ;
Ton bois, ma bien-aimée, est à des inconnus.
D'autres femmes viendront, baigneuses indiscrètes,   95
Troubler le flot sacré qu'ont touché tes pieds nus !

« Quoi donc ! c'est vainement qu'ici nous nous
          aimâmes !
Rien ne nous restera de ces coteaux fleuris
Où nous fondions notre être en y mêlant nos
          flammes !
L'impassible nature a déjà tout repris.   100

« Oh ! dites-moi, ravins, frais ruisseaux, treilles
          mûres,
Rameaux chargés de nids, grottes, forêts,
          buissons,
Est-ce que vous ferez pour d'autres vos murmures ?
Est-ce que vous direz à d'autres vos chansons ?

« Nous vous comprenions tant ! doux, attentifs,
                                    austères,   105
Tous nos échos s'ouvraient si bien à votre voix !
Et nous prêtions si bien, sans troubler vos
                                    mystères,
L'oreille aux mots profonds que vous dites parfois !

« Répondez, vallon pur, répondez, solitude,
O nature abritée en ce désert si beau,   110
Lorsque nous dormirons tous deux dans l'attitude
Que donne aux morts pensifs la forme du tombeau,

« Est-ce que vous serez à ce point insensible
De nous savoir couchés, morts avec nos amours,
Et de continuer votre fête paisible,   115
Et de toujours sourire et de chanter toujours ?

« Est-ce que, nous sentant errer dans vos
                                    retraites,
Fantômes reconnus par vos monts et vos bois,
Vous ne nous direz pas de ces choses secrètes
Qu'on dit en revoyant des amis d'autrefois ?   120

« Est-ce que vous pourrez, sans tristesse et sans
                                    plainte,
Voir nos ombres flotter où marchèrent nos pas,
Et la voir m'entraîner, dans une morne étreinte,
Vers quelque source en pleurs qui sanglote tout
                                    bas ?

« Et s'il est quelque part, dans l'ombre où rien ne
                                    veille,   125
Deux amants sous vos fleurs abritant leurs
                                    transports,
Ne leur irez-vous pas murmurer à l'oreille :
— Vous qui vivez, donnez une pensée aux morts !

« Dieu nous prête un moment les prés et les
                                    fontaines,
Les grands bois frissonnants, les rocs profonds et
                                    sourds,   130
Et les cieux azurés et les lacs et les plaines,
Pour y mettre nos cœurs, nos rêves, nos amours ;

« Puis il nous les retire. Il souffle notre flamme ;
Il plonge dans la nuit l'antre où nous rayonnons ;
Et dit à la vallée, où s'imprima notre âme,   135
D'effacer notre trace et d'oublier nos noms.

« Eh bien ! oubliez-nous, maison, jardin,
                                    ombrages !
Herbe, use notre seuil ! ronce, cache nos pas !

Chantez, oiseaux ! ruisseaux, coulez ! croissez,
                                    feuillages !
Ceux que vous oubliez ne vous oublieront pas.   140

« Car vous êtes pour nous l'ombre de l'amour
                                    même !
Vous êtes l'oasis qu'on rencontre en chemin !
Vous êtes, ô vallon, la retraite suprême
Où nous avons pleuré nous tenant par la main !

« Toutes les passions s'éloignent avec l'âge,   145
L'une emportant son masque et l'autre son couteau,
Comme un essaim chantant d'histrions en voyage
Dont le groupe décroît derrière le coteau.

« Mais toi, rien ne t'efface, amour ! toi qui nous
                                    charmes,
Toi qui, torche ou flambeau, luis dans notre
                                    brouillard !   150
Tu nous tiens par la joie, et surtout par les larmes.
Jeune homme on te maudit, on t'adore vieillard.

« Dans ces jours où la tête au poids des ans
                                    s'incline,
Où l'homme, sans projets, sans but, sans visions,
Sent qu'il n'est déjà plus qu'une tombe en ruine   155
Où gisent ses vertus et ses illusions ;

« Quand notre âme en rêvant descend dans nos
                                    entrailles
Comptant dans notre cœur, qu'enfin la glace
                                    atteint,
Comme on compte les morts sur un champ de
                                    bataille,
Chaque douleur tombée et chaque songe éteint,   160

« Comme quelqu'un qui cherche en tenant une
                                    lampe,
Loin des objets réels, loin du monde rieur,
Elle arrive à pas lents par une obscure rampe
Jusqu'au fond désolé du gouffre intérieur ;

« Et là, dans cette nuit qu'aucun rayon n'étoile,   165
L'âme, en un repli sombre où tout semble finir,
Sent quelque chose encor palpiter sous un
                                    voile . . . —
C'est toi qui dors dans l'ombre, ô sacré souvenir ! »

"Tristesse d'Olympio", which is often considered an answer to Lamartine's "Le Lac", was written by Hugo for his mistress, Juliette Drouet.

They were temporarily separated and Hugo, as a gesture of tenderness, made a visit to the spot where he and Juliette had spent an idyllic vacation.

The poem begins with a meditation which is going on in the mind of someone named Olympio (f. Olympus, mythologically the mountain home of the gods) and is reported to us third-hand by the poet. Olympio is walking in the woods and observing the sights and sounds around him. The language in which the poet reports what Olympio sees is prosaic; the rhythm of the alexandrin lines is unusual in its frequently shifting accents, creating a very personal effect. The short six syllable lines break off the accelerating rhythm of the alexandrins, as if Olympio did not wish—or could not—break out into full fledged cadences.

The drama of Olympio is first suggested in the lines:

Il voyait à chaque arbre, hélas! se dresser l'ombre
  Des jours qui ne sont plus.

This walk through the woods recalls a love affair which has been ended, at least for the time being. The memory of this love affair is dissatisfying because it is only a shadow. The woods and all the forces of Nature conspire to make Olympio desire real love and a real woman:

Ce doux vent qui, faisant tout vibrer en nous-même
  Y réveille l'amour . . .

The scene awakens love but cannot satisfy it. The only satisfaction possible is that which comes from memory. But, in an image which dominates the whole first half of the poem, Olympio tells us that memory too is inadequate. There is nothing which can inspire him as the woman he loved was able to:

Les feuilles qui gisaient dans le bois solitaire,
S'éfforçant sous ses pas de s'élever de terre,
  Couraient dans le jardin;
Ainsi, parfois, quand l'âme est triste, nos pensées
S'envolent un moment sur leurs ailes blessées,
  Puis retombent soudain.

The lyrical flight is always broken off. Like the leaves which rise and settle to the ground, Olympio's imagination cannot get free from the harsh limits of reality. (Notice how abruptly the rhythm of the last line falls.) This then is the drama of Olympio: it is a struggle between poetic imagination and reality. It is not only a struggle in the sense that Olympio wants to feel as if his mistress were really with him and cannot do so. In a deeper sense, it is a struggle between Olympio and himself. Nature (the woods, the road, the stream) is telling Olympio something which he does not want to accept. It is forcing him to accept emotionally a rather bitter truth about human experience. This is brought out in the second half of the poem.

Notice the sudden change in tone. Up to line 48 the tone of the poem has been discreet, almost prosaic, avoiding any kind of obvious emotion. The very first line of the poem is negative: Les champs n'étaient point noirs, les cieux n'étaient pas mornes . . . The use of the negative implies at once that the poet's concern is not merely descriptive. He is not merely telling us about the landscape. This explicit negation is like the negation implied by the falling rhythm of the short lines. It too points to a double refusal in this first part of the poem. Olympio refuses to accept memory (the shadow of love) as a substitute for the real thing, and hence he refuses to break forth into a lyrical outburst. Needless to say, the prosaic quality of these stanzas does not destroy their poetic value. The perfect correspondence of form to meaning and emotion makes this the high point of the whole poem.

But then suddenly Olympio cries out and the poem begins a new movement. It is as if there had occurred some kind of crystallization which forces the drama to evolve. Now, for the first time, Olympio uses the language of statement. He uses abstract words such as douleur, cœur, métamorphoses. His images cease to be entirely realistic. In addition to abstractions we find the traditional images of Romantic love poetry: urne, liqueur, rose. Again, however, there are some realistic images: les petits enfants qui sautent le fossé. But they are incorporated in a new context. Olympio has finally faced and, to some degree accepted, his own dilemma. He is finally able to face the fact that Nature is indifferent to man. So the bushes grow back, the fountain is walled off, the children play in the places that were sacred to them. This realization is stated explicitly in the line: L'air joue avec la branche au moment où je pleure.

There follows a long development in which Olympio imagines the other couples who will come to enjoy this same spot. They too are victims of time. Nevertheless, Olympio feels a kind of jealousy. He would like this place to belong only to himself and his mistress. In this whole long section of the poem Olympio seems to be struggling against the obvious truth. He apostrophizes Nature as if it were a being capable of understanding and sympathy. But it is not merely Nature of which he is speaking. Since Nature is the scene or the setting in which all human experience takes place it may very well become the symbol for it. The real subject of Olympio's dismay is the realization of the transitory aspect of even our most complete and most profound experience as human beings. When he says:

Dieu nous prête un moment les prés et les fontaines,
Les grands bois frissonnants, les rocs profond et sourds,
Et les cieux azurés et les lacs et les plaines,
Pour y mettre nos cœurs, nos rêves, nos amours;

Puis il nous les retire . . .

he means that God allows us only a certain limited measure of fulfillment. That fulfillment is symbolized by the objects of Nature which, to the Romantic poets, seemed especially evocative of love.

Out of the emotion which his own lyricism has generated in him, Olympio finally, and even enthusiastically, accepts the limits of the human condition. In one of the most sonorous lines of poetry ever written he exclaims:

Car vous êtes pour nous l'ombre de l'amour même . . .

The word shadow, which was used at the start of the poem, now comes back with a new emphasis.

It is easy to feel that the tone of this line is very different from that of line 23. It is an affirmation. The long nasal vowel sound of ombre suggests the long a and the long ou of amour. Some identity is thereby proposed between ombre (memory) and amour. Olympio then goes on to meditate about love. He admits that all passion is transitory, like a play upon a stage. Now that he has accepted the human condition, it is easier for him to gain whatever solace is to be had from memory (ombre equals amour). He can enjoy the memory of his love if he accepts it precisely as that, as a memory, and does not attempt to make it into some other kind of reality.

Une Soirée perdue

ALFRED DE MUSSET (1810–1857)

J'étais seul, l'autre soir, au Théâtre Français,[1]
Ou presque seul; l'auteur n'avait pas grand succès.
Ce n'était que Molière, et nous savons de reste
Que ce grand maladroit, qui fit un jour Alceste,[2]
Ignora le bel art de chatouiller l'esprit   5
Et de servir à point un dénoûment bien cuit.
Grâce à Dieu, nos auteurs ont changé de méthode,
Et nous aimons bien mieux quelque drame à la
                                              mode
Où l'intrigue, enlacée et roulée en feston,
Tourne comme un rébus autour d'un mirliton.[3]   10

J'écoutais cependant cette simple harmonie,
Et comme le bon sens fait parler le génie.
J'admirais quel amour pour l'âpre vérité
Eut cet homme si fier en sa naïveté,
Quel grand et vrai savoir des choses de ce monde, 15
Quelle mâle gaieté, si triste et si profonde
Que, lorsqu'on vient d'en rire, on devrait en
                                              pleurer!
Et je me demandais: Est-ce assez d'admirer?
Est-ce assez de venir, un soir, par aventure,
D'entendre au fond de l'âme un cri de la nature,   20

[1] La Comédie Française
[2] Alceste: an enemy of mankind, the chief character of Molière's Le Misanthrope (1666)
[3] comme . . . mirliton: The mirliton, a noise-maker used as a favor at parties, is usually adorned with strips of paper on which may be printed riddles [rébus]

D'essuyer une larme, et de partir ainsi,
Quoi qu'on fasse d'ailleurs, sans en prendre souci?
Enfoncé que j'étais dans cette rêverie,
Çà et là, toutefois, lorgnant la galerie,
Je vis que, devant moi, se balançait gaiement   25
Sous une tresse noire un cou svelte et charmant;
Et, voyant cet ébène enchâssé dans l'ivoire,[4]
Un vers d'André Chénier chanta dans ma mémoire,
Un vers presque inconnu, refrain inachevé,
Frais comme le hasard, moins écrit que rêvé.   30
J'osai m'en souvenir, même devant Molière;
Sa grande ombre, à coup sûr, ne s'en offensa pas;
Et, tout en écoutant, je murmurais tout bas,
Regardant cette enfant, qui ne s'en doutait guère:
« Sous votre aimable tête, un cou blanc, délicat,   35
Se plie, et de la neige effacerait l'éclat. »

Puis je songeais encore (ainsi va la pensée)
Que l'antique franchise, à ce point délaissée,
Avec notre finesse et notre esprit moqueur,
Ferait croire, après tout, que nous manquons de
                                       cœur;   40
Que c'était une triste et honteuse misère,
Que cette solitude à l'entour de Molière,
Et qu'il est *pourtant temps*, comme dit la
                                 chanson,
De sortir de ce siècle ou d'en avoir raison;
Car à quoi comparer cette scène embourbée,   45
Et l'effroyable honte où la muse est tombée?[5]
La lâcheté nous bride, et les sots vont disant
Que, sous ce vieux soleil, tout est fait à présent;
Comme si les travers[6] de la famille humaine
Ne rajeunissaient pas chaque an, chaque semaine.   50
Notre siècle a ses mœurs, partant, sa vérité;
Celui qui l'ose dire est toujours écouté.

Ah! j'oserais parler, si je croyais bien dire,
J'oserais ramasser le fouet de la satire,
Et l'habiller de noir, cet homme aux rubans verts,[7]   55
Qui se fâchait jadis pour quelques mauvais vers.
S'il rentrait aujourd'hui dans Paris, la grand'ville,
Il y trouverait mieux pour émouvoir sa bile
Qu'une méchante femme et qu'un méchant
                                     sonnet;
Nous avons autre chose à mettre au cabinet.[8]   60

[4] *voyant . . . l'ivoire:* seeing that ebony set in ivory
[5] *Et . . . tombée:* And the deplorable depths to which the Muse [dramatic genre] has fallen
[6] mistakes
[7] i.e., Alceste
[8] *Nous . . . cabinet:* an allusion to the famous line from *Le Misanthrope* (Act I, scene ii) where Alceste, criticizing a sonnet written by Oronte, says: "Franchement, il [le sonnet] est bon à mettre au cabinet"

O notre maître à tous, si ta tombe est fermée,
Laisse-moi dans ta cendre, un instant ranimée,
Trouver une étincelle, et je vais t'imiter!
Apprends-moi de quel ton, dans ta bouche hardie,
Parlait la vérité, ta seule passion,   65
Et, pour me faire entendre, à défaut du génie,
J'en aurai le courage et l'indignation!

Ainsi je caressais une folle chimère.
Devant moi cependant, à côté de sa mère,
L'enfant restait toujours, et le cou svelte et blanc   70
Sous les longs cheveux noirs se berçait mollement.
Le spectacle fini, la charmante inconnue
Se leva. Le beau cou, l'épaule à demi nue,
Se voilèrent; la main glissa dans le manchon;[9]
Et, lorsque je la vis au seuil de sa maison   75
S'enfuir, je m'aperçus que je l'avais suivie.
Hélas! mon cher ami, c'est là toute ma vie.
Pendant que mon esprit cherchait sa volonté,
Mon corps avait la sienne et suivait la beauté;
Et, quand je m'éveillai de cette rêverie,   80
Il ne m'en restait plus que l'image chérie:
« Sous votre aimable tête, un cou blanc, délicat,
Se plie, et de la neige effacerait l'éclat. »

1. *Le poème commence en satire avec une intention nettement polémique; quel brusque changement se produit cependant à partir du vers 23?*

2. *Molière est présenté comme l'homme du sens commun. Quel contraste y a-t-il entre les mœurs des pièces de Molière et celles de l'époque romantique?*

3. *Contrastez Chénier et Molière, d'après ce poème: lequel est le plus romantique? lequel le plus sensé?*

4. *Le poète revient au thème original avec le vers 37. Comment les mots ainsi va la pensée semblent-ils expliquer les revirements dans le thème du poème?*

5. *On peut voir le poème comme un dialogue entre Chénier, poète romantique avant la lettre, et le Misanthrope de Molière (Alceste) qui, à la fin de la pièce, renonce aux femmes et à la société. Expliquez.*

6. *Le poème est-il une satire sociale ou une satire de Musset par lui-même?*

[9] muff

7. *Combien de sens différents pouvez-vous attribuer au titre, « Une Soirée perdue »?*

8. *Que veut dire le poète par les mots (vers 77) Hélas! mon cher ami, c'est là toute ma vie?*

9. *En quel sens donc le poème raconte-t-il le drame personnel de Musset?*

10. *Sur quel ton ce drame est-il présenté: passioné, angoissé? ou détaché, impersonnel?*

11. *D'après ce poème et « Demain dès l'aube . . . » de Victor Hugo diriez-vous que le lyrisme des poètes romantiques est toujours excessif, débordant, emphatique ou est-il souvent retenu, réservé et même conscient?*

Chant d'automne

CHARLES BAUDELAIRE (1821–1867)

I

Bientôt nous plongerons dans les froides ténèbres;
Adieu, vive clarté de nos étés trop courts!
J'entends déjà tomber avec des chocs funèbres
Le bois retentissant sur le pavé des cours.

Tout l'hiver va rentrer dans mon être: colère,   5
Haine, frissons, horreur, labeur dur et forcé,
Et, comme le soleil dans son enfer polaire,
Mon cœur ne sera plus qu'un bloc rouge et glacé.
J'écoute en frémissant chaque bûche[1] qui tombe;
L'échafaud qu'on bâtit n'a pas d'écho plus sourd.   10
Mon esprit est pareil à la tour qui succombe
Sous les coups du bélier[2] infatigable et lourd.

Il me semble, bercé par ce choc monotone,
Qu'on cloue en grande hâte un cercueil quelque
                                               part,
Pour qui? — C'était hier l'été; voici l'automne!   15
Ce bruit mystérieux sonne comme un départ.

II

J'aime de vos longs yeux la lumière verdâtre,
Douce beauté, mais tout aujourd'hui m'est amer,
Et rien, ni votre amour, ni le boudoir, ni l'âtre,[3]
Ne me vaut le soleil rayonnant sur la mer.   20

[1] log of firewood
[2] battering-ram
[3] hearth

Et pourtant aimez-moi, tendre cœur! soyez mère,
Même pour un ingrat, même pour un méchant;
Amante ou sœur, soyez la douceur éphémère
D'un glorieux automne ou d'un soleil couchant.

Courte tâche! La tombe attend; elle est avide!   25
Ah! laissez-moi, mon front posé sur vos genoux,
Goûter, en regrettant l'été blanc et torride,
De l'arrière-saison[4] le rayon jaune et doux!

1. *Pourquoi, en automne, entend-on les bûches qui tombent sur le pavé des cours? A quel autre bruit le bruit (rythmique) de la hache fait-il penser (voir vers 14)? Pourquoi le poète a-t-il peur du passage du temps?*

2. *Quel état d'âme les signes avant-coureurs de l'automne produisent-ils?*

3. *Comme d'habitude le poète se tourne vers la femme pour lui demander un remède a son ennui, que Baudelaire appelle spleen. Quelle genre de consolation demande-t-il?*

4. *La consolation est-elle efficace?*

5. *Etudiez le rythme des deux premiers vers. Remarquez que dans les mots plongerons, froides, ténèbres, les syllabes contiennent des sons qui allongent leur durée; par contre, dans le vers suivant, les syllabes sont brèves. Quel contraste est ainsi souligné?*

6. *Pouvez-vous trouver d'autres citations où le rythme renforce le sens?*

7. *En quel sens l'automne est-il une correspondance de l'état d'âme du poète?*

La Mort des amants

CHARLES BAUDELAIRE (1821–1867)

Nous aurons des lits pleins d'odeurs légères,
Des divans profonds comme des tombeaux,
Et d'étranges fleurs sur des étagères,
Ecloses pour nous sous des cieux plus beaux.

Usant à l'envi leurs chaleurs dernières,   5
Nos deux cœurs seront deux vastes flambeaux,

[4] Autumn's end

Qui réfléchiront leurs doubles lumières
Dans nos deux esprits, ces miroirs jumeaux.

Un soir fait de rose et de bleu mystique,
Nous échangerons un éclair unique,   10
Comme un long sanglot, tout chargé d'adieux;

Et plus tard un Ange, entr'ouvrant les portes,
Viendra ranimer, fidèle et joyeux,
Les miroirs ternis et les flammes mortes.

1. *Le poème est intitulé « La Mort des amants ».
   Pourtant, les amants y sont-ils décrits? Considérez le verbe dans le vers 1. Est-ce que ce
   rendez-vous a vraiment eu lieu?*
2. *Etudiez les meubles, les parfums, l'ambiance
   évoqués dans le poème. Est-ce que tout ceci
   donne une impression de réalité ou d'irréalité?*
3. *Trouvez des adjectifs qui caractérisent cet
   amour (par exemple, inhumain).*
4. *En quel sens l'amour est-il un simple prétexte
   ou correspondance d'un état de rêverie et
   d'extase mêlé de tristesse?*
5. *De quelle mort s'agit-il?*
6. *Le poète demande-t-il vraiment de l'amour à sa
   maîtresse?*
7. *Pourrait-on dire que ce poème représente un
   refus de la vie réelle? Expliquez.*

La servante au grand cœur ...

CHARLES BAUDELAIRE (1821–1867)

La servante au grand cœur dont vous étiez jalouse,
Et qui dort son sommeil sous une humble pelouse,[1]
Nous devrions pourtant lui porter quelques fleurs.
Les morts, les pauvres morts, ont de grandes
                                        douleurs,
Et quand Octobre souffle, émondeur[2] des vieux
                                        arbres,   5
Son vent mélancolique à l'entour de leurs marbres,
Certes, ils doivent trouver les vivants bien ingrats,
A dormir, comme ils font, chaudement dans leurs
                                        draps,

[1] plot of grass
[2] one who prunes

Tandis que, dévorés de noires songeries,
Sans compagnon de lit, sans bonnes causeries,   10
Vieux squelettes gelés travaillés par le ver,
Ils sentent s'égoutter[3] les neiges de l'hiver
Et le siècle couler, sans qu'amis ni famille
Remplacent les lambeaux[4] qui pendent à leur grille.

Lorsque la bûche siffle et chante, si le soir,   15
Calme, dans le fauteuil je la voyais s'asseoir,
Si, par une nuit bleue et froide de décembre,
Je la trouvais tapie en un coin de ma chambre,
Grave, et venant du fond de son lit éternel
Couver[5] l'enfant grandi de son œil maternel,   20
Que pourrais-je répondre à cette âme pieuse,
Voyant tomber des pleurs de sa paupière creuse?

1. *Quel drame domestique est presque entièrement évoqué dans le vers 1?*
2. *Le mot pourtant dans le vers 3 est un reproche.
   Est-il adressé uniquement à la mère de Baudelaire?*
3. *En quel sens la vieille servante est-elle apte
   comme symbole de la conscience de Baudelaire?*
4. *Quelles questions la vieille servante semble-t-
   elle adresser au poète?*
5. *Le poète s'effraie-t-il à la contemplation de la
   mort?*
6. *On trouve dans ce poème un style très personnel et intime (les six premiers vers) et un
   style baroque, caractérisé par des images
   fantastiques et grotesques. Peut-on réconcilier
   ces deux styles? Comment?*

Un Voyage à Cythère

CHARLES BAUDELAIRE (1821–1867)

Mon cœur, comme un oiseau, voltigeait tout
                                        joyeux
Et planait librement à l'entour des cordages;
Le navire roulait sous un ciel sans nuages,
Comme un ange enivré d'un soleil radieux.

[3] drip
[4] tatters
[5] to look upon fondly

Quelle est cette île triste et noire ? — C'est Cytèthre,[1]   5
Nous dit-on, un pays fameux dans les Chansons,
Eldorado banal de tous les vieux garçons.
Regardez, après tout, c'est une pauvre terre.

— Île des doux secrets et des fêtes du cœur !
De l'antique Vénus le superbe fantôme   10
Au-dessus de tes mers plane comme un arome,
Et charge les esprits d'amour et de langueur.

Belle île aux myrtes verts, pleine de fleurs écloses,
Vénérée à jamais par toute nation,
Où les soupirs des cœurs en adoration   15
Roulent comme l'encens sur un jardin de roses

Ou le roucoulement éternel d'un ramier ![2]
— Cythère n'était plus qu'un terrain des plus
                                                    maigres,
Un désert rocailleux troublé par des cris aigres.
J'entrevoyais pourtant un objet singulier !   20

Ce n'était pas un temple aux ombres bocagères,
Où la jeune prêtresse, amoureuse de fleurs,
Allait, le corps brûlé de secrètes chaleurs,
Entre-bâillant sa robe aux brises passagères ;

Mais voilà qu'en rasant la côte d'assez près,   25
Pour troubler les oiseaux avec nos voiles blanches,
Nous vîmes que c'était un gibet[3] à trois branches,
Du ciel se détachant en noir comme un cyprès.

De féroces oiseaux perchés sur leur pâture
Détruisaient avec rage un pendu déjà mûr,   30
Chacun plantant, comme un outil, son bec impur
Dans tous les coins saignants de cette pourriture ;

Les yeux étaient deux trous, et du ventre effondré
Les intestins pesants lui coulaient sur les cuisses,
Et ses bourreaux, gorgés de hideuses délices,   35
L'avaient à coups de bec absolument châtré.[4]

Sous les pieds, un troupeau de jaloux quadrupèdes,
Le museau relevé, tournoyait et rôdait ;
Une plus grande bête au milieu s'agitait
Comme un exécuteur entouré de ses aides.   40

---

[1] Cythera is an island in the Aegean Sea, once the site
of a temple consecrated to Aphrodite. Hence, this island was
commonly looked on as a place of love and enchantment
  [2] dove
  [3] gallows
  [4] castrated

Habitant de Cythère, enfant d'un ciel si beau,
Silencieusement tu souffrais ces insultes
En expiation de tes infâmes cultes
Et des péchés qui t'ont interdit le tombeau.

Ridicule pendu, tes douleurs sont les miennes !   45
Je sentis, à l'aspect de tes membres flottants,
Comme un vomissement, remonter vers mes dents
Le long fleuve de fiel[5] des douleurs anciennes ;

Devant toi, pauvre diable au souvenir si cher,
J'ai senti tous les becs et toutes les mâchoires[6]   50
Des corbeaux lancinants et des panthères noires
Qui jadis aimaient tant à triturer ma chair.

— Le ciel était charmant, la mer était unie ;
Pour moi tout était noir et sanglant désormais,
Hélas ! et j'avais, comme en un suaire[7] épais,   55
Le cœur enseveli dans cette allégorie.

Dans ton île, ô Vénus ! je n'ai trouvé debout
Qu'un gibet symbolique où pendait mon image . . .
— Ah ! Seigneur ! donnez-moi la force et le courage
De contempler mon cœur et mon corps sans
                                            dégoût !   60

Le Balcon

CHARLES BAUDELAIRE (1821–1867)

Mère des souvenirs, maîtresse des maîtresses,
O toi, tous mes plaisirs ! ô toi, tous mes devoirs !
Tu te rappelleras la beauté des caresses,
La douceur du foyer et le charme des soirs,
Mère des souvenirs, maîtresse des maîtresses !   5

Les soirs illuminés par l'ardeur du charbon,
Et les soirs au balcon, voilés de vapeurs roses,
Que ton sein m'était doux ! que ton cœur
                                        m'était bon !
Nous avons dit souvent d'impérissables choses
Les soirs illuminés par l'ardeur du charbon.   10

Que les soleils sont beaux dans les chaudes soirées !
Que l'espace est profond ! que le cœur est puissant !
En me penchant vers toi, reine des adorées,

---

  [5] gall
  [6] jaws
  [7] shroud

Je croyais respirer le parfum de ton sang.
Que les soleils sont beaux dans les chaudes soirées !   15

La nuit s'épaississait ainsi qu'une cloison,[1]
Et mes yeux dans le noir devinaient tes prunelles,[2]
Et je buvais ton souffle, ô douceur ! ô poison !
Et tes pieds s'endormaient dans mes mains
                                    fraternelles.
La nuit s'épaississait ainsi qu'une cloison.   20

Je sais l'art d'évoquer les minutes heureuses,
Et revis mon passé blotti dans tes genoux.
Car à quoi bon chercher tes beautés langoureuses
Ailleurs qu'en ton cher corps et qu'en ton cœur
                                    si doux ?
Je sais l'art d'évoquer les minutes heureuses !   25

Ces serments, ces parfums, ces baisers infinis,
Renaîtront-ils d'un gouffre interdit à nos sondes,[3]
Comme montent au ciel les soleils rajeunis
Après s'être lavés au fond des mers profondes ?
— O serments ! ô parfums ! ô baisers infinis !   30

1. *Comparez la femme de ce poème à celle de « Chant d'automne » ou de « La mort des amants. » Dans lequel de ces trois poèmes la femme aimée semble-t-elle la plus vivante, la plus réelle?*
2. *Quel rôle cette femme semble-t-elle jouer dans la vie sentimentale du poète? (Considérez par exemple les mots* Mère des souvenirs *et* mes mains fraternelles).*
3. *Ici encore, bien que sa présence soit plus réelle que dans les poèmes précédents, la femme n'est qu'un prétexte. Expliquez.*
4. *Grâce à la femme, absente ou présente, le poète peut rêver. Caractérisez ce rêve. Par exemple, est-il gai ou triste? vague ou précis? etc.*
5. *Ce poème est incantatoire, c'est-a-dire que, par la répétition de différents procédés, le poète essaye de provoquer un état d'âme hypnotique. Les phrases exclamatives seraient un exemple de ces procédés. Trouvez-en d'autres.*

6. *Dans quel but le poète les emploie-t-il? Rappelez notre discussion de l'évocation à propos de « Demain dès l'aube . . . »*
7. *L'absence de la femme qui a inspiré ce poème était en réalité dûe à une séparation à la suite d'un malentendu. Est-ce que vous trouvez les indices de ce fait dans le poème? Quelle sorte d'amour existait entre Baudelaire et cette femme selon le poème: violent? tendre? etc.*

Colloque[1] sentimental

PAUL VERLAINE (1844–1896)

Dans le vieux parc solitaire et glacé
Deux formes ont tout à l'heure passé.

Leurs yeux sont morts et leurs lèvres sont molles,
Et l'on entend à peine leurs paroles.

Dans le vieux parc solitaire et glacé   5
Deux spectres ont évoque le passé.

— Te souvient-il de notre extase ancienne?
— Pourquoi voulez-vous donc qu'il m'en
                                    souvienne?

— Ton cœur bat-il toujours à mon seul nom?
Toujours vois-tu mon âme en rêve? — Non.   10

— Ah! les beaux jours de bonheur indicible[2]
Où nous joignions nos bouches! — C'est possible.

— Qu'il était bleu, le ciel, et grand, l'espoir!
— L'espoir a fui, vaincu, vers le ciel noir.

Tels ils marchaient dans les avoines[3] folles,   15
Et la nuit seule entendit leurs paroles.

1. *Quels mots-clefs matérialisent, pour ainsi dire, le sombre décor de ce drama?*
2. *Les personnages de ce drame sont plutôt des spectres que des êtres réels. Même avant de les*

---

[1] partition
[2] pupils [of the eye]
[3] sounding-lead [for measurement of the depth of waters]

---

[1] conversation
[2] inexpressible
[3] *la folle avoine:* a sort of oats that grows wild in fields

identifier comme tels (vers 6) comment le poète crée-t-il cette impression?

3. *Les personnages se peignent autant par leur manière de s'exprimer que par le contenu de leurs paroles. Caractérisez-les en considérant surtout le ton interrogatif et exclamatoire de l'un et le ton désabusé de l'autre.*

4. *Selon le conclusion du narrateur lequel des personnages a raison?*

5. *Commentez le titre: est-il tout simplement ironique?*

Green

PAUL VERLAINE (1844–1896)

Voici des fruits, des fleurs, des feuilles et des
                                        branches,
Et puis voici mon cœur, qui ne bat que pour vous.
Ne le déchirez pas avec vos deux mains blanches
Et qu'à vos yeux si beaux l'humble présent
                                        soit deux.

J'arrive tout couvert encore de rosée   5
Que le vent du matin vient glacer à mon front.
Souffrez que ma fatigue, à vos pieds reposée,
Rêve des chers instants qui la délasseront.

Sur votre jeune sein laissez rouler ma tête
Toute sonore encor de vos derniers baisers;   10
Laissez-la s'apaiser de la bonne tempête,
Et que je dorme un peu puisque vous reposez.

Seigneur, j'ai peur...

PAUL VERLAINE (1844–1896)

— Seigneur, j'ai peur. Mon âme en moi
                                        tressaille toute.
Je vois, je sens qu'il faut vous aimer: mais comment
Moi, *ceci*, me ferais-je, ô Vous, Dieu, votre amant,
O Justice que la vertu des bons redoute?

Oui, comment? Car voici que s'ébranle la voûte   5
Où mon cœur creusait son ensevelissement[1]

[1] entombment

Et que je sens fluer[2] à moi le firmament,
Et je vous dis: de vous à moi quelle est la route?

Tendez-moi votre main, que je puisse lever
Cette chair accroupie et cet esprit malade!   10
Mais recevoir jamais la céleste accolade,[3]

Est-ce possible? Un jour, pouvoir la retrouver
Dans votre sein, sur votre cœur qui fut le nôtre,
La place où reposa la tête de l'Apôtre?[4]

1. *Caractérisez le langage de ce poème: simple, compliqué, imagé, abstrait, concret, etc.*

2. *Analysez le rythme de la première strophe. Quel est l'effet des nombreuses coupes?*

3. *Dans le deuxième quatrain, par quelle métaphore le poète montre-t-il sa petitesse devant Dieu?*

4. *Pourquoi y a-t-il tant de phrases interrogatives?*

5. *Quels sons dominent dans ce poème? Quel effet produisent-ils?*

6. *A qui le poète fait-il allusion dans le dernier vers?*

7. *Pensez-vous que ce poème religieux soit plutôt une méditation? une plainte? ou une prière?*

8. *Comparez ce poème à un autre exemple du genre (par exemple, « Mortel pense » de Chassignet ou « La Prière » de Lamartine).*

9. *Comment le poète voit-il ses rapports avec Dieu: de Seigneur à serviteur; de frère à frère; de père à fils; d'ami à ami; etc.?*

10. *Le poète se veut-il ici artiste ou moraliste?*

Épitaphe

TRISTAN CORBIÈRE (1845–1875)

Mélange adultère[1] de tout:
De la fortune et pas le sou,
De l'énergie et pas de force,

[2] flow
[3] embrassement
[4] an allusion to the last supper at which St. John rested his head on the Master's chest

[1] unholy mixture

La liberté, mais une entorse,[2]
Du cœur, du cœur! de l'âme, non — 5
Des amis, pas un compagnon,
De l'idée et pas une idée,
De l'amour et pas une aimée,
La paresse et pas le repos.
Vertus chez lui furent défaut, 10
Ame blasée inassouvie,[3]
Mort, mais pas guéri de la vie,
Gâcheur de vie hors de propos,
Le corps à sec et la tête ivre,
Espérant, niant l'avenir, 15
Il mourut en s'attendant vivre
Et vécut s'attendant mourir.

1. *Expliquez le premier vers. Quel sens moral le mot adultère suggère-t-il?*
2. *Expliquez chacune des antithèses dans les vers 2 à 9.*
3. *En quel sens le vers 7 en résume-t-il toute la série?*
4. *Considérez le langage relativement simple, les sauts entre les idées, le rythme assez brusque, le ton d'un désespoir à peine contenu. Quelle attitude envers lui-même et envers le monde le poète communique-t-il ainsi?*
5. *Le poème se divise en deux parties distinctes. Trouvez-les.*
6. *Y a-t-il un développement logique dans chaque partie et la seconde prétend-elle être une réponse à la première?*
7. *Le style moins brusque et plus coulant de la seconde partie suggère-t-il que le poète s'abandonne au désespoir?*
8. *Pourquoi le poète semble-t-il attacher tant de valeur à l'esprit (wit)?*
9. *En quoi cette épitaphe se distingue-t-elle essentiellement de celles que nous avons rencontrées ailleurs (par exemple, dans Regnier)?*
10. *Le poète donne-t-il une portée humaine et universelle aux discordes de son âme ou se limite-t-il à sa propre expérience?*

[2] [literally] a sprain
[3] *Ame . . . inassouvie:* Surfeited soul [yet] unappeased

Les Poètes de sept ans

ARTHUR RIMBAUD (1854–1891)

Et la Mère, fermant le livre du devoir,
S'en allait satisfaite et très fière, sans voir,
Dans les yeux bleus et sous le front plein
                    d'éminences,[1]
L'âme de son enfant livrée aux répugnances.

Tout le jour il suait d'obéissance; très 5
Intelligent; pourtant des tics noirs, quelques traits
Semblaient prouver en lui d'âcres hypocrisies!
Dans l'ombre des couloirs aux tentures moisies,[2]
En passant il tirait la langue,[3] les deux poings
A l'aine,[4] et dans ses yeux fermés voyait des points. 10
Une porte s'ouvrait sur le soir: à la lampe
On le voyait, là-haut, qui râlait[5] sur la rampe,[6]
Sous un golfe de jour pendant du toit. L'été
Surtout, vaincu, stupide, il était entêté
A se renfermer dans la fraîcher des latrines: 15
Il pensait là, tranquille et livrant ses narines.

Quand, lavé des odeurs du jour, le jardinet
Derrière la maison, en hiver, s'illunait,[7]
Gisant au pied d'un mur, enterré dans la marne[8]
Et pour des visions écrasant son œil darne,[9] 20
Il écoutait grouiller les galeux espaliers.[10]
Pitié! Ces enfants seuls étaient ses familiers
Qui, chétifs,[11] fronts nus, œil déteignant
                    sur la joue,[12]
Cachant de maigres doigts jaunes et noirs de boue
Sous des habits puant la foire[13] et tout vieillots,[14] 25
Conversaient avec la douceur des idiots!

[1] bumps
[2] *tentures moisies:* moldy wallpaper
[3] *il . . . la langue:* he would stick out his tongue
[4] groin
[5] grunting
[6] stairs
[7] *s'illunait:* [Neologism] the garden bathed itself in moonlight [*clair de lune*]
[8] marl [limestone mixed with clay, used as fertilizer]
[9] sullen [colloquial expression of the Ardennes region]
[10] *galeux espaliers:* mangy espaliers [trees trained to grow against a wall]
[11] puny
[12] *œil . . . joue:* Evocation of both the discoloration under the eyes and the paleness that accompany malnutrition
[13] diarrhea
[14] *paraissant vieux*

Et si, l'ayant surpris à des pitiés immondes,[15]
Sa mère s'effrayait; les tendresses, profondes,
De l'enfant se jetaient sur cet étonnement.
C'était bon. Elle avait le bleu regard, — qui ment!   30

A sept ans, il faisait des romans sur la vie
Du grand désert, où luit la Liberté ravie,
Forêts, soleils, rives, savanes! — Il s'aidait
De journaux illustrés où, rouges, il regardait
Des Espagnoles rire et des Italiennes.   35
Quand venait, l'œil brun, folle, en robes
                              d'indiennes,[16]
— Huit ans, — la fille des ouvriers d'à côté,
La petite brutale, et qu'elle avait sauté,
Dans un coin, sur son dos, en secouant ses tresses,
Et qu'il était sous elle, il lui mordait les fesses,   40
Car elle ne portait jamais de pantalons;
— Et, par elle meurtri des poings et des talons,
Remportait les saveurs de sa peau dans sa chambre.

Il craignait les blafards[17] dimanches de décembre,
Où, pommadé, sur un guéridon d'acajou,[18]   45
Il lisait une Bible à la tranche vert-chou;[19]
Des rêves l'oppressaient chaque nuit dans l'alcôve.
Il n'aimait pas Dieu; mais les hommes, qu'au
                              soir fauve,
Noirs, en blouse, il voyait rentrer dans le faubourg
Où les crieurs, en trois roulements de tambour,[20]   50
Font autor des édits rire et gronder les foules.
— Il rêvait la prairie amoureuse, où des houles[21]
Lumineuses, parfums sains, pubescences[22] d'or,
Font leur remuement calme et prennent leur essor![23]

Et comme il savourait surtout les sombres choses,   55
Quand, dans la chambre nue aux persiennes closes,
Haute et bleue, âcrement prise d'humidité,
Il lisait son roman sans cesse médité,
Plein de lourds ciels ocreux[24] et de forêts noyées,
De fleurs de chair aux bois sidérals déployées,[25]   60

[15] *pitiés immondes:* infantile sex-play
[16] printed calico
[17] gloomy
[18] *un guéridon d'acajou:* a mahogany pedestal table
[19] *une Bible . . . vert-chou:* a Bible with cabbage-green edges
[20] *Où . . . tambour:* Where the [town] criers, to three drum-rolls
[21] swells [comparison of waving prairie grasses with the sea]
[22] buds
[23] *prennent leur essor:* take wing
[24] ochre [a muddy-yellow color]
[25] *aux bois . . . déployées:* in starry woods unfolded

Vertige, écroulements, déroutes et pitié!
— Tandis que se faisait la rumeur du quartier,
En bas, — seul, et couché sur des pièces de toile
Ecrue,[26] et pressentant violemment la voile![27]

1. *Expliquez comment les quatre premiers vers annoncent le cadre des expériences décrites dans le reste du poème.*
2. *En quel sens l'image de l'enfant dans les latrines résume-t-elle toute la révolte dont il est question ici?*
3. *Le style du poème est-il plutôt réaliste que fantaisiste? Quel autre genre ce poème rappelle-t-il à beaucoup d'égards: drame? roman? épopée? essai? biographie?*
4. *Pourquoi l'enfant cultive-t-il des rapports avec des êtres idiots et immondes?*
5. *Chétifs . . . nus . . . maigres . . . (vers 23). Expliquez en quoi ces traits chez les amis de l'enfant constituent un reproche au monde contre lequel il se rebelle.*
6. *Au vers 22, qui demande la pitié et pour qui?*
7. *Le bleu regard — qui ment de la mère (vers 30) s'oppose aux tendresses profondes de l'enfant (vers 28) et ces deux attitudes expriment leurs différences irréconciliables sur toutes les questions. Expliquez ces différences.*
8. *Les évocations de la quatrième strophe sont plus riches et plus sensuelles. Indiquez-en quelques-unes.*
9. *Qu'ont en commun toutes ces évocations?*
10. *De quel roman s'agit-il au vers 58?*
11. *Par quel trait de la nature le garçon est-il le plus impressionné: son harmonie? sa vitalité? etc. Quel est le rapport entre ce trait et la poésie?*
12. *Le poème se termine par un commencement, et la dernière image symbolise tout le désir du garçon. Expliquez comment.*
13. *Qui sont les poètes de sept ans? (Remarquez le pluriel du titre).*

[26] *toile écrue:* unbleached linen
[27] *pressentant . . . la voile:* giving a violent premonition of a sail

Larme

ARTHUR RIMBAUD (1854–1891)

Loin des oiseaux, des troupeaux, des villageoises,
Je buvais, accroupi[1] dans quelque bruyère[2]
Entourée de tendres bois de noisetiers,[3]
Par un brouillard d'après-midi tiède et vert.

Que pouvais-je boire dans cette jeune Oise,[4]   5
Ormeaux[5] sans voix, gazon sans fleurs, ciel couvert.
Que tirais-je à la gourde de colocase?[6]
Quelque liqueur d'or, fade et qui fait suer.

Tel, j'eusse été mauvaise enseigne d'auberge.[7]
Puis l'orage changea le ciel, jusqu'au soir.   10
Ce furent des pays noirs, des lacs,[8] des perches,
Des colonnades sous la nuit bleue, des gares.

L'eau des bois se perdait sur des sables vierges.
Le vent, du ciel, jetait des glaçons aux mares[9] . . .
Or! tel qu'un pêcheur d'or ou de coquillages,[10]   15
Dire que je n'ai pas eu souci de boire!

Mémoire

ARTHUR RIMBAUD (1854–1891)

*Read "Mémoire" several times, trying each
time to picture the shifting visual images which
blend into each other with great rapidity. Next,
with the help of the questions that follow, try to
understand (1) the drama of the child, (2) the
drama of Man and Woman.*

*This will help you to reach a partial under-
standing of this difficult poem which is capable of
several different interpretations.*

[1] crouching
[2] heather
[3] hazel-nut trees
[4] river in the north of France
[5] young elms
[6] colocynth gourd
[7] the poet compares himself to the signboard of an inn
[8] bird traps
[9] ponds
[10] shell-fish

I

L'eau claire; comme le sel des larmes d'enfance,
L'assaut au soleil des blancheurs des corps
                              de femme;
la soie, en foule et de lys pur, des oriflammes[1]
sous les murs dont quelque pucelle eut la défence;[2]

l'ébat[3] des anges; — Non . . . le courant d'or
                              en marche,   5
meut ses bras, noirs, et lourds, et frais surtout,
                              d'herbe. Elle
sombre, ayant le Ciel bleu pour ciel-de-lit,[4] appelle
pour rideaux l'ombre de la colline et de l'arche.

II

Eh! l'humide carreau[5] tend ses bouillons[6] limpides!
L'eau meuble d'or pâle et sans fond les couches
                              prêtes.   10
Les robes vertes et déteintes[7] des fillettes
font les saules,[8] d'où sautent les oiseaux sans
                              brides.[9]

Plus pure qu'un louis,[10] jaune et chaude paupière
le souci d'eau[11] — ta foi conjugale, ô l'Epouse! —
au midi prompt, de son terne miroir, jalouse[12]   15
au ciel gris de chaleur la Sphère rose et chère.

III

Madame se tient trop debout dans la prairie
prochaine où neigent[13] les fils du travail; l'ombrelle
aux doigts; foulant l'ombelle;[14] trop fière pour elle;
des enfants lisant dans la verdure fleurie   20

[1] royal banners once carried before kings as they went
to battle
[2] an allusion to Jeanne d'Arc
[3] frolic
[4] *ciel-de-lit:* canopy [as of a four-poster bed]
[5] window pane [*le carreau* represents the surface of
the water]
[6] bubbles
[7] faded
[8] willow trees
[9] unbridled
[10] ancient gold coin
[11] marsh marigolds
[12] *jalouser:* to be jealous of
[13] probably an allusion to the contrast between the
greeness of the field and the whiteness of the bodies of the
men working there
[14] cluster of flowers

leur livre de maroquin rouge! Hélas, Lui, comme
mille anges blancs qui se séparent sur la route,
s'éloigne par-delà la montagne! Elle, toute
froide, et noire, court! après le départ de l'homme!

IV

Regret des bras épais et jeunes d'herbe pure!   25
Or des lunes d'avril au cœur du saint lit! Joie
des chantiers riverains[15] l'abandon, en proie
aux soirs d'août qui faisient germer ces
                                        pourritures!

Qu'elle pleure à présent sous les remparts!
                                        l'haleine
des peupliers d'en haut est pour la seule brise.   30
Puis, c'est la nappe, sans reflets, sans source, grise:
un vieux, dragueur,[16] dans sa barque immobile,
                                        peine.[17]

V

Jouet de cet œil d'eau morne, je n'y puis prendre,
ô canot immobile! oh! bras trop courts! ni l'une
ni l'autre fleur: ni la jaune qui m'importune,
là; ni la bleue, amie à l'eau couleur de cendre.   35

Ah! la poudre des saules qu'une aile secoue!
Les roses des roseaux dès longtemps dévorées!
Mon canot, toujours fixe; et sa chaîne tirée
Au fond de cet œil d'eau sans bords, — à quelle
                                        boue?   40

1. *Décrivez le paysage évoqué dans les deux premières strophes.*
2. *Qui est l'Elle du vers 6?*
3. *Le soleil (la Sphère rose et chère) épouse l'eau qui, comme une bonne ménagère se fait du souci pour son mari. Quel verbe, dans le vers 15, décrit l'eau?*
4. *Maintenant (dans III) une scène précise s'esquisse. Laquelle?*
5. *En IV l'enfant se confond avec la femme abandonée. Il lui prête ses propres sentiments d'enfant rêveur, taciturne, d'une tendresse refoulée. Quels sont ces sentiments?*

6. *On pourrait voir le poème entier comme la recherche par le poète de sa propre identité. Dans quels rôles successifs se voit-il?*
7. *Quelles sont les images d'impuissance, de fixité, d'immobilité dans v?*
8. *Comment l'enfant réagit-il à la liberté des grandes personnes?*
9. *Le poète semble se plaindre de ne pas pouvoir se libérer de son passé. A cet égard expliquez la boue du derniers vers.*
10. *Baudelaire a dit: « Tel petit chagrin, telle petite jouissance de l'enfant, démesurément grossis par une exquise sensibilité, deviennent plus tard dans l'homme adulte, même à son insu, le principe d'une œuvre d'art ». Quel rapport peut-on établir entre la mémoire et la poésie?*

Pierrots

(Scène courte, mais typique)

JULES LAFORGUE (1860–1887)

Il me faut, vos yeux! Dès que je perds leur étoile,
Le mal des calmes plats s'engouffre dans ma voile,
Le frisson du *Vae soli!*[1] gargouille en mes
                                        moelles . . .[2]

Vous auriez dû me voir après cette querelle!
J'errais dans l'agitation la plus cruelle,   5
Criant aux murs: Mon Dieu! mon Dieu! Que
                                        dira-t-elle?

Mais aussi, vrai, vous me blessâtes aux antennes
De l'âme, avec les mensonges de votre traîne.[3]
Et votre tas de complications mondaines.

Je voyais que vos yeux me lançaient sur des pistes,   10
Je songeais: Oui, divins, ces yeux! mais rien
                                        n'existe
Derrière! Son âme est affaire d'oculiste.

---

[15] river-side lumber yards; *chantier* also means dock or quay
[16] fisherman [using a drag-net]
[17] toils

[1] [Latin] woe to the solitary man!
[2] gurgles in my marrow
[3] train [of dress]

Moi, je suis laminé[4] d'esthétiques loyales!
Je hais les trémolos, les phrases nationales;
Bref, le violet gros deuil est ma couleur locale.   15

Je ne suis point « ce gaillard-là » ni Le Superbe!
Mais mon âme, qu'un cri un peu cru exacerbe,
Est au fond distingué et franche comme une herbe.

J'ai des nerfs encor sensibles au son des cloches,
Et je vais en plein air sans peur et sans reproche,   20
Sans jamais me sourire en un miroir de poche.

C'est vrai, j'ai bien roulé! j'ai râlé dans des gîtes[5]
Peu vous; mais, n'en ai-je pas plus de mérites
A en avoir sauvé la foi en vos yeux? dites ...

— Allons, faisons la paix, Venez, que je vous berce,   25
Enfant. Eh bien?
                — C'est que, votre pardon me verse
Un mélange (confus) d'impressions ... diverses ...
                    (*Exit.*)

1. *Quelle est la cause du dépit du poète?*
2. *Expliquez les vers 7 à 9.*
3. *Que veut dire son âme est affaire d'oculiste?*
   (vers 12).
4. *Quel contraste le poète souligne-t-il entre sa*
   propre personnalité et celle de sa bien-aimée?
5. *Des vers 16 à 18, de quoi le poète se plaint-il*
   auprès de la femme à qui il s'adresse?
6. *A quel chevalier le poète pense-t-il au vers 20?*
7. *Le poète s'est-il vraiment attendu au pardon*
   qu'il reçoit aux vers 25 et 26?
8. *Pourquoi le pardon verse-t-il au poète un*
   mélange (confus) d'impressions ... diverses ...?
9. *Le poète voulait-il vraiment être pardonné?*
   Justifiez votre réponse.
10. *Pierrot est un personnage traditionnel de la*
    pantomime—clown un peu mélancolique et
    rêveur qui est souvent victime de l'intrigue.
    Pensez-vous que le titre de ce poème soit
    justifié? (Remarquez-en surtout le pluriel).

[4] laminated, i.e., covered, as with a thin coating of metal
[5] resting-places

J'écris pour le que jour où je ne serai plus ...

COMTESSE ANNA DE NOAILLES (1876–1933)

J'écris pour que le jour où je ne serai plus
On sache comme l'air et le plaisir m'ont plu,
Et mon livre porte à la foule future
Comme j'aimais la vie et l'heureuse nature.

Attentive aux travaux des champs et des maisons,   5
J'ai marqué chaque jour la forme des saisons,
Parce que l'eau, la terre et la montante flamme
En nul endroit ne sont si belles qu'en mon âme.

J'ai dit ce que j'ai vu et ce que j'ai senti,
D'un cœur pour qui le vrai ne fût point trop hardi,   10
Et j'ai eu cette ardeur, par l'amour intimée,
Pour être après la mort parfois encore aimée,

Et qu'un jeune homme alors lisant ce que j'écris,
Sentant par moi son cœur ému, troublé, surpris,
Ayant tout oublié des épouses réelles,   15
M'accueille dans son âme et me préfère à elles ...

1. *L'expérience que la comtesse entend exprimer*
   dans son œuvre est-elle plutôt concrète et
   sensuelle qu'abstraite et morale? (Remarquez
   la répétition du pronom personnel je).
2. *Le sujet de ce poème est-il la poésie en général*
   ou la poésie particulière à la Comtesse de
   Noailles? Comparez à ce propos ce poème à
   « Quand vous serez bien vieille ... » de Ronsard.
3. *Trouvez vous que cette poésie soit surtout*
   féminine? Justifiez votre réponse.

Si je mourais là-bas ...

GUILLAUME APOLLINAIRE (1880–1918)

Nîmes, 30 janvier 1915

Si je mourais là-bas sur le front de l'armée,
Tu pleurerais un jour, ô Lou, ma bien-aimée,
Et puis mon souvenir s'éteindrait comme meurt

En obus[1] éclatant sur le front de l'armée,
Un bel obus semblable aux mimosas en fleur.   5

Et puis ce souvenir éclaté dans l'espace
Couvrirait de mon sang le monde tout entier;
La mer, les monts, les vals et l'étoile qui passe,
Les soleils merveilleux mûrissant dans l'espace
Comme font les fruits d'or autour de Baratier.[2]   10

Souvenir oublié, vivant dans toutes choses,
Je rougirais le bout de tes jolis seins roses,
Je rougirais ta bouche et tes cheveux sanglants.
Tu ne vieillirais point, toutes ces belles choses
Rajeuniraient toujours pour leurs destins galants.   15

Le fatal giclement[3] de mon sang sur le monde
Donnerait au soleil plus de vive clarté,
Aux fleurs plus de couleur, plus de vitesse à l'onde,
Un amour inouï descendrait sur le monde,
L'amant serait plus fort dans ton corps écarté . . .   20

Lou, si je meurs là-bas, souvenir qu'on oublie,
— Souviens-t'en quelquefois aux instants de folie,
De jeunesse et d'amour et d'éclatante ardeur, —
Mon sang c'est la fontaine ardente du bonheur!
Et sois la plus heureuse étant la plus jolie,   25

O mon unique amour et ma grande folie!

⌐a nuit descend,
⊃n y pressent
⊏n long, un long destin de sang.

1. *Tracez dans le poème le développement de l'image fondamentale, l'obus. Quels sont les résultats de l'éclatement de l'obus? Enfin, que représente l'obus faisant explosion? (vers 4).*
2. *La chair blessée par le métal de l'obus est évoquée par le poète amoreux. En quel sens l'amour, aussi bien que la guerre, est-il sacrifice?*
3. *Le poète en veut-il à Lou de prendre un autre amant? Quel est le ton de ce poème? joyeux? tendre? déprimé? amer?*
4. *Quelle conception du poète est impliquée par le poème? Dans quels autres poèmes avez-vous vu cette même conception?*

[1] cannon shell
[2] Barataria Bay, extending into southern Louisiana, a rendez-vous of Lafitte and his pirates
[3] spurting

5. *Considérez les verbes couvrirait (vers 7), rajeuniraient (vers 15), donnerait (vers 17). Commentez la générosité du poète, l'étendue de son sacrifice. En quel sens est-il un rédempteur?*
6. *Commentez le rétrécissement, puis l'allongement de la dernière strophe. Pourquoi ce rythme haletant? De quelle émotion sentons-nous le retour?*
7. *Est-ce un poème contre l'amour ou contre la guerre? Quel lien le poète établit-il entre les deux? Comment la souffrance peut-elle devenir une force d'affirmation, de rajeunissement et d'espoir?*

Cortège

GUILLAUME APOLLINAIRE (1880–1918)

Oiseau tranquille au vol inverse oiseau
Qui nidifie[1] en l'air
A la limite où notre sol brille déjà
Baisse ta deuxième paupière la terre t'éblouit
Quand tu lèves la tête   5

Et moi aussi de près je suis sombre et terne
Une brume qui vient d'obscurcir les lanternes
Une main qui tout à coup se pose devant les yeux
Une voûte entre vous et toutes les lumières
Et je m'éloignerai m'illuminant au milieu d'ombres   10
Et d'alignements d'yeux des astres bien-aimés

Oiseau tranquille au vol inverse oiseau
Qui nidifie en l'air
A la limite où brille déjà ma mémoire
Baisse ta deuxième paupière   15
Ni à cause du soleil ni à cause de la terre
Mais pour ce feu oblong dont l'intensité ira
                                          s'augmantant
Au point qu'il deviendra un jour l'unique lumière

Un jour
Un jour je m'attendais moi-même   20
Je me disais Guillaume il est temps que tu viennes
Pour que je sache enfin celui-là que je suis
Moi qui connais les autres

[1] to build a nest

Je les connais par les cinq sens et quelques autres
Il me suffit de voir leurs pieds pour pouvoir refaire
              ces gens à milliers   25
De voir leurs pieds paniques un seul de leurs
              cheveux
Ou leur langue quand il me plaît de faire le
              médecin
Ou leurs enfants quand il me plaît de faire
              le prophète
Les vaisseaux des amateurs la plume de mes
              confrères
La monnaie des aveugles les mains des muets   30
Ou bien encore à cause du vocabulaire et non de
              l'écriture
Une lettre écrite par ceux qui ont plus de vingt ans
Il me suffit de sentir l'odeur de leurs églises
L'odeur des fleuves dans leurs villes
Le parfum des fleurs dans les jardins publics   35
O Corneille Agrippa l'odeur d'un petit chien
              m'eût suffi
Pour décrire exactement tes concitoyens de
              Cologne
Leurs rois-mages et la ribambelle ursuline
Qui t'inspirait l'erreur touchant toutes les femmes[2]
Il me suffit de goûter la saveur du laurier qu'on
              cultive pour que j'aime ou que je bafoue[3]   40
Et de toucher les vêtements
Pour ne pas douter si l'on est frileux[4] ou non
O gens que je connais
Il me suffit d'entendre le bruit de leurs pas
Pour pouvoir indiquer à jamais la direction
              qu'ils ont prise   45
Il me suffit de tous ceux-là pour me croire le droit
De ressusciter[5] les autres
Un jour je m'attendais moi-même
Je me disais Guillaume il est temps que tu viennes
Et d'un lyrique pas s'avançaient ceux que j'aime   50
Parmi lesquels je n'étais pas
Les géants couverts d'algues passaient dans
              leurs villes
Sous-marines où les tours seules étaient des îles
Et cette mer avec les clartés de ses profondeurs
Coulait sang de mes veines et fait battre mon cœur   55
Puis sur terre il venait mille peuplades[6] blanches

Dont chaque homme tenait une rose à la main
Et le langage qu'ils inventaient en chemin
Je l'appris de leur bouche et je le parle encore

Le cortège passait et j'y cherchais mon corps   60
Tous ceux qui survenaient et n'étaient pas
              pas moi-même
Amenaient un à un les morceaux de moi-même
On me bâtit peu à peu comme on élève une tour
Les peuples s'entassaient et je parus moi-même
Qu'ont formé tous les corps et les choses humaines   65

Temps passés Trépassés Les dieux qui me formâtes
Je ne vis que passant ainsi que vous passâtes
Et détournant mes yeux de ce vide avenir
En moi-même je vois tout le passé grandir

Rien n'est mort que ce qui n'existe pas encore   70
Près du passé luisant demain est incolore
Il est informe aussi près de ce qui parfait
Présente tout ensemble et l'effort et l'effet

Kiosque[1]

LÉON-PAUL FARGUE (1876–1947)

En vain la mer fait le voyage
Du fond de l'horizon pour baiser tes pieds sages,
Tu les retire
Toujours à temps.

Tu te tais, je ne dis rien.   5
Nous n'en pensons pas plus, peut-être.
Mais les lucioles[2] de proche en proche
Ont tiré leur lampe de poche
Tout exprès pour faire briller
Sur tes yeux calmes cette larme   10
Que je fus un jour obligé de boire.
La mer est bien assez salée.

Puis une méduse[3] blonde et bleue
Qui veut s'instruire en s'attristant
Traverse les étages bondés de la mer,   15
Nette et claire comme un ascenseur,
Et décoiffe sa lampe à fleur d'eau
Pour te voir feindre sur le sable

---

[2] In lines 36–39. Apollinaire is probably referring to the German philosopher, Corneille Agrippa, as he was parodied by Rabelais in the *Tiers Livre*. He appears as Her-Trippa, who tells Panurge that he will be deceived by his wife if he should marry. All women, in other words, are unfaithful

[3] scoff at [it]
[4] chilly
[5] bring back to life
[6] tribes

---

[1] A small beach or garden pavillion
[2] fire-flies
[3] The medusa, a type of jelly-fish, is phosphorescent

Avec ton ombrelle, en pleurant,
Les trois cas d'égalité des triangles.[4]   20

1. *Quel objet dans le poème ressemble à un kiosque?*

2. *Quelle heure est-il? Quelles images établissent l'ambiance du poème?*

3. *A qui appartiennent les pieds sages? Pourquoi sont-ils sages? Le poète admire-t-il cette sagesse?*

4. *Le jeu de l'ombre de l'ombrelle de la jeune femme semble dessiner des triangles sur le sable. De quelle sorte de triangle s'agit-il peut-être?*

5. *Quel drame, déjà terminé au début du poème, est suggéré?*

6. *Remarquez que dans chaque strophe la nature a un geste affectueux envers la jeune femme. Quels sont ces gestes?*

7. *Dans la coquetterie de la mer, les lucioles et la méduse voyons-nous un reflet du drame qui attriste le poète? Expliquez.*

8. *Le poète observe la nature aussi attentivement qu'il observe son amie. Est-ce que son détachement montre un manque d'intérêt?*

9. *Comparez le ton de ce poème et le ton de « Si je mourais là-bas . . . » (p. 93). Qui, d'Apollinaire ou de Fargue, semble aimer avec le plus d'intensité?*

Sur La Route à demi

PIERRE REVERDY (1889–   )

Le temps de passer au tournant
        se lever le soleil
        l'aube à la boutonnière[1]
Voir passer la rangée des casques
                à la rivière   5

[4] *feindre . . . triangles:* you seem to demonstrate on the sand the three laws of the triangle

---

[1] button-hole

L'eau brille entre les remparts
        les éclats verts
    ou sur la porte
    le nom du clocher
                Et la lame[2] plus forte   10
Autour du sommeil de la nuit
    la ville au collier de lumières
    Puis la sombre distance
        les trous noirs
        la route ensevelie   15
Tout le long du trajet la peur d'avoir compris
    Une forme au delà du fossé
    Un souffle sur la gorge
Et le train en retard du monde encore plus près

    Tout ce qu'on n'aime pas arrive   20
            S'abat[3]
    Se creuse un nid dans ma poitrine

1. *Qui parle dans le poème et pourquoi ce personnage n'a-t-il le temps que de livrer des impressions très courtes comme s'il parlait hors d'haleine?*

2. *De quelles lumières s'agit-il au vers 12?*

3. *Quelle est la sombre distance? (vers 13).*

4. *Qu'est-ce qui a enseveli la route et créé des trous noirs?*

5. *Quelle est, au vers 17, la forme dont on a peur?*

6. *L'image des trois derniers vers est très littérale, très concrète. Expliquez comment le paradoxe de cette chose fatale qui se creuse un nid souligne l'attitude du poète envers la guerre.*

7. *Comment la technique du vers (longueur, rythme, etc.) exprime-t-elle le sens du poème?*

A force de plaisirs . . .

JEAN COCTEAU (1889–   )

A force de plaisirs[1] notre bonheur s'abîme.
Que faites-vous de mal, abeilles de ma vie?
Votre ruche[2] déserte étant maison de crime,
Je n'ai plus, d'être heureux, ni l'espoir, ni l'envie.

    [2] the breaker [wave]
    [3] crashes down

---

[1] through too much pleasure
[2] hive

Sous un tigre royal, la rose aux chairs crispées,³   5
Meurt de peur; il est vrai que ce tigre a des ailes.
Mais l'ange gardien qui casse nos poupées,
A des ailes aussi comme une demoiselle.

Les anges, quelquefois, tachés d'encre et de neige
Car ils font leur journal à la polycopie,⁴   10
Leurs ailes sur le dos, s'échappent du collège,
Volant un peu partout, plus voleurs que des pies.⁵

La neige est vite marbre aux mains prédestinées;
Du marbre au sel Vénus connaît la route blanche,
Et du sel à la chair enfin la voilà née   15
Sur la plage où chacun se baigne le Dimanche.

Mais sachant les détours de la chair aux statues,
Vénus s'endort debout et se réveille au Louvre.
Elle ne risque rien. Chaque fois qu'elle tue,
C'est seulement mille ans après qu'on la découvre.   20

Endormez-vous au bruit de la machine à coudre
Enfance, cœur cruel amoureux des supplices.
Voici la guêpe⁶ morte et l'odeur de la poudre
Et les soleils cloués pour vos feux d'artifice.

Christ, larrons, cloués haut en face du village.   25
La veille, les soldats jouaient de la musique;
On attendait le soir, on redoutait l'orage,
Et leur mort écrivait: VIVE LA REPUBLIQUE.

D'un seul soupir d'amour vit et meurt la fusée.
Elle ouvre ses yeux bleus; ainsi chante le cygne.   30
Mais voyant de sa mort une foule amusée
Les referme, rend l'âme et tombe dans les vignes.

Souvenirs de campagne, ah! laissez-moi tranquille;
De la rose du soir ne soyez pas le chancre.⁷
J'ai le vertige en haut des maisons de ma ville,   35
Mon ombre se répand de moi comme de l'encre.

Voici le miel que font mes abeilles, c'est l'ombre
Qui me vide. Je suis plus léger que le liège⁸
Plus léger que l'écume, et cependant je sombre,
Entraîne par Vénus et par l'homme de neige.   40

1. *Les images du poème développent l'épigramme*
    du premiers vers. Par exemple, les abeilles de

³ contracted
⁴ *à la polycopie:* by mimeograph
⁵ *Volant . . . des pies:* a play on the double meaning of
voler. The magpie [*une pie*] steals shiny objects.
⁶ wasp
⁷ canker
⁸ cork

ma vie *représentent les désirs bourdonnants.*
Quand le poète est assouvi (la ruche déserte)
par suite d'un plaisir moralement inacceptable
(maison de crime) *il se sent triste et déprimé.*
Que représente le tigre dans le vers 5? La
conscienne? La censure?

2. *Le bonheur dont il est question est à la fois*
    personnel et professionnel – de l'homme et du
    poète. Que représente la rose aux chairs
    crispées et pourquoi meurt-elle de peur sous
    le tigre royal?

3. *Le tigre a des ailes (vers 6). Il est donc rap-*
    proché, dans une même image, aux enfants
    qui s'échappent des collèges. Quelle est cette
    image?

4. *La boule de neige est liée, pour le poète, à la*
    création artistique (le marbre). Il veut dire
    que l'artiste exprime dans son œuvre les souf-
    frances et les amours de son enfance. Com-
    ment, dans la strophe 5, exprime-t-il la notion
    que le public ignore les drames personnels et
    surtout sexuels inhérents à la genèse d'une
    œuvre d'art?

5. *Quel est le paradoxe de la nature enfantine*
    exprimé dans la strophe 6?

6. *La même ironie est exprimée dans les strophes*
    5, 6, 7 dans les images de la Vénus qui tue,
    l'enfant endormi, et le Christ crucifié. Quelle
    est cette ironie? Quel reproche le poète fait-il
    à la foule amusée (vers 31)?

7. *La fusée (vers 29) est le désir. Mais nous savons*
    par l'évocation du cygne (vers 30) que la fusée
    est aussi – quoi?

8. *La création du poème n'a pas épuisé la force*
    sexuelle du poète—il se dit entraîné par Vénus
    et par l'homme de neige. Quel est le sens de ces
    deux images?

9. *Nous nous retrouvons ainsi à l'épigramme qui*
    commence le poème. Expliquez.

10. *Si la source profonde de la poésie est la*
    sexualité enfantine, et si le bonheur du poète
    est l'exercice de son art, peut-on croire à la
    sincérité de cette critique du plaisir sexuel?

11. *Le ton du poème: trouvez des ambiguités, des*
    ambivalences dans cette critique du plaisir.

PURE POETRY

Our final category is, like the baroque, both historical and generic. The term pure poetry is most often used in reference to works of the late nineteenth and early twentieth centuries. Hence, modern poets are chiefly represented here. However, the term pure may refer to a permanent poetic phenomenon. For this reason, we have given poems by Théophile (seventeenth century) and Gérard de Nerval (early nineteenth century) to illustrate a basic sort of poetic activity implied by the dictionary meaning of the word pure.

What exactly is the purity of pure poetry? The most general statement we can make is that it exploits to a high degree the symbolic nature of language. In most poetry, we make the simple assumption that words stand for things. But in pure poetry, we must be much more conscious that we are dealing with words and not things—that, for instance, the word flower produces a host of evocations that are in no way inherent in any particular real flower. In pure poetry, the poet weaves his poem out of the complex suggestions, resonances, echoes and implications inherent in words. The poem he weaves may have an argument, it may have characters and plot, but these will usually be implicit. They will hover in the background of the poem. In "Ode" by Théophile, the precise images of the poem seem propelled toward us out of an unnamed disaster. The poet never tells us what this disaster is; and it is typical of pure poetry that the realistic pretext (the action, scene, or experience which generates the poem) be implicit. It is suggested rather than literal.

There is no single key to all these poems. There are, in fact, different kinds of pure poetry. For convenience we shall distinguish three kinds: that in which the purity is realized primarily in auditory patterns ("L'Invitation au voyage" and "Mon rêve familier," pp. 99); that in which purity is realized primarily in lyrical or dramatic patterns ("El Desdichado" and "Artemis," pp. 101 and 102); that in which purity is realized primarily in ideational patterns, patterns of ideas ("Ses purs ongles...," p. 108). As these distinctions indicate, elements from other poetic genres are to be found in pure poetry and, conversely, poems studied under other genres may in varying degrees and aspects be considered pure. Thus, baroque poems like those from Scève's Délie (p. 37), with their dense verbal texture, are pure. So, too, is Apollinaire's "Liens," with its verbal and grammatical short-cuts. Finally, as we approach this last poetic genre, it is well to remember that in varying degrees all poems contain significant auditory, dramatic, and ideational features.

The most direct kind of purity is that of music, as in "L'Invitation au voyage" and "Mon rêve familier." The purity here is an emphasis on rhythm at the expense of plot and argument. It is summed up by Verlaine's famous poetic principle "De la musique avant toute chose..."

L'Invitation au voyage

CHARLES BAUDELAIRE (1821–1867)

Mon enfant, ma sœur,
Songe à la douceur
D'aller là-bas vivre ensemble!
Aimer à loisir
Aimer et mourir   5
Au pays qui te ressemble!
Les soleils mouillés
De ces ciels brouillés[1]
Pour mon esprit ont les charmes
Si mystérieux   10
De tes traîtres yeux,
Brillant à travers leurs larmes.

Là, tout n'est qu'ordre et beauté,
Luxe, calme et volupté.

Des meubles luisants,   15
Polis par les ans
Décoreraient notre chambre;
Les plus rares fleurs
Mêlant leurs odeurs
Aux vagues senteurs de l'ambre,   20
Les riches plafonds,
Les miroirs profonds,
La splendeur orientale,
Tout y parlerait
A l'âme en secret   25
Sa douce langue natale.

Là, tout n'est qu'ordre et beauté,
Luxe, calme et volupté.

Vois sur ces canaux
Dormir ces vaisseaux   30
Dont l'humeur est vagabonde;
C'est pour assouvir[2]
Ton moindre désir
Qu'ils viennent du bout du monde.
— Les soleils couchants   35
Revêtent les champs,
Les canaux, la ville entière,
D'hyacinthe et d'or;
Le monde s'endort
Dans une chaude lumière.   40

Là, tout n'est qu'ordre et beauté,
Luxe, calme et volupté.

[1] cloudy, overcast
[2] satisfy

1. *Dans ce poème Baudelaire s'adresse à sa maîtresse. Lui parle-t-il le langage de l'amour-passion? Considérez, par exemple, les vers de la première strophe.*
2. *Comment cette conception de l'amour convient-elle particulièrement au paradis rêvé du poète?*
3. *Quels détails du poème révèlent le luxe dont rêve le poète?*
4. *Quels détails révèlent le calme?*
5. *Quels détails révèlent la volupté?*
6. *Où le voyage a-t-il lieu en réalité? Quel est ce pays de rêve? (Voir les vers 7–8, 29–30, 37).*
7. *Les verbes de ce poème rendent-ils des actions ou peignent-ils des états d'âme?*
8. *On pourrait parler d'une sorte de déverbalisation dans ce poème, c'est-a-dire l'effort d'ôter aux verbes leur valeur active. Par exemple, voyez des qualificatifs adverbiaux tels que à loisir (vers 4) et en secret (vers 25). Quelle est la valeur de cette déverbalisation?*
9. *S'agit-il ici de questions morales? Par exemple, faut-il gagner ce paradis en pratiquant certaines vertus?*
10. *Quels sons reviennent dans le poème? Qu'est-ce qu'ils contribuent à l'effet total?*
11. *En quels sens pourrait-on parler de la musique de ce poème?*
12. *La régularité du rythme produit un effet incantatoire. Expliquez, en indiquant d'autres procédés qui produisent le même effet.*
13. *L'art de Baudelaire vous semble-t-il directement évocateur ou plutôt symbolique? Justifiez votre réponse.*

Mon Rêve familier

PAUL VERLAINE (1844–1896)

Je fais souvent ce rêve étrange et pénétrant
D'une femme inconnue, et que j'aime, et
                   qui m'aime,
Et qui n'est, chaque fois, ni tout à fait la même
Ni tout à fait une autre, et m'aime et me
                   comprend.

Car elle me comprend, et mon cœur, transparent   5
Pour elle seule, hélas ! cesse d'être un problème
Pour elle seule, et les moiteurs de mon front blême,
Elle seule les sait rafraîchir, en pleurant.

Est-elle brune, blonde ou rousse? — Je l'ignore.
Son nom? Je me souviens qu'il est doux et sonore   10
Comme ceux des aimés que la Vie exila.

Son regard est pareil au regard des statues,
Et, pour sa voix, lointaine, et calme, et grave, elle a
L'inflexion des voix chères qui se sont tues.

Ode

THEOPHILE DE VIAU (1590–1626)

*One element—rhythm—gave the two preceding
poems their special character. The full effect of
these poems depended less on any literal theme or
drama than on the sensuous effect of rhythmic
repetition.*

*The poems which follow also avoid the literal
statement of theme or drama. In Théophile's
"Ode", the pretext or generating experience
behind the poem is not made explicit. The ex-
periences implied by "El Desdichado" and "Artémis" are so complex and obscure that exegesis of
them is at best approximate. In "L'Invitation au
voyage" and "Mon rêve familier", the absence of
a literal pretext is made up for by something else—
rhythm. In the following poems it is not rhythm
which defines the particular type of experience
the poem conveys, but imagery.*

*The imagery of all these poems is dynamic,
shifting, even, we might say, hallucinatory. Images
blend and fuse into each other. Obviously, the
meaning of the poem cannot be found in the
literal meanings of the words or images. We might
call this poetry surrealistic (although the term was
not actually used until after World War I).*

*In the poems of Rimbaud, a precursor of
surrealism, the poet has willfully chosen to
transform everything into something different.
Cette famille est une nichée de chiens, said Rim-*

*baud. J'ai vu un salon au fond d'un lac. He called
this process un raisonné dérèglement de tous les sens,
and lest we be tempted to regard his poetry as the
hallucinations of a madman, we should note the
adjective the poet uses to qualify his "madness".*

*The poet's aim in writing this kind of poetry is
similar to the goal suggested by Baudelaire in
"Correspondances"—the desire to penetrate deep
within himself, to his unconscious, in the hope of
liberating a profound emotion.*

Un corbeau devant moi croasse;[1]
Une ombre offusque[2] mes regards;
Deux belettes[3] et deux renards
Traversent l'endroit où je passe;
Les pieds faillent à mon cheval,   5
Mon laquais tombe du haut mal;[4]
J'entends craqueter le tonnerre;
Un esprit se présente à moi;
J'ois Charon[5] qui m'appelle à soi,
Je vois le centre de la terre.   10

Ce ruisseau remonte en sa source;
Un bœuf gravit sur un clocher;
Le sang coule de ce rocher;
Un aspic s'accouple d'une ourse;[6]
Sur le haut d'une vieille tour   15
Un serpent déchire un vautour;[7]
Le feu brûle dedans la glace,
Les soleil est devenu noir;
Je vois la lune qui va choir;[8]
Cet arbre est sorti de sa place.   20

1. *La première partie de ce poème (vers 1–10),
quoique sombre, est assez directe et vraisemblable dans ses associations. Pourrait-on en dire
autant de la deuxième partie?*
2. *Quelle impression la suite d'impressions sur-
réalistes (c'est-à-dire peu vraisemblables et
inusitées) produit-elle?*

[1] caws
[2] obscures
[3] weasels
[4] *haut mal*: epilepsy
[5] *J'ois Charon*: I hear Charon [the boatman of the river Styx who transported departed souls to Hades]
[6] *un aspic . . . ourse*: an asp couples with a bear
[7] vulture
[8] [O.F.] *tomber*

3. *L'hallucination dont le poète souffre présage-t-elle la mort? la folie? la damnation éternelle? Pourrait-on prétendre que cette hallucination traduit une expérience ou un état d'âme plus durable et plus général de la condition humaine?*

4. *Commentez la structure du poème: est-elle logique? y a-t-il une conclusion?*

El Desdichado

(from *Les Chimères*)

GÉRARD DE NERVAL (1808–1855)

Je suis le ténébreux,[1] — le veuf, — l'inconsolé,
Le prince d'Aquitaine[2] à la tour abolie:[3]
Ma seule *étoile*[4] est morte, — et mon luth constellé
Porte le *soleil noir* de la *Mélancolie.*

Dans la nuit du tombeau, toi qui m'as consolé,[5]   5
Rends-moi le Pausilippe et la mer d'Italie,
La *fleur* qui plaisait tant à mon cœur désolé
Et la treille où le pampre à la rose s'allie.[6]

Suis-je Amour ou Phébus?[7] . . . Lusignan ou
                                         Biron?[8]
Mon front est rouge encor du baiser de la reine;[9]   10
J'ai rêvé dans la grotte où nage la sirène . . .

---

[1] [here] an inhabitant of the night

[2] a legendary hero

[3] The poet had imagined a coat of arms for himself which contained three silver towers, but he is dispossessed like "El Desdichado" and the towers are no longer his. This may also be a reference to one of the Tarot cards which represents a tower destroyed by divine justice

[4] a complex reference to Adrienne, a childhood sweetheart, and to Jenny Colon, an actress whom he had loved. Both died. Also, one of the Tarot cards called *L'Etoile* represents a woman pouring water. The star represents pure love, spiritual faith, and poetry. Contrast with the next line

[5] reference to Octavie, an English girl whom the poet met in Italy. Nerval credits her with saving him from suicide on the mountain Posilipo

[6] further memories of Octavie. Behind all these lost loves lies the image of the poet's dead mother

[7] Greek gods

[8] ancient heroes of the poet's province Valois

[9] Nerval treasured a kiss from Adrienne which he received as a child. But *la reine* is also an evocation of the biblical Reine de Saba who haunted Nerval and is identified with other goddesses and mystical female figures in his works

Et j'ai deux fois vainqueur traversé l'Achéron:[10]
Modulant tour à tour sur la lyre d'Orphée
Les soupirs de la sainte[11] et les cris de la fée.[12]

"*Les Chimères*" *is a series of twelve sonnets which Nerval wrote while confined in an asylum, in a state of delirium. The sonnets (from which we also give Artémis, p. 102) may be seen as the poet's anguished effort to find his way out of the hell of insanity into the heavenly peace represented by women (whose love was always partial and incomplete in the poet's actual experience). Hence, he tries to rearrange the symbols which fill his mind, to find the truth that lies behind them so that he may no longer be* El Desdichado *(the "disinherited"—the motto of a mysterious knight who appears in Walter Scott's* Ivanhoe: *he had lost his castle and led a life of wandering). The poet, triumphant through poetry, will now be* Amour *or* Phébus, *having, like Orphée, been able to bring his love back from hell. (We should remember, however, that if Orpheus succeeded in rescuing Eurydice, he did lose her forever just as they were leaving the underworld because he failed to keep his promise to the ruler of the underworld not to look back).*

Some of the notes which accompany these two poems of Nerval partially explain their mysterious astrological and alchemic symbolism which the poet drew from his avid reading of esoteric books. Other notes suggest the personal and biographical nature of the symbolism, suggested by Nerval himself when he wrote: "Je suis du nombre des écrivains dont la vie tient intimement aux ouvrages qui les ont fait connaître". All of our notes are rather tentative, given the status of Nerval criticism. Yet, valuable as even the most certain documentation may be, it is possible to find dramatic and lyrical values in this hermetic

---

[10] reference to his two spells of madness, in 1841 and 1853

[11] Adrienne ended her life in a convent

[12] The poet suggest that he has loved two types of women. Yet, he has lost them both, and now they seem to blend into one

poetry without fully understanding, for example, all the complex female incarnations whom the poet identifies with various goddesses (Artémis, Isis) or saints (Rosalie, Gudule) or the women he had loved and lost (his mother, the actress Jenny Colon, Adrienne, etc.). The questions should help you find these values.

1. *Faites une liste des noms et des titres que le poète s'applique. Identifiez-les.*
2. *Comment le mot abolie (vers 2) résume-t-il le sens du quatrain entier?*
3. *Identifiez ou expliquez autant que possible la nuit du tombeau, la grotte où nage la sirène, l'Achéron.*
4. *Qu'est-ce que le poète recherche dans ce poème? Considérez surtout à ce propos les prèmiers vers de la troisième strophe.*
5. *Combien de femmes sont nommées par le poète? Identifiez-les.*
6. *La sainte et la fée sont deux types différentes de femme. Expliquez.*
7. *Essayez d'établir un rapport entre le doute du poète sur le rôle de la femme dans sa vie et ses doutes sur sa propre identité.*
8. *Quel rapport y a-t-il entre la poésie et l'amour? la poésie et la folie?*
9. *Pourquoi la folie est-elle comparée à l'Achéron?*
10. *Quel est le thème du poème?*

Artémis[1]

(from Les Chimères)

GÉRARD DE NERVAL (1808–1855)

Le Treizième[2] revient . . . C'est encor la première;
Et c'est toujours la seule, — ou c'est le seul moment;

Car es-tu reine, ô toi! la première ou dernière?
Es-tu roi toi le seul ou le dernier amant? . . .

Aimez qui vous aima du berceau dans la bière;[3]   5
Celle que j'amai seul m'aime encor tendrement:
C'est la mort — ou la morte . . . O délice!
                              ô tourment!
La rose qu'elle tient, c'est la *Rose trémière*.[4]

Sainte napolitaine[5] aux mains pleines de feux,
Rose au cœur violet, fleur de sainte Gudule:[6]   10
As-tu trouvé ta croix[7] dans le désert des cieux?

Roses blanches,[8] tombez! vous insultez nos dieux,
Tombez, fantômes blancs, de votre ciel qui brûle:
— La sainte de l'abîme[9] est plus sainte à mes yeux!

1. *Faites une paraphrase du poème.*
2. *Enumérez les symboles dans ce poème. Essayez de les expliquer.*
3. *Pourquoi la treizième femme que le poète a aimée est-elle toujours la seule?*
4. *La vie et l'amour se répètent. Commentez l'expression de cette idée dans le 2ème quatrain.*
5. *O délice! ô tourment! treizième . . . première. Trouvez d'autres paradoxes — par exemple dans les vers 2 et 3 de la 2ème strophe.*
6. *Dans ce sonnet, les différentes fleurs, liées par le poète à ses souvenirs amoureux, sont des*

[1] the Greek goddess associated with the cycles of the moon, hence the passage of time, hence death
[2] The mystical number 13 which is *still the first* implies that love repeats itself, i.e., Nerval always loved the same kind of woman. In addition, the beginning and the end of life are identical, part of a continual cycle. Finally, the thirteenth anniversary of Nerval's first attack of madness approaches

[3] bier, coffin. The loved woman always somehow incarnates the poet's mother who loved him in the cradle (*berceau*)
[4] hollyhock. The numerous flowers on a single stalk suggest the unity in diversity of Nerval's feminine ideal. Also, a reference to a mythical Sainte Philomène who came from the Orient (*Rose trémière* = *Rose d'outre-mer*) and represents the triumph of Christianity over paganism (*Artémis*)
[5] a gipsy woman, versed in magic, whom Nerval met in Naples. Also, Saint Rosalie, patron saint of Sicily
[6] *Rose . . . Gudule:* probably a reference to a stained-glass window in the Church of Sainte-Gudule at Brussels
[7] Saint Rosalie is often represented holding a cross
[8] Christian saints. The image of a rain of roses is drawn from Goethe's *Faust* which Nerval translated
[9] Artémis. The poem is concerned with the conflict of Christianity and magic personnified by different female figures who, however, blend and fuse. Nerval chose Artémis over Rosalie-Philomène when, in 1855, at the age of 47, he hung himself from a gateway in the sordid Rue de la Vieille Lanterne

symboles sexuels. Distinguez entre les roses blanches du second tercet et la rose au cœur violet du premier tercet. Rappelez-vous à ce propos les associations habituelles de ces deux couleurs.

7. Le poème semble fondé sur un dilemme ou un paradoxe ou une antithèse. Dans le dernier vers le poète fait un choix, il opte pour une solution du dilemme. Laquelle?

8. Qu'est-ce qui rend le poème si obscur, si difficile, si hermétique? Le drame du poète est-il vraiment résolu?

9. Rapprochez le thème de ce poème de celui de « El Desdichado ». Proposent-ils le même problème humain? Lequel? Est-ce un problème moral? psychologique? social?

Après le Déluge

ARTHUR RIMBAUD (1854–1891)

Aussitôt que l'idée du Déluge se fût rassise,[1]

Un lièvre s'arrêta dans les sainfoins et les clochettes[2] mouvantes, et dit sa prière à l'arc-en-ciel à travers la toile de l'araignée.

Oh! les pierres précieuses qui se cachaient, — 5
les fleurs qui regardaient déjà.

Dans la grande rue sale les étals se dressèrent,[3] et l'on tira les barques vers la mer étagée[4] là-haut comme sur les gravures.

Le sang coula, chez Barbe-Bleue, — aux abat-   10
toirs,[5] — dans les cirques, où le sceau de Dieu blêmit les fenêtres.[6] Le sang et le lait coulèrent.

Les castors[7] bâtirent. Les « mazagrans » fumè-rent dans les estaminets.[8]

Dans la grande maison de vitres encore ruis-   15
selante les enfants en deuil regardèrent les merveil-leuses images.

Une porte claqua, et, sur la place du hameau,[9] l'enfant tourna ses bras, compris des girourettes et des coqs des clochers de partout, sous l'éclatante   20
giboulée.[10]

Madame * * * établit un piano dans les Alpes. La messe et les premières communions se célé-brèrent aux cent mille autels de la cathédrale.

Les caravanes partirent. Et le Splendide-Hôtel   25
fut bâti dans le chaos de glaces et de nuit du pôle.

Depuis lors, la Lune entendit les chacals piaulant[11] par les déserts de thym,[12] — et les églo-gues en sabots grognant dans le verger. Puis, dans la futaie[13] violette, bourgeonnante, Eucharis[14] me   30
dit que c'était le printemps.

Sourds,[15] étang; — Écume, roule sur le pont et par-dessus les bois; — draps noirs[16] et orgues, éclairs et tonnerre, montez et roulez; — Eaux et tristesses, montez et relevez les Déluges.   35

Car depuis qu'ils se sont dissipés, — oh! les pierres précieuses s'enfouissant, et les fleurs ouver-tes! — c'est un ennui! et la Reine, la Sorcière qui allume sa braise[17] dans le pot de terre, ne voudra jamais nous raconter ce qu'elle sait, et   40
que nous ignorons.

1. Ce poème a un cadre narratif, c'est-à-dire qu'il y a dans le poème des personnages drama-tiques dont le poème est la méditation. Qui sont ces personnages? où se trouvent-ils? que font-ils?

2. Les enfants (ligne 16) regardent un livre de merveilleuses images. Pourquoi l'un d'eux (celui qui sort tout seul dans la ligne 18)

[1] settled
[2] Un lièvre . . . clochettes: A hare stopped among the clover and the bellflowers
[3] les étals se dressèrent: the stalls rose [e.g., butchers' stalls]
[4] la mer étagée: the tiered sea
[5] slaughter-houses
[6] Le sceau de Dieu: Probably an allusion to the scourge suffered by the Egyptians in the time of Moses, when the Angel of Death passed over Egypt killing the first-born. The Israelites escaped this by marking their houses with the blood of freshly-killed lambs

[7] beavers
[8] Les "mazagrans" . . . estaminets: glasses of black coffee steamed in the bistros
[9] sur la place du hameau: on the village square
[10] l'éclatante giboulée: the glittering storm i.e., ac-companied by hail or snow
[11] whining
[12] thyme [an herb]
[13] forest
[14] A nymph
[15] sourdre: to spring forth
[16] draps noirs: black hangings [on church doors for funerals]
[17] embers

imagine-t-il un déluge? Quelle image exprime son ennui et son désœuvrement?

3. Revenons maintenant au début du poème. Pourquoi est-ce l'idée du déluge et non pas un déluge véritable?

4. Décomposez la métaphore des lignes 2–4. Quels en sont les différents éléments? Quel sentiment à l'égard de l'harmonie de la nature cette image suggère-t-elle?

5. Comparez l'attitude du poète à l'égard de la civilisation dont les premiers éléments apparaissent dans la ligne 7.

6. Les animaux des cirques et des abattoirs ont perdu leur liberté. Ils doivent servir l'homme. En quel sens les castors (ligne 13) sont-ils aussi des animaux domestiques?

7. Rimbaud se moque de tout ce qui est civilisation — art, religion, plaisirs de l'homme moderne. Trouvez les lignes où il s'agit de chacune de ces choses.

8. Les églogues en sabots (ligne 28) sont les paysans. Le mot églogues aussi bien que l'emploi de la nymphe Eucharis rappellent la poésie grecque et latine (c.f. Virgile). En quel sens est-ce vraîment une églogue ou poème pastoral?

9. Quel désir exprime le poète dans les lignes 32–35?

10. Quel regret exprime-t-il dans les derniers versets? Suggérez des identités possibles pour la Reine, la Sorcière. (ligne 38). Quel est l'ennui dont il parle? Est-ce que le terme ennui est un terme fort? ou a-t-il plutôt quelque chose d'enfantin?

11. L'on peut voir ce poème comme une métaphore de l'histoire cyclique du monde. Expliquez.

Barbare

ARTHUR RIMBAUD (1854–1891)

Bien après les jours et les saisons, et les êtres et les pays,

Le pavillon en viande saignante sur la soie des mers et des fleurs arctiques; (elles n'existent pas.)   5

Remis des vieilles fanfares d'héroïsme — qui nous attaquent encore le cœur et la tête — loin des anciens assassins —

— Oh! le pavillon en viande saignante sur la soie des mers et des fleurs arctiques; (elles n'existent   10
pas.)

Douceurs!

Les brasiers,[1] pleuvant aux rafales de givre,[2] — Douceurs! — les feux à la pluie du vent de diamants jetée par le cœur terrestre éternellement carbonisé   15
pour nous. — O monde! —

(Loin des vieilles retraites et des vieilles flammes, qu'on entend, qu'on sent,)

Les brasiers et les écumes. La musique, virement des gouffres[3] et choc des glaçons[4] aux astres.   20

O Douceurs, ô monde, ô musique! Et là, les formes, les sueurs, les chevelures et les yeux, flottant. Et les larmes blanches, bouillantes, — ô douceurs! — et la voix féminine arrivée au fond des volcans et des grottes arctiques.   25

Le pavillon . . .

1. Le pavillon est sans doute le symbole de la civilisation telle qu'on l'a connue jusqu'ici. Le pavillon peut désigner diverses choses, mais probablement il représente ici le drapeau, symbole d'une nation, et, flottant sur la mer, ce drapeau nous dit que le bâteau, ou la nation, a été submergé par l'arrivée du barbare. D'autre part, les fleurs arctiques symbolisent le barbare. Dressez une liste des images qui représentent la civilisation ou le barbare.

2. Dans les deux premières lignes le poète annonce l'arrivée du barbare. Quand arrivera-t-il en effet?

3. S'agit-il dans ce poème de la fin du monde du dogme chrétien?

4. Pourquoi le poète précise-t-il que les fleurs arctiques n'existent pas? Serait-ce un rêve?

5. Qui est le nous de la ligne 7?

6. Les vieilles fanfares d'heroïsme sont les sentiments moraux que le poète continue à éprouver malgré lui et malgré leur inutilité

---

[1] fires of live coals

[2] *rafales de givre:* frosty gusts of wind

[3] *virement des gouffres:* twisting of gulfs; as in a maelstrom

[4] ice-floes

dans le nouveau monde barbare. Qui sont les anciens assassins de la ligne 8?

7. *Le sentiment de douceurs (ligne 12) s'applique-t-il au monde civilisé ou au monde barbare?*

8. *Le monde barbare est un monde où les contraires sont conciliés et fusionnés, par exemple: les brasiers et les écumes (ligne 19). Donnez-en d'autres exemples.*

9. *Pour lequel des deux mondes le poète se sent-il le plus de sympathie? Justifiez votre réponse.*

10. *Commentez le rythme haletant, comme si le poète avait de la difficulté à s'exprimer. A ce propos, remarquez que le poème donne l'impression d'être inachevé.*

11. *En écrivant ce poème, où le poète se place-t-il: dans le monde barbare ou l'autre monde? Justifiez votre réponse.*

12. *Ces poèmes en prose vous semblent-ils moins poétiques que les poèmes en vers? Quelle raison a pu pousser Rimbaud à choisir cette forme?*

Il ne s'en ira pas, il ne redescendra pas d'un ciel, il n'accomplira pas la rédemption des colères de femmes et des gaietés des hommes et de tout ce péché: car c'est fait, lui étant, et étant aimé.

O ses souffles, ses têtes, ses courses: la terrible célérité de la perfection des formes et de l'action.

O fécondité de l'esprit et immensité de l'univers!

Son corps! le dégagement rêvé, le brisement de la grâce croisée de violence nouvelle!

Sa vue, sa vue! tous les agenouillages anciens et les peines *relevés* à sa suite.

Son jour! l'abolition de toutes souffrances sonores et mouvantes dans la musique plus intense.

Son pas! les migrations plus énormes que les anciennes invasions.

O Lui et nous! l'orgueil plus bienveillant que les charités perdues.

O monde! et le chant clair des malheurs nouveaux!

Il nous a connus tous et nous a tous aimés. Sachons, cette nuit d'hiver, de cap en cap, du pôle tumultueux au château, de la foule à la plage, de regards en regards, forces et sentiments las, le héler et le voir, et le renvoyer, et, sous les marées et au haut des déserts de neige, suivre ses vues, ses souffles, son corps, son jour.

Génie

ARTHUR RIMBAUD (1854–1891)

Il est l'affection et le présent puisqu'il a fait la maison ouverte à l'hiver écumeux et à la rumeur de l'été, lui qui a purifié les boissons et les aliments, lui qui est le charme des lieux fuyants et le délice surhumain des stations. Il est l'affection et l'avenir, la force et l'amour que nous, debout dans les rages et les ennuis, nous voyons passer dans le ciel de tempête et les drapeaux d'extase.

Il est l'amour, mesure parfaite et réinventée, raison merveilleuse et imprévue, et l'éternité: machine aimée des qualités fatales. Nous avons tous eu l'épouvante de sa concession et de la nôtre: ô jouissance de notre santé, élan de nos facultés, affection égoïste et passion pour lui, lui qui nous aime pour sa vie infinie...

Et nous le rappelons et il voyage... Et si l'Adoration s'en va, sonne, sa promesse sonne: « Arrière ces superstitions, ces anciens corps, ces ménages et ces âges. C'est cette époque-ci qui a sombré! »

C'est un coq...

FRANCIS JAMMES (1868–1938)

...C'est un coq dont le cri taille à coups de ciseaux
l'azur net qui s'aiguise au tranchant[1] du coteau.
    Mais je veux autre chose encore?

...C'est la salle à manger sur un parc, à midi,
Une femme en blanc, lourde et blonde, pèle
                            un fruit.
    — Je veux voir autre chose encore?

...C'est une eau tendrement aimée par le village
qui s'y mire[2] et dénoue sur elle ses feuillages,
    — Je veux voir autre chose encore?

...Mais quoi donc? — Oh! Tais-toi, car je
                            souffre! Je veux,
je veux voir, je veux voir au delà de mes yeux
        je ne sais quelle chose encore...

[1] *qui...tranchant:* that sharpens itself against the edge
[2] *qui s'y mire:* that admires its reflection there

1. *Ce poème est un dialogue. Qui peut bien être l'interlocuteur du poète – sa femme? la femme en blanc, lourde et blonde? ou est-ce qu'il se parle à lui-même?*

2. *Y a-t-il un rapport entre les trois images évoquées successivement par le poète? Est-ce un rapport réel (par exemple, le coq chante-t-il devant la salle à manger?) ou ce rapport existe-t-il uniquement dans l'esprit du poète?*

3. *Quel est le drame du poète? Qu'est-ce qu'il veut? Pourquoi n'est-il satisfait d'aucune des trois images?*

4. *Est-ce que la sensibilité du poète se laisse dominer par la réalité extérieure? ou est-ce qu'il y a une sorte d'effort vers l'hallucination?*

5. *Qu'est-ce qu'il y a de pur dans ce poème?*

Les Espaces du sommeil

ROBERT DESNOS (1900–1945)

Dans la nuit il y a naturellement les sept merveilles
    du monde et la grandeur et le tragique et le
    charme.
Les forêts s'y heurtent confusément avec des créa-
    tures de légende cachées dans les fourrés.[1]   5
Il y a toi.
Dans la nuit il y a les pas du promeneur et celui de
    L'assassin et celui du sergent de ville et la
    lumière du réverbère[2] et celle de la lanterne du
    chiffonnier.[3]   10
Il y a toi.
Dans la nuit passent les trains et et les bateaux et
    le mirage des pays où il fait jour. Les derniers
    souffles du crépuscule et les premiers frissons
    de l'aube.   15
Il y a toi.
Un air de piano, un éclat de voix.
Une porte claque. Une horloge.
Et pas seulement les êtres et les choses et les bruits
    matériels.   20
Mais encore moi qui me poursuis ou sans cesse me
    dépasse.

[1] thickets
[2] street lamp
[3] rag-picker

Il y a toi l'immolée,[4] toi que j'attends,
Parfois d'étranges figures naissent à l'instant du
    sommeil et disparaissent.   25
Quand je ferme les yeux des floraisons phospho-
    rescentes apparaissent et se fanent et renais-
    sent comme des feux d'artifices charnus.[5]
Des pays inconnus que je parcours en compagnie
    de créatures.   30
Il y a toi sans doute, ô belle et discrète espionne.
Et l'âme palpable de l'étendue.
Et les parfums du ciel et des étoiles et le chant du
    coq d'il y a 2.000 ans et le cri du paon[6] dans
    des parcs en flamme et des baisers.   35
Des mains qui se serrent sinistrement dans une
    lumière blafarde[7]
et des essieux[8] qui grincent sur des routes médu-
    santes.[9]
Il y a toi sans doute que je ne connais pas,   40
que je connais au contraire.
Mais qui présente dans mes rêves t'obstines à s'y
    laisser deviner sans y paraître
Toi qui restes insaisissable dans la réalité et dans
    le rêve.   45
Toi qui m'appartiens de par ma volonté de te
    posséder en illusion mais qui n'approches ton
    visage du mien que mes yeux clos aussi bien au
    rêve qu'à la réalité.
Toi qu'en dépit d'une rhétorique facile où le flot   50
    meurt sur les plages,
où la corneille[10] vole dans des usines en ruines,
où le bois pourrit en craquant sous un soleil de
    plomb,[11]
Toi qui es la base de mes rêves et qui secoues mon   55
    esprit plein de métamorphoses et qui me laisses
    ton gant quant je baise ta main.
Dans la nuit, il y a les étoiles et le mouvement
    ténébreux de la mer, des fleuves, des forêts,
    des villes, des herbes, des poumons[12] de mil-   60
    lions et millions d'êtres.
Dans la nuit, il n'y a pas d'anges gardiens mais il
    y a le sommeil.
Dans la nuit il y a toi,
Dans le jour aussi.   65

[4] *la sacrifiée*
[5] fleshy
[6] peacock
[7] pallid
[8] axles
[9] hypnotizing
[10] rook
[11] *soleil de plomb:* leaden sun
[12] lungs

1. *Expliquez l'emploi de la formule* il y a *dans l'évocation des objets et des êtres qui peuplent ce poème. Par exemple, quelle autre formule aurait-il pu employer? Essayez* voila *ou* voyez. *Changent-ils le ton?*

2. *Le poème est comme un voyage à travers les espaces du sommeil. Comment, selon ce poème, le sommeil diffère-t-il de la vie éveillée?*

3. *Le poème avance, recule, arrête, reprend, change de registre et de ton. Qu'est-ce qui justifie cette discontinuité?*

4. *Qu'est-ce qui, repris dans le refrain, lui donne de l'unité?*

5. *A qui le poème s'adresse-t-il? Qui est la belle et discrète espionne (vers 31)?*

6. *Etant un personnage de rêve, aussi bien qu'un être réel, sur quoi ce personnage peut-il espionner?*

7. *Faites une liste des image noires, sombres ou violentes — images qui donnent, au sommeil du poète, cet air du tragique dont il parle dans la ligne 2.*

8. *Si les deux pôles de la nature humaine sont la violence et l'amour, lequel des deux triomphe dans ce poème? Quel est le rôle de la personne aimée, la belle espionne?*

9. *Quel rapport y a-t-il entre le rêve et l'hallucination ou la folie? Quel rapport y a-t-il enfin entre rêve, hallucination et poésie?*

Le Pitre châtié

STÉPHANE MALLARMÉ (1842–1898)

In this last group are poems by Stéphane Mallarmé and Paul Valéry. Mallarmé uses language in a more conscious and restrained way than the other poets we have also called pure poets.

In each of Mallarmé's poems there is a definite implicit scene. (In Théophile's "Ode" no such scene was suggested; in Rimbaud's "Barbare" the scenes were multiple and fleeting.) In "Le Pitre châtié," for example, the clown hero performs or has just performed the specific action of punching a hole in the circus tent. But notice how once the word clown (Pitre) is stated in the title, Mallarmé avoids any words which might normally be used apropos of a circus. The circus scene is completely evoked, the clown's rebellion is acted out, yet Mallarmé conveys this through words which normally have other connotations. Lacs, fenêtre, Hamlet, etc. make us think of many other things beside circuses and clowns. But it is by the very use of these words, charged with other associations, that Mallarmé conveys the meaning of the clown's rebellion. These associations give the poem a thematic weight and a sense of drama which it would not otherwise have. The implicit circus scene may seem trivial or unimportant, but this very triviality becomes significant when contrasted with the carefully chosen words of the poem, words whose literal meanings draw another context into the poem. In this context, the comic clown becomes an image of human heroism.

A tight and economical syntax, ellipsis, and metaphor give great condensation to the language of the poem and create a total impression of suppressed literalness. Thus, we have seen that Mallarmé never speaks of the clown as such in the entire poem. More important, the poet gives us, in the brief space of fourteen lines, a condensed but universal drama. Mallarmé, as a poet, is not essentially different from others we have studied. But his economy of means and his ability to stay within the limits of his art make him the purest of poets.

Paul Valéry, Mallarmé's most eminent disciple, does not avoid the literal with the same constant fervor as his master. His great poem "Le Cimetière marin" is much more frankly philosophical, more discursive than anything Mallarmé ever wrote. Yet its theme, the permanence of intellectual values in a world of change, is closely allied to that of the artist's heroism, the leitmotiv of the poetry of Mallarmé.

Yeux, lacs avec ma simple ivresse de renaître
Autre que l'histrion[1] qui du geste évoquais

---

[1] the actor

Comme plume la suie ignoble des quinquets,[2]
J'ai troué dans le mur de toile une fenêtre.

De ma jambe et des bras limpide nageur traître,   5
A bonds multipliés, reniant le mauvais
Hamlet! c'est comme si dans l'onde j'innovais
Mille sépulcres pour y vierge disparaître.

Hilare or de cymbale à des poings irrité,[3]
Tout à coup le soleil frappe la nudité   10
Qui pure s'exhala de ma fraîcheur de nacre,[4]

Rance nuit de la peau quand sur moi vous passiez,
Ne sachant pas, ingrat! que c'était tout mon sacre,[5]
Ce fard noyé dans l'eau perfide des glaciers.

1. *Les yeux du vers 1 sont les yeux de ceux qui asistent au cirque où le pitre fait son métier. Lacs, selon une métaphore familière (anglais: sea of faces) est en apposition avec yeux. Dans le premier quatrain, le poète-pitre plonge dans ces lacs. Quel est le sens de cette métaphore prolongée?*
2. *Le trou ou la fenêtre du vers 4, est-ce le symbole de l'évasion? de la libération? Expliquez la liaison de cette suite de mots: trouée (vers 4), bonds (vers 6), y vierge disparaître (vers 8).*
3. *Limpide dans le vers 5 suggère que le poète a ôté son costume de clown. Que veut dire traître, dans le même vers? Y a-t-il un lien entre limpide et traître?*
4. *Quel contraste le poète veut-il indiquer entre l'histrion (vers 2) et vierge (vers 8)? En quel sens le poète est-il un histrion?*
5. *Le poète réussit-il à se débarrasser tout de suite de son ancien moi (considérez les vers 7–8)?*
6. *Les applaudissements du vers 9 (. . . cymbale à des poings irrités) rappellent au pitre qu'il n'est qu'un pitre. Pourquoi est-il châtié et de quelle façon?*

7. *Dans le dernier tercet le pitre accepte encore une fois son rôle de clown. Démontrez cette proposition selon les termes du tercet.*
8. *L'eau perfide des glaciers (vers 14) fait allusion encore une fois aux lacs du premier vers. Pourquoi perfide et pourquoi le poète caractérise-t-il les lacs comme glaciers cette fois?*
9. *Ce poème est une parabole de la vocation artistique. Pouvez-vous la justifier comme une parabole de la condition de tous les hommes?*

Ses purs ongles . . .

STÉPHANE MALLARMÉ (1842–1898)

Ses purs ongles très haut dédiant leur onyx
L'Angoisse, ce minuit, soutient, lampadophore,
Maint rêve vespéral brûlé par le Phénix
Que ne recueille pas de cinéraire amphore

Sur les crédences, au salon vide: nul ptyx,   5
Aboli bibelot d'inanité sonore,
(Car le Maître est allé puiser des pleurs au Styx
Avec le seul objet dont le Néant s'honore).

Mais proche la croisée au nord vacante, un or
Agonise selon peut-être le décor   10
Des licornes ruant du feu contre une nixe,

Elle, défunte nue en le miroir, encor
Que, dans l'oubli fermé par le cadre, se fixe
De scintillations sitôt le septuor.

As often with Mallarmé, the subject of "Ses purs ongles" is the creative act. In classical sonnet fashion, the poem poses in its quatrains a question to which it then gives the response in the tercets. Let us follow this procedure in some detail.

Verse 1: Ses purs ongles is metonymic (the smaller part stands for the whole): the nails evoke the hands and the hands are often associated with the creative act (particularly with musicians and painters). By referring to the nails, Mallarmé points up the delicacy and the rarity of the act, the nails being especially fine and delicate both in texture and by virtue of their location at the extremity. This delic. y and rarity is reinforced

---

[2] *Comme . . . quinquets:* as rises the degrading soot of the lamps, i.e., the footlights
[3] *Hilaire . . . irrité:* the applauding hands are compared to cymbals
[4] mother-of-pearl
[5] coronation

by the epithet purs. Très haut *is an extremely rich image: it underlines the notions of purity and rarity as it shows us the poet with his hands raised in a gesture which might be taken as that of a supplicant or that of a priest in dedication. The latter interpretation is reinforced in* dédiant leur onyx. *The nails dedicate their* onyx, *that is, their special dark brilliance. Both color and precious stone,* onyx *(etymologically* ὄνυξ = *claw) repeats the striving, grasping image of* ongles. *In its rarity and delicacy it continues the effect of* purs, *while adding to the sense of mystery created by the religious gesture of* très haut dédiant. *In this very first verse we sense then that hieratic (priestly) conception of poetry which we find in Mallarmé and certain other modern poets.*

Verse 2: L'Angoisse *refers to the turmoil and pain with which the poet creates (a favorite theme since Baudelaire). Capitalized as it is, we sense that the poet looks upon it with a feeling of its importance as a partner in the creative act.* Ce minuit *is at once literal and figurative, pointing to the temporal setting of the poet's creative activity and to the dark, unknown region within which all creative activity takes place.* Soutient *enforces the notion that the Angoisse of creation is constant.* Angoisse *is also beneficent as becomes apparent in* lampadophore, *which is in apposition with it. The light of poetic anguish illumines the midnight in which the poet works, and the apposite nouns at the end of the verse give a balance to the* minuit *in the center, thus dramatizing the state of tension typical of the creative act.*

Verse 3: Maint rêve vespéral *is, grammatically, the object of* soutient, *whose subject is* L'Angoisse, *but the dramatic value of this relationship does not become fully clear until we understand the force against which poetic anguish struggles:* le Phénix. *This is the bird which, in classical mythology, consumes itself in self-created fire only to rise again from its own ashes.*

The Phoenix, then, is an apt image for the imagination, which dreams up many shapes and

forms which are immediately consumed. The mystery and intractability of the imagination is once again reinforced both in the description of its processes as a dream and in the epithet vespéral.*

Verse 4: The cinéraire amphore *is the work of art, and in choosing this object as a symbol of the poem Mallarmé is underscoring the votive conception of poetry and the hieratic conception of the poet which he has expressed throughout the first quatrain. The first quatrain thus has that polished, unified (or closed) quality which we associate with funerary urns.*

Verse 5: Sur les crédences *is a direct evocation of the room in which the poet finds himself. But its aspects have more than ordinary meaning. Thus,* crédences *recalls the table on which the cruets (vessels for wine and water) in the Roman Catholic Church are held, suggesting once again the religious leitmotiv of the poem.* Au salon vide *also subtly suggests the religious atmosphere, for in the absence of furniture (a relative absence, given the presence of the credences) the darkness, the implied silence and the vigil of the poet all point to the quiet of a church. In* nul ptyx *Mallarmé is possibly referring to the decorative sea-shells which often adorned the mantles of French homes in this period. It has also been suggested that he made up this word from a Greek root which means a fold (as of cloth). The* ptyx *thus symbolizes rime, the point at which verse "folds back", or turns in upon itself, even as a sea-shell does. That he might thus have made up a word to rime does not mean that he has abandoned all concern with meaning. Just the opposite, for* ptyx *stands not only for rime, but, by extension, for poetry itself, which has been the subject of the poem.*

*Verse 6: reinforces this interpretation—rime is purely decorative (*bibelot . . . sonore*), without any meaning (*inanité*) beyond its use in a poem. So it is with the poem itself—or any work of art. It has no use beyond itself.* Aboli *in this verse looks back to* nul *in verse 5, telling us that the "decorative shell" (poetry, the creative act) is* not to be found on the credences—and the explanation of its absence is in the following two verses.

Verse 7: Le Maître refers to the poet. The term is a common one for the artist (in painting in particular, though it is commonly used for men of letters in France) and points to the sureness of his technique, his authority, in short, his mastery. The voyage to the river Styx, the river of the country of the dead in classical mythology, repeats one of the essential themes of the poem: the mystery of the creative act and the courage of the poet who makes the voyage.

Verse 8: ce seul objet refers back to the ptyx; in the seul in particular Mallarmé once again points to the "uselessness" of poetry, while, at the same time, stressing its exceptional character. Dont le Néant s'honore points to Mallarmé's conviction that life is a Néant, without meaning except for art, which gives sense (s'honore) to the non-sense of existence. But, up to this point ce seul objet has not reached the final stage of creative activity, the achieved poem.

SUMMATION OF THE QUATRAINS: the poet's is a hieratic function, but his activity involves much anguish and, though it is self-sufficient, it is a quest which often yields no results in the form of a particular work of art. The quatrains may be said to pose the question: Will the poet succeed in creating a poem?

Verse 9: Mais—this adversative conjunction sets the second part (the response) of the sonnet in clear thematic contrast to the first part (the question) in the same way that the change in form (tercets) distinguishes the response from the question (quatrains). Standing in contrast to the theme of fruitless activity or unachieved goal (brulé par le Phénix) of the quatrains, this mais logically leads us to the positive, affirmative themes of the response. The poet's eye catches a glint of gold through the northern window. That the light comes from the north, the light so favored by painters, fits in well with the

earlier evocation of the plastic arts as well as with the later evocation of the tableau in the cadre of the miroir.

Verses 10 and 11: In this light the poet sees a fantastical scene of mythological creatures: unicorns which prance about a nixie (female water sprite) in a shower of sparks. Peut-être tells us that the poet sees this scene in his imagination of which the scene is an arbitrary product. As such it is another rêve vespéral, subject like many another to being brûlé par le Phénix.

Verse 12: But, the poet turns back to his room, that is, to his creative activity. He looks in the mirror in the room which has caught the reflection of the nixie. Nue tells us that it has caught her image in all its sensual beauty and the juxtaposition of défunte and nue stands in the same tense equilibrium as the nouns of verse 2. This ability of the mirror to fix the presumably transitory and immediate is reinforced in

Verse 13: where the fleeting (l'oubli) is captured (fermé) by form (le cadre); cadre once again suggests the plastic arts, leading us to see that all form is meant. And indeed, Mallarmé is here relying on one of the oldest conceptions of art: as a mirror or reflection of experience. What is exceptional in his use of this commonplace is the emphasis he places upon the reflector and its properties rather than upon the reflected and its properties. The mirror, we should remember, is a human invention, for though the property of reflection is natural, man has adapted this natural property to his own ends. In this connection, the mirror in this particular room is very likely purely decorative, and so goes back to the "merely" decorative value or "uselessness" of art already symbolized in ptyx. Again, the mirror is an especially apt symbol of art for Mallarmé with his theme of poetic self-consciousness, for the most frequent use of the mirror is the reflection of the self.

Verse 14: The sonnet concludes by re-emphasizing

what Mallarmé considers the essential property of art, one which is unique to it alone: its ability to arrest (se fixe from verse 13) the most fleeting aspects of reality. The mirror catches the reflection of the stars down to their last glistening. The stars have traditionally been called symbols of eternity and in his arrangement of them into constellations man seems to have found an approach to reality (science) which shows his mastery of the universe. Yet, science as a form within which to capture reality (astronomy is one of the oldest of the exact sciences) is imperfect, for something escapes it in its own domain: the glistening of the stars is unaccounted for in this "form". But art can capture both the form and the scintillation. Art is more exact and more complete than science: it fixes in eternal form both the world of the imagination (verses 10–11) and the real world as well.

SUMMATION OF THE TERCETS: the tercets imply that the poet does create his poem, in the symbolic gesture of looking into the mirror which has caught his vision. The tercets also affirm the superiority of art as an approach to reality. More or less explicitly, we are told that art is both more precise and more comprehensive than science. We are also told, implicitly, that art is superior to religion. Indeed, the religious imagery of the poem projects art itself as a religion and the poet as its godhead. Just as in formal religion God thinks about God, so in this poem the poet thinks about the poet; each contemplates his own essence. Mallarmé also thus implicitly deals with the question of the usefulness of art: like God's, the poet's contemplative, self-conscious activity is by definition of the highest ethical value. Poetry is the supreme way of knowing reality, and this cognitive function is more important than the ethical function which is erroneously assigned to it.

Victorieusement fui...

STÉPHANE MALLARMÉ (1842–1898)

Victorieusement fui le suicide beau
Tison[1] de gloire, sang par écume, or, tempête!
O rire si là-bas une pourpre s'apprête
A ne tendre royal que mon absent tombeau.

Quoi! de tout cet éclat pas même le lambeau[2]   5
S'attarde, il est minuit, à l'ombre qui nous fête
Excepté qu'un trésor présomptueux de tête
Verse son caressé nonchaloir[3] sans flambeau,

La tienne si toujours le délice! la tienne
Qui seule qui du ciel évanoui retienne   10
Un peu de puéril triomphe en t'en coiffant

Avec clarté quand sur les coussins tu la poses
Comme un casque guerrier d'impératrice enfant
Dont pour te figurer il tomberait des roses.

1. Le poète compare le soleil couchant à un suicide. Quelles autres images en tire-t-il?
2. Le poète imagine que les couleurs du couchant sont comme des étoffes de pourpre royalement tendues sur son tombeau. Qu'est-ce qu'il y a d'absent du tombeau du poète?
3. Le soleil disparaît. Maintenant nous apprenons que le poète n'est pas seul. Qu'est-ce qu'il nomme, dans le vers 7, comme remplaçant le soleil?
4. A quoi encore, dans le vers 13, compare-t-il la chevelure de son amie?
5. Quel rapport le poète établit-il entre le passage du temps et l'amour?
6. Expliquez le paradoxe de l'enfant guerrière.
7. Quelle conception de l'amour s'en dégage? Lè poème est-il franchement sensuel?

[1] firebrand
[2] shred
[3] indifference

Quand l'ombre…

STÉPHANE MALLARMÉ (1842–1898)

Quand l'ombre menaça de la fatale loi
Tel vieux Rêve, désir et mal de mes vertèbres,
Affligé de périr sous les plafonds funèbres
Il a ployé[1] son aile indubitable en moi.

Luxe, ô salle d'ébène où, pour séduire un roi   5
Se tordent dans leur mort des guirlandes célèbres,
Vous n'êtes qu'un orgueil menti par les ténèbres
Aux yeux du solitaire ébloui de sa foi.

Oui, je sais qu'au lointain de cette nuit, la Terre
Jette d'un grand éclat l'insolite mystère,   10
Sous les siècles hideux qui l'obscurcissent moins.

L'espace à soi pareil qu'il s'accroisse ou se nie
Roule dans cet ennui des feux vils pour témoins
Que s'est d'un astre en fête allumé le génie.

---

[1] plier

1. *Quelle comparaison le poète fait-il dans le premier quatrain?*
2. *Quoique très philosophe, Valéry emploie un langage sensuel. Considérez par exemple les rythmes et les vocables des « Grenades ». Quel effet produisent-ils?*
3. *Les "fronts souverains" "craquent" et "crèvent". Mais en produisant quoi? (vers 11)*
4. *Cette crevaison représente la production d'une oeuvre, un poème. Mais est-ce au poème que rêve le poète? N'est-ce pas plus exacte de dire que Valéry préfère considérer les operations de l'esprit plutôt que les résultats de ces operations? Expliquez cette proposition par rapport au dernier tercet.*
5. *Est-ce que le poète est lui-même changé par l'acte d'ecrire un poème? Considérez surtout le verbe eus à cet égard.*
6. *En quel sens ce poème est-il pur?*

Les Grenades[1]

PAUL VALÉRY (1871–1945)

Dures grenades entr'ouvertes
Cédant à l'excès de vos grains,
Je crois voir des fronts souverains
Eclatés de leurs découvertes!

Si les soleils par vous subis,   5
O grenades entre-bâillées,[2]
Vous ont fait d'orgueil travaillées
Craquer les cloisons[3] de rubis,

Et que si l'or sec de l'écorce
A la demande d'une force   10
Crève en gemmes rouges de jus,

Cette lumineuse rupture
Fait rêver une âme que j'eus
De sa secrète architecture.

---

[1] pomegranates
[2] half yawning
[3] partitions

Baignée

PAUL VALÉRY (1871–1945)

Un fruit de chair se baigne en quelque jeune vasque[1]
(Azur dans les jardins tremblants), mais hors
                                   de l'eau
Isolant la torsade[2] où se figure un casque
La tête d'or scintille au calme du tombeau.

Eclose sa beauté par la rose et l'épingle!   5
Du miroir même issue où trempent ses bijoux
Pendeloques[3] et lys dont le bouquet dur cingle[4]
L'oreille abandonnée aux mots nus du flot doux.

Un bras vague inondé dans le néant limpide
Pour une ombre de fleur à cueillir doucement   10
S'effile, ondule, ou dort par le délice vide

Si l'autre, courbé pur sous le beau firmament
Parmi la chevelure immense qu'il humecte[5]
Capture dans l'or simple un vol ivre d'insecte.

---

[1] fountain basin
[2] coil [of hair]
[3] pendant
[4] lashes
[5] moistens

1. *Qu'est-ce que le fruit de chair (vers 1)?*
2. *Quelle scène est évoquée par les mots:* hors de l'eau/Isolant la torsade . . ./La tête d'or scintille . . .?
3. *L'autre dans le vers 12 signifie l'autre bras de la baigneuse. Que fait-elle de ses deux bras?*
4. *Résumez l'action du poème.*
5. *Cette action est extrêmement simple. A quoi tient la difficulté du poème?*
6. *Au lieu d'appeler les choses par leur nom, le poète préfère employer des métaphores — par exemple,* le néant limpide *pour l'eau. Trouvez d'autres exemples de ce procédé.*
7. *La répétition de certaines voyelles, par exemple le (o), contribue à l'effet total du poème. Pouvez-vous décrire cet effet?*
8. *Le poème est sensuel — mais comment cette sensualité se fait-elle sentir? Est-elle directe et brutale ou filtrée, adoucie?*
9. *Pourrait-on considérer ce poème comme une sorte de coquetterie, le jeu du poète avec sa propre sensualité? Comment la sensualité est-elle ainsi rendue plus troublante?*

Le Cimetière marin[1]

PAUL VALÉRY (1871–1945)

The poet gazes at the sea from the cemetry at Sète, the town in which Valéry was born. There among the tombs of his ancestors he meditates on the mysteries of time as they were expressed in the paradoxes of the Greek philosopher Zeno. The poem refers to the paradox of the arrow. At every moment of its flight the arrow is in a specific place. But if it is in a specific place then it cannot be moving, that is, changing from one place to another. Hence motion (and by extension all forms of change) is an illusion.

[1] The epigraph to this poem is the following quotation from Pindar:
    "Strive not, dear soul, for eternal life, but exhaust the practicable arts."

I

Ce toit tranquille où marchent des colombes,[2]
Entre les pins palpite, entre les tombes;
Midi le juste[3] y compose de feux
La mer, la mer, toujours recommencée!
O récompense après une pensée   5
Qu'un long regard sur le calme des dieux!

II

Quel pur travail de fins éclairs consume
Maint diamant d'imperceptible écume,
Et quelle paix semble se concevoir!
Quand sur l'abîme un soleil se repose,   10
Ouvrages purs d'une éternelle cause,
Le Temps scintille et le Songe est savoir.

III

Stable trésor, temple simple à Minerve,
Masse de calme, et visible réserve,
Eau sourcilleuse,[4] Oeil qui gardes en toi   15
Tant de sommeil sous un voile de flamme,
O mon silence! . . . Edifice dans l'âme,
Mais comble d'or aux mille tuiles,[5] Toit!

IV

Temple du Temps, qu'un seul soupir résume,
A ce point pur je monte et m'accoutume,   20
Tout entouré de mon regard marin;
Et comme aux dieux mon offrande suprême,
La scintillation sereine sème
Sur l'altitude un dédain[6] souverain.

V

Comme le fruit se fond en jouissance,   25
Comme en délice il change son absence
Dans une bouche où sa forme se meurt,
Je hume ici ma future fumée,[7]
Et le ciel chante à l'âme consumée
Le changement des rives en rumeur.   30

[2] *ce toit . . . colombes:* [the sea]
[3] *Midi le juste:* [the sun at noon is vertical or "straight overhead," hence, *juste*]
[4] frowning
[5] *Mais . . . tuiles:* But golden roof of a thousand tiles
[6] disdain
[7] [He imagines his body changed to smoke, leaving only a trace of its former presence, as an apple in the process of being eaten leaves an aftertaste in the mouth]

VI

Beau ciel, vrai ciel, regarde-moi qui change!
Après tant d'orgueil, après tant d'étrange
Oisiveté, mais pleine de pouvoir,
Je m'abandonne à ce brillant espace,
Sur les maisons des morts mon ombre passe   35
Qui m'apprivoise à son frêle mouvoir.[8]

VII

L'âme exposée aux torches du solstice,
Je te soutiens, admirable justice
De la lumière aux armes sans pitié!
Je te rends pure à ta place première: 40
Regarde-toi!... Mais rendre la lumière
Suppose d'ombre une morne moitié.

VIII

O pour moi seul, à moi seul, en moi-même,
Auprès d'un cœur, aux sources du poème,
Entre le vide et l'événement pur,   45
J'attends l'écho de ma grandeur interne,
Amère, sombre et sonore citerne,[9]
Sonnant dans l'âme un creux toujours futur!

IX

Sais-tu, fausse captive des feuillages,[10]
Golfe mangeur de ces maigres grillages,[11]   50
Sur mes yeux clos, secrets éblouissants,
Quel corps me traîne à sa fin paresseuse,
Quel front l'attire à cette terre osseuse?
Une étincelle y pense à mes absents.

X

Fermé, sacré, plein d'un feu sans matière,   55
Fragment terrestre offert à la lumière,
Ce lieu me plaît, dominé de flambeaux,
Composé d'or, de pierre et d'arbres sombres,
Où tant de marbre est tremblant sur tant
                                    d'ombres;
La mer fidèle y dort sur mes tombeaux!   60

XI

Chienne[12] splendide, écarte l'idolâtre!
Quand solitaire au sourire de pâtre,
Je pais[13] longtemps, moutons mystérieux,
Le blanc troupeau de mes tranquilles tombes,
Eloignes-en les prudentes colombes,   65
Les songes vains, les anges curieux!

XII

Ici venu, l'avenir est paresse.
L'insecte net gratte la sécheresse;
Tout est brûlé, défait, reçu dans l'air
A je ne sais quelle sévère essence...   70
La vie est vaste, étant ivre d'absence,
Et l'amertume est douce, et l'esprit clair.

XIII

Les morts cachés sont bien dans cette terre
Qui les réchauffe et sèche leur mystère.
Midi là-haut, Midi sans mouvement   75
En soi se pense et convient à soi-même...
Tête complète et parfait diadème,
Je suis en toi le secret changement.

XIV

Tui n'as que moi pour contenir tes craintes!
Mes repentirs, mes doutes, mes contraintes   80
Sont le défaut de ton grand diamant!...
Mais dans leur nuit toute lourde de marbres,
Un peuple vague aux racines des arbres
A pris déjà ton parti lentement.

XV

Ils ont fondu dans une absence épaisse,   85
L'argile[14] rouge a bu la blanche espèce,
Le don de vivre a passé dans les fleurs!
Où sont des morts les phrases familières,
L'art personnel, les âmes singulières?
La larve file où se formaient des pleurs.   90

XVI

Les cris aigus des filles chatouillées,[15]
Les yeux, les dents, les paupières mouillés,
Le sein charmant qui joue avec le feu,

---

[8] *Qui ... mouvoir:* Which tames me to its frail movement
[9] cistern
[10] [Why is the sea a "false captive"]?
[11] [Now he and the cemetery are captives]

[12] In this line and the preceding Valéry compares the sea to a dog such as those sculpted on medieval tombs
[13] paître: to graze
[14] clay
[15] tickled

Le sang qui brille aux lèvres qui se rendent,
Les derniers dons, les doigts qui les défendent, 95
Tout va sous terre et rentre dans le jeu!

XVII

Et vous, grande âme, espérez-vous un songe
Qui n'aura plus ces couleurs de mensonge
Qu'aux yeux de chair l'onde et l'or font ici?
Chanterez-vous quand serez vaporeuse? 100
Allez! Tout fuit! Ma présence est poreuse,
La sainte impatience meurt aussi!

XVIII

Maigre immortalité noire et dorée,
Consolatrice affreusement laurée,[16]
Qui de la mort fais un sein maternel, 105
Le beau monsonge et la pieuse ruse!
Qui ne connaît, et qui ne les refuse,
Ce crâne[17] vide et ce rire éternel!

XIX

Pères profonds, têtes inhabitées,
Qui sous le poids de tant de pelletées,[18] 110
Etes la terre et confondez nos pas,
Le vrai rongeur, le ver irréfutable
N'est point pour vous qui dormez sous la table,
Il vit de vie, il ne me quitte pas!

XX

Amour, peut-être, ou de moi-même haine? 115
Sa dente secrète est de moi si prochaine
Que tous les noms lui peuvent convenir!
Qu'importe! Il voit, il veut, il songe, il touche!
Ma chair lui plaît, et jusque sur ma couche,
A ce vivant je vis d'appartenir! 120

XXI

Zénon! Cruel Zénon! Zénon d'Elée!
M'as-tu percé de cette flèche ailée
Qui vibre, vole, et qui ne vole pas!
Le son m'enfante et la flèche me tue!
Ah! le soleil . . . Quelle ombre de tortue 125
Pour l'âme, Achille immobile à grands pas!

[16] laureate [adj.]
[17] skull
[18] shovelsful

XXII

Non, non! . . . Debout! Dans l'ère successive!
Brisez, mon corps, cette forme pensive!
Buvez, mon sein, la naissance du vent!
Une fraîcheur, de la mer exhalée, 130
Me rend mon âme . . . O puissance salée!
Courons à l'onde en rejaillir vivant!

XXIII

Oui! Grande mer de délires douée,
Peau de panthère et chlamyde[19] trouée
De mille et mille idoles du soleil, 135
Hydre[20] absolue, ivre de ta chair bleue,
Qui te remords l'étincelante queue
Dans un tumulte au silence pareil,

XXIV

Le vent se lève! . . . il faut tenter de vivre!
L'air immense ouvre et referme mon livre 140
La vague en poudre ose jaillir des rocs!
Envolez-vous, pages tout éblouies!
Rompez, vagues! Rompez d'eau réjouies
Ce toit tranquille où picoraient des focs![21]

1. *En quel sens la mer est-elle une image ou figure du temps? Voir la strophe 1.*

2. *Le poète se trouve dans le cimetière où ses propres ancêtres sont enterrés. De quelle pensée troublante s'agit-il dans le vers 5?*

3. *Nous avons vu dans "Grenades" que la poèsie est surtout une prise de conscience de soi par le poète. La rêverie qui précède cette prise de conscience est peut-être le songe du vers 12. En quel sens donc ce songe est-il savoir?*

4. *Faites une liste des différentes métaphores pour la mer dans les strophes 2 et 3.*

5. *Est-ce que l'image employée par le poète, dans la strophe 5, pour parler de sa mort, est pénible ou désagréable? Comment a-t-il déjà donné, dans les strophes précédentes, une image sublime et noble de la mort (par ex. Temple du Temps)?*

[19] [Greek]: mantle
[20] hydra. [Mythical monster with many heads. When one was cut off, two grew in its place]
[21] *où picoraient des focs*: where jib-sails were pecking

6. *Dans la strophe 7, le poète regarde le soleil en face sans broncher. Mais, en se comparant au soleil, il revient au theme de la mort. Comment et par quelle image?*

7. *Dans la strophe 8 nous voyons l'intérêt que Valéry ne cesse de porter à la création poétique. Comment décrit-il ce mouvement de l'âme d'ou naît le poème?*

8. *Considérez les mots l'écho et un creux dans les vers 46 et 48. Quel rapport y a-t-il entre la mort et la poésie?*

9. *Expliquez les vers 49 et 50.*

10. *De quelle autre captivité s'agit-il dans le reste de la strophe?*

11. *Pourquoi, dans le vers 61, compare-t-il la mer à une chienne?*

12. *Jusqu'au vers 66, le ton du poème a été résolument païen. Maintenant le poète parle des anges. Pourquoi veut-il les éloigner? Refuse-t-il les consolations du christianisme?*

13. *Les morts sont-ils inquiets? Semblent-ils demander une vie éternelle (strophe 13)?*

14. *Expliquez les vers 77 et 78.*

15. *D'après la strophe 14, quel est le rôle de l'homme vivant dans l'ordre éternel et fixe de l'univers? Est-ce que les morts sont du côté du mouvement ou de l'ordre?*

16. *Expliquez où se formaient des pleurs (vers 90).*

17. *Qu'est-ce que le poète nie, dans la strophe 17, en parlant à sa propre âme?*

18. *Quel est le paradoxe du vers 108?*

19. *Maintenant comparez le ton affectif de la strophe 5 à celui de la strophe 18. Comment expliquez-vous ce paradoxe: que le poète trouve la mort plus agréable que l'immortalité?*

20. *Quelle est la véritable souffrance de l'homme? Est-ce la mort (strophes 19–20)?*

21. *Expliquez le paradoxe de la vie humaine et le temps humain d'après le paradoxe de Zénon et la strophe 21.*

22. *Sa méditation ayant abouti à une sorte d'impasse, comment le poète essaie-t-il de sortir de son angoisse? A quoi fait-il appel?*

23. *Le verbe qui domine la dernière strophe est Rompez. Qu'est-ce qui est rompu? Est-ce seulement la surface de la mer?*

24. *Commentez cette formule dans le vers 139: il faut tenter de vivre. Quelles sont les différentes significations qu'on peut lui donner? Pourquoi tenter de vivre et non tout simplement vivre? En quel sens est-ce la solution du poème? Discutez les differents paradoxes proposés par ce poème en essayant de les résoudre avec cette formule.*

II
FICTION

FICTION

Fiction is the prose narration of imaginary events. The fiction writer (romancier, conteur,) seeks to achieve his artistic ends through the manipulation not only of language but of events. The story, or the sequence of events, is of first importance. This is not to discount the importance of language or style. The story is conveyed through language and the difference between the ordinary recounting of a tale and an artistic rendition of it is a matter of style, or of that aspect of style which might be called the texture (French: étoffe)* or verbal vehicle of the pattern of events.

Etymologically, event (l'événement) means "a happening coming out of a situation or other happening". That is, event is process or action. Though a good writer makes us forget that it is so, this process or action is a deliberate construction having a beginning, a middle, and an end; it has a structure (la structure). Moreover, this construction develops more or less rigorously from a guiding technical principle which we call point of view (point de vue), that is, the angle from which events are presented to us. The choice of the point of view (first-person, third-person, or some modification or combination of both) affects:

the scale of events (la densité)*—how much happens?

the development of character (le caractère)—do we get to know the people of the story very well?

the pace of narration (la cadence)*—does the author linger over certain events or situations or characters? Does he digress in his own right?

the time scheme of the action (le temps)—do events take place over a period of minutes, hours, months, years, etc.? Is the flow of time regular?

the importance of the setting (le décor)—are places described very concretely?

the elucidation of the theme (le thème)—is the author explicit about his reasons for telling the story: to point a moral, to amuse, etc.?

the tone of the narration (le ton)—does the writer bring out through rhetorical effects of exaggeration, contrast, etc., a specific emotional quality that modifies or conditions the story? Is his language affective or analytical, concrete or abstract?

For example, in La Mauvaise Mère *(pp. 127–132) Marmontel adopts the stable point of view of an all-knowing, sententious and sentimental observer. He introduces himself in the first paragraph, declaring his frankly moralistic purpose and conveying his sentimental attitude, then withdraws for all practical purposes behind the narration of events in which he has no part. Yet, although he does not return to his first-person commentary until the final paragraph, his moralizing presence is felt throughout the story. Because he avowedly wishes to demonstrate a mother's blind love for an unworthy son and her rejection of the more deserving child, the narrator must give repeated examples if the charge is to be convincing. The scale of events is rather broad. Further, there is no need to develop the character of any of the people involved, for Mme Corée and her two sons are never meant to be taken as very real, being simply personnifications of various vices and virtues. Nor is it necessary to situate these people in a realistic setting: there is no predetermined relationship between milieu and character—L'Etang would be a ne'er-do-well wherever he found himself and Jacquaut a man of unparalleled virtue wherever he found himself. Again, the pace of narration is appropriately quite rapid, coinciding almost exactly with the scale of events.*

---

* a usage of the word which does not ordinarily occur in French, but which we adopt for critical purposes

This rapidity is consistent with the author's avowed purpose to illustrate a thesis; were he to linger over motives of character or ramify the effects of the action upon others, his tale would shift in emphasis from the didactic to the psychological and sociological. As a matter of fact, the single weakness of La Mauvaise Mère *lies in those few occasions in which Marmontel slows up the pace of narration in a sentimental development of Mme Corée's cruelty (the sick-bed scene when she takes Jacquaut for L'Etang) and of her remorse (the scene of Jacquaut's triumphant return). The discrepancy between scale of events and pace of narration, in fact, accounts for the weakness in many otherwise successful works of fiction: writers often indulge in long essayistic digressions or frequent personal comments which destroy the illusion of reality they have established. (One way to bring these two elements into more successful relationship is to suit the pace of narration to some character's experience of a given event. Thus we see once again the importance of the proper choice of the point of view from which the story is to be told.) The time scheme of* La Mauvaise Mère *is also necessarily quite broad (the lifetime of Mme Corée) in order for Marmontel to prove his thesis of the mother's persistent blindness and the sons' respective vice and virtue. Finally, we may say that the statement of theme of Marmontel's story is necessarily explicit, the point of view being avowedly moralistic and didactic. Not surprisingly, the tone is that of an insistent and sentimental schoolmistress.*

Didactic tales like La Mauvaise Mère *lie at one end of what we might call the fictional stream, while at the other end lie those tales which place primary emphasis upon event for its own sake, for what is sometimes called the "re-creation of felt life". Such works tend in varying degrees toward an ideal of pure fiction. Of course, these poles of the didactic and the pure are critical conveniences and no single work ever lies totally in an extreme. Yet the tendency toward a pure fiction as an ideal points up some of the intrinsic problems of the writer of fiction. How can he conceal his narrative presence or at least justify the reader's awareness of his presence? Does he best succeed by adopting the point of view of an actual participant? Is first-person narration the best way of doing this? (Remember that Marmontel's point of view is that of the first person.) In a pure fiction, does the time scheme coincide with the pace of narration? That is, if it takes two hours to tell a story, should only the events of two hours—or the reactions to them of a given participant or observer—be narrated? is a didactic point of view at all possible in a pure fiction? Such questions should guide you in your evaluation of the works of fiction you are about to read.*

La Comtesse de Tende

MADAME DE LAFAYETTE (1634–1693)

Nouvelle Historique

Mademoiselle de Strozzi, fille du maréchal et proche parente de Catherine de Médicis, épousa, la première année de la Régence de cette reine, le comte de Tende, de la maison de Savoie, riche, bien fait, le seigneur de la cour qui vivait avec le plus d'éclat et plus propre à se faire estimer qu'à plaire. Sa femme néanmoins l'aima d'abord avec passion. Elle était fort jeune; il ne la regarda que comme une enfant, et il fut bientôt amoureux d'une autre. La comtesse de Tende, vive, et d'une race italienne, devint jalouse; elle ne se donnait point de repos; elle n'en laissait point à son mari; il évita sa présence et ne vécut plus avec elle comme l'on vit avec sa femme.

La beauté de la comtesse augmenta; elle fit paraître beaucoup d'esprit; le monde la regarda avec admiration; elle fut occupée d'elle-même et guérit insensiblement de sa jalousie et de sa passion.

Elle devint l'amie intime de la princesse de Neufchâtel, jeune, belle et veuve du prince de ce nom, qui
lui avait laissé en mourant cette souveraineté qui la
rendait le parti de la cour le plus élevé et le plus brillant.

Le chevalier de Navarre, descendu des anciens
souverains de ce royaume, était aussi alors jeune, beau,
plein d'esprit et d'élévation; mais la fortune ne lui avait
donné d'autre bien que la naissance. Il jeta les yeux sur
la princesse de Neufchâtel, dont il connaissait l'esprit,
comme sur une personne capable d'un attachement   10
violent et propre à faire la fortune d'un homme comme
lui. Dans cette vue, il s'attacha à elle sans en être amoureux et attira son inclination: il en fut souffert, mais il
se trouva encore bien éloigné du succès qu'il désirait.
Son dessein était ignoré de tout le monde; un seul de
ses amis en avait la confidence et cet ami était aussi
intime ami du comte de Tende. Il fait consentir le
chevalier de Navarre à confier son secret au comte, dans
la vue qu'il l'obligerait à le servir auprès de la princesse
de Neufchâtel. Le comte de Tende aimait déjà le   20
chevalier de Navarre; il en parla à sa femme, pour qui
il commençait à avoir plus de considération et l'obligea, en effet, de faire ce qu'on désirait.

La princesse de Neufchâtel lui avait déjà fait confidence de son inclination pour le chevalier de Navarre;
cette comtesse la fortifia. Le chevalier la vint voir, il
prit des liaisons et des mesures avec elle; mais, en la
voyant, il prit aussi pour elle une passion violente. Il
ne s'y abandonna pas d'abord; il vit les obstacles que
ces sentiments partagés entre l'amour et l'ambition   30
apporteraient à son dessein; il résista; mais, pour
résister, il ne fallait pas voir souvent la comtesse de
Tende et il la voyait tous les jours en cherchant la
princesse de Neufchâtel; ainsi il devint éperdument
amoureux de la comtesse. Il ne put lui cacher entièrement sa passion; elle s'en aperçut; son amour-propre
en fut flatté et elle se sentit un amour violent pour lui.

Un jour, comme elle lui parlait de la grande
fortune d'épouser la princesse de Neufchâtel, il lui dit en
la regardant d'un air où sa passion était entièrement   40
déclarée: Et croyez-vous, madame, qu'il n'y ait point de
fortune que je préférasse à celle d'épouser cette princesse? La comtesse de Tende fut frappée des regards et
des paroles du chevalier; elle le regarda des mêmes
yeux dont il la regardait, et il y eut un trouble et un
silence entre eux, plus parlant que les paroles. Depuis ce
temps, la comtesse fut dans une agitation qui lui ôta
le repos; elle sentit le remords d'ôter à son amie le
cœur d'un homme qu'elle allait épouser uniquement

pour en être aimée, qu'elle épousait avec l'improbation[1]
de tout le monde, et aux dépens de son élévation.[2]

Cette trahison lui fit horreur. La honte et les malheurs d'une galanterie se présentèrent à son esprit;
elle vit l'abîme où elle se précipitait et elle résolut de
l'éviter.

Elle tint mal ses résolutions. La princesse était
presque déterminée à épouser le chevalier de Navarre;
néanmoins elle n'était pas contente de la passion qu'il
avait pour elle et, au travers de celle qu'elle avait pour
lui et du soin qu'il prenait de la tromper, elle démêlait
la tiédeur de ses sentiments. Elle s'en plaignit à la comtesse de Tende; cette comtesse la rassura; mais les plaintes de Mᵐᵉ de Neufchâtel achevèrent de troubler la
comtesse; elles lui firent voir l'étendue de sa trahison,
qui coûterait peut-être la fortune de son amant. La
comtesse l'avertit des défiances de la princesse. Il lui
témoigna de l'indifférence pour tout, hors d'être aimé
d'elle; néanmoins il se contraignit par ses ordres et
rassura si bien la princesse de Neufchâtel qu'elle fit voir
à la comtesse de Tende qu'elle était entièrement
satisfaite du chevalier de Navarre.

La jalousie se saisit alors de la comtesse. Elle
craignit que son amant n'aimât véritablement la
princesse; elle vit toutes les raisons qu'il avait de
l'aimer; leur mariage, qu'elle avait souhaité, lui fit
horreur, elle ne voulait pourtant pas qu'il le rompît,
et elle se trouvait dans une cruelle incertitude. Elle laissa
voir au chevalier tous ses remords sur la princesse de
Neufchâtel; elle résolut seulement de lui cacher sa
jalousie et crut en effet la lui avoir cachée.

La passion de la princesse surmonta enfin toutes
ses irrésolutions; elle se détermina à son mariage et se
résolut de le faire secrètement et de ne le déclarer que
quand il serait fait.

La comtesse de Tende était prête à expirer de douleur. Le même jour qui fut pris pour le mariage, il y
avait une cérémonie publique; son mari y assista. Elle
y envoya toutes ses femmes; elle fit dire qu'on ne la
voyait pas et s'enferma dans son cabinet, couchée sur
un lit de repos et abandonnée à tout ce que les remords,
l'amour et la jalousie peuvent faire sentir de plus cruel.

Comme elle était dans cet état, elle entendit
ouvrir une porte dérobée de son cabinet et vit paraître
le chevalier de Navarre, paré et d'une grâce au-dessus
de ce qu'elle ne l'avait jamais vu: Chevalier, où allez-

[1] disapproval
[2] high social position

vous? s'écria-t-elle, que cherchez-vous? Avez-vous perdu la raison? Qu'est devenu votre mariage, et songez-vous à ma réputation? Soyez en repos de votre réputation, madame, lui répondit-il; personne ne le peut savoir; il n'est pas question de mon mariage; il ne s'agit plus de ma fortune, il ne s'agit que de votre cœur, madame, et d'être aimé de vous; je renonce à tout le reste. Vous m'avez laissé voir que vous ne me haïssiez pas, mais vous m'avez voulu cacher que je suis assez heureux pour que mon mariage vous fasse de la peine. Je viens vous dire, madame, que j'y renonce, que ce mariage me serait un supplice[3] et que je ne veux vivre que pour vous. L'on m'attend à l'heure que je vous parle, tout est prêt, mais je vais tout rompre, si, en le rompant, je fais une chose qui vous soit agréable et qui vous prouve ma passion.

La comtesse se laissa tomber sur un lit de repos, dont elle s'était relevée à demi et, regardant le chevalier avec des yeux pleins d'amour et de larmes: Vous voulez donc que je meure? lui dit-elle. Croyez-vous qu'un cœur puisse contenir tout ce que vous me faites sentir? Quitter à cause de moi la fortune qui vous attend! je n'en puis seulement supporter la pensée. Allez à Mme la princesse de Neufchâtel, allez à la grandeur qui vous est destinée; vous aurez mon cœur en même temps. Je ferai de mes remords, de mes incertitudes et de ma jalousie, puisqu'il faut vous l'avouer, tout ce que ma faible raison me conseillera; mais je ne vous verrai jamais si vous n'allez tout à l'heure achever votre mariage. Allez, ne demeurez pas un moment, mais, pour l'amour de moi et pour l'amour de vous-même, renoncez à une passion aussi déraisonnable que celle que vous me témoignez et qui nous conduira peut-être à d'horribles malheurs.

Le chevalier fut d'abord transporté de joie de se voir si véritablement aimé de la comtesse de Tende; mais l'horreur de se donner à une autre lui revint devant les yeux. Il pleura, il s'affligea, il lui promit tout ce qu'elle voulut, à condition qu'il la reverrait encore dans ce même lieu. Elle voulut savoir, avant qu'il sortît, comment il y était entré. Il lui dit qu'il s'était fié à un écuyer[4] qui était à elle, et qui avait été à lui, qu'il l'avait fait passer par la cour des écuries où répondait le petit degré[5] qui menait à ce cabinet et qui répondait aussi à la chambre de l'écuyer.

Cependant, l'heure du mariage approchait et le chevalier, pressé par la comtesse de Tende, fut enfin contraint de s'en aller. Mais il alla, comme au supplice, à la plus grande et à la plus agréable fortune où un cadet[6] sans bien eût été jamais élevé. La comtesse de Tende passa la nuit, comme on se le peut imaginer, agitée par ses inquiétudes; elle appela ses femmes sur le matin et, peu de temps après que sa chambre fut ouverte, elle vit son écuyer s'approcher de son lit et mettre une lettre dessus, sans que personne s'en aperçût. La vue de cette lettre la troubla et, parce qu'elle la reconnut être du chevalier de Navarre, et parce qu'il était si peu vraisemblable que, pendant cette nuit qui devait avoir été celle de ses noces, il eût eu le loisir de lui écrire, qu'elle craignit qu'il n'eût apporté, ou qu'il ne fût arrivé quelques obstacles à son mariage. Elle ouvrit la lettre avec beaucoup d'émotion et y trouva à peu près ces paroles:

« Je ne pense qu'à vous, madame, je ne suis occupé que de vous; et dans les premiers moments de la possession légitime du plus grand parti de France, à peine le jour commence à paraître que je quitte la chambre où j'ai passé la nuit, pour vous dire que je me suis déjà repenti mille fois de vous avoir obéi et de n'avoir pas tout abandonné pour ne vivre que pour vous. »

Cette lettre, et les moments où elle était écrite, touchèrent sensiblement la comtesse de Tende; elle alla dîner chez la princesse de Neufchâtel, qui l'en avait priée. Son mariage était déclaré. Elle trouva un nombre infini de personnes dans la chambre; mais, sitôt que cette princesse la vit, elle quitta tout le monde et la pria de passer dans son cabinet. A peine étaient-elles assises, que le visage de la princesse se couvrit de larmes. La comtesse crut que c'était l'effet de la déclaration de son mariage et qu'elle la trouvait plus difficile à supporter qu'elle ne l'avait imaginé; mais elle vit bientôt qu'elle se trompait. Ah! madame, lui dit la princesse, qu'ai-je fait? J'ai épousé un homme par passion; j'ai fait un mariage inégal, désapprouvé, qui m'abaisse; et celui que j'ai préféré à tout en aime une autre! La comtesse de Tende pensa s'évanouir à ces paroles; elle crut que la princesse ne pouvait avoir pénétré la passion de son mari sans en avoir aussi démêlé la cause; elle ne put répondre. La princesse de Navarre (on l'appela ainsi depuis son mariage) n'y prit

---

[3] torture
[4] groom
[5] stairway

[6] younger son [The practice of primogeniture required that the eldest son of a family receive the entire fortune]

pas garde et, continuant: M. le prince de Navarre, lui dit-elle, madame, bien loin d'avoir l'impatience que lui devait donner la conclusion de notre mariage, se fit attendre hier au soir. Il vint sans joie, l'esprit occupé et embarrassé; il est sorti de ma chambre à la pointe du jour sur je ne sais quel prétexte. Mais il venait d'écrire; je l'ai connu à ses mains. A qui pouvait-il écrire qu'à une maîtresse? Pourquoi se faire attendre, et de quoi avait-il l'esprit embarrassé?

L'on vint dans le moment interrompre cette con- 10 versation, parce que la princesse de Condé arrivait; la princesse de Navarre alla la recevoir et la comtesse de Tende demeura hors d'elle-même. Elle écrivit dès le soir au prince de Navarre pour lui donner avis des soupçons de sa femme et pour l'obliger à se contraindre. Leur passion ne se ralentit pas par les périls et par les obstacles; la comtesse de Tende n'avait point de repos et le sommeil ne venait plus adoucir ses chagrins. Un matin, après qu'elle eut appelé ses femmes, son écuyer s'approcha d'elle et lui dit tout bas que le prince de 20 Navarre était dans son cabinet et qu'il la conjurait qu'il lui pût dire une chose qu'il était absolument nécessaire qu'elle sût. L'on cède aisément à ce qui plaît; la comtesse savait que son mari était sorti; elle dit qu'elle voulait dormir et dit à ses femmes de refermer ses portes et de ne point revenir qu'elle ne les appelât.

Le prince de Navarre entra par ce cabinet et se jeta à genoux devant son lit. Qu'avez-vous à me dire? lui dit-elle. Que je vous aime, madame, que je vous adore, que je ne saurais vivre avec Mme de Navarre. Le désir 30 de vous voir s'est saisi de moi ce matin avec une telle violence que je n'ai pu y résister. Je suis venu ici au hasard de tout ce qui pourrait en arriver et sans espérer même de vous entretenir.[7] La comtesse le gronda d'abord de la commettre si légèrement et ensuite leur passion les conduisit à une conversation si longue que le comte de Tende revint de la ville. Il alla à l'appartement de sa femme; on lui dit qu'elle n'était pas éveillée. Il était tard; il ne laissa pas d'entrer dans sa chambre et trouva le prince de Navarre à genoux devant son lit, 40 comme il s'était mis d'abord. Jamais étonnement ne fut pareil à celui du comte de Tende, et jamais trouble n'égala celui de sa femme; le prince de Navarre conserva seul de la présence d'esprit et, sans se troubler ni se lever de la place: Venez, venez, dit-il au comte de

Tende, m'aider à obtenir une grâce que je demande à genoux et que l'on me refuse.

Le ton et l'air du prince de Navarre suspendit l'étonnement du comte de Tende. Je ne sais, lui répondit-il du même ton qu'avait parlé le prince, si une grâce que vous demandez à genoux à ma femme, quand on dit qu'elle dort et que je vous trouve seul avec elle, et sans carrosse à ma porte, sera de celles que je souhaiterais qu'elle vous accorde. Le prince de Navarre, rassuré et hors de l'embarras du premier moment, se leva, s'assit avec une liberté entière, et la comtesse de Tende, tremblante et éperdue,[8] cacha son trouble par l'obscurité du lieu où elle était. Le prince de Navarre prit la parole et dit au comte:

— Je vais vous surprendre, vous m'allez blâmer, mais il faut néanmoins me secourir. Je suis amoureux et aimé de la plus aimable personne de la cour; je me dérobai[9] hier au soir de chez la princesse de Navarre et de tous mes gens pour aller à un rendez-vous où cette personne m'attendait. Ma femme, qui a déjà démêle[10] que je suis occupé d'autre chose que d'elle, et qui a de l'attention à ma conduite, a su par mes gens que je les avais quittés; elle est dans une jalousie et un désespoir dont rien n'approche. Je lui ai dit que j'avais passé les heures qui lui donnaient de l'inquiétude, chez la maréchale [de] Saint-André, qui est incommodée et qui ne voit presque personne; je lui ai dit que Mme la comtesse de Tende y était seule et qu'elle pouvait lui demander si elle ne m'y avait pas vu tout le soir. J'ai pris le parti de venir me confier à Mme la comtesse. Je suis allé chez la Châtre,[11] qui n'est qu'à trois pas d'ici; j'en suis sorti sans que mes gens m'aient vu et on m'a dit que madame était éveillée. Je n'ai trouvé personne dans son antichambre et je suis entré hardiment. Elle me refuse de mentir en ma faveur; elle dit qu'elle ne veut pas trahir son amie et me fait des réprimandes très sages: je me les suis faites à moi-même inutilement. Il faut ôter à Mme la princesse de Navarre l'inquiétude et la jalousie où elle est, et me tirer du mortel embarras de ses reproches.

La comtesse de Tende ne fut guère moins surprise de la présence d'esprit du prince qu'elle l'avait été de la

[7] *sans ... entretenir:* without even hoping to speak to you

[8] distraught
[9] slipped away (from)
[10] *qui ... démêlé:* who has already perceived [*démêler:* to untangle]
[11] member of the nobility

venue de son mari ; elle se rassura et il ne demeura pas le moindre doute au comte. Il se joignit à sa femme pour faire voir au prince l'abîme des malheurs où il s'allait plonger et ce qu'il devait à cette princesse ; la comtesse promit de lui dire tout ce que voulait son mari.

Comme il allait sortir, le comte l'arrêta : Pour récompense du service que nous vous allons rendre aux dépens de la vérité, apprenez-nous du moins quelle est cette aimable maîtresse. Il faut que ce ne soit pas une personne fort estimable de vous aimer et de conserver 10 avec vous un commerce,[12] vous voyant embarqué avec une personne aussi belle que Mme la princesse de Navarre, vous la voyant épouser et voyant ce que vous lui devez. Il faut que cette personne n'ait ni esprit, ni courage, ni délicatesse et, en vérité, elle ne mérite pas que vous troubliez un aussi grand bonheur que le vôtre et que vous vous rendiez si ingrat et si coupable. Le prince ne sut que répondre ; il feignit d'avoir hâte. Le comte de Tende le fit sortir lui-même afin qu'il ne fût pas vu. 20

La comtesse demeura éperdue du hasard qu'elle avait couru, des réflexions que faisaient faire les paroles de son mari et de la vue des malheurs où sa passion l'exposait ; mais elle n'eut pas la force de s'en dégager. Elle continua son commerce avec le prince ; elle le voyait quelquefois par l'entremise de La Lande, son écuyer. Elle se trouvait et était en effet une des plus malheureuses personnes du monde. La princesse de Navarre lui faisait tous les jours confidence d'une jalousie dont elle était la cause ; cette jalousie la pénétrait de remords 30 et, quand la princesse de Navarre était contente de son mari, elle-même était pénétrée de jalousie à son tour.

Il se joignit un nouveau tourment à ceux qu'elle avait déjà : le comte de Tende devint aussi amoureux d'elle que si elle n'eût point été sa femme ; il ne la quittait plus et voulait reprendre tous ses droits méprisés.

La comtesse s'y opposa avec une force et une aigreur qui allaient jusqu'au mépris : prévenue[13] pour le prince de Navarre, elle était blessée et offensée de 40 toute autre passion que de la sienne. Le comte de Tende sentit son procédé[14] dans toute sa dureté et, piqué jusqu'au vif, il l'assura qu'il ne l'importunerait

de sa vie et, en effet, il la laissa avec beaucoup de sécheresse.

La campagne s'approchait ; le prince de Navarre devait partir pour l'armée. La comtesse de Tende commença à sentir les douleurs de son absence et la crainte des périls où il serait exposé ; elle résolut de se dérober à la contrainte de cacher son affliction et prit le parti d'aller passer la belle saison dans une terre qu'elle avait à trente lieues de Paris.

Elle exécuta ce qu'elle avait projeté ; leur adieu fut si douloureux qu'ils en devaient tirer l'un et l'autre un mauvais augure.[15] Le comte de Tende demeura auprès du roi, où il était attaché par sa charge.

La cour devait s'approcher de l'armée ; la maison de Mme de Tende n'en était pas bien loin ; son mari lui dit qu'il y ferait un voyage d'une nuit seulement pour des ouvrages qu'il avait commencés. Il ne voulut pas qu'elle pût croire que c'était pour la voir ; il avait contre elle tout le dépit[16] que donnent les passions. Mme de Tende avait trouvé dans les commencements le prince de Navarre si plein de respect et elle s'était senti tant de vertu qu'elle ne s'était défiée ni de lui, ni d'elle-même. Mais le temps et les occasions avaient triomphé de sa vertu et du respect et, peu de temps après qu'elle fut chez elle, elle s'aperçut qu'elle était grosse.[17] Il ne faut que faire réflexion à la réputation qu'elle avait acquise et conservée et à l'état où elle était avec son mari, pour juger de son désespoir. Elle fut pressée plusieurs fois d'attenter à sa vie ;[18] cependant elle conçut quelque légère espérance sur le voyage que son mari devait faire auprès d'elle, et résolut d'en attendre le succès. Dans cet accablement, elle eut encore la douleur d'apprendre que La Lande, qu'elle avait laissé à Paris pour les lettres de son amant et les siennes, était mort en peu de jours, et elle se trouvait dénuée de tout secours, dans un temps où elle en avait tant de besoin.

Cependant l'armée avait entrepris un siège. Sa passion pour le prince de Navarre lui donnait de continuelles craintes, même au travers des mortelles horreurs dont elle était agitée.

Ses craintes ne se trouvèrent que trop bien fondées ; elle reçut des lettres de l'armée ; elle y apprit la fin du siège, mais elle apprit aussi que le prince de Navarre

---

[12] *conserver . . . commerce:* maintain a relationship with you
[13] predisposed toward
[14] her conduct

[15] *un . . . augure:* an ominous sign
[16] resentment
[17] pregnant
[18] to attempt suicide

avait été tué le dernier jour. Elle perdit la connaissance et la raison; elle fut plusieurs fois privée de l'une et de l'autre. Cet excès de malheur lui paraissait dans des moments une espèce de consolation. Elle ne craignait plus rien pour son repos, pour sa réputation, ni pour sa vie; la mort seule lui paraissait désirable: elle l'espérait de sa douleur ou était résolue de se la donner. Un reste de honte l'obligea à dire qu'elle sentait des douleurs excessives, pour donner un prétexte à ses cris et à ses larmes. Si mille adversités la firent retourner 10 sur elle-même, elle vit qu'elle les avait méritées, et la nature et le christianisme la détournèrent d'être homicide d'elle-même et suspendirent l'exécution de ce qu'elle avait résolu.

Il n'y avait pas longtemps qu'elle était dans ces violentes douleurs, lorsque le comte de Tende arriva. Elle croyait connaître tous les sentiments que son malheureux état lui pouvait inspirer; mais l'arrivée de son mari lui donna encore un trouble et une confusion qui lui fut nouvelle. Il sut en arrivant qu'elle était malade 20 et, comme il avait toujours conservé des mesures d'honnêteté aux yeux du public et de son domestique, il vint d'abord dans sa chambre. Il la trouva comme une personne hors d'elle-même, comme une personne égarée et elle ne put retenir ses larmes, qu'elle attribuait toujours aux douleurs qui la tourmentaient. Le comte de Tende, touché de l'état où il la voyait, s'attendrit pour elle et, croyant faire quelque diversion à ses douleurs, il lui parla de la mort du prince de Navarre et de l'affliction de sa femme. 30

Celle de Mme de Tende ne put résister à ce discours; ses larmes redoublèrent d'une telle sorte que le comte de Tende en fut surpris et presque éclairé; il sortit de la chambre plein de trouble et d'agitation; il lui sembla que sa femme n'était pas dans l'état que causent les douleurs du corps; ce redoublement de larmes, lorsqu'il lui avait parlé de la mort du prince de Navarre, l'avait frappé et, tout d'un coup, l'aventure de l'avoir trouvé à genoux devant son lit se présenta à son esprit. Il se souvint du procédé qu'elle avait eu avec lui, lorsqu'il 40 avait voulu retourner à elle, et enfin il crut voir la vérité; mais il lui restait néanmoins ce doute que l'amour -propre[19] nous laisse toujours pour les choses qui coûtent trop cher à croire.

Son désespoir fut extrême, et toutes ses pensées

furent violentes; mais comme il était sage, il retint ses premiers mouvements et résolut de partir le lendemain à la pointe du jour sans voir sa femme, remettant au temps à lui donner plus de certitude et à prendre ses résolutions.

Quelque abîmée que fût Mme de Tende dans sa douleur, elle n'avait pas laissé de s'apercevoir du peu de pouvoir qu'elle avait eu sur elle-même et de l'air dont son mari était sorti de sa chambre; elle se douta d'une partie de la vérité et, n'ayant plus que de l'horreur pour sa vie, elle se résolut de la perdre d'une manière qui ne lui ôtât pas l'espérance de l'autre.

Après avoir examiné ce qu'elle allait faire, avec des agitations mortelles, pénétrée de ses malheurs et du repentir de sa vie, elle se détermina enfin à écrire ces mots à son mari:

« *Cette lettre me va coûter la vie; mais je mérite la mort et je la désire. Je suis grosse. Celui qui est la cause de mon malheur n'est plus au monde, aussi bien que le seul homme qui savait notre commerce; le public ne l'a jamais soupçonné. J'avais résolu de finir ma vie par mes mains, mais je l'offre à Dieu et à vous pour l'expiation de mon crime. Je n'ai pas voulu me déshonorer aux yeux du monde, parce que ma réputation vous regarde; conservez-la pour l'amour de vous. Je vais faire paraître l'état où je suis; cachez-en la honte et faites-moi périr quand vous voudrez et comme vous le voudrez.* »

Le jour commençait à paraître lorsqu'elle eut écrit cette lettre, la plus difficile à écrire qui ait peut-être jamais été écrite; elle la cacheta,[20] se mit à la fenêtre et, comme elle vit le comte de Tende dans la cour, prêt à monter en carrosse, elle envoya une de ses femmes la lui porter et lui dire qu'il n'y avait rien de pressé et qu'il la lût à loisir. Le comte de Tende fut surpris de cette lettre; elle lui donna une sorte de pressentiment, non pas de tout ce qu'il y devait trouver, mais de quelque chose qui avait rapport à ce qu'il avait pensé la veille. Il monta seul en carrosse, plein de trouble et n'osant même ouvrir la lettre, quelque impatience qu'il eût de la lire; il la lut enfin et apprit son malheur; mais que ne pensa-t-il point après l'avoir lue! S'il eût eu des témoins, le violent état où il était l'aurait fait croire privé de raison ou prêt de perdre la vie. La jalousie et les soupçons bien fondés préparent d'ordinaire les maris à

---

[19] pride, self-love

[20] *elle . . . cacheta:* she sealed it

leurs malheurs; ils ont même toujours quelques doutes, mais ils n'ont pas cette certitude que donne l'aveu, qui est au-dessus de nos lumières.

Le comte de Tende avait toujours trouvé sa femme très aimable, quoiqu'il ne l'eût pas également aimée; mais elle lui avait toujours paru la plus estimable femme qu'il eût jamais vue; ainsi, il n'avait pas moins d'étonnement que de fureur et, au travers de l'un et de l'autre, il sentait encore, malgré lui, une douleur où la tendresse avait quelque part.

Il s'arrêta dans une maison qui se trouva sur son chemin, où il passa plusieurs jours, agité et affligé, comme on peut se l'imaginer. Il pensa d'abord tout ce qu'il était naturel de penser en cette occasion; il ne songea qu'à faire mourir sa femme, mais la mort du prince de Navarre et celle de La Lande, qu'il reconnut aisément pour le confident, ralentit[21] un peu sa fureur. Il ne douta pas que sa femme ne lui eût dit vrai, en lui disant que son commerce n'avait jamais été soupçonné; il jugea que le mariage du prince de Navarre 20 pouvait avoir trompé tout le monde, puisqu'il avait été trompé lui-même. Après une conviction si grande que celle qui s'était présentée à ses yeux, cette ignorance entière du public pour son malheur lui fut un adoucissement,[22] mais les circonstances, qui lui faisaient voir à quel point et de quelle manière il avait été trompé, lui perçaient le cœur, et il ne respirait que la vengeance. Il pensa néanmoins que, s'il faisait mourir sa femme et que l'on s'aperçût qu'elle fût grosse, l'on soupçonnerait aisément la vérité. Comme il était l'homme du monde 30 le plus glorieux,[23] il prit le parti qui convenait le mieux à sa gloire et résolut de ne rien laisser voir au public. Dans cette pensée, il envoya un gentilhomme à la comtesse de Tende, avec ce billet:

« *Le désir d'empêcher l'éclat de ma honte l'emporte présentement sur ma vengeance; je verrai, dans la suite, ce que j'ordonnerai de votre indigne destinée. Conduisez-vous comme si vous aviez toujours été ce que vous deviez être.* »

La comtesse reçut ce billet avec joie; elle le croyait 40 l'arrêt de sa mort et, quand elle vit que son mari consentait qu'elle laissât paraître sa grossesse, elle sentit bien que la honte est la plus violente de toutes les passions. Elle se trouva dans une sorte de calme de se croire assurée de mourir et de voir sa réputation en

[21] abated
[22] solace
[23] *l'homme ... glorieux:* the vainest of men

sûreté; elle ne songea plus qu'à se préparer à la mort; et, comme c'était une personne dont tous les sentiments étaient vifs, elle embrassa la vertu et la pénitence avec la même ardeur qu'elle avait suivi sa passion. Son âme était, d'ailleurs, détrompée et noyée dans l'affliction; elle ne pouvait arrêter les yeux sur aucune chose de cette vie qui ne lui fût plus rude que la mort même; de sorte qu'elle ne voyait de remède à ses malheurs que par la fin de sa malheureuse vie. Elle passa quelque temps en cet 10 état, paraissant plutôt une personne morte qu'une personne vivante. Enfin, vers le sixième mois de sa grossesse, son corps succomba, la fièvre continue lui prit et elle accoucha par la violence de son mal. Elle eut la consolation de voir son enfant en vie, d'être assurée qu'il ne pouvait vivre et qu'elle ne donnait pas un héritier illégitime à son mari. Elle expira elle-même peu de jours après et reçut la mort avec une joie que personne n'a jamais ressentie; elle chargea son confesseur d'aller porter à son mari la nouvelle de sa mort, de lui 20 demander pardon de sa part et de le supplier d'oublier sa mémoire, qui ne lui pouvait être qu'odieuse.

Le comte de Tende reçut cette nouvelle sans inhumanité, et même avec quelques sentiments de pitié, mais néanmoins avec joie. Quoiqu'il fût fort jeune, il ne voulut jamais se remarier, et il a vécu jusqu'à un âge fort avancé.

1. *De quel point de vue voit-on l'action—celui d'un observateur (partial ou impartial) ou d'un personnage?*

2. *Quelle attitude envers les événements et les personnages de la nouvelle est suggérée par le ton abstrait et détaché de l'auteur?*

3. *L'action est-elle rapide, lente ou égale? Quelle importance cette allure a-t-elle dans l'impression globale que nous fait le conte?*

4. *Où se deroule l'action? Est-ce en public ou en privé? Est-on conscient des choses (meubles, costumes, objets matériels)? Comment ce decor contribue-t-il à l'effet total?*

5. *Diriez-vous que l'auteur s'intéresse plutôt aux aspects sociologiques que psychologiques du sujet? Justifiez votre réponse.*

6. *Des trois personnages lequel vous semble secondaire, n'existant que pour faire ressortir certains traits et certaines attitudes des deux autres?*

7. *Quel rôle joue le dialogue? Les paroles des personnages surprennent-elles ou par leur forme ou par leur contenu?*

8. *Est-on sensible aux différences de caractère chez les personnages ou existent-ils sur le même plan psychologique?*

9. *Est-ce que l'auteur nous fait sentir le passage du temps? Pourquoi situe-t-elle l'histoire dans le siècle qui précède le sien?*

10. *Comment l'auteur garantit-elle l'authenticité de l'histoire?*

11. *Notez le mot-clef « estimable. » (p. 124, I 10*) Quel en est le sens?*

12. *Pourquoi la comtesse fait-elle des reproches au chevalier quand it veut renoncer à la Princesse de Neufchâtel?*

13. *La réaction du comte à la présence d'un autre homme dans la chambre de sa femme vous semble-t-elle vraisemblable? Comparez-la à celle du mari dans « Le Laustic » (pp. 7–8).*

14. *Quel idéal moral cette réaction illustre-t-elle?*

15. *L'infidélité qui se termine par une grossesse illégitime est souvent le sujet du sordide roman populaire. Comment l'auteur rend-elle ce sujet plus digne?*

16. *Quelles raisons font taire au comte de Tende son désir de vengeance?*

17. *Où réside le vrai conflit de ce conte: entre les divers personnages ou à l'intérieur de chaque personnage? Justifiez votre réponse.*

18. *Dans la lutte entre les passions et les conventions, lesquelles triomphent?*

19. *L'auteur se préoccupe-t-elle de juger les divers personnages?*

20. *Trouvez-vous que ce conte conserve à notre époque une certaine portée?*

La Mauvaise Mère

JEAN-FRANÇOIS MARMONTEL (1723–1799)

Parmi les productions monstrueuses de la nature, on peut compter le cœur d'une mère qui aime l'un de ses enfants à l'exclusion de tous les autres. Je ne parle point d'une tendresse éclairée, qui distingue entre ces jeunes plantes qu'elle cultive celle qui répond le mieux à ses premiers soins; je parle d'une tendresse aveugle, souvent exclusive, quelquefois jalouse, qui se choisit une idole et des victimes parmi ces petits innocents qu'on a mis au monde, et pour qui l'on est également obligé d'adoucir le fardeau de la vie. C'est de cet

10 égarement, si commun et si honteux pour l'humanité, que je vais donner un exemple.

Dans l'une de nos provinces maritimes, un intendant qui s'était rendu recommandable par sa sévérité à réprimer les vexations de toute espèce, ayant pour principe d'appliquer la faveur au faible, et la rigueur au fort; cet homme de bien, appelé M. de Carandon, mourut pauvre et presque insolvable. Il avait laissé une fille que personne n'épousait, parce qu'elle avait beaucoup d'orgueil, peu d'agréments, et point de fortune. Un riche et honnête négociant la rechercha,

20 par considération pour la mémoire de son père. Il nous a fait tant de bien! disait le bon homme Corée (c'était le nom du négociant), il est bien juste que quelqu'un de nous le rende à sa fille. Corée se proposa donc humblement; et mademoiselle de Carandon, avec beaucoup de répugnance, consentit à lui donner la main; bien entendu qu'elle aurait dans sa maison une autorité absolue. Le respect du bon homme pour la mémoire du père s'étendait jusques sur la fille: il la consultait comme son oracle; et si quelquefois il lui

30 arrivait d'avoir un avis différent du sien, elle n'avait qu'à proférer ces paroles imposantes: Feu[1] M. de Carandon mon père . . . Corée n'attendait pas qu'elle achevât pour avouer qu'il avait tort.

Il mourut assez jeune et lui laissa deux enfants, dont elle avait bien voulu lui permettre d'être le père. En mourant, il croyait devoir régler le partage de ses biens; mais M. de Carandon avait pour maxime, lui dit-elle, qu'afin de retenir les enfants sous la dépendance d'une mère, il fallait la rendre dispensatrice des

40 biens qui leur étaient destinés. Cette loi fut la règle du testament de Corée, et son héritage fut mis en dépôt dans les mains de sa femme, avec le droit fatal de le distribuer à ses enfants comme bon lui semblerait. De ces deux enfants, l'aîné faisait ses délices; non qu'il fût plus beau, plus heureusement né que le cadet, mais elle avait couru le danger de la vie en le mettant au monde; il lui avait fait éprouver, le premier, les douleurs et la

---

* *Numbers refer to page, column and line*

[1] the deceased

joie de l'enfantement; il s'était emparé de sa tendresse, qu'il semblait avoir épuisée; elle avait enfin, pour l'aimer uniquement, toutes les mauvaises raisons que peut avoir une mauvaise mère.

Le petit Jacquaut était l'enfant de rebut:[2] sa mère ne daignait presque pas le voir, et ne lui parlait que pour le gronder. Cet enfant intimidé n'osait lever les yeux devant elle, et ne lui répondait qu'en tremblant. Il avait, disait-elle, le naturel de son père, une âme du peuple, et ce qu'on appelle l'air de ces gens-là.

Pour l'aîné, qu'on avait pris soin de rendre aussi volontaire, aussi mutin,[3] aussi capricieux qu'il était possible, c'était la gentillesse même: son indocilité s'appelait hauteur de caractère; son humeur, excès de sensibilité. On s'applaudissait de voir qu'il ne cédait jamais quand il avait raison; or il faut savoir qu'il n'avait jamais tort. On ne cessait de dire qu'il sentait son bien, et qu'il avait l'honneur de ressembler à madame sa mère. Cet aîné, appelé M. de l'Étang (car on ne crut pas qu'il fût convenable de lui laisser le nom de Corée), cet aîné, dis-je, eut des maîtres de toute espèce: les leçons étaient pour lui seul, et le petit Jacquaut en recueillait le fruit; de manière qu'au bout de quelques années Jacquaut savait tout ce qu'on avait enseigné à M. de l'Étang, qui en revanche ne savait rien.

Les bonnes, qui sont dans l'usage d'attribuer aux enfants tout le peu d'esprit qu'elles ont, et qui rêvent tout le matin aux gentillesses qu'ils doivent dire dans la journée, les bonnes avaient fait croire à madame, dont elles connaissaient le faible, que son aîné était un prodige. Les maîtres, moins complaisants ou plus maladroits, en se plaignant de l'indocilité, de l'inattention de cet enfant chéri, ne tarissaient point[4] sur les louanges de Jacquaut. Ils ne disaient pas précisément que M. de l'Étang fût un sot, mais ils disaient que le petit Jacquaut avait de l'esprit comme un ange. La vanité de la mère en fut blessée; et, par une injustice qu'on ne croirait pas être dans la nature si ce vice des mères était moins à la mode, elle redoubla d'aversion pour ce petit malheureux, devint jalouse de ses progrès, et résolut d'ôter à son enfant gâté l'humiliation du parallèle.

Une aventure bien touchante réveilla cependant en elle les sentiments de la nature; mais ce retour sur elle-même l'humilia sans la corriger. Jacquaut avait dix ans, de l'Étang en avait près de quinze, lorsqu'elle tomba sérieusement malade. L'aîné s'occupait de ses plaisirs, et fort peu de la santé de sa mère: c'est la punition des mères folles, d'aimer des enfants dénaturés.[5] Cependant on commençait à s'inquiéter; Jacquaut s'en aperçut; et voilà son petit cœur saisi de douleur et de crainte; l'impatience de voir sa mère ne lui permet plus de se cacher. On l'avait accoutumé à ne paraître que lorsqu'il était appelé; mais enfin sa tendresse lui donna du courage. Il saisit l'instant où la porte de la chambre est entr'ouverte; il entre sans bruit et à pas tremblants; il s'approche du lit de sa mère. Est-ce vous mon fils? demanda-t-elle. — Non, ma mère, c'est Jacquaut. Cette réponse naïve et accablante pénétra de honte et de douleur l'âme de cette femme injuste; mais quelques caresses de son mauvais fils lui rendirent bientôt tout son ascendant, et Jacquaut n'en fut dans la suite ni mieux aimé, ni moins digne de l'être.

A peine madame Corée fut-elle rétablie, qu'elle reprit le dessein de l'éloigner de la maison: son prétexte fut que de l'Étang, naturellement vif, était trop susceptible de dissipation pour avoir un compagnon d'étude, et que les impertinentes prédilections des maîtres pour l'enfant qui était le plus humble ou le plus caressant avec eux pouvaient fort bien décourager celui dont le caractère, plus haut et moins flexible, exigeait plus de ménagement. Elle voulut donc que de l'Étang fût l'unique objet de leurs soins, et se défit du[6] malheureux Jacquaut, en l'exilant dans un collége.

A seize ans, l'Étang quitta ses maîtres de mathématiques, de physique, de musique, etc., comme il les avait pris; il commença ses exercices, qu'il fit à peu-près comme ses études; et à vingt ans, il parut dans le monde avec la suffisance d'un sot qui a entendu parler de tout, et qui n'a réfléchi sur rien.

De son côté, Jacquaut avait fini ses humanités; et sa mère était ennuyée des éloges qu'on lui donnait. Eh bien! dit-elle, puisqu'il est si sage, il réussira dans l'église; il n'a qu'à prendre ce parti.

Par malheur, Jacquaut n'avait aucune inclination pour l'état ecclésiastique; il vint supplier sa mère de l'en dispenser. Vous croyez donc, lui dit-elle avec une hauteur froide et sévère, que j'ai de quoi vous soutenir

---

[2] rejected
[3] mutinous
[4] *ne tarissaient point:* never ceased

[5] unnatural
[6] *se défit du:* got rid of

dans le monde? Je vous déclare qu'il n'en est rien. La fortune de votre père n'était pas aussi considérable qu'on l'imagine; à peine suffira-t-elle à l'établissement de votre aîné. Pour vous, monsieur, vous n'avez qu'à voir si vous voulez courir la carrière des bénéfices, ou celle des armes; vous faire tonsurer, ou casser la tête; accepter, en un mot, un petit collet, ou une lieutenance d'infanterie; c'est tout ce que je puis faire pour vous. Jacquaut lui répondit avec respect, qu'il y avait des partis moins violents à prendre pour le fils d'un négo- 10 ciant. A ces mots, mademoiselle de Carandon faillit à mourir de douleur d'avoir mis au monde un fils si peu digne d'elle, et lui défendit de paraître à ses yeux. Le jeune Corée, désolé d'avoir encouru l'indignation de sa mère, se retira en soupirant, et résolut de tenter si la fortune lui serait moins cruelle que la nature. Il apprit qu'un vaisseau était sur le point de faire voile pour les Antilles, où il avait dessein de se rendre. Il écrivit à sa mère pour lui demander son aveu, sa bénédiction et une pacotille.[7] Les deux premiers articles lui furent 20 amplement accordés, mais le dernier avec économie.

Sa mère, trop heureuse d'en être délivrée, voulut le voir avant son départ, et en l'embrassant lui donna quelques larmes. Son frère eut aussi la bonté de lui souhaiter un heureux voyage. C'étaient les premières caresses qu'il avait reçues de ses parents; son cœur sensible en fut pénétré; cependant il n'osa leur demander de lui écrire; mais il avait un camarade de collége dont il était tendrement aimé; il le conjura, en partant, de lui donner quelquefois des nouvelles de sa mère. 30

Celle-ci ne fut plus occupée que du soin d'établir son enfant chéri. Il se déclara pour la robe:[8] on lui obtint des dispenses d'études; et bientôt il fut admis dans le sanctuaire des lois. Il ne fallait plus qu'un mariage avantageux. On proposa une riche héritière; mais on exigea de la veuve la donation de ses biens. Elle eut la faiblesse d'y consentir, en se réservant à peine de quoi vivre décemment, bien assurée que la fortune de son fils serait toujours en sa disposition.

A l'âge de vingt-cinq ans, M. de l'Étang se trouva 40 donc un petit conseiller tout rond, négligeant sa femme autant que sa mère, ayant grand soin de sa personne, et fort peu de souci des affaires du palais. Comme il était du bon air qu'un mari eût quelqu'un qui ne fût pas sa femme, l'Étang crut se devoir à lui-

même de s'afficher pour homme à bonnes fortunes.[9] Une jeune personne qu'il lorgna[10] au spectacle répondit à ses agaceries, le reçut chez elle avec beaucoup de politesse, l'assura qu'il était charmant, ce qu'il n'eut pas de peine à croire, et dans peu de temps le débarrassa d'un portefeuille de dix mille écus. Mais comme il n'y a point d'amours éternelles, cette beauté parjure le quitta au bout de trois mois pour un jeune lord Anglais aussi sot et plus magnifique. L'Étang, qui ne concevait pas comment on renvoyait un homme comme lui, résolut de s'en venger en prenant une maîtresse plus fameuse encore, et en la comblant de bienfaits. Sa nouvelle conquête lui faisait mille jaloux; et quand il se comparait à cette foule d'adorateurs qui soupiraient en vain pour elle, il avait le plaisir de se croire plus aimable, comme il se trouvait plus heureux. Cependant, s'étant aperçue qu'il n'était pas sans inquiétude, elle voulut lui prouver qu'il n'était rien au monde qu'elle ne fût résolue à quitter pour lui, et proposa, pour fuir les importuns, de venir ensemble à Paris oublier tout l'univers, et vivre uniquement l'un pour l'autre. L'Étang fut transporté de cette marque de tendresse. Tout se prépare pour le voyage; ils partent, ils arrivent, et choisissent leur retraite aux environs du Palais-Royal.[11] Fatime (c'était le nom de cette beauté) demanda et obtint sans peine un carrosse pour prendre l'air. L'Étang fut surpris du nombre d'amis qu'il trouva dans la bonne ville. Ces amis ne l'avaient jamais vu, mais son mérite les attirait en foule. Fatime ne recevait chez elle que la société de l'Étang, et il était bien sûr de ses amis et d'elle. Cette femme charmante avait cependant une faiblesse: elle croyait aux songes. Une nuit, elle en avait fait un qui ne pouvait, disait-elle, s'effacer de son esprit. L'Étang voulut savoir quel était ce songe qui l'occupait si sérieusement. J'ai rêvé, lui dit-elle, que j'étais dans un appartement délicieux: c'était un lit de damas[12] de trois couleurs, une tapisserie et des sophas assortis à ce lit superbe, des trumeaux[13] éblouissants de dorure, des cabinets de Boule,[14] des porcelaines du Japon, des magots de la Chine les plus jolis du monde;

[7] trading goods
[8] law career

[9] à *bonnes fortunes:* lucky with women
[10] stared at
[11] public gardens surrounded by covered walks, the meeting place for gamblers and prostitutes
[12] damask
[13] mirrors
[14] André-Charles Boule (1642–1732), famous cabinet-maker; *mago+s:* statues

mais tout cela n'est rien. Une toilette était dressée; je m'approche, qu'ai-je aperçu? le cœur m'en palpite; un écrin[15] de diamants; et quels diamants encore! l'aigrette[16] la mieux dessinée, les boucles d'oreilles les plus brillantes, le plus bel esclavage, une rivière qui ne finissait pas. Oui, monsieur, je vous le dis, il m'arrivera quelque chose de singulier; ce songe m'a trop vivement frappée, et mes songes ne me trompent jamais.

M. de l'Étang eut beau employer toute son éloquence à lui persuader que les songes ne signifiaient rien, elle lui soutint que celui-ci devait signifier quelque chose, et il finit par craindre que quelqu'un de ses rivaux ne proposât de l'effectuer. Il fallut donc capituler, et à quelques circonstances près se résoudre à l'accomplir lui-même. L'on juge bien que cette épreuve ne la guérit pas de l'habitude de songer; elle y prit goût, et songea tant, que la fortune du bon homme Corée n'était presque plus elle-même qu'un songe. La jeune épouse de M. de l'Étang, à qui ce voyage avait déplu, demanda d'être séparée de biens d'un mari qui l'abandonnait; et sa dot,[17] qu'il fallut rendre, le mit encore plus mal à son aise.

Le jeu est une ressource. L'Étang prétendait exceller au piquet. Ses amis, qui faisaient bourse commune, pariaient tous pour lui, tandis que l'un d'eux jouait contre. A chaque fois qu'il écartait:[18] Ma foi, disait l'un des parieurs, c'est bien jouer! On ne joue pas mieux, disait l'autre. Enfin M. de l'Étang jouait le mieux du monde; mais il n'avait jamais les as.[19] Tandis qu'on l'expédiait insensiblement, la fidèle Fatime, qui s'aperçut de sa décadence, rêva une nuit qu'elle le quittait, et le quitta le lendemain. Cependant, comme il est humiliant de déchoir, il se piqua d'honneur, et ne voulut rien rabattre de son faste;[20] en sorte que dans quelques années il se trouva qu'il était ruiné.

Il en était aux expédients, lorsque madame sa mère, qui n'avait pas mieux ménagé sa réserve, lui écrivit pour lui demander de l'argent. Il lui répondit qu'il était désespéré; mais que, loin de pouvoir lui

envoyer des secours, il en avait besoin lui-même. Déjà l'alarme s'était répandue parmi leurs créanciers; et c'était à qui se saisirait le premier des débris de leur fortune. Qu'ai-je fait? disait cette mère désolée; je me suis dépouillée de tout pour un fils qui a tout dissipé.

Cependant qu'était devenu l'infortuné Jacquaut? Jacquaut, avec de l'esprit, la meilleure âme, la plus jolie figure du monde, et sa petite pacotille, était arrivé heureusement à Saint-Domingue. On sait combien un Français, de bonnes mœurs et de bonne mine, trouve aisément à s'établir dans les îles. Le nom de Corée, son intelligence et sa sagesse lui acquirent bientôt la confiance des habitants. Avec les secours qui lui furent offerts, il acquit lui-même une habitation, la cultiva, la rendit florissante; le commerce, qui était en vigueur, l'enrichit en peu de temps; et dans l'espace de cinq ans il était devenu l'objet de la jalousie des veuves et des filles les plus belles et les plus riches de la colonie. Mais, hélas! son camarade de collège, qui jusque-là ne lui avait donné que des nouvelles satisfaisantes, lui écrivit que son frère était ruiné, et que sa mère, abandonnée de tout le monde, était réduite aux plus affreuses extrémités. Cette lettre fatale fut arrosée de larmes. Ah! ma pauvre mère! s'écria-t-il, j'irai, j'irai vous secourir.[21] Il ne voulut s'en fier à personne. Un accident, une infidélité, la négligence ou la lenteur d'une main étrangère, pouvaient le priver des secours de son fils, et la laisser mourir dans l'indigence et le désespoir. Rien ne doit retenir un fils, se disait-il à lui-même, quand il y va de l'honneur et de la vie d'une mère.

Avec de tels sentiments, Corée ne fut plus occupé que du soin de rendre ses richesses portatives.[22] Il vendit tout ce qu'il possédait; et ce sacrifice ne coûta rien à son cœur. Mais il ne put refuser des regrets à un trésor plus précieux qu'il laissait en Amérique. Lucelle, jeune veuve d'un vieux colon[23] qui lui avait laissé des biens immenses, avait jeté sur Corée un de ces regards qui semblent pénétrer jusqu'au fond de l'âme et en démêler le caractère, l'un de ces regards qui décident l'opinion, qui déterminent le penchant, et dont l'effet subit et confus est pris le plus souvent pour un mouvement sympathique. Elle avait cru voir, dans ce jeune homme, tout ce qui peut rendre heureuse une femme

---

[15] jewel-box
[16] tuft or crest — here (like *esclavage* and *rivière* which follow) a metaphor for a grouping of diamonds or other jewels
[17] dowry
[18] [here] discard
[19] aces
[20] extravagance

[21] to aid
[22] portable
[23] colonist

honnête et sensible; et son amour pour lui n'avait pas attendu la réflexion pour naître et se développer. Corée, de son côté, l'avait distinguée entre ses rivales, comme la plus digne de captiver le cœur d'un homme sage et vertueux. Lucelle, avec la figure la plus noble et la plus intéressante, l'air le plus animé, et cependant le plus modeste, un teint brun, mais plus frais que les roses, des cheveux d'un noir d'ébène, et des dents d'une blancheur et d'un émail[24] à éblouir, la taille et la démarche des nymphes de Diane, le sourire et le regard des compagnes de Vénus; Lucelle, avec tous ces charmes, était douée de ce courage d'esprit, de cette élévation de caractère, de cette justesse dans les idées, de cette droiture dans les sentiments, qui nous font dire assez mal-à-propos qu'une femme a l'âme d'un homme. Il n'était pas dans les principes de Lucelle de rougir d'une inclination vertueuse. A peine Corée lui eut-il avoué le choix de son cœur, qu'il obtint d'elle sans détour un pareil aveu pour réponse; et leur inclination mutuelle, devenue plus tendre à mesure qu'elle était plus réfléchie, n'aspirait plus qu'au moment d'être consacrée au pied des autels. Quelques démêlés[25] sur l'héritage de l'époux de Lucelle avaient retardé leur bonheur. Ces démêlés allaient finir, lorsque la lettre de l'ami de Corée vint tout-à-coup l'arracher à ce qu'il avait de plus cher au monde, après sa mère. Il se rendit chez la belle veuve, lui montra la lettre de son ami, et lui demanda conseil. Je me flatte, lui dit-elle, que vous n'en avez pas besoin. Fondez votre bien en effets commerçables,[26] allez au secours de votre mère, faites honneur à tout, et revenez; ma fortune vous attend. Si je meurs, mon testament vous l'assurera; si je vis, au lieu d'un testament, vous savez quels seront vos titres. Corée, pénétré de reconnaissance et d'admiration, saisit les mains de cette femme généreuse, et les arrosa de ses pleurs; mais comme il se répandait en éloges: Allez, lui dit-elle, vous ètes un enfant; n'ayez donc pas les préjugés de l'Europe. Dès qu'une femme fait quelque chose de passablement[27] honnète, on crie au prodige, comme si la nature ne nous avait pas donné une âme. A ma place, seriez-vous bien flatté de me voir dans l'étonnement, regarder en vous comme un phénomène le pur mouvement d'un

bon cœur? Pardon, lui dit Corée, je devais m'y attendre; mais vos principes, vos sentiments, l'aisance, le naturel de vos vertus, m'enchantent, je les admire sans en être surpris. Va, mon enfant, lui dit-elle en le baisant sur les deux joues, je suis à toi telle que Dieu m'a faite. Remplis tes devoirs, et reviens au plutôt.

Il s'embarque, et avec lui il embarque toute sa fortune. Le trajet fut assez heureux jusques vers les Canaries; mais là, leur vaisseau, poursuivi par un corsaire de Maroc, fut obligé de chercher son salut dans ses voiles. Le corsaire qui le chassait était sur le point de le joindre; et le capitaine, effrayé du danger de l'abordage,[28] allait se livrer au pirate. Ah! ma pauvre mère! s'écria Corée en embrassant la cassette où était renfermée toute son espérance; et puis s'arrachant les cheveux de douleur et de rage, Non, dit-il, ce barbare africain me dévorera plutôt le cœur. Alors s'adressant au capitaine, à l'équipage et aux passagers consternés: Eh quoi! mes amis, leur dit-il, nous rendrons-nous lâchement? souffrirons-nous que ce brigand nous mène à Maroc chargés de fers, et nous y vende comme des bêtes? Sommes-nous désarmés? Ces gens-là sont-ils invulnérables, ou sont-ils plus braves que nous? Ils veulent aborder; qu'ils abordent. Eh bien! nous nous verrons de près. Sa résolution ranima les esprits; et le capitaine, en l'embrassant, le loua d'avoir donné l'exemple.

Déjà tout est disposé pour la défense. Le corsaire aborde, les vaisseaux se heurtent; des deux côtés on voit voler la mort: bientôt les deux navires sont enveloppés dans un tourbillon de fumée et de flamme. Le feu cesse, le jour renaît, et le fer choisit ses victimes. Corée, le sabre à la main, faisait un carnage effroyable: dès qu'il voyait un Africain se jeter sur son bord, il courait à lui, le fendait[29] en deux, en s'écriant: Ah! ma pauvre mère! Sa fureur était celle d'une lionne qui défend ses petits, c'était le dernier effort de la nature au désespoir; et l'âme la plus douce, la plus sensible qui fût jamais, était devenue, en ce moment, la plus violente et la plus sanguinaire.[30] Le capitaine le trouvait partout, l'œil en feu et le bras sanglant. Ce n'est pas un homme, disaient ses compagnons, c'est un Dieu qui combat pour nous. Son exemple enflammait leur courage. Il se

---

[24] enamel
[25] mix-up
[26] effets commerçables: saleable goods
[27] moderately

[28] a boarding
[29] cut
[30] bloody

trouve enfin corps à corps avec le chef de ces barbares. Mon Dieu, s'écria-t-il, ayez pitié de ma mère; et à ces mots, d'un coup de revers, il ouvrit le ventre au corsaire. Dès ce moment la victoire fut décidée; le peu qui restait de l'équipage maroquin demanda la vie, et fut mis dans les fers. Le vaisseau de Corée, avec sa proie, aborde enfin sur les côtes de France; et ce digne fils, sans se permettre une nuit de repos, se rend, avec son trésor, auprès de sa malheureuse mère. Il la trouve au bord du tombeau, et dans un état pour elle plus affreux 10 que la mort même; denuée de tout secours, et livrée aux soins d'un domestique qui, rebuté de souffrir l'indigence où elle était réduite, lui rendait à regret les derniers soins d'une pitié humiliante. La honte de sa situation lui avait fait défendre à ce domestique de recevoir personne que le prêtre et le médecin charitable qui la visitaient quelquefois. Corée demande à la voir, on le refuse. — Annoncez-moi, dit-il au domestique. — Et quel est votre nom? — Jacquaut. Le domestique s'approche du lit. Un étranger, dit-il, demande à voir 20 madame. — Hélas! et quel est cet étranger? — Il dit qu'il s'appelle Jacquaut. A ce nom, ses entrailles[31] furent si violemment émues qu'elle faillit à expirer. Ah! mon fils, dit-elle d'une voix éteinte et en levant sur lui sa mourante paupière, ah! mon fils, dans quel moment venez-vous revoir votre mère! votre main va lui fermer les yeux. Quelle fut la douleur de cet enfant si pieux et si tendre, de voir cette mère qu'il avait laissée au sein du luxe et de l'opulence, de la voir dans un lit entouré de lambeaux[32], et dont l'image soulèverait le 30 cœur, s'il m'était permis de la rendre! O ma mère! s'écria-t-il en se précipitant sur ce lit de douleur . . . Ses sanglots étouffèrent sa voix, et les ruisseaux de larmes dont il inondait le sein de sa mère expirante furent longtemps la seule expression de sa douleur et de son amour. Le Ciel me punit, reprit-elle, d'avoir trop aimé un fils dénaturé, d'avoir . . . Il l'interrompit; tout est réparé, ma mère, lui dit ce vertueux jeune homme, vivez. La fortune m'a comblé de biens; je viens les répandre au sein de la nature: c'est pour vous qu'ils me sont 40 donnés. Vivez; j'ai de quoi vous faire aimer la vie. — Ah! mon cher enfant, si je désire de vivre, c'est pour expier[33] mon injustice, c'est pour aimer un fils dont je n'étais pas digne, un fils que j'ai déshérité. A ces mots,

elle se couvrait le visage, comme indigne de voir le jour. Ah! madame, s'écria-t-il, en la pressant dans ses bras, ne me dérobez point la vue de ma mère; je viens à travers l'Océan, la chercher et la secourir. Dans ce moment le prêtre et le médecin arrivent. Voilà, dit-elle, mon enfant, les seules consolations que le Ciel m'a laissées; sans leur charité, je ne serais plus. Corée les embrasse en fondant en larmes. Mes amis, leur dit-il, mes bienfaiteurs, que ne vous dois-je pas! sans vous je n'aurais plus de mère: achevez de la rappeler à la vie. Je suis riche, je viens la rendre heureuse; redoublez vos soins, vos consolations, vos secours; rendez-la-moi. Le médecin vit prudemment que cette situation était trop violente pour la malade. Allez, monsieur, dit-il à Corée, reposez-vous sur notre zèle,[34] et n'ayez plus d'autre soin que de faire préparer un logement commode et sain. Ce soir madame y sera transportée.

Le changement d'air, la bonne nourriture, ou plutôt la révolution qu'avait faite la joie, et le calme qui lui succéda ranimèrent insensiblement en elle les organes de la vie. Un chagrin profond avait été le principe du mal: la consolation en fut le remède. Corée apprit que son malheureux frère venait de périr misérablement. Je tire le rideau sur le tableau effrayant de cette mort trop méritée: on en déroba la connaissance à une mère sensible, et trop faible encore pour soutenir, sans expirer, un nouvel accès de douleur. Elle l'apprit enfin lorsque sa santé fut plus affermie. Toutes les plaies de son cœur s'ouvrirent, et les larmes maternelles coulèrent de ses yeux; mais le Ciel, en lui ôtant un fils indigne de sa tendresse, lui en rendait un qui l'avait méritée par tout ce que la nature a de plus sensible, et la vertu de plus touchant. Il lui confia les désirs de son âme; c'était de pouvoir réunir dans ses bras sa mère et son épouse. Madame Corée saisit avec joie le projet de passer avec son fils en Amérique. Une ville remplie de ses folies et de ses malheurs était pour elle un séjour odieux, et l'instant où elle s'embarqua lui rendit une nouvelle vie. Le Ciel, qui protège la piété, leur accorda des vents favorables. Lucelle reçut la mère de Corée comme elle aurait reçu sa propre mère. L'hymen[35] fit de ces amants les époux les plus fortunés; et leurs jours coulent encore dans cette paix inaltérable, dans ces plaisirs purs et sereins qui sont le partage de la vertu.

---

[31] innards, feelings
[32] rags
[33] expiate, atone for

[34] zeal
[35] marriage

Micromégas

Histoire Philosophique

VOLTAIRE* *(1694–1778)*

Chapitre Premier

Voyage d'un habitant du monde de l'Etoile Sirius
dans la planète de Saturne.   10

Dans une de ces planètes qui tournent autour de
l'étoile nommée Sirius, il y avait un jeune homme de
beaucoup d'esprit, que j'ai eu l'honneur de connaître
dans le dernier voyage qu'il fit sur notre petite fourmilière; il s'appelait Micromégas,¹ nom qui convient
fort à tous les grands. Il avait huit lieues de haut:
j'entends, par huit lieues, vingt-quatre mille pas géo-
métriques de cinq pieds chacun.

Quelques algébristes, gens toujours utiles au   20
public, prendront sur-le-champ la plume, et trouveront
que, puisque M. Micromégas, habitant du pays de
Sirius, a de la tête aux pieds vingt-quatre mille pas, qui
font cent vingt mille pieds de roi,² et que nous autres,
citoyens de la terre, nous n'avons guère que cinq pieds,
et que notre globe a neuf mille lieues de tour; ils trouveront, dis-je, qu'il faut absolument que le globe qui
l'a produit ait au juste vingt et un millions six cent
mille fois plus de circonférence que notre petite terre.
Rien n'est plus simple et plus ordinaire dans la nature. 30
Les États de quelques souverains d'Allemagne ou
d'Italie, dont on peut faire le tour en une demi-heure,
comparés à l'empire de Turquie, de Moscovie ou de la
Chine, ne sont qu'une très faible image des prodigieuses différences que la nature a mises dans tous les
êtres.

La taille de Son Excellence étant de la hauteur que
j'ai dite, tous nos sculpteurs et tous nos peintres conviendront sans peine que sa ceinture peut avoir cinquante mille pieds de roi de tour; ce qui fait une très   40
jolie proportion.

Quant à son esprit, c'est un des plus cultivés que
nous ayons; il sait beaucoup de choses, il en a inventé
quelques-unes: il n'avait pas encore deux cent cin-

quante ans, et il étudiait, selon la coutume, au collège
des jésuites de sa planète, lorsqu'il devina, par la force
de son esprit, plus de cinquante propositions d'Euclide.
C'est dix-huit de plus que Blaise Pascal, lequel, après en
avoir deviné trente-deux en se jouant, à ce que dit sa
sœur, devint depuis un géomètre assez médiocre et un
fort mauvais métaphysicien. Vers les quatre cent
cinquante ans, au sortir de l'enfance, il disséqua
beaucoup de ces petits insectes qui n'ont pas cent pieds
de diamètre, et qui se dérobent aux microscopes ordinaires; il en composa un livre fort curieux, mais qui
lui fit quelques affaires. Le muphti de son pays, grand
vétillard³ et fort ignorant, trouva dans son livre des
propositions suspectes, malsonnantes, téméraires,
hérétiques, sentant l'hérésie, et le poursuivit vivement:
il s'agissait de savoir si la forme substantielle des puces
de Sirius était de même nature que celle des coli-
maçons.⁴ Micromégas se défendit avec esprit; il mit les
femmes de son côté; le procès dura deux cent vingt ans.
Enfin le muphti fit condamner le livre par des juris-
consultes qui ne l'avaient pas lu, et l'auteur eut ordre
de ne paraître à la cour de huit cents années.

Il ne fut que médiocrement affligé d'être banni
d'une cour qui n'était remplie que de tracasseries et de
petitesses. Il fit une chanson fort plaisante contre le
muphti, dont celui-ci ne s'embarrassa guère; et il se
mit à voyager de planète en planète, pour achever de
se former l'esprit et le cœur, comme l'on dit. Ceux qui
ne voyagent qu'en chaise de poste ou en berline⁵ seront
sans doute étonnés des équipages de là-haut: car nous
autres, sur notre petit tas de boue, nous ne concevons
rien au delà de nos usages. Notre voyageur connaissait
merveilleusement les lois de la gravitation, et toutes
les forces attractives et répulsives. Il s'en servait si à
propos que, tantôt à l'aide d'un rayon de soleil, tantôt
par la commodité d'une comète, il allait de globe en
globe, lui et les siens, comme un oiseau voltige de branche en branche. Il parcourut la voie lactée en peu de
temps; et je suis obligé d'avouer qu'il ne vit jamais, à
travers les étoiles dont elle est semée, ce beau ciel empy-
rée que l'illustre vicaire Derham⁶ se vante d'avoir vu
au bout de sa lunette. Ce n'est pas que je prétende que

---

* François-Marie Arouet
¹ *micro*: small; *mégas*: large
² *pieds de roi*: royal feet. Before the adoption of the
metric system, *le pied* (.3248 metres) was the standard unit
of measurement

³ *vétillard* or *vétilleur*: quibbler; hair-splitter
⁴ *forme substantielle*: metaphysical term. Voltaire
scorned metaphysical speculation. *Colimaçons*: snails
⁵ carriage
⁶ Derham (William), English theologian and scientist
(1657–1735)

M. Derham ait mal vu, à Dieu ne plaise! mais Micro-mégas était sur les lieux, c'est un bon observateur, et je ne veux contredire personne. Micromégas, après avoir bien tourné, arriva dans le globe de Saturne. Quelque accoutumé qu'il fût à voir des choses nouvel-les, il ne put d'abord, en voyant la petitesse du globe et de ses habitants, se défendre de ce sourire de supé-riorité qui échappe quelquefois aux plus sages. Car enfin Saturne n'est guère que neuf cents fois plus gros que la terre, et les citoyens de ce pays-là sont des nains qui n'ont que mille toises[7] de haut ou environ. Il s'en moqua un peu d'abord avec ces gens, à peu près comme un musicien italien se met à rire de la musique de Lulli, quand il vient en France. Mais, comme le Sirien avait un bon esprit, il comprit bien vite qu'un être pensant peut fort bien n'être pas ridicule pour n'avoir que six mille pied de haut. Il se familiarisa avec les Saturniens, après les avoir étonnés. Il lia une étroite amitié avec le secrétaire de l'Académie de Saturne, homme de beaucoup d'esprit, qui n'avait à la vérité rien inventé, mais qui rendait un fort bon compte des inventions des autres, et qui faisait passablement de petits vers et de grands calculs.[8] Je rapporterai ici, pour la satis-faction de lecteurs, une conversation singulière que Micromégas eut un jour avec monsieur le secrétaire.

Chapitre II

Conversation de l'habitant de Sirius avec celui de Saturne.

Après que Son Excellence se fut couchée, et que le secrétaire se fut approché de son visage: «Il faut avouer, dit Micromégas, que la nature est bien variée. — Oui, dit le Saturnien, la nature est comme un par-terre dont les fleurs . . .[9] — Ah! dit l'autre, laissez là votre parterre. — Elle est, reprit le secrétaire, comme une assemblée de blondes et de brunes dont les pa-rures . . . — Eh! qu'ai-je affaire de vos brunes? dit l'autre. — Elle est donc comme une galerie de peinture dont les traits . . . — Eh non! dit le voyageur, encore une fois la nature est comme la nature. Pourquoi lui chercher des comparaisons? — Pour vous plaire, répon-dit le secrétaire. — Je ne veux point qu'on me plaise,

[7] the *toise* was equal to 1.9 metres
[8] satiric reference te Fontenelle (1657–1757). He was perpetual secretary of the Academy of Science
[9] a parody of the precious style used by Fontenelle in his *Pluralité des mondes*, a manual of astronomy for ladies

répondit le voyageur, je veux qu'on m'instruise; com-mencez d'abord par me dire combien les hommes de votre globe ont de sens. — Nous en avons soixante et douze, dit l'académicien; et nous nous plaignons tous les jours du peu. Notre imagination va au delà de nos besoins; nous trouvons qu'avec nos soixante et douze sens, notre anneau, nos cinq lunes, nous sommes trop bornés; et, malgré toute notre curiosité et le nombre assez grand de passions qui résultent de nos soixante et douze sens, nous avons tout le temps de nous ennuyer. — Je le crois bien, dit Micromégas: car dans notre globe nous avons près de mille sens, et il nous reste encore je ne sais quel désir vague, je ne sais quelle inquiétude, qui nous avertit sans cesse que nous som-mes peu de chose, et qu'il y a des êtres beaucoup plus parfaits. J'ai peu voyagé; j'ai vu des mortels fort au-dessous de nous; j'en ai vu de fort supérieurs; mais je n'en ai vu aucuns qui n'aient plus de désirs que de vrais besoins, et plus de besoins que de satisfaction. J'arriverai peut-être un jour au pays où il ne manque rien; mais jusques à présent personne ne m'a donné de nouvelles positives de ce pays-là. » Le Saturnien et le Sirien s'épuisèrent alors en conjectures; mais, après beaucoup de raisonnements fort ingénieux et fort incertains, il en fallut revenir aux faits. « Combien de temps vivez-vous? dit le Sirien. — Ah! bien peu, répliqua le petit homme de Saturne. — C'est tout comme chez nous, dit le Sirien: nous nous plaignons toujours du peu. Il faut que ce soit une loi universelle de la nature. — Hélas! nous ne vivons, dit le Saturnien, que cinq cents grandes révolutions du soleil. (Cela revient à quinze mille ans ou environ, à compter à notre manière.) Vous voyez bien que c'est mourir presque au moment que l'on est né; notre existence est un point, notre durée un instant, notre globe un atome. A peine a-t-on commencé à s'instruire un peu que la mort arrive avant qu'on ait de l'expérience. Pour moi, je n'ose faire aucuns projets; je me trouve comme une goutte d'eau dans un océan immense. Je suis honteux, surtout devant vous, de la figure ridicule que je fais dans ce monde. »

Micromégas lui repartit: « Si vous n'étiez pas phi-losophe, je craindrais de vous affliger en vous appre-nant que notre vie est sept cents fois plus longue que la vôtre; mais vous savez trop bien que quand il faut rendre son corps aux éléments, et ranimer la nature sous une autre forme, ce qui s'appelle mourir; quand ce moment de métamorphose est venu, avoir vécu une éternité ou avoir vécu un jour, c'est précisément la même chose. J'ai été dans des pays où l'on vit mille fois plus longtemps que chez moi, et j'ai trouvé qu'on y murmurait encore. Mais il y a partout des gens de bon sens qui savent prendre leur parti et remercier l'Auteur de la nature. Il a répandu sur cet univers une profusion de variétés, avec une espèce d'uniformité admirable. Par exemple, tous les êtres pensants sont différents, et tous se ressemblent au fond par le don de la pensée et des désirs. La matière est partout étendue; mais elle a dans chaque globe des propriétés diverses. Combien comptez-vous de ces propriétés diverses dans votre matière? — Si vous parlez de ces propriétés, dit le Saturnien, sans lesquelles nous croyons que ce globe ne pourrait subsister tel qu'il est, nous en comptons trois cents, comme l'étendue, l'impénétrabilité, la mobilité, la gravitation, la divisibilité, et le reste. — Apparemment, répliqua le voyageur, que ce petit nombre suffit aux vues que le Créateur avait sur votre petite habitation. J'admire en tout sa sagesse; je vois partout des différences, mais aussi partout des proportions. Votre globe est petit, les habitants le sont aussi; vous avez peu de sensations; votre manière a peu de propriétés: tout cela est l'ouvrage de la Providence. De quelle couleur est votre soleil, bien examiné? — D'un blanc fort jaunâtre, dit le Saturnien; et quand nous divisons un de ses rayons, nous trouvons qu'il contient sept couleurs. — Notre soleil tire sur le rouge, dit le Sirien, et nous avons trente-neuf couleurs primitives. Il n'y a pas un soleil, parmi tous ceux dont j'ai approché, qui se ressemble, comme chez vous il n'y a pas un visage qui ne soit différent de tous les autres. »

Après plusieurs questions de cette nature, il s'informa combien de substances essentiellement différentes on comptait dans Saturne. Il apprit qu'on n'en comptait qu'une trentaine, comme Dieu, l'espace, la matière, les êtres étendus qui sentent, les êtres étendus qui sentent et qui pensent, les êtres pensants qui n'ont point d'étendue, ceux qui se pénètrent, ceux qui ne se pénètrent pas, et le reste. Le Sirien, chez qui on en comptait trois cents, et qui en avait découvert trois mille autres dans ses voyages, étonna prodigieusement le philosophe de Saturne. Enfin, après s'être communiqué l'un à l'autre un peu de ce qu'ils savaient et beaucoup de ce qu'ils ne savaient pas, après avoir raisonné pendant une révolution du soleil, ils résolurent de faire ensemble un petit voyage philosophique.

Chapitre III

Voyage des deux habitants de Sirius et de Saturne.

Nos deux philosophes étaient prêts à s'embarquer dans l'atmosphère de Saturne avec une fort jolie provision d'instruments mathématiques, lorsque la maîtresse du Saturnien, qui en eut des nouvelles, vint en larmes faire ses remontrances. C'était une jolie petite brune qui n'avait que six cent soixante toises, mais qui réparait par bien des agréments la petitesse de sa taille. « Ah! cruel! s'écria-t-elle, après t'avoir résisté quinze cents ans, lorsque enfin je commençais à me rendre, quand j'ai à peine passé cent ans entre tes bras, tu me quittes pour aller voyager avec un géant d'un autre monde; va, tu n'es qu'un curieux, tu n'as jamais eu d'amour; si tu étais un vrai Saturnien, tu serais fidèle. Où vas-tu courir? Que veux-tu? Nos cinq lunes sont moins errantes que toi, notre anneau est moins changeant; voilà qui est fait, je n'aimerai jamais plus personne. » Le philosophe l'embrassa, pleura avec elle, tout philosophe qu'il était; et la dame, après s'être pâmée,[10] alla se consoler avec un petit-maître[11] du pays.

Cependant nos deux curieux partirent; ils sautèrent d'abord sur l'anneau, qu'ils trouvèrent plat, comme l'a fort bien deviné un illustre habitant de notre petit globe;[12] de là ils allèrent de lune en lune. Une comète passait tout auprès de la dernière; ils s'élancèrent sur elle avec leurs domestiques et leurs instruments. Quand ils eurent fait environ cent cinquante millions de lieues, ils rencontrèrent les satellites de Jupiter. Ils passèrent dans Jupiter même, et y restèrent une année, pendant laquelle ils apprirent de fort beaux secrets qui seraient actuellement sous presse sans messieurs les inquisiteurs, qui ont trouvé quelques propositions un peu dures. Mais j'en ai lu le manuscrit dans la bibliothèque de l'illustre archevêque ***, qui m'a laissé voir ses livres, avec cette générosité et cette bonté qu'on ne saurait assez louer.

Mais revenons à nos voyageurs. En sortant de Jupiter, ils traversèrent un espace d'environ cent millions de lieues, et ils côtoyèrent la planète de Mars, qui, comme on sait, est cinq fois plus petite que notre petit globe; ils virent deux lunes qui servent à cette planète,

[10] *après s'être pâmée:* after having swooned
[11] fop
[12] the famous Dutch astronomer Huyghens (1629–1695) discovered the first satellite of Saturn in 1655

et qui ont échappé aux regards de nos astronomes. Je sais bien que le père Castel[13] écrira, et même assez plaisamment, contre l'existence de ces deux lunes; mais je m'en rapporte à ceux qui raisonnent par analogie. Ces bons philosophes-là savent combien il serait difficile que Mars, qui est si loin du soleil, se passât à moins de deux lunes. Quoi qu'il en soit, nos gens trouvèrent cela si petit qu'ils craignirent de n'y pas trouver de quoi coucher, et ils passèrent leur chemin, comme deux voyageurs qui dédaignent un mauvais cabaret de vil- 10 lage et poussent jusqu'à la ville voisine. Mais le Sirien et son compagnon se repentirent bientôt. Ils allèrent longtemps, et ne trouvèrent rien. Enfin ils aperçurent une petite lueur; c'était la terre: cela fit pitié à des gens qui venaient de Jupiter. Cependant, de peur de se repentir une seconde fois, ils résolurent de débarquer. Ils passèrent sur la queue de la comète, et, trouvant une aurore boréale toute prête, ils se mirent dedans, et arri- vèrent à terre sur le bord septentrional de la mer Bal- tique, le cinq juillet mil sept cent trente-sept, nouveau 20 style.

Chapitre IV

Ce qui leur arrive sur le globe de la terre.

Après s'être reposés quelque temps, ils mangèrent à leur déjeuner deux montagnes, que leurs gens leur apprêtèrent assez proprement. Ensuite ils voulurent reconnaître le petit pays où ils étaient. Ils allèrent 30 d'abord du nord au sud. Les pas ordinaires du Sirien et de ses gens étaient d'environ trente mille pieds de roi; le nain de Saturne suivait de loin en haletant; or il fallait qu'il fît environ douze pas quand l'autre faisait une enjambée: figurez-vous (s'il est permis de faire de telles comparaisons) un très petit chien de manchon[14] qui suivrait un capitaine des gardes du roi de Prusse. Comme ces étrangers-là vont assez vite, ils eurent fait le tour du globe en trente-six heures; le soleil, à la vérité, ou plutôt la terre, fait un pareil voyage en une 40 journée; mais il faut songer qu'on va bien plus à son aise quand on tourne sur son axe que quand on marche sur ses pieds. Les voilà donc revenus d'où ils étaient partis, après avoir vu cette mare, presque imperceptible pour eux, qu'on nomme la Méditerranée, et cet autre

petit étang qui, sous le nom du Grand Océan, entoure la taupinière.[15] Le nain n'en avait eu jamais qu'à mi-jambe, et à peine l'autre avait-il mouillé son talon. Ils firent tout ce qu'ils purent en allant et en revenant dessus et dessous pour tâcher d'apercevoir si ce globe était habité ou non. Ils se baissèrent, ils se couchèrent, ils tâtèrent partout; mais, leurs yeux et leurs mains n'étant point proportionnés aux petits êtres qui rampent ici, ils ne reçurent pas la moindre sensation qui pût leur faire soupçonner que nous et nos confrères, les autres habitants de ce globe, avons l'honneur d'exister.

Le nain, qui jugeait quelquefois un peu trop vite, décida d'abord qu'il n'y avait personne sur la terre. Sa première raison était qu'il n'avait vu personne. Micromégas lui fit sentir poliment que c'était raison- ner assez mal: « Car, disait-il, vous ne voyez pas avec vos petits yeux certaines étoiles de la cinquantième grandeur que j'aperçois très distinctement; concluez- vous de là que ces étoiles n'existent pas? — Mais, dit le nain, j'ai bien tâté. — Mais, répondit l'autre, vous avez mal senti. — Mais, dit le nain, ce globe-ci est si mal construit, cela est si irrégulier et d'une forme qui me paraît si ridicule! tout semble être ici dans le chaos: voeyz-vous ces petits ruisseaux dont aucun ne va de droit fil, ces étangs qui ne sont ni ronds, ni carrés, ni ovales, ni sous aucune forme régulière; tous ces petits grains pointus dont ce globe est hérissé, et qui m'ont écorché les pieds? (Il voulait parler des montagnes.) Remarquez-vous encore la forme de tout le globe? comme il est plat aux pôles, comme il tourne autour du soleil d'une manière gauche, de façon que les cli- mats des pôles sont nécessairement incultes? En vérité, ce qui fait que je pense qu'il n'y a ici personne, c'est qu'il me paraît que des gens de bon sens ne voudraient pas y demeurer. — Eh bien, dit Micromégas, ce ne sont peut-être pas non plus des gens de bon sens qui l'habitent. Mais enfin il y a quelque apparence que ceci n'est pas fait pour rien. Tout vous paraît irrégulier ici, dites-vous, parce que tout est tiré au cordeau[16] dans Saturne et dans Jupiter. Eh! c'est peut-être par cette raison-là même qu'il y a ici un peu de confusion. Ne vous ai-je pas dit que dans mes voyages j'avais toujours remarqué de la variété? » Le Saturnien répliqua à toutes ces raisons. La dispute n'eût jamais fini, si par bonheur

---

[13] Castel was a Jesuit mathematician and physicist
[14] muff

[15] mole-hill
[16] tiré au cordeau: laid out with precision

Micromégas, en s'échauffant à parler, n'eût cassé le fil de son collier de diamants. Les diamants tombèrent: c'étaient de jolis petits carats assez inégaux, dont le plus gros pesaient quatre cents livres, et les plus petits cinquante. Le nain en ramassa quelques-uns; il s'aperçut, en les approchant de ses yeux, que ces diamants, de la façon dont ils étaient taillés, étaient d'excellents microscopes. Il prit donc un petit microscope de cent soixante pieds de diamètre, qu'il appliqua à sa prunelle; et Micromégas en choisit un de deux mille cinq cents pieds. Ils étaient excellents; mais d'abord on ne vit rien par leur secours: il fallait s'ajuster. Enfin l'habitant de Saturne vit quelque chose d'imperceptible qui remuait entre deux eaux dans la mer Baltique: c'était une baleine. Il la prit avec le petit doigt fort adroitement, et, la mettant sur l'ongle de son pouce, il la fit voir au Sirien, qui se mit à rire pour la seconde fois de l'excès de petitesse dont étaient les habitants de notre globe. Le Saturnien, convaincu que notre monde est habité, s'imagina bien vite qu'il ne l'était que par des baleines; et, comme il était grand raisonneur, il voulut deviner d'où un si petit atome tirait son mouvement, s'il avait des idées, une volonté, une liberté. Micromégas y fut fort embarrassé: il examina l'animal fort patiemment, et le résultat de l'examen fut qu'il n'y avait pas moyen de croire qu'une âme fût logée là. Les deux voyageurs inclinaient donc à penser qu'il n'y a point d'esprit dans notre habitation, lorsqu'à l'aide du microscope ils aperçurent quelque chose de plus gros qu'une baleine qui flottait sur la mer Baltique. On sait que dans ce temps-là même une volée de philosophes revenait du cercle polaire, sous lequel ils avaient été faire des observations dont personne ne s'était avisé jusqu'alors. Les gazettes dirent que leur vaisseau échoua aux côtes de Bothnie, et qu'ils eurent bien de la peine à se sauver; mais on ne sait jamais dans ce monde le dessous des cartes. Je vais raconter ingénument comme la chose se passa, sans y rien mettre du mien, ce qui n'est pas un petit effort pour un historien.

CHAPITRE V

Expériences et raisonnements des deux voyageurs.

Micromégas étendit la main tout doucement vers l'endroit où l'objet paraissait, et, avançant deux doigts et les retirant par la crainte de se tromper, puis les ouvrant et les serrant, il saisit fort adroitement le vaisseau qui portait ces messieurs, et le mit encore sur son ongle, sans le trop presser de peur de l'écraser. « Voici un animal bien différent du premier », dit le nain de Saturne; le Sirien mit le prétendu animal dans le creux de sa main. Les passagers et les gens de l'équipage, qui s'étaient crus enlevés par un ouragan, et qui se croyaient sur une espèce de rocher, se mettent tous en mouvement; les matelots prennent des tonneaux de vin, les jettent sur la main de Micromégas, et se précipitent après. Les géomètres prennent leurs quarts de cercle, leurs secteurs et des filles laponnes, et descendent sur les doigts du Sirien. Ils en firent tant qu'il sentit enfin remuer quelque chose qui lui chatouillait les doigts: c'était un bâton ferré qu'on lui enfonçait d'un pied dans l'index; il jugea, par ce picotement, qu'il était sorti quelque chose du petit animal qu'il tenait mais il n'en soupçonna pas d'abord davantage. Le microscope, qui faisait à peine discerner une baleine et un vaisseau, n'avait point de prise sur un être aussi imperceptible que des hommes. Je ne prétends choquer ici la vanité de personne, mais je suis obligé de prier les importants de faire ici une petite remarque avec moi: c'est qu'en prenant la taille des hommes d'environ cinq pieds, nous ne faisons pas sur la terre une plus grande figure qu'en ferait sur une boule de dix pieds de tour un animal qui aurait à peu près la six cent millième partie d'un pouce en hauteur. Figurez-vous une substance qui pourrait tenir la terre dans sa main, et qui aurait des organes en proportion des nôtres; et il se peut très bien faire qu'il y ait un grand nombre de ces substances: or concevez, je vous prie, ce qu'elles penseraient de ces batailles qui nous ont valu deux villages qu'il a fallu rendre.

Je ne doute pas que si quelque capitaine des grands grenadiers lit jamais cet ouvrage, il ne hausse de deux grands pieds au moins les bonnets de sa troupe; mais je l'avertis qu'il aura beau faire, et que lui et les siens ne seront jamais que des infiniment petits.

Quelle adresse merveilleuse ne fallut-il donc pas à notre philosophe de Sirius pour apercevoir les atomes dont je viens de parler! Quand Leuwenhoek et Hartsoeker virent les premiers, ou crurent voir la graine dont nous sommes formés, ils ne firent pas à beaucoup près une si étonnante découverte. Quel plaisir sentit Micromégas en voyant remuer ces petites machines, en examinant tous leurs tours, en les suivant dans toutes leurs opérations! comme il s'écria! comme il mit avec joie un de ces microscopes dans les mains de son compagnon de voyage! « Je les vois, disaient-ils tous deux à la fois; ne les voyez-vous pas qui portent des fardeaux, qui se baissent, qui se relèvent? » En parlant ainsi, les mains leur tremblaient, par le plaisir de voir des objets si nouveaux et par la crainte de les perdre. Le Saturnien, passant d'un excès de défiance à un excès de crédulité, crut apercevoir qu'ils travaillaient à la propagation. « Ah ! disait-il, j'ai pris la nature sur le fait. »[17] Mais il se trompait sur les apparences, ce qui n'arrive que trop, soit qu'on se serve ou non de microscopes.

Chapitre VI

Ce qui leur arriva avec des hommes.

Micromégas, bien meilleur observateur que son nain, vit clairement que les atomes se parlaient ; et il le fit remarquer à son compagnon, qui, honteux de s'être mépris sur l'article de la génération, ne voulut point croire que de pareilles espèces pussent se communiquer des idées. Il avait le don des langues aussi bien que le Sirien ; il n'entendait point parler nos atomes, et il supposait qu'ils ne parlaient pas : d'ailleurs, comment ces êtres imperceptibles auraient-ils les organes de la voix, et qu'auraient-ils à dire ? Pour parler, il faut penser, ou à peu près ; mais, s'ils pensaient, ils auraient donc l'équivalent d'une âme : or, attribuer l'équivalent d'une âme à cette espèce, cela lui paraissait absurde. « Mais, dit le Sirien, vous avez cru tout à l'heure qu'ils faisaient l'amour ; est-ce que vous croyez qu'on puisse faire l'amour sans penser et sans proférer quelque parole, ou du moins sans se faire entendre ? Supposez-vous d'ailleurs qu'il soit plus difficile de produire un argument qu'un enfant ? Pour moi, l'un et l'autre me paraissent de grands mystères. — Je n'ose plus ni croire ni nier, dit le nain ; je n'ai plus d'opinion ; il faut tâcher d'examiner ces insectes, nous raisonnerons après. — C'est fort bien », reprit Micromégas ; et aussitôt il tira une paire de ciseaux dont il se coupa les ongles, et d'une rognure de l'ongle de son pouce il fit sur-le-champ une espèce de grande trompette parlante, comme un vaste entonnoir,[18] dont il mit le tuyau dans son oreille. La circonférence de l'entonnoir enveloppait le vaisseau et tout l'équipage. La voix la plus faible entrait dans les fibres circulaires de l'ongle, de sorte

que, grâce à son industrie, le philosophe de là-haut entendit parfaitement le bourdonnement de nos insectes de là-bas. En peu d'heures il parvint à distinguer les paroles, et enfin à entendre le français. Le nain en fit autant, quoique avec plus de difficulté. L'étonnement des voyageurs redoublait à chaque instant. Ils entendaient des mites parler d'assez bon sens : ce jeu de la nature leur paraissait inexplicable. Vous croyez bien que le Sirien et son nain brûlaient d'impatience de lier conversation avec les atomes ; il craignait que sa voix de tonnerre, et surtout celle de Micromégas, n'assourdît les mites sans en être entendue. Il fallait en diminuer la force. Ils se mirent dans la bouche des espèces de petits cure-dents, dont le bout fort effilé[19] venait donner auprès du vaisseau. Le Sirien tenait le nain sur ses genoux, et le vaisseau avec l'équipage sur un ongle ; il baissait la tête et parlait bas. Enfin, moyennant toutes ces précautions et bien d'autres encore, il commença ainsi son discours :

« Insectes invisibles, que la main du Créateur s'est plu à faire naître dans l'abîme de l'infiniment petit, je le remercie de ce qu'il a daigné me découvrir des secrets qui semblaient impénétrables. Peut-être ne daignerait-on pas vous regarder à ma cour ; mais je ne méprise personne, et je vous offre ma protection. »

Si jamais il y a eu quelqu'un d'étonné, ce furent les gens qui entendirent ces paroles. Ils ne pouvaient deviner d'où elles partaient. L'aumônier du vaisseau récita les prières des exorcismes, les matelots jurèrent, et les philosophes du vaisseau firent un système ; mais, quelque système qu'ils fissent, ils ne purent jamais deviner qui leur parlait. Le nain de Saturne, qui avait la voix plus douce que Micromégas, leur apprit alors en peu de mots à quelles espèces ils avaient affaire. Il leur conta le voyage de Saturne, les mit au fait de ce qu'était M. Micromégas, et, après les avoir plaints d'être si petits, il leur demanda s'ils avaient toujours été dans ce misérable état si voisin de l'anéantissement, ce qu'ils faisaient dans un globe qui paraissait appartenir à des baleines, s'ils étaient heureux, s'ils multipliaient, s'ils avaient une âme, et cent autres questions de cette nature.

Un raisonneur de la troupe, plus hardi que les autres et choqué de ce qu'on doutait de son âme, observa l'interlocuteur avec des pinnules braquées sur

---

[17] *J'ai pris . . . fait:* I've caught nature in the act (of reproduction)

[18] funnel

[19] sharp

un quart de cercle, fit deux stations, et, à la troisième, il parla ainsi : « Vous croyez donc, Monsieur, parce que vous avez mille toises depuis la tête jusqu'aux pieds, que vous êtes un . . . — Mille toises ! s'écria le nain ; juste Ciel ! d'où peut-il savoir ma hauteur ? mille toises ! il ne se trompe pas d'un pouce. Quoi ! cet atome m'a mesuré ! il est géomètre, il connaît ma grandeur ; et moi, qui ne le vois qu'à travers un microscope, je ne connais pas encore la sienne ! — Oui, je vous ai mesuré, dit le physicien, et je mesurerai bien encore votre grand [10] compagnon. » La proposition fut acceptée ; Son Excellence se coucha de son long, car, s'il se fût tenu debout, sa tête eût été trop au-dessus des nuages. Nos philosophes lui plantèrent un grand arbre dans un endroit que le docteur Swift nommerait, mais que je me garderai bien d'appeler par son nom à cause de mon grand respect pour les dames. Puis, par une suite de triangles liés ensemble, ils conclurent que ce qu'ils voyaient était en effet un jeune homme de cent vingt mille pieds de roi. [20]

Alors Micromégas prononça ces paroles : « Je vois plus que jamais qu'il ne faut juger de rien sur sa grandeur apparente. O Dieu ! qui avez donné une intelligence à des substances qui paraissent si méprisables, l'infiniment petit vous coûte aussi peu que l'infiniment grand ; et, s'il est possible qu'il y ait des êtres plus petits que ceux-ci, ils peuvent encore avoir un esprit supérieur à ceux de ces superbes animaux que j'ai vus dans le ciel, dont le pied seul couvrirait le globe où je suis descendu. »

Un des philosophes lui répondit qu'il pouvait en [30] toute sûreté croire qu'il est en effet des êtres intelligents beaucoup plus petits que l'homme. Il lui conta, non pas tout ce que Virgile a dit de fabuleux sur les abeilles, mais ce que Swammerdam a découvert, et ce que Réamur a disséqué. Il lui apprit enfin qu'il y a des animaux qui sont pour les abeilles ce que les abeilles sont pour l'homme, ce que le Sirien lui-même était pour ces animaux si vastes dont il parlait, et ce que ces grands animaux sont pour d'autres substances devant lesquelles ils ne paraissent que comme des atomes. Peu [40] à peu la conversation devint intéressante, et Micromégas parla ainsi.

Chapitre VII

Conversation avec les hommes.

« O atomes intelligents, dans qui l'Être éternel s'est plu à manifester son adresse et sa puissance, vous devez sans doute goûter des joies bien pures sur votre globe :

car, ayant si peu de matière et paraissant tout esprit, vous devez passer votre vie à aimer et à penser ; c'est la véritable vie des esprits. Je n'ai vu nulle part le vrai bonheur, mais il est ici sans doute. » A ce discours, tous les philosophes secouèrent la tête ; et l'un d'eux, plus franc que les autres, avoua de bonne foi que, si l'on en excepte un petit nombre d'habitants fort peu considérés, tout le reste est un assemblage de fous, de méchants et de malheureux. « Nous avons plus de matière qu'il ne nous en faut, dit-il, pour faire beaucoup de mal, si le mal vient de la matière, et trop d'esprit, si le mal vient de l'esprit. Savez-vous bien, par exemple, qu'à l'heure que je vous parle il y a cent mille fous de notre espèce, couverts de chapeaux, qui tuent cent mille autres animaux couverts d'un turban, ou qui sont massacrés par eux,[20] et que, presque par toute la terre, c'est ainsi qu'on en use de temps immémorial ? » Le Sirien frémit et demanda quel pouvait être le sujet de ces horribles querelles entre de si chétifs animaux. « Il s'agit, dit le philosophe, de quelques tas de boue grands comme votre talon. Ce n'est pas qu'aucun de ces millions d'hommes qui se font égorger prétende un fétu[21] sur ce tas de boue. Il ne s'agit que de savoir s'il appartiendra à un certain homme qu'on nomme *Sultan*, ou à un autre qu'on nomme, je ne sais pourquoi, *César*. Ni l'un ni l'autre n'a jamais vu ni ne verra jamais le petit coin de terre dont il s'agit, et presque aucun de ces animaux qui s'égorgent mutuellement n'a jamais vu l'animal pour lequel ils s'égorgent.

« Ah ! malheureux ! s'écria le Sirien avec indignation, peut-on concevoir cet excès de rage forcenée ? Il me prend envie de faire trois pas, et d'écraser de trois coups de pied toute cette fourmilière d'assassins ridicules. — Ne vous en donnez pas la peine, lui répondit-on ; ils travaillent assez à leur ruine. Sachez qu'au bout de dix ans il ne reste jamais la centième partie de ces misérables ; sachez que, quand même ils n'auraient pas tiré l'épée, la faim, la fatigue ou l'intempérance les emportent presque tous. D'ailleurs, ce n'est pas eux qu'il faut punir, ce sont ces barbares sédentaires qui, du fond de leur cabinet, ordonnent, dans le temps de leur digestion, le massacre d'un million d'hommes, et qui ensuite en font remercier Dieu solonnellement. » Le voyageur se sentait ému de pitié pour la petite race humaine, dans

[20] Allusion to war between Turks and Russians, 1736–1739
[21] *prétende un fétu sur* : cares a straw for

laquelle il découvrait de si étonnants constrastes. « Puisque vous êtes du petit nombre des sages, dit-il à ces messieurs, et qu'apparemment vous ne tuez personne pour de l'argent, dites-moi, je vous prie, à quoi vous vous occupez. — Nous disséquons des mouches, dit le philosophe, nous mesurons des lignes, nous assemblons des nombres ; nous sommes d'accord sur deux ou trois points que nous entendons, et nous disputons sur deux ou trois mille que nous n'entendons pas. » Il prit aussitôt fantaisie au Sirien et au Saturnien d'interroger ces atomes pensants pour savoir les choses dont ils convenaient. « Combien comptez-vous, dit-il, de l'étoile de la Canicule à la grande étoile des Gémeaux ? » Ils répondirent tous à la fois : « Trente-deux degrés et demi. — Combien comptez-vous d'ici à la lune ? — Soixante demi-diamètres de la terre en nombre rond. — Combien pèse votre air ? » Il croyait les attraper, mais tous lui dirent que l'air pèse environ neuf cents fois moins qu'un pareil volume de l'eau la plus légère, et dix-neuf mille fois moins que l'or de ducat. Le petit nain de Saturne, étonné de leurs réponses, fut tenté de prendre pour des sorciers ces mêmes gens auxquels il avait refusé une âme un quart d'heure auparavant.

Enfin Micromégas leur dit : « Puisque vous savez si bien ce qui est hors de vous, sans doute vous savez encore mieux ce qui est en dedans. Dites-moi ce que c'est que votre âme, et comment vous formez vos idées. » Les philosophes parlèrent tous à la fois comme auparavant ; mais ils furent tous de différents avis. Le plus vieux citait Aristote, l'autre prononçait le nom de Descartes, celui-ci de Malebranche, cet autre de Leibnitz, cet autre de Locke. Un vieux péripatéticien dit tout haut avec confiance : « L'âme est une *entéléchie*, et une raison par qui elle a la puissance d'être ce qu'elle est. C'est ce que déclare expressément Aristote, page 633 de l'édition du Louvre. Ἐντελέχειά ἐστι, etc. — Je n'entends pas trop bien le grec, dit le géant. — Ni moi non plus, dit la mite philosophique. — Pourquoi donc, reprit le Sirien, citez-vous un certain Aristote en grec ? — C'est, répliqua le savant, qu'il faut bien citer ce qu'on ne comprend point du tout dans la langue qu'on entend le moins. »

Le cartésien prit la parole, et dit : « L'âme est un esprit pur qui a reçu dans le ventre de sa mère toutes les idées métaphysiques, et qui, en sortant de là, est obligée d'aller à l'école, et d'apprendre tout de nouveau ce qu'elle a si bien su et qu'elle ne saura plus. — Ce n'était donc pas la peine, répondit l'animal de huit lieues, que ton âme fût si savante dans le ventre de ta mère, pour être si ignorante quand tu aurais de la barbe au menton. Mais qu'entends-tu par esprit ? — Que me demandez-vous là ? dit le raisonneur ; je n'en ai point d'idée : on dit que ce n'est pas de la matière. — Mais sais-tu au moins ce que c'est que de la matière ? Très bien, répondit l'homme. Par exemple, cette pierre est grise, et d'une telle forme ; elle a ses trois dimensions ; elle est pesante et divisible. — Eh bien ! dit le Sirien, cette chose qui te paraît être divisible, pesante et grise, me dirais-tu bien ce que c'est ? Tu vois quelques attributs ; mais le fond de la chose, le connais-tu ? — Non, dit l'autre. — Tu ne sais donc point ce que c'est que la matière. »

Alors M. Micromégas, adressant la parole à un autre sage qu'il tenait sur son pouce, lui demanda ce que c'était que son âme, et ce qu'elle faisait. « Rien du tout, répondit le philosophe malebranchiste : c'est Dieu qui fait tout pour moi ; je vois tout en lui, je fais tout en lui : c'est lui qui fait tout sans que je m'en mêle. — Autant vaudrait ne pas être, reprit le sage de Sirius. Et toi, mon ami, dit-il à un leibnitzien qui était là, qu'est-ce que ton âme ? — C'est, répondit le leibnitzien, une aiguille qui montre les heures pendant que mon corps carillonne ; ou bien, si vous voulez, c'est elle qui carillonne pendant que mon corps montre l'heure ; ou bien mon âme est le miroir de l'univers, et mon corps est la bordure du miroir : cela est clair. »

Un petit partisan de Locke était là tout auprès ; et quand on lui eut enfin adressé la parole : « Je ne sais pas, dit-il, comment je pense, mais je sais que je n'ai jamais pensé qu'à l'occasion de mes sens. Qu'il y ait des substances immatérielles et intelligentes, c'est de quoi je ne doute pas ; mais qu'il soit impossible à Dieu de communiquer la pensée à la matière, c'est de quoi je doute fort. Je révère la puissance éternelle, il ne m'appartient pas de la borner ; je n'affirme rien, je me contente de croire qu'il y a plus de choses possibles qu'on ne pense. »

L'animal de Sirius sourit : il ne trouva pas celui-là le moins sage ; et le nain de Saturne aurait embrassé le sectateur de Locke, sans l'extrême disproportion. Mais il y avait là, par malheur, un petit animalcule en bonnet carré,[22] qui coupa la parole à tous les animalcules philosophes ; il dit qu'il savait tout le secret, que cela se trouvait dans la *Somme* de saint Thomas ;[23] il

---

[22] a doctor of the Sorbonne
[23] St. Thomas Aquinas (1226–1274), Catholic philosopher

regarda de haut en bas les deux habitants célestes; il leur soutint que leurs personnes, leurs mondes, leurs soleils, leurs étoiles, tout était fait uniquement pour l'homme. A ce discours, nos deux voyageurs se laissèrent aller l'un sur l'autre en étouffant de ce rire inextinguible qui, selon Homère, est le partage des dieux; leurs épaules et leurs ventres allaient et venaient, et dans ces convulsions le vaisseau, que le Sirien, avait sur son ongle, tomba dans une poche de la culotte du Saturnien. Ces deux bonnes gens le cherchèrent longtemps; 10 enfin ils retrouvèrent l'équipage, et le rajustèrent fort proprement. Le Sirien reprit les petites mites; il leur parla encore avec beaucoup de bonté, quoiqu'il fût un peu fâché dans le fond du cœur de voir que les infiniment petits eussent un orgueil presque infiniment grand. Il leur promit de leur faire un beau livre de philosophie, écrit fort menu pour leur usage, et que, dans ce livre, ils verraient le bout des choses. Effectivement, il leur donna ce volume avant son départ: on le porta à Paris à l'Académie des sciences; mais, quand le 20 secrétaire l'eut ouvert, il ne vit rien qu'un livre tout blanc: « Ah! dit-il, je m'en étais bien douté. »

1. *A quel effet vise la multiplicité des événements?*
2. *Pourquoi ce soin constant à donner des mesures précises: dimension, surface, volume, temps, etc.?*
3. *La suite des événements est-elle logique et cohérente?*
4. *Pourquoi Voltaire touche-t-il à tant de sujets et à tant d'idées d'une manière si rapide?*
5. *Les apartés (asides) de l'auteur: pourrait-on soutenir que les vraies leçons de* Micromégas *s'y trouvent? Justifiez votre réponse.*
6. *Dès le premier paragraphe, où il décrit notre terre comme une fourmilière, Voltaire révèle son attitude vis-à-vis des conceptions anthropocentriques de l'univers. Trouvez d'autres traits de style qui révèlent cette attitude critique.*
7. *A quoi sert l'épisode de la jolie petite brune qui reproche au Saturnien son départ?*
8. *Expliquez le symbole des philosophes qui voyagent dans un bateau que les géants trouvent si frêle.*

9. *En quoi consiste l'ironie voltairienne? (Voyez, par exemple, la censure du livre de* Micromégas *par le mufti de son pays.)*
10. *La satire de Voltaire est-elle injuste? Définissez son attitude dans la mesure où vous pouvez la définir d'après le ton de* Micromégas.
11. *Etant donne les connaissances acquises depuis l'époque de Voltaire—surtout dans les sciences —Micromégas a-t-il perdu beaucoup de sa valeur philosophique?*
12. *Trouvez-vous un certain manque de sérieux dans la forme et la manière du conte? Discutez la thèse selon laquelle Voltaire compromet son but didactique par ses effets stylistiques.*
13. *Ayant lu trois contes didactiques, essayez d'en dégager les traits essentiels, en considérant surtout l'importance du décor, de l'événement, le développement des personnages, le rôle que joue le narrateur.*

René

FRANÇOIS-RENÉ DE CHATEAUBRIAND
(1768–1848)

This short novel or nouvelle, *although complete in itself, was conceived by Chateaubriand as an element of the work which made him famous,* Le Génie du christianisme *(1802). This work, which attempted to justify Christianity by an appeal to the emotions, illustrates:*

1. le vague des passions, *a typically modern state of soul which occurs when* « toutes les facultés jeunes, actives, entières, mais renfermées, ne se sont exercées que sur elles-mêmes, sans but et sans objet. »
2. « le travers particulier des jeunes gens du siècle, le travers qui mène directement au suicide . . . »
3. *and finally, the way in which* « la religion embellit notre existence, corrige les passions sans les eteindre, jette un intérêt singulier sur tous les sujets où elle est employée . . . » *(Quo-*

tations are from the Défense du Génie du christianisme.)

Chateaubriand thus tried to explain the inclusion, in a work of apologetics, of the story of a Frenchman who had come to live in America among the Natchez Indians.

En arrivant chez les Natchez, René avait été obligé de prendre une épouse, pour se conformer aux 10 mœurs des Indiens; mais il ne vivait point avec elle. Un penchant mélancolique l'entraînait au fond des bois: il y passait seul des journées entières, et semblait sauvage parmi les sauvages. Hors Chactas, son père adoptif, et le père Souel, missionnaire au fort Rosalie,[1] il avait renoncé au commerce des hommes. Ces deux vieillards avaient pris beaucoup d'empire sur son cœur: le premier, par une indulgence aimable; l'autre, au contraire, par une extrême sévérité. Depuis la chasse du castor, où le Sachem aveugle raconta ses aventures 20 à René,[2] celui-ci n'avait jamais voulu parler des siennes. Cependant Chactas et le missionnaire désiraient vivement connaître par quel malheur un Européen bien né avait été conduit à l'étrange résolution de s'ensevelir dans les déserts de la Louisiane. René avait toujours donné pour motif de ses refus le peu d'intérêt de son histoire, qui se bornait, disait-il, à celle de ses pensées et de ses sentiments. « Quant à l'événement qui m'a déterminé à passer en Amérique, ajoutait-il, je le dois ensevelir dans un éternel oubli. » 30

Quelques années s'écoulèrent de la sorte, sans que les deux vieillards lui pussent arracher son secret. Une lettre qu'il reçut d'Europe, par le bureau des Missions étrangères, redoubla tellement sa tristesse qu'il fuyait jusqu'à ses vieux amis. Ils n'en furent que plus ardents à le presser de leur ouvrir son cœur; ils y mirent tant de discrétion, de douceur et d'autorité, qu'il fut enfin obligé de les satisfaire. Il prit donc jour avec eux pour leur raconter non les aventures de sa vie, puisqu'il n'en avait point éprouvé, mais les sentiments secrets de 40 son âme.

Le 21 de ce mois, que les sauvages appellent *la lune des fleurs*, René se rendit à la cabane de Chactas. Il donna le bras au Sachem, et le conduisit sous un sassa-

fras, au bord du Meschacebé.[3] Le père Souel ne tarda pas à arriver au rendez-vous. L'aurore se levait: à quelque distance dans la plaine, on apercevait le village des Natchez, avec son bocage de mûriers et ses cabanes qui ressemblent à des ruches d'abeilles. La colonie française et le fort Rosalie se montraient sur la droite, au bord du fleuve. Des tentes, des maisons à moitié bâties, des forteresses commencées, des défrichements couverts de nègres, des groupes de blancs et d'Indiens, présentaient, dans ce petit espace, le contraste des mœurs sociales et des mœurs sauvages. Vers l'orient, au fond de la perspective, le soleil commençait à paraître entre les sommets brisés des Apalaches, qui se dessinaient comme des caractères d'azur dans les hauteurs dorées du ciel; à l'occident, le Meschacebé roulait ses ondes dans un silence magnifique, et formait la bordure du tableau avec une inconcevable grandeur.

Le jeune homme et le missionnaire admirèrent quelque temps cette belle scène, en plaignant le Sachem, qui ne pouvait plus en jouir; ensuite le père Souel et Chactas s'assirent sur le gazon, au pied de l'arbre; René prit sa place au milieu d'eux, et après un moment de silence, il parla de la sorte à ses vieux amis:

« Je ne puis, en commençant mon récit, me défendre d'un mouvement de honte. La paix de vos cœurs, respectables vieillards, et le calme de la nature autour de moi, me font rougir du trouble et de l'agitation de mon âme.

» Combien vous aurez pitié de moi! Que mes éternelles inquiétudes vous paraîtront misérables! Vous qui avez épuisé tous les chagrins de la vie, que penserez-vous d'un jeune homme sans force et sans vertu, qui trouve en lui-même son tourment, et ne peut guère se plaindre que des maux qu'il se fait à lui-même? Hélas, ne le condamnez pas; il a été trop puni!

» J'ai coûté la vie à ma mère en venant au monde; j'ai été tiré de son sein avec le fer. J'avais un frère, que mon père bénit, parce qu'il voyait en lui son fils aîné. Pour moi, livré de bonne heure à des mains étrangères, je fus élevé loin du toit paternel.

» Mon humeur était impétueuse, mon caractère inégal. Tour à tour bruyant et joyeux, silencieux et triste, je rassemblais autour de moi mes jeunes compagnons; puis, les abandonnant tout à coup, j'allais m'asseoir à l'écart pour contempler la nue fugitive, ou entendre la pluie tomber sur le feuillage.

[1] French colony on the site of Natchez
[2] The circumstances of the Frenchman René's arrival in the Natchez territory and of his adoption by Chactas are given in the prologue to *Atala*

[3] Mississippi

» Chaque automne, je revenais au château paternel, situé au milieu des forêts, près d'un lac, dans une province reculée.

» Timide et contraint devant mon père, je ne trouvais l'aise et le contentement qu'auprès de ma sœur Amélie. Une douce conformité d'humeur et de goûts m'unissait étroitement à cette sœur; elle était un peu plus âgée que moi. Nous aimions à gravir les coteaux ensemble, à voguer sur le lac, à parcourir les bois à la chute des feuilles: promenades dont le souvenir remplit encore mon âme de délices. O illusions de l'enfance et de la patrie, ne perdez-vous jamais vos douceurs?

» Tantôt nous marchions en silence, prêtant l'oreille au sourd mugissement de l'automne, ou au bruit des feuilles séchées que nous traînions tristement sous nos pas; tantôt, dans nos jeux innocents, nous poursuivions l'hirondelle dans la prairie, l'arc-en-ciel sur les collines pluvieuses; quelquefois aussi nous murmurions des vers que nous inspirait le spectacle de la nature. Jeune, je cultivais les Muses: il n'y a rien de plus poétique, dans la fraîcheur de ses passions, qu'un cœur de seize années. Le matin de la vie est comme le matin du jour, plein de pureté, d'images et d'harmonies.

» Les dimanches et les jours de fête, j'ai souvent entendu dans le grand bois, à travers les arbres, les sons de la cloche lointaine qui appelait au temple[4] l'homme des champs. Appuyé contre le tronc d'un ormeau,[5] j'écoutais en silence le pieux murmure. Chaque frémissement de l'airain portait à mon âme naïve l'innocence des mœurs champêtres, le calme de la solitude, le charme de la religion, et la délectable mélancolie des souvenirs de ma première enfance. Oh! quel cœur si mal fait n'a tressailli au bruit des cloches de son lieu natal, de ces cloches qui frémirent de joie sur son berceau, qui annoncèrent son avènement à la vie, qui marquèrent le premier battement de son cœur, qui publièrent dans tous les lieux d'alentour la sainte allégresse de son père, les douleurs et les joies encore plus ineffables de sa mère! Tout se trouve dans les rêveries enchantées où nous plonge le bruit de la cloche natale: religion, famille, patrie, et le berceau et la tombe, et le passé et l'avenir.

» Il est vrai qu'Amélie et moi nous jouissions plus que personne de ces idées graves et tendres, car nous avions tous les deux un peu de tristesse au fond du cœur: nous tenions cela de Dieu ou de notre mère.

» Cependant mon père fut atteint d'une maladie qui le conduisit en peu de jours au tombeau. Il expira dans mes bras. J'appris à connaître la mort sur les lèvres de celui qui m'avait donné la vie. Cette impression fut grande; elle dure encore. C'est la première fois que l'immortalité de l'âme s'est présentée clairement à mes yeux. Je ne pus croire que ce corps inanimé était en moi l'auteur de la pensée: je sentis qu'elle me devait venir d'une autre source; et, dans une sainte douleur qui approchait de la joie, j'espérai me rejoindre un jour à l'esprit de mon père.[6]

» Un autre phénomène me confirma dans cette haute idée. Les traits paternels avaient pris au cercueil quelque chose de sublime. Pourquoi cet étonnant mystère ne serait-il pas l'indice de notre immortalité? Pourquoi la mort, qui sait tout, n'aurait-elle pas gravé sur le front de sa victime les secrets d'un autre univers? Pourquoi n'y aurait-il pas dans la tombe quelque grande vision de l'éternité?

» Amélie, accablée de douleur, était retirée au fond d'une tour, d'où elle entendit retentir, sous les voûtes du château gothique, le chant des prêtres du convoi et les sons de la cloche funèbre.

» J'accompagnai mon père à son dernier asile; la terre se referma sur sa dépouille;[7] l'éternité et l'oubli le pressèrent de tout leur poids; le soir même, l'indifférent passait sur sa tombe; hors pour sa fille et pour son fils, c'était déjà comme s'il n'avait jamais été.

» Il fallut quitter le toit paternel, devenu l'héritage de mon frère: je me retirai avec Amélie chez de vieux parents.

» Arrêté à l'entrée des voies trompeuses de la vie, je les considérais l'une après l'autre sans m'y oser engager. Amélie m'entretenait souvent du bonheur de la vie religieuse; elle me disait que j'étais le seul lien qui la retînt dans le monde, et ses yeux s'attachaient sur moi avec tristesse.

» Le cœur ému par ces conversations pieuses, je portais souvent mes pas vers un monastère voisin de mon nouveau séjour; un moment même j'eus la tentation d'y cacher ma vie. Heureux ceux qui ont fini leur

[4] *au temple:* to church
[5] elm

[6] *j'espérai . . . père:* I hoped one day to rejoin my father in spirit. [René expresses his newly confirmed belief in the immortality of the soul]
[7] remains

voyage sans avoir quitté le port, et qui n'ont point, comme moi, traîné d'inutiles jours sur la terre !

» Les Européens incessamment agités sont obligés de se bâtir des solitudes. Plus notre cœur est tumultueux et bruyant, plus le calme et le silence nous attirent. Ces hospices de mon pays, ouverts aux malheureux et aux faibles, sont souvent cachés dans des vallons qui portent au cœur le vague sentiment de l'infortune, et l'espérance d'un abri ; quelquefois aussi on les découvre sur de hauts sites, où l'âme religieuse, comme une plante des montagnes, semble s'élever vers le ciel pour lui offrir ses parfums.

» Je vois encore le mélange majestueux des eaux et des bois de cette antique abbaye, où je pensai dérober ma vie aux caprices du sort ; j'erre encore, au déclin du jour, dans ces cloîtres retentissants et solitaires. Lorsque la lune éclairait à demi les piliers des arcades, et dessinait leur ombre sur le mur opposé, je m'arrêtais à contempler la croix qui marquait le champ de la mort, et les longues herbes qui croissaient entre les pierres des tombes. O hommes, qui ayant vécu loin du monde, avez passé du silence de la terre au silence de la mort, de quel dégoût de la terre vos tombeaux ne remplissaient-ils point mon cœur !

» Soit inconstance naturelle, soit préjugé contre la vie monastique, je changeai mes desseins ; je me résolus à voyager. Je dis adieu à ma sœur ; elle me serra dans ses bras avec un mouvement qui ressemblait à de la joie, comme si elle eût été heureuse de me quitter. Je ne pus me défendre d'une réflexion amère sur l'inconséquence des amitiés humaines.

» Cependant, plein d'ardeur, je m'élançai seul sur cet orageux océan du monde, dont je ne connaissais ni les ports, ni les écueils. Je visitai d'abord les peuples qui ne sont plus : je m'en allai, m'asseyant sur les débris de Rome et de la Grèce : pays de forte et d'ingénieuse mémoire, où les palais sont ensevelis dans la poudre, et les mausolées des rois cachés sous les ronces.[8] Force de la nature, et faiblesse de l'homme : un brin d'herbe perce souvent le marbre le plus dur de ces tombeaux, que tous ces morts, si puissants, ne soulèveront jamais !

» Quelquefois une haute colonne se montrait seule debout dans un désert, comme une grande pensée s'élève par intervalles dans une âme que le temps et le malheur ont dévastée.

» Je méditai sur ces monuments dans tous les accidents et à toutes les heures de la journée. Tantôt ce même soleil qui avait vu jeter les fondements de ces cités se couchait majestueusement, à mes yeux, sur leurs ruines ; tantôt la lune se levant dans un ciel pur, entre deux urnes cinéraires à moitié brisées, me montrait les pâles tombeaux. Souvent, aux rayons de cet astre qui alimente les rêveries, j'ai cru voir le Génie des souvenirs assis tout pensif à mes côtés.

» Mais je me lassai de fouiller dans des cercueils, où je ne remuais trop souvent qu'une poussière criminelle.

» Je voulus voir si les races vivantes m'offriraient plus de vertus ou moins de malheurs que les races évanouies. Comme je me promenais un jour dans une grande cité, en passant derrière un palais, dans une cour retirée et déserte, j'aperçus une statue qui indiquait du doigt un lieu fameux par un sacrifice.[9] Je fus frappé du silence de ces lieux ; le vent seul gémissait autour du marbre tragique. Des manœuvres[10] étaient couchés avec indifférence au pied de la statue, ou taillaient des pierres en sifflant. Je leur demandai ce que signifiait ce monument : les uns purent à peine me le dire, les autres ignoraient la catastrophe qu'il retraçait. Rien ne m'a plus donné la juste mesure des événements de la vie et du peu que nous sommes. Que sont devenus ces personnages qui firent tant de bruit ? Le temps a fait un pas, et la face de la terre a été renouvelée.

» Je recherchai surtout dans mes voyages les artistes, et ces hommes divins qui chantent les dieux sur la lyre et la félicité des peuples qui honorent les lois, la religion et les tombeaux.

» Ces chantres sont de race divine, ils possèdent le seul talent incontestable dont le ciel ait fait présent à la terre. Leur vie est à la fois naïve et sublime ; ils célèbrent les dieux avec une bouche d'or, et sont les plus simples des hommes ; ils causent comme des immortels ou comme des petits enfants ; ils expliquent les lois de l'univers, et ne peuvent comprendre les affaires les plus innocentes de la vie ; ils ont des idées merveilleuses de la mort, et meurent sans s'en apercevoir, comme des nouveau-nés.

» Sur les monts de la Calédonie,[11] le dernier barde qu'on ait ouï dans ces déserts me chanta les poèmes

---

[8] brambles

[9] a statue of James II, son of Charles I, who was beheaded in 1649, before Whitehall Palace
[10] workmen
[11] Scotland

dont un héros consolait jadis sa vieillesse. Nous étions assis sur quatre pierres rongées de mousse; un torrent coulait à nos pieds; le chevreuil paissait à quelque distance parmi les débris d'une tour, et le vent des mers sifflait sur la bruyère de Cona. Maintenant la religion chrétienne, fille aussi des hautes montagnes, a placé des croix sur les monuments des héros de Morven, et touché la harpe de David au bord du même torrent où Ossian fit gémir la sienne.[12] Aussi pacifique que les divinités de Selma étaient guerrières, elle garde des troupeaux où Fingal livrait des combats,[13] et elle a répandu des anges de paix dans les nuages qu'habitaient des fantômes homicides.

» L'ancienne et riante Italie m'offrit la foule de ses chefs-d'œuvre. Avec quelle sainte et poétique horreur j'errais dans ces vastes édifices consacrés par les arts à la religion! Quel labyrinthe de colonnes! Quelle succession d'arches et de voûtes! Qu'ils sont beaux ces bruits qu'on entend autour des dômes, semblables aux rumeurs des flots dans l'Océan, aux murmures des vents dans la forêt, ou à la voix de Dieu dans son temple! L'architecte bâtit, pour ainsi dire, les idées du poète et les fait toucher aux sens.

» Cependant qu'avais-je appris jusqu'alors avec tant de fatigue? Rien de certain parmi les anciens, rien de beau parmi les modernes. Le passé et le présent sont deux statues incomplètes: l'une a été retirée toute mutilée du débris des âges; l'autre n'a pas encore reçu sa perfection de l'avenir.

» Mais peut-être, mes vieux amis, vous surtout habitants du désert, êtes-vous étonnés que, dans ce récit de mes voyages, je ne vous ai pas une seule fois entretenus des monuments de la nature?

» Un jour, j'étais monté au sommet de l'Etna, volcan qui brûle au milieu d'une île. Je vis le soleil se lever dans l'immensité de l'horizon au-dessous de moi, la Sicile resserrée comme un point à mes pieds, et la mer déroulée au loin dans les espaces. Dans cette vue perpendiculaire du tableau, les fleuves ne me semblaient plus que des lignes géographiques tracées sur une carte; mais, tandis que d'un côté mon œil apercevait ces objets, de l'autre, il plongeait dans les cratère de l'Etna, dont je découvrais les entrailles brûlantes, entre les bouffées d'une noire vapeur.

» Un jeune homme plein de passions, assis sur la bouche d'un volcan, et pleurant sur les mortels dont à peine il voyait à ses pieds les demeures, n'est sans doute, ô vieillards, qu'un objet digne de votre pitié; mais, quoi que vous puissiez penser de René, ce tableau vous offre l'image de son caractère et de son existence: c'est ainsi que toute ma vie j'ai eu devant les yeux une création à la fois immense et imperceptible, et un abîme ouvert à mes côtés. »

En prononçant ces derniers mots, René se tut, et tomba subitement dans la rêverie. Le père Souel le regardait avec étonnement; et le vieux Sachem aveugle, qui n'entendait plus parler le jeune homme, ne savait que penser de ce silence.

René avoit les yeux attachés sur un groupe d'Indiens qui passaient gaiement dans la plaine. Tout à coup, sa physionomie s'attendrit, des larmes coulent de ses yeux; il s'écrie:

« Heureux sauvages! Oh! que ne puis-je jouir de la paix qui vous accompagne toujours! Tandis qu'avec si peu de fruit je parcourais tant de contrées, vous, assis tranquillement sous vos chênes, vous laissiez couler les jours sans les compter. Votre raison n'était que vos besoins, et vous arriviez mieux que moi au résultat de la sagesse, comme l'enfant, entre les jeux et le sommeil. Si cette mélancolie qui s'engendre de l'excès du bonheur atteignait quelquefois votre âme, bientôt vous sortiez de cette tristesse passagère, et votre regard levé vers le ciel cherchait avec attendrissement ce je ne sais quoi inconnu qui prend pitié du pauvre sauvage. »

Ici la voix de René expira de nouveau, et le jeune homme pencha la tête sur sa poitrine. Chactas, étendant le bras dans l'ombre, et prenant le bras de son fils, lui cria d'un ton ému: « Mon fils! mon cher fils! » A ces accents, le frère d'Amélie, revenant à lui et rougissant de son trouble, pria son père de lui pardonner.

Alors le vieux sauvage: « Mon jeune ami, les mouvements d'un cœur comme le tien ne sauraient être égaux; modère seulement ce caractère qui t'a déjà fait tant de mal. Si tu souffres plus qu'un autre des choses de la vie, il ne faut pas t'en étonner: une grande âme doit contenir plus de douleur qu'une petite. Continue ton récit. Tu nous as fait parcourir une partie de l'Europe, fais-nous connaître ta patrie. Tu sais que j'ai vu la France, et quels liens m'y ont attaché: j'aimerai à entendre parler de ce grand chef[14] qui n'est plus et dont

[12] reference to the Ossianic poems, purported to be translations from ancient Gaelic, but actually the work of James Macpherson (1738–1796). Their vogue was great in France

[13] *Fingal:* a hero of the Ossianic poems

[14] Louis XIV

j'ai visité la superbe cabane. Mon enfant, je ne vis plus que par la mémoire. Un vieillard avec ses souvenirs ressemble au chêne décrépit de nos bois : ce chêne ne se décore plus de son propre feuillage, mais il couvre quelquefois sa nudité des plantes étrangères qui ont végété sur ses antiques rameaux. »

Le frère d'Amélie, calmé par ces paroles, reprit ainsi l'histoire de son cœur.

« Hélas ! mon père, je ne pourrai t'entretenir de ce grand siècle, dont je n'ai vu que la fin dans mon enfance, et qui n'était plus lorsque je rentrai dans ma patrie. Jamais un changement plus étonnant et plus soudain ne s'est opéré chez un peuple. De la hauteur du génie, du respect pour la religion, de la gravité des mœurs, tout était subitement descendu à la souplesse de l'esprit, à l'impiété, à la corruption.

» C'était donc bien vainement que j'avais espéré retrouver dans mon pays de quoi calmer cette inquiétude, cette ardeur de désir qui me suit partout. L'étude du monde ne m'avait rien appris, et pourtant je n'avais plus la douceur de l'ignorance.

» Ma sœur, par une conduite inexplicable, semblait se plaire à augmenter mon ennui : elle avait quitté Paris quelques jours avant mon arrivée. Je lui écrivis que je comptais l'aller rejoindre ; elle se hâta de me répondre pour me détourner de ce projet, sous prétexte qu'elle était incertaine du lieu où l'appelleraient ses affaires. Quelles tristes réflexions ne fis-je point alors sur l'amitié, que la présence attiédit,[15] que l'absence efface, qui ne résiste point au malheur, et encore moins à la prospérité !

» Je me trouvai bientôt plus isolé dans ma patrie que je ne l'avais été sur une terre étrangère. Je voulus me jeter pendant quelque temps dans un monde qui ne me disait rien et qui ne m'entendait pas. Mon âme, qu'aucune passion n'avait encore usée, cherchait un objet qui pût l'attacher ; mais je m'aperçus que je donnais plus que je ne recevais. Ce n'était ni un langage élevé, ni un sentiment profond qu'on demandait de moi. Je n'étais occupé qu'à rapetisser[16] ma vie pour la mettre au niveau de la société. Traité partout d'esprit romanesque, honteux du rôle que je jouais, dégoûté de plus en plus des choses et des hommes, je pris le parti de me retirer dans un faubourg, pour y vivre totalement ignoré.

» Je trouvai d'abord assez de plaisir dans cette vie obscure et indépendante. Inconnu, je me mêlais à la foule, vaste désert d'hommes !

» Souvent assis dans une église peu fréquentée, je passais des heures entières en méditation. Je voyais de pauvres femmes venir se prosterner devant le Très-Haut, ou des pécheurs s'agenouiller au tribunal de la pénitence.[17] Nul ne sortait de ces lieux sans un visage plus serein, et les sourdes clameurs qu'on entendait au dehors semblaient être les flots des passions et les orages du monde qui venaient expirer au pied du temple du Seigneur. Grand Dieu, qui vis en secret couler mes larmes dans ces retraites sacrées, tu sais combien de fois je me jetai à tes pieds pour te supplier de me décharger du poids de l'existence, ou de changer en moi le vieil homme ! Ah ! qui n'a senti quelquefois le besoin de se régénérer, de se rajeunir aux eaux du torrent ! Qui ne se trouve quelquefois accablé du fardeau de sa propre corruption, et incapable de rien faire de grand, de noble, de juste ?

» Quand le soir était venu, reprenant le chemin de ma retraite, je m'arrêtais sur les ponts pour voir se coucher le soleil. L'astre, enflammant les vapeurs de la cité, semblait osciller lentement dans un fluide d'or, comme le pendule de l'horloge des siècles. Je me retirais ensuite avec la nuit, à travers un labyrinthe de rues solitaires. En regardant les lumières qui brillaient dans les demeures des hommes, je me transportais par la pensée au milieu des scènes de douleur et de joie qu'elles éclairaient, et je songeais que, sous tant de toits habités, je n'avais pas un ami. Au milieu de mes réflexions, l'heure venait frapper à coups mesurés dans la tour de la cathédrale gothique ; elle allait se répétant sur tous les tons, et à toutes les distances, d'église en église. Hélas ! chaque heure, dans la société, ouvre un tombeau et fait couler des larmes !

» Cette vie, qui m'avait d'abord enchanté, ne tarda pas à me devenir insupportable. Je me fatiguai de la répétition des mêmes idées. Je me mis à sonder mon cœur, à me demander ce que je désirais. Je ne le savais pas : mais je crus tout à coup que les bois me seraient délicieux. Me voilà soudain résolu d'achever dans un exil champêtre une carrière à peine commencée, et dans laquelle j'avais déjà dévoré des siècles.

» J'embrassai ce projet avec l'ardeur que je mets à tous mes desseins ; je partis précipitamment pour m'en-

[15] cools
[16] constrict

[17] *tribunal de la pénitence:* i.e. at confession

sevelir dans une chaumière,[18] comme j'étais parti autrefois pour faire le tour du monde.

» On m'accuse d'avoir des goûts inconstants, de ne pouvoir jouir longtemps de la même chimère, d'être la proie d'une imagination qui se hâte d'arriver au fond de mes plaisirs, comme si elle était accablée de leur durée; on m'accuse de passer toujours le but que je puis atteindre: hélas! je cherche seulement un bien inconnu, dont l'instinct me poursuit. Est-ce ma faute si je trouve partout des bornes, si ce qui est fini n'a pour moi aucune valeur? Cependant je sens que j'aime la monotonie des sentiments de la vie, et si j'avais encore la folie de croire au bonheur, je le chercherais dans l'habitude.

» La solitude absolue, le spectacle de la nature, me plongèrent bientôt dans un état presque impossible à décrire. Sans parents, sans amis, pour ainsi dire seul sur la terre, n'ayant point encore aimé, j'étais accablé d'une surabondance de vie. Quelquefois je rougissais subitement, et je sentais couler dans mon cœur comme des ruisseaux d'une lave ardente;[19] quelquefois je poussais des cris involontaires, et la nuit était également troublée de mes songes et de mes veilles. Il me manquait quelque chose pour remplir l'abîme de mon existence: je descendais dans la vallée, je m'élevais sur la montagne, appelant de toute la force de mes désirs l'idéal objet d'une flamme future; je l'embrassais dans les vents, je croyais l'entendre dans les gémissements du fleuve: tout était ce fantôme imaginaire, et les astres dans les cieux, et le principe même de vie dans l'univers.

» Toutefois cet état de calme et de trouble, d'indigence et de richesse, n'était pas sans quelques charmes. Un jour, je m'étais amusé à effeuiller une branche de saule sur un ruisseau, et à attacher une idée à chaque feuille que le courant entraînait. Un roi qui craint de perdre sa couronne par une révolution subite ne ressent pas des angoisses plus vives que les miennes à chaque accident qui menaçait les débris de mon rameau. O faiblesse des mortels! ô enfance du cœur humain, qui ne vieillit jamais! Voilà donc à quel degré de puérilité superbe notre raison peut descendre! Et encore est-il vrai que bien des hommes attachent leur destinée à des choses d'aussi peu de valeur que mes feuilles de saule.

» Mais comment exprimer cette foule de sensations fugitives que j'éprouvais dans mes promenades? Les

sons que rendent les passions dans le vide d'un cœur solitaire ressemblent au murmure que les vents et les eaux font entendre dans le silence d'un désert: on en jouit, mais on ne peut les peindre.

» L'automne me surprit au milieu de ces incertitudes: j'entrai avec ravissement dans le mois des tempêtes. Tantôt j'aurais voulu être un de ces guerriers errant au milieu des vents, des nuages et des fantômes; tantôt j'enviais jusqu'au sort du pâtre[20] que je voyais réchauffer ses mains à l'humble feu de broussailles[21] qu'il avait allumé au coin d'un bois. J'écoutais ses chants mélancoliques, qui me rappelaient que dans tout pays le chant naturel de l'homme est triste, lors même qu'il exprime le bonheur. Notre cœur est un instrument incomplet, une lyre où il manque des cordes, et où nous sommes forcés de rendre les accents de la joie sur le ton consacré aux soupirs.

» Le jour, je m'égarais sur de grandes bruyères terminées par des forêts. Qu'il fallait peu de chose à ma rêverie: une feuille séchée que le vent chassait devant moi, une cabane dont la fumée s'élevait dans la cime dépouillée des arbres, la mousse qui tremblait au souffle du nord sur le tronc d'un chêne, une roche écartée, un étang désert où le jonc flétri[22] murmurait! Le clocher du hameau, s'élevant au loin dans la vallée, a souvent attiré mes regards; souvent, j'ai suivi des yeux les oiseaux de passage qui volaient au-dessus de ma tête. Je me figurais les bords ignorés, les climats lointains où ils se rendent; j'aurais voulu ête sur leurs ailes. Un secret instinct me tourmentait, je sentais que je n'étais moi-même qu'un voyageur; mais une voix du ciel semblait me dire: « Homme, la saison de ta migration n'est pas encore venue; attends que le vent de la mort se lève: alors tu déploieras ton vol vers ces régions inconnues que ton cœur demande. »

« Levez-vous vite, orages désirés, qui devez emporter René dans les espaces d'une autre vie! » Ainsi disant, je marchais à grands pas, le visage enflammé, le vent sifflant dans ma chevelure, ne sentant ni pluie ni frimas,[23] enchanté, tourmenté, et comme possédé par le démon de mon cœur.

» La nuit, lorsque l'aquilon[24] ébranlait ma chau-

---

[18] cottage
[19] je sentais . . . ardente: I felt as though streams of burning lava were flowing in my heart

[20] shepherd
[21] brushwood
[22] jonc flétri: withered reed
[23] frost
[24] north wind

mière, que les pluies tombaient en torrents sur mon toit, qu'à travers ma fenêtre, je voyais la lune sillonner les nuages amoncelés, comme un pâle vaisseau qui laboure les vagues, il me semblait que la vie redoublait au fond de mon cœur, que j'aurais eu la puissance de créer des mondes. Ah! si j'avais pu faire partager à une autre les transports que j'éprouvais! O Dieu! si tu m'avais donné une femme selon mes désirs; si, comme à notre premier père, tu m'eusses amené par la main une Eve tirée de moi-même ... Beauté céleste, je me serais prosterné devant toi; puis, te prenant dans mes bras, j'aurais prié l'Eternel de te donner le reste de ma vie.

» Hélas! j'étais seul, seul sur la terre! Une langueur secrète s'emparait de mon corps. Ce dégoût de la vie, que j'avais ressenti dès mon enfance, revenait avec une force nouvelle. Bientôt mon cœur ne fournit plus d'aliments à ma pensée, et je ne m'apercevais de mon existence que par un profond sentiment d'ennui.

» Je luttai quelque temps contre mon mal, mais avec indifférence, et sans avoir la ferme résolution de le vaincre. Enfin, ne pouvant trouver de remède à cette étrange blessure de mon cœur, qui n'était nulle part et qui était partout, je résolus de quitter la vie.

» Prêtre du Très-Haut qui m'entendez, pardonnez à un malheureux que le ciel avait presque privé de la raison. J'étais plein de religion, et je raisonnais en impie; mon cœur aimait Dieu, et mon esprit le méconnaissait; ma conduite, mes discours, mes sentiments, mes pensées, n'étaient que contradictions, ténèbres, mensonges. Mais l'homme sait-il bien toujours ce qu'il veut? est-il toujours sûr de ce qu'il pense?

» Tout m'échappait à la fois: l'amitié, le monde, la retraite. J'avais essayé de tout, et tout m'avait été fatal. Repoussé par la société, abandonné d'Amélie, quand la solitude vint à me manquer, que me restait-il? C'était la dernière planche sur laquelle j'avais espéré me sauver, et je la sentais encore s'enfoncer dans l'abîme!

» Décidé que j'étais à me débarrasser du poids de la vie, je résolus de mettre toute ma raison dans cet acte insensé. Rien ne me pressait; je ne fixai point le moment du départ, afin de savourer à longs traits les derniers moments de l'existence, et de recueillir toutes mes forces, à l'exemple d'un ancien, pour sentir mon âme s'échapper.

» Cependant, je crus nécessaire de prendre des arrangements concernant ma fortune, et je fus obligé d'écrire à Amélie. Il m'échappa quelques plaintes sur son oubli, et je laissai sans doute percer l'attendrisse-ment qui surmontait peu à peu mon cœur. Je m'imaginais pourtant avoir bien dissimulé mon secret, mais ma sœur, accoutumée à lire dans les replis[25] de mon âme, le devina sans peine. Elle fut alarmée du ton de contrainte qui régnait dans ma lettre, et de mes questions sur des affaires dont je ne m'étais jamais occupé. Au lieu de me répondre, elle me vint tout à coup surprendre.

» Pour bien sentir quelle dut être dans la suite l'amertume de ma douleur, et quels furent mes premiers transports en revoyant Amélie, il faut vous figurer que c'était la seule personne au monde que j'eusse aimée, que tous mes sentiments se venaient confondre en elle, avec la douceur des souvenirs de mon enfance. Je reçus donc Amélie avec une sorte d'extase de cœur. Il y avait longtemps que je n'avais trouvé quelqu'un qui m'entendît, et devant qui je pusse ouvrir mon âme!

» Amélie, se jetant dans mes bras, me dit: « Ingrat, tu veux mourir et ta sœur existe! Tu soupçonnes son cœur! Ne t'explique point, ne t'excuse point, je sais tout; j'ai tout compris, comme si j'avais été avec toi. Est-ce moi que l'on trompe, moi qui ai vu naître tes premiers sentiments? Voilà ton malheureux caractère, tes dégoûts, tes injustices. Jure, tandis que je te presse sur mon cœur, jure que c'est la dernière fois que tu te livreras à tes folies: fais le serment de ne jamais attenter à tes jours. »[26]

» En prononçant ces mots, Amélie me regardait avec compassion et tendresse, et couvrait mon front de ses baisers; c'était presque une mère, c'était quelque chose de plus tendre. Hélas! mon cœur se rouvrit à toutes les joies; comme un enfant, je ne demandais qu'à être consolé; je cédai à l'empire d'Amélie: elle exigea un serment solennel; je le fis sans hésiter, ne soupçonnant même pas que désormais je pusse être malheureux.

» Nous fûmes plus d'un mois à nous accoutumer à l'enchantement d'être ensemble. Quand le matin, au lieu de me trouver seul, j'entendais la voix de ma sœur, j'éprouvais un tressaillement de joie et de bonheur. Amélie avait reçu de la nature quelque chose de divin: son âme avait les mêmes grâces innocentes que son corps; la douceur de ses sentiments était infinie; il n'y avait rien que de suave et d'un peu rêveur dans son esprit; on eût dit que son cœur, sa pensée et sa voix soupiraient comme de concert; elle tenait de la femme

[25] recesses

[26] *fais . . . jours:* swear never to attempt suicide

la timidité et l'amour, et de l'ange la pureté et la mélodie.

» Le moment était venu où j'allais expier toutes mes inconséquences.[27] Dans mon délire, j'avais été jusqu'à désirer d'éprouver un malheur, pour avoir du moins un objet réel de souffrance: épouvantable souhait, que Dieu, dans sa colère, a trop exaucé!

» Que vais-je vous révéler, ô mes amis! voyez les pleurs qui coulent de mes yeux! Puis-je même . . . Il y a quelques jours, rien n'aurait pu m'arracher ce secret . . . A présent, tout est fini!

» Toutefois, ô vieillards, que cette histoire soit à jamais ensevelie dans le silence: souvenez-vous qu'elle n'a été racontée que sous l'arbre du désert.

» L'hiver finissait, lorsque je m'aperçus qu'Amélie perdait le repos et la santé, qu'elle commençait à me rendre.[28] Elle maigrissait, ses yeux se creusaient, sa démarche était languissante et sa voix troublée. Un jour, je la surpris tout en larmes au pied d'un crucifix. Le monde, la solitude, mon absence, ma présence, la nuit, le jour, tout l'alarmait. D'involontaires soupirs venaient expirer sur ses lèvres; tantôt elle soutenait, sans se fatiguer, une longue course; tantôt elle se traînait à peine; elle prenait et laissait son ouvrage, ouvrait un livre sans pouvoir lire, commençait une phrase qu'elle n'achevait pas, fondait tout à coup en pleurs, et se retirait pour prier.

» En vain je cherchais à découvrir son secret. Quand je l'interrogeais en la pressant dans mes bras, elle me répondait, avec un sourrie, qu'elle était comme moi, qu'elle ne savait pas ce qu'elle avait.

» Trois mois se passèrent de la sorte, et son état devenait pire chaque jour. Une correspondance mystérieuse me semblait être la cause de ses larmes, car elle paraissait ou plus tranquille, ou plus émue, selon les lettres qu'elle recevait. Enfin, un matin, l'heure à laquelle nous déjeunions ensemble étant passée, je monte à son appartement, je frappe: on ne me répond point; j'entr'ouvre la porte, il n'y avait personne dans la chambre. J'aperçois sur la cheminée un paquet à mon adresse. Je le saisis en tremblant, je l'ouvre, et je lis cette lettre, que je conserve pour m'ôter à l'avenir tout mouvement de joie.

---

[27] *expier . . . inconséquences:* atone for all my inconsistencies

[28] *qu'Amélie . . . rendre:* that Amélie was losing the rest and health that she had begun to restore to me

« A RENÉ

» *Le Ciel m'est témoin, mon frère, que je donnerais mille fois ma vie pour vous épargner un moment de peine; mais, infortunée que je suis, je ne puis rien pour votre bonheur. Vous me pardonnerez donc de m'être dérobée de chez vous comme une coupable: je n'aurais pu résister à vos prières, et cependant il fallait partir . . . Mon Dieu, ayez pitié de moi!*

» *Vous savez, René, que j'ai toujours eu du penchant pour la vie religieuse: il est temps que je mette à profit les avertissements du Ciel. Pourquoi ai-je attendu si tard? Dieu m'en punit. J'étais restée pour vous dans le monde . . . Pardonnez, je suis toute troublée par le chagrin que j'ai de vous quitter.*

» *C'est à présent, mon cher frère, que je sens bien la nécessité de ces asiles contre lesquels je vous ai vu souvent vous élever. Il est des malheurs qui nous séparent pour toujours des hommes: que deviendraient alors de pauvres infortunées? . . . Je suis persuadée que vous-même, mon frère, vous trouveriez le repos dans ces retraites de la religion: la terre n'offre rien qui soit digne de vous.*

» *Je ne vous rappellerai point votre serment: je connais la fidélité de votre parole. Vous l'avez juré, vous vivrez pour moi. Y a-t-il rien de plus misérable que de songer sans cesse à quitter la vie? Pour un homme de caractère, il est si aisé de mourir! Croyezen votre sœur, il est plus difficile de vivre.*

» *Mais, mon frère, sortez au plus vite de la solitude, qui ne vous est pas bonne; cherchez quelque occupation. Je sais que vous riez amèrement de cette nécessité où l'on est en France de prendre un état.[29] Ne méprisez pas tant l'expérience et la sagesse de nos pères. Il vaut mieux, mon cher René, ressembler un peu plus au commun des hommes et avoir un peu moins de malheur.*

» *Peut-être trouveriez-vous dans le mariage un soulagement à vos ennuis. Une femme, des enfants, occuperaient vos jours. Et quelle est la femme qui ne chercherait pas à vous rendre heureux! L'ardeur de votre âme, la beauté de votre génie, votre air noble et passionné, ce regard fier et tendre, tout vous assurerait de son amour et de sa fidélité. Ah! avec quelles délices ne te presserait-elle pas dans ses bras et sur son cœur! Comme tous ses regards, toutes ses*

---

[29] *prendre un état:* to take a profession

pensées seraient attachées sur toi, pour prévenir tes moindres peines! Elle serait tout amour, tout innocence devant toi: tu croirais retrouver une sœur.

　» Je pars pour le couvent de . . . Ce monastère, bâti au bord de la mer, convient à la situation de mon âme. La nuit, du fond de ma cellule, j'entendrai le murmure des flots qui baignent les murs du couvent; je songerai à ces promenades que je faisais avec vous au milieu des bois, alors que nous croyions retrouver le bruit des mers dans la cime agitée des pins. Aimable compagnon de mon enfance, est-ce que je ne vous verrai plus? A peine plus âgée que vous, je vous balançais dans votre berceau; souvent nous avons dormi ensemble. Ah! si un même tombeau nous réunissait un jour! Mais non: je dois dormir seule sous les marbres glacés de ce sanctuaire, où reposent pour jamais ces filles qui n'ont point aimé.

　» Je ne sais si vous pourrez lire ces lignes à demi effacées par mes larmes. Après tout, mon ami, un peu plus tôt, un peu plus tard, n'aurait-il pas fallu nous quitter? Qu'ai-je besoin de vous entretenir de l'incertitude et du peu de valeur de la vie? Vous vous rappelez le jeune M . . ., qui fit naufrage à l'Ile-de-France.[30] Quand vous reçûtes sa dernière lettre quelques mois après sa mort, sa dépouille terrestre[31] n'existait même plus; et l'instant où vous commenciez son deuil en Europe était celui où on le finissait aux Indes. Qu'est ce donc que l'homme, dont la mémoire périt si vite? Une partie de ses amis ne peut apprendre sa mort que l'autre n'en soit déjà consolée! Quoi! cher et trop cher René, mon souvenir s'effacera-t-il si promptement de ton cœur? O mon frère! si je m'arrache à vous dans le temps, c'est pour n'être pas séparée de vous dans l'éternité.

» AMÉLIE.

　» P.-S. — Je joins ici l'acte de la donation de mes biens,[32] j'espère que vous ne refuserez pas cette marque de mon amitié. »

　» La foudre qui fût tombée à mes pieds ne m'eût pas causé plus d'effroi que cette lettre. Quel secret Amélie me cachait-elle? Qui la forçait si subitement à embrasser la vie religieuse? Ne m'avait-elle rattaché à l'existence par le charme de l'amitié que pour me délaisser[33] tout à coup? Oh! pourquoi était-elle venue me détourner de mon dessein? Un mouvement de pitié l'avait rappelée auprès de moi; mais, bientôt fatiguée d'un pénible devoir, elle se hâte de quitter un malheureux qui n'avait qu'elle sur la terre. On croit avoir tout fait quand on a empêché un homme de mourir! Telles étaient mes plaintes. Puis, faisant un retour sur moi-même: « Ingrate Amélie, disais-je, si tu avais été à ma place; si, comme moi, tu avais été perdue dans le vide de tes jours, ah! tu n'aurais pas été abandonnée de ton frère! »

　» Cependant, quand je relisais la lettre, j'y trouvais je ne sais quoi de si triste et de si tendre que tout mon cœur se fondait. Tout à coup, il me vint une idée qui me donna quelque espérance: je m'imaginai qu'Amélie avait peut-être conçu une passion pour un homme, qu'elle n'osait avouer. Ce soupçon sembla m'expliquer sa mélancolie, sa correspondance mystérieuse, et le ton passionné qui respirait dans sa lettre. Je lui écrivis aussitôt pour la supplier de m'ouvrir son cœur.

　» Elle ne tarda pas à me répondre, mais sans me découvrir son secret: elle me mandait seulement qu'elle avait obtenu les dispenses du noviciat,[34] et qu'elle allait prononcer ses vœux.

　» Je fus révolté de l'obstination d'Amélie, du mystère de ses paroles et de son peu de confiance en mon amitié.

　» Après avoir hésité un moment sur le parti que j'avais à prendre, je résolus d'aller à B . . . pour faire un dernier effort auprès de ma sœur. La terre où j'avais été élevé se trouvait sur la route. Quand j'aperçus les bois où j'avais passé les seuls moments heureux de ma vie, je ne pus retenir mes larmes, et il me fut impossible de résister à la tentation de leur dire un dernier adieu.

　» Mon frère aîné avait vendu l'héritage paternel, et le nouveau propriétaire ne l'habitait pas. J'arrivai au château par la longue avenue de sapins; je traversai à pied les cours désertes; je m'arrêtai à regarder les fenêtres fermées ou demi-brisées, le chardon[35] qui croissait au pied des murs, les feuilles qui jonchaient le seuil des portes, et ce perron solitaire où j'avais vu si

---

[30] *Ile-de-France:* Mauritius, island near Madagascar, in Indian Ocean

[31] *dépouille terrestre:* earthly remains

[32] *l'acte . . . biens:* document providing for disposition of Amélie's possessions

[33] *abandonner*

[34] *dispenses du noviciat:* release from the usual period of probation required before taking religious orders

[35] thistle

souvent mon père et ses fidèles serviteurs. Les marches étaient déjà couvertes de mousse; le violier[36] jaune croissait entre leurs pierres déjointes et tremblantes. Un gardien inconnu m'ouvrit brusquement les portes. J'hésitais à franchir le seuil; cet homme s'écria: « Hé bien, allez-vous faire comme cette étrangère qui vint ici il y a quelques jours? Quand ce fut pour entrer, elle s'évanouit, et je fus obligé de la reporter à sa voiture. » Il me fut aisé de reconnaître *l'étrangère* qui, comme moi, était venue chercher dans ces lieux des pleurs et 10 des souvenirs !

» Couvrant un moment mes yeux de mon mouchoir, j'entrai sous le toit de mes ancêtres. Je parcourus les appartements sonores, où l'on n'entendait que le bruit de mes pas. Les chambres étaient à peine éclairées par la faible lumière qui pénétrait entre les volets fermés : je visitai celle où ma mère avait perdu la vie en me mettant au monde, celle où se retirait mon père, celle où j'avais dormi dans mon berceau, celle enfin où l'amitié avait reçu mes premiers vœux dans le sein 20 d'une sœur. Partout les salles étaient détendues,[37] et l'araignée filait sa toile dans les couches[38] abandonnées. Je sortis précipitamment de ces lieux, je m'en éloignai à grands pas, sans oser tourner la tête. Qu'ils sont doux, mais qu'ils sont rapides, les moments que les frères et les sœurs passent dans leurs jeunes années, réunis sous l'aile de leurs vieux parents ! La famille de l'homme n'est que d'un jour : le souffle de Dieu la disperse comme une fumée. A peine le fils connaît-il le père, le père le fils, le frère la sœur, la sœur le frère ! Le chêne voit germer ses 30 glands[39] autour de lui : il n'en est pas ainsi des enfants des hommes !

» En arrivant à B . . ., je me fis conduire au couvent; je demandai à parler à ma sœur. On me dit qu'elle ne recevait personne. Je lui écrivis : elle me répondit que, sur le point de se consacrer à Dieu, il ne lui était pas permis de donner une pensée au monde; que si je l'aimais, j'éviterais de l'accabler de ma douleur. Elle ajoutait : « Cependant, si votre projet est de paraître à l'autel de jour de ma profession,[40] daignez m'y servir de 40 père : ce rôle est le seul digne de votre courage, le seul qui convienne à notre amitié et à mon repos. »

» Cette froide fermeté qu'on opposait à l'ardeur de mon amitié me jeta dans de violents transports. Tantôt j'étais près de retourner sur mes pas; tantôt je voulais rester, uniquement pour troubler le sacrifice. L'enfer me suscitait jusqu'à la pensée de me poignarder dans l'église, et de mêler mes derniers soupirs aux vœux qui m'arrachaient ma sœur. La supérieure du couvent me fit prévenir qu'on avait préparé un banc dans le sanctuaire, et elle m'invitait à me rendre à la cérémonie, qui devait avoir lieu dès le lendemain.

» Au lever de l'aube, j'entendis le premier son des cloches . . . Vers dix heures, dans une sorte d'agonie, je me traînai au monastère. Rien ne peut plus être tragique, quand on a assisté à un pareil spectacle, rien ne peut plus être douloureux, quand on y a survécu.

» Un peuple immense remplissait l'église. On me conduit au banc du sanctuaire : je me précipite à genoux, sans presque savoir où j'étais, ni à quoi j'étais résolu. Déjà le prêtre attendait à l'autel; tout à coup, la grille mystérieuse s'ouvre, et Amélie s'avance, parée de toutes les pompes du monde. Elle était si belle, il y avait sur son visage quelque chose de si divin, qu'elle excita un mouvement de surprise et d'admiration. Vaincu par la glorieuse douleur de la sainte, abattu par les grandeurs de la religion, tous mes projets de violence s'évanouirent; ma force m'abandonna; je me sentis lié par une main toute-puissante; et, au lieu de blasphèmes et de menaces, je ne trouvai dans mon cœur que de profondes adorations et les gémissements de l'humilité.

» Amélie se place sous un dais.[41] Le sacrifice commence à la lueur des flambeaux, au milieu des fleurs et des parfums qui devaient rendre l'holocauste[42] agréable. A l'offertoire, le prêtre se dépouilla de ses ornements, ne conserva qu'une tunique de lin, monta en chaire, et, dans un discours simple et pathétique, peignit le bonheur de la vierge qui se consacre au Seigneur. Quand il prononça ces mots : « Elle a paru comme l'encens qui se consume dans le grand feu«, un grand calme et des odeurs célestes semblèrent se répandre dans l'auditoire : on se sentit comme à l'abri sous les ailes de la colombe mystique, et l'on eût cru voir les anges descendre sur l'autel, et remonter vers les cieux avec des parfums et des couronnes.

» Le prêtre achève son discours, reprend ses vête-

---

[36] gillyflower
[37] stripped of hangings and curtains
[38] beds
[39] acorns
[40] *jour . . . profession:* the day I take my vows

[41] canopy
[42] sacrifice

ments, continue le sacrifice. Amélie, soutenue de deux jeunes religieuses, se met à genoux sur la dernière marche de l'autel. On vient alors me chercher pour remplir les fonctions paternelles. Au bruit de mes pas chancelants dans le sanctuaire, Amélie est prête à défaillir. On me place à côté du prêtre pour lui présenter les ciseaux. En ce moment, je sens renaître mes transports; ma fureur va éclater, quand Amélie, rappelant son courage, me lance un regard où il y a tant de reproche et de douleur que j'en suis atterré. La religion triomphe. Ma sœur profite de mon trouble : elle avance hardiment la tête. Sa superbe chevelure tombe de toutes parts sous le fer sacré; une longue robe d'éramine[43] remplace pour elle les ornements du siècle, sans la rendre moins touchante; les ennuis de son front se cachent sous un bandeau de lin; et le voile mystérieux, double symbole de la virginité et de la religion, accompagne sa tête dépouillée. Jamais elle n'avait paru si belle. L'œil de la pénitente était attaché sur la poussière du monde, et son âme était dans le ciel.

» Cependant, Amélie n'avait point encore prononcé ses vœux; et pour mourir au monde il fallait qu'elle passât à travers le tombeau. Ma sœur se couche sur le marbre; on étend sur elle un drap mortuaire : quatre flambeaux en marquent les quatre coins. Le prêtre, l'étole[44] au cou, le livre à la main, commence l'office des morts; de jeunes vierges le continuent. O joies de la religion, que vous êtes grandes, mais que vous êtes terribles ! On m'avait contraint de me placer à genoux près de ce lugubre appareil. Tout à coup, un murmure confus sort de dessous le voile sépulcral; je m'incline, et ces paroles épouvantables (que je fus seul à entendre) viennent frapper mon oreille : « Dieu de miséricorde, fais que je ne me relève jamais de cette couche funèbre, et comble de tes biens un frère qui n'a point partagé ma criminelle passion ! »

» A ces mots échappés du cercueil, l'affreuse vérité m'éclaire; ma raison s'égare; je me laisse tomber sur le linceul de la mort, je presse ma sœur dans mes bras; je m'écrie : « Chaste épouse de Jésus-Christ, reçois mes derniers embrassements à travers les glaces du trépas et les profondeurs de l'éternité, qui te séparent déjà de ton frère ! »

» Ce mouvement, ce cri, ces larmes, troublent la cérémonie : le prêtre s'interrompt, les religieuses ferment la grille, la foule s'agite et se presse vers l'autel; on m'emporte sans connaissance. Que je sus peu de gré à ceux qui me rappelèrent au jour ! J'appris, en rouvrant les yeux, que le sacrifice était consommé, et que ma sœur avait été saisie d'une fièvre ardente. Elle me faisait prier de ne plus chercher à la voir. O misère de ma vie ! une sœur craindre de parler à son frère, et un frère craindre de faire entendre sa voix à une sœur ! Je sortis du monastère comme de ce lieu d'expiation où des flammes nous préparent pour la vie céleste, où l'on a tout perdu comme aux enfers, hors l'espérance.

» On peut trouver des forces dans son âme contre un malheur personnel; mais devenir la cause involontaire du malheur d'un autre, cela est tout à fait insupportable. Eclairé sur les maux de ma sœur, je me figurais ce qu'elle avait dû souffrir. Alors s'expliquèrent pour moi plusieurs choses que je n'avais pu comprendre : ce mélange de joie et de tristesse qu'Amélie avait fait paraître au moment de mon départ pour mes voyages, le soin qu'elle prit de m'éviter à mon retour, et cependant cette faiblesse qui l'empêcha si longtemps d'entrer dans un monastère : sans doute la fille malheureuse s'était flattée de guérir ! Ses projets de retraite, la dispense du noviciat, la disposition de ses biens en ma faveur, avaient apparemment produit cette correspondance secrète qui servit à me tromper.

» O mes amis ! je sus donc ce que c'était que de verser des larmes pour un mal qui n'était point imaginaire ! Mes passions, si longtemps indéterminées, se précipitèrent sur cette première proie avec fureur. Je trouvai même une sorte de satisfaction inattendue dans la plénitude de mon chagrin, et je m'aperçus, avec un secret mouvement de joie, que la douleur n'est pas une affection qu'on épuise comme le plaisir.

» J'avais voulu quitter la terre avant l'ordre du Tout-Puissant; c'était un grand crime : Dieu m'avait envoyé Amélie à la fois pour me sauver et pour me punir. Ainsi, toute pensée coupable, toute action criminelle entraîne après elle des désordres et des malheurs. Amélie me priait de vivre, et je lui devais bien de ne pas aggraver ses maux. D'ailleurs (chose étrange !) je n'avais plus envie de mourir depuis que j'étais réellement malheureux. Mon chagrin était devenu une occupation qui remplissait tous mes moments : tant mon cœur est naturellement pétri[45] d'ennui et de misère !

» Je pris donc subitement une autre résolution : je me déterminai à quitter l'Europe, et à passer en Amérique.

[43] coarse muslin
[44] stole

[45] molded

» On équipait dans ce moment même, au port de B . . ., une flotte pour la Louisiane; je m'arrangeai avec un des capitaines de vaisseau; je fis savoir mon projet à Amélie, et je m'occupai de mon départ.

» Ma sœur avait touché aux portes de la mort; mais Dieu, qui lui destinait la première palme des vierges, ne voulut pas la rappeler si vite à lui: son épreuve ici-bas fut prolongée. Descendue une seconde fois dans la pénible carrière de la vie, l'héroïne, courbée sous la croix, s'avança courageusement à l'encontre des dou- 10 leurs, ne voyant plus que le triomphe dans le combat, et dans l'excès des souffrances l'excès de la gloire.

» La vente du peu de bien qui me restait, et que je cédai à mon frère, les longs préparatifs d'un convoi, les vents contraires, me retinrent longtemps dans le port. J'allais chaque matin m'informer des nouvelles d'Amélie, et je revenais toujours avec des nouveaux motifs d'admiration et de larmes.

» J'errais sans cesse autour du monastère, bâti au bord de la mer. J'apercevais souvent, à une petite fenêtre 20 grillée qui donnait sur une plage déserte, une religieuse assise dans une attitude pensive; elle rêvait à l'aspect de l'Océan où apparaissait quelque vaisseau cinglant aux extrémités de la terre. Plusieurs fois, à la clarté de la lune, j'ai revu la même religieuse aux barreaux de la même fenêtre: elle contemplait la mer éclairée par l'astre de la nuit, et semblait prêter l'oreille au bruit des vagues qui se brisaient tristement sur des grèves solitaires.

» Je crois encore entendre la cloche qui, pendant la 30 nuit, appelait les religieuses aux veilles et aux prières. Tandis qu'elle tintait, avec lenteur, et que les vierges s'avançaient en silence à l'autel du Tout-Puissant, je courais au monastère: là, seul au pied des murs, j'écoutais dans une sainte extase les derniers sons des cantiques, qui se mêlaient sous les voûtes du temple au faible bruissement des flots.

» Je ne sais comment toutes ces choses, qui auraient dû nourrir mes peines, en émoussaient au contraire l'aiguillon.[46] Mes larmes avaient moins d'amertume 40 lorsque je les répandais sur les rochers et parmi les vents. Mon chagrin même, par sa nature extraordinaire, portait avec lui quelque remède: on jouit de ce qui n'est pas commun, même quand cette chose est un malheur. J'en conçus presque l'espérance que ma sœur deviendrait à son tour moins misérable.

» Une lettre que je reçus d'elle avant mon départ sembla me confirmer dans ces idées. Amélie se plaignait tendrement de ma douleur, et m'assurait que le temps diminuait la sienne.

« *Je ne désespère pas de mon bonheur, me disait-elle. L'excès même du sacrifice, à présent que le sacrifice est consommé, sert à me rendre quelque paix. La simplicité de mes compagnes, la pureté de leurs vœux, la régularité de leur vie, tout répand du baume sur mes jours. Quand j'entends gronder les orages, et que l'oiseau de mer vient battre des ailes à ma fenêtre, moi, pauvre colombe du ciel, je songe au bonheur que j'ai eu de trouver un abri contre la tempête. C'est ici la sainte montagne, le sommet élevé d'où l'on entend les derniers bruits de la terre et les premiers concerts du ciel; c'est ici que la religion trompe doucement une âme sensible: aux plus violents amours elle substitue une sorte de chasteté brûlante où l'amante et la vierge sont unies; elle épure les soupirs; elle change en une flamme incorruptible une flamme périssable; elle mêle divinement son calme et son innocence à ce reste de trouble et de volupté d'un cœur qui cherche à se reposer et d'une vie qui se retire.* »

» Je ne sais ce que le Ciel me réserve, et s'il a voulu m'avertir que les orages accompagneraient partout mes pas. L'ordre était donné pour le départ de la flotte; déjà plusieurs vaisseaux avaient appareillé[47] au baisser du soleil; je m'étais arrangé pour passer la dernière nuit à terre, afin d'écrire ma lettre d'adieux à Amélie. Vers minuit, tandis que je m'occupe de ce soin, et que je mouille mon papier de mes larmes, le bruit des vents vient frapper mon oreille. J'écoute; et, au milieu de la tempête, je distingue les coups de canon d'alarme, mêlés au glas de la cloche monastique. Je vole sur le rivage, où tout était désert, et où l'on n'entendait que le rugissement des flots. Je m'assieds sur un rocher. D'un côté s'étendent les vagues étincelantes, de l'autre les murs sombres du monastère se perdent confusément dans les cieux. Une petite lumière paraissait à la fenêtre grillée. Etait-ce toi, ô mon Amélie, qui, prosternée au pied du crucifix, priait le Dieu des orages d'épargner ton malheureux frère? La tempête sur les flots, le calme dans ta retraite, des hommes brisés sur

---

[46] *en émoussaient . . . l'aiguillon:* blunted their pricking   [47] set sail

des écueils, au pied de l'asile que rien ne peut troubler ; l'infini de l'autre côté du mur d'une cellule ; les fanaux[48] agités des vaisseaux, le phare immobile du couvent ; l'incertitude des destinées du navigateur, la vestale connaissant dans un seul jour tous les jours futurs de sa vie ; d'une autre part, une âme telle que la tienne, ô Amélie, orageuse comme l'Océan ; un naufrage plus affreux que celui du marinier : tout ce tableau est encore profondément gravé dans ma mémoire. Soleil de ce ciel nouveau, maintenant témoin de mes larmes, échos du rivage américain qui répétez les accents de René, ce fut le lendemain de cette nuit terrible qu'appuyé sur le gaillard[49] de mon vaisseau, je vis s'éloigner pour jamais ma terre natale ! Je contemplai longtemps sur la côte les derniers balancements des arbres de la patrie, et les faîtes[50] du monastère qui s'abaissaient à l'horizon. »

Comme René achevait de raconter son histoire, il tira un papier de son sein, et le donna au père Souel ; puis, se jetant dans les bras de Chactas, et étouffant ses sanglots, il laissa le temps au missionnaire de parcourir la lettre qu'il venait de lui remettre.

Elle était de la supérieure de . . . Elle contenait le récit des derniers moments de la sœur Amélie de la Miséricorde, morte victime de son zèle et de sa charité, en soignant ses compagnes attaquées d'une maladie contagieuse. Toute la communauté était inconsolable, et l'on y regardait Amélie comme une sainte. La supérieure ajoutait que, depuis trente ans qu'elle était à la tête de la maison, elle n'avait jamais vu de religieuse d'une humeur aussi douce et aussi égale, ni qui fût plus contente d'avoir quitté les tribulations du monde.

Chactas pressait René dans ses bras ; le vieillard pleurait. « Mon enfant, dit-il à son fils, je voudrais que le père Aubry fût ici ; il tirait du fond de son cœur je ne sais quelle paix qui, en les calmant, ne semblait cependant point étrangère aux tempêtes ; c'était la lune dans une nuit orageuse : les nuages errants ne peuvent l'emporter dans leur course ; pure et inaltérable, elle s'avance tranquille au-dessus d'eux. Hélas ! pour moi, tout me trouble et m'entraîne ! »

Jusqu'alors le père Souel, sans proférer une parole, avait écouté d'un air austère l'histoire de René. Il

[48] navigation lights
[49] rear deck
[50] rooftops

portait en secret un cœur compatissant, mais il montrait au dehors un caractère inflexible ; la sensibilité du Sachem le fit sortir du silence :

« Rien, dit-il au frère d'Amélie, rien ne mérite, dans cette histoire, la pitié qu'on vous montre ici. Je vois un jeune homme entêté de chimères, à qui tout déplaît, et qui s'est soustrait aux charges de la société pour se livrer à d'inutiles rêveries. On n'est point, Monsieur, un homme supérieur parce qu'on aperçoit le monde sous un jour odieux. On ne hait les hommes et la vie que faute de voir assez loin. Etendez un peu plus votre regard, et vous serez bientôt convaincu que tous ces maux dont vous vous plaignez sont de purs néants. Mais quelle honte de ne pouvoir songer au seul malheur réel de votre vie sans être forcé de rougir ! Toute la pureté, toute la vertu, toute la religion, toutes les couronnes d'une sainte, rendent à peine tolérable la seule idée de vos chagrins. Votre sœur a expié sa faute ; mais, s'il faut dire ici ma pensée, je crains que, par une épouvantable justice, un aveu sorti du sein de la tombe n'ait troublé votre âme à son tour. Que faites-vous seul au fond des forêts où vous consumez vos jours, négligeant tous vos devoirs ? Des saints, me direz-vous, se sont ensevelis dans les déserts. Ils y étaient avec leurs larmes, et employaient à éteindre leurs passions le temps que vous perdez peut-être à allumer les vôtres. Jeune présomptueux, qui avez cru que l'homme se peut suffire à lui-même ! La solitude est mauvaise à celui qui n'y vit pas avec Dieu ; elle redouble les puissances de l'âme, en même temps qu'elle leur ôte tout sujet pour s'exercer. Quiconque a reçu des forces doit les consacrer au service de ses semblables : s'il les laisse inutiles, il en est d'abord puni par une secrète misère, et tôt ou tard le Ciel lui envoie un châtiment effroyable. »

Troublé par ces paroles, René releva du sein de Chactas sa tête humiliée. Le Sachem aveugle se prit à sourire ; et ce sourire de la bouche, qui ne se mariait plus à celui des yeux, avait quelque chose de mystérieux et de céleste. « Mon fils, dit le vieil amant d'Atala, il nous parle sévèrement ; il corrige et le vieillard et le jeune homme, et il a raison. Oui, il faut que tu renonces à cette vie extraordinaire qui n'est pleine que de soucis : il n'y a de bonheur que dans les voies communes.

» Un jour le Meschacebé, encore près de sa source, se lassa de n'être qu'un limpide ruisseau. Il demanda des neiges aux montagnes, des eaux aux torrents, des pluies aux tempêtes ; il franchit ses rives, et désole ses bords charmants. L'orgueilleux ruisseau s'applaudit d'abord de sa puissance ; mais, voyant que tout devenait désert sur son passage, qu'il coulait abandonné dans la solitude, que ses eaux étaient toujours troublées, il regretta l'humble lit que lui avait creusé la nature, les oiseaux, les fleurs, les arbres et les ruisseaux, jadis modestes compagnons de son paisible cours. »

Chactas cessa de parler et l'on entendit la voix du flamant[51] qui, retiré dans les roseaux du Meschacebé, annonçait un orage pour le milieu du jour. Les trois amis reprirent la route de leurs cabanes : René marchait en silence entre le missionnaire, qui priait Dieu, et le Sachem aveugle qui cherchait sa route. On dit que, pressée par les deux vieillards, il retourna chez son épouse, mais sans y trouver le bonheur. Il périt peu de temps après avec Chactas et le père Souel, dans le massacre des Français et des Natchez à la Louisiane. On montre encore un rocher où il allait s'asseoir au soleil couchant.

1. *Quelle indication y a-t-il déjà (p. 142, I 9, 10) de la nature contradictoire de René?*
2. *Sur les instances de ses amis René accepte enfin de parler. Quelle est la valeur dramatique de ce silence obstiné?*
3. *A quelle sorte de nouvelle Chateaubriand nous prepare-t-il en nous disant (p. 142) que René va raconter les sentiments secrets de son âme plutôt que les aventures de sa vie, puisqu'il n'en avait point éprouvé?*
4. *Analysez la structure de la nouvelle. Où l'action débute-t-elle? Quels sont les événements centraux? Comment l'histoire se termine-t-elle?*
5. *Deux mouvements de temps distincts au début de l'action, finissent par confluer. Expliquez.*
6. *A quelle heure, dans quel décor René commence-t-il à raconter son histoire? Quelle impression la forêt, le fleuve, le village et les montagnes nous inspirent-ils?*
7. *Quel contraste y a-t-il entre cette ambiance et l'âme de René (p. 142, II 27, 28)?*
8. *René commence son récit avec un cri lyrique (p. 142, II 29) en demandant à ses auditeurs*

d'avoir pitié de lui. Quelle est votre réaction? Peut-on sentir de la pitié sans savoir les détails concrets quidoivent la provoquer? Trouvez d'autres exemples du sentimentalisme de René.
9. *L'enfance de René. Considérez cette phrase : J'ai coûté la vie à ma mère en venant au monde . . . Pourquoi René met-il ce détail en relief au début de son récit?*
10. *Quel principe gouverne le choix des événements rapportés par René? Veut-il donner un tableau complet de son enfance? Se soucie-t-il beaucoup de la chronologie?*
11. *Est-ce que le tableau de la nature que présente René est très précis? Examinez le langage de p. 143, I 9–21. Sont-ce des coteaux, des bois, un lac particuliers?*
12. *Quel est le premier événement important qui arrive dans cette histoire (p. 143, II 4)?*
13. *Les voyages de René. Où va-t-il? Qu'est-ce qu'il voit? Peut-on dire que les voyages de René sont un périple autour de la civilisation occidentale? Qu'est-ce qu'il cherche? Pourquoi n'est-il jamais satisfait?*
14. *Expliquez une poussière criminelle (p. 144, II 10). Est-ce que le dégoût de René pour toute civilisation est justifié? ou est-ce plutôt le dégoût de soi? Expliquez.*
15. *Quels sont les seuls hommes qu'admire René? La vie de ces hommes est à la fois naïve et sublime; ils célèbrent les dieux avec une bouche d'or, et sont les plus simples des hommes, etc. Quel procédé René emploie-t-il pour expliquez le caractère de ces chantres divins?*
16. *Peut-on trouver beaucoup d'éléments littéraires et mythologiques dans le récit de René? Donnez-en des exemples. Est-il vraisemblable de croire que le vieux Chactas et le Père Souël comprennent ces références?*
17. *Pourquoi Chateaubriand se soucie-t-il si peu de la vraisemblance de son récit?*
18. *Les voyages de René sont couronnés par l'ascension à l'Etna. Dans quel mesure pourrait-on soutenir que l'Etna représente symboliquement le caractère de René?*

[51] flamingo

19. Est-ce que le caractère de René est révélé dans l'action ou simplement par les commentaires de René lui-même? Justifiez votre réponse par des citations.

20. Est-ce que la longueur des tirades de René diminue le réalisme du récit ou y ajoute? Expliquez.

21. Décrivez ces tirades—essayent-elles de reproduire la qualité de la langue parlée dans leur rythme, leur imagerie, ou sont-elles plutôt des discours très étudies? Prenez un de ces discours et refaites-le dans le style de la conversation.

22. Choisissez un passage que vous pourriez donner comme exemple du lyrisme de Chateaubriand, et définissez ce lyrisme.

23. Analysez les rapports de René et Amélie. (Voir surtout pp. 148–152.) Pourquoi Amélie se fait-elle religieuse?

24. Quels sentiments la solitude au milieu de la nature fait-elle naître dans le cœur de René? Citez les passages ou René identifie ses émotions personnelles avec les phénomènes de la nature.

25. Quel reproches sont adressés à René par le Père Souël? Est-ce que ces reproches contrebalancent les émotions dangeureuses de René? Quelle est l'impression finale du lecteur?

26. Quel est le but romanesque de Chateaubriand: d'instruire? d'amuser? de faire vivre des personnages? Y a-t-il réussi?

Le Colonel Chabert

HONORÉ DE BALZAC (1799–1850)

A work of fiction always implies specific notions concerning reality—the reality of human nature, of society, and so on. In La Comtesse de Tende by Mme de Lafayette, the author's vision is concentrated on moral problems; this is the supreme reality. The characters are types rather than individuals, the style is analytical and moralistic, even elevated. We see a closed and static society in which rules of human behavior, and the consequences of breaking these rules, are well established. There is, finally, little action; the emphasis is placed on the moral consequences of only a few events.

Voltaire's Micromégas, on the contrary, gives us a multiplicity of events. Yet because the author's intent is didactic, the many events do not give an impression of felt or observed reality. The prime reality is the irony of the godlike author, Voltaire, who uses a parable to teach us.

Marmontel's La Mauvaise Mère is more realistic; yet the realism is not an end in itself. Marmontle tells his story as if it really happened, in order to preach to us, to move us to tears and, ultimately, self-improvement. Hence, while the story is intellectually sophisticated, it may be said to be fictionally naive. Objectivity, the sense of life and character as they really are, is once more sacrificed to the moral impulse.

Again, in the René of Chateaubriand, we find an avowedly didactic purpose. The author is showing us a bad example of human behavior and he hopes to convince us that Christianity is the best antidote for le vague des passions. Nevertheless, Chateaubriand evokes landscapes that are really seen and his characters are more complex than those of Voltaire or Marmontel. René is confused and contradictory; and, more important, the action of the story flows from the problems of René and those about him. Finally and most importantly, we found in René a functional relation between background and the deeper exploration of character.

These two elements are aspects of realism, a literary type represented by Balzac's Le Colonel Chabert. Our naive assumption about realistic literature is that such events could really happen, that such people could really exist. According to this assumption, Balzac is a realist because he presents us with a panorama of his time. Characters and places are described with accuracy and completeness. Yet such an assumption leads to immediate difficulties. The very plot of Le Colonel Chabert has been called improbable. The story does have overtones of melodrama. And while Balzac evokes such realistic settings as Derville's law-office or the squalid slum where Chabert lives, we are always conscious of the author's bias, of his tendency to exaggerate and distort the scenes he describes by the hyperbolic accumulation of detail.

We must therefore find a better definition of realism. As a first step, let us recall from our study of poetry that words are not things; the reality of literature is not the reality of life. In Balzac's story we may question the probability of events but we do not question the reality of Balzac's fictional universe. From these remarks, we can move to this statement: the true meaning of realism is not "This is life" but "This work has a life of its own."

For a writer to give us this sense of life he must do more than describe characters and places; he must compose and arrange. His story, unlike real life, will undoubtedly have a plot. He may comment on his story and characters, he may even draw a moral. Indeed, realistic fiction makes use of many of the esthetic elements you are already familiar with from your study of didactic fiction.

The important difference is that realistic fiction, more completely than other types, seems to have a life of its own. The characters are motivated in a way that is both complex and consistent; they are both determined by their physical and social environment, and free to make choices which seem to run counter to everything their background implies (e.g., Chabert's final renunciation of his name and legal rights). Finally, their actions are closely linked to a vividly projected setting. In the last analysis, it is probably this characteristic of meaningful complexity, of psychological and physical density, which conveys to us this sense of the work's life of its own and justifies our calling it realism.

I

Une étude d'Avoué

— Allons! encore notre vieux carrick![1]

Cette exclamation échappait à un clerc appartenant au genre de ceux qu'on appelle dans les études des *saute-ruisseaux*,[2] et qui mordait en ce moment de fort bon appétit dans un morceau de pain; il en arracha un peu de mie[3] pour faire une boulette et la lança railleusement par le vasistas[4] d'une fenêtre sur laquelle il s'appuyait. Bien dirigée, la boulette rebondit presque à la hauteur de la croisée, après avoir frappé le chapeau d'un inconnu qui traversait la cour d'une maison située rue Vivienne, où demeurait maître Derville, avoué.[5]

— Allons, Simonnin, ne faites donc pas de sottises aux gens, ou je vous mets à la porte. Quelque pauvre que soit un client, c'est toujours un homme, que diable! dit le maître clerc en interrompant l'addition d'un mémoire de frais.[6]

Le saute-ruisseau est généralement, comme était Simonnin, un garçon de treize à quatorze ans, qui dans toutes les études se trouve sous la domination spéciale du principal clerc, dont les commissions et les billets doux l'occupent tout en allant porter des exploits chez les huissiers et les placets au Palais.[7] Il tient au gamin de Paris par ses mœurs, et à la chicane[8] par sa destinée. Cet enfant est presque toujours sans pitié, sans frein, indisciplinable, faiseur de couplets, goguenard, avide et paresseux. Néanmoins, presque tous les petits clercs ont une vieille mère logée à un cinquième étage, avec laquelle ils partagent les trente ou quarante francs qui leur sont alloués par mois.

— Si c'est un homme, pourquoi, l'appelez-vous *vieux carrick* dit Simonnin de l'air de l'écolier qui prend son maître en faute.

[1] he is referring to someone in the street, who is wearing a carrick, a sort of overcoat
[2] young clerks charged with errands in a lawyer's office [*étude*]
[3] soft bread
[4] transom
[5] lawyer
[6] *mémoire de frais*: memorandum of costs
[7] *exploits . . . Palais*: writs to the process-servers and claims to the Palais [de Justice]
[8] legal intrigue

Et il se remit à manger son pain et son fromage en accotant son épaule sur le montant de la fenêtre; car il se reposait debout, ainsi que les chevaux de coucou, l'une de ses jambes relevée et appuyée contre l'autre, sur le bout du soulier.

Quel tour pourrions-nous jouer à ce chinois-la? dit à voix basse le troisième clerc nommé Godeschal en s'arrêtant au milieu d'un raisonnement qu'il engendrait dans une requête grossoyée[9] par le quatrième clerc et dont les copies étaient faites par deux néophytes 10 venus de province.

Puis il continua son improvisation:

— . . . *Mais, dans sa noble et bienveillante sagesse, Sa Majesté Louis Dix-Huit . . .* (mettez en toutes lettres, hé! Desroches le savant qui faites la grosse!), *au moment où il reprit les rênes de son royaume, comprit . . .* (qu'est-ce qu'il comprit, ce gros farceur-là?) *la haute mission à laquelle il était appelé par la divine Providence! . . .* (point admiratif et six points: on est assez religieux au Palais pour nous les passer), 20 *et sa première pensée fut, ainsi que le prouve la date de l'ordonnance ci-dessous désignée, de réparer les infortunes causées par les affreux et tristes désastres de nos temps révolutionnaires, en restituant à ses fidèles et nombreux serviteurs* (nombreux est une flatterie qui doit plaire au tribunal) *tous leurs biens non vendus, soit qu'ils se trouvassent dans le domaine public, soit qu'ils se trouvassent dans le domaine ordinaire ou extraordinaire de la couronne, soit enfin qu'ils se trouvassent dans les dotations d'établisse-* 30 *ments publics, car nous sommes et nous nous préten- dons habiles à soutenir que tel est l'esprit et le sens de la fameuse et si loyale ordonnance rendue en . . .*[10] — Attendez, dit Godeschal aux trois clercs, cette scélérate de phrase a rempli la fin de ma page. — Eh bien, reprit-il en mouillant de sa langue le dos du cahier afin de pouvoir tourner la page épaisse de son papier timbré, eh bien, si vous voulez lui faire une farce, il faut lui dire que le patron ne peut parler à ses clients qu'entre deux et trois heures du matin: nous verrons s'il viendra, le 40 vieux malfaiteur!

Et Godeschal reprit la phrase commencée:

— *Rendue en . . .* Y êtes-vous? demanda-t-il.

— Oui, crièrent les trois copistes.

[9] *en s'arrêtant . . . grossoyée:* stopping in the midst of his dictation of an appeal being copied
[10] *Mais, dans sa noble . . . rendue en:* [the third clerk, Godeschal, is in the process of dictating a legal document to three copying clerks]

Tout marchait à la fois, la requête, la causerie et la conspiration.

— *Rendue en . . .* Hein? papa Boucard, quelle est la date de l'ordonnance? il faut mettre les points sur les i, saquerlotte![11] Cela fait des pages.

— *Saquerlotte!* répéta l'un des copistes avant que Boucard le maître clerc eût répondu.

— Comment! vous avez écrit *saquerlotte*? s'écria Godeschal en regardant l'un des nouveaux venus d'un air à la fois sévère et goguenard.

— Mais oui, dit Desroches, le quatrième clerc, en se penchant sur la copie de son voisin, il a écrit: *Il faut mettre les points sur les i,* et *sakerlotte* avec un k.

Tous les clercs partirent d'un grand éclat de rire.

— Comment! monsieur Huré, vous prenez *saquer- lotte* pour un terme de droit, et vous dites que vous êtes de Mortagne! s'écria Simonnin.

— Effacez bien ça! dit le principal clerc. Si le juge chargé de taxer le dossier voyait des choses pareilles, il dirait qu'*on se moque de la barbouillée!*[12] Vous causeriez des désagréments au patron. Allons, ne faites plus de ces bêtises-là, monsieur Huré! Un Normand ne doit pas écrire insouciamment une requête. C'est le *Portez arme!* de la basoche.[13]

— *Rendue en . . . en . . .* demanda Godeschal. — Dites-moi donc quand, Boucard?

— Juin 1814, répondit le premier clerc sans quitter son travail.

Un coup frappé à la porte de l'étude interrompit la phrase de la prolixe requête. Cinq clercs bien endentés, aux yeux vifs et railleurs, aux têtes crépues, levèrent le nez vers la porte, après avoir tous crié d'une voix de chantre:

— Entrez!

Boucard resta la face ensevelie dans un monceau d'actes, nommés *broutille* en style de Palais, et continua de dresser le mémoire de frais auquel il travaillait.

L'étude était une grande pièce ornée du poêle classique qui garnit tous les antres de la chicane. Les tuyaux[14] traversaient diagonalement la chambre et rejoignaient une cheminée condamnée[15] sur le marbre

[11] mild curse word
[12] *on se moque . . . barbouillée:* we were writing nonsense
[13] *C'est . . . basoche:* It's the "Port arms!" [a military call to hold weapons on the alert] of the legal fraternity
[14] pipes [of the stove]
[15] bricked-up fireplace

de laquelle se voyaient divers morceaux de pain, des triangles de fromage de Brie, des côtelettes de porc frais, des verres, des bouteilles, et la tasse de chocolat du maître clerc. L'odeur de ces comestibles s'amalgamait si bien avec la puanteur du poêle chauffé sans mesure, avec le parfum particulier aux bureaux et aux paparasses, que la puanteur d'un renard n'y aurait pas été sensible. Le plancher était déjà couvert de fange et de neige apportées par les clercs. Près de la fenêtre se trouvait le secrétaire à cylindre du principal, et auquel était adossée la petite table destinée au second clerc. Le second *faisait* en ce moment le Palais. Il pouvait être de huit à neuf heures du matin. L'étude avait pour tout ornement ces grandes affiches jaunes qui annoncent des saisies immobilières,[16] des ventes, des licitations entre majeurs et mineurs, des adjudications définitives ou préparatoires, la gloire des études! Derrière le maître clerc était un énorme casier qui garnissait le mur du haut en bas, et dont chaque compartiment était bourré de liasses d'où pendaient un nombre infini d'étiquettes et de bouts de fil rouge qui donnent une physionomie spéciale aux dossiers de procédure. Les rangs inférieurs du casier étaient pleins de cartons jaunis par l'usage, bordés de papier bleu, et sur lequels se lisaient les noms des gros clients dont les affaires juteuses se cuisinaient en ce moment. Les sales vitres de la croisée laissaient passer peu de jour. D'ailleurs, au mois de février, il existe à Paris très peu d'études où l'on puisse écrire sans le secours d'une lampe avant dix heures, car elles sont toutes l'objet d'une négligence assez concevable: tout le monde y va, personne n'y reste, aucun intérêt personnel ne s'attache à ce qui est si banal; ni l'avoué, ni les plaideurs, ni les clercs ne tiennent à l'élégance d'un endroit qui pour les uns est une classe, pour les autres un passage, pour le maître un laboratoire. Le mobilier crasseux se transmet d'avoué en avoué avec un scrupule si religieux, que certaines études possèdent encore des boîtes à *résidus*, des moules à *tirets*, des sacs provenant des procureurs au *Chlet*, abrévation du mot CHATELET, juridiction qui représentait dans l'ancien ordre de choses le tribunal de première instance actuel.[17] Cette

étude obscure, grasse de poussière, avait donc, comme toutes les autres, quelque chose de repoussant pour les plaideurs, et qui en faisait une des plus hideuses monstruosités parisiennes. Certes, si les sacristies humides où les prières se pèsent et se payent comme des épices, si les magasins des revendeuses où flottent des guenilles qui flétrissent toutes les illusions de la vie en nous montrant où aboutissent nos fêtes, si ces deux cloaques de la poésie n'existaient pas, une étude d'avoué serait de toutes les boutiques sociales la plus horrible. Mais il en est ainsi de la maison de jeu, du tribunal, du bureau de loterie et du mauvais lieu. Pourquoi? Peut-être dans ces endroits le drame, en se jouant dans l'âme de l'homme, lui rend-il les accessoires indifférents, ce qui expliquerait aussi la simplicité des grands penseurs et des grands ambitieux.

— Où est mon canif?

— Le déjeune!

— Va te faire lanlaire,[18] voilà un pâté sur la requête!

— Chît! messieurs.

Ces diverses exclamations partirent à la fois au moment où le vieux plaideur ferma la porte avec cette sorte d'humilité qui dénature les mouvements de l'homme malheureux. L'inconnu essaya de sourire, mais les muscles de son visage se détendirent quand il eut vainement cherché quelques symptômes d'aménité sur les visages inexorablement insouciants des six clercs. Accoutumé sans doute à juger les hommes, il s'adressa fort poliment au saute-ruisseau, en espérant que ce *patira*[19] lui répondrait avec douceur.

— Monsieur, votre patron est-il visible?

Le malicieux saute-ruisseau ne répondit au pauvre homme qu'en se donnant avec les doigts de la main gauche de petits coups répétés sur l'oreille, comme pour dire: « Je suis sourd. »

— Que souhaitez-vous, monsieur? demanda Godeschal, qui, tout en faisant cette question, avalait une bouchée de pain avec laquelle on eût pu charger une pièce de quatre, brandissait son couteau, et se croisait les jambes en mettant à la hauteur de son œil celui de ses pieds qui se trouvait en l'air.

— Je viens ici, monsieur, pour la cinquième fois, répondit le patient. Je souhaite parler à M. Derville.

— Est-ce pour affaire?

— Oui, mais je ne puis l'expliquer qu'à monsieur . .

---

[16] attachments of property

[17] *Le mobilier . . . actuel:* The grimy furniture is passed on from lawyer to lawyer with such religious scruple that certain offices still have boxes for odds and ends, parchment covers, sacks belonging to the attorneys of the *Chlet*, an abbreviation of the word *Châtelet*, whose jurisdiction in the old order [before the Revolution] is now represented by the lower civil court.

[18] [familiar] Go take a walk!

[19] fellow-sufferer

— Le patron dort; si vous désirez le consulter sur quelques difficultés, il ne travaille sérieusement qu'à minuit. Mais, si vous vouliez nous dire votre cause, nous pourrions, tout aussi bien que lui, vous . . .

L'inconnu resta impassible. Il se mit à regarder modestement autour de lui, comme un chien qui, en se glissant dans une cuisine étrangère, craint d'y recevoir des coups. Par une grâce de leur état, les clercs n'ont jamais peur des voleurs; ils ne soupçonnèrent donc point l'homme au carrick et lui laissèrent observer le local, où il cherchait vainement un siège pour se reposer, car il était visiblement fatigué. Par système, les avoués laissent peu de chaises dans leurs études. Le client vulgaire, lassé d'attendre sur ses jambes, s'en va grognant, mais il ne prend pas un temps qui, suivant le mot d'un vieux procureur, n'est pas admis en *taxe*.[20]

— Monsieur, répondit-il, j'ai déjà eu l'honneur de vous prévenir que je ne pouvais expliquer mon affaire qu'à M. Derville, je vais attendre son lever.

Boucard avait fini son addition. Il sentit l'odeur de son chocolat, quitta son fauteuil de canne, vint à la cheminée, toisa le vieil homme, regarda le carrick et fit une grimace indescriptible. Il pensa probablement que, de quelque manière que l'on tordît ce client, il serait impossible d'en extraire un centime; il intervint alors par une parole brève, dans l'intention de débarrasser l'étude d'une mauvaise pratique.

— Ils vous disent la vérité, monsieur. Le patron ne travaille que pendant la nuit. Si votre affaire est grave, je vous conseille de revenir à une heure du matin.

Le plaideur regarda le maître clerc d'un air stupide, et demeura pendant un moment immobile. Habitués à tous les changements de physionomie et aux singuliers caprices produits par l'indécision ou par la rêverie qui caractérisent les gens processifs, les clercs continuèrent à manger, en faisant autant de bruit avec leurs mâchoires que doivent en faire des chevaux au râtelier, et ne s'inquiétèrent plus du vieillard.

— Monsieur, je viendrai ce soir, dit enfin le vieux, qui, par une ténacité particulière aux gens malheureux, voulait prendre en défaut l'humanité.

La seule épigramme permise à la misère est d'obliger la Justice et la Bienfaisance à des dénis injustes. Quand les malheureux ont convaincu la Société de mensonge, ils se rejettent plus vivement dans le sein de Dieu.

— Ne voilà-t-il pas un fameux *crane* dit Simonnin sans attendre que le vieillard eût fermé la porte.

— Il a l'air d'un déterré,[21] reprit le clerc.

— C'est quelque colonel qui réclame un arriéré,[22] dit le maître clerc.

— Non, c'est un ancien concierge, dit Godeschal.

— Parions qu'il est noble? s'écria Boucard.

— Je parie qu'il a été portier, répliqua Godeschal. Les portiers sont seuls doués par la nature de carricks usés, huileux et déchiquetés par le bas comme l'est celui de ce vieux bonhomme. Vous n'avez donc vu ni ses bottes éculées qui prennent l'eau, ni sa cravate qui lui sert de chemise? Il a couché sous les ponts.

— Il pourrait être noble et avoir tiré le cordon,[23] s'écria Desroches. Ça s'est vu!

— Non, reprit Boucard au milieu des rires, je soutiens qu'il a été brasseur en 1789, et colonel sous la République.[24]

— Ah! je parie un spectacle pour tout le monde qu'il n'a pas été soldat, dit Godeschal.

— Ça va, répliqua Boucard.

— Monsieur! monsieur! cria le petit clerc en ouvrant la fenêtre.

— Que fais-tu, Simonnin? demanda Boucard.

— Je l'appelle pour lui demander s'il est colonel ou portier; il doit le savoir, lui.

Tous les clercs se mirent à rire. Quant au vieillard, il remontait déjà l'escalier.

— Qu'allons-nous lui dire? s'écria Godeschal.

— Laissez-moi faire! répondit Boucard.

Le pauvre homme rentra timidement en baissant les yeux, peut-être pour ne pas révéler sa faim en regardant avec trop d'avidité les comestibles.

— Monsieur, lui dit Boucard, voulez-vous avoir la complaisance de nous donner votre nom afin que le patron sache si . . . ?

— Chabert.

— Est-ce le colonel mort à Eylau?[25] demanda Huré,

---

[20] *admis en taxe:* i.e., that costs the lawyer money

[21] someone dug up out of the ground

[22] overdue payment or military pay in arrears [a common sitation for former Napoleonic officers under the Restoration]

[23] i.e., perform the function of a concierge who, by pulling the cable, opened and closed a main gate by remote control

[24] the First Republic, proclaimed in 1792

[25] site of one of Napoleon's great victories against Russia and Prussia

qui, n'ayant encore rien dit, était jaloux d'ajouter une raillerie à toutes les autres.

— Lui-même, monsieur, répondit le bonhomme avec une simplicité antique.

Et il se retira.

— Chouit!

— Dégommé!

— Puff!

— Oh!

— Ah!

— Bâoum!

— Ah! le vieux drôle!

— Trinn la la trinn trinn!

— Enfoncé![26]

— Monsieur Desroches, vous irez au spectacle sans payer, dit Huré au quatrième clerc en lui donnant sur l'épaule une tape à tuer un rhinocéros.

Ce fut un torrent de cris, de rires et d'exclamations, à la peinture duquel on userait toutes les onomatopées de la langue.

— A quel théâtre irons-nous?

— A l'Opéra! s'écria le principal.

— D'abord, reprit Godeschal, le théâtre n'a pas été désigné. Je puis, si je veux, vous mener chez madame Saqui.

— Madame Saqui n'est pas un spectacle.

— Qu'est-ce qu'un spectacle? reprit Godeschal. Établissons d'abord *le point de fait*. Qu'ai-je parié, messieurs? Un spectacle. Qu'est-ce qu'un spectacle? Une chose qu'on voit . . .

— Mais, dans ce système-là, vous vous acquitteriez donc en nous menant voir l'eau couler sous le pont Neuf? s'écria Simonnin en interrompant.

— Qu'on voit pour de l'argent, disait Godeschal en continuant.

— Mais on voit pour de l'argent bien des choses qui ne sont pas un spectacle. La définition n'est pas exacte, dit Desroches.

— Mais écoutez-moi donc!

— Vous déraisonnez, mon cher, dit Boucard.

— Curtius est-il un spectacle? dit Godeschal.

— Non, répondit le maître clerc, c'est un cabinet de figures.

— Je parie cent francs contre un sou, reprit Godeschal, que le cabinet de Curtius constitue l'ensemble

de choses auquel est dévolu le nom de spectacle. Il comporte une chose à voir à différents prix, suivant les différentes places où l'on veut se mettre.

— Et *berlik berlok*, dit Simonnin.

— Prends garde que je ne te gifle, toi! dit Godeschal.

Les clercs haussèrent les épaules.

— D'ailleurs, il n'est pas prouvé que ce vieux singe ne se soit pas moqué de nous, dit-il en cessant son argumentation étouffée par le rire des autres clercs. En conscience, le colonel Chabert est bien mort, sa femme est remariée au comte Ferraud, conseiller d'État. Madame Ferraud est une des clientes de l'étude!

— La cause est remise à demain, dit Boucard. A l'ouvrage, messieurs! Sac à papier! l'on ne fait rien ici. Finissez donc votre requête, elle doit être signifiée avant l'audience de la quatrième chambre. L'affaire se juge aujourd'hui. Allons, à cheval!

— Si c'eût été le colonel Chabert, est-ce qu'il n'aurait pas chaussé le bout de son pied dans le postérieur de ce farceur de Simonnin quand il a fait le sourd? dit Desroches en regardant cette observation comme plus concluante que celle de Godeschal.

— Puisque rien n'est décidé, reprit Boucard, convenons d'aller aux secondes loges des Français voir Talma dans Néron.[27] Simonnin ira au parterre.

Là-dessus, le maître clerc s'assit à son bureau, et chacun l'imita.

— *Rendue en juin mil huit cent quatorze* (en toutes lettres), dit Godeschal. Y êtes-vous?

— Oui, répondirent les deux copistes et le grossoyeur, dont les plumes commencèrent à crier sur le papier timbré en faisant dans l'étude le bruit de cent hannetons enfermés par des écoliers dans des cornets de papier.

— *Et nous espérons que Messieurs composant le tribunal* . . . , dit l'improvisateur. — Halte! il faut que je relise ma phrase, je ne me comprends plus moi-même.

— Quarante-six . . . (Ça doit arriver souvent! . . .) et trois quarante-neuf, dit Boucard.

— *Nous espérons*, reprit Godeschal après avoir tout relu, *que Messieurs composant le tribunal ne seront pas moins grands que ne l'est l'auguste auteur de l'ordonnance, et qu'ils feront justice des misérables prétentions de l'administration de la grande chan-*

---

[26] *Chouit . . . Enfoncé!*: [slang] Great! Out of his mind! Pff! Oh! Ah! Boom! Ah! the old character! Ta-ti-ti-ta-ta! Crazy!

[27] *aux secondes . . . Néron:* Talma, one of the great actors in the Comédie-Française, was especially famous for the role of Nero in Racine's *Britannicus*

cellerie de la Légion d'honneur en fixant la juris-
prudence dans le sens large que nous établissons
ici . . .

— Monsieur Godeschal, voulez-vous un verre
d'eau? dit le petit clerc.

— Ce farceur de Simonnin! dit Boucard. — Tiens,
apprête tes chevaux à double semelle,[28] prends ce paquet, et valse jusqu'aux Invalides.

— *Que nous établissons ici,* reprit Godeschal.
Ajoutez: *dans l'intérêt de madame . . .* (en toutes 10
lettres) *la vicomtesse de Grandlieu . . .*

— Comment! s'écria le maître clerc, vous vous
avisez de faire des requêtes dans l'affaire vicomtesse
de Grandlieu contre Légion d'honneur, une affaire
pour compte d'étude, entreprise à forfait? Ah! vous
êtes un fier nigaud! Voulez-vous bien me mettre de
côté vos copies et votre minute, gardez-moi cela pour
l'affaire Navarreins contre les Hospices. Il est tard, je
vais faire un bout de placet, avec des *attendu,*[29] et j'irai
moi-même au Palais . . . 20

Cette scène représente un des mille plaisirs qui,
plus tard, font dire en pensant à la jeunesse: « C'était
le bon temps! »

Vers une heure du matin, le prétendu colonel
Chabert vint frapper à la porte de maître Derville,
avoué près le tribunal de première instance du département de la Seine. Le portier lui répondit que M. Derville n'était pas rentré. Le vieillard allégua le rendez-
vous et monta chez ce célèbre légiste, qui, malgré sa
jeunesse, passait pour être une des plus fortes têtes du 30
Palais. Après avoir sonné, le défiant solliciteur ne fut
pas médiocrement étonné de voir le premier clerc occupé
à ranger sur la table de la salle à manger de son patron
les nombreux dossiers des affaires qui *venaient* le lendemain en ordre utile. Le clerc, non moins étonné, salue
le colonel en le priant de s'asseoir; ce que fit le plaideur.

— Ma foi, monsieur, j'ai cru que vous plaisantiez
hier en m'indiquant une heure si matinale pour une
consultation, dit le vieillard avec la fausse gaieté d'un
homme ruiné qui s'efforce de sourire. 40

— Les clercs plaisantaient et disaient vrai tout ensemble, répondit le principal en continuant son travail.
M. Derville a choisi cette heure pour examiner ses
causes, en résumer les moyens, en ordonner la conduite,

en disposer les *défenses.* Sa prodigieuse intelligence est
plus libre en ce moment, le seul où il obtienne le silence
et la tranquillité nécessaires à la conception des bonnes
idées. Vous êtes, depuis qu'il est avoué, le troisième
exemple d'une consultation donnée à cette heure
nocturne. Après être rentré, le patron discutera chaque
affaire, lira tout, passera peut-être quatre ou cinq heures
à sa besogne; puis il me sonnera et m'expliquera ses
intentions. Le matin, de dix heures à deux heures, il
écoute ses clients, puis il emploie le reste de la journée
à ses rendez-vous. Le soir, il va dans le monde pour y
entretenir ses relations. Il n'a donc que la nuit pour
creuser ses procès, fouiller les arsenaux du Code et faire
ses plans de bataille. Il ne veut pas perdre une seule
cause, il a l'amour de son art. Il ne se charge pas, comme
ses confrères, de toute espèce d'affaire. Voilà sa vie, qui
est singulièrement active. Aussi gagne-t-il beaucoup
d'argent.

En entendant cette explication, le vieillard resta
silencieux, et sa bizarre figure prit une expression si
dépourvue d'intelligence, que le clerc, après l'avoir
regardé, ne s'occupa plus de lui. Quelques instants après,
Derville rentra, mis en costume de bal; son maître
clerc lui ouvrit la porte, et se remit à achever le clas-
sement des dossiers. Le jeune avoué demeura pendant
un moment stupéfait en entrevoyant dans le clair-
obscur le singulier client qui l'attendait. Le colonel
Chabert était aussi parfaitement immobile que peut
l'être une figure en cire de ce cabinet de Curtius où
Godeschal avait voulu mener ses camarades. Cette
immobilité n'aurait peut-être pas été un sujet d'étonnement, si elle n'eût complété le spectacle surnaturel que
présentait l'ensemble du personnage. Le vieux soldat
était sec et maigre. Son front, volontairement caché
sous les cheveux de sa perruque lisse, lui donnait quelque chose de mystérieux. Ses yeux paraissaient couverts
d'une taie[30] transparente: vous eussiez dit de la nacre[31]
sale dont les reflets bleuâtres chatoyaient à la lueur des
bougies. Le visage, pâle, livide et en lame de couteau,
s'il est permis d'emprunter cette expression vulgaire,
semblait mort. Le cou était serré par une mauvaise
cravate de soie noire. L'ombre cachait si bien le corps
à partir de la ligne brune que décrivait ce haillon, qu'un
homme d'imagination aurait pu prendre cette vieille
tête pour quelque silhouette due au hasard, ou pour un

---

[28] *chevaux . . . semelle:* shoes
[29] *whereases* [familiar introductory word in legal
documents]

[30] film
[31] mother-of-pearl

portrait de Rembrandt, sans cadre. Les bords du chapeau qui couvrait le front du vieillard projetaient un sillon noir sur le haut du visage. Cet effet bizarre, quoique naturel, faisait ressortir, par la brusquerie du contraste, les rides blanches, les sinuosités froides, le sentiment décoloré de cette physionomie cadavéreuse. Enfin l'absence de tout mouvement dans le corps, de toute chaleur dans le regard, s'accordait avec une certaine expression de démence triste, avec les dégra-10 dants symptômes par lesquels se caractérise l'idiotisme, pour faire de cette figure je ne sais quoi de funeste qu'aucune parole humaine ne pourrait exprimer. Mais un observateur, et surtout un avoué, aurait trouvé de plus en cet homme foudroyé les signes d'une douleur profonde, les indices d'une misère qui avait dégradé ce visage, comme les gouttes d'eau tombées du ciel sur un beau marbre l'ont à la longue défiguré. Un médecin, un auteur, un magistrat, eussent pressenti tout un drame à l'aspect de cette sublime horreur dont le 20 moindre mérite était de ressembler à ces fantaisies que les peintres s'amusent à dessiner au bas de leurs pierres lithographiques en causant avec leurs amis.

En voyant l'avoué, l'inconnu tressaillit par un mouvement convulsif semblable à celui qui échappe aux poètes quand un bruit inattendu vient les détourner d'une féconde rêverie, au milieu du silence et de la nuit. Le vieillard se découvrit promptement et se leva pour saluer le jeune homme; le cuir qui garnissait l'intérieur de son chapeau était sans doute fort gras,[32] 30 sa perruque y resta collée sans qu'il s'en aperçût, et laissa voir à un son crâne horriblement mutilé par une cicatrice transversale qui prenait à l'occiput et venait mourir à l'œil droit, en formant partout une grosse couture saillante.[33] L'enlèvement soudain de cette perruque sale, que le pauvre homme portait pour cacher sa blessure, ne donna nulle envie de rire aux deux gens de loi, tant ce crâne fendu était épouvantable à voir. La première pensée que suggérait l'aspect de cette blessure était celle-ci: « Par là s'est enfuie l'intelli-40 gence! »

— Si ce n'est pas le colonel Chabert, ce doit être un fier troupier! pensa Boucard.

— Monsieur, lui dit Derville, à qui ai-je l'honneur de parler?

[32] greasy
[33] *cicatrice . . . saillante:* diagonal scar that extended from the back of the head to the right eye, forming a prominent seam in its entire length

— Au colonel Chabert.

— Lequel?

— Celui qui est mort à Eylau, répondit le vieillard.

En entendant cette singulière phrase, le clerc et l'avoué se jetèrent un regard qui signifiait: « C'est un fou! »

— Monsieur, reprit le colonel, je désirerais ne confier qu'à vous le secret de ma situation.

Une chose digne de remarque est l'intrépidité naturelle aux avoués. Soit l'habitude de recevoir un grand nombre de personnes, soit le profond sentiment de la protection que les lois leur accordent, soit confiance en leur ministère, ils entrent partout sans rien craindre, comme les prêtres et les médecins. Derville fit un signe à Boucard, qui disparut.

— Monsieur, reprit l'avoué, pendant le jour je ne suis pas trop avare de mon temps; mais, au milieu de la nuit, les minutes me sont précieuses. Ainsi, soyez bref et concis. Allez au fait sans digression. Je vous demanderai moi-même les éclaircissements qui me sembleront nécessaires. Parlez.

Après avoir fait asseoir son singulier client, le jeune homme s'assit lui-même devant la table; mais, tout en prêtant son attention au discours du feu[34] colonel, il feuilleta ses dossiers.

— Monsieur, dit le défunt, peut-être savez-vous que je commandais un régiment de cavalerie à Eylau. J'ai été pour beaucoup dans le succès de la célèbre charge que fit Murat, et qui décida de la victoire. Malheureusement pour moi, ma mort est un fait historique consigné dans les *Victoires et Conquêtes*, où elle est rapportée en détail. Nous fendîmes en deux les trois lignes russes, qui, s'étant aussitôt reformées, nous obligèrent à les retraverser en sens contraire. Au moment où nous revenions vers l'empereur, après avoir dispersé les Russes, je rencontrai un gros de cavalerie ennemie. Je me précipitai sur ces entêtés-là.[35] Deux officiers russes, deux vrais géants, m'attaquèrent à la fois. L'un d'eux m'appliqua sur la tête un coup de sabre qui fendit tout, jusqu'à un bonnet de soie noire que j'avais sur la tête, et m'ouvrit profondément le crâne. Je tombai de cheval. Murat vint à mon secours, il me passa sur le corps, lui et tout son monde, quinze cents hommes, excusez du peu! Ma mort fut annoncée à l'empereur, qui, par prudence (il m'aimait un peu, le patron!), voulut savoir s'il n'y aurait pas

[34] the late [deceased]
[35] obstinate (ones)

quelque chance de sauver l'homme auquel il était redevable[36] de cette vigoureuse attaque. Il envoya, pour me reconnaître et me rapporter aux ambulances, deux chirurgiens en leur disant, peut-être trop négligemment, car il avait de l'ouvrage : « Allez donc voir si, par hasard, mon pauvre Chabert vit encore. » Ces sacrés carabins,[37] qui venaient de me voir foulé aux pieds par les chevaux de deux régiments, se dispensèrent sans doute de me tâter le pouls et dirent que j'étais bien mort. L'acte de mon décès fut donc probablement dressé d'après les règles établies par la jurisprudence militaire.

En entendant son client s'exprimer avec une lucidité parfaite et raconter des faits si vraisemblables, quoique étranges, le jeune avoué laissa ses dossiers, posa son coude gauche sur la table, se mit la tête dans la main et regarda le colonel fixement.

— Savez-vous, monsieur, lui dit-il en l'interrompant, que je suis l'avoué de la comtesse Ferraud, veuve du colonel Chabert ?

— Ma femme ! Oui, monsieur. Aussi, après cent démarches infructueuses chez des gens de loi qui m'ont tous pris pour un fou, me suis-je déterminé à venir vous trouver. Je vous parlerai de mes malheurs plus tard. Laissez-moi d'abord vous établir les faits, vous expliquer plutôt comme ils ont dû se passer, que comme ils sont arrivés. Certaines circonstances, qui ne doivent être connues que du Père éternel, m'obligent à en présenter plusieurs comme des hypothèses. Donc monsieur, les blessures que j'ai reçues auront probablement produit un tétanos,[38] ou m'auront mis dans une crise analogue à une maladie nommée, je crois, catalepsie. Autrement, comment concevoir que j'aie été, suivant l'usage de la guerre, dépouillé de mes vêtements, et jeté dans la fosse aux soldats par les gens chargés d'enterrer les morts ? Ici, permettez-moi de placer un détail que je n'ai pu connaître que postérieurement à l'événement qu'il faut bien appeler ma mort. J'ai rencontré, en 1814, à Stuttgart, un ancien maréchal des logis de mon régiment. Ce cher homme, le seul qui ait voulu me reconnaître, et de qui je vous parlerai tout à l'heure, m'expliqua le phénomène de ma conservation en me disant que mon cheval avait reçu un boulet dans le flanc au moment où je fus blessé

moi-même. La bête et le cavalier s'étaient donc abattus comme des capucins de cartes.[39] En me renversant, soit à droite, soit à gauche, j'avais été sans doute couvert par le corps de mon cheval, qui m'empêcha d'être écrasé par les chevaux, ou atteint par des boulets. Lorsque je revins à moi, monsieur, j'étais dans une position et dans une atmosphère dont je ne vous donnerais pas une idée en vous entraînant jusqu'à demain. Le peu d'air que je respirais était méphitique.[40] Je voulus me mouvoir et ne trouvai point d'espace. En ouvrant les yeux, je ne vis rien. La rareté de l'air fut l'accident le plus menaçant, et qui m'éclaira le plus vivement sur ma position. Je compris que là où j'étais, l'air ne se renouvelait point et que j'allais mourir. Cette pensée m'ôta le sentiment de la douleur inexprimable par laquelle j'avais été réveillé. Mes oreilles tintèrent violemment. J'entendis, ou je crus entendre, je ne veux rien affirmer, des gémissements poussés par le monde de cadavres au milieu duquel je gisais. Quoique la mémoire de ces moments soit bien ténébreuse, quoique mes souvenirs soient bien confus, malgré les impressions de souffrances encore plus profondes que je devais éprouver et qui ont brouillé mes idées, il y a des nuits où je crois encore entendre ces soupirs étouffés ! Mais il y a eu quelque chose de plus horrible que les cris, un silence que je n'ai jamais retrouvé nulle part, le vrai silence du tombeau. Enfin, en levant les mains, en tâtant les morts, je reconnus un vide entre ma tête et le fumier humain supérieur. Je pus donc mesurer l'espace qui m'avait été laissé par un hasard dont la cause m'était inconnue. Il paraît que, grâce à l'insouciance ou à la précipitation avec laquelle on nous avait jetés pêle-mêle, deux morts s'étaient croisés au-dessus de moi de manière à décrire un angle semblable à celui de deux cartes mises l'une contre l'autre par un enfant qui pose les fondements d'un château. En furetant avec promptitude, car il ne fallait pas flâner, je rencontrai fort heureusement un bras qui ne tenait à rien, le bras d'un Hercule ! un bon os auquel je dus mon salut. Sans ce secours inespéré, je périssais ! Mais, avec une rage que vous devez concevoir, je me mis à travailler les cadavres qui me séparaient de la couche de terre sans doute jetée sur nous, je dis nous, comme s'il y eût eu des vivants ! J'y allais ferme, monsieur, car me voici ! Mais je ne sais pas aujourd'hui

[36] *auquel . . . redevable:* to whom he was beholden
[37] *medicos* [derogatory]
[38] tetanus
[39] *comme . . . cartes:* like a house of cards
[40] noxious

comment j'ai pu parvenir à percer la couverture de chair qui mettait une barrière entre la vie et moi. Vous me direz que j'avais trois bras! Ce levier,[41] dont je me servais avec habileté, me procurait toujours un peu de l'air qui se trouvait entre les cadavres que je déplaçais, et je ménageais mes aspirations. Enfin je vis le jour, mais à travers la neige, monsieur! En ce moment, je m'aperçus que j'avais la tête ouverte. Par bonheur, mon sang, celui de mes camarades ou la peau meurtrie de mon cheval peut-être, que sais-je! m'avait, en se coagulant, comme enduit d'un emplâtre naturel. Malgré cette croûte, je m'évanouis quand mon crâne fut en contact avec la neige. Cependant, le peu de chaleur qui me restait ayant fait fondre la neige autour de moi, je me trouvai, quand je repris connaissance, au centre d'une petite ouverture par laquelle je criai aussi longtemps que je pus. Mais alors le soleil se levait, j'avais donc bien peu de chances pour être entendu. Y avait-il déjà du monde aux champs? Je me haussais en faisant de mes pieds un ressort dont le point d'appui était sur les défunts qui avaient les reins solides. Vous sentez que ce n'était pas le moment de leur dire: *Respect au courage malheureux!* Bref, monsieur, après avoir eu la douleur, si le mot peut rendre ma rage, de voir pendant longtemps, oh! oui, longtemps! ces sacrés Allemands se sauvent en entendant une voix là où ils n'apercevaient point d'homme, je fus enfin dégagé par une femme assez hardie ou assez curieuse pour s'approcher de ma tête, qui semblait avoir poussé hors de terre comme un champignon. Cette femme alla chercher son mari, et tous deux me transportèrent dans leur pauvre baraque. Il paraît que j'eus une rechute de catalepsie, passez-moi cette expression pour vous peindre un état duquel je n'ai nulle idée, mais que j'ai jugé, sur les dires de mes hôtes, devoir être un effet de cette maladie. Je suis resté pendant six mois entre la vie et la mort, ne parlant pas, ou déraisonnant quand je parlais. Enfin mes hôtes me firent admettre à l'hôpital d'Heilsberg. Vous comprenez, monsieur, que j'étais sorti du ventre de la fosse aussi nu que de celui de ma mère; en sorte que, six mois après, quand, un beau matin, je me souvins d'avoir été le colonel Chabert, et qu'en recouvrant ma raison je voulus obtenir de ma garde plus de respect qu'elle n'en accordait à un pauvre diable, tous mes camarades de chambrée se mirent à rire. Heureusement

pour moi, le chirurgien avait répondu, par amour-propre, de ma guérison, et s'était naturellement intéressé à son malade. Lorsque je lui parlai d'une manière suivie de mon ancienne existence, ce brave homme, nommé Sparchmann, fit constater, dans les formes juridiques voulues par le droit du pays, la manière miraculeuse dont j'étais sorti de la fosse des morts, le jour et l'heure où j'avais été trouvé par ma bienfaitrice et par son mari; le genre, la position exacte de mes blessures, en joignant à ces différents procès-verbaux[42] une description de ma personne. Eh bien, monsieur, je n'ai ni ces pièces importantes, ni la déclaration que j'ai faite chez un notaire d'Heilsberg, en vue d'établir mon identité! Depuis le jour où je fus chassé de cette ville par les événements de la guerre, j'ai constamment erré comme un vagabond, mendiant mon pain, traité de fou lorsque je racontais mon aventure, et sans avoir ni trouvé ni gagné un sou pour me procurer les actes qui pouvaient prouver mes dires, et me rendre à la vie sociale. Souvent, mes douleurs me retenaient durant des semestres entiers dans de petites villes où l'on prodiguait des soins au Français malade, mais où l'on riait au nez de cet homme dès qu'il prétendait être le colonel Chabert. Pendant longtemps, ces rires, ces doutes me mettaient dans une fureur qui me nuisit et me fit même enfermer comme fou à Stuttgart. A la vérité, vous pouvez juger, d'après mon récit, qu'il y avait des raisons suffisantes pour faire coffrer[43] un homme! Après deux ans de détention que je fus obligé de subir, après avoir entendu mille fois mes gardiens disant: « Voilà un pauvre homme qui croit être le colonel Chabert! » à des gens qui répondaient: « Le pauvre homme! » je fus convaincu de l'impossibilité de ma propre aventure, je devins triste, résigné, tranquille, et renonçai à me dire le colonel Chabert, afin de pouvoir sortir de prison et revoir la France. Oh! monsieur, revoir Paris! c'était un délire que je ne . . .

A cette phrase inachevée, le colonel Chabert tomba dans une rêverie profonde que Derville respecta.

— Monsieur, un beau jour, reprit le client, un jour de printemps, on me donna la clef des champs et dix thalers, sous prétexte que je parlais très sensément sur toute sorte de sujets et que je ne me disais plus le colonel Chabert. Ma foi, vers cette époque, et encore

---

[41] lever

[42] official reports
[43] lock-up

aujourd'hui, par moments, mon nom m'est désagréable. Je voudrais n'être pas moi. Le sentiment de mes droits me tue. Si ma maladie m'avait ôté tout souvenir de mon existence passée, j'aurais été heureux! J'eusse repris du service sous un nom quelconque, et, qui sait? je serais peut-être devenu feldmaréchal en Autriche ou en Russie.

— Monsieur, dit l'avoué, vous brouillez toutes mes idées. Je crois rêver en vous écoutant. De grâce, arrêtons-nous pendant un moment.

— Vous êtes, dit le colonel d'un air mélancolique, la seule personne qui m'ait si patiemment écouté. Aucun homme de loi n'a voulu m'avancer dix napoléons afin de faire venir d'Allemagne les pièces nécessaires pour commencer mon procès . . .

— Quel procès? dit l'avoué, qui oubliait la situation douloureuse de son client en entendant le récit de ses misères passées.

— Mais, monsieur, la comtesse Ferraud n'est-elle pas ma femme? Elle possède trente mille livres de rente qui m'appartiennent, et ne veut pas me donner deux liards. Quand je dis ces choses à des avoués, à des hommes de bon sens; quand je propose, moi, mendiant, de plaider contre un comte et une comtesse; quand je m'élève, moi, mort, contre un acte de décès, un acte de mariage et des actes de naissance, ils m'éconduisent,[44] suivant leur caractère, soit avec cet air froidement poli que vous savez prendre pour vous débarrasser d'un malheureux, soit brutalement, en gens qui croient rencontrer un intrigant ou un fou. J'ai été enterré sous les morts; mais, maintenant, je suis enterré sous des vivants, sous des actes, sous des faits, sous la société tout entière, qui veut me faire rentrer sous terre!

— Monsieur, veuillez[45] poursuivre maintenant, dit l'avoué.

— Veuillez, s'écria le malheureux vieillard en prenant la main du jeune homme, voilà le premier mot de politesse que j'entends depuis . . .

Le colonel pleura. La reconnaissance étouffa sa voix. Cette pénétrante et indicible éloquence qui est dans le regard, dans le geste, dans le silence même, acheva de convaincre Derville et le toucha vivement.

— Écoutez, monsieur, dit-il à son client, j'ai gagné ce soir trois cents francs au jeu; je puis bien employer la moitié de cette somme à faire le bonheur d'un

homme. Je commencerai les poursuites et diligences nécessaires pour vous procurer les pièces dont vous me parlez, et, jusqu'à leur arrivée, je vous remettrai cent sous par jour. Si vous êtes le colonel Chabert, vous saurez pardonner la modicité du prêt à un jeune homme qui a sa fortune à faire. Poursuivez.

Le prétendu colonel resta pendant un moment immobile et stupéfait: son extrême malheur avait sans doute détruit ses croyances. S'il courait après son illustration militaire, après sa fortune, après lui-même, peut-être était-ce pour obéir à ce sentiment inexplicable, en germe dans le cœur de tous les hommes, et auquel nous devons les recherches des alchimistes, la passion de la gloire, les découvertes de l'astronomie, de la physique, tout ce qui pousse l'homme à se grandir en se multipliant par les faits ou par les idées. L'ego, dans sa pensée, n'était plus qu'un objet secondaire, de même que la vanité du triomphe ou le plaisir du gain deviennent plus chers au parieur que ne l'est l'objet du pari. Les paroles du jeune avoué furent donc comme un miracle pour cet homme rebuté pendant dix années par sa femme, par la justice, par la création sociale entière. Trouver chez un avoué ces dix pièces d'or qui lui avaient été refusées pendant si longtemps, par tant de personnes et de tant de manières! Le colonel ressemblait à cette dame qui, ayant eu la fièvre durant quinze années, crut avoir changé de maladie le jour où elle fut guérie. Il est des félicités auxquelles on ne croit plus; elles arrivent, c'est la foudre, elles consument. Aussi la reconnaissance du pauvre homme était-elle trop vive pour qu'il pût l'exprimer. Il eût paru froid aux gens superficiels, mais Derville devina toute une probité dans cette stupeur. Un fripon aurait eu de la voix.

— Où en étais-je? dit le colonel avec la naïveté d'un enfant ou d'un soldat, car il y a souvent de l'enfant dans le vrai soldat, et presque toujours du soldat chez l'enfant, surtout en France.

— A Stuttgart. Vous sortiez de prison, répondit l'avoué.

— Vous connaissez ma femme? demanda le colonel.

— Oui, répliqua Derville en inclinant la tête.

— Comment est-elle?

— Toujours ravissante.

Le vieillard fit un signe de main, et parut dévorer quelque secrète douleur avec cette résignation grave et solennelle qui caractérise les hommes éprouvés dans le sang et le feu des champs de bataille.

[44] show me to the door
[45] please [polite form]

— Monsieur, dit-il avec une sorte de gaieté, — car il respirait, ce pauvre colonel, il sortait une seconde fois de la tombe, il venait de fondre une couche de neige moins soluble que celle qui jadis lui avait glacé la tête, et il aspirait l'air comme s'il quittait un cachot; — monsieur, dit-il, si j'avais été joli garçon, aucun de mes malheurs ne me serait arrivé. Les femmes croient les gens quand ils farcissent leurs phrases du mot amour. Alors, elles trottent, elles vont, elles se mettent en quatre, elles intriguent, elles affirment les faits, elles font le diable pour celui qui leur plaît. Comment aurais-je pu intéresser une femme? j'avais une face de *Requiem*, j'étais vêtu comme un sans-culotte, je ressemblais plutôt à un Esquimau qu'à un Français, moi qui jadis passais pour le plus joli des muscadins, en 1799! moi, Chabert, comte de l'Empire![46] Enfin, le jour même où l'on me jeta sur le pavé comme un chien, je rencontrai le maréchal des logis de qui je vous ai déjà parlé. Le camarade se nommait Boutin. Le pauvre diable et moi faisions la plus belle paire de rosses[47] que j'aie jamais vue; je l'aperçus à la promenade; si je le reconnus, il lui fut impossible de deviner qui j'étais. Nous allâmes ensemble dans un cabaret. Là, quand je me nommai, la bouche de Boutin se fendit en éclat de rire comme un mortier qui crève. Cette gaieté, monsieur, me causa l'un de mes plus vifs chagrins! Elle me révélait sans fard tous les changements qui étaient survenus en moi! J'étais donc méconnaissable, même pour l'œil du plus humble et du plus reconnaissant de mes amis! jadis j'avais sauvé la vie à Boutin, mais c'était une revanche que je lui devais. Je ne vous dirai pas comment il me rendit ce service. La scène eut lieu en Italie, à Ravenne. La maison où Boutin m'empêcha d'être poignardé n'était pas une maison fort décente. A cette époque, je n'étais pas colonel, j'étais simple cavalier, comme Boutin. Heureusement, cette histoire comportait des détails qui ne pouvaient être connus que de nous seuls, et, quand je les lui rappelai, son incrédulité diminua. Puis je lui contai les accidents de ma bizarre existence. Quoique mes yeux, ma voix fussent, me dit-il, singulièrement altérés, que je n'eusse plus ni cheveux, ni dents, ni sourcils, que je fusse blanc comme un albinos, il finit par retrouver son colonel dans le mendiant, après mille interrogations auxquelles

je répondis victorieusement. Il me raconta ses aventures, elles n'étaient pas moins extraordinaires que les miennes: il revenait des confins de la Chine, où il avait voulu pénétrer après s'être échappé de la Sibérie. Il m'apprit les désastres de la campagne de Russie et la première abdication de Napoléon. Cette nouvelle est une des choses qui m'ont fait le plus de mal! Nous étions deux débris curieux, après avoir ainsi roulé sur le globe comme roulent dans l'Océan les cailloux emportés d'un rivage à l'autre, par les tempêtes. A nous deux, nous avions vu l'Égypte, la Syrie, l'Espagne, la Russie, la Hollande, l'Allemagne, l'Italie, la Dalmatie, l'Angleterre, la Chine, la Tartarie, la Sibérie; il ne nous manquait que d'être allés dans les Indes et en Amérique! Enfin, plus ingambe[48] que je ne l'étais, Boutin se chargea d'aller à Paris le plus lestement possible afin d'instruire ma femme de l'état dans lequel je me trouvais. J'écrivis à madame Chabert une lettre bien détaillée. C'était la quatrième, monsieur! Si j'avais eu des parents, tout cela ne serait peut-être pas arrivé; mais, il faut vous l'avouer, je suis un enfant d'hôpital, un soldat qui pour patrimoine avait son courage, pour famille tout le monde, pour patrie la France, pour tout protecteur le bon Dieu. Je me trompe! j'avais un père, l'empereur! Ah! s'il était debout, le cher homme! et qu'il vît *son Chabert*, comme il me nommait, dans l'état où je suis, mais il se mettrait en colère. Que voulez-vous! notre soleil s'est couché, nous avons tous froid maintenant. Après tout, les événements politiques pouvaient justifier le silence de ma femme! Boutin partit. Il était bien heureux, lui! Il avait deux ours blancs supérieurement dressés qui le faisaient vivre. Je ne pouvais l'accompagner; mes douleurs ne me permettaient pas de faire de longues étapes. Je pleurai, monsieur, quand nous nous séparâmes, après avoir marché aussi longtemps que mon état put me le permettre, en compagnie de ses ours et de lui. A Carlsruhe, j'eus un accès de névralgie à la tête, et restai six semaines sur la paille dans une auberge! Je ne finirais pas, monsieur, s'il fallait vous raconter tous les malheurs de ma vie de mendiant. Les souffrances morales, auprès desquelles pâlissent les douleurs physiques, excitent cependant moins de pitié, parce qu'on ne les voit point. Je me souviens d'avoir pleuré devant un hôtel de Strasbourg où j'avais donné jadis une fête, et où je n'obtins rien, pas même un morceau de pain. Ayant déterminé, de concert avec Boutin, l'itinéraire que je devais suivre,

[46] *sans-culotte:* a Revolutionary extremist [one who does not wear the breeches of the aristocracy]; *muscadins:* dandies; *comte de l'Empire:* title given by Napoleon
[47] tough customers

[48] nimble

j'allais à chaque bureau de poste demander s'il y avait une lettre et de l'argent pour moi. Je vins jusqu'à Paris sans avoir rien trouvé. Combien de désespoirs ne m'a-t-il pas fallu dévorer! « Boutin sera mort », me disais-je. En effet, le pauvre diable avait succombé à Waterloo. J'appris sa mort plus tard et par hasard. Sa mission auprès de ma femme fut sans doute infruc-tueuse.[49] Enfin j'entrai dans Paris, en même temps que les Cosaques.[50] Pour moi, c'était douleur sur douleur. En voyant les Russes en France, je ne pensais plus que je n'avais ni souliers aux pieds ni argent dans ma poche. Oui, monsieur, mes vêtements étaient en lam-beaux. La veille de mon arrivée, je fus forcé de bivaquer[51] dans les bois de Claye. La fraîcheur de la nuit me causa sans doute un accès de je ne sais quelle maladie, qui me prit quand je traversai le faubourg Saint-Martin. Je tombai presque évanoui à la porte d'un marchand de fer. Quand je me réveillai, j'étais dans un lit de l'Hôtel-Dieu.[52] Là, je restai pendant un mois assez heureux. Je fus bientôt renvoyé; j'étais sans argent, mais bien portant et sur le bon pavé de Paris. Avec quelle joie et quelle promptitude j'allai rue du Mont-Blanc, où ma femme devait être logée dans un hôtel à moi! Bah! la rue du Mont-Blanc était devenue la rue de la Chaussée-d'Antin. Je n'y vis plus mon hôtel, il avait été vendu, démoli. Des spéculateurs avaient bâti plusieurs maisons dans mes jardins. Ignorant que ma femme fût mariée à M. Ferraud, je ne pouvais obtenir aucun renseignement. Enfin je me rendis chez un vieil avocat qui jadis était chargé de mes affaires. Le bonhomme était mort après avoir cédé sa clientèle à un jeune homme. Celui-ci m'apprit, à mon grand étonnement, l'ouverture de ma succession, sa liquidation,[53] le mariage de ma femme et la naissance de ses deux enfants. Quand je lui dis être le colonel Chabert, il se mit à rire franchement, que je le quittai sans lui faire la moindre observation. Ma détention de Stuttgart me fit songer à Charenton, et je résolus d'agir avec prudence. Alors, monsieur, sachant où demeurait ma femme, je m'acheminai vers son hôtel, le cœur plein d'espoir. Eh bien, dit le colonel avec un mouvement de rage concentrée, je n'ai pas été reçu lorsque je me fis annoncer sous un nom d'emprunt, et, le jour où je pris le mien, je fus consigné à sa porte. Pour voir la comtesse rentrant du bal ou du spectacle, au matin, je suis resté pendant des nuits entières collé contre la borne de sa porte cochère. Mon regard plongeait dans cette voiture qui passait devant mes yeux avec la rapidité de l'éclair, et où j'entrevoyais à peine cette femme qui est mienne et qui n'est plus à moi! Oh! dès ce jour, j'ai vécu pour la vengeance, s'écria le vieillard d'une voix sourde en se dressant tout à coup devant Derville. Elle sait que j'existe; elle a reçu de moi, depuis mon retour, deux lettres écrites par moi-même. Elle ne m'aime plus! Moi, j'ignore si je l'aime ou si je la déteste! je la désire et la maudis tour à tour. Elle me doit sa fortune, son bonheur; eh bien, elle ne m'a pas seulement fait parvenir le plus léger secours! Par moments, je ne sais plus que devenir!

A ces mots, le vieux soldat retomba sur sa chaise, et redevint immobile. Derville resta silencieux, occupé à contempler son client.

— L'affaire est grave, dit-il enfin machinalement. Même en admettant l'authenticité des pièces qui doi-vent se trouver à Heilsberg, il ne m'est pas prouvé que nous puissions triompher tout d'abord. Le procès ira successivement devant trois tribunaux. Il faut réfléchir à tête reposée sur une semblable cause, elle est tout exceptionnelle.

— Oh! répondit froidement le colonel en relevant la tête par un mouvement de fierté, si je succombe, je saurai mourir, mais en compagnie.

Là, le vieillard avait disparu. Les yeux de l'homme énergique brillaient rallumés aux feux du désir et de la vengeance.

— Il faudra peut-être transiger,[54] dit l'avoué.

— Transiger! répéta le colonel Chabert. Suis-je mort ou suis-je vivant?

— Monsieur, reprit l'avoué, vous suivrez, je l'es-père, mes conseils. Votre cause sera ma cause. Vous vous apercevrez bientôt de l'intérêt que je prends à votre situation, presque sans exemple dans les fastes judiciaires.[55] En attendant, je vais vous donner un mot pour mon notaire, qui vous remettra, sur votre quit-tance, cinquante francs tous les dix jours. Il ne serait pas convenable que vous vinssiez chercher ici des

---

[49] fruitless
[50] the Russians participated in the occupation of Paris after the fall of Napoleon (1815)
[5] camp out
[52] public hospital in Paris
[53] l'ouverture . . . liquidation: the opening of my estate, its liquidation
[54] compromise
[55] legal annals

secours. Si vous êtes le colonel Chabert, vous ne devez être à la merci de personne. Je donnerai à ces avances la forme d'un prêt. Vous avez des biens à recouvrer, vous êtes riche.

Cette dernière délicatesse arracha des larmes au vieillard. Derville se leva brusquement, car il n'était peut-être pas de coutume qu'un avoué parût s'émouvoir; il passa dans son cabinet, d'où il revint avec une lettre non cachetée qu'il remit au comte Chabert. Lorsque le pauvre homme la tint entre ses doigts, il sentit deux pièces d'or à travers le papier.

— Voulez-vous me désigner les actes, me donner le nom de la ville, du royaume? dit l'avoué.

Le colonel dicta les renseignements en vérifiant l'orthographe des noms de lieux; puis il prit son chapeau d'une main, regarda Derville, lui tendit l'autre main, une main calleuse, et lui dit d'une voix simple:

— Ma foi, monsieur, après l'empereur, vous êtes l'homme auquel je devrai le plus! Vous êtes *un brave*.

L'avoué frappa dans la main du colonel, le reconduisit jusque sur l'escalier et l'éclaira.

— Boucard, dit Derville à son maître clerc, je viens d'entendre une histoire qui me coûtera peut-être vingt-cinq louis. Si je suis volé, je ne regretterai pas mon argent, j'aurai vu le plus habile comédien de notre époque.

Quand le colonel se trouva dans la rue et devant un réverbère, il retira de la lettre les deux pièces de vingt francs que l'avoué lui avait données, et les regarda pendant un moment à la lumière. Il revoyait de l'or pour la première fois depuis neuf ans.

— Je vais donc pouvoir fumer des cigares! se dit-il.

II

LA TRANSACTION

Environ trois mois après cette consultation, nuitamment faite par le colonel Chabert, chez Derville, le notaire chargé de payer la demi-solde que l'avoué faisait à son singulier client vint le voir pour conférer sur une affaire grave, et commença par lui réclamer six cents francs donnés au vieux militaire.

— Tu t'amuses donc à entretenir l'ancienne armée? lui dit en riant ce notaire, nommé Crottat, jeune homme qui venait d'acheter l'étude où il était maître

clerc, et dont le patron avait pris la fuite en faisant une épouvantable faillite.

— Je te remercie, mon cher maître, répondit Derville, de me rappeler cette affaire-là. Ma philanthropie n'ira pas au delà de vingt-cinq louis, je crains déjà d'avoir été la dupe de mon patriotisme.

Au moment où Derville achevait sa phrase, il vit sur son bureau les paquets que son maître clerc y avait mis. Ses yeux furent frappés à l'aspect des timbres oblongs, carrés, triangulaires, rouges, bleus, apposés sur une lettre par les postes prussienne, autrichienne, bavaroise et française.

— Ah! dit-il en riant, voici le dénoûment de la comédie, nous allons voir si je suis attrapé.

Il prit la lettre et l'ouvrit, mais il n'y put rien lire, elle était écrite en allemand.

— Boucard, allez vous-même faire traduire cette lettre, et revenez promptement, dit Derville en entr'ouvrant la porte de son cabinet et tendant la lettre à son maître clerc.

Le notaire de Berlin auquel s'était adressé l'avoué lui annonçait que les actes dont les expéditions étaient demandées lui parviendraient quelques jours après cette lettre d'avis. Les pièces étaient, disait-il, parfaitement en règle, et revêtues des légalisations nécessaires pour faire foi en justice. En outre, il lui mandait que presque tous les témoins des faits consacrés par les procès-verbaux existaient à Prussich-Eylau; et que la femme à laquelle M. le comte Chabert devait la vie vivait encore dans un des faubourgs d'Heilsberg.

— Ceci devient sérieux, s'écria Derville quand Boucard eut fini de lui donner la substance de la lettre. — Mais, dis donc, mon petit, reprit-il en s'adressant au notaire, je vais avoir besoin de renseignements qui doivent être en ton étude. N'est-ce pas chez ce vieux fripon de Roguin . . .[56]

— Nous disons l'infortuné, le malheureux Roguin, reprit maître Alexandre Crottat en riant et interrompant Derville.

— N'est-ce pas chez cet infortuné qui vient d'emporter huit cent mille francs à ses clients, et de réduire plusieurs familles au désespoir, que s'est faite la liquidation de la succession Chabert? Il me semble que j'ai vu cela dans nos pièces Ferraud.

— Oui, répondit Crottat, j'étais alors troisième

[56] Roquin, Crottat's former employer, had absconded with his clients' funds — hence the use of *fripon*

clerc; je l'ai copiée et bien étudiée, cette liquidation.
Rose Chapotel, épouse et veuve de Hyacinthe, dit
Chabert, comte de l'Empire, grand officier de la Légion
d'honneur; ils étaient mariés sans contrat, ils étaient
donc communs en biens.[57] Autant que je puis m'en
souvenir, l'actif[58] s'élevait à six cent mille francs. Avant
son mariage, le comte Chabert avait fait un testament
en faveur des hospices de Paris, par lequel il leur attribuait le quart de la fortune qu'il posséderait au moment de son décès, le domaine héritait de l'autre quart.   10
Il y a eu licitation, vente et partage, parce que les
avoués sont allés bon train. Lors de la liquidation, le
monstre qui gouvernait alors la France a rendu par un
décret la portion du fisc à la veuve du colonel.

— Ainsi la fortune personnelle du comte Chabert
ne se monterait donc qu'à trois cent mille francs?

— Par conséquent, mon vieux! répondit Crottat.
Vous avez parfois l'esprit juste, vous autres avoués,
quoiqu'on vous accuse de vous fausser en plaidant
aussi bien le pour que le contre.   20

Le comte Chabert, dont l'adresse se lisait au bas
de la première quittance qu'il avait remise au notaire,[59]
demeurait dans le faubourg Saint-Marceau, rue du
Petit-Banquier, chez un vieux maréchal des logis de
la garde impériale, devenu nourrisseur[60] et nommé
Vergniaud. Arrivé là, Derville fut forcé d'aller à pied
à la recherche de son client; car son cocher refusa de
s'engager dans une rue non pavée et dont les ornières
étaient un peu trop profondes pour les roues d'un
cabriolet. En regardant de tous les côtés, l'avoué finit   30
par trouver, dans la partie de cette rue qui avoisine le
boulevard, entre deux murs bâtis avec des ossements
et de la terre, deux mauvais pilastres en moellons,[61]
que le passage des voitures avait ébréchés, malgré
deux morceaux de bois placés en forme de bornes. Ces
pilastres soutenaient une poutre couverte d'un chape-
ron en tuiles, sur laquelle ces mots étaient écrits en
rouge: VERGNIAUD, NOURICEURE. A droite de ce nom
se voyaient des œufs, et à gauche une vache, le tout
peint en blanc. La porte était ouverte et restait sans   40
doute ainsi pendant toute la journée. Au fond d'une

cour assez spacieuse s'élevait, en face de la porte, une
maison, si toutefois ce nom convient à l'une de ces
masures bâties dans les faubourgs de Paris, et qui ne
sont comparables à rien, pas même aux plus chétives
habitations de la campagne, dont elles ont la misère
sans en avoir la poésie. En effet, au milieu des champs,
les cabanes ont encore une grâce que leur donnent la
pureté de l'air, la verdure, l'aspect des champs, une
colline, un chemin tortueux, des vignes, une haie vive,
la mousse des chaumes, et les ustensiles champêtres;
mais, à Paris, la misère ne se grandit que par son
horreur.

Quoique récemment construite, cette maison semblait près de tomber en ruine. Aucun des matériaux
n'y avait eu sa vraie destination, ils provenaient tous
des démolitions qui se font journellement dans Paris.
Derville lut sur un volet fait avec les planches d'une
enseigne: *Magasin de nouveautés.* Les fenêtres ne se
ressemblaient point entre elles et se trouvaient bizarre-
ment placées. Le rez-de-chaussée, qui paraissait être
la partie habitable, était exhaussé d'un côté, tandis
que de l'autre les chambres étaient enterrées par une
éminence.[62] Entre la porte et la maison s'étendait une
mare pleine de fumier où coulaient les eaux pluviales
et ménagères. Le mur sur lequel s'appuyait ce chétif
logis, et qui paraissait être plus solide que les autres,
était garni de cabanes grillagées où de vrais lapins
faisaient leurs nombreuses familles. A droite de la
porte cochère se trouvait la vacherie surmontée d'un
grenier à fourrage, et qui communiquait à la maison
par une laiterie. A gauche étaient une basse-cour, une
écurie et un toit à cochons qui avait été fini, comme
celui de la maison, en mauvaises planches de bois
blanc clouées les unes sur les autres, et mal recouvertes
avec du jonc.

Comme presque tous les endroits où se cuisinent
les éléments du grand repas que Paris dévore chaque
jour, la cour dans laquelle Derville mit le pied offrait
les traces de la précipitation voulue par la nécessité
d'arriver à heure fixe. Ces grands vases de fer-blanc
bossués dans lesquels se transporte le lait, et les pots
qui contiennent la crème, étaient jetés pêle-mêle devant
la laiterie, avec leurs bouchons de linge. Les loques
trouées qui servaient à les essuyer flottaient au soleil,
étendues sur des ficelles attachées à des piquets. Ce

---

[57] *ils étaient donc . . . biens:* thus they held all property
in common
[58] assets
[59] *première . . . notaire:* the first receipt given by
Chabert to the lawyer in return for an advance of money
[60] livestock-raiser
[61] *pilastres en moellons:* pilasters of quarry stone

[62] *Le rez-de-chaussée . . . éminence:* the ground-floor,
which seemed to be the only habitable part, was raised on
one side; while on the other, the rooms were sunk into a
mound of earth

cheval pacifique, dont la race ne se trouve que chez les laitières, avait fait quelques pas en avant de sa charrette et restait devant l'écurie, dont la porte était fermée. Une chèvre broutait le pampre de la vigne grêle et poudreuse qui garnissait le mur jaune et lézardé de la maison. Un chat était accroupi sur les pots à crème et les léchait. Les poules, effarouchées à l'approche de Derville, s'envolèrent en criant, et le chien de garde aboya.

— L'homme qui a décidé le gain de la bataille 10 d'Eylau serait là! se dit Derville en saisissant d'un seul coup d'œil l'ensemble de ce spectacle ignoble.

La maison était restée sous la protection de trois gamins. L'un, grimpé sur le faîte d'une charrette chargée de fourrage vert, jetait des pierres dans un tuyau de cheminée de la maison voisine, espérant qu'elles y tomberaient dans la marmite. L'autre essayait d'amener un cochon sur le plancher de la charette qui touchait à terre, tandis que le troisième, pendu à l'autre bout, attendait que le cochon y fût placé pour 20 l'enlever en faisant faire la bascule à la charrette. Quand Derville leur demanda si c'était bien là que demeurait M. Chabert, aucun ne répondit, et tous trois le regardèrent avec une stupidité spirituelle, s'il est permis d'allier ces deux mots. Derville réitéra ses questions sans succès. Impatienté par l'air narquois des trois drôles, il leur dit de ces injures plaisantes que les jeunes gens se croient le droit d'adresser aux enfants, et les gamins rompirent le silence par un rire brutal. Derville se fâcha. Le colonel, qui l'entendit, sortit d'une petite 30 chambre basse située près de la laiterie et apparut sur le seuil de sa porte avec un flegme[63] militaire inexprimable. Il avait à la bouche une de ces pipes notablement *culottées* (expression technique des fumeurs), une de ces humbles pipes de terre blanche nommées des *brûle-gueule*. Il leva la visière d'une casquette horriblement crasseuse, aperçut Derville et traversa le fumier, pour venir plus promptement à son bienfaiteur, en criant d'une voix amicale aux gamins:

— Silence dans les rangs!   40

Les enfants gardèrent aussitôt un silence respectueux qui annonçait l'empire exercé sur eux par le vieux soldat.

— Pourquoi ne m'avez-vous pas écrit? dit-il à Derville. Allez le long de la vacherie! Tenez, là, le chemin est pavé, s'écria-t-il en remarquant l'indé-

cision de l'avoué, qui ne voulait pas se mouiller les pieds dans le fumier.

En sautant de place en place, Derville arriva sur le seuil de la porte par où le colonel était sorti. Chabert parut désagréablement affecté d'être obligé de le recevoir dans la chambre qu'il occupait. En effet, Derville n'y aperçut qu'une seule chaise. Le lit du colonel consistait en quelques bottes de paille sur lesquelles son hôtesse avait étendu deux ou trois lambeaux de ces vieilles tapisseries, ramassées je ne sais où, qui servent aux laitières à garnir les bancs de leurs charrettes. Le plancher était tout simplement en terre battue. Les murs, salpêtrés, verdâtres et fendus, répandaient une si forte humidité, que le mur contre lequel couchait le colonel était tapissé d'une natte en jonc. Le fameux carrick pendait à un clou. Deux mauvaises paires de bottes gisaient dans un coin. Nul vestige de linge. Sur la table vermoulue, les *Bulletins de la Grande Armée*, réimprimés par Plancher, étaient ouverts et paraissaient être la lecture du colonel, dont la physionomie était calme et sereine au milieu de cette misère. Sa visite chez Derville semblait avoir changé le caractère de ses traits, où l'avoué trouva les traces d'une pensée heureuse, une lueur particulière qu'y avait jetée l'espérance.

— La fumée de la pipe vous incommode-t-elle? dit-il en tendant à son avoué la chaise à moitié dépaillée.

— Mais, colonel, vous êtes horriblement mal ici!

Cette phrase fut arrachée à Derville par la défiance naturelle aux avoués, et par la déplorable expérience que leur donnent de bonne heure les épouvantables drames inconnus auxquels ils assistent.

— Voilà, se dit-il, un homme qui aura certainement employé mon argent à satisfaire les trois vertus théologales du troupier: le jeu, le vin et les femmes!

— C'est vrai, monsieur, nous ne brillons pas ici par le luxe. C'est un bivac[64] tempéré par l'amitié, mais... (Ici le soldat lança un regard profond à l'homme de loi); mais, je n'ai fait de tort à personne, je n'ai jamais repoussé personne, et je dors tranquille.

L'avoué songea qu'il y aurait peu de délicatesse à demander compte à son client des sommes qu'il lui avait avancées, et il se contenta de lui dire:

— Pourquoi n'avez-vous donc pas voulu venir dans Paris, où vous auriez pu vivre aussi peu chèrement que vous vivez ici, mais où vous auriez été mieux?

---

[63] calm   [64] *bivouac*

— Mais, répondit le colonel, les braves gens chez lesquels je suis m'avaient recueilli, nourri *gratis* depuis un an! comment les quitter au moment où j'avais un peu d'argent? Puis le père de ces trois gamins est un vieux *égyptien* . . .

— Comment, un égyptien?

— Nous appelons ainsi les troupiers qui sont revenus de l'expédition d'Égypte, de laquelle j'ai fait partie. Non seulement tous ceux qui en sont revenus sont un peu frères, mais Vergniaud était alors dans mon régiment, nous avions partagé de l'eau dans le désert; enfin, je n'ai pas encore fini d'apprendre à lire à ses marmots.

— Il aurait bien pu vous mieux loger, pour votre argent, lui.

— Bah! dit le colonel, ses enfants couchent comme moi sur la paille! Sa femme et lui n'ont pas un lit meilleur; ils sont bien pauvres, voyez-vous! ils ont pris un établissement au-dessus de leurs forces. Mais, si je recouvre ma fortune . . . Enfin, suffit!

— Colonel! je dois recevoir demain ou après vos actes d'Heilsberg. Votre libératrice vit encore!

— Sacré argent! Dire que je n'en ai pas! s'écria-t-il en jetant sa pipe à terre.

Une pipe *culottée* est une pipe précieuse pour un fumeur; mais ce fut par un geste si naturel, par un mouvement si généreux, que tous les fumeurs et même la Régie lui eussent pardonné ce crime de lèse-tabac.[65] Les anges auraient peut-être ramassé les morceaux.

— Colonel, votre affaire est excessivement compliquée, lui dit Derville en sortant de la chambre pour s'aller promener au soleil le long de la maison.

— Elle me paraît, dit le soldat, parfaitement simple. On m'a cru mort, me voilà! Rendez-moi ma femme et ma fortune; donnez-moi le grade de général auquel j'ai droit, car j'ai passé colonel dans la garde impériale la veille de la bataille d'Eylau.

— Les choses ne vont pas ainsi dans le monde judiciaire, reprit Derville. Écoutez-moi. Vous êtes le comte Chabert, je le veux bien; mais il s'agit de le prouver judiciairement à des gens qui vont avoir intérêt à nier votre existence. Ainsi, vos actes seront discutés. Cette discussion entraînera dix ou douze questions préliminaires. Toutes iront contradictoirement jusqu'à la cour suprême, et constitueront autant de procès coûteux, qui traîneront en longueur, quelle que soit l'activité que j'y mette. Vos adversaires demanderont une enquête à laquelle nous ne pourrons pas nous refuser, et qui nécessitera peut-être une commission rogatoire en Prusse.[66] Mais supposons tout au mieux: admettons qu'il soit reconnu promptement par la justice que vous êtes le colonel Chabert. Savons-nous comment sera jugée la question soulevée par la bigamie fort innocente de la comtesse Ferraud? Dans votre cause, le point de droit est en dehors du Code,[67] et ne peut être jugé par les juges que suivant les lois de la conscience, comme fait le jury dans les questions délicates que présentent les bizarreries sociales de quelques procès criminels. Or, vous n'avez pas eu d'enfants de votre mariage, et M. le comte Ferraud en a deux du sien; les juges peuvent déclarer nul le mariage où se rencontrent les liens les plus faibles, au profit du mariage qui en comporte de plus forts, du moment qu'il y a eu bonne foi chez les contractants.[68] Serez-vous dans une position morale bien belle, en voulant *mordicus*[69] avoir, à votre âge et dans les circonstances où vous vous trouvez, une femme qui ne vous aime plus? Vous aurez contre vous votre femme et son mari, deux personnes puissantes qui pourront influencer les tribunaux. Le procès a donc des éléments de durée. Vous aurez le temps de vieillir dans les chagrins les plus cuisants.

— Et ma fortune?

— Vous vous croyez donc une grande fortune?

— N'avais-je pas trente mille livres de rente?

— Mon cher colonel, vous aviez fait, en 1799, avant votre mariage, un testament qui léguait le quart de vos biens aux hospices.

— C'est vrai.

— Eh bien, vous censé mort, n'a-t-il pas fallu procéder à un inventaire, à une liquidation afin de donner ce quart aux hospices? Votre femme ne s'est pas fait scrupule de tromper les pauvres. L'inventaire, où sans doute elle s'est bien gardée de mentionner l'argent comptant, les pierreries, où elle aura produit peu d'argenterie, et où le mobilier a été estimé à deux tiers

---

[65] *la Régie . . . lèse-tabac:* the tax commission would have pardoned this outrage against tobacco [compare the expressions *lèse-majesté* and *lèse-tabac*]

[66] a commission that would be formed by a judicial body in Prussia, upon request of the French tribunal

[67] Napoleonic code

[68] *du moment . . . contractants:* as long as the contracting parties were in good faith

[69] with tenacity

au-dessous du prix réel, soit pour la favoriser, soit pour payer moins de droits au fisc, et aussi parce que les commissaires-priseurs sont responsables de leurs estimations, l'inventaire, ainsi fait, a établi six cent mille francs de valeurs.[70] Pour sa part, votre veuve avait droit à la moitié. Tout a été vendu, racheté par elle, elle a bénéficié sur tout, et les hospices ont eu leurs soixante-quinze mille francs. Puis, comme le fisc[71] héritait de vous, attendu que vous n'aviez pas fait mention de votre femme dans votre testament, l'empereur a rendu par un décret à votre veuve la portion qui revenait au domaine public. Maintenant, à quoi avez-vous droit? A trois cent mille francs seulement, moins les frais.

— Et vous appelez cela la justice? dit le colonel ébahi.

— Mais certainement . . .

— Elle est belle!

— Elle est ainsi, mon pauvre colonel. Vous voyez que ce que vous avez cru facile ne l'est pas. Mme Ferraud peut même vouloir garder la portion qui lui a été donnée par l'empereur.

— Mais elle n'était pas veuve, le décret est nul . . .

— D'accord. Mais tout se plaide. Écoutez-moi. Dans ces circonstances, je crois qu'une transaction serait, et pour vous et pour elle, le meilleur dénoûment du procès. Vous y gagneriez une fortune plus considérable que celle à laquelle vous auriez droit.

— Ce serait vendre ma femme?

— Avec vingt-quatre mille francs de rente, vous aurez, dans la position où vous vous trouvez, des femmes qui vous conviendront mieux que la vôtre, et qui vous rendront plus heureux. Je compte aller voir aujourd'hui même Mme la comtesse Ferraud afin de sonder le terrain; mais je n'ai pas voulu faire cette démarche sans vous en prévenir.

— Allons ensemble chez elle . . .

— Fait comme vous êtes? dit l'avoué. Non, non, colonel, non. Vous pourriez y perdre tout a fait votre procès . . .

— Mon procès est-il gagnable?

— Sur tous les chefs, répondit Derville. Mais, mon cher colonel Chabert, vous ne faites pas attention à une chose. Je ne suis pas riche, ma charge n'est pas entièrement payée. Si les tribunaux vous accordent une *provision*, c'est-à-dire une somme à prendre par avance sur votre fortune, ils ne l'accorderont qu'après avoir reconnu vos qualités de comte Chabert, grand officier de la Légion d'honneur.

— Tiens, je suis grand officier de la Légion, je n'y pensais plus, dit-il naïvement.

— Eh bien, jusque-là, reprit Derville, ne faut-il pas plaider, payer des avocats, lever et solder les jugements, faire marcher des huissiers, et vivre? Les frais des instances préparatoires se monteront, à vue de nez, à plus de douze ou quinze mille francs. Je ne les ai pas, moi qui suis écrasé par les intérêts énormes que je paye à celui qui m'a prêté l'argent de ma charge. Et vous! où les trouverez-vous?

De grosses larmes tombèrent des yeux flétris du pauvre soldat et roulèrent sur ses joues ridées. A l'aspect de ces difficultés, il fut découragé. Le monde social et le monde judiciaire lui pesaient sur la poitrine comme un cauchemar.

— J'irai, s'écria-t-il, au pied de la colonne de la place Vendôme,[72] je crierai là: « Je suis le colonel Chabert qui a enfoncé le grand carré des Russes à Eylau! » Le bronze, lui! me reconnaîtra.

— Et l'on vous mettra sans doute à Charenton.

A ce nom redouté, l'exaltation du militaire tomba.

— N'y aurait-il donc pas pour moi quelques chances favorables au ministère de la guerre?

— Les bureaux! dit Derville. Allez-y, mais avec un jugement bien en règle qui déclare nul votre acte de décès. Les bureaux voudraient pouvoir anéantir les gens de l'Empire.

Le colonel resta pendant un moment interdit, immobile, regardant sans voir, abîmé dans un désespoir sans bornes. La justice militaire est franche, rapide, elle décide à la turque, et juge presque toujours bien; cette justice était la seule que connût Chabert. En apercevant le dédale de difficultés où il fallait s'engager, en voyant combien il fallait d'argent pour y voyager, le pauvre soldat reçut un coup mortel dans cette

---

[70] *L'inventaire, où sans doute . . . valeurs:* [the widow falsified the inventory of the estate by neglecting to include ready money, jewelry, most of the silverware; and by an underestimation of the value of the furniture. The taxes paid were, thus, much lower. Mme Chabert profited even more at the sale following, since she was able to buy back everything at a price much lower than the true value]

[71] the national treasury

[72] at the top of this column, made from the bronze obtained by melting the cannons captured by Napoleon, there was a statue of the emperor

puissance particulière à l'homme et que l'on nomme la *volonté*. Il lui parut impossible de vivre en plaidant, il fut pour lui mille fois plus simple de rester pauvre, mendiant, de s'engager comme cavalier si quelque régiment voulait de lui. Ses souffrances physiques et morales lui avaient déjà vicié le corps dans quelques-uns des organes les plus importants. Il touchait à l'une de ces maladies pour lesquelles la médecine n'a pas de nom, dont le siège est en quelque sorte mobile comme l'appareil nerveux qui paraît le plus attaqué parmi tous ceux de notre machine, affection qu'il faudrait nommer le *spleen* du malheur. Quelque grave que fût déjà ce mal invisible, mais réel, il était encore guérissable par une heureuse conclusion. Pour ébranler tout à fait cette vigoureuse organisation, il suffirait d'un obstacle nouveau, de quelque fait imprévu qui en romprait les ressorts affaiblis et produirait ces hésitations, ces actes incompris, incomplets, que les physiologistes observent chez les êtres ruinés par les chagrins.

En reconnaissant alors les symptômes d'un profond abattement chez son client, Derville lui dit:

— Prenez courage, la solution de cette affaire ne peut que vous être favorable. Seulement, examinez si vous pouvez me donner toute votre confiance, et accepter aveuglément le résultat que je croirai le meilleur pour vous.

— Faites comme vous voudrez, dit Chabert.

— Oui, mais vous vous abandonnez à moi comme un homme qui marche à la mort?

— Ne vais-je pas rester sans état, sans nom? Est-ce tolérable?

— Je ne l'entends pas ainsi, dit l'avoué. Nous poursuivrons à l'amiable un jugement pour annuler votre acte de décès et votre mariage, afin que vous repreniez vos droits. Vous serez même, par l'influence du comte Ferraud, porté sur les cadres de l'armée comme général, et vous obtiendrez sans doute un pension.

— Allez donc! répondit Chabert, je me fie entièrement à vous.

— Je vous enverrai une procuration à signer, dit Derville. Adieu, bon courage! S'il vous faut de l'argent, comptez sur moi.

Chabert serra chaleureusement la main de Derville, et resta le dos appuyé contre la muraille, sans avoir la force de le suivre autrement que des yeux. Comme tous les gens qui comprennent peu les affaires judiciaires, il s'effrayait de cette lutte imprévue. Pendant cette conférence, à plusieurs reprises, il s'était avancé, hors d'un pilastre de la porte cochère, la figure d'un homme

posté dans la rue pour guetter la sortie de Derville, et qui l'accosta quand il sortit. C'était un vieux homme vêtu d'une veste bleue, d'une cotte blanche plissée semblable à celle des brasseurs, et qui portait sur la tête une casquette de loutre. Sa figure était brune, creusée, ridée, mais rougie sur les pommettes par l'excès du travail et hâlée par le grand air.

— Excusez, monsieur, dit-il à Derville en l'arrêtant par le bras, si je prends la liberté de vous parler, mais je me suis douté, en vous voyant, que vous étiez l'ami de notre général.

— Eh bien, dit Derville, en quoi vous intéressez-vous à lui? Mais qui êtes-vous? reprit le défiant avoué.

— Je suis Louis Vergniaud, répondit-il d'abord. Et j'aurais deux mots à vous dire.

— Et c'est vous qui avez logé le comte Chabert comme il l'est?

— Pardon, excuse, monsieur, il a la plus belle chambre. Je lui aurais donné la mienne, si je n'en avais eu qu'une. J'aurais couché dans l'écurie. Un homme qui a souffert comme lui, qui apprend à lire à mes *mioches*, un général, un égyptien, le premier lieutenant sous lequel j'ai servi . . . faudrait voir! Du tout, il est le mieux logé. J'ai partagé avec lui ce que j'avais. Malheureusement, ce n'était pas grand'chose, du pain, du lait, des œufs; enfin à la guerre comme à la guerre! C'est de bon cœur. Mais il nous a vexés.

— Lui?

— Oui, monsieur, vexés, là, ce qui s'appelle en plein . . . J'ai pris un établissement au-dessus de mes forces, il le voyait bien. Ça vous le contrariait et il pansait le cheval! Je lui dis: «Mais, mon général! — Bah! . . . qu'i dit, je ne veux pas être comme un fainéant, et il y a longtemps que je sais brosser le lapin.» J'avais donc fait des billets pour le prix de ma vacherie à un nommé Grados . . . Le connaissez-vous, monsieur?

— Mais, mon cher, je n'ai pas le temps de vous écouter. Seulement, dites-moi comment le colonel vous a vexés!

— Il nous a vexés, monsieur, aussi vrai que je m'appelle Louis Vergniaud et que ma femme en a pleuré. Il a su par les voisins que nous n'avions pas le premier sou de notre billet. Le vieux grognard, sans rien dire, a amassé tout ce que vous lui donniez, a guetté le billet et l'a payé. C'te malice! Que ma femme et moi, nous savions qu'il n'avait pas de tabac, ce pauvre vieux, et qu'il s'en passait! Oh! maintenant, tous les matins, il a ses cigares! je me vendrais plutôt . . . Non! nous sommes vexés. Donc, je voudrais vous proposer de nous prêter, vu qu'il nous a dit que vous étiez un brave homme, une centaine d'écus sur notre établissement, afin que nous lui fassions faire des habits, que nous lui meublions sa chambre. Il a cru nous acquitter, pas vrai? Eh bien, au contraire, voyez-vous, l'ancien nous a endettés . . . et vexés! Il ne devait pas nous faire cette avanie-là. Il nous a vexés! et des amis, encore! Foi d'honnête homme, aussi vrai que je m'appelle Louis Vergniaud, je m'engagerais plutôt que de ne pas vous rendre cet argent-là . . .

Derville regarda le nourrisseur, et fit quelques pas en arrière pour revoir la maison, la cour, les fumiers, l'étable, les lapins, les enfants.

— Par ma foi, je crois qu'un des caractères de la vertu est de ne pas être propriétaire, se dit-il. — Va, tu auras tes cent écus! et davantage même. Mais ce n'est pas moi qui te les donnerai, le colonel sera bien assez riche pour t'aider, et je ne veux pas lui en ôter le plaisir.

— Ce sera-t-il bientôt?

— Mais oui.

— Ah! mon Dieu, que mon épouse va-t-être contente!

Et la figure tannée du nourrisseur sembla s'épanouir.

— Maintenant, se dit Derville en remontant dans son cabriolet, allons chez notre adversaire. Ne laissons pas voir notre jeu, tâchons de connaître le sien, et gagnons la partie d'un seul coup. Il faudrait l'effrayer. Elle est femme. De quoi s'effrayent le plus les femmes? Mais les femmes ne s'effrayent que de . . .

Il se mit à étudier la position de la comtesse, et tomba dans une de ces méditations auxquelles se livrent les grands politiques en concevant leurs plans, en tâchant de deviner le secret des cabinets ennemis. Les avoués ne sont-ils pas en quelque sorte des hommes d'État chargés des affaires privées? Un coup d'œil jeté sur la situation de M. le comte Ferraud et de sa femme est ici nécessaire pour faire comprendre le génie de l'avoué.

M. le comte Ferraud était le fils d'un ancien conseiller au parlement de Paris, qui avait émigré pendant le temps de la Terreur, et qui, s'il sauva sa tête, perdit sa fortune. Il rentra sous le Consulat[73] et resta constamment fidèle aux intérêts de Louis XVIII,[74]

dans les entours duquel était son père avant la Révolution. Il appartenait donc à cette partie du faubourg Saint-Germain[75] qui résista noblement aux séductions de Napoléon. La réputation de capacité que se fit le jeune comte, alors simplement appelé M. Ferraud, le rendit l'objet des coquetteries de l'empereur, qui souvent était aussi heureux de ses conquêtes sur l'aristocratie que du gain d'une bataille. On promit au comte la restitution de son titre, celle de ses biens non vendus, on lui montra dans le lointain un ministère, une sénatorerie. L'empereur échoua. M. Ferraud était, lors de la mort du comte Chabert, un jeune homme de vingt-six ans, sans fortune, doué de formes agréables, qui avait des succès et que le faubourg Saint-Germain avait adopté comme une de ses gloires; mais Mme la comtesse Chabert avait su tirer un si bon parti de la succession de son mari, qu'après dix-huit mois de veuvage elle possédait environ quarante mille livres de rente. Son mariage avec le jeune comte ne fut pas accepté comme une nouvelle, par les coteries du faubourg Saint-Germain. Heureux de ce mariage qui répondait à ses idées de fusion, Napoléon[76] rendit à Mme Chabert la portion dont héritait le fisc dans la succession du colonel; mais l'espérance de Napoléon fut encore trompée. Mme Ferraud n'aimait pas seulement son amant dans le jeune homme, elle avait été séduite aussi par l'idée d'entrer dans cette société dédaigneuse qui, malgré son abaissement, dominait la cour impériale. Toutes ses vanités étaient flattées autant que ses passions dans ce mariage. Elle allait devenir *une femme comme il faut*. Quand le faubourg Saint-Germain sut que le mariage du jeune comte n'était pas une défection, les salons s'ouvrirent à sa femme. La Restauration[77] vint. La fortune politique du comte Ferraud ne fut pas rapide. Il comprenait les exigences de la position dans laquelle se trouvait Louis XVIII, il était du nombre des initiés qui attendaient que *l'abîme des révolutions fût fermé*, car cette phrase royale, dont se moquèrent tant les libéraux, cachait un sens politique. Néanmoins, l'ordonnance citée dans la longue phrase cléricale qui commence cette histoire lui avait rendu deux forêts et une terre

[73] France was governed by the Consulate from 1799 to 1804

[74] brother of the ill-fated Louis XVI, he came to the throne in 1814, after Napoleon's fall

[75] at the time of the Revolution, this suburb was an exclusive residential section of aristocrats

[76] Napoleon wanted his own created aristocracy to merge with the hereditary nobility, which, although weakened by the Revolution, still dominated the Imperial Court

[77] [of the Bourbons]

dont la valeur avait considérablement augmenté pendant le séquestre.[78] En ce moment, quoique le comte Ferraud fût conseiller d'État, directeur général, il ne considérait sa position que comme le début de sa fortune politique.

Préoccupé par les soins d'une ambition dévorante, il s'était attaché comme secrétaire un ancien avoué ruiné nommé Delbecq, homme plus qu'habile, qui connaissait admirablement les ressources de la chicane, et auquel il laissait la conduite de ses affaires privées. Le rusé praticien avait assez bien compris sa position chez le comte, pour y être probe par spéculation.[79] Il espérait parvenir à quelque place par le crédit de son patron, dont la fortune était l'objet de tous ses soins. Sa conduite démentait tellement sa vie antérieure, qu'il passait pour un homme calomnié. Avec le tact et la finesse dont sont plus ou moins douées toutes les femmes, la comtesse, qui avait deviné son intendant, le surveillait adroitement, et savait si bien le manier, qu'elle en avait déjà tiré un très bon parti pour l'augmentation de sa fortune particulière. Elle avait su persuader à Delbecq qu'elle gouvernait M. Ferraud, et lui avait promis de le faire nommer président d'un tribunal de première instance dans l'une des plus importantes villes de France s'il se dévouait entièrement à ses intérêts. La promesse d'une place inamovible[80] qui lui permettrait de se marier avantageusement, et de conquérir plus tard une haute position dans la carrière politique en devenant député, fit de Delbecq l'âme damnée de la comtesse. Il ne lui avait laissé manquer aucune des chances favorables que les mouvements de Bourse et la hausse des propriétés présentèrent dans Paris aux gens habiles pendant les trois premières années de la Restuaration. Il avait triplé les capitaux de sa protectrice avec d'autant plus de facilité, que tous les moyens avaient paru bons à la comtesse afin de rendre promptement sa fortune énorme. Elle employait les émoluments[81] des places occupées par le comte aux dépenses de la maison, afin de pouvoir capitaliser ses revenus,[82] et Delbecq se

prêtait aux calculs de cette avarice sans chercher à s'en expliquer les motifs. Ces sortes de gens ne s'inquiètent que des secrets dont la découverte est nécessaire à leurs intérêts. D'ailleurs, il en trouvait si naturellement la raison dans cette soif d'or dont sont atteintes la plupart des Parisiennes, et il fallait une si grande fortune pour appuyer les prétentions du comte Ferraud, que l'intendant croyait parfois entrevoir dans l'avidité de la comtesse un effet de son dévouement pour l'homme de qui elle était toujours éprise. La comtesse avait enseveli les secrets de sa conduite au fond de son cœur. Là étaient des secrets de vie et de mort pour elle, là était précisément le nœud de cette histoire. Au commencement de l'année 1818, la Restauration fut assise sur des bases en apparence inébranlables, ses doctrines gouvernementales, comprises par les esprits élevés, leur parurent devoir amener pour la France une ère de prospérité nouvelle, alors la société parisienne changea de face. Mme la comtesse Ferraud se trouva par hasard avoir fait tout ensemble un mariage d'amour, de fortune et d'ambition. Encore jeune et belle, Mme Ferraud joua le rôle d'une femme à la mode, et vécut dans l'atmosphère de la cour. Riche par elle-même, riche par son mari, qui, prôné comme un des hommes les plus capables du parti royaliste et l'ami du roi, semblait promis à quelque ministère, elle appartenait à l'aristocratie, elle en partageait la splendeur. Au milieu de ce triomphe, elle fut atteinte d'un cancer moral. Il est de ces sentiments que les femmes devinent malgré le soin que les hommes mettent à les enfouir. Au premier retour du roi, le comte Ferraud avait conçu quelques regrets de son mariage. La veuve du colonel Chabert ne l'avait allié à personne, il était seul et sans appui pour se diriger dans une carrière pleine d'écueils et pleine d'ennemis. Puis, peut-être, quand il avait pu juger froidement sa femme, avait-il reconnu chez elle quelques vices d'éducation qui la rendaient impropre à le seconder dans ses projets. Un mot dit par lui à propos du mariage de Talleyrand éclaira la comtesse, à laquelle il fut prouvé que, si son mariage était à faire, jamais elle n'eût été Mme Ferraud. Ce regret, quelle femme le pardonnerait? Ne contient-il pas toutes les injures, tous les crimes, toutes les répudiations en germe? Mais quelle plaie ne devait pas faire ce mot dans le cœur de la comtesse, si l'on vient à supposer qu'elle craignait de voir revenir son premier mari! Elle l'avait su vivant, elle l'avait repoussé. Puis, pendant le temps où elle n'en avait plus entendu parler, elle s'était plu à le croire mort à

[78] The period of litigation preceding the return of territory to the nobles dispossessed by the Revolution
[79] *Le rusé ... spéculation:* Delbecq understands that he will profit more from being honest [*probe*] in managing the Count's affairs than from trying to cheat him
[80] *place inamovible:* lifetime post
[81] remuneration
[82] *afin ... revenus:* in order to save her own income

Waterloo avec les aigles impériales, en compagnie de Boutin. Néanmoins, elle résolut d'attacher le comte à elle par le plus fort des liens, par la chaîne d'or, et voulut être si riche, que sa fortune rendît son second mariage indissoluble, si par hasard le comte Chabert reparaissait encore. Et il avait reparu, sans qu'elle s'expliquât pourquoi la lutte qu'elle redoutait n'avait pas déjà commencé. Les souffrances, la maladie, l'avaient peut-être délivrée de cet homme. Peut-être était-il à moitié fou, Charenton pouvait encore lui en faire raison. Elle n'avait pas voulu mettre Delbecq ni la police dans sa confidence, de peur de se donner un maître, ou de précipiter la catastrophe. Il existe à Paris beaucoup de femmes qui, semblables à la comtesse Ferraud, vivent avec un monstre moral inconnu, ou côtoient un abîme; elles se font un calus à l'endroit de leur mal, et peuvent encore rire et s'amuser.

— Il y a quelque chose de bien singulier dans la situation de M. le comte Ferraud, se dit Derville en sortant de sa longue rêverie, au moment où son cabriolet s'arrêtait rue de Varennes, à la porte de l'hôtel Ferraud. Comment, lui si riche, aimé du roi, n'est-il pas encore pair de France?[83] Il est vrai qu'il entre peut-être dans la politique du roi, comme me le disait Mᵐᵉ de Grandlieu, de donner une haute importance à la pairie en ne la prodiguant pas. D'ailleurs, le fils d'un conseiller au parlement n'est ni un Crillon, ni un Rohan. Le comte Ferraud ne peut entrer que subrepticement dans la Chambre haute. Mais, si son mariage était cassé, ne pourrait-il faire passer sur sa tête, à la grande satisfaction du roi, la pairie d'un de ces vieux sénateurs qui n'ont que des filles?[84] Voilà certes une bonne bourde à mettre en avant pour effrayer notre comtesse, se dit-il en montant le perron.

Derville avait, sans le savoir, mis le doigt sur la plaie secrète, enfoncé la main dans le cancer qui dévorait Mᵐᵉ Ferraud. Il fut reçu par elle dans une jolie salle à manger d'hiver, où elle déjeunait en jouant avec un singe attaché par une chaîne à une espèce de petit poteau garni de bâtons en fer. La comtesse était enveloppée dans un élégant peignoir; les boucles de ses cheveux, négligemment rattachés, s'échappaient d'un bonnet qui lui donnait un air mutin.[85] Elle était fraîche et rieuse. L'argent, le vermeil, la nacre, étincelaient sur la table, et il y avait autour d'elle des fleurs curieuses plantées dans de magnifiques vases en porcelaine. En voyant la femme du comte Chabert, riche de ses dépouilles,[86] au sein du luxe, au faîte de la société, tandis que le malheureux vivait chez un pauvre nourrisseur au milieu des bestiaux, l'avoué se dit:

— La morale de ceci est qu'une jolie femme ne voudra jamais reconnaître son mari, ni même son amant, dans un homme en vieux carrick, en perruque de chiendent[87] et en bottes percées.

Un sourire malicieux et mordant exprima les idées moitié philosophiques, moitié railleuses qui devaient venir à un homme si bien placé pour connaître le fond des choses, malgré les mensonges sous lesquels la plupart des familles parisiennes cachent leur existence.

— Bonjour, monsieur Derville, dit-elle en continuant à faire prendre du café au singe.

— Madame, dit-il brusquement, car il se choqua du ton léger avec lequel la comtesse lui avait dit: « Bonjour, monsieur Derville », je viens causer avec vous d'une affaire assez grave.

— J'en suis *désespérée*, M. le comte est absent . . .

— J'en suis enchanté, moi, madame. Il serait *désespérant* qu'il assistât à notre conférence. Je sais d'ailleurs, par Delbecq, que vous aimez à faire vos affaires vous-même sans en ennuyer M. le comte.

— Alors, je vais faire appeler Delbecq, dit-elle.

— Il vous serait inutile, malgré son habileté, reprit Derville. Écoutez, madame, un mot suffira pour vous rendre sérieuse. Le comte Chabert existe.

— Est-ce en disant de semblables bouffonneries que vous voulez me rendre sérieuse? dit-elle en partant d'un éclat de rire.

Mais la comtesse fut tout à coup domptée par l'étrange lucidité du regard fixe par lequel Derville l'interrogeait en paraissant lire au fond de son âme.

— Madame, répondit-il avec une gravité froide et perçante, vous ignorez l'étendue des dangers qui vous menacent. Je ne vous parlerai pas de l'incontestable authenticité des pièces, ni de la certitude des preuves qui attestent l'existence du comte Chabert. Je ne suis pas homme à me charger d'une mauvaise cause, vous

[83] member of the upper house of the French Parliament (1815–1848)
[84] in ridding himself of his commoner wife, Ferraud could put himself in line for an appointment to the peerage by marrying the daughter of a senator without male offspring
[85] saucy
[86] *riche . . . dépouilles:* rich from the spoils of his [Chabert's] estate
[87] shaggy

le savez. Si vous vous opposez à notre inscription en
faux [88] contre l'acte de décès, vous perdrez ce premier
procès, et cette question résolue en notre faveur nous
fait gagner toutes les autres.

— De quoi prétendez-vous donc me parler?

— Ni du colonel, ni de vous. Je ne vous parlerai
pas non plus des mémoires que pourraient faire des
avocats spirituels, armés des faits curieux de cette
cause, et du parti qu'ils tireraient des lettres que vous
avez reçues de votre premier mari avant la célébration 10
de votre mariage avec votre second.

— Cela est faux! dit-elle avec toute la violence
d'une petite-maîtresse.[89] Je n'ai jamais reçu de lettres
du comte Chabert; et, si quelqu'un dit être le colonel,
ce n'est qu'un intrigant, quelque forçat libéré, comme
Cogniard peut-être. Le frisson prend rien que d'y
penser. Le colonel peut-il ressusciter, monsieur?
Bonaparte m'a fait complimenter sur sa mort par un
aide de camp, et je touche encore aujourd'hui trois
mille francs de pension accordée à sa veuve par les 20
Chambres. J'ai eu mille fois raison de repousser tous
les Chabert qui sont venus, comme je repousserai tous
ceux qui viendront.

— Heureusement, nous sommes seuls, madame.
Nous pouvons mentir à notre aise, dit-il froidement
en s'amusant à aiguillonner la colère qui agitait la
comtesse afin de lui arracher quelques indiscrétions,
par une manœuvre familière aux avoués, habitués à
rester calmes quand leurs adversaires ou leurs clients
s'emportent. — Eh bien donc, à nous deux, se dit-il à 30
lui-même en imaginant à l'instant un piège pour lui
démontrer sa faiblesse. — La preuve de la remise de
la première lettre existe, madame, reprit-il à haute
voix, elle contenait des valeurs . . .

— Oh! pour des valeurs, elle n'en contenait pas.

— Vous avez donc reçu cette première lettre, reprit
Derville en souriant. Vous êtes déjà prise dans le premier piège que vous tend un avoué, et vous croyez
pouvoir lutter avec la justice . . .

La comtesse rougit, pâlit, se cacha la figure dans les 40
mains. Puis elle secoua sa honte, et reprit avec le sang-
froid naturel à ces sortes de femmes:

— Puisque vous êtes l'avoué du prétendu Chabert,
faites-moi le plaisir de . . .

— Madame, dit Derville en l'interrompant, je suis

encore en ce moment votre avoué comme celui du
colonel. Croyez-vous que je veuille perdre une clientèle
aussi précieuse que l'est la vôtre? Mais vous ne m'écoutez pas . . .

— Parlez, monsieur, dit-elle gracieusement.

— Votre fortune vous venait de M. le comte
Chabert, et vous l'avez repoussé. Votre fortune est
colossale, et vous le laissez mendier. Madame, les
avocats sont bien éloquents lorsque les causes sont
éloquentes par elles-mêmes: il se rencontre ici des
circonstances capables de soulever contre vous l'opinion publique.

— Mais, monsieur, dit la comtesse impatientée de la
manière dont Derville la tournait et retournait sur le
gril, en admettant que votre M. Chabert existe, les
tribunaux maintiendront mon second mariage à cause
des enfants, et j'en serai quitte pour rendre deux cent
vingt-cinq mille francs à M. Chabert.

— Madame, nous ne savons pas de quel côté les
tribunaux verront la question sentimentale. Si, d'une
part, nous avons une mère et ses enfants, nous avons
de l'autre un homme accablé de malheurs, vieilli par
vous, par vos refus. Où trouvera-t-il une femme? Puis
les juges peuvent-ils heurter la loi? Votre mariage
avec le colonel a pour lui le droit, la priorité. Mais, si
vous êtes représentée sous d'odieuses couleurs, vous
pourriez avoir un adversaire auquel vous ne vous
attendez pas. Là, madame, est ce danger dont je voudrais vous préserver.

— Un nouvel adversaire, dit-elle; qui?

— M. le comte Ferraud, madame.

— M. Ferraud a pour moi un trop vif attachement,
et, pour la mère de ses enfants, un trop grand respect . . .

— Ne parlez pas de ces niaiseries-là, dit Derville en
l'interrompant, à des avoués habitués à lire au fond
des cœurs. En ce moment, M. Ferraud n'a pas la moindre
envie de rompre votre mariage et je suis persuadé
qu'il vous adore; mais, si quelqu'un venait lui dire
que son mariage peut être annulé, que sa femme sera
traduite en criminelle au banc de l'opinion publique . . .[90]

— Il me défendrait, monsieur.

— Non, madame.

— Quelle raison aurait-il de m'abandonner, monsieur?

— Mais celle d'épouser la fille unique d'un pair de
France, dont la pairie lui serait transmise par ordonnance du roi . . .

---

[88] inscription en faux: contestation of validity
[89] avec . . . petite maîtresse: with all the violence of a
schoolmarm

[90] banc . . . publique: bar of public opinion

La comtesse pâlit.

— Nous y sommes! se dit en lui-même Derville. Bien, je te tiens, l'affaire du pauvre colonel est gagnée.

— D'ailleurs, madame, reprit-il à haute voix, il aurait d'autant moins de remords, qu'un homme couvert de gloire, général, comte, grand officier de la Légion d'honneur, ne serait pas un pis aller,[91] et, si cet homme lui redemande sa femme . . .

— Assez! assez, monsieur! dit-elle. Je n'aurai jamais que vous pour avoué. Que faire?

— Transiger! dit Derville.

— M'aime-t-il encore? dit-elle.

— Mais je ne crois pas qu'il puisse en être autrement.

A ce mot, la comtesse dressa la tête. Un éclair d'espérance brilla dans ses yeux; elle comptait peut-être spéculer sur la tendresse de son premier mari pour gagner son procès par quelque ruse de femme.

— J'attendrai vos ordres, madame, pour savoir s'il faut vous signifier nos actes, ou si vous voulez venir chez moi pour arrêter les bases d'une transaction, dit Derville en saluant la comtesse.

Huit jours après les deux visites que Derville avait faites, et par une belle matinée du mois de juin, les époux, désunis par un hasard presque surnaturel, partirent des deux points les plus opposés de Paris pour venir se rencontrer dans l'étude de leur avoué commun.

Les avances qui furent largement faites par Derville au colonel Chabert lui avaient permis d'être vêtu selon son rang. Le défunt arriva donc voituré dans un cabriolet fort propre. Il avait la tête couverte d'une perruque appropriée à sa physionomie, il était habillé de drap bleu, avait du linge blanc, et portait sous son gilet le sautoir rouge[92] des grands officiers de la Légion d'honneur. En reprenant les habitudes de l'aisance, il avait retrouvé son ancienne élégance martiale. Il se tenait droit. Sa figure, grave et mystérieuse, où se peignaient le bonheur et toutes ses espérances, paraissait être rajeunie et plus grasse, pour emprunter à la peinture une de ses expressions les plus pittoresques. Il ne ressemblait pas plus au Chabert en vieux carrick, qu'un gros sou ne ressemble à une pièce de quarante francs nouvellement frappée. A le voir, les passants eussent facilement reconnu en lui l'un de ces beaux débris de notre ancienne armée, un de ces hommes héroïques sur lesquels se reflète notre gloire nationale,

et qui la représentent, comme un éclat de glace illuminé par le soleil semble en réfléchir tous les rayons. Ces vieux soldats sont tout ensemble des tableaux et des livres.

Quand le comte descendit de sa voiture pour monter chez Derville, il sauta légèrement comme aurait pu faire un jeune homme. A peine son cabriolet avait-il retourné, qu'un joli coupé tout armorié[93] arriva. Mme la comtesse Ferraud en sortit dans une toilette simple, mais habilement calculée pour montrer la jeunesse de sa taille. Elle avait une jolie capote doublée de rose qui encadrait parfaitement sa figure, en dissimulait les contours, et la ravivait. Si les clients s'étaient rajeunis, l'étude était restée semblable à elle-même, et offrait alors le tableau par la description duquel cette histoire a commencé. Simonnin déjeunait, l'épaule appuyée sur la fenêtre, qui alors était ouverte; et il regardait le bleu du ciel par l'ouverture de cette cour entourée de quatre corps de logis noirs.

— Ah! s'écria le petit clerc, qui veut parier un spectacle que le colonel Chabert est général et cordon rouge?[94]

— Le patron est un fameux sorcier, dit Godeschal.

— Il n'y a donc pas de tour à lui jouer, cette fois? demanda Desroches.

— C'est sa femme qui s'en charge, la comtesse Ferraud! dit Boucard.

— Allons, dit Godeschal, la comtesse Ferraud serait donc obligée, d'être à deux? . . .

— La voilà! répondit Simonnin.

En ce moment, le colonel entra et demanda Derville.

— Il y est, monsieur le comte, dit Simonnin.

— Tu n'es donc pas sourd, petit drôle? dit Chabert en prenant le saute-ruisseau par l'oreille et la lui tortillant à la satisfaction des clercs, qui se mirent à rire et regardèrent le colonel avec la curieuse considération due à ce singulier personnage.

Le comte Chabert était chez Derville, au moment où sa femme entra par la porte de l'étude.

— Dites donc, Boucard, il va se passer une singulière scène dans le cabinet du patron! Voilà une femme qui peut aller les jours pairs chez le comte Ferraud et les jours impairs[95] chez le comte Chabert.

[91] last resource
[92] military order worn on a red ribbon falling in a point on the breast
[93] adorned with a coat-of-arms
[94] holder of a military decoration
[95] *pair, impair:* even, odd

— Dans les années bissextiles,[96] dit Godeschal, le *compte* y sera.

— Taisez-vous donc, messieurs! l'on peut entendre, dit sévèrement Boucard; je n'ai jamais vu d'étude où l'on plaisantât, comme vous le faites, sur les clients.

Derville avait consigné le colonel dans la chambre à coucher, quand la comtesse se présenta.

— Madame, lui dit-il, ne sachant pas s'il vous serait agréable de voir M. le comte Chabert, je vous ai séparés. Si cependant vous désiriez . . .

— Monsieur, c'est une attention dont je vous remercie.

— J'ai préparé la minute d'un acte[97] dont les conditions pourront être discutées par vous et par M. Chabert, séance tenante.[98] J'irai alternativement de vous à lui, pour vous présenter, à l'un et à l'autre, vos raisons respectives.

— Voyons, monsieur, dit la comtesse en laissant échapper un geste d'impatience.

Derville lut:

« Entre les soussignés,

» M. Hyacinthe, dit *Chabert*, comte, maréchal de camp et grand officier de la Légion d'honneur, demeurant à Paris, rue du Petit-Banquier, d'une part:

» Et la dame Rose Chapotel, épouse de M. le comte Chabert, ci-dessus nommé, née . . . »

— Passez, dit-elle, laissons les préambules, arrivons aux conditions.

— Madame, dit l'avoué, le préambule explique succinctement la position dans laquelle vous vous trouvez l'un et l'autre. Puis, par l'article premier, vous reconnaissez, en présence de trois témoins, qui sont deux notaires et le nourrisseur chez lequel a demeuré votre mari, auxquels j'ai confié sous le secret votre affaire, et qui garderont le plus profond silence; vous reconnaissez, dis-je, que l'individu désigné dans les actes joints au sous-seing,[99] mais dont l'état se trouve d'ailleurs établi par un acte de notoriété préparé chez Alexandre Crottat, votre notaire, est le comte Chabert, votre premier époux.

» Par l'article 2, le comte Chabert, dans l'intérêt de votre bonheur, s'engage à ne faire usage de ses droits que dans les cas prévus par l'acte lui-même. — Et ces

cas, dit Derville en faisant une sorte de parenthèse, ne sont autres que la non-exécution des clauses de cette convention secrète. — De son côté, reprit-il, M. Chabert consent à poursuivre de gré à gré[100] avec vous un jugement qui annulera son acte de décès et prononcera la dissolution de son mariage.

— Ça ne me convient pas du tout, dit la comtesse étonnée, je ne veux pas de procès. Vous savez pourquoi.

— Par l'article 3, dit l'avoué en continuant avec un flegme imperturbable, vous vous engagez à constituer au nom d'Hyacinthe, comte Chabert, une rente viagère de vingt-quatre mille francs, inscrite sur le grand-livre de la dette publique mais dont le capital vous sera dévolu à sa mort . . .[101]

— Mais c'est beaucoup trop cher! dit la comtesse.

— Pouvez-vous transiger à meilleur marché?

— Peut-être.

— Que voulez-vous donc, madame?

— Je veux . . . je ne veux pas de procès; je veux . . .

— Qu'il reste mort? dit vivement Derville en l'interrompant.

— Monsieur, dit la comtesse, s'il faut vingt-quatre mille livres de rente, nous plaiderons . . .

— Oui, nous plaiderons, s'écria d'une voix sourde le colonel, qui ouvrit la porte et apparut tout à coup devant sa femme, en tenant une main dans son gilet et l'autre étendue vers le parquet, geste auquel le souvenir de son aventure donnait une horrible énergie.

— C'est lui! se dit en elle-même la comtesse.

— Trop cher! reprit le vieux soldat. Je vous ai donné près d'un million, et vous marchandez mon malheur. Eh bien, je vous veux maintenant, vous et votre fortune. Nous sommes communs en biens, notre mariage n'a pas cessé . . .

— Mais monsieur n'est pas le colonel Chabert, s'écria la comtesse en feignant la surprise.

— Ah! dit le vieillard d'un ton profondément ironique, voulez-vous des preuves? Je vous ai prise au Palais-Royal . . .[102]

La comtesse pâlit. En la voyant pâlir sous son rouge, le vieux soldat, touché de la vive souffrance qu'il imposait à une femme jadis aimée avec ardeur,

---

[96] *années bissextiles:* leap-years; note pun on *compte*
[97] *la minute d'un acte:* the draft of an action [document]
[98] *séance tenante:* forthwith
[99] subjoined documents

[100] by mutual agreement
[101] *sera dévolu:* will revert
[102] she had been a prostitute who plied her trade at the Palais Royal

s'arrêta; mais il en reçut un regard si venimeux, qu'il reprit tout à coup:

— Vous étiez chez la . . .

— De grâce, monsieur, dit la comtesse à l'avoué, trouvez bon que je quitte la place. Je ne suis pas venue ici pour entendre de semblables horreurs.

Elle se leva et sortit. Derville s'élança dans l'étude. La comtesse avait trouvé des ailes et s'était comme envolée. En revenant dans son cabinet, l'avoué trouva le colonel dans un violent accès de rage et se promenant à grands pas.

— Dans ce temps-là, chacun prenait sa femme où il voulait, disait-il; mais j'ai eu tort de la mal choisir, de me fier à des apparences. Elle n'a pas de cœur.

— Eh bien, colonel, n'avais-je pas raison en vous priant de ne pas venir? Je suis maintenant certain de votre identité. Quand vous vous êtes montré, la comtesse a fait un mouvement dont la pensée n'était pas équivoque. Mais vous avez perdu votre procès, votre femme sait que vous êtes méconnaissable[103]!

— Je la tuerai . . .

— Folie! vous serez pris et guillotiné comme un misérable. D'ailleurs, peut-être manquerez-vous votre coup! ce serait impardonnable, on ne doit jamais manquer sa femme quand on veut la tuer. Laissez-moi réparer vos sottises, grand enfant! Allez-vous-en. Prenez garde à vous, elle serait capable de vous faire tomber dans quelque piège et de vous enfermer à Charenton. Je vais lui signifier nos actes afin de vous garantir de toute surprise.

Le pauvre colonel obéit à son jeune bienfaiteur, et sortit en lui balbutiant des excuses. Il descendait lentement les marches de l'escalier noir, perdu dans de sombres pensées, accablé peut-être par le coup qu'il venait de recevoir, pour lui le plus cruel, le plus profondément enfoncé dans son cœur, lorsqu'il entendit, en parvenant au dernier palier, le frôlement d'une robe, et sa femme apparut.

— Venez, monsieur, lui dit-elle en lui prenant le bras par un mouvement semblable à ceux qui lui étaient familiers autrefois.

L'action de la comtesse, l'accent de sa voix redevenue gracieuse, suffirent pour calmer la colère du colonel, qui se laissa mener jusqu'à la voiture.

— Eh bien! montez donc! lui dit la comtesse quand le valet eut achevé de déplier le marchepied.

Et il se trouva, comme par enchantement, assis près de sa femme dans le coupé.

— Où va madame? demanda le valet.

— A Groslay, dit-elle.

Les chevaux partirent et traversèrent tout Paris.

— Monsieur . . ., dit la comtesse au colonel d'un son de voix qui révélait une de ces émotions rares dans la vie, et par lesquelles tout en nous est agité.

En ces moments, cœur, fibres, nerfs, physionomie, âme et corps, tout, chaque pore même tressaille. La vie semble ne plus être en nous; elle en sort et jaillit, elle se communique comme une contagion, se transmet par le regard, par l'accent de la voix, par le geste, en imposant notre vouloir aux autres. Le vieux soldat tressaillit en entendant ce seul mot, ce premier, ce terrible « Monsieur! » Mais aussi était-ce tout à la fois un reproche, une prière, un pardon, une espérance, un désespoir, une interrogation, une réponse. Ce mot comprenait tout. Il fallait être comédienne[104] pour jeter tant d'éloquence, tant de sentiments dans un mot. Le vrai n'est pas si complet dans son expression, il ne met pas tout en dehors, il laisse voir tout ce qui est au dedans. Le colonel eut mille remords de ses soupçons, de ses demandes, de sa colère, et baissa les yeux pour ne pas laisser deviner son trouble.

— Monsieur, reprit la comtesse après une pause imperceptible, je vous ai bien reconnu!

— Rosine, dit le vieux soldat, ce mot contient le seul baume qui pût me faire oublier mes malheurs.

Deux grosses larmes roulèrent toutes chaudes sur les mains de sa femme, qu'il pressa pour exprimer une tendresse paternelle.

— Monsieur, reprit-elle, comment n'avez-vous pas deviné qu'il me coûtait horriblement de paraître devant un étranger dans une position aussi fausse que l'est la mienne? Si j'ai à rougir de ma situation, que ce ne soit au moins qu'en famille. Ce secret ne devait-il pas rester enseveli dans nos cœurs? Vous m'absoudrez, j'espère, de mon indifférence apparente pour les malheurs d'un Chabert à l'existence duquel je ne devais pas croire. J'ai reçu vos lettres, dit-elle vivement, en lisant sur les traits de son mari l'objection qui s'y exprimait, mais elles me parvinrent treize mois après la bataille d'Eylau; elles étaient ouvertes, salies, l'écriture en était méconnaissable, et j'ai dû croire,

---

[103] unrecognizable

[104] *Il fallait . . . comédienne:* She had to be a great actress

après avoir obtenu la signature de Napoléon sur mon nouveau contrat de mariage, qu'un adroit intrigant voulait se jouer de moi. Pour ne pas troubler le repos de M. le comte Ferraud, et ne pas altérer les liens de la famille, j'ai donc dû prendre des précautions contre un faux Chabert. N'avais-je pas raison, dites?

— Oui, tu as eu raison; c'est moi qui suis un sot, un animal, une bête, de n'avoir pas su mieux calculer les conséquences d'une situation semblable. Mais où allons-nous? dit le colonel en se voyant à la barrière de la Chapelle.

— A ma campagne, près de Groslay, dans la vallée de Montmorency. Là, monsieur, nous réfléchirons ensemble au parti que nous devons prendre. Je connais mes devoirs. Si je suis à vous en droit, je ne vous appartiens plus en fait. Pouvez-vous désirer que nous devenions la fable de tout Paris? N'instruisons pas le public de cette situation qui pour moi présente un côté ridicule, et sachons garder notre dignité. Vous m'aimez encore, reprit-elle en jetant sur le colonel un regard triste et doux; mais, moi, n'ai-je pas été autorisée à former d'autres liens? En cette singulière position, une voix secrète me dit d'espérer en votre bonté, qui m'est si connue. Aurais-je donc tort en vous prenant pour seul et unique arbitre de mon sort? Soyez juge et partie. Je me confie à la noblesse de votre caractère. Vous aurez la générosité de me pardonner les résultats de fautes innocentes. Je vous l'avouerai donc, j'aime M. Ferraud. Je me suis crue en droit de l'aimer. Je ne rougis pas de cet aveu devant vous; s'il vous offense, il ne nous déshonore point. Je ne puis vous cacher les faits. Quand le hasard m'a laissée veuve, je n'étais pas mère.

Le colonel fit un signe de main à sa femme, pour lui imposer silence, et ils restèrent sans proférer un seul mot pendant une demi-lieu. Chabert croyait voir les deux petits enfants devant lui.

— Rosine!

— Monsieur?

— Les morts ont donc bien tort de revenir?

— Oh! monsieur, non, non! Ne me croyez pas ingrate. Seulement, vous trouvez une amante, une mère, là où vous aviez laissé une épouse. S'il n'est plus en mon pouvoir de vous aimer, je sais tout ce que je vous dois et puis vous offrir encore toutes les affections d'une fille.

— Rosine, reprit le vieillard d'une voix douce, je n'ai plus aucun ressentiment contre toi. Nous oublierons tout, ajouta-t-il avec un de ces sourires dont la grâce est toujours le reflet d'une belle âme. Je ne suis pas assez peu délicat pour exiger les semblants de l'amour chez une femme qui n'aime plus.

La comtesse lui lança un regard empreint d'une telle reconnaissance, que le pauvre Chabert aurait voulu rentrer dans sa fosse d'Eylau. Certains hommes ont une âme assez forte pour de tels dévouements, dont la récompense se trouve pour eux dans la certitude d'avoir fait le bonheur d'une personne aimée.

— Mon ami, nous parlerons de tout ceci plus tard et à cœur reposé, dit la comtesse.

La conversation prit un autre cours, car il était impossible de la continuer longtemps sur ce sujet. Quoique les deux époux revinssent souvent à leur situation bizarre, soit par des allusions, soit sérieusement, ils firent un charmant voyage, se rappelant les événements de leur union passée et les choses de l'Empire. La comtesse sut imprimer un charme doux à ces souvenirs, et répandit dans la conversation une teinte de mélancolie nécessaire pour y maintenir la gravité. Elle faisait revivre l'amour sans exciter aucun désir, et laissait entrevoir à son premier époux toutes les richesses morales qu'elle avait acquises, en tâchant de l'accoutumer à l'idée de restreindre son bonheur aux seules jouissances que goûte un père près d'une fille chérie. Le colonel avait connu la comtesse de l'Empire, il revoyait une comtesse de la Restauration. Enfin les deux époux arrivèrent par un chemin de traverse à un grand parc situé dans la petite vallée qui sépare les hauteurs de Margency du joli village de Groslay. La comtesse possédait là une délicieuse maison où le colonel vit, en arrivant, tous les apprêts que nécessitaient son séjour et celui de sa femme. Le malheur est une espèce de talisman dont la vertu consiste à corroborer notre constitution primitive: il augmente la défiance et la méchanceté chez certains hommes, comme il accroît la bonté de ceux qui ont un cœur excellent.

L'infortune avait rendu le colonel encore plus secourable et meilleur qu'il ne l'avait été, il pouvait donc s'initier au secret des souffrances féminines qui sont inconnues à la plupart des hommes. Néanmoins, malgré son peu de défiance, il ne put s'empêcher de dire à sa femme:

— Vous étiez donc bien sûre de m'emmener ici?

— Oui, répondit-elle, si je trouvais le colonel Chabert dans le plaideur.

L'air de vérité qu'elle sut mettre dans cette réponse dissipa les légers soupçons que le colonel eut honte d'avoir conçus. Pendant trois jours, la comtesse fut admirable près de son premier mari. Par de tendres soins et par sa constante douceur, elle semblait vouloir effacer le souvenir des souffrances qu'il avait endurées, se faire pardonner les malheurs que, suivant ses aveux, elle avait innocemment causés; elle se plaisait à déployer pour lui, tout en lui faisant apercevoir une sorte de mélancolie, les charmes auxquels elle le savait faible; car nous sommes plus particulièrement accessibles à certaines façons, à des grâces de cœur ou d'esprit auxquelles nous ne résistons pas; elle voulait l'intéresser à sa situation, et l'attendrir assez pour s'emparer de son esprit et disposer souverainement de lui.

Décidée à tout pour arriver à ses fins, elle ne savait pas encore ce qu'elle devait faire de cet homme, mais certes elle voulait l'anéantir socialement.

Le soir du troisième jour, elle sentit que, malgré ses efforts, elle ne pouvait cacher les inquiétudes que lui causait le résultat de ses manœuvres. Pour se trouver un moment à l'aise, elle monta chez elle, s'assit à son secrétaire, déposa le masque de tranquillité qu'elle conservait devant le comte Chabert, comme une actrice qui, rentrant fatiguée dans sa loge[105] après un cinquième acte pénible, tombe demi-morte et laisse dans la salle une image d'elle-même à laquelle elle ne ressemble plus. Elle se mit à finir une lettre commencée qu'elle écrivait à Delbecq, à qui elle disait d'aller, en son nom, demander chez Derville communication des actes qui concernaient le colonel Chabert, de les copier et de venir aussitôt la trouver à Groslay. A peine avait-elle achevé, qu'elle entendit dans le corridor le bruit des pas du colonel, qui, tout inquiet, venait la retrouver.

— Hélas! dit-elle à haute voix, je voudrais être morte! Ma situation est intolérable . . .

— Eh bien, qu'avez-vous donc? demanda le bon-homme.

— Rien, rien, dit-elle.

Elle se leva, laissa le colonel et descendit pour parler sans témoin à sa femme de chambre, qu'elle fit partir pour Paris, en lui recommandant de remettre elle-même à Delbecq la lettre qu'elle venait d'écrire, et de la lui rapporter aussitôt qu'il l'aurait lue. Puis la comtesse alla s'asseoir sur un banc où elle était assez en vue pour que le colonel vînt l'y trouver aussitôt

qu'il le voudrait. Le colonel, qui déjà cherchait sa femme, accourut et s'assit près d'elle.

— Rosine, lui dit-il, qu'avez-vous?

Elle ne répondit pas. La soirée était une de ces soirées magnifiques et calmes dont les secrètes harmonies répandent, au mois de juin, tant de suavité dans les couchers de soleil. L'air était pur et le silence profond, en sorte que l'on pouvait entendre dans le lointain du parc les voix de quelques enfants qui ajoutaient une sorte de mélodie aux sublimités du paysage.

— Vous ne me répondez pas? demanda le colonel à sa femme.

— Mon mari . . ., dit la comtesse, qui s'arrêta, fit un mouvement et s'interrompit pour lui demander en rougissant: — Comment dirai-je en parlant de M. le comte Ferraud?

— Nomme-le ton mari, ma pauvre enfant, répondit le colonel avec un accent de bonté; n'est-ce pas le père de tes enfants?

— Eh bien, reprit-elle, si monsieur me demande ce que je suis venue faire ici, s'il apprend que je m'y suis enfermée avec un inconnu, que lui dirai-je? Écoutez, monsieur, reprit-elle en prenant une attitude pleine de dignité, décidez de mon sort, je suis résignée à tout . . .

— Ma chère, dit le colonel en s'emparant des mains de sa femme, j'ai résolu de me sacrifier entièrement à votre bonheur . . .

— Cela est impossible, s'écria-t-elle en laissant échapper un mouvement convulsif. Songez donc que vous devriez alors renoncer à vous-même, et d'une manière authentique . . .

— Comment, dit le colonel, ma parole ne vous suffit pas?

Le mot *authentique* tomba sur le cœur du vieillard et y réveilla des défiances involontaires. Il jeta sur sa femme un regard qui la fit rougir, elle baissa les yeux, et il eut peur de se trouver obligé de la mépriser. La comtesse craignait d'avoir effarouché la sauvage pudeur, la probité sévère d'un homme dont le caractère généreux, les vertus primitives lui étaient connus. Quoique ces idées eussent répandu quelques nuages sur leur front, la bonne harmonie se rétablit aussitôt entre eux. Voici comment. Un cri d'enfant retentit au loin.

— Jules, laissez votre sœur tranquille! s'écria la comtesse.

— Quoi! vos enfants sont ici? dit le colonel.

— Oui, mais je leur ai défendu de vous importuner.

Le vieux soldat comprit la délicatesse, le tact de

[105] dressing room

femme renfermé dans ce procédé si gracieux, et prit la main de la comtesse pour la baiser.

— Qu'ils viennent donc, dit-il.

La petite fille accourait pour se plaindre de son frère.

— Maman !

— Maman !

— C'est lui qui . . .

— C'est elle . . .

Les mains étaient étendues vers la mère, et les deux voix enfantines se mêlaient. Ce fut un tableau soudain et délicieux.

— Pauvres enfants ! s'écria la comtesse en ne retenant plus ses larmes, il faudra les quitter ; à qui le jugement les donnera-t-il ? On ne partage pas un cœur de mère, je les veux, moi !

— Est-ce vous qui faites pleurer maman ? dit Jules en jetant un regard de colère au colonel.

— Taisez-vous, Jules ! s'écria la mère d'un air impérieux.

Les deux enfants restèrent debout et silencieux, examinant leur mère et l'étranger avec une curiosité qu'il est impossible d'exprimer par des paroles.

— Oh ! oui, reprit-elle, si l'on me sépare du comte, qu'on me laisse les enfants, et je serai soumise à tout . . .

Ce fut un mot décisif qui obtint tout le succès qu'elle en avait espéré.

— Oui, s'écria le colonel comme s'il achevait une phrase mentalement commencée, je dois rentrer sous terre. Je me le suis déjà dit.

— Puis-je accepter un tel sacrifice ? répondit la comtesse. Si quelques hommes sont morts pour sauver l'honneur de leur maîtresse, ils n'ont donné leur vie qu'une fois. Mais, ici, vous donneriez votre vie tous les jours ! Non, non, cela est impossible. S'il ne s'agissait que de votre existence, ce ne serait rien ; mais signer que vous n'êtes pas le colonel Chabert, reconnaître que vous êtes un imposteur, donner votre honneur, commettre un mensonge à toute heure du jour, le dévouement humain ne saurait aller jusque-là. Songez donc ! Non. Sans mes pauvres enfants, je me serais déjà enfuie avec vous au bout du monde . . .

— Mais, reprit Chabert, est-ce que je ne puis pas vivre ici, dans votre petit pavillon, comme un de vos parents ? Je suis usé comme un canon de rebut,[106] il

ne me faut qu'un peu de tabac et *le Constitutionnel*.[107]

La comtesse fondit en larmes. Il y eut entre la comtesse Ferraud et le colonel Chabert un combat de générosité d'où le soldat sortit vainqueur. Un soir, en voyant cette mère au milieu de ses enfants, le soldat fut séduit par les touchantes grâces d'un tableau de famille, à la campagne, dans l'ombre et le silence ; il prit la résolution de rester mort, et, ne s'effrayant plus de l'authenticité d'un acte, il demanda comment il fallait s'y prendre pour assurer irrévocablement le bonheur de cette famille.

— Faites comme vous voudrez ! lui répondit la comtesse, je vous déclare que je ne me mêlerai en rien de cette affaire. Je ne le dois pas.

Delbecq était arrivé depuis quelques jours, et, suivant les instructions verbales de la comtesse, l'intendant avait su gagner la confiance du vieux militaire. Le lendemain matin donc, le colonel Chabert partit avec l'ancien avoué pour Saint-Leu-Taverny, où Delbecq avait fait préparer chez le notaire un acte conçu en termes si crus, que le colonel sortit brusquement de l'étude après en avoir entendu la lecture.

— Mille tonnerres ! je serais un joli coco ! Mais je passerais pour un faussaire, s'écria-t-il.

— Monsieur, lui dit Delbecq, je ne vous conseille pas de signer trop vite. A votre place, je tirerais au moins trente mille livres de rente de ce procès-la, car madame les donnerait.

Après avoir foudroyé ce coquin émérite[108] par le lumineux regard de l'honnête homme indigné, le colonel s'enfuit, emporté par mille sentiments contraires. Il redevint défiant, s'indigna, se calma tour à tour.

Enfin il entra dans le parc de Groslay par la brèche d'un mur, et vint à pas lents se reposer et réfléchir à son aise dans un cabinet pratiqué sous un kiosque[109] d'où l'on découvrait le chemin de Saint-Leu. L'allée étant sablée avec cette espèce de terre jaunâtre par laquelle on remplace le gravier de rivière, la comtesse, qui était assise dans le petit salon de cette espèce de pavillon, n'entendit pas le colonel, car elle était trop préoccupée du succès de son affaire pour prêter la moindre attention au léger bruit que fit son mari. Le

---

[106] *canon de rebut:* worn-out cannon

[107] Parisian newspaper (1815–1866), pro-Napoleon in first years

[108] *ce coquin émérite:* this accomplished scoundrel

[109] *cabinet . . . kiosque:* a little study built beneath a raised summerhouse

vieux soldat n'aperçut pas non plus sa femme au-dessus de lui dans le petit pavillon.

— Eh bien, monsieur Delbecq, a-t-il signé? demanda la comtesse à son intendant, qu'elle vit seul sur le chemin par-dessus la haie d'un saut-de-loup.[110]

— Non, madame. Je ne sais même pas ce que notre homme est devenu. Le vieux cheval s'est cabré.[111]

— Il faudra donc finir par le mettre à Charenton, dit-elle, puisque nous le tenons.

Le colonel, qui retrouva l'élasticité de la jeunesse 10 pour franchir le saut-de-loup, fut en un clin d'œil devant l'intendant, auquel il appliqua la plus belle paire de soufflets[112] qui jamais ait été reçue sur deux joues de procureur.

— Ajoute que les vieux chevaux savent ruer! lui dit-il.

Cette colère dissipée, le colonel ne se sentit plus la force de sauter le fossé. La vérité s'était montrée dans sa nudité. Le mot de la comtesse et la réponse de Delbecq avaient dévoilé le complot dont il allait être 20 victime. Les soins qui lui avaient été prodigués étaient une amorce[113] pour le prendre dans un piège. Ce mot fut comme une goutte de quelque poison subtil qui détermina chez le vieux soldat le retour de ses douleurs et physiques et morales. Il revint vers le kiosque par la porte du parc, en marchant lentement, comme un homme affaissé. Donc, ni paix ni trêve pour lui! Dès ce moment, il fallait commencer avec cette femme la guerre odieuse dont lui avait parlé Derville, entrer dans une vie de procès, se nourrir de fiel, boire chaque 30 matin un calice d'amertume. Puis, pensée affreuse, où trouver l'argent nécessaire pour payer les frais des premières instances? Il lui prit un si grand dégoût de la vie, que, s'il y avait eu de l'eau près de lui, il s'y serait jeté; que, s'il avait eu des pistolets, il se serait brûlé la cervelle. Puis il retomba dans l'incertitude d'idées qui, depuis sa conversation avec Derville chez le nourrisseur, avait changé son moral. Enfin, arrivé devant le kiosque il monta dans le cabinet aérien dont les rosaces de verre[114] offraient la vue de chacune des ravissantes 40 perspectives de la vallée, et où il trouva sa femme assise sur une chaise. La comtesse examinait le paysage et

gardait une contenance pleine de calme en montrant cette impénétrable physionomie que savent prendre les femmes déterminées à tout. Elle s'essuya les yeux comme si elle eût versé des pleurs, et joua par un geste distrait avec le long ruban rose de sa ceinture. Néan-moins, malgré son assurance apparente, elle ne put s'empêcher de frissonner en voyant devant elle son vénérable bienfaiteur, debout, les bras croisés, la figure pâle, le front sévère.

— Madame, dit-il après l'avoir regardée fixement pendant un moment et l'avoir forcée à rougir, madame, je ne vous maudis pas, je vous méprise. Maintenant, je remercie le hasard qui nous a désunis. Je ne sens même pas un désir de vengeance, je ne vous aime plus. Je ne veux rien de vous. Vivez tranquille sur la foi de ma parole, elle vaut mieux que les griffonnages de tous les notaires de Paris. Je ne réclamerai jamais le nom que j'ai peut-être illustré. Je ne suis plus qu'un pauvre diable nommé Hyacinthe, qui ne demande que sa place au soleil. Adieu . . .

La comtesse se jeta aux pieds du colonel, et voulut le retenir en lui prenant les mains, mais il la repoussa avec dégoût en lui disant:

— Ne me touchez pas.

La comtesse fit un geste intraduisible lorsqu'elle entendit le bruit des pas de son mari. Puis, avec la profonde perspicacité que donne une haute scélératesse ou le féroce égoïsme du monde, elle crut pouvoir vivre en paix sur la promesse et le mépris de ce loyal soldat.

Chabert disparut en effet. Le nourrisseur fit fail-lite et devint cocher de cabriolet. Peut-être le colonel s'adonna-t-il d'abord à quelque industrie du même genre. Peut-être, semblable à une pierre lancée dans un gouffre, alla-t-il, de cascade en cascade, s'abîmer dans cette boue de haillons qui foisonne à travers les rues de Paris.

III

L'HOSPICE DE LA VIEILLESSE

Six mois après cet événement, Derville, qui n'en-tendait plus parler ni du colonel Chabert ni de la com-tesse Ferraud, pensa qu'il était survenu sans doute entre eux une transaction, que, par vengeance, la comtesse avait fait dresser dans une autre étude. Alors,

---

[110] saut-de-loup: a sort of trench which prevents entrance into a property without blocking the view
[111] se cabrer: to rear
[112] slaps
[113] bait
[114] rosaces de verre: rose-pattern windows

un matin, il supputa les sommes avancées audit Chabert, y ajouta les frais, et pria la comtesse Ferraud de réclamer à M. le comte Chabert le montant de ce mémoire,[115] en présumant qu'elle savait où se trouvait son premier mari.

Le lendemain même, l'intendant du comte Ferraud, récemment nommé président du tribunal de première instance dans une ville importante, écrivit à Derville ce mot désolant:

« Monsieur,

» Mme la comtesse Ferraud me charge de vous prévenir que votre client avait complètement abusé de votre confiance, et que l'individu qui disait être le comte Chabert a reconnu avoir indûment[116] pris de fausses qualités.

» Agréez, etc.

» DELBECQ. »

— On rencontre des gens qui sont aussi, ma parole d'honneur! par trop bêtes. Ils ont volé le baptême, s'écria Derville. Soyez donc humain, généreux, philanthrope et avoué, vous vous faites enfoncer! Voilà une affaire qui me coûte plus de deux billets de mille francs.

Quelque temps après la réception de cette lettre, Derville cherchait au Palais un avocat auquel il voulait parler, et qui plaidait à la police correctionnelle. Le hasard voulut que Derville entrât à la sixième chambre au moment où le président condamnait comme vagabond le nommé Hyacinthe à deux mois de prison, et ordonnait qu'il fût ensuite conduit au dépôt de mendicité de Saint-Denis, sentence qui, d'après la jurisprudence des préfets de police, équivaut à une détention perpétuelle.[117]

Au nom d'Hyacinthe, Derville regarda le délinquant assis entre deux gendarmes sur le banc des prévenus, et reconnut, dans la personne du condamné, son faux colonel Chabert.

Le vieux soldat était calme, immobile, presque distrait. Malgré ses haillons, malgré la misère empreinte sur sa physionomie, elle déposait d'une noble fierté.

Son regard avait une expression de stoïcisme qu'un magistrat n'aurait pas dû méconnaître; mais, dès qu'un homme tombe entre les mains de la justice, il n'est plus qu'un être moral, une question de droit ou de fait, comme aux yeux des statisticiens il devient un chiffre.

Quand le soldat fut reconduit au greffe[118] pour être emmené plus tard avec la fournée de vagabonds que l'on jugeait en ce moment, Derville usa du droit qu'ont les avoués d'entrer partout au Palais, l'accompagna au greffe et l'y contempla pendant quelques instants, ainsi que les curieux mendiants parmi lesquels il se trouvait. L'antichambre du greffe offrait alors un de ces spectacles que malheureusement ni les législateurs, ni les philanthropes, ni les peintres, ni les écrivains ne viennent étudier.

Comme tous les laboratoires de la chicane, cette antichambre est une pièce obscure et puante, dont les murs sont garnis d'une banquette en bois noirci par le séjour perpétuel des malheureux qui viennent à ce rendez-vous de toutes les misères sociales, et auquel pas un ne manque. Un poète dirait que le jour a honte d'éclairer ce terrible égout par lequel passent tant d'infortunes! Il n'est pas une seule place où ne se soit assis quelque crime en germe ou consommé; pas un seul endroit où ne se soit rencontré quelque homme qui, désespéré par la légère flétrissure[119] que la justice avait imprimée à sa première faute, n'ait commencé une existence au bout de laquelle devait se dresser la guillotine, ou détoner le pistolet du suicide. Tous ceux qui tombent sur le pavé de Paris rebondissent contre ces murailles jaunâtres, sur lesquelles un philanthrope qui ne serait pas un spéculateur pourrait déchiffrer la justification des nombreux suicides dont se plaignent des écrivains hypocrites, incapables de faire un pas pour les prévenir, et qui se trouve écrite dans cette antichambre, espèce de préface pour les drames de la Morgue ou pour ceux de la place de Grève.[120]

En ce moment, le colonel Chabert s'assit au milieu de ces hommes à faces énergiques, vêtus des horribles livrées de la misère, silencieux par intervalles, ou causant à voix basse, car trois gendarmes de faction se promenaient en faisant retenir leurs sabres sur le plancher.

---

[115] *le montant de ce mémoire:* the sum of this memorandum
[116] improperly
[117] life imprisonment
[118] office of the clerk of the court
[119] stigma
[120] the site of executions of criminals [today, *Place de l'Hôtel de Ville*]

— Me reconnaissez-vous? dit Derville au vieux soldat en se plaçant devant lui.

— Oui, monsieur, répondit Chabert en se levant.

— Si vous êtes un honnête homme, reprit Derville à voix basse, comment avez-vous pu rester mon débiteur?

Le vieux soldat rougit comme aurait pu le faire une jeune fille accusée par sa mère d'un amour clandestin.

— Quoi! madame Ferraud ne vous a pas payé? s'écria-t-il à haute voix.

— Payé?... dit Derville. Elle m'a écrit que vous étiez un intrigant.

Le colonel leva les yeux par un sublime mouvement d'horreur et d'imprécation, comme pour en appeler au Ciel de cette tromperie nouvelle.

— Monsieur, dit-il d'une voix calme à force d'altération, obtenez des gendarmes la faveur de me laisser entrer au greffe, je vais vous signer un mandat qui sera certainement acquitté.

Sur un mot dit par Derville au brigadier, il lui fut permis d'emmener son client dans le greffe, où Hyacinthe écrivit quelques lignes adressées à la comtesse Ferraud.

— Envoyez cela chez elle, dit le soldat, et vous serez remboursé de vos frais et de vos avances. Croyez, monsieur, que, si je ne vous ai pas témoigné la reconnaissance que je vous dois pour vos bons offices, elle n'en est pas moins là, dit-il en se mettant la main sur le cœur. Oui, elle est là, pleine et entière. Mais que peuvent les malheureux? Ils aiment, voilà tout.

— Comment, lui dit Derville, n'avez-vous pas stipulé pour vous quelque rente?

— Ne me parlez pas de cela! répondit le vieux militaire. Vous ne pouvez pas savoir jusqu'où va mon mépris pour cette vie extérieure à laquelle tiennent la plupart des hommes. J'ai subitement été pris d'une maladie, le dégoût de l'humanité. Quand je pense que Napoléon est à Sainte-Hélène, tout ici-bas m'est indifférent. Je ne puis plus être soldat, voilà tout mon malheur. Enfin, ajouta-t-il en faisant un geste plein d'enfantillage, il vaut mieux avoir du luxe dans ses sentiments que sur ses habits. Je ne crains, moi, le mépris de personne.

Et le colonel alla se remettre sur son banc.

Derville sortit. Quand il revint à son étude, il envoya Godeschal, alors son second clerc, chez la comtesse Ferraud, qui, à la lecture du billet, fit immédiatement payer la somme due à l'avoué du comte Chabert.

En 1840, vers la fin du mois de juin, Godeschal, alors avoué, allait à Ris,[121] en compagnie de Derville, son prédécesseur. Lorsqu'ils parvinrent à l'avenue qui conduit de la grande route à Bicêtre, ils aperçurent sous un des ormes du chemin un de ces vieux pauvres chenus et cassés qui ont obtenu le bâton de maréchal des mendiants, en vivant à Bicêtre comme les femmes indigentes vivent à la Salpêtrière.[122] Cet homme, l'un des deux mille malheureux logés dans l'hospice de la *Vieillesse*, était assis sur une borne et paraissait concentrer toute son intelligence dans une opération bien connue des invalides, et qui consiste à faire sécher au soleil le tabac de leurs mouchoirs, pour éviter de les blanchir peut-être. Ce vieillard avait une physionomie attachante. Il était vêtu de cette robe de drap rougeâtre que l'hospice accorde à ses hôtes, espèce de livrée horrible.

— Tenez, Derville, dit Godeschal à son compagnon de voyage, voyez donc ce vieux. Ne ressemble-t-il pas à ces grotesques qui nous viennent d'Allemagne? Et cela vit, et cela est heureux peut-être!

Derville prit son lorgnon, regarda le pauvre, laissa échapper un mouvement de surprise et dit:

— Ce vieux-là, mon cher, est tout un poème, ou, comme disent les romantiques, un drame. As-tu rencontré quelquefois la comtesse Ferraud?

— Oui, c'est une femme d'esprit et très agréable; mais un peu trop dévote, dit Godeschal.

— Ce vieux bicêtrien est son mari légitime, le comte Chabert, l'ancien colonel; elle l'aura sans doute fait placer là. S'il est dans cet hospice au lieu d'habiter un hôtel, c'est uniquement pour avoir rappelé à la jolie comtesse Ferraud qu'il l'avait prise, comme un fiacre, sur la place. Je me souviens encore du regard de tigre qu'elle lui jeta dans ce moment-là.

Ce début ayant excité la curiosité de Godeschal, Derville lui raconta l'histoire qui précède. Deux jours après, le lundi matin, en revenant à Paris, les deux amis jetèrent un coup d'œil sur Bicêtre, et Derville proposa d'aller voir le colonel Chabert. A moitié chemin de l'avenue, les deux amis trouvèrent assis sur la souche d'un arbre abattu le vieillard, qui tenait à la main un bâton et s'amusait à tracer des raies sur le sable. En le regardant attentivement, ils s'aperçurent qu'il venait de déjeuner autre part qu'à l'établissement.[123]

[121] a small provincial city
[122] Bicêtre was the asylum for the aged and insane; Salpêtrière was an asylum at Paris
[123] that is, in a café

— Bonjour, colonel Chabert, lui dit Derville.

— Pas Chabert! pas Chabert! je me nomme Hyacinthe, répondit le vieillard. Je ne suis plus un homme, je suis le numéro 164, septième salle, ajouta-t-il en regardant Derville avec une anxiété peureuse, avec une crainte de vieillard et d'enfant. — Vous allez voir le condamné à mort? dit-il après un moment de silence. Il n'est pas marié, lui! Il est bien heureux.

— Pauvre homme, dit Godeschal. Voulez-vous de l'argent pour acheter du tabac?

Avec toute la naïveté d'un gamin de Paris, le colonel tendit avidement la main à chacun des deux inconnus, qui lui donnèrent une pièce de vingt francs; il les remercia par un regard stupide, en disant:

— Braves troupiers!

Il se mit au port d'armes, feignit de les coucher en joue,[124] et s'écria en souriant:

— Feu des deux pièces! vive Napoléon!

Et il décrivit en l'air avec sa canne une arabesque imaginaire.

— Le genre de sa blessure l'aura fait tomber en enfance, dit Derville.

— Lui en enfance! s'écria un vieux bicêtrien qui les regardait. Ah! il y a des jours où il ne faut pas lui marcher sur le pied. C'est un vieux malin plein de philosophie et d'imagination. Mais, aujourd'hui, que voulez-vous! il a fait le lundi.[125] Monsieur, en 1820, il était déjà ici. Pour lors, un officier prussien, dont la calèche montait la côte de Villejuif, vint à passer à pied. Nous étions nous deux, Hyacinthe et moi, sur le bord de la route. Cet officier causait en marchant avec un autre, avec un Russe, ou quelque animal de la même espèce, lorsqu'en voyant l'ancien, le Prussien, histoire de blaguer, lui dit: « Voilà un vieux voltigeur qui devait être à Rosbach.[126] — J'étais trop jeune pour y être, lui répondit-il; mais j'ai été assez vieux pour me trouver à Iéna.[127] » Pour lors, le Prussien a filé, sans faire d'autres questions.

— Quelle destinée! s'écria Derville. Sorti de l'hospice des *Enfants trouvés*, il revient mourir à l'hospice de la *Vieillesse*, après avoir, dans l'intervalle,

aidé Napoléon à conquérir l'Égypte et l'Europe.

— Savez-vous, mon cher, reprit Derville après une pause, qu'il existe dans notre société trois hommes, le prêtre, le médecin et l'homme de justice, qui ne peuvent pas estimer le monde? Ils ont des robes noires, peut-être parce qu'ils portent le deuil de toutes les vertus, de toutes les illusions. Le plus malheureux des trois est l'avoué. Quand l'homme vient trouver le prêtre, il arrive poussé par le repentir, par le remords, par des croyances qui le rendent intéressant, qui le grandissent, et consolent l'âme du médiateur, dont la tâche ne va pas sans une sorte de jouissance: il purifie, il répare, et réconcilie. Mais, nous autres avoués, nous voyons se répéter les mêmes sentiments mauvais, rien ne les corrige, nos études sont des égouts qu'on ne peut pas curer. Combien de choses n'ai-je pas apprises en exerçant ma charge! J'ai vu mourir un père dans un grenier, sans sou ni maille, abandonné par deux filles auxquelles il avait donné quarante mille livres de rente![128] J'ai vu brûler des testaments; j'ai vu des mères dépouillant leurs enfants, des maris volant leurs femmes, des femmes tuant leurs maris en se servant de l'amour qu'elles leur inspiraient pour les rendre fous ou imbéciles, afin de vivre en paix avec un amant. J'ai vu des femmes donnant à l'enfant d'un premier lit des goûts qui devaient amener sa mort, afin d'enrichir l'enfant de l'amour. Je ne puis vous dire tout ce que j'ai vu, car j'ai vu des crimes contre lesquels la justice est impuissante. Enfin, toutes les horreurs que les romanciers croient inventer sont toujours au-dessous de la vérité. Vous allez connaître ces jolies choses-là, vous; moi, je vais vivre à la campagne avec ma femme. Paris me fait horreur.

— J'en ai déjà bien vu chez Desroches, répondit Godeschal.

1. *Quoiqu'il adopte le point de vue du narrateur objectif, Balzac nous fait plaindre Chabert. Montrez comment Balzac révèle son patri-pris dans l'entrée du colonel chez Derville. (Considérez, par exemple, le choix des adjectifs et des adverbes pour caractériser le colonel et les clercs.)*

2. *Etudiez la longue description du bureau de*

---

[124] *coucher en joue:* to aim (rifle)

[125] *il a fait le lundi:* he's been celebrating

[126] *Voilà . . . Rosbach:* There's an old infantryman who must have been at Rosbach [site of an important victory over French and Austrian forces by the army of Frederick the Great (1757)]

[127] scene of one of Napoleon's greatest victories

[128] reference to another novel by Balzac, *Le Père Goriot*

Derville. Comment sert-elle à situer historiquement l'action de la nouvelle? à préparer le conflit? (p. 158, II 38.)

3. Pourquoi Balzac tient-il à entrer avec tant de détails dans les aspects techniques du métier d'homme de loi?

4. Avant même de connaître son histoire, on trouve chez le Chabert qui parle aux clercs quelques-unes des grandes qualités qui apparaîtront dans sa lutte avec son épouse. Quelles sont-elles?

5. Analysez le long passage qui commence Le colonel Chabert était aussi parfaitement immobile . . . (p. 162, II 27) dans lequel Balzac présente son personnage principal. Quels sont les différents procédés descriptifs employés : par exemple, métaphores, analyse psychologique, etc.?

6. Quelle est la valeur symbolique et dramatique de la visite nocturne de Chabert à Derville?

7. Pour quelle raison Derville décide-t-il d'aider Chabert?

8. Pourquoi Balzac donne-t-il directement la parole à Chabert pour nous faire participer à la bataille d'Eylau?

9. Pourquoi Balzac commence-t-il son histoire en 1817 et non en 1807 qui est la date de la bataille d'Eylau, et qui serait donc son commencement logique?

10. Quel rôle joue le temps dans cette histoire?

11. Quel est l'effet dramatique obtenu en ne présentant Mme Ferraud que relativement tard?

12. Définissez le caractère de Mme Ferraud. Quel trait de caractère apparaît dans sa décision de mener ses enfants au rendez-vous avec Chabert?

13. Il y a un grand personnage historique qui ne paraît jamais mais qui joue un rôle symbolique très important. Qui est-ce?

14. Pourquoi Chabert veut-il être rétabli dans son grade?

15. L'exhumation est un des grands thèmes de cette nouvelle, et en tant que déterré Chabert est un symbole. Qu'est-ce qui ressuscite avec lui?

16. Notez que Le Colonel Chabert est divisé en trois chapitres. Quelle est la scène centrale de chaque chapitre? En quel sens ces endroits mêmes symbolisent-ils le destin de Chabert?

17. Pourquoi le colonel trouve-t-il tant de difficultés à se faire accepter après son retour de Russie? (Rappelez-vous que Chabert était officier de la Grande Armée.)

18. En quel sens la lutte avec Mme Ferraud rappelle-t-elle Chabert combattant à Eylau?

19. Pourquoi à Bicêtre Chabert refuse-t-il de se faire appeler colonel Chabert?

20. Les événements sont relativement peu nombreux pour une histoire de cette longueur. Comment Balzac rend-il son sujet toujours dramatique?

21. Quelle est la cadence du récit? Comparez les proportions des différents éléments : narration, dialogue, description, etc.

22. Le conflit essentiel de ce roman peut être résumé en diverses formules: L'Empire contre La Monarchie, l'individu contre la société, l'intégrité contre la compromission, etc. Commentez ces différentes formes de conflit.

23. Comparez Le Colonel Chabert aux contes que nous avons lus. Auquel ressemble-t-il le plus dans son emploi des éléments essentiels de la fiction? Auquel ressemble-t-il le moins?

Une Partie de campagne[1]

GUY DE MAUPASSANT (1850–1893)

Maupassant is the master of that short story whose chief characteristics might be described as irony and indirectness. The story makes its sharply ironic point indirectly, through the author's manipulation of significant realistic event and detail. Almost every detail that describes the family Dufour and their partie de campagne has

[1] Partie de campagne: picnic

an ironic overtone which contributes to the total effect of the story: for example, the carriage, borrowed from the milkman and the cherry-colored silk dress of Petronille which Maupassant qualifies mockingly with the adjective extraordinaire. Their naive admiration of the natural beauties of the countryside prepares the admiration which the two women will feel later for the two young athletes; it also contains in germ the touching irony of the story, the yearning for love and beauty which the two women feel and which they can express only imperfectly, by hastily giving themselves to the young men. We say that Maupassant is a realist, or even a naturalist—that is, he attempts to show us life as it is. He, the author, pretends not to intervene at all, but we know this is not the case, for we see the events of the story through his angle of vision. A good proof of the complexity of works of literature (and the impossibility of ever giving them definitive labels such as, for example, naturalistic or symbolist) is the use Maupassant makes of the nightingale.

Henri and Henriette leave their canoe and disembark on the island to hear the nightingale which symbolizes, for the young girl, the dream of love she will probably never possess. This is, of course, a legitimate realistic use of the natural setting in which the story takes place. But when Henri and Henriette embrace, Maupassant expresses the phases of their love-making through the rise and fall of the nightingale's song rather than by realistic description. He uses this symbol not necessarily to avoid offending his readers, but because, through the nightingale, he can express the real meaning of the episode. This development of one significant detail, which leaves the rest of the episode to the reader's imagination, is a strikingly non-naturalistic device which is, however, highly effective in the generally naturalistic context of the story.

With this story we move into a different fictional universe. Characters are defined by what they do rather than by what the author says about them. We are in the world as we know it. We experience it directly. And yet, though the author does not seem to manipulate his characters, he is there nevertheless, behind their apparent autonomy. He has simply taken a more sophisticated point of view, which places its highest value on action and event rather than on the author's abstract, moralizing commentary.*

On avait projeté depuis cinq mois d'aller déjeuner aux environs de Paris, le jour de la fête[1] de Mme Dufour, qui s'appelait Pétronille. Aussi, comme on avait attendu cette partie impatiemment, s'était-on levé de fort bonne heure ce matin-là.

M. Dufour, ayant emprunté la voiture du laitier, conduisait lui-même. La carriole, à deux roues, était fort propre; elle avait un toit supporté par quatre montants de fer où s'attachaient des rideaux qu'on avait relevés pour voir le paysage. Celui de derrière, seul, flottait au vent, comme un drapeau. La femme, à côté de son époux, s'épanouissait dans une robe de soie cerise extraordinaire. Ensuite, sur deux chaises, se tenaient une vieille grand'mère et une jeune fille. On apercevait encore la chevelure jaune d'un garçon qui, faute de siège, s'était étendu tout au fond, et dont la tête seule apparaissait.

Après avoir suivi l'avenue des Champs-Élysées et franchi les fortifications à la porte Maillot, on s'était mis à regarder la contrée.

En arrivant au pont de Neuilly, M. Dufour avait dit : — « Voici la campagne, enfin ! » — et sa femme, à ce signal, s'était attendrie sur la nature.

Au rond-point[2] de Courbevoie, une admiration les avait saisis devant l'éloignement des horizons. A droite là-bas, c'était Argenteuil, dont le clocher se dressait; au-dessus apparaissaient les buttes de Sannois et le Moulin d'Orgemont. A gauche, l'aqueduc de Marly se dessinait sur le ciel clair du matin, et l'on apercevait aussi, de loin, la terrasse de Saint-Germain; tandis qu'en face, au bout d'une chaîne de collines, des terres remuées indiquaient le nouveau fort de Cormeilles.

---

* for a further analysis of *Une Partie de Campagne* see Appendix pp. 431–432.

[1] birthday

[2] The point where several roads meet

Tout au fond, dans un reculement formidable, par-dessus des plaines et des villages, on entrevoyait une sombre verdure de forêts.

Le soleil commençait à brûler les visages; la poussière emplissait les yeux continuellement, et, des deux côtés de la route, se développait une campagne interminablement nue, sale et puante. On eût dit qu'une lèpre[3] l'avait ravagée, qui rongeait jusqu'aux maisons, car des squelettes de bâtiments défoncés et abandonnées, ou bien des petites cabanes inachevées faute de payement aux entrepreneurs, tendaient leurs quatre murs sans toit.

De loin en loin, poussaient dans le sol stérile de longues cheminées de fabrique, seule végétation de ces champs putrides où la brise du printemps promenait un parfum de pétrole et de schiste[4] mêlé à une autre odeur moins agréable encore.

Enfin, on avait traversé la Seine une seconde fois, et, sur le pont, ç'avait été un ravissement. La rivière éclatait de lumière; une buée s'en élevait, pompée par le soleil, et l'on éprouvait, une quiétude douce, un rafraîchissement bienfaisant à respirer enfin un air plus pur qui n'avait point balayé la fumée noire des usines ou les miasmes des dépotoirs.[5]

Un homme qui passait avait nommé le pays: Bezons.

La voiture s'arrêta, et M. Dufour se mit à lire l'enseigne engageante d'une gargote:[6] « *Restaurant Poulin, matelotes et fritures, cabinets de société, bosquets et balançoires*[7]. » — Eh bien! madame Dufour, cela te va-t-il? Te décideras-tu à la fin?

La femme lut à son tour: « *Restaurant Poulin, matelotes et fritures, cabinets de société, bosquets et balançoires.* » Puis elle regarda la maison longuement.

C'était une auberge de campagne, blanche, plan-tée au bord de la route. Elle montrait, par la porte ouverte, le zinc brillant du comptoir[8] devant lequel se tenaient deux ouvriers endimanchés.

A la fin, Mme Dufour se décida: — « Oui, c'est bien, dit-elle; et puis il y a de la vue. » — La voiture entra

dans un vaste terrain planté de grands arbres qui s'étendait derrière l'auberge et qui n'était séparé de la Seine que par le chemin de halage.[9]

Alors on descendit. Le mari sauta le premier, puis ouvrit les bras pour recevoir sa femme. Le marchepied, tenu par deux branches de fer, était très loin, de sorte que, pour l'atteindre, Mme Dufour dut laisser voir le bas d'une jambe dont la finesse primitive disparaissait à présent sous un envahissement de graisse tombant des cuisses.

M. Dufour, que la campagne émoustillait déjà, lui pinça vivement le mollet,[10] puis, la prenant sous les bras, la déposa lourdement à terre, comme un énorme paquet.

Elle tapa avec la main sa robe de soie pour en faire tomber la poussière, puis regarda l'endroit où elle se trouvait.

C'était une femme de trente-six ans environ, forte en chair, épanouie et réjouissante à voir. Elle respirait avec peine, étranglée violemment par l'étreinte de son corset trop serré; et la pression de cette machine rejetait jusque dans son double menton la masse fluctuante de sa poitrine surabondante.

La jeune fille ensuite, posant la main sur l'épaule de son père, sauta légèrement toute seule. Le garçon aux cheveux jaunes était descendu en mettant un pied sur la roue, et il aida M. Dufour à décharger la grand' mère.

Alors on détela le cheval, qui fut attaché a un arbre; et la voiture tomba sur le nez, les deux bran-cards[11] à terre. Les hommes, ayant retiré leurs redin-gotes, se lavèrent les mains dans un seau d'eau, puis rejoignirent leurs dames installées déja sur les escar-polettes.[12]

Mlle Dufour essayait de se balancer debout, toute seule, sans parvenir à se donner un élan suffisant. C'était une belle fille de dix-huit à vingt ans; une de ces femmes dont la rencontre dans la rue vous fouette d'un désir subit, et vous laisse jusqu'à la nuit une inquiétude vague et un soulèvement des sens. Grande, mince de taille et large des hanches, elle avait la peau très brune, les yeux très grands, les cheveux très noirs. Sa robe

---

[3] leprosy
[4] shale
[5] *les miasmes des dépotoirs:* the noxious fumes from cesspools
[6] cheap restaurant
[7] *bosquets et balançoirs:* groves and swings
[8] *le zinc . . . du comptoir:* the brilliant zinc-covered top of the bar

[9] *chemin de halage:* towing path [path from which vessels are pulled by means of heavy rope]
[10] calf (of the leg)
[11] shafts
[12] swings

dessinait nettement les plénitudes fermes de sa chair qu'accentuaient encore les efforts des reins qu'elle faisait pour s'enlever. Ses bras tendus tenaient les cordes au-dessus de sa tête, de sorte que sa poitrine se dressait, sans une secousse, à chaque impulsion qu'elle donnait. Son chapeau, emporté par un coup de vent, était tombé derrière elle; et l'escarpolette peu à peu se lançait, montrant à chaque retour ses jambes fines jusqu'au genou, et jetant à la figure des deux hommes, qui la regardaient en riant, l'air de ses jupes, plus capiteux[13] que les vapeurs du vin. 10

Assise sur l'autre balançoire, Mme Dufour gémissait d'une façon monotone et continue: — « Cyprien, viens me pousser; viens donc me pousser, Cyprien! » — A la fin, il y alla et, ayant retroussé les manches de sa chemise, comme avant d'entreprendre un travail, il mit sa femme en mouvement avec une peine infinie.

Cramponnée aux cordes, elle tenait ses jambes droites, pour ne point rencontrer le sol, et elle jouissait d'être étourdie par le va-et-vient de la machine. Ses 20 formes, secouées, tremblotaient continuellement comme de la gelée sur un plat. Mais, comme les élans grandissaient, elle fut prise de vertige et de peur. A chaque descente, elle poussait un cri perçant qui faisait accourir tous les gamins du pays; et, là-bas, devant elle, au-dessus de la haie du jardin, elle apercevait vaguement une garniture de têtes polissonnes[14] que des rires faisaient grimacer diversement.

Une servante étant venue, on commanda le déjeuner. 30

— « Une friture de Seine, un lapin sauté, une salade et du dessert, » articula Mme Dufour, d'un air important. — « Vous apporterez deux litres et une bouteille de bordeaux, » dit son mari. — « Nous dînerons sur l'herbe, » ajouta la jeune fille.

La grand'mère, prise de tendresse à la vue du chat de la maison, le poursuivait depuis dix minutes en lui prodiguant inutilement les plus douces appellations. L'animal, intérieurement flatté sans doute de cette attention, se tenait toujours tout près de la main de la 40 bonne femme, sans se laisser atteindre cependant, et faisait tranquillement le tour des arbres, contre lesquels il se frottait, la queue dressée, avec un petit ronron de plaisir.

— Tiens! cria tout à coup le jeune homme aux cheveux jaunes qui furetait dans le terrain, en voilà des bateaux qui sont chouet![15] — On alla voir. Sous un petit hangar en bois étaient suspendues deux superbes yoles de canotiers,[16] fines et travaillées comme des meubles de luxe. Elles reposaient côte à côte, pareilles à deux grandes filles minces, en leur longueur étroite et reluisante, et donnaient envie de filer sur l'eau par les belles soirées douces ou les claires matinées d'été, de raser les berges fleuries où des arbres entiers trempent leurs branches dans l'eau, où tremblote l'éternel frisson des roseaux et d'où s'envolent, comme des éclairs bleus, de rapides martins-pêcheurs.[17]

Toute la famille, avec respect, les contemplait. — « Oh! ça, oui, c'est chouet, » répéta gravement M. Dufour. Et il les détaillait en connaisseur. Il avait canoté, lui aussi, dans son jeune temps, disait-il; voire même qu'avec ça dans la main — et il faisait le geste de tirer sur les avirons — il se fichait de tout le monde. Il avait rossé[18] en course plus d'un Anglais, jadis, à Joinville; et il plaisanta sur le mot « dames », dont on désigne les deux montants qui retiennent les avirons, disant que les canotiers, et pour cause, ne sortaient jamais sans leurs dames. Il s'échauffait en pérorant et proposait obstinément de parier qu'avec un bateau comme ça, il ferait six lieues à l'heure sans se presser.

— C'est prêt, — dit la servante qui apparut à l'entrée. On se précipita; mais voilà qu'à la meilleure place, qu'en son esprit Mme Dufour avait choisie pour s'installer, deux jeunes gens déjeunaient déjà. C'étaient 30 les propriétaires des yoles, sans doute, car ils portaient le costume des canotiers.

Ils étaient étendus sur des chaises, presque couchés. Ils avaient la face noircie par le soleil et la poitrine couverte seulement d'un mince maillot de coton blanc qui laissait passer leurs bras nus, robustes comme ceux des forgerons.[19] C'étaient deux solides gaillards, posant beaucoup pour la vigueur, mais qui montraient en tous leurs mouvements cette grâce élastique des membres qu'on acquiert par l'exercice, si différente de la déformation qu'imprime à l'ouvrier l'effort pénible, toujours le même.

Ils échangèrent rapidement un sourire en voyant la mère, puis un regard en apercevant la fille. — « Donnons notre place, dit l'un, ça nous fera faire

---

[13] heady
[14] *garniture . . . polissonnes:* a set of leering faces

[15] [argot] swell
[16] *yoles de canotiers:* rowing shells
[17] kingfishers
[18] beat
[19] blacksmiths

connaissance. » — L'autre aussitôt se leva et, tenant à la main sa toque mi-partie rouge et mi-partie noire, il offrit chevaleresquement de céder aux dames le seul endroit du jardin où ne tombât point le soleil. On accepta en se confondant en excuses ; et pour que ce fût plus champêtre, la famille s'installa sur l'herbe sans table ni sièges.

Les deux jeunes gens portèrent leur couvert quelques pas plus loin et se remirent à manger. Leurs bras nus, qu'ils montraient sans cesse, gênaient un peu [10] la jeune fille. Elle affectait même de tourner la tête et de ne point les remarquer, tandis que Mme Dufour, plus hardie, sollicitée par une curiosité féminine qui était peut-être du désir, les regardait à tout moment, les comparant sans doute avec regret aux laideurs secrètes de son mari.

Elle s'était éboulée sur l'herbe, les jambes pliées à la façon des tailleurs, et elle se trémoussait[20] continuelle-ment, sous prétexte que des fourmis lui étaient entrées quelque part. M. Dufour, rendu maussade par la [20] présence et l'amabilité des étrangers, cherchait une position commode qu'il ne trouva pas du reste, et le jeune homme aux cheveux jaunes mangeait silen-cieusement comme un ogre.

— Un bien beau temps, monsieur, dit la grosse dame à l'un des canotiers. Elle voulait être aimable à cause de la place qu'ils avaient cédée. — « Oui, madame, répondit-il ; venez-vous souvent à la campagne ? »

— Oh ! une fois ou deux par an seulement, pour prendre l'air ; et vous, monsieur ? [30]

— J'y viens coucher tous les soirs.

— Ah ! ça doit être bien agréable ?

— Oui, certainement, madame.

Et il raconta sa vie de chaque jour, poétiquement, de façon à faire vibrer dans le cœur de ces bourgeois privés d'herbe et affamés de promenades aux champs cet amour bête de la nature qui les hante toute l'année derrière le comptoir de leur boutique.

La jeune fille, émue, leva les yeux et regarda le canotier. M. Dufour parla pour la première fois. — [40] « Ça, c'est une vie, » dit-il. Il ajouta : — « Encore un peu de lapin, ma bonne. — Non, merci, mon ami. »

Elle se tourna de nouveau vers les jeunes gens, et, montrant leurs bras : — « Vous n'avez jamais froid comme ça ? » dit-elle.

Ils se mirent à rire tous les deux, et ils épouvantè-

rent la famille par le récit de leurs fatigues prodigieuses, de leurs bains pris en sueur, de leurs courses dans le brouillard des nuits ; et ils tapèrent violemment sur leur poitrine pour montrer quel son ça rendait. — « Oh ! vous avez l'air solides, » dit le mari qui ne parlait plus du temps où il rossait les Anglais.

La jeune fille les examinait de côté maintenant ; et le garçon aux cheveux jaunes, ayant bu de travers, toussa éperdument, arrosant la robe de soie cerise de la patronne qui se fâcha et fit apporter de l'eau pour laver les taches.

Cependant, la température devenait terrible. Le fleuve étincelant semblait un foyer de chaleur,[21] et les fumées du vin troublaient les têtes.

M. Dufour, que secouait un hoquet violent, avait déboutonné son gilet et le haut de son pantalon ; tandis que sa femme, prise de suffocations, dégrafait so robe peu à peu. L'apprenti balançait d'un air gai sa tignasse de lin[22] et se versait à boire coup sur coup. La grand' mère, se sentant grise, se tenait fort raide et fort digne. Quant à la jeune fille, elle ne laissait rien paraître ; son œil seul s'allumait vaguement, et sa peau très brune se colorait aux joues d'une teinte plus rose.

Le café les acheva. On parla de chanter et chacun dit son couplet, que les autres applaudirent avec frénésie. Puis on se leva difficilement, et, pendant que les deux femmes, étourdies, respiraient, les deux hom-mes, tout à fait pochards,[23] faisaient de la gymnastique. Lourds, flasques, et la figure écarlate, ils se pendaient gauchement aux anneaux sans parvenir à s'enlever ; et leurs chemises menaçaient continuellement d'évacuer leurs pantalons pour battre au vent comme des éten-dards.

Cependant les canotiers avaient mis leurs yoles à l'eau et ils revenaient avec politesse proposer aux dames une promenade sur la rivière.

— Monsieur Dufour, veux-tu ? je t'en prie ! — cria sa femme. Il la regarda d'un air d'ivrogne, sans com-prendre. Alors un canotier s'approcha, deux lignes de pêcheur à la main. L'espérance de prendre du goujon,[24] cet idéal des boutiquiers, alluma les yeux mornes du bonhomme, qui permit tout ce qu'on voulut, et s'installa à l'ombre, sous le pont, les pieds ballants au-

---

[20] fidgeted

[21] *foyer de chaleur:* source of heat
[22] *tignasse de lin:* mop of coarse hair
[23] drunken
[24] gudgeon [a European fresh-water fish]

dessus du fleuve, à côté du jeune homme aux cheveux jaunes qui s'endormit auprès de lui.

Un des canotiers se dévoua: il prit la mère. — « Au petit bois de l'île aux Anglais ! » cria-t-il en s'éloignant.

L'autre yole s'en alla plus doucement. Le rameur regardait tellement sa compagne qu'il ne pensait plus à autre chose, et une émotion l'avait saisi qui paralysait sa vigueur.

La jeune fille, assise dans le fauteuil du barreur,[25] se laissait aller à la douceur d'être sur l'eau. Elle se sentait prise d'un renoncement de pensée, d'une quiétude de ses membres, d'un abandonnement d'elle-même, comme envahie par une ivresse multiple. Elle était devenue fort rouge, avec une respiration courte. Les étourdissements du vin, développés par la chaleur torrentielle qui ruisselait autour d'elle, faisaient saluer sur son passage tous les arbres de la berge. Un besoin vague de jouissance, une fermentation du sang parcouraient sa chair excitée par les ardeurs de ce jour; et elle était aussi troublée dans ce tête-à-tête sur l'eau, au milieu de ce pays dépeuplé par l'incendie du ciel, avec ce jeune homme qui la trouvait belle, dont l'œil lui baisait la peau, et dont le désir était pénétrant comme le soleil.

Leur impuissance à parler augmentait leur émotion, et ils regardaient les environs. Alors, faisant un effort, il lui demanda son nom. — « Henriette, » dit-elle. — Tiens ! moi je m'appelle Henri, » reprit-il.

Le son de leur voix les avait calmés; ils s'intéressèrent à la rive. L'autre yole s'était arrêtée et paraissait les attendre. Celui qui la montait cria: — « Nous vous rejoindrons dans le bois; nous allons jusqu'à Robinson,[26] parce que Madame a soif. » — Puis il se coucha sur les avirons et s'éloigna si rapidement qu'on cessa bientôt de le voir.

Cependant un grondement continu qu'on distinguait vaguement depuis quelque temps s'approchait très vite. La rivière elle-même semblait frémir comme si le bruit sourd montait de ses profondeurs.

— Qu'est-ce qu'on entend? demanda-t-elle. C'était la chute du barrage[27] qui coupait le fleuve en deux à la pointe de l'île. Lui se perdait dans une explication lorsque, à travers le fracas de la cascade, un chant

d'oiseau qui semblait très lointain les frappa. — « Tiens ! dit-il, les rossignols chantent dans le jour : c'est donc que les femelles couvent.[28] »

Un rossignol ! Elle n'en avait jamais entendu, et l'idée d'en écouter un fit se lever dans son cœur la vision des poétiques tendresses. Un rossignol ! c'est-à-dire l'invisible témoin des rendez-vous d'amour qu'invoquait Juliette sur son balcon; cette musique du ciel accordée aux baisers des hommes; cet éternel inspirateur de toutes les romances langoureuses qui ouvrent un idéal bleu aux pauvres petits cœurs des fillettes attendries !

Elle allait donc entendre un rossignol.

— Ne faisons pas de bruit, dit son compagnon, nous pourrons descendre dans le bois et nous asseoir tout près de lui.

La yole semblait glisser. Des arbres se montrèrent sur l'île, dont la berge était si basse que les yeux plongeaient dans l'épaisseur des fourrés.[29] On s'arrêta; le bateau fut attaché; et, Henriette s'appuyant sur le bras de Henri, ils s'avancèrent entre les branches. — « Courbez-vous, » dit-il. Elle se courba, et il pénétrèrent dans un inextricable fouillis de lianes, de feuilles et de roseaux, dans un asile introuvable qu'il fallait connaître et que le jeune homme appelait en riant « son cabinet particulier ».

Juste au-dessus de leur tête, perché dans un des arbres qui les abritaient, l'oiseau s'égosillait toujours. Il lançait des trilles et des roulades, puis filait de grands sons vibrants qui emplissaient l'air et semblaient se perdre à l'horizon, se déroulant le long du fleuve et s'envolant au-dessus des plaines, à travers le silence de feu qui appesantissait la campagne.

Ils ne parlaient pas de peur de le faire fuir. Ils étaient assis l'un près de l'autre, et, lentement, le bras de Henri fit le tour de la taille de Henriette et l'enserra d'une pression douce. Elle prit, sans colère, cette main audacieuse, et elle l'éloignait sans cesse à mesure qu'il la rapprochait, n'éprouvant du reste aucun embarras de cette caresse, comme si c'eût été une chose toute naturelle qu'elle repoussait aussi naturellement.

Elle écoutait l'oiseau, perdue dans une extase. Elle avait des désirs infinis de bonheur, des tendresses brusques qui la traversaient, des révélations de poésies surhumaines, et un tel amollissement des nerfs et du

---

[25] man at the rudder
[26] *Le Plessis-Robinson*, community on the Seine
[27] dam

[28] *les femelles couvent:* the females are hatching
[29] thick woods

cœur, qu'elle pleurait sans savoir pourquoi. Le jeune homme la serrait contre lui maintenant; elle ne le repoussait plus, n'y pensant pas.

Le rossignol se tut soudain. Une voix éloignée cria:
— « Henriette ! »

— Ne répondez point, dit-il tout bas, vous feriez envoler l'oiseau.

Elle ne songeait guère non plus à répondre.

Ils restèrent quelque temps ainsi. Mᵐᵉ Dufour s'était assise quelque part, car on entendait vaguement, de temps en temps, les petits cris de la grosse dame que lutinait[30] sans doute l'autre canotier.

La jeune fille pleurait toujours, pénétrée de sensations très douces, la peau chaude et piquée partout de chatouillements inconnus. La tête de Henri était sur son épaule; et, brusquement, il la baisa sur les lèvres. Elle eut une révolte furieuse et, pour l'éviter, se rejeta sur le dos. Mais il s'abattit sur elle, la couvrant de tout son corps. Il poursuivit longtemps cette bouche qui le fuyait, puis, la joignant, y attacha la sienne. Alors, affolée par un désir formidable, elle lui rendit son baiser en l'étreignant sur sa poitrine, et toute sa résistance s'abattit comme écrasée par un poids trop lourd.

Tout était calme aux environs. L'oiseau se remit à chanter. Il jeta d'abord trois notes pénétrantes qui semblaient un appel d'amour puis, après un silence d'un moment, il commença d'une voix affaiblie des modulations très lentes.

Une brise molle glissa, soulevant un murmure de feuilles, et dans la profondeur des branches passaient deux soupirs ardents qui se mêlaient au chant du rossignol et au souffle léger du bois.

Une ivresse envahissait l'oiseau, et sa voix, s'accélérant peu à peu comme un incendie qui s'allume ou une passion qui grandit, semblait accompagner sous l'arbre un crépitement[31] de baisers. Puis le délire de son gosier[32] se déchaînait éperdument. Il avait des pâmoisons prolongées sur un trait, de grands spasmes mélodieux.

Quelquefois il se reposait un peu, filant seulement deux ou trois sons légers qu'il terminait soudain par une note suraigue.[33] Ou bien il partait d'une course affolée, avec des jaillissements de gammes,[34] des frémis-

sements, des saccades,[35] comme un chant d'amour furieux, suivi par des cris de triomphe.

Mais il se tut, écoutant sous lui un gémissement tellement profond qu'on l'eût pris pour l'adieu d'une âme. Le bruit s'en prolongea quelque temps et s'acheva dans un sanglot.

Ils étaient bien pâles, tous les deux, en quittant leur lit de verdure. Le ciel bleu leur paraissait obscurci; l'ardent soleil était éteint pour leurs yeux; ils s'apercevaient de la solitude et du silence. Ils marchaient rapidement l'un près de l'autre, sans se parler, sans se toucher, car ils semblaient devenus ennemis irréconciliables, comme si un dégoût se fût élevée entre leurs corps, une haine entre leurs esprits.

De temps à autre, Henriette criait: — « Maman ! »

Un tumulte se fit sous un buisson. Henri crut voir une jupe blanche qu'on rabattait vite sur un gros mollet; et l'énorme dame apparut, un peu confuse et plus rouge encore, l'œil très brillant et la poitrine orageuse, trop près peut-être de son voisin. Celui-ci devait avoir vu des choses bien drôles, car sa figure était sillonnée[36] de rires subits qui la traversaient malgré lui.

Mᵐᵉ Dufour prit son bras d'un air tendre, et l'on regagna les bateaux. Henri, qui marchait devant, toujours muet à côté de la jeune fille, crut distinguer tout à coup comme un gros baiser qu'on étouffait.

Enfin l'on revint à Bezons.

M. Dufour, dégrisé, s'impatientait. Le jeune homme aux cheveux jaunes mangeait un morceau avant de quitter l'auberge. La voiture était attelée dans la cour, et la grand'mère, déjà montée, se désolait parce qu'elle avait peur d'être prise par la nuit dans la plaine, les environs de Paris n'étant pas sûrs.

On se donna des poignées de main, et la famille Dufour s'en alla. — « Au revoir ! » criaient les canotiers. Un soupir et une larme leur répondirent.

Deux mois après, comme il passait rue des Martyrs, Henri lut sur une porte: *Dufour, quincaillier.*[37]

Il entra.

La grosse dame s'arrondissait au comptoir. On se reconnut aussitôt, et, après mille politesses, il

---

[30] was teasing
[31] crackling (sound)
[32] throat
[33] above the normal range of the human voice
[34] scales

[35] stacatto passages
[36] furrowed
[37] hardware merchant

demanda des nouvelles. — « Et mademoiselle Henriette, comment va-t-elle?

— Très bien, merci; elle est mariée.

— Ah!

Une émotion l'étreignit; il ajouta:

— Et . . . avec qui?

— Mais avec le jeune homme qui nous accompagnait, vous savez bien; c'est lui qui prend la suite.[38]

— Oh! parfaitement.

Il s'en allait fort triste, sans trop savoir pourquoi. 10
Mme Dufour le rappela.

— Et votra ami? dit-elle timidement.

— Mais il va bien.

— Faites-lui nos compliments, n'est-ce pas; et quand il passera, dites-lui donc de venir nous voir . . .

Elle rougit fort, puis ajouta: — « Ça me fera bien plaisir; dites-lui. »

— Je n'y manquerai pas. Adieu!

— Non . . . à bientôt!

L'année suivante, un dimanche qu'il faisait très 20
chaud, tous les détails de cette aventure, que Henri n'avait jamais oubliée, lui revinrent subitement, si nets et si désirables, qu'il retourna tout seul à leur chambre dans le bois.

Il fut stupéfait en entrant. Elle était là, assise sur l'herbe, l'air triste, tandis qu'à son côté, toujours en manches de chemise, son mari, le jeune homme aux cheveux jaunes, dormait consciencieusement comme une brute. 30

Elle devint si pâle en voyant Henri qu'il crut qu'elle allait défaillir. Puis ils se mirent à causer naturellement, de même que si rien ne se fût passé entre eux.

Mais comme il lui racontait qu'il aimait beaucoup cet endroit et qu'il y venait souvent se reposer, le dimanche, en songeant à bien des souvenirs, elle le regarda longuement dans les yeux.

— Moi, j'y pense tous les soirs, dit-elle.

— Allons, ma bonne, reprit en bâillant son mari, je crois qu'il est temps de nous en aller. 40

[38] *qui . . . suite:* who will take over the business

La Confession d'une jeune fille

MARCEL PROUST (1871–1922)

Les désirs des sens nous entraînent çà et là, mais l'heure passée, que rapportez-vous? des remords de conscience et de la dissipation d'esprit. On sort dans la joie et souvent on revient dans la tristesse, et les plaisirs du soir attristent le matin. Ainsi la joie des sens flatte d'abord, mais à la fin elle blesse et elle tue.

— (*Imitation de Jésus-Christ,*[1] Livre I, c. XVIII).

I.

Parmi l'oubli qu'on cherche aux fausses allégresses,
Revient plus virginal à travers les ivresses,
Le doux parfum mélancolique du lilas.

—Henri de Régnier[2]

Enfin la délivrance approche. Certainement j'ai été maladroite, j'ai mal tiré,[3] j'ai failli me manquer. Certainement il aurait mieux valu mourir du premier coup, mais enfin on n'a pas pu extraire la balle et les accidents au cœur ont commencé. Cela ne peut plus être bien long. Huit jours pourtant! cela peut encore durer huit jours! pendant lesquels je ne pourrai faire autre chose que m'efforcer de ressaisir l'horrible enchaînement.[4] Si je n'étais pas si faible, si j'avais assez de volonté pour me lever, pour partir, je voudrais aller mourir aux Oublis,[5] dans le parc où j'ai passé tous mes étés jusqu'à quinze ans. Nul lieu n'est plus plein de ma mère, tant sa présence, et son absence plus encore, l'imprégnèrent de sa personne. L'absence n'est-elle pas pour qui aime la plus certaine, la plus efficace, la plus vivace, la plus indestructible, la plus fidèle des présences?

Ma mère m'amenait aux Oublis à la fin d'avril, repartait au bout de deux jours, passait deux jours encore au milieu de mai, puis revenait me chercher dans la dernière semaine de juin. Ses venues si courtes étaient la chose la plus douce et la plus cruelle. Pendant ces deux jours elle me prodiguait[6] des tendresses dont

[1] Medieval devotional book, attributed to Thomas à Kempis
[2] a late symbolist poet (1864–1936)
[3] aimed, fired
[4] sequence of events
[5] name of a country house
[6] lavished on me

habituellement, pour m'endurcir et calmer ma sensibilité maladive, elle était très avare. Les deux soirs qu'elle passait aux Oublis, elle venait me dire bonsoir dans mon lit, ancienne habitude qu'elle avait perdue, parce que j'y trouvais trop de plaisir et trop de peine, que je ne m'endormais plus à force de la rappeler pour me dire bonsoir encore, n'osant plus à la fin, n'en ressentant que davantage le besoin passionné, inventant toujours de nouveaux prétextes, mon oreiller brûlant à retourner, mes pieds gelés qu'elle seule pourrait réchauffer dans ses mains ... Tant de doux moments recevaient une douceur de plus de ce que je sentais que c'étaient ceux-là où ma mère était véritablement elle-même et que son habituelle froideur devait lui coûter beaucoup. Le jour où elle repartait, jour de désespoir où je m'accrochais à sa robe jusqu'au wagon, la suppliant de m'emmener à Paris avec elle, je démêlais[7] très bien le sincère au milieu du feint, sa tristesse qui perçait sous ses reproches gais et fâchés par ma tristesse « bête, ridicule » qu'elle voulait m'apprendre à dominer, mais qu'elle partageait. Je ressens encore mon émotion d'un de ces jours de départ (juste cette émotion intacte, pas altérée[8] par le douloureux retour d'aujourd'hui) d'un de ces jours de départ où je fis la douce découverte de sa tendresse si pareille et si supérieure à la mienne. Comme toutes les découvertes, elle avait été pressentie, devinée, mais les faits semblaient si souvent y contredire ! Mes plus douces impressions sont celles des années où elle revint aux Oublis, rappelée parce que j'étais malade. Non seulement elle me faisait une visite de plus sur laquelle je n'avais pas compté, mais surtout elle n'était plus alors que douceur et tendresse épanchées[9] sans dissimulation ni contrainte. Même dans ce temps-là où elles n'étaient pas encore adoucies, attendries par la pensée qu'un jour elles viendraient à me manquer, cette douceur, cette tendresse étaient tant pour moi que le charme des convalescences me fut toujours mortellement triste : le jour approchait où je serais assez guérie pour que ma mère pût repartir, et jusque-là je n'étais plus assez souffrante pour qu'elle ne reprît pas les sévérités, la justice sans indulgence d'avant.

Un jour, les oncles chez qui j'habitais aux Oublis m'avaient caché que ma mère devait arriver, parce qu'un petit cousin était venu passer quelques heures avec moi, et que je ne me serais pas assez occupée de lui dans l'angoisse joyeuse de cette attente. Cette cachotterie fut peut-être la première des circonstances indépendantes de ma volonté qui furent les complices de toutes les dispositions pour le mal que, comme tous les enfants de mon âge, et pas plus qu'eux alors, je portais en moi. Ce petit cousin qui avait quinze ans — j'en avais quatorze — était déjà très vicieux et m'apprit des choses qui me firent frissonner aussitôt de remords et de volupté.[10] Je goûtais à l'écouter, à laisser ses mains caresser les miennes, une joie empoisonnée à sa source même ; bientôt j'eus la force de le quitter et je me sauvai dans le parc avec un besoin fou de ma mère que je savais, hélas ! être à Paris, l'appelant partout malgré moi par les allées. Tout à coup, passant devant une charmille,[11] je l'aperçus sur un banc, souriante et m'ouvrant les bras. Elle releva son voile pour m'embrasser, je me précipitai contre ses joues en fondant en larmes ; je pleurai longtemps en lui racontant toutes ces vilaines choses qu'il fallait l'ignorance de mon âge pour lui dire et qu'elle sut écouter divinement, sans les comprendre, diminuant leur importance avec une bonté qui allégeait[12] le poids de ma conscience. Ce poids s'allégeait, s'allégeait ; mon âme écrasée, humiliée montait de plus en plus légère et puissante, débordait, j'étais tout âme. Une divine douceur émanait de ma mère et de mon innocence revenue. Je sentis bientôt sous mes narines une odeur aussi pure et aussi fraîche. C'était un lilas dont une branche cachée par l'ombrelle de ma mère était déjà fleurie et qui, invisible, embaumait.[13] Tout en haut des arbres, les oiseaux chantaient de toutes leurs forces. Plus haut, entre les cimes vertes, le ciel était d'un bleu si profond qu'il semblait à peine l'entrée d'un ciel où l'on pourrait monter sans fin. J'embrassai ma mère. Jamais je n'ai retrouvé la douceur de ce baiser. Elle repartit le lendemain et de départ-là fut plus cruel que tous ceux qui avaient précédé. En même temps que la joie il me semblait que c'était maintenant que j'avais une fois péché, la force, le soutien nécessaire qui m'abandonnaient.

Toutes ces séparations m'apprenaient malgré moi

[7] I could detect
[8] impaired
[9] poured forth
[10] sensual delight
[11] arbor
[12] eased
[13] was spreading its fragrance

ce que serait l'irréparable qui viendrait un jour, bien que jamais à cette époque je n'aie sérieusement envisagé la possibilité de survivre à ma mère. J'étais décidée à me tuer dans la minute qui suivrait sa mort. Plus tard, l'absence porta d'autres enseignements plus amers encore, qu'on s'habitue à l'absence, que c'est la plus grande diminution de soi-même, la plus humiliante souffrance de sentir qu'on n'en souffre plus. Ces enseignements d'ailleurs devaient être démentis dans la suite. Je repense surtout maintenant au petit jardin où je prenais avec ma mère le déjeuner du matin et où il y avait d'innombrables pensées.[14] Elles m'avaient toujours paru un peu tristes, graves comme des emblèmes, mais douces et veloutées,[15] souvent mauves parfois violettes, presque noires, avec de gracieuses et mystérieuses images jaunes, quelques-unes entièrement blanches et d'une frêle innocence. Je les cueille toutes maintenant dans mon souvenir, ces pensées, leur tristesse s'est accrue d'avoir été comprises, la douceur de leur velouté est à jamais disparue.

II

Comment toute cette eau fraîche de souvenirs a-t-elle pu jaillir encore une fois et couler dans mon âme impure d'aujourd'hui sans s'y souiller? Quelle vertu possède cette matinale odeur de lilas pour traverser tant de vapeurs fétides sans s'y mêler et s'y affaiblir? Hélas! en même temps qu'en moi, c'est bien loin de moi, c'est hors de moi que mon âme de quatorze ans se réveille encore. Je sais bien qu'elle n'est plus mon âme et qu'il ne dépend plus de moi qu'elle la redevienne. Alors pourtant je ne croyais pas que j'en arriverais un jour à la regretter. Elle n'était que pure, j'avais à la rendre forte et capable dans l'avenir des plus hautes tâches. Souvent aux Oublis, après avoir été avec ma mère au bord de l'eau pleine des jeux du soleil et des poissons, pendant les chaudes heures du jour, — ou le matin et le soir me promenant avec elle dans les champs, je rêvais avec confiance cet avenir qui n'était jamais assez beau au gré de son amour, de mon désir de lui plaire, et des puissances sinon de volonté, au moins d'imagination et de sentiment qui s'agitaient en moi, appelaient tumultueusement la destinée où elles se réaliseraient et frappaient à coups répétés à la cloison[16]

de mon cœur comme pour l'ouvrir et se précipiter hors de moi, dans la vie. Si, alors, je sautais de toutes mes forces, si j'embrassais mille fois ma mère, courais au loin en avant comme un jeune chien, ou restée indéfiniment en arrière à cueillir des coquelicots[17] et des bleuets,[18] les rapportais en poussant des cris, c'était moins pour la joie de la promenade elle-même et de ces cueillettes[19] que pour épancher mon bonheur de sentir en moi toute cette vie prête à jaillir, à s'étendre à l'infini, dans des perspectives plus vastes et plus enchanteresses que l'extrême horizon des forêts et du ciel que j'aurais voulu atteindre d'un seul bond. Bouquets de bleuets, de trèfles[20] et de coquelicots, si je vous emportais avec tant d'ivresse, les yeux ardents, toute palpitante, si vous me faisiez rire et pleurer, c'est que je vous composais avec toutes mes espérances d'alors, qui maintenant, comme vous, ont séché, ont pourri, et sans avoir fleuri comme vous, sont retournées à la poussière.

Ce qui désolait ma mère, c'était mon manque de volonté. Je faisais tout par l'impulsion du moment. Tant qu'elle fut toujours donnée par l'esprit ou par le cœur, ma vie, sans être tout à fait bonne, ne fut pourtant pas vraiment mauvaise. La réalisation de tous mes beaux projets de travail, de calme, de raison, nous préoccupait pardessus tout, ma mère et moi, parce que nous sentions, elle plus distinctement, moi confusément, mais avec beaucoup de force, qu'elle ne serait que l'image projetée dans ma vie de la création par moi-même et en moi-même de cette volonté qu'elle avait conçue et couvée.[21] Mais toujours je l'ajournais au lendemain. Je me donnais du temps, je me désolais parfois de le voir passer, mais il y en avait encore tant devant moi! Pourtant j'avais un peu peur, et sentais vaguement que l'habitude de me passer ainsi de vouloir commençait à peser sur moi de plus en plus fortement à mesure qu'elle prenait plus d'années, me doutant tristement que les choses ne changeraient pas tout d'un coup, et qu'il ne fallait guère compter, pour transformer ma vie et créer ma volonté, sur un miracle qui ne m'aurait coûté aucune peine. Désirer avoir de la volonté n'y suffisait pas. Il aurait fallu précisément ce que je ne pouvais sans volonté: le vouloir.

---

[14] pansies
[15] velvety
[16] partition

[17] poppies
[18] cornflowers
[19] excursions to pick flowers or berries
[20] clover
[21] nurtured

III

Et le vent furibond de la concupiscence
Fait claquer votre chair ainsi qu'un vieux drapeau.
—Baudelaire

Pendant ma seizième année, je traversai une crise qui me rendit souffrante. Pour me distraire, on me fit débuter dans le monde. Des jeunes gens prirent l'habitude de venir me voir. Un d'entre eux était pervers et méchant. Il avait des manières à la fois douces et hardies. C'est de lui que je devins amoureuse. Mes parents l'apprirent et ne brusquèrent rien[22] pour ne pas me faire trop de peine. Passant tout le temps où je ne le voyais pas à penser à lui, je finis par m'abaisser en lui ressemblant autant que cela m'était possible. Il m'induisait à mal faire presque par surprise, puis m'habitua à laisser s'éveiller en moi de mauvaises pensées auxquelles je n'eus pas une volonté à opposer, seule puissance capable de les faire rentrer dans l'ombre infernale d'où elles sortaient. Quand l'amour finit, l'habitude avait pris sa place et il ne manquait pas de jeunes gens immoraux pour l'exploiter. Complices de mes fautes, ils s'en faisaient aussi les apologistes en face de ma conscience. J'eus d'abord des remords atroces, je fis des aveux qui ne furent pas compris. Mes camarades me détournèrent d'insister auprès de mon père. Ils me persuadaient lentement que toutes les jeunes filles faisaient de même et que les parents feignaient seulement de l'ignorer. Les mensonges que j'étais sans cesse obligée de faire, mon imagination les colora bientôt des semblants d'un silence qu'il convenait de garder sur une nécessité inéluctable.[23] A ce moment je ne vivais plus bien; je rêvais, je pensais, je sentais encore.

Pour distraire et chasser tous ces mauvais désirs, je commençai à aller beaucoup dans le monde. Ses plaisirs desséchants[24] m'habituèrent à vivre dans une compagnie perpétuelle, et je perdis avec le goût de la solitude le secret des joies que m'avaient données jusque-là la nature et l'art. Jamais je n'ai été si souvent au concert que dans ces années-là. Jamais, tout occupée au désir d'être admirée dans une loge élégante, je n'ai senti moins profondément la musique. J'écoutais et je n'entendais rien. Si par hasard j'entendais, j'avais cessé de voir tout ce que la musique sait dévoiler. Mes promenades aussi avaient été comme frappées de stérilité. Les choses qui autrefois suffisaient à me rendre heureuse pour toute la journée, un peu de soleil jaunissant l'herbe, le parfum que les feuilles laissent s'échapper avec les dernières gouttes de pluie, avaient perdu comme moi leur douceur et leur gaieté. Les bois, le ciel, les eaux semblaient se détourner de moi, et si, restée seule avec eux face à face, je les interrogeais anxieusement, ils ne murmuraient plus ces réponses vagues qui me ravissaient autrefois. Les hôtes[25] divins qu'annoncent les voix des eaux, des feuillages et du ciel daignent visiter seulement les cœurs qui, en habitant en eux-mêmes, se sont purifiés.

C'est alors qu'à la recherche d'un remède inverse et parce que je n'avais pas le courage de vouloir le véritable qui était si près, et hélas! si loin de moi, en moi-même, je me laissai de nouveau aller aux plaisirs coupables, croyant ranimer par là la flamme éteinte par le monde. Ce fut en vain. Retenue par le plaisir de plaire, je remettais de jour en jour la décision définitive, le choix, l'acte vraiment libre, l'option pour la solitude. Je ne renonçai pas à l'un de ces deux vices pour l'autre. Je les mêlai. Que dis-je? chacun se chargeant de briser tous les obstacles de pensée, de sentiment, qui auraient arrêté l'autre, semblait aussi l'appeler. J'allais dans le monde pour me calmer après une faute, et j'en commettais une autre dès que j'étais calme. C'est à ce moment terrible, après l'innocence perdue, et avant le remords d'aujourd'hui, à ce moment où de tous les moments de ma vie j'ai le moins valu, que je fus le plus appréciée de tous. On m'avait jugée une petite fille prétentieuse et folle; maintenant, au contraire, les cendres de mon imagination étaient au goût du monde qui s'y délectait.[26] Alors que je commettais envers ma mère le plus grand des crimes, on me trouvait à cause de mes façons tendrement respectueuses envers elle, le modèle des filles. Après le suicide de ma pensée, on admirait mon intelligence, on raffolait[27] de mon esprit. Mon imagination desséchée, ma sensibilité tarie,[28] suffisaient à la soif des plus altérés de vie spirituelle, tant cette soif était factice,[29] et mensongère comme la

---

[22] took no hasty action
[23] unavoidable
[24] withering

[25] inhabitants
[26] reveled in it
[27] people were crazy about
[28] dried up
[29] artificial

source où ils croyaient l'étancher.[30] Personne d'ailleurs ne soupçonnait le crime secret de ma vie, et je semblais à tous la jeune fille idéale. Combien de parents dirent alors à ma mère que si ma situation eût été moindre et s'ils avaient pu songer à moi, ils n'auraient pas voulu d'autre femme pour leur fils ! Au fond de ma conscience oblitérée, j'éprouvais pourtant de ces louanges indues[31] une honte désespérée; elle n'arrivait pas jusqu'à la surface, et j'étais tombée si bas que j'eus l'indignité de les rapporter en riant aux complices de mes crimes.

IV

« A quiconque a perdu ce qui ne se retrouve
jamais . . . jamais ! »
—Baudelaire

L'hiver de ma vingtième année, la santé de ma mère, qui n'avait jamais été vigoureuse, fut très ébranlée. J'appris qu'elle avait le cœur malade, sans gravité d'ailleurs, mais qu'il fallait lui éviter tout ennui. Un de mes oncles me dit que ma mère désirait me voir me marier. Un devoir précis, important se présentait à moi. J'allais pouvoir prouver à ma mère combien je l'aimais. J'acceptai la première demande qu'elle me transmit en l'approuvant, chargeant ainsi, à défaut de volonté, la nécessité, de me contraindre à changer de vie. Mon fiancé était précisément le jeune homme qui, par son extrême intelligence, sa douceur et son énergie, pouvait avoir sur moi la plus heureuse influence. Il était, de plus, décidé à habiter avec nous. Je ne serais pas séparée de ma mère, ce qui eût été pour moi la peine la plus cruelle.

Alors j'eus le courage de dire toutes mes fautes à mon confesseur. Je lui demandai si je devais le même aveu à mon fiancé. Il eut la pitié de m'en détourner, mais me fit prêter le serment de ne jamais retomber dans mes erreurs et me donna l'absolution. Les fleurs tardives que la joie fit éclore[32] dans mon cœur que je croyais à jamais stérile portèrent des fruits. La grâce de Dieu, la grâce de la jeunesse, — où l'on voit tant de plaies se refermer d'elles-mêmes par la vitalité de cet âge — m'avaient guérie.

Si, comme l'a dit saint Augustin, il est plus difficile de redevenir chaste que de l'avoir été, je connus alors une vertu difficile. Personne ne se doutait que je valais infiniment mieux qu'avant et ma mère baisait chaque jour mon front qu'elle n'avait jamais cessé de croire pur sans savoir qu'il était régénéré. Bien plus, on me fit à ce moment, sur mon attitude distraite, mon silence et ma mélancolie dans le monde, des reproches injustes. Mais je ne m'en fâchais pas: le secret qui était entre moi et ma conscience satisfaite me procurait assez de volupté. La convalescence de mon âme — qui me souriait maintenant sans cesse avec un visage semblable à celui de ma mère et me regardait avec un air de tendre reproche à travers ses larmes qui séchaient — était d'un charme et d'une langueur infinis. Oui, mon âme renaissait à la vie. Je ne comprenais pas moi-même comment j'avais pu la maltraiter, la faire souffrir, la tuer presque. Et je remerciais Dieu avec effusion de l'avoir sauvée à temps.

C'est l'accord de cette joie profonde et pure avec la fraîche sérénité du ciel que je goûtais le soir où tout s'est accompli. L'absence de mon fiancé, qui était allé passer deux jours chez sa sœur, la présence à dîner du jeune homme qui avait la plus grande responsabilité dans mes fautes passées, ne projetaient pas sur cette limpide soirée de mai la plus légère tristesse. Il n'y avait pas un nuage au ciel qui se reflétait exactement dans mon cœur. Ma mère, d'ailleurs, comme s'il y avait eu entre elle et mon âme, malgré qu'elle fût dans une ignorance absolue de mes fautes, une solidarité mystérieuse, était à peu près guérie. « Il faut la ménager[33] quinze jours, avait dit le médecin, et après cela il n'y aura plus de rechute[34] possible ! » Ces seuls mots étaient pour moi la promesse d'un avenir de bonheur dont la douceur me faisait fondre en larmes. Ma mère avait ce soir-là une robe plus élégante que de coutume, et, pour la première fois depuis la mort de mon père, déjà ancienne pourtant de dix ans, elle avait ajouté un peu de mauve à son habituelle robe noire. Elle était toute confuse d'être ainsi habillée comme quand elle était plus jeune, et triste et heureuse d'avoir fait violence à sa peine et à son deuil pour me faire plaisir et fêter ma joie. J'approchai de son corsage un œillet[35] rose qu'elle repoussa d'abord, puis qu'elle attacha, parce qu'il venait de moi, d'une main un peu hésitante, honteuse. Au moment où on allait se mettre à table, j'attirai près de moi vers la fenêtre son visage délicatement reposé de

[30] quench it
[31] undeserved
[32] bloom
[33] be careful with
[34] relapse
[35] carnation

ses souffrances passées, et je l'embrassai avec passion. Je m'étais trompée en disant que je n'avais jamais retrouvé la douceur du baiser aux Oublis. Le baiser de ce soir-là fut aussi doux qu'aucun autre. Ou plutôt ce fut le baiser même des Oublis qui, évoqué par l'attrait d'une minute pareille, glissa doucement du fond du passé et vint se poser entre les joues de ma mère encore un peu pâles et mes lèvres.

On but à mon prochain mariage. Je ne buvais jamais que de l'eau à cause de l'excitation trop vive que le vin causait à mes nerfs. Mon oncle déclara qu'à un moment comme celui-là, je pouvais faire une exception. Je revois très bien sa figure gaie en prononçant ces paroles stupides . . . Mon Dieu! mon Dieu! j'ai tout confessé avec tant de calme, vais-je être obligée de m'arrêter ici? Je ne vois plus rien! Si . . . mon oncle dit que je pouvais bien à un moment comme celui-là faire une exception. Il me regarda en riant en disant cela, je bus vite avant d'avoir regardé ma mère dans la crainte qu'elle ne me le défendît. Elle dit doucement: « On ne doit jamais faire une place au mal, si petite qu'elle soit. » Mais le vin de Champagne était si frais que j'en bus encore deux autres verres. Ma tête était devenue très lourde, j'avais à la fois besoin de me reposer et de dépenser mes nerfs. On se levait de table: Jacques s'approcha de moi et me dit en me regardant fixement:

— Voulez-vous venir avec moi; je voudrais vous montrer des vers que j'ai faits.

Ses beaux yeux brillaient doucement dans ses joues fraîches, il releva lentement ses moustaches avec sa main. Je compris que je me perdais et je fus sans force pour résister. Je dis toute tremblante:

— Oui, cela me fera plaisir.

Ce fut en disant ces paroles, avant même peut-être, en buvant le second verre de vin de Champagne que je commis l'acte vraiment responsable, l'acte abominable. Après cela, je ne fis plus que me laisser faire. Nous avions fermé à clef les deux portes, et lui, son haleine sur mes joues, m'étreignait,[36] ses mains furetant le long de mon corps. Alors tandis que le plaisir me tenait de plus en plus, je sentais s'éveiller, au fond de mon cœur, une tristesse et une désolation infinies; il me semblait que je faisais pleurer l'âme de ma mère, l'âme de mon ange gardien, l'âme de Dieu. Je n'avais jamais pu lire

sans des frémissements d'horreur le récit des tortures que des scélérats font subir à des animaux, à leur propre femme, à leurs enfants; il m'apparaissait confusément maintenant que dans tout acte voluptueux et coupable il y a autant de férocité de la part du corps qui jouit, et qu'en nous autant de bonnes intentions, autant d'anges purs sont martyrisés et pleurent.

Bientôt mes oncles auraient fini leur partie de cartes et allaient revenir. Nous allions les devancer, je ne faillirais plus[37] c'était la dernière fois . . . Alors, au-dessus de la cheminée, je me vis dans la glace. Toute cette vague angoisse de mon âme n'était pas peinte sur ma figure, mais toute elle respirait, des yeux brillants aux joues enflammées et à la bouche offerte, une joie sensuelle, stupide et brutale. Je pensais alors à l'horreur de quiconque m'ayant vue tout à l'heure embrasser ma mère avec une mélancolique tendresse, me verrait ainsi transfigurée en bête. Mais aussitôt se dressa dans la glace, contre ma figure, la bouche de Jacques, avide sous ses moustaches. Troublée jusqu'au plus profond de moi-même, je rapprochai ma tête de la sienne, quand en face de moi je vis, oui je le dis comme cela était, écoutez-moi puisque je peux vous le dire, sur le balcon, devant la fenêtre, je vis ma mère qui me regardait hébétée.[38] Je ne sais si elle a crié, je n'ai rien entendu, mais elle est tombée en arrière et est restée la tête prise entre deux barreaux du balcon . . .

Ce n'est pas la dernière fois que je vous le raconte: je vous l'ai dit, je me suis presque manquée, je m'étais pourtant bien visée, mais j'ai mal tiré. Pourtant on n'a pas pu extraire la balle et les accidents au cœur ont commencé. Seulement je peux rester encore huit jours comme cela et je ne pourrai cesser jusque-là de raisonner sur les commencements et de voir la fin. J'aimerais mieux que ma mère m'ait vu commettre d'autres crimes encore et celui-là même, mais qu'elle n'ait pas vu cette expression joyeuse qu'avait ma figure dans la glace. Non, elle n'a pu la voir . . . C'est une coïncidence . . . elle a été frappée d'apoplexie une minute avant de me voir . . . Elle ne l'a pas vue . . . Cela ne se peut pas! Dieu qui savait tout ne l'aurait pas voulu.

[37] *Je ne faillirais plus:* I would never do anything wrong again
[38] dazedly

[36] clasped me in his arms

1. *Qu'est-ce que la deuxième phrase (. . . j'ai mal tiré, j'ai failli me manquer) nous apprend? Quelle question nous posons-nous presque automatiquement en l'apprenant?*

2. *Expliquez le procédé par lequel Proust, dans la ligne 28 et sq. (p. 196) nous ramène vers le passé.*

3. *La tragédie de la jeune fille vient de l'image diminuée qu'elle se fait d'elle-même. Expliquez.*

4. *La mère représente symboliquement un aspect de l'âme de cette jeune fille. Quel personnage, dont il est question à la p. 197, II 8, représente un autre aspect? Lequel?*

5. *Expliquez le symbole des lilas.*

6. *Quels sont les avantages et les désavantages de la narration à la première personne. Quand nous voyons les événements par les yeux d'un seul personnage, sentons-nous plus ou moins de sympathie pour ce personnage? Est-il plus ou moins difficile d'imaginer une autre solution, ou même une autre façon de formuler les problèmes? Par exemple, si ce suicide était raconté par Jacques ou par le financé de la jeune fille, ou même par sa mère—semblerait-il aussi inevitable?*

7. *Analysez, à la page 198, les lignes I 36 et sq. Comment cette phrase est-elle composée? Pour quelle partie du discours Proust semble-t-il avoir une préférence marquée—le verbe? le nom? l'adjectif?*

8. *Les phrases de Proust sont-elles plutôt longues ou courtes? Quel est l'effet de tant de propositions subordonnées dans chaque phrase? Est-ce que cette syntaxe nuancée et compliquée nous apprend quelque chose sur l'état d'âme de la jeune fille? Vit-elle dans la rêverie ou dans l'action?*

9. *Remarquez que la partie II commence avec un retour au thème de l'épigraphe (Les désirs des sens nous entrainent ça et là . . .) et que ce thème est encore repris au début de la partie III. Vous semble-t-il que la jeune fille a une appréciation juste de ses propres instincts? Pourquoi se sent-elle si coupable? A-t-elle réellement offensé sa mère?*

10. *Est-ce que cette mère vous semble bonne? Qu'est-ce que vous pensez de ces abandons fréquents?*

11. *Pourquoi la jeune fille exagère-t-elle à ce point son amour pour sa mère? Quel autre sentiment un amour exagéré cache-t-il souvent?*

12. *La jeune fille raconte toute sa vie. Comment le choix qu'elle fait des épisodes lui permet-elle de couvrir une matière si vaste en si peu d'espace?*

13. *A la page 199 elle parle de sa vie mondaine. Est-ce qu'elle évoque des gens, des endroits précis? De quoi parle-t-elle uniquement?*

14. *A la page 199 elle revient au poème de la Nature. Quel procédé Proust emploie-t-il dans II, 8 (les eaux semblaient se détourner de moi, etc.)? En quel sens peut-on voir ici un prolongement du complexe de culpabilité de la jeune fille?*

15. *Considérez le vocabulaire du reste de la page 199. On y trouve quantité de termes tels que:* remède inverse, courage, plaisirs coupables, plaisir de plaire, décision définitive, choix, l'option pour la solitude, pensée, intelligence, vie spirituelle, conscience oblitérée, etc. *Qu'est-ce que ces termes ont en commun? Expliquez le rôle de l'analyse psychologique dans cette nouvelle.*

16. *Pourquoi la jeune fille est-elle si indifférente au choix d'un fiancé?*

17. *Expliquez la phrase (p. 200, I 38):* Les fleurs tardives que la joie fit éclore dans mon cœur que je croyais à jamais sterile portèrent des fruits. *En quel sens l'emploi obstiné de la métaphore est-il un signe de l'aveuglement, aussi bien que la sensibilité maladive de la jeune fille?*

18. *Lisez à la p. 200, II le récit du basiser. Y a-t-il quelque chose de gênant, de troublant que la jeune fille semble ignorer? A-t-elle saisi la vraie nature de son problème?*

19. *Quelle conception la jeune fille se fait-elle de la volupté? (p. 201, II 15–19).*

20. *On pourrait dire que quand la mère regarde la jeune fille se laisser embrasser par Jacques ce n'est que la réalisation d'une chose déja accomplie longtemps avant. Expliquez.*

21. *Indiquez l'importance de chacune des quatre*

sections dans la structure de cette nouvelle.

22. *Quels sont les événements racontés par la jeune fille au cours de ce récit?*

23. *Combien de temps se passe-t-il?*

24. *Quel est le rôle du point de vue dans l'effet total de la nouvelle? Quel est le rôle et la contribution du style tel que vous l'avez défini dans des questions précédentes?*

L'Homme et les trois fantômes

CHARLES-FERDINAND RAMUZ* (1878–1947)

Le premier des trois fantômes se montra à lui un soir qu'il était rentré soûl.[1] Donc, il s'était mis tout de suite au lit, et il lui sembla qu'il dormait depuis un moment, quand, tout à coup, la porte s'ouvrit et Jean Romanier apparut.

C'était un homme à qui il avait fait tort autrefois en lui vendant très cher une vache qui ne donnait presque plus de lait, et elle avait crevé[2] quelques jours après. Romanier était tout pareil à ce qu'il avait été dans la vie, nullement changé et point différemment habillé, avec sa même voix, avec ses mêmes gestes, avec sa même figure; il vint et s'assit près du lit; et Etienne lui dit:

— Qu'est-ce que tu me veux?

Il répondit:

— Je viens de loin pour te parler.

Il était assis un peu en avant, les mains sur sa canne d'épine; il avait aux pieds des gros souliers boueux.

Il reprit:

— Tu n'as pas l'air tant content de me voir. Il te faudra pourtant m'entendre.

Il toussa, il leva les mains, il les rabattit sur sa canne, il toussa de nouveau. Dehors, c'était l'automne avec ses longues tristes pluies, quand les chemins sont autant de ruisseaux et un nuage bas traîne sur la montagne. Il n'y a presque plus de feuilles, il y a des trous dans les arbres, et par ces trous on voit le gris du ciel.

— Il te faudra pourtant m'entendre, parce que je viens de trop loin pour m'en retourner comme je suis venu. Ecoute, Etienne, tu m'as fait bien du mal.

Etienne dit:

— Ce n'est pas vrai.

Romanier ne se fâcha pas, il secoua seulement la tête. Longuement, lentement, il secoua la tête; il avait l'air triste et doux; et d'une voix comme son air, d'une voix triste et douce comme l'air qu'il avait, il continua lentement:

— Quand je t'ai acheté la bête, je n'avais plus que ces quatre cents francs. Je suis rentré chez moi, et ma femme m'a dit: « Le boulanger est venu pour le pain. » Je lui ai répondu: « Il faudra qu'il attende un peu, mais à présent qu'on aura une vache, on pourra bientôt le payer. » Je lui ai dit ça, et elle s'est tenue tranquille, parce que c'était une bonne femme, qui avait confiance en moi. Et elle a cru ensuite que je l'avais trompée. Parce que huit jours après, en entrant à l'écurie, elle a trouvée la bête crevée sur sa litière . . . Tu le sais bien, Etienne, puisque je suis venu te le dire, et tu m'as chassé de chez toi . . .

Romanier s'était tu;[3] il reprit:

— Pourquoi est-ce que tu m'as chassé de chez toi? Puisque tu avais fait le mal, pourquoi n'as-tu pas dit: « C'est vrai, j'ai fait le mal. » Mais, au contraire, tu criais contre moi en me disant que je mentais, et, au contraire, tu m'as montré la porte; alors sont venus les malheurs. Et, ensuite, j'ai vu que je les avais mérités. Mais toi, tu vis dans la prospérité. Penses-tu que tu le mérites? Et c'est justement pour cela que je suis venu aujourd'hui. Je suis venu te dire: « Fais attention, Etienne, parce que les yeux ont beau être ouverts, ils ne savent pas toujours voir; et les tiens ne savent plus voir . . . »

Il élevait la voix, et peut-être aurait-il continué ainsi, si Etienne, dans sa colère, ne s'était tout à coup mis assis sur son lit, et, comme déjà une fois, ne lui avait montré la porte, en lui criant: « Va-t'en! . . . » L'autre avait déjà disparu.

Etienne se frotta les yeux; il vit que la chambre était vide. Là-dessus, il se mit à rire. « Il dit que je ne sais pas voir, mais je vois bien qu'il n'est pas là; il ne m'en faut pas davantage. » C'est ce qu'il se disait, et c'était de quoi il riait, continuant à penser en lui-même: « Ils m'ont fait un peu trop boire de ce vin,

---

* Ramuz writes of the Vaud canton of Switzerland where he was born
[1] drunk
[2] died

[3] *s'était tu:* had become silent

qui est bon, mais fort, et je n'y suis pas habitué. J'ai bien senti qu'il me tournait la tête; seulement, quand on a la bouteille à la main, c'est dur de la reposer pleine. » Il plaisantait ainsi en lui-même. Puis se recoucha et se rendormit.

Le lendemain, il avait tout oublié. Mais voilà que, trois jours après, sa meilleure vache crevait. Comme Jean Romanier la sienne, il la trouva crevée sur sa litière, à l'écurie, et il fut plein d'étonnement. Car elle n'était point malade . . .

Au second fantôme qui vint, il n'avait pas bu. On ne pouvait pas dire, d'ailleurs, qu'il buvait; il était dur de cœur, avare et de mauvaise foi, mais, pour boire, il ne buvait guère, et d'occasion seulement; d'occasion, comme on fait quand on a à causer d'affaires, parce que le vin est une aide, qu'il affaiblit la cervelle[4] d'autrui, et c'est exprès[5] qu'on le fait boire, et il faut bien boire avec lui. Il avait discuté ainsi d'affaires avec des gens, et était rentré se coucher. Elle heurta à la porte; et du dehors sa voix appela: « Etienne, es-tu là? » Il pensa: « C'est Marie! » Il ne répondit point. La voix reprit: « Etienne, si tu es là, j'aimerais bien te voir, mais j'ai peur de toi, dis-moi d'abord que tu ne me feras point de mal. Le petit enfant que j'ai eu est mort, et moi aussi je suis morte. Mais je n'ai point de paix au ciel. Je vais courant là-haut après lui qui n'est plus, et il est séparé de moi. Ecoute, Etienne, tu m'aideras à le chercher. S'il est bien de toi, qui peut le savoir, puisque j'ai connu d'autres hommes? mais, si j'ai connu d'autres hommes, c'est à cause de toi, Etienne; et, ainsi, il est juste que tu viennes avec moi. » Elle parlait ainsi; elle heurta de nouveau, mais elle n'osait pas entrer. Sa voix arrivait affaiblie, mais nette pourtant et point hésitante; et, à mesure qu'elle allait, elle s'assurait davantage. Elle reprit: « Etienne! . . . » Alors il se leva, et il tourna la clef dans la serrure. Il pensait: « Ainsi je serai tranquille. » Mais la voix continuait de venir, qui ne connaît ni portes ni serrures, et perce jusqu'aux murs, malgré leur épaisseur. Et cette voix le tourmentait. Et il avait beau avoir enfoncé sa tête sous les couvertures, et s'être bouché les oreilles, il n'en entendait pas moins la voix; et même, à présent, c'était comme si elle venait d'au dedans de lui.

Elle avait été autrefois jolie. Elle marchait à grands pas souples, avec une figure claire et des joues roses dans le jour. Par le sentier en pente, on la voyait venir, et la joie était avec elle. Elle riait de tout, et rien qu'à la voir rire, on se sentait meilleur. « Bonjour disait-elle, comment allez-vous? » « Pas mal, et vous? » « Oh! moi, toujours bien. » Parce que la santé est d'abord dans le cœur, jamais elle n'était malade; et, parce que la tristesse est une maladie, jamais elle n'était triste non plus, mais toujours gaie, toujours rieuse,[6] et ce rire venait d'abord, et elle ne venait qu'ensuite, étant comme annoncée par lui. Mais combien les près étaient beaux, combien beaux les près et les champs, renouvelés par sa présence! Là où ils se lèvent les uns sur les autres, et portent vers le ciel comme en présent un bois de pins. Debout à la lisière,[7] on la voyait d'en bas, on l'appelait d'en bas; elle quittait le bois, qui semblait soudain disparaître, parce qu'on ne voyait plus qu'elle; et, à mesure qu'elle descendait, il semblait que les choses fussent sous elle recréées, comme refaites à son image, qui était plaisir et beauté.

Telle, un jour, il la vit, et il fut ému d'elle, non dans son cœur, qui était endurci, mais dans sa chair, qui était faible; et il y eut cet aiguillon.[8] Il fut poussé par lui vers elle. Il la trouva assise, et s'assit auprès d'elle, et lui passa les bras autour du cou. Comme elle n'était point méfiante, elle ne chercha pas à s'écarter de lui. Elle ne fit que rire davantage, elle disait: « Je ne sais pas ce qu'ils ont, les garçons, à tant courir après les filles, comme s'ils n'avaient pas, eux aussi, leur ouvrage. » Mais lui, de la voir de plus près, il était brûlé davantage. De la voir et de la sentir, ainsi tout contre lui, avec son corps pliant, et ses tièdes épaules, dans le parfum de ses cheveux et dans l'odeur de tout son corps; pourtant il se contenait encore; et, mensongèrement, il trouvait des mots doux et tendres; et mensongèrement, en imitation d'elle, il était calmement assis, et calmement il la tenait, dans la grimace de l'amour, tandis qu'il n'y avait que violence en lui, mais elle ne s'en doutait pas, étant seulement confiante . . .

« Etienne, reprenait la voix, pourquoi m'as-tu menti ainsi, parce que je t'aimais, et j'ai été à toi, et alors il n'y a plus rien eu que toi sur la terre. Pour moi,

---

[4] brain
[5] on purpose

[6] with a ready laugh
[7] edge (of the field)
[8] dart, stimulus

il n'y avait plus que toi sur la terre, mais, pour toi, il n'y avait pas que moi. Quand on était dans la grange haute, et alors venait la nuit, et je te disais : « Je voudrais crier de bonheur », mais tu me répondais : « Ne fais pas de bruit, on pourrait entendre. »

Le vent venait, qui descend des montagnes et roule en bas la pente avec rapidité ; toute la maison était ébranlée, un contrevent[9] se mit à battre, le toit gémissait et craquait ; cependant, la voix arrivait toujours, surmontant la rumeur et les sifflements du vent.

— Tais-toi ! cria Etienne.

Mais sa voix à lui fut aussitôt étouffée.

— Il te ressemblait, disait à présent Marie, il était brun comme toi. Il était brun de peau et noir de cheveux comme toi, et ses yeux ressemblaient aux tiens, pourtant il n'avait point de père. Parce qu'il n'avait point de père, tout le monde s'est détourné de moi. Je t'ai dit : « Je ne te demande rien qu'un peu d'argent pour que je puisse m'en aller d'ici, à cause qu'à présent j'ai honte de sortir, et je n'ose plus regarder les gens en face. » Tu ne m'as point donné d'argent. Tu m'as dit : « Je ne te connais pas. » Et je suis partie avec le petit ; je le serrais bien contre moi, parce qu'il avait faim et froid, et il pleurait de faim et de froid ; et, au moins, j'aurais voulu qu'il n'eût pas froid, c'est pourquoi je le tenais serré ; mais il ne se réchauffait pas. Quand même je lui aurais donné toute la chaleur de mon corps, je n'aurais pas pu le réchauffer, car ce froid venait du dedans de lui ; rien ne servait, quand même je l'embrassais et soufflais sur lui de ma bouche un souffle chaud avec ma vie, et me collais à lui, et me penchais vers lui. J'ai vu qu'il me serait repris, c'était tout ce que j'avais, et c'est pourquoi j'ai blasphémé. Quand il s'est raidi, quand il est devenu blanc, mon cœur s'est retourné en moi, et c'est le mauvais côté de mon cœur qui s'est montré. C'est le mauvais côté de mon cœur qui s'est mis à crier en moi contre les Lois du ciel et les commandements de Dieu, car je disais : « Il est à moi, il n'est pas à Vous. Je Vous défends de venir me le prendre. Voyez-Vous, je suis devant lui, et Vous ne l'aurez pas séparément de moi. » Mais j'ai senti comme une grande main descendre, et elle me pesait sur la bouche en même temps qu'elle écartait mes bras ; et, quand j'ai pu de nouveau regarder, il n'y avait plus rien dedans ...

A ce moment, la voix se tut, et à sa place vint un grand bruit de sanglots. Une lamentation comme celle du vent, et on ne savait ce qui, en elle, était au vent et ce qui était à la femme ; une femme qui a souffert, lorsqu'en elle la mince paroi[10] qui est entre le cœur et la poitrine cède, et c'est comme directement que son cœur parle par sa bouche, au milieu de la nuit ainsi, quand elle revient du séjour des morts. Puis, de nouveau, un mot, une phrase arrivaient :

— Aie pitié ... Etienne ... parce que mes pieds sont usés, et je suis morte de fatigue ... Ouvre, Etienne ...

Pourtant, il n'ouvrit pas.

Et s'il continuait à s'agiter sur son lit, ce n'était pas de honte ou de remords, mais uniquement de colère, se sentant impuissant à faire taire cette voix. Et elle allait toujours, et elle ne se lassait point. De sorte que la plus grande partie de cette seconde nuit se passa ainsi en discours, en soupirs et en larmes ; puis, tout à coup, la porte s'ouvrit (et comment elle s'ouvrit, personne ne peut le comprendre, puisqu'elle était fermée à clef), mais elle ne s'en ouvrit pas moins, et avant qu'Etienne eût pu faire le moindre mouvement, Marie se trouva devant lui. La jupe en lambeaux, ses cheveux défaits, toute ruisselante de pluie, et ses pieds nus saignaient, s'étant déchirés aux cailloux ; il la reconnut pourtant tout de suite. Et voilà, il n'eut pas le temps de rien dire qu'elle était tombée à genoux, et, lui prenant la main :

— Etienne, je n'ai plus que toi, quand même tu m'as repoussée, et, tu vois, je n'ai plus d'orgueil, puisque, quand même tu m'as repoussée, je viens vers toi et te supplie, mais ma solitude est trop grande, et voilà trop longtemps que j'erre, et trop longtemps que je le cherche ; lève-toi et viens avec moi, et nous le chercherons ensemble ...

Il s'écria :

— Tu es folle !

— Non, dit-elle, je ne suis pas folle, je souffre seulement ; viens avec moi, Etienne !

Mais, comme il faisait signe que non, une chose se passa. Car à peine l'eut-elle vu, ce signe, qu'elle se jeta sur lui. Dans sa supplication, dans son désir de l'entraîner, de ses deux mains elle l'avait saisi ; il résistait, mais elle s'obstinait. Puis, se voyant impuissante, elle se rejeta brusquement en arrière ; alors, la chose se passa.

---

[9] shutter

[10] partition

Il la regarde. Et elle était belle. Elle était belle ainsi, à genoux devant lui, le corps renversé en arrière, comme offerte, les bras ouverts; ses longs cheveux tombaient sur ses épaules, et son cou blanc brillait, et sa gorge se soulevait. Et, en lui, le désir rentra. Car il n'y avait place en lui pour rien d'autre. Et on vit cette chose qu'il l'attira à lui. Et elle, croyant qu'il cédait, poussa un cri de joie et se pencha vers lui. Mais, au même moment, ses lèvres furent brûlées, et deux mains la cherchaient dessous ses vêtements; elle 10 poussa un cri, et tout s'évanouit.

C'est de quoi Etienne fut puni, outre qu'il avait méprisé l'avertissement qu'il avait déjà eu de s'amender; pourtant, le lendemain, il s'en était allé par le village, racontant son rêve et disant aux gens:

— Savez-vous qui j'ai eu cette nuit?... Marie... vous vous rappelez bien, Marie Lude...

On lui disait:

— Mais elle est morte.

— Puisque c'est un rêve!   20

Il reprenait:

— Faut-il qu'elle tienne à moi quand même pour en vouloir encore après dix ans...

Et il clignait de l'œil.[11]

— ... Qu'elle tienne à moi pour venir ainsi vers mon lit! Elle était toujours bien jolie.

— Qu'est-ce qu'elle t'a dit?

— Oh! ce qu'elle m'a dit, ce que je lui ai dit, ça, c'est entre nous, vous savez.

Sur quoi, il riait d'un gros rire, laissant entendre 30 toute espèce de choses et, dans son endurcissement,[12] il salissait ainsi jusqu'à ce souvenir.

En sorte qu'au troisième fantôme qui vint, ce fut aussi la dernière nuit qu'il passa sur la terre. Et qui vit-il? ce fut sa mère. Il lui sembla qu'il rentrait des champs. Il faisait un beau jour d'été qui déjà penchait vers le soir, quand même le soleil n'était pas encore couché, mais il allait baissant vers la montagne; on était dans les plus longs jours; alors à la dure et blanche clarté qu'il a quand il est dans sa force, une douce 40 lumière avait peu à peu succédé, une poussière de lumière enveloppant tout l'horizon, dans quoi il s'enfonçait et il était comme noyé. Il sembla donc à Etienne qu'il rentrait chez lui. Et c'était, dans son rêve, comme s'il avait été reporté de cinq ou six ans

en arrière, au temps où sa mère encore vivait, toute vieille et voûtée, et le corps noué par les rhumatismes, mais s'obstinant à travailler quand même et à tout faire dans la maison. Car elle avait de l'amour-propre,[13] et elle savait qu'Etienne lui aurait reproché l'argent qu'il aurait fallu dépenser pour entretenir une domestique; alors, tout le long du jour, elle allait et venait, s'appuyant de la main aux meubles, cherchant à redresser sa pauvre lourde tête, s'asseyant parfois, repartant, et le dos le soir lui faisait bien mal, mais elle ne se plaignait jamais. Elle avait un long nez pointu, une figure toute en plis avec, qui s'appliquait exactement autour et qui faisait encadrement,[14] l'épais bourrelet[15] d'un bonnet de laine.

Apercevant son fils, elle courut au foyer où la soupe était prête dans le pot de fer qui chantait. Car il était exigeant avec elle, et il fallait qu'il fût tout de suite servi, quand il arrivait ainsi des champs, sans quoi il se fâchait. Lui, pendant ce temps, était allé s'asseoir à sa place à la table, où son écuelle[16] l'attendait, et à la place en face de lui il y avait le bol à café de sa mère. Il s'était assis et ne disait rien. Elle versa le pot de fer dans la soupière qu'elle lui apporta fumante; et ce fut seulement quand elle l'eut servi et qu'il eut commencé à manger, qu'elle pensa à elle, et alla prendre sa cafetière qu'elle tenait au chaud dans un autre coin du foyer; car elle n'aimait rien autant que son café, et, n'ayant plus de dents, elle y trempait son pain, c'était de quoi elle vivait.

Mais il fallait qu'il fût de plus mauvaise humeur encore qu'à l'ordinaire, car, la voyant remplir sa tasse:

— Tu sais, se mit-il à dire, je ne vois pas pourquoi tu ne manges pas la soupe comme moi. Si la soupe est bonne pour moi, elle est bonne pour toi aussi; à partir d'aujourd'hui on n'aura plus que de la soupe.

Elle dit:

— C'est qu'il me fait tant plaisir, mon café. Et puis, je n'ai plus beaucoup de forces et il me soutient, mon café.

Mais il ne se laissa pas attendrir.

— Des forces! dit-il, des forces, tu en as bien autant que moi.

Elle dit:

---

[11] *il... de l'œil:* he winked
[12] hard-heartedness

[13] [here] pride
[14] frame
[15] ruff
[16] bowl

— Tu n'es pas juste, Etienne; il n'y a pas beaucoup de femmes qui feraient ce que je fais. J'ai septante-trois ans passés[17] et je fais seule le ménage. Qui est-ce qui se lève tous les jours à cinq heures? Et qui est-ce qui est la dernière couchée? Tu n'es pas juste, Etienne, c'est moi qui te le dis.

A ce moment encore, dans cette troisième vision qui lui était envoyée, il aurait pu revenir en arrière; et peut-être qu'un bon mouvement aurait suffi, qu'il lui eût répondu par exemple: «C'est vrai», ou: «Je le reconnais»; qu'il lui eût dit seulement: «Eh bien, continue à boire ton café»; et ainsi une fois de plus il était éprouvé; mais au lieu de se repentir, à chacune de ses réponses, il s'enfonçait plus avant dans sa faute; par là son sort fut décidé et par quelles mains il allait périr.

— Il ne manquerait plus que ça, dit-il, que tu restes là sans rien faire, qui est-ce qui te nourrit après tout? Va voir chez tes autres enfants s'ils te recevraient comme moi. C'est bien le moins que tu gagnes ta nourriture.

Comment se fit-il qu'elle se révolta, car elle était d'habitude soumise; et est-ce que ce fut la dureté de ces paroles ou bien comme un ordre venu du dehors, pour un dessein supérieur, dont elle ne se douta pas? mais à ce dernier mot, elle avait relevé la tête, et ce poids qu'avant c'était tout au plus si elle arrivait à porter, à présent il semblait qu'elle s'en fût débarrassée, tellement elle la tenait facilement droite, sa tête, et bien d'aplomb[18] sur ses épaules, tandis que fixement elle le regardait.

— Qu'est-ce que tu dis?

— Je dis que si tu n'es pas contente, il te faudra aller ailleurs.

Elle lui demanda:

— Est-ce à ta mère que tu parles?

— Que ce soit à ma mère ou non, c'est comme je te dis; personne n'y changera rien.

— Malheureux! dit-elle.

Là-dessus ses yeux se mirent à briller. Il se faisait un changement dans tout son corps qui semblait gagner tout le temps en force, en sorte qu'on ne l'eût déjà plus reconnue, mais Etienne ne paraissait pas s'en apercevoir, allant au devant de sa perdition. Il s'était resservi de soupe, et il se tenait là, les coudes sur la table, allant avec sa bouche à la rencontre de sa cuillère, et il avalait sa soupe avec bruit.

— Malheureux! reprit-elle, et qui donc t'a nourri quand tu étais petit? qui donc t'a élevé, soigné quand tu étais malade, porté le jour, veillé la nuit? que les bras m'en font mal encore, que j'en ai perdu le sommeil . . .

Il haussa les épaules. Elle s'était levée, ses yeux brillaient terriblement, mais il fallait qu'il fût devenu aveugle comme Jean Romanier l'en avait prévenu, car il ne paraissait toujours rien remarquer. Il haussait les épaules, avec mépris, comme pour dire: «Peu m'importe ce que je te dois, puisqu'à présent je suis le maître et que je suis plus fort que toi.»

Il devait voir bientôt qu'il n'était pas le plus fort. Elle s'était levée et s'était rapprochée de lui:

— Etienne, ceux qui sont comme toi, il vaut mieux qu'ils disparaissent, car ils sont en offense à Dieu et aux hommes, mais sans doute n'as-tu pas bien pesé tes paroles, sans quoi tu en aurais eu honte . . .

— Qu'as-tu aujourd'hui, dit-il, que tu me fasse des sermons, on en entend bien assez le dimanche.

Mais s'étant encore rapprochée de lui, elle lui posa les mains sur les épaules; c'est alors qu'il comprit qu'il avait cessé d'être le plus fort. Il eut beau abaisser brusquement les épaules d'un mouvement violent de tout le corps, les mains qui y étaient attachées s'enfonçaient peu à peu dans sa chair. Noueuses[19] et dures, ces mains, aux doigts recourbés, aux ongles pointus; il cédait peu à peu sous leur poids. Il cédait, et, faisant effort pour se redresser, voilà tout à coup qu'il sentit tout son corps comme s'engourdir, si bien qu'il était déjà presque privé de mouvement, mais l'orgueil restait vivant en lui; et comme la vieille lui demandait de nouveau:

— Te repentiras-tu, Etienne?

Il mit tout ce qui lui restait de forces à faire signe que non. Et la vieille appuya plus fort, et en même temps ses mains s'avançaient vers le cou d'Etienne et il sentit leur contact sur sa peau; pour la seconde fois elle lui posa la question, pour la seconde fois il secoua la tête . . .

Alors les mains se mirent à serrer toujours plus fort, si bien qu'il respirait à présent difficilement; il sentit les veines de son front se gonfler, pendant que ses yeux sortaient des orbites; et à présent de tout près

---

[17] [Swiss-French] *septante-trois ans passés:* more than seventy-three years

[18] straight

[19] knotted

contre lui deux autres yeux regardaient dans les siens et comme une flamme y brillait, dont il ne pouvait soutenir l'éclat; et pour la troisième fois la question fut posée, et pour la troisième fois il secoua la tête . . .

Il eut soudain le souffle coupé . . .

Le lendemain, on le trouva mort dans son lit. On ne sut jamais de quoi il était mort.

1. *Comparez ce conte avec* La Comtesse de Tende *de Madame de Lafayette sous les aspects suivants:*
   a. *Le point de vue. Bien que tous les deux soient écrits à la troisième personne, les choses sont vues de plus près et l'on participe davantage à l'action dans* L'Homme et les trois fantômes. *Par quels moyens l'auteur crée-t-il cet effet?*
   b. *L'événement. La cadence des événements est plus lente chez Mme de Lafayette (moins cependant que dans* La Mauvaise Mère). *Expliquez cette différence par rapport au thème de chaque conte.*
   c. *Le décor dans le conte de Ramuz est beaucoup plus important. Expliquez pourquoi.*
   d. *Le dévelopement des personnages. Connaît-on Etienne mieux qu'on ne connaît la Comtesse de Tende?*
2. *Trouvez vous une justification quelconque dans l'ordre d'apparation des trois fantômes: le client trahi, la maîtresse trahie, la mère trahie?*
3. *L'action de ce conte se passe sure deux plans: l'un réel, l'autre fantastique. Expliquez.*
4. *Pourriez-vous suggérer une interprétation des fantômes d'Etienne et de la mort? Ramuz en suggère-t-il une?*
5. *Ramuz veut-il donner une leçon morale à la manière de Marmontel?*

L'Enfant de Bastienne

COLETTE[1] (1873–1954)

I

— Cours, Bastienne, cours!

Les danseuses se pressent tout le long du couloir, froissant au mur leurs jupes en corolle,[2] laissant derrière elles l'odeur de la poudre de riz, des cheveux chauffés au fer et de la tarlatane neuve.[3] Bastienne court, un peu moins vite, les deux mains en ceinture à sa taille. On les a « sonnées » bien tard, elle va entrer en scène essoufflée — manquera-t-elle la fin de sa variation, ce tournoiement où on ne voit plus d'elle qu'une jupe fouettée, crémeuse, épanouie, et deux jambes roses qui s'ouvrent et se joignent avec une régularité mécanique, déjà prisée des abonnés?[4] . . .

Elle n'est encore qu'une très jeune danseuse, engagée pour l'année au Grand-Théâtre de X . . .; une pauvre belle fille éclatante, grande, « chère à nourrir » comme elle dit, et pas assez nourrie, parce qu'elle est enceinte[5] de cinq mois.

Du père de l'enfant, pas de nouvelles.

— Croyez-vous qu'il est mauvais, cet homme-là! dit Bastienne.

Mais elle en parle sans prendre à poignées ses cheveux sombres, si soyeux sur sa peau blanche, et son « malheur » ne l'a poussée ni vers le fleuve, ni vers le réchaud à braise.[6] Elle danse, comme devant, et connait trois puissants dieux: le directeur du Grand-Théâtre, la maîtresse de ballet et le patron de l'hôtel qui loge, avec Bastienne, une douzaine de ses camarades. Pourtant, depuis le matin où Bastienne, pâlissant pendant la leçon de danse, avoua, avec une simplicité paysanne: « Madame, c'est que je suis grosse! » la maîtresse de ballet la ménage. Mais Bastienne ne veut pas de ménagements et repousse les prévenances[7] d'un coup de coude indigné: « Quoi, je n'ai pas de maladies! »

[1] Pen-name of Sidonie Gabrielle Colette
[2] *en corolle:* in the form of a corolla [the envelope formed by the petals of a flower]
[3] new muslin
[4] *déjà . . . abonnés:* already appreciated by the regular theatergoers [those with season tickets]
[5] pregnant
[6] *réchaud à braise:* coal heater [coal gives off toxic fumes]
[7] kind attentions

Le poids qui enfle sa ceinture, elle l'accepte, quitte à le rudoyer avec l'inconscience de ses dix-sept ans :

— Toi, je vais te mettre à la raison !

Et elle se serre, jalouse de montrer longtemps, surtout en scène, sa taille pliante, sa haute silhouette mince aux larges épaules. Elle injurie[8] en riant son fardeau, le frappe du plat de la main : « Ce qu'il me donne faim ! » Elle commet, sans mauvaise pensée, les imprudences héroïques des filles sans le sou ; ayant payé sa semaine d'hôtel, elle se couche quelquefois sans avoir dîné ni soupé, en gardant son corset toute la nuit, « pour couper la faim ».

Bastienne mène, enfin, l'existence laborieuse, indigente et gaie, des petites danseuses sans mère et sans amant. Entre la leçon de neuf heures du matin, la répétition de l'après-midi et la représentation du soir, elles n'ont guère la place de penser. Leur phalanstère[9] misérable ignore le désespoir, parce qu'on n'y connaît ni la solitude ni l'insomnie.

Effrontées et sages, poussées par une rage d'estomac vide, Bastienne et sa compagne de chambre — une plate petite fille blonde — dépensent parfois leurs derniers sous dans la brasserie[10] du Grand-Théâtre, après minuit, pour payer une canette de bière.

Assises l'une en face de l'autre, elles échangent à voix pointue les répliques d'un dialogue préparé :

— Moi, si j'avais de l'argent, je me payerais un bon sandwich au jambon !

— Oui, mais t'as pas de sous ! Moi, je n'en ai pas non plus, mais si j'en avais, je me payerais bien un bon boudin grillé,[11] avec de la moutarde et du gros pain . . .

— Moi, j'aimerais encore mieux une choucroute, avec beaucoup de ronds de saucisse . . .[12]

Il arrive que la choucroute et le boudin grillé, qu'elles évoquent si fiévreusement, descendent, providentiels, entre les deux petites danseuses, escortés d'un généreux donateur qu'elles accueillent, taquinent, remercient et plantent là, le tout avant que la demie d'une heure ait sonné.

Cette mendicité[13] innocente est l'invention de Bastienne, à qui son « état » vaut, en outre, une curiosité proche de la considération. Ses camarades comptent les semaines et tirent les cartes pour y lire le sort de l'enfant . . . On s'occupe d'elle, on l'aide à sangler son corset de danseuse, et aïe donc ! en se pendant au lacet, un genou sur les reins robustes de Bastienne. On lui prodigue des conseils saugrenus, on lui vante des drogues de sorcière, on l'assiste, on lui crie comme ce soir dans les longs corridors noirs :

— Cours, Bastienne, cours !

On guette sa danse imprudente, on l'escorte surtout pour revenir à la loge, pour être là au moment où Bastienne, dégrafant sa cuirasse de supplice, menace en riant la plus jeune et la plus sotte des curieuses :

— Méfie-toi ! Il va te sauter au nez en faisant poum !

Il y a maintenant, dans le coin le plus chaud de la grand loge, un compartiment de vieille malle, tendu de papier à fleurettes, posé sur deux chaises. C'est le berceau pitoyable d'une toute petite Bastienne, vivace comme la mauvaise herbe. Sa mère l'apporte au théâtre à huit heures, l'emporte à minuit sous son manteau. Ce poupon secoué et rieur, ce bébé presque sans chemise, vêtu par des petites mains maladroites qui tricotent pour lui, gauchement, brassières et béguins,[14] connaît pourtant l'enfance magnifique d'une princesse des contes de fées. Des esclaves d'Éthiopie en maillot couleur de café, des Égyptiennes aux bijoux bleus, des almées[15] demi-nues se penchent sur son berceau, tous les soirs, et lui donnent pour jouer leurs colliers, leurs éventails de plumes, leurs voiles qui colorent la lumière. La toute petite Bastienne s'endort et s'éveille sur de jeunes bras parfumés, et des visages de péris,[16] roses comme le fuchsia, murmurent pour elle selon le rythme d'un orchestre lointain.

. . . Une fille brune d'Asie, qui veille à la porte, crie dans le couloir :

— Cours, Bastienne, cours ! Ta fille a soif !

Bastienne entre, essoufflée, lissant du bout des doigts ses raides jupes mousseuses, et court au compartiment de vieille malle. Sans prendre le temps de s'asseoir, ni de dégrafer son corsage ouvert, elle presse et délivre, à deux mains, un sein gonflé, bleuté de veines généreuses. Penchée, un pied en l'air, dans une pose classique de danseuse, ses jupes dressées autour d'elle en roue lumineuse — elle allaite sa fille.

[8] abuses
[9] group
[10] restaurant
[11] *boudin grillé:* grilled blood sausage
[12] *choucroute . . . saucisse:* sauerkraut with many slices of sausage
[13] begging
[14] *brassières et béguins:* garments [for a child] and bonnets
[15] Egyptian dancing women
[16] geniis

II

— Tu vois, Bastienne, les Serbes, c'est ici, et puis la Grèce, là. Ça qui est pékiné à petites raies,[17] c'est la Bulgarie. Partout là où que c'est noir, c'est le chemin qu'ils ont fait, les alliés, et les Turcs, ils sont forcés de reculer jusque-là. Tu comprends?

Bastienne ouvre ses grands yeux couleur de tabac clair et hoche la tête poliment en faisant: « Mmm . . . Mmm . . . » Elle regarde longuement la carte où court 10 l'index maigre et piqué de sa camarade Peloux, et s'écrie, enfin:

— Seigneur! que c'est petit! mais que c'est petit!

Peloux, qui n'attendait pas cette conclusion, éclate de rire, et c'est elle maintenant que contemplent, étonnés, les grands yeux de Bastienne, toujours un peu lents à changer de pensée.

Cette carte embrouillée, ces lignes de points, ces hachures,[18] tout cela ne représente, pour Bastienne, qu'un confus dessin de broderie. Heureusement que 20 Constantinople est là, en grosses lettres. Constantinople, on sait que ça existe, c'est une ville. Peloux a une sœur, une vieille sœur de vingt-huit ans, qui a joué la comédie à Constantinople, devant . . .

— Devant qui, déjà, Peloux, que ta sœur a joué à Constantinople?

— Devant le sultan, tiens! ment Peloux avec aplomb.

Bastienne déchiffre encore un moment le journal, incrédule et déférente. Tant de noms qu'on ne peut 30 pas lire! Tant de peuples que personne ne connaît! Car, enfin, Bastienne a dansé dans un *divertissement* qui réunissait les cinq parties du monde.[19] Eh bien, les cinq parties du monde, c'étaient: l'Amérique, en fond-de-teint terre cuite; l'Afrique, en maillots tête-de-nègre; l'Espagne, avec des châles à effilés: la France, en tutus blancs, et la Russie chaussée de maroquin rouge. S'il faut maintenant découper en *puzzle* la carte du monde et faire sortir de chaque case[20] minuscule un petit peuple armé, méchant, dont personne n'avait 40 jamais entendu parler, la vie devient bien compliquée . . . Bastienne jette un coup d'œil hostile sur les photographies nébuleuses qui flanquent la carte et déclare:

— D'abord, tous ces gens-là, ils ressemblent à des agents cyclistes, avec leurs casquettes plates! Peloux, si tu donnais voir une bonne tape à la petite, pour lui apprendre à manger du fil?

Fatiguée d'avoir regardé si longtemps de « l'écrit fin », Bastienne se redresse, soupire, et roule autour de son oreille, comme un ruban, une longue mèche de ses cheveux noirs. Elle abaisse sur sa fille, qui trotte à quatre pattes, un regard d'une majesté animale, puis se penche, relève un bout de jupon et de chemise et compte, sur un petit derrière rose et rond, une juste demi-douzaine de claques sonores.

— Oh! proteste tout bas Peloux, effrayée.

— Laisse donc, dit Bastienne, je ne la tue pas. Et puis, elle est dure à son mal, ce n'est pas croyable.

De fait, on n'entend ni ces hurlements aigus ni ces pleurs dramatiques des enfants très jeunes, à suffocations longues. Un frottement rageur de petits chaussons sur le parquet, où la toute petite Bastienne se roule en boule comme une chenille, qu'on vient de faire choir d'un groseillier[21] — c'est tout . . .

. . . Sa maternité précoce, l'habitude, reprise, de manger tous les jours et d'avoir un gîte chaud ont rendu Bastienne magnifique. Un brave garçon de commerçant, ébloui autant qu'apitoyé, a emporté la mère et l'enfant, une nuit de Noël que Bastienne réveillonnait[22] avec quatre sous de marrons chauds.

Sa récompense, c'est de retrouver le soir, dans l'étroit appartement d'où l'on voit couler un fleuve gris, cette grande Bastienne cordiale, gaie, un peu froide, et fidèle, occupée de son métier et de sa fille. Chez elle, elle s'épanouit, à l'aise dans un grand tablier de porteuse de pain noué sur son kimono, comme aujourd'hui, facilement décoiffée, avec cet air frais lavé et pas encore peigné qui pare ses dix-neuf ans.

C'est un bel après-midi de fête pour Bastienne et son amie Peloux. Pas de ballet en répétition au Grand-Théâtre, un temps sec de décembre qui fait ronfler le poêle, et quatre bonnes heures devant soi, et le café qui remplit goutte à goutte un filtre de ferblanc . . . Peloux fronce un « juponnage » de travail,[23] en grosse

---

[17] *pékiné . . . raies:* lined with alternately light and dark colors

[18] cross hatchings [a process used in engraving]

[19] *un divertissement . . . monde:* a symbolic ballet representing the five parts of the world

[20] section (of the puzzle)

[21] *comme . . . groseillier:* like a caterpillar that has just been knocked from a currant bush

[22] was celebrating

[23] *Peloux . . . travail:* Peloux is sewing a pleated skirt [to be used at dance rehearsal]

tarlatane blancbleuâtre, et trouve moyen, sans se piquer ni se tromper, d'avoir, un œil sur les nouvelles de la guerre, sur la rue déserte, sur un catalogue de nouveautés.

— Bastienne, tu sais, on n'aura plus de pistaches grillées, rapport à la guerre; c'est le vieux marchand turc qui me l'a dit . . . Voilà trois fois qu'il repasse, ce lieutenant-là . . . Bastienne, un manteau comme ça, en astrakan, hein, quand on sera riche? Tu serais épatante là-dedans!

Mais l'âme paisible de Bastienne, son âme de danseuse popote et casanière,[24] n'a point souci de fourrures. Le long des magasins, elle flatte de l'œil la toile écrue[25] plus que le velours, et tâte du doigt les rudes torchons[26] encadrés de rouge . . . Présentement, elle sourit, d'un air de volupté sage, à sa besogne préférée: debout, ses nobles bras couverts de mousse tiède, belle comme une reine au lavoir, elle savonne dans une cuvette, sans rien salir autour, le linge de sa fille . . . La vie, l'avenir, et même le devoir, pourquoi tout cela ne tiendrait-il pas entre ces quatre murs tendus de papier fleuri, dans cette salle à manger parfumée de café, de savon blanc et de racine d'iris? Vivre, pour une Bastienne florissante, mais bien étrillée[27] de misère, cela veut dire danser d'abord — et puis travailler, dans le sens humble et domestique que donne à ce mot la bonne race des femelles. Des bijoux, de l'argent, des robes . . . ce n'est pas que Bastienne, par un choix austère, les repousse, non — elle les ajourne. Ils sont là-bas, loin dans sa pensée, elle ne les appelle pas. Cela peut venir, un jour, comme un héritage, comme une cheminée s'abat sur votre tête, comme est venue déjà cette mystérieuse petite fille qui joue sur la carpette, et dont la saine croissance donne pourtant à Bastienne, chaque jour un peu plus, la notion du merveilleux, de l'imprévu . . .

L'an passé, tout semblait simple à Bastienne dans la vie: avoir faim, souffrir du froid, porter des bottines percées — se trouver seule et misérable avec des flancs lourds, « c'est un peu l'affaire de tout le monde », disait-elle bonnement. Tout était simple, tout l'est encore — sauf son enfant de quinze mois, sauf le petit

ange blond, frisé et roublard,[28] qui rage sans bruit sur le tapis. Pour une si jeune mère ingénue, un enfant, c'est une belle petite bête tiède à qui l'on distribue, selou l'âge, le lait, la soupe, les baisers et les taloches.[29] Ça pousse, et l'on continue jusqu'à . . . mon Dieu, jusqu'à l'âge des premiers examens de danse. Mais voilà qu'en face de Bastienne, sous les chauds baisers et les claques cuisantes, se développe un petit être qui déjà pense, lutte et discute avant même que de savoir parler! Bastienne n'avait pas prévu cela.

— Une fille de quinze mois, s'écrie-t-elle, qui n'est déjà plus de mon avis!

Peloux hoche la tête, avec l'expression pénétrée et pincée qui lui donne l'air, à vingt ans, d'une vieille fille, et raconte des histoires d'enfants prodigieux et criminels. C'est que la surprenante petite Bastienne, à quinze mois, sait déjà séduire, mentir, simuler la colique, tendre en sanglotant une main potelée sur laquelle personne n'a marché — elle connaît la force du mutisme obstiné et surtout elle sait feindre d'écouter ce que disent les grandes personnes, la bouche fermée, les yeux grands ouverts, si bien qu'il arrive à Peloux et à Bastienne de se taire brusquement, comme des pensionnaires,[30] à cause de ce témoin inquiétant qui ressemble, entre ses boucles blondes, moins à un bébé qu'à un petit Eros malicieux.

C'est le visage de la toute petite Bastienne — et non le beau visage tranquille de sa mère, ni celui de Peloux déjà fané — qui reflète toutes les passions terrestres: la convoitise[31] sans frein, la dissimulation, la révolte, la ruse séductrice . . .

— Ah! qu'on serait tranquille, soupira Peloux, sans cette enfant de pie[32] qui me boulotte[33] mes aiguilles!

— Attrape-la, si tu peux quitter tes fronces, dit Bastienne. Moi, j'ai les mains dans le savon.

Mais l'« enfant de pie » s'est garée derrière la machine à coudre et ne montre, entre la tablette[34] et la roue, qu'une paire d'yeux d'un bleu profond et dont on ne saurait dire, ainsi isolés, s'ils ont quinze mois, ou quinze ans, ou davantage . . .

---

[24] stay-at-home, home-loving
[25] *elle . . . écrue:* she caresses with a glance the un-bleached linen
[25] dish-towels
[27] battered

[28] wily
[29] spankings
[30] boarders
[31] covetousness
[32] *cette . . . pie:* that magpie of a child
[33] eats
[34] level top (of the sewing machine)

— Viens ici, ma petite poison chérie! supplie Peloux.

— Veux-tu venir ici, vice incarné! gronde Bastienne.

Pas de réponse. Les yeux bleus ont bougé, le temps de diriger sur Bastienne leur lumineuse insolence... Et si Peloux redouble de prières, Bastienne d'invectives, ce n'est pas dans la crainte que l'Eros blond et joufflu[35] embusqué derrière la machine à coudre ne mange un cent d'aiguilles — c'est pour dissimuler leur gêne, leur embarras de grandes personnes candides, sous le regard d'un petit enfant insondable...[36]

1. « *Cours, Bastienne, cours!* » *Avant même de commencer l'histoire propre, qu'est-ce que ces mots nous disent du personnage principal et de l'ambiance dans laquelle elle vit? Pourquoi Colette a-t-elle mis cette exclamation tout au début, plutôt qu'après la présentation des personnages?*

2. *Etudiez le long paragraphe qui suit, ou Colette décrit Bastienne et, à travers cette description, évoque l'ambiance du music-hall. Quelles images, quelles couleurs, quels sons sortent de cette evocation?*

3. *Notre impression des objets et des êtres. Est-elle plutôt objective ou subjective?*

4. *Bastienne dit du père de son enfant, « Croyez-vous qu'il est mauvais, cet homme-la! » Qu'est-ce que la forme railleuse de cette remarque révèle du caractère de Bastienne?*

5. *Quelle est l'attitude de Bastienne à l'égard de l'enfant qu'elle va avoir? Est-ce qu'elle se ménage? A-t-elle des inquiétudes? Eprouve-t-elle du ressentiment envers cet enfant qui va compliquer sa vie?*

6. *Quel est le stratagème enfantin de Bastienne et son amie pour se faire offrir des sandwiches?*

7. *Quelle est l'attitude de Bastienne en face de la vie?*

8. *Comment ses amies se comportent-elles à l'égard de Bastienne? Lui font-elles des reproches?*

9. *Pourrait-on dire que Bastienne et ses amies sont essentiellement amorales? Expliquez.*

10. *Remarquez, à la page 209, II, la reprise du leit-motiv « Cours, Bastienne, cours! » En quel sens est-ce un commentaire sur toute la vie de Bastienne?*

11. *Quelle est l'attitude de Colette à l'égard de Bastienne? Qu'est-ce que Colette admire chez elle? Semble-t-elle approuver la façon dont Bastienne élève sa fille?*

12. *Pourquoi l'auteur termine-t-elle la partie I sur l'image classique de l'amour maternel?*

13. *Pourquoi Colette choisit-elle la leçon de géographie pour illustrer la nouvelle vie de Bastienne? Qu'est-ce que nous apprenons sur Bastienne et Peloux grâce à cette leçon?*

14. *Est-ce vrai pourtant que mille autres images de la vie de Bastienne auraient pu illustrer la même chose? Quel rapprochement peut-on faire entre la vie spontanée de Bastienne et le style littéraire de Colette? Est-ce que ce récit à une structure formelle, une morale évidente? Y trouvez-vous quelque chose d'inachevé? Expliquez.*

15. *A la fin du récit une inversion surprenante s'est opérée. Bastienne ne court plus et elle prend une attitude quelquefois sévère vis-a-vis de sa fille. Quel commentaire sur la vie est ainsi suggéré?*

16. *Comparez Colette à Maupassant. Lequel des deux attache le plus d'importance à l'événement pur? Lequel laisse son récit évoluer le plus librement? Lequel enfin impose sur son univers fictif l'ordre le plus rigide?*

17. *Vous avez lu deux récits par des auteurs-femmes. En vous fondant sur ces deux textes (L'Enfant de Bastienne et La Comtesse de Tende), diriez-vous qu'il y a des qualités littéraires proprement féminines?*

---

[35] chubby
[36] unfathomable

L'Hôte

ALBERT CAMUS (1913–1960)

The preceding stories illustrate many of tne problems and techniques, as well as the principal themes, of French fiction. We have attempted to focus our remarks on one particular aspect of these stories, that is, the evolution from a conventional and moralistic literature to one which is realistic and existential. The author's concern with a moral, social, or philosophical problem shifts to the registering of an event or a series of events, impulses, sensations, or actions. Of course, each of these authors has his own field of vision, his own version of the complex realities of existence. In the writing of Colette, at one extreme, sensation predominates. She is a very subjective writer, yet we can call her a realist because of the vibrant intensity of her work.

With Albert Camus, we find a new concern with moral and political problems, typical of French literature in the post-war years. Camus continues to ask the great philosophical questions Voltaire asked in his Contes, even though, far more than Voltaire, he may think them unanswerable.

Camus is concerned with such philosophical problems as the nature of man, the meaning of life, man's responsibility to himself and to his fellows. In L'Hôte (a word which means both « host » and « guest » in French) Camus treats ostensibly an old and conventional theme: what does a man owe to someone who has eaten his bread and slept under his roof? Can a man deliver his guest to the police? But, of course, the implication of the story is far wider. Should a man take it upon himself to punish, or help punish, another man who has wronged society? Other themes are also found in the story. The Arab, perhaps out of a sense of duty to his host, or merely out of blind submissiveness, goes on to prison and execution by himself. Finally, Daru, the teacher, returns to his house and finds a threat written on the blackboard. Despite his innocence, he is implicated in the race war between Arabs and French; a man's individual guilt or innocence is not taken into account by the blind forces of history. And yet, despite this, Camus makes us feel that a man must be responsible to his own individual notion of justice and truth.

These themes are incorporated in a naturalistic context to which Camus remains responsible (we may note, nevertheless, a lyrical heightening toward the end of the story). The descriptions are lengthy and detailed. Camus makes us see and feel the desolate countryside, the schoolhouse; he describes his characters and carefully notes all their acts. There is little or no use of symbolic objects or actions (such as the nightingale in Une Partie de campagne) and yet, judging from the slow and careful delineation of factual detail, it is apparent that the Arab's clothes, the cup of tea, or the pistol are all important for Camus. They are important because they define the objective universe of the story—a particular time and place, a particular set of characters. Only if he makes us believe in this concrete reality can Camus interest us in the moral problems which his story poses.

The following questions will help you continue your own analysis of L'Hôte: Situate the author with regard to his story. Does he make any explicit comment? Compare him to Balzac in Le Colonel Chabert. How does Camus differ in sensitivity and intelligence from Proust? Which shows the greater degree of social responsibility? Which author makes the greater use of symbolic detail? Do you see any similarity between Mme de Lafayette and Camus? Use the terms objectivity and moral awareness in your reply.

L'instituteur regardait les deux hommes monter vers lui. L'un était à cheval, l'autre à pied. Ils n'avaient pas encore entamé le raidillon[1] abrupt qui menait à l'école, bâtie au flanc d'une colline. Ils peinaient, progressant lentement dans la neige, entre les pierres, sur l'immense étendue du haut plateau désert. De temps en

---

[1] entamé le raidillon: begun to climb the steep rise (in the road)

temps, le cheval bronchait visiblement. On ne l'entendait pas encore, mais on voyait le jet de vapeur qui sortait alors de ses naseaux. L'un des hommes, au moins, connaissait le pays. Ils suivaient la piste qui avait pourtant disparu depuis plusieurs jours sous une couche blanche et sale. L'instituteur calcula qu'ils ne seraient pas sur la colline avant une demi-heure. Il faisait froid; il rentra dans l'école pour chercher un chandail.

Il traversa la salle de classe, vide et glacée. Sur le 10 tableau noir les quatre fleuves de France, dessinés avec quatre craies de couleurs différentes, coulaient vers leur estuaire depuis trois jours. La neige était tombée brutalement à la mi-octobre, après huit mois de sécheresse, sans que la pluie eût apporté une transition et la vingtaine d'élèves qui habitaient dans les villages disséminés sur le plateau ne venaient plus. Il fallait attendre le beau temps. Daru ne chauffait plus que l'unique pièce qui constituait son logement, attenant[2] à la classe, et ouvrant aussi sur le plateau à l'est. Une 20 fenêtre donnait encore, comme celles de la classe, sur le midi. De ce côté, l'école se trouvait à quelques kilomètres de l'endroit où le plateau commençait à descendre vers le sud. Par temps clair, on pouvait apercevoir les masses violettes du contrefort[3] montagneux où s'ouvrait la porte du désert.

Un peu réchauffé, Daru retourna à la fenêtre d'où il avait, pour la première fois, aperçu les deux hommes. On ne les voyait plus. Ils avaient donc attaqué le raidillon. Le ciel était moins foncé: dans la nuit, la 30 neige avait cessé de tomber. Le matin s'était levé sur une lumière sale qui s'était à peine renforcée à mesure que le plafond de nuages remontait. A deux heures de l'après-midi, on eût dit que la journée commençait seulement. Mais cela valait mieux que ces trois jours où l'épaisse neige tombait au milieu des ténèbres incessantes, avec de petites sautes de vent qui venaient secouer la double porte de la classe. Daru patientait alors de longues heures dans sa chambre dont il ne sortait que pour aller sous l'appentis,[4] soigner les 40 poules et puiser dans la provision de charbon. Heureusement, la camionnette de Tadjid, le village le plus proche au nord, avait apporté le ravitaillement deux

jours avant la tourmente.[5] Elle reviendrait dans quarante-huit heures.

Il avait d'ailleurs de quoi soutenir un siège, avec les sacs de blé qui encombraient la petite chambre et que l'administration lui laissait en réserve pour distribuer à ceux de ses élèves dont les familles avaient été victimes de la sécheresse. En réalité, le malheur les avait tous atteints puisque tous étaient pauvres. Chaque jour, Daru distribuait une rations aux petits. Elle leur avait manqué, il le savait bien, pendant ces mauvais jours. Peut-être un des pères ou des grands frères viendrait ce soir et il pourrait les ravitailler en grains. Il fallait faire la soudure[6] avec la prochaine récolte, voilà tout. Des navires de blé arrivaient maintenant de France, le plus dur était passé. Mais il serait difficile d'oublier cette misère, cette armée de fantômes haillonneux errant dans le soleil, les plateaux calcinés mois après mois, la terre recroquevillée peu à peu, littéralement torréfiée,[7] chaque pierre éclatant en poussière sous le pied. Les moutons mouraient alors par milliers et quelques hommes, çà et là, sans qu'on puisse toujours le savoir.

Devant cette misère, lui qui vivait presque en moine dans son école perdue, content d'ailleurs du peu qu'il avait, et de cette vie rude, s'était senti un seigneur, avec ses murs crépis, son divan étroit, ses étagères de bois blanc, son puits, et son ravitaillement hebdomadaire en eau et en nourriture. Et, tout d'un coup, cette neige, sans avertissement, sans la détente de la pluie. Le pays était ainsi, cruel à vivre, même sans les hommes, qui, pourtant, n'arrangeaient rien. Mais Daru y était né. Partout ailleurs, il se sentait exilé.

Il sortit et avança sur le terre-plein[8] devant l'école. Les deux hommes étaient maintenant à mi-pente. Il reconnut dans le cavalier, Balducci, le vieux gendarme qu'il connaissait depuis longtemps. Balducci tenait au bout d'une corde un Arabe qui avançait derrière lui, les mains liées, le front baissé. Le gendarme fit un geste de salutation auquel Daru ne répondit pas, tout entier occupé à regarder l'Arabe vêtu d'une djellabah[9] autrefois bleue, les pieds dans des sandales,

---

[2] adjoining
[3] foothills
[4] lean-to

[5] blizzard
[6] *faire la soudure:* to make supplies last until the next harvest
[7] grilled [literally, made torrid]
[8] terrace
[9] a sort of long blouse

mais couverts de chaussettes en grosse laine grège,[10] la tête coiffée d'un chèche[11] étroit et court. Ils approchaient. Balducci maintenait sa bête au pas pour ne pas blesser l'Arabe et le groupe avançait lentement.

A portée de voix, Balducci cria : « Une heure pour faire les trois kilomètres d'El Ameur ici ! » Daru ne répondit pas. Court et carré dans son chandail épais, il les regardait monter. Pas une seule fois, l'Arabe n'avait levé la tête. « Salut, dit Daru, quand ils débouchèrent sur le terre-plein. Entrez vous réchauffer. » Balducci descendit péniblement de sa bête, sans lâcher la corde. Il sourit à l'instituteur sous ses moustaches hérissées. Ses petits yeux sombres, très enfoncés sous le front basané, et sa bouche entourée de rides, lui donnaient un air attentif et appliqué. Daru prit la bride, conduisit la bête vers l'appentis, et revint vers les deux hommes qui l'attendaient maintenant dans l'école. Il les fit pénétrer dans sa chambre. « Je vais chauffer la salle de classe, dit-il. Nous y serons plus à l'aise. » Quand il entra de nouveau dans la chambre, Balducci était sur le divan. Il avait dénoué la corde qui le liait à l'Arabe et celui-ci s'était accroupi près du poêle. Les mains toujours liées, le chèche maintenant poussé en arrière, il regardait vers la fenêtre. Daru ne vit d'abord que ses énormes lèvres, pleines, lisses, presque négroïdes ; le nez cependant était droit, les yeux sombres, pleins de fièvre. Le chèche découvrait un front buté et, sous la peau recuite mais un peu décolorée par le froid, tout le visage avait un air à la fois inquiet et rebelle qui frappa Daru quand l'Arabe, tournant son visage vers lui, le regarda droit dans les yeux. « Passez à côté, dit l'instituteur, je vais vous faire du thé à la menthe. — Merci, dit Balducci. Quelle corvée ! Vivement la retraite.[12] » Et s'adressant en arabe à son prisonnier : « Viens, toi. » L'Arabe se leva et, lentement, tenant ses poignets joints devant lui, passa dans l'école.

Avec le thé, Daru apporta une chaise. Mais Balducci trônait déjà sur la première table d'élève et l'Arabe s'était accroupi contre l'estrade du maître, face au poêle qui se trouvait entre le bureau et la fenêtre. Quand il tendit le verre de thé au prisonnier, Daru hésita devant ses mains liées. « On peut le délier, peut-être. — Sûr, dit Balducci. C'était pour le voyage. » Il fit

mine de se lever. Mais Daru, posant le verre sur le sol, s'était agenouillé près de l'Arabe. Celui-ci, sans rien dire, le regardait faire de ses yeux fiévreux. Les mains libres, il frotta l'un contre l'autre ses poignets gonflés, prit le verre de thé et aspira le liquide brûlant, à petites gorgées rapides.

« Bon, dit Daru. Et comme ça, où allez-vous ? »
Balducci retira sa moustache du thé : « Ici, fils.
— Drôle d'élèves ! Vous couchez ici ?
— Non. Je vais retourner à El Ameur. Et toi, tu livreras le camarade à Tinguit. On l'attend à la commune mixte.[13] »
Balducci regardait Daru avec un petit sourire d'amitié.
« Qu'est-ce que tu racontes, dit l'instituteur. Tu te fous de moi ?
— Non, fils. Ce sont les ordres.
— Les ordres ? Je ne suis pas . . . » Daru hésita ; il ne voulait pas peiner le vieux Corse. « Enfin, ce n'est pas mon métier.
— Eh ! Qu'est-ce que ça veut dire ? A la guerre, on fait tous les métiers.
— Alors, j'attendrai la déclaration de guerre ! »
Balducci approuva de la tête.
« Bon. Mais les ordres sont là et ils te concernent aussi. Ça bouge, paraît-il. On parle de révolte prochaine. Nous sommes mobilisés, dans un sens. »
Daru gardait son air buté.
« Écoute, fils, dit Balducci. Je t'aime bien, il faut comprendre. Nous sommes une douzaine à El Ameur pour patrouiller dans le territoire d'un petit département et je dois rentrer. On m'a dit de te confier ce zèbre[14] et de rentrer sans tarder. On ne pouvait pas le garder là-bas. Son village s'agitait, ils voulaient le reprendre. Tu dois le mener à Tinguit dans la journée de demain. Ce n'est pas une vingtaine de kilomètres qui font peur à un costaud comme toi. Après, ce sera fini. Tu retrouveras tes élèves et la bonne vie. »
Derrière le mur, on entendit le cheval s'ébrouer et frapper du sabot. Daru regardait par la fenêtre. Le temps se levait décidément, la lumière s'élargissait sur le plateau neigeux. Quand toute la neige serait fondue le soleil régnerait de nouveau et brûlerait une fois de plus les champs de pierre. Pendant des jours, encore, le

---

[10] *laine grège:* raw wool
[11] a long scarf
[12] *Quelle . . . retraite:* What drudgery! How I'll welcome retirement

[13] *commune mixte:* administrative unit governed by French and Algerian officials jointly
[14] [popular] individual

ciel inaltérable déverserait sa lumière sèche sur l'étendue solitaire où rien ne rappelait l'homme.

« Enfin, dit-il en se retournant vers Balducci, qu'est-ce qu'il a fait? » Et il demanda, avant que le gendarme ait ouvert la bouche: « Il parle français? »

— Non, pas un mot. On le recherchait depuis un mois, mais ils le cachaient. Il a tué son cousin.

— Il est contre nous?

— Je ne crois pas. Mais on ne peut jamais savoir.

— Pourquoi a-t-il tué?   10

— Des affaires de famille, je crois. L'un devait du grain à l'autre, paraît-il. Ça n'est pas clair. Enfin, bref, il a tué le cousin d'un coup de serpe.[15] Tu sais, comme au mouton, zic!... »

Balducci fit le geste de passer une lame sur sa gorge et l'Arabe, son attention attirée, le regardait avec une sorte d'inquiétude. Une colère subite vint à Daru contre cet homme, contre tous les hommes et leur sale méchanceté, leurs haines inlassables, leur folie du sang.

Mais la bouilloire chantait sur le poêle. Il resservit 20 du thé à Balducci, hésita, puis servit à nouveau l'Arabe qui, une seconde fois, but avec avidité. Ses bras soulevés entrebâillaient maintenant la djellabah et l'instituteur aperçut sa poitrine maigre et musclée.

« Merci, petit, dit Balducci. Et maintenant, je file. »

Il se leva et se dirigea vers l'Arabe, en tirant une cordelette de sa poche.

« Qu'est-ce que tu fais? » demanda sèchement Daru.   30

Balducci, interdit, lui montra la corde.

« Ce n'est pas la peine. »

Le vieux gendarme hésita:

« Comme tu voudras. Naturellement, tu es armé?

— J'ai mon fusil de chasse.

— Où?

— Dans la malle.

— Tu devrais l'avoir près de ton lit.

— Pourquoi? Je n'ai rien à craindre.

— Tu es sonné,[16] fils. S'ils se soulèvent, personne 40 n'est à l'abri, nous sommes tous dans le même sac.

— Je me défendrai. J'ai le temps de les voir arriver. »

Balducci se mit à rire, puis la moustache vint soudain recouvrir les dents encore blanches.

« Tu as le temps? Bon. C'est ce que je disais. Tu as

toujours été un peu fêlé.[17] C'est pour ça que je t'aime bien, mon fils était comme ça. »

Il tirait en même temps son revolver et le posait sur le bureau.

« Garde-le, je n'ai pas besoin de deux armes d'ici El Ameur. »

Le revolver brillait sur la peinture noire de la table. Quand le gendarme se retourna vers lui, l'instituteur sentit son odeur de cuir et de cheval.

« Écoute, Balducci, dit Daru soudainement, tout ça me dégoûte, et ton gars le premier. Mais je ne le livrerai pas. Me battre, oui, s'il le faut. Mais pas ça. »

Le vieux gendarme se tenait devant lui et le regardait avec sévérité.

« Tu fais des bêtises, dit-il lentement. Moi non plus, je n'aime pas ça. Mettre une corde à un homme, malgré les années, on ne s'y habitue pas et même, oui, on a honte. Mais on ne peut pas les laisser faire.

— Je ne le livrerai pas, répéta Daru.

— C'est un ordre, fils. Je te le répète.

— C'est ça. Répète-leur ce que je t'ai dit: je ne le livrerai pas. »

Balducci faisait un visible effort de réflexion. Il regardait l'Arabe et Daru. Il se décida enfin.

« Non. Je ne leur dirai rien. Si tu veux nous lâcher, à ton aise, je ne te dénoncerai pas. J'ai l'ordre de livrer le prisonnier: je le fais. Tu vas maintenant me signer le papier.

— C'est inutile. Je ne nierai pas que tu me l'as laissé.

— Ne sois pas méchant avec moi. Je sais que tu diras vérité. Tu es d'ici, tu es un homme. Mais tu dois signer, c'est la règle. »

Daru ouvrit son tiroir, tira une petite bouteille carrée d'encre violette, le porte-plume de bois rouge avec la plume sergent-major[18] qui lui servait à tracer les modèles d'écriture et il signa. Le gendarme plia soigneusement le papier et le mit dans son portefeuille. Puis il se dirigea vers la porte.

« Je vais t'accompagner, dit Daru.

— Non, dit Balducci. Ce n'est pas la peine d'être poli. Tu m'as fait un affront. »

Il regarda l'Arabe, immobile, à la même place, renifla d'un air chagrin et se détourna vers la porte: « Adieu, fils », dit-il. La porte battit derrière lui.

---

[15] a sharp instrument used for pruning trees
[16] You're crazy

[17] cracked
[18] a famous make of pen

Balducci surgit devant la fenêtre puis disparut. Ses pas étaient étouffés par la neige. Le cheval s'agita derrière la cloison, des poules s'effarèrent. Un moment après, Balducci repassa devant la fenêtre tirant le cheval par la bride. Il avançait vers le raidillon sans se retourner, disparut le premier et le cheval le suivit. On entendit une grosse pierre rouler mollement. Daru revint vers le prisonnier qui n'avait pas bougé, mais ne le quittait pas des yeux. « Attends », dit l'instituteur en arabe, et il se dirigea vers la chambre. Au moment de passer le seuil, il se ravisa, alla au bureau, prit le revolver et le fourra dans sa poche. Puis, sans se retourner, il entra dans sa chambre.

Longtemps, il resta étendu sur son divan à regarder le ciel se fermer peu à peu, à écouter le silence. C'était ce silence qui lui avait paru pénible les premiers jours de son arrivée, après la guerre. Il avait demandé un poste dans la petite ville au pied des contreforts qui séparent du désert les hauts plateaux. Là, des murailles rocheuses, vertes et noires au nord, roses ou mauves au sud, marquaient la frontière de l'éternel été. On l'avait nommé à un poste plus au nord, sur le plateau même. Au début, la solitude et le silence lui avaient été durs sur ces terres ingrates, habitées seulement par des pierres. Parfois, des sillons faisaient croire à des cultures, mais ils avaient été creusés pour mettre au jour une certaine pierre, propice à la construction. On ne labourait ici que pour récolter des cailloux. D'autres fois, on grattait quelques copeaux[19] de terre, accumulée dans des creux, dont on engraisserait les maigres jardins des villages. C'était ainsi, le caillou seul couvrait les trois quarts de ce pays. Les villes y naissaient, brillaient, puis disparaissaient ; les hommes y passaient, s'aimaient ou se mordaient à la gorge, puis mouraient. Dans ce désert, personne, ni lui ni son hôte n'étaient rien. Et pourtant, hors de ce désert, ni l'un ni l'autre, Daru le savait, n'auraient pu vivre vraiment.

Quand il se leva, aucun bruit ne venait de la salle de classe. Il s'étonna de cette joie franche qui lui venait à la seule pensée que l'Arabe avait pu fuir et qu'il allait se retrouver seul sans avoir rien à décider. Mais le prisonnier était là. Il s'était seulement couché de tout son long entre le poêle et le bureau. Les yeux ouverts, il regardait le plafond. Dans cette position, on voyait surtout ses lèvres épaisses qui lui donnaient un air boudeur. « Viens », dit Daru. L'Arabe se leva et le suivit. Dans la chambre, l'instituteur lui montra une chaise près de la table, sous la fenêtre. L'Arabe prit place sans cesser de regarder Daru.

« Tu as faim ?

— Oui », dit le prisonnier.

Daru installa deux couverts. Il prit de la farine et de l'huile, pétrit dans un plat une galette[20] et alluma le petit fourneau à butagaz. Pendant que la galette cuisait, il sortit pour ramener de l'appentis du fromage, des œufs, des dattes et du lait condensé. Quand la galette fut cuite, il la mit à refroidir sur le rebord de la fenêtre, fit chauffer du lait condensé étendu d'eau et, pour finir, battit les œufs en omelette. Dans un de ses mouvements, il heurta le revolver enfoncé dans sa poche droite. Il posa le bol, passa dans la salle de classe et mit le revolver dans le tiroir de son bureau. Quand il revint dans la chambre, la nuit tombait. Il donna de la lumière et servit l'Arabe : « Mange », dit-il. L'autre prit un morceau de galette, le porta vivement à sa bouche et s'arrêta.

« Et toi ? dit-il.

— Après toi. Je mangerai aussi. »

Les grosses lèvres s'ouvrirent un peu, l'Arabe hésita, puis il mordit résolument dans la galette.

Le repas fini, l'Arabe regardait l'instituteur.

« C'est toi le juge ?

— Non, je te garde jusqu'à demain.

— Pourquoi tu manges avec moi ?

— J'ai faim. »

L'autre se tut. Daru se leva et sortit. Il ramena un lit de camp de l'appentis, l'étendit entre la table et le poêle, perpendiculairement à son propre lit. D'une grande valise qui, debout dans un coin, servait d'étagère à dossiers, il tira deux couvertures qu'il disposa sur le lit de camp. Puis il s'arrêta, se sentit oisif, s'assit sur son lit. Il n'y avait plus rien à faire ni à préparer. Il fallait regarder cet homme. Il le regardait donc, essayant d'imaginer ce visage emporté de fureur. Il n'y parvenait pas. Il voyait seulement le regard à la fois sombre et brillant, et la bouche animale.

« Pourquoi tu l'as tué ? » dit-il d'une voix dont l'hostilité le surprit.

L'Arabe détourna son regard.

« Il s'est sauvé. J'ai couru derrière lui. »

Il releva les yeux sur Daru et ils étaient pleins d'une sorte d'interrogation malheureuse.

---

[19] chips

[20] sort of pancake

« Maintenant, qu'est-ce qu'on va me faire?

— Tu as peur? »

L'autre se raidit, en détournant les yeux.

« Tu regrettes? »

L'Arabe le regarda, bouche ouverte. Visiblement, il ne comprenait pas. L'irritation gagnait Daru. En même temps, il se sentait gauche et emprunté dans son gros corps, coincé entre les deux lits.

« Couche-toi là, dit-il avec impatience. C'est ton lit. »

L'Arabe ne bougeait pas. Il appela Daru:

« Dis! »

L'instituteur le regarda.

« Le gendarme revient demain?

— Je ne sais pas.

— Tu viens avec nous?

— Je ne sais pas. Pourquoi? »

Le prisonnier se leva et s'étendit à même les couvertures,[21] les pieds vers la fenêtre. La lumière de l'ampoule électrique lui tombait droit dans les yeux qu'il ferma aussitôt.

« Pourquoi? » répéta Daru, planté devant le lit.

L'Arabe ouvrit les yeux sous la lumière aveuglante et le regarda en s'efforçant de ne pas battre les paupières.

« Viens avec nous », dit-il.

Au milieu de la nuit, Daru ne dormait toujours pas. Il s'était mis au lit après s'être complètement déshabillé: il couchait nu habituellement. Mais quand il se trouva sans vêtements dans la chambre, il hésita. Il se sentait vulnérable, la tentation lui vint de se rehabiller. Puis il haussa les épaules; il en avait vu d'autres et, s'il le fallait, il casserait en deux son adversaire. De son lit, il pouvait l'observer, étendu sur le dos, toujours immobile et les yeux fermés sous la lumière violente. Quand Daru éteignit, les ténèbres semblèrent se congeler d'un coup. Peu à peu, la nuit redevint vivante dans la fenêtre où le ciel sans étoiles remuait doucement. L'instituteur distingua bientôt le corps étendu devant lui. L'Arabe ne bougeait toujours pas, mais ses yeux semblaient ouverts. Un léger vent rôdait autour de l'école. Il chasserait peut-être les nuages et le soleil reviendrait.

Dans la nuit, le vent grandit. Les poules s'agitèrent un peu, puis se turent. L'Arabe se retourna sur le côté, présentant le dos à Daru et celui-ci crut l'entendre gémir. Il guetta ensuite sa respiration, devenue plus forte et plus régulière. Il écoutait ce souffle si proche et rêvait sans pouvoir s'endormir. Dans la chambre où, depuis un an, il dormait seul, cette présence le gênait. Mais elle le gênait aussi parce qu'elle lui imposait une sorte de fraternité qu'il refusait dans les circonstances présentes et qu'il connaissait bien: les hommes, qui partagent les mêmes chambres, soldats ou prisonniers, contractent un lien étrange comme si, leurs armures quittées avec les vêtements, ils se rejoignaient chaque soir, par-dessus leurs différences, dans la vieille communauté du songe et de la fatigue. Mais Daru se secouait, il n'aimait pas ces bêtises, il fallait dormir.

Un peu plus tard pourtant, quand l'Arabe bougea imperceptiblement, l'instituteur ne dormait toujours pas. Au deuxième mouvement du prisonnier, il se raidit, en alerte. L'Arabe se soulevait lentement sur les bras, d'un mouvement presque somnambulique. Assis sur le lit, il attendit, immobile, sans tourner la tête vers Daru, comme s'il écoutait de toute son attention. Daru ne bougea pas: il venait de penser que le revolver était resté dans le tiroir de son bureau. Il valait mieux agir tout de suite. Il continua cependant d'observer le prisonnier qui, du même mouvement huilé, posait ses pieds sur le sol, attendait encore, puis commençait à se dresser lentement. Daru allait l'interpeller quand l'Arabe se mit en marche, d'une allure naturelle cette fois, mais extraordinairement silencieuse. Il allait vers la porte du fond qui donnait sur l'appentis. Il fit jouer le loquet avec précaution et sortit en repoussant la porte derrière lui, sans la refermer. Daru n'avait pas bougé: « Il fuit, pensait-il seulement. Bon débarras! » Il tendit pourtant l'oreille. Les poules ne bougeaient pas: l'autre était donc sur le plateau. Un faible bruit d'eau lui parvint alors dont il ne comprit ce qu'il était qu'au moment où l'Arabe s'encastra[22] de nouveau dans la porte, la referma avec soin, et vint se recoucher sans un bruit. Alors Daru lui tourna le dos et s'endormit. Plus tard encore, il lui sembla entendre, du fond de son sommeil, des pas furtifs autour de l'école. « Je rêve, je rêve! » se répétait-il. Et il dormait.

Quand il se réveilla, le ciel était découvert; par la fenêtre mal jointe entrait un air froid et pur. L'Arabe dormait, recroquevillé maintenant sous les couvertures, la bouche ouverte, totalement abandonné. Mais quand

[21] *s'étendit . . . couvertures:* stretched under the blankets without sheets

[22] was framed

Daru le secoua, il eut un sursaut terrible, regardant Daru sans le reconnaître avec des yeux fous et une expression si apeurée que l'instituteur fit un pas en arrière. « N'aie pas peur. C'est moi. Il faut manger. » L'Arabe secoua la tête et dit oui. Le calme était revenu sur son visage, mais son expression restait absente et distraite.

Le café était prêt. Ils le burent, assis tous deux sur le lit de camp, en mordant leurs morceaux de galette. Puis Daru mena l'Arabe sous l'appentis et lui montra le robinet où il faisait sa toilette. Il rentra dans la chambre, plia les couvertures et le lit de camp, fit son propre lit et mit la pièce en ordre. Il sortit alors sur le terre-plein en passant par l'école. Le soleil montait déjà dans le ciel bleu; une lumière tendre et vive inondait le plateau désert. Sur le raidillon, la neige fondait par endroits. Les pierres allaient apparaître de nouveau. Accroupi au bord du plateau, l'instituteur contemplait l'étendue déserte. Il pensait à Balducci. Il lui avait fait de la peine, il l'avait renvoyé, d'une certaine manière, comme s'il ne voulait pas être dans le même sac. Il entendait encore l'adieu du gendarme et, sans savoir pourquoi, il se sentait étrangement vide et vulnérable. A ce moment, de l'autre côté de l'école, le prisonnier toussa. Daru l'écouta, presque malgré lui, puis, furieux, jeta un caillou qui siffla dans l'air avant de s'enfoncer dans la neige. Le crime imbécile de cet homme le révoltait, mais le livrer était contraire à l'honneur: d y penser seulement le rendait fou d'humiliation. Et il maudissait à la fois les siens qui lui envoyaient cet Arabe et celui-ci qui avait osé tuer et n'avait pas su s'enfuir. Daru se leva, tourna en rond sur le terre-plein, attendit, immobile, puis entra dans l'école.

L'Arabe, penché sur le sol cimenté de l'appentis, se lavait les dents avec deux doigts. Daru le regarda, puis: « Viens », dit-il. Il rentra dans la chambre, devant le prisonnier. Il enfila une veste de chasse sur son chandail et chaussa des souliers de marche. Il attendit debout que l'Arabe eût remis son chèche et ses sandales. Ils passèrent dans l'école et l'instituteur montra la sortie à son compagnon. « Va », dit-il. L'autre ne bougea pas. « Je viens », dit Daru. L'Arabe sortit. Daru rentra dans la chambre et fit un paquet avec des biscottes, des dattes et du sucre. Dans la salle de classe, avant de sortir, il hésita une seconde devant son bureau, puis il franchit le seuil de l'école et boucla la porte. « C'est par là », dit-il. Il prit la direction de l'est, suivi par le prisonnier. Mais, à une faible distance de l'école, il lui sembla entendre un léger bruit derrière lui. Il revint sur ses pas, inspecta les alentours de la maison: il n'y avait personne. L'Arabe le regardait faire, sans paraître comprendre. « Allons », dit Daru.

Ils marchèrent une heure et se reposèrent auprès d'une sorte d'aiguille calcaire.[23] La neige fondait de plus en plus vite, le soleil pompait aussitôt les flaques, nettoyait à toute allure le plateau qui, peu à peu, devenait sec et vibrait comme l'air lui-même. Quand ils reprirent la route, le sol résonnait sous leurs pas. De loin en loin, un oiseau fendait l'espace devant eux avec un cri joyeux. Daru buvait, à profondes aspirations, la lumière fraîche. Une sorte d'exaltation naissait en lui devant le grand espace familier, presque entièrement jaune maintenant, sous sa calotte de ciel bleu. Ils marchèrent encore une heure, en descendant vers le sud. Ils arrivèrent à une sorte d'éminence aplatie, faite de rochers friables.[24] A partir de là, le plateau dévalait, à l'est, vers une plaine basse où l'on pouvait distinguer quelques arbres maigres et, au sud, vers des amas rocheux qui donnaient au paysage un aspect tourmenté.

Daru inspecta les deux directions. Il n'y avait que le ciel à l'horizon, pas un homme ne se montrait. Il se tourna vers l'Arabe, qui le regardait sans comprendre. Daru lui tendit un paquet: « Prends, dit-il. Ce sont des dattes, du pain, du sucre. Tu peux tenir deux jours. Voilà mille francs aussi. » L'Arabe prit le paquet et l'argent, mais il gardait ses mains pleines à hauteur de la poitrine, comme s'il ne savait que faire de ce qu'on lui donnait. « Regarde maintenant, dit l'instituteur, et il lui montrait la direction de l'est, voilà la route de Tinguit. Tu as deux heures de marche. A Tinguit, il y a l'administration et la police. Ils t'attendent. » L'Arabe regardait vers l'est, retenant toujours contre lui le paquet et l'argent. Daru lui prit le bras et lui fit faire, sans douceur, un quart de tour vers les sud. Au pied de la hauteur où ils se trouvaient, on devinait un chemin à peine dessiné. « Ça, c'est la piste qui traverse la plateau. A un jour de marche d'ici, tu trouveras les pâturages et les premiers nomades. Ils t'accueilleront et t'abriteront, selon leur loi. » L'Arabe s'était retourné maintenant vers Daru et une sorte de panique se levait sur son visage: « Écoute », dit-il. Daru secoua la tête: « Non, tais-toi. Maintenant, je te laisse. » Il lui tourna le dos, fit deux

[23] needle-shaped limestone rock structure
[24] crumbly

grands pas dans la direction de l'école, regarda d'un air indécis l'Arabe immobile et repartit. Pendant quelques minutes, il n'entendit plus que son propre pas, sonore sur la terre froide, et il ne détourna pas la tête. Au bout d'un moment, pourtant, il se retourna. L'Arabe était toujours là, au bord de la colline, les bras pendants maintenant, et il regardait l'instituteur. Daru sentit sa gorge se nouer. Mais il jura d'impatience, fit un grand signe, et repartit. Il était déjà loin quand il s'arrêta de nouveau et regarda. Il n'y avait plus personne sur la 10 colline.

Daru hésita. Le soleil était maintenant assez haut dans le ciel et commençait de lui dévorer le front. L'instituteur revint sur ses pas, d'abord un peu incertain, puis avec décision. Quand il parvint à la petite colline, il ruisselait de sueur. Il la gravit à toute allure et s'arrêta, essoufflé, sur le sommet. Les champs de roche, au sud, se dessinaient nettement sur le ciel bleu, mais sur la plaine, à l'est, une buée de chaleur montait déjà. Et dans cette brume légère, Daru, le cœur serré, 20 découvrit l'Arabe qui cheminait lentement sur la route de la prison.

Un peu plus tard, planté devant la fenêtre de la salle de classe, l'instituteur regardait sans la voir la jeune lumière bondir des hauteurs du ciel sur toute la surface du plateau. Derrière lui, sur le tableau noir, entre les méandres des fleuves français s'étalait, tracée à la craie par une main malhabile, l'inscription qu'il venait de lire : « Tu as livré notre frère. Tu paieras. » Daru regardait le ciel, le plateau et, au-delà, les terres 30 invisibles qui s'étendaient jusqu'à la mer. Dans ce vaste pays qu'il avait tant aimé, il était seul.

1. *Le cadre géographique et historique. Discutez son importance.*

2. *L'unité profonde des personnages et du paysage. Quelles en sont les conséquences humaines et philosophiques?*

3. *Daru et Balducci se disputent sur ce qu'ils doivent faire du prisonnier. Comment expliquer alors la bonne entente qui subsiste entre eux?*

4. *Pourquoi le prisonier n'essaie-t-il pas de s'échapper? Camus nous permet-il de savoir les vrais mobiles de l'Arabe?*

5. *Le language du récit est, d'abord, sobre et objectif. Mais dès l'aube du jour de la reddition, on constate une prose devenue métaphorique et symbolique. Par exemple,* Le soleil montait déjà dans le ciel bleu; une lumière tendre et vive inondait le plateau *(p. 219, l 14–15). Trouvez d'autres exemples de ce style et expliquez sa fonction dans l'histoire.*

6. *L'auteur adopte ici l'optique de son personnage principal, c'est-a-dire Daru. Qu'est-ce que les passages lyriques (par. ex. les mots* tendre *et* inondait *ci-dessus) nous révèlent de l'état d'âme de Daru?*

7. *Pourrait-on considérer l'offre à l'Arabe de choisir naïve, et même injuste? Pourquoi?*

8. *Néanmoins, de quel point de vue pourrait-on justifier Daru?*

9. *Camus souligne-t-il le pathétique du dilemme de Daru? (Pourquoi emploie-t-il le plusqueparfait dans la dernière phrase?)*

10. *La solitude de Daru. Se limite-elle uniquement à un moment précis de l'histoire contemporaine? où a-t-elle une portée plus générale?*

III
THE ESSAY

THE ESSAY

Each of the works in this section makes an inquiry into a problem or a series of problems. The author presents and examines facts or opinions, tries to interpret evidence. His goal is to arrive at conclusions or positions which will illuminate, if not solve, the problem. He may do this in a highly allusive way, using metaphor and other poetic devices, or he may use a technical form of argumentation. The type of inquiry will depend on his problem and his audience. La Bruyère's inquiry into love (Du Coeur) avoids any appearance of scientific rigor: he is writing for a courtly audience, interested in amusing paradoxes and linguistic surprises.

We have grouped these works under the approximate heading of Essay. At its broadest, the term includes all examples of expository or nonfictional prose with the exception of newspaper reporting and formal biography. Yet we realize that the term is susceptible of specific definition, as in the familiar distinction between informal and formal essays. Montaigne's Essais are the very models of the informal essay and, following his example as well as his description of his undertaking ("Quant aux facultés naturelles qui sont en moi, dequoy c'est ici l'essay . . ."), many think of the essay as essentially informal in character: a testing-out of one's ideas or writing ability; a work personal in style and tone, tentative in conclusion. Our selections from Rousseau and Sartre are in this tradition. On the other hand, de Tocqueville's Introduction is not personal in tone, is rigorously limited in subject, and develops that subject in a systematic, coherent, and comprehensive fashion. It is a formal essay.

Obviously, Pascal's epistolary dialogue, Diderot's dramatic dialogue, La Bruyère's aphoristic observations, and Gide's disparate journal entries are not essays in either sense, since they do not have a more or less clearly articulated structure: beginning, middle, and end. Still, they do lie somewhere along the stream of expository prose which the term essay familiarly evokes and so we believe that the advantages of using this familiar term will outweigh inconsistencies based on specific distinctions.

The texts in this section are all in some way important to or typical of French intellectual life. From the Middle Ages to the era of Sartre and Camus, French literature has evolved against a background of philosophic, moral, and political ideas. The texts presented here touch on many aspects of this continuing relation: the existence of God; the meaning of a good society; above all, human nature and man's efforts to lead a useful and satisfying life.

When such great issues are raised, your first reaction is probably to ask: Is what the author says true? Is Diderot right about the existence of God? How correct was de Tocqueville's appraisal of America in his own day, how accurate his assessments of democracy? And, if I cannot answer these questions, what kind of intellectual judgments can I make? For example, can I speak of truth in these matters?

Truth is a complex term, one which is highly variable and relative. It might be called a multivalent term, that is, its meaning varies with the context of the discussion. Obviously, the truth of arithmetic is not the truth of the Bible; the truth of Sartre is not the truth of Pascal. Nor is truth always the same for Pascal. Even in the context of a single work, an author assumes the multivalency of truth.

In his Lettre, Pascal attempts to prove that the Jesuits held an heretical position in regard to the sin of murder. He supports this claim with reference to specific texts. There is, then, a question of factual truth raised in the Lettre. Yet, as we read the essay, it becomes clear that the question of fact is really a pretext for an exercise in polemics. By the tongue-in-cheek, understated art of his Lettre, Pascal makes the Jesuits appear ridiculous. His aim is to completely discredit them in the eyes of his readers. There *is a question of truth here too—the true merits of the Jesuit Order. Obviously, Pascal is appealing as much to the prejudice and strong emotion engendered by a religious controversy as he is to reason.*

Pascal is really attacking in self-defense because the Jesuits had accused his own friends, the Jansenists, of advocating heretical doctrines. At stake, too, at least by implication, is the truth of Jansenist notions about correct Christian doctrine. Yet Pascal, in his Lettre, does not really go into a basic problem on which some agreement must be reached before any of the great truths at issue here can be resolved. What, in fact, is true Christian doctrine? Jesuits and Jansenists both must be judged by reference to some absolute notion of true Christian teaching. This can only come from an authority—but what authority? Jesus said, "Obey the Commandments" and the Fifth Commandment tells us "Thou shalt not kill." Yet for centuries, and even today, Christian churches and theologians have justified killing, in war, for example, or in self-defense. In point of fact, it would seem that there is no absolute authority; hence the question of truth cannot be properly resolved.

Instead of asking "Is it true?" we would prefer to ask "Is it convincing?" How does Pascal's Lettre strike you as a modern reader? Insofar as you can recreate the special historical circumstances in which he came to write it, does it seem coherent, well-reasoned? Does it approach the problem in a useful way? What kind of logical method do we find here?

This last question, which points to the internal logic of the piece, takes us a step in the direction of esthetic criticism. Pascal—and our other essayists—are not technical philosophers: they are not presenting a complete and logically coherent world view. Therefore, a study of their method of reasoning or the logic of their argumentation must take questions of structure, style, and tone into special account. Note, for example, that Pascal uses a "dramatic" form and speakers. In this way he is able to continually oppose the two contrary points of view. He dramatically reveals their points of contrast. Here, as in our study of poetry and fiction, we shall discover that meaning is inseparable from esthetic form.

The selections are presented in chronological order. They cover a wide range of subjects and you will probably be more impressed, at first, by their diversity rather than their likeness. Yet, for purposes of discussion, they can be divided into groups, in terms of their approach.

There are three confessional works: by Montaigne, Rousseau, and Gide. These are works in which the authors take themselves as subject matter. Each is trying to decide what is a "good" life. From an examination of his own life and thought, he tries to arrive at more general conclusions about what Montaigne calls l'humaine condition.

There are also three polemical works: by Pascal, Diderot, and Sartre. Each of these authors stands firmly behind a program or point of view. Unlike the confessional writers, who are searching for truth, each believes he has found it. The author's convictions may be explicitly stated, as in the case of Sartre, or implicitly stated as in the case of Pascal. As for Diderot, should we identify him with the character who bears his name in the Entretien?

La Bruyère's Du Coeur is made up of a number of brief epigrams, all focused on a single theme. Notice how vast areas of experience are reduced to abstract symmetrical statements. This reduction is itself ironical; La Bruyère seems to be saying: life appears to be complicated, but let me show you how ridiculously simple it is. Du Coeur is the most striking example of the way in which form influences and determines meaning.

Finally, we have in De Tocqueville's Introduction an analytic essay in which the personality of the author scarcely intrudes. He is concerned with the objective presentation of facts and the induction of legitimate conclusions from them. But even here, structure and the author's selectiveness, which is determined by his sense of value, play an implicit role. Sociologists have long debated whether or not their discipline is a purely objective and scientific one. The student of literature should not assume too readily that it is. He may find that esthetic analysis of such a text will reveal implicit values and assumptions which underlie and color the nature of the author's conclusions.

Du Repentir

MICHEL DE MONTAIGNE –(1533-1592)

Montaigne states the theme of his essay bluntly (p. 226, ll 16–17): Excusons ici ce que je dis souvent, que je me repens rarement et que ma conscience se contente de soi.. *Montaigne is a Christian. How, then, can he say that he seldom repents of his acts? As he begins his essay, Montaigne himself is not sure how he will resolve the paradox. He must search for the answer, if there is one, and the essay itself is that search.*

A key distinction is made between public opinion and conscience (un patron au dedans) as moral criteria: Je restreins bien selon autrui mes actions, mais je ne les entends que selon moi *(p. 227, ll 5).*

Conscience is the arbiter of our acts, but how can it cause us to correct them if it does not produce repentance? In fact, says Montaigne, most of us never change at all, or if we do, it is for the wrong reasons. To prove this point, Montaigne examines human nature, stripping it of its defenses, its pretentions. Human nature is stubborn, selfish, deceitful. Montaigne's view of man thus resembles the ironic view of La Bruyère in Du Cœur. *The titles of both works are ironical. Montaigne and La Bruyère prove the deficiency of repentance and of love, rather than their positive force, as the titles seem to suggest.*

The central notion in Montaigne's theory of human nature is that of the forme maîtresse *or inner personality, a collection of habits and characteristics which are extremely resistant to change.* Mes actions sont réglees et conformes à ce que je suis et à ma condition. Je ne puis faire mieux *(p. 230, ll 32–33).*

Now the paradox is fully stated. Montaigne accepts the ordinary notions of virtue; yet, in his clear-sighted way, he sees that man always falls short of virtue. He may wish to change, but it is not likely that he will repent because that would mean denying his forme maîtresse. Au demeurant, je hais cet accidental repentir que l'age apporte *(p. 232, l 8–9). He refuses a deathbed repentance. His final conclusion seems to be that we must live with ourselves in a state of equilibrium. It is, in fact,* just such a tension that is the motive force of the essay.

Is it possible to view the essay itself, with its statement of contradictions, its hard won equilibrium, its choppy and complex style, as some kind of resolution of the original paradox?

*Les autres forment l'homme; je le recite et en represente un particulier bien mal formé, et lequel, si j'avoy à façonner de nouveau, je ferois vrayement bien autre qu'il n'est. Mes huy[1] c'est fait. Or les traits de ma peinture ne forvoyent[2] point, quoy qu'ils se changent et diversifient. Le monde n'est qu'une branloire perenne.[3] Toutes choses y branlent sans cesse: la terre, les rochers du Caucase, les pyramides d'Ægypte, et du branle public et du leur. La constance mesme n'est autre chose qu'un branle plus languissant. Je ne puis asseurer mon object. Il va trouble et chancelant, d'une yvresse naturelle. Je le prens en ce point, comme il est, en l'instant que je m'amuse à luy. Je ne peints pas l'estre. Je peints le passage: non un passage d'aage en autre, ou, comme dict le peuple, de sept en sept ans, mais de jour en jour, de minute en minute. Il faut accommoder mon histoire à l'heure. Je pourray tantost changer, non de fortune seulement, mais aussi d'intention. C'est un contrerolle[4] de divers et muables accidens et d'imaginations irresolués et, quand il y eschet,[5] contraires; soit que je sois autre moymesme, soit que je saisisse les subjects par autres circonstances et considerations. Tant y a que je me contredis bien à l'adventure, mais la vérité, comme disoit Demades,[6] je ne la contredy point. Si mon ame pouvoit prendre pied,

* A note on reading Montaigne: Difficult and archaic words are explained in footnotes. The 16th century spelling will be simplified if you observe that the "s" in such words as mesme *and* estre *is replaced in modern French by "ê"* (même, être); *the "y" in* yvresse *and* luy *is replaced by "i"* (ivresse, lui); *and in verb endings "y" becomes "is"* (contredy to contredis, dy to dis); *"oit" becomes "ait"* (verroit to verrait); *most other spelling peculiarities should be easily recognizable (e.g.* faict *for* fait, poinct *for* point, robbe *for* robe, noz *for* nos, veoir *for* voir, doncq *for* donc, etc.). The complexity of Montaigne's syntax (inversions, use of numerous subordinate clauses) is in part typical of the more latinate 16th century language, in part typical of his own style and thought.*

[1] henceforth, now
[2] get off the track
[3] *branloire perenne:* perennial seesaw
[4] history, record
[5] *quand . . . eschet:* when it so happens
[6] Athenian orator (4th cent. B.C.) who said he would rather contradict himself than speak against the public good

je ne m'essaierois pas, je me resoudrois; elle est tousjours en apprentissage et en espreuve.

Je propose une vie basse et sans lustre, c'est tout un. On attache aussi bien toute la philosophie morale à une vie populaire et privée que à une vie de plus riche estoffe; chaque homme porte la forme entiere de l'humaine condition.

Les autheurs se communiquent au peuple par quelque marque particuliere et estrangere; moy, le premier, par mon estre universel, comme Michel de Montaigne, non comme grammairien, ou poëte, ou jurisconsulte. Si le monde se plaint de quoy je parle trop de moy, je me plains de quoy il ne pense seulement pas à soy.

Mais est-ce raison[7] que, si particulier en usage,[8] je pretende me rendre public en cognoissance? Est-il aussi raison que je produise au monde, où la façon et l'art ont tant de credit et de commandement, des effects de nature crus et simples, et d'une nature encore bien foiblette? Est-ce pas faire une muraille sans pierre, ou chose semblable, que de bastir des livres sans science et sans art? Les fantasies de la musique sont conduictes par art, les miennes par sort. Au moins j'ay cecy selon la discipline, que jamais homme ne traicta subject qu'il entendit ne cogneust mieux que je fay celuy que j'ay entrepris, et qu'en celuy-là je suis le plus sçavant homme qui vive; secondement, que jamais aucun ne penetra en sa matiere plus avant, ny en esplucha[9] plus particulierement les membres et suites; et n'arriva plus exactement et plainement à la fin qu'il s'estoit proposé à sa besoingne. Pour la parfaire, je n'ay besoing d'y apporter que la fidelité; celle-là y est, la plus sincere et pure qui se trouve. Je dy vray, non pas tout mon saoul, mais autant que je l'ose dire; et l'ose un peu plus en vieillissant, car il semble que la coustume concede à cet aage plus de liberté de bavasser[10] et d'indiscretion à parler de soy. Il ne peut advenir icy ce que je voy advenir souvent, que l'artizan et sa besoigne se contrarient: un homme de si honneste conversation a-il faict un si sot escrit? ou, des escrits si sçavans sont-ils partis d'un homme de si foible conversation, qui a un entretien commun et ses escrits rares, c'est à dire que

sa capacité est en lieu d'où il l'emprunte, et non en luy? Un personnage sçavant n'est pas sçavant par tout; mais le suffisant[11] est par tout suffisant, et à ignorer mesme.

Icy, nous allons conformément et tout d'un trein, mon livre et moy. Ailleurs, on peut recommander et accuser l'ouvrage à part de l'ouvrier; icy, non: qui touche l'un, touche l'autre. Celuy qui en jugera sans le connoistre, se fera plus de tort qu'à moy; celuy qui l'aura conneu, m'a du tout satisfaict. Heureux outre mon merite, si j'ay seulement cette part à l'approbation publique, que je face sentir aux gens d'entendement que j'estoy capable de faire mon profit de la science, si j'en eusse eu, et que je meritoy que la memoire me secourut mieux.

Execusons icy ce que je dy souvent, que je me repens rarement et que ma conscience se contente de soy, non comme de la conscience d'un ange ou d'un cheval, mais comme de la conscience d'un homme, adjoustant tousjours ce refrein, non un refrein de ceremonie, mais de naifve et essentielle submission: que je parle enquerant et ignorant, me rapportant de la resolution, purement et simplement, aux creances communes et legitimes. Je n'enseigne poinct, je raconte.

Il n'est vice veritablement vice qui n'offence, et qu'un jugement entier n'accuse; car il a de la laideur et incommodité si apparente, qu'à l'advanture[12] ceux-là ont raison qui disent qu'il est principalement produict par bestise et ignorance. Tant est-il malaisé d'imaginer qu'on le cognoisse sans le haïr. La malice hume la plus part de son propre venin et s'en empoisonne. Le vice laisse, comme un ulcere en la chair, une repentance en l'ame, qui, tousjours s'esgratigne[13] et s'ensanglante elle mesme. Car la raison efface les autres tristesses et douleurs; mais elle engendre celle de la repentance, qui est plus griefve, d'autant qu'elle naist au dedans; comme le froid et le chaut des fiévres est plus poignant que celuy qui vient du dehors. Je tiens pour vices (mais chacun selon sa mesure) non seulement ceux que la raison et la nature condamnent, mais ceux aussi que l'opinion des hommes a forgé, voire fauce et erronée, si les loix et l'usage l'auctorise.

Il n'est, pareillement, bonté qui ne resjouysse une nature bien née. Il y a certes je ne sçay quelle congratu-

---

[7] *Mais . . . raison:* is there a good reason? is it reasonable?
[8] *si . . . usage:* leading such a private life
[9] picked clean, plucked
[10] prattle on [M.F. *bavarder*]

[11] the able man, the self-sufficient man
[12] à *l'advanture:* perhaps
[13] scratches [itself]

lation de bien faire qui nous resjouit en nous mesmes et une fierté genereuse qui accompaigne la bonne conscience. Une ame courageusement vitieuse se peut à l'adventure garnir de securité, mais de cette complaisance et satisfaction elle ne s'en peut fournir. Ce n'est pas un leger plaisir de se sentir preservé de la contagion d'un siecle si gasté, et de dire en soy: « Qui me verroit jusques dans l'ame, encore ne me trouveroit-il coulpable, ny de l'affliction et ruyne de personne, ny de vengence ou d'envie, ny d'offence publique des loix, ny de nouvelleté[14] et de trouble, ny de faute à ma parole, et quoy que la licence du temps permit et apprinst à chacun, si[15] n'ay-je mis la main ny és biens, ny en la bourse d'homme François, et n'ay vescu que sur la mienne, non plus en guerre qu'en paix, ny ne me suis servy du travail de personne, sans loyer. »[16] Ces tesmoignages de la conscience plaisent; et nous est grand benefice que cette esjouyssance naturelle, et le seul payement qui jamais ne nous manque.

De fonder la recompense des actions vertueuses sur l'approbation d'autruy, c'est prendre un trop incertain et trouble fondement. Signamment[17] en un siecle corrompu et ignorant comme cettuy-cy, la bonne estime du peuple est injurieuse; à qui vous fiez vous de veoir ce qui est louable? Dieu me garde d'estre homme de bien selon la description que je voy faire tous les jours par honneur à chacun de soy. « Quæ fuerant vitia, mores sunt. »[18] Tels de mes amis ont par fois entreprins de me chapitrer et mercurializer[19] à cœur ouvert, ou de leur propre mouvement, ou semons[20] par moy, comme d'un office qui, à une ame bien faicte, non utilité seulement, mais en douceur aussi surpasse tous les offices de l'amitié. Je l'ay tousjours accueilli des bras de la courtoisie et reconnoissance les plus ouverts. Mais à en parler asteure[21] en conscience, j'ay souvent trouvé en leurs reproches et louanges tant de fauce mesure que je n'eusse guere failly de faillir[22] plus tost que de bien faire à leur mode. Nous autres principalement, qui vivons une vie privée qui n'est en montre

qu'à nous, devons avoir estably un patron au dedans, auquel toucher nos actions, et, selon iceluy, nous caresser tantost, tantost nous chastier. J'ay mes loix et ma court pour juger de moy, et m'y adresse plus qu'ailleurs. Je restrains bien selon autruy mes actions, mais je ne les estends que selon moy. Il n'y a que vous qui sçache si vous estes lache et cruel, ou loyal et devotieux; les autres ne vous voyent poinct; ils vous devinent par conjectures incertaines; ils voyent non tant vostre nature que vostre art. Par ainsi ne vous tenez pas à leur sentence; tenez vous à la vostre. « Tuo tibi judicio est utendum. — Virtutis et vitiorum grave ipsius conscientiæ pondus est: qua sublata, jacent omnia. »[23]

Mais ce qu'on dit, que la repentance suit de près le peché, ne semble pas regarder le peché qui est en son haut appareil, qui loge en nous comme en son propre domicile. On peut desavouér et desdire les vices qui nous surprennent et vers lesquels les passions nous emportent; mais ceux qui par longue habitude sont enracinés et ancrés, en une volonté forte et vigoureuse, ne sont subjects à contradiction. Le repentir n'est qu'une desditte[24] de nostre volonté et opposition de nos fantasies, qui nous pourmene[25] à tout sens. Il faict desadvouér à celuy-là sa vertu passée et sa continence:

Quæ mens est bodie, cur eadem non puero fuit?

Vel cur bis animis incolumes non redeunt genæ[26]?

C'est une vie exquise, celle qui se maintient en ordre jusques en son privé. Chacun peut avoir par au battelage[27] et representer un honneste personnage en l'eschaffaut,[28] mais au dedans et en sa poictrine, où tout est caché, d'y estre reglé, c'est le poinct. Le voisin degré,[29] c'est de l'estre en sa maison, en ses actions ordinaires, desquelles nous n'avons à rendre raison à personne; où il n'y a point d'estude, point d'artifice. Et pourtant Bias,[30] peignant un excellent estàt de famille: « de laquelle, dit-il, le maistre soit tel au dedans, par

---

[14] revolution
[15] nevertheless [here, also, as in other usages: truly]
[16] *sans loyer*: without pay
[17] notably
[18] "Vices of the past are customs of today" [Seneca]
[19] *me . . . mercurializer*: dress me down and lecture me
[20] invited
[21] now (*à cette heure*)
[22] *je . . . faillir*: I'd almost prefer to do wrong

[23] "You must be your own judge . . . in the weighing of virtues and vices, conscience is all; take it away and everything crumbles." [Cicero]
[24] a disavowal (literally an "unsaying")
[25] leads us about
[26] Freely: "When I was a boy why did I not think as I do today; or now that I am wise why does not the bloom return to my cheeks?" [Horace]
[27] *avoir . . . battelage*: play the know-it-all, show-off
[28] "on stage"
[29] *Le voisin degré*: The nearest thing
[30] A sage of antiquity (4th cent. B.C.)

luy-mesme, comme il est au dehors par la crainte de la loy et du dire des hommes. » Et fut une digne parole de Julius Drusus[31] aux ouvriers qui luy offroient pour trois mille escus[32] mettre sa maison en tel poinct que ses voisins n'y auroient plus la veué qu'ils y avoient : « Je vous en donneray, dit-il, six mille, et faictes que chacun y voye de toutes parts. » On remarque avec honneur l'usage d'Agesilaus,[33] de prendre en voyageant son logis dans les Eglises, affin que le peuple et les dieux mesmes vissent dans ses actions privées. Tel[34] a 10 esté miraculeux au monde, auquel sa femme et son valet n'ont rien vue seulement de remercable. Peu d'hommes ont esté admirez par leurs domestiques.

Nul a esté prophete non seulement en sa maison, mais en son païs, dict l'experience des histoires. De mesmes aux choses de neant.[35] Et en ce bas exemple se vois l'image des grands. En mon climat de Gascongne, on tient pour drolerie de me veoir imprimé. D'autant que la connoissance qu'on prend de moy s'esloigne de mon giste,[36] j'en vaux d'autant mieux. J'achette les 20 imprimeurs en Guiene, ailleurs ils m'achettent. Sur cet accident[37] se fondent ceux qui se cachent, vivants et presents, pour se mettre en credit, trespassez[38] et absents. J'ayme mieux en avoir moins. Et ne me jette au monde que pour la part que j'en tire. Au partir de là, je l'en quitte.

Le peuple reconvoye celuy-là,[39] d'un acte public, avec estonnement, jusqu'à sa porte ; il laisse avec sa robbe ce rolle, il en retombe d'autant plus bas qu'il s'estoit plus haut monté ; au dedans, chez luy, tout est 30 tumultuaire et vile. Quand le reglement s'y trouveroit, il faut un jugement vif et bien trié[40] pour l'appercevoir en ces actions basses et privées. Joint que l'ordre est une vertu morne et sombre. Gaigner une bresche, conduire une ambassade, regir un peuple, ce sont actions escla-

tantes. Tancer,[41] rire, vendre, payer, aymer, hayr et converser avec les siens et avec soymesme doucement et justement, ne relâcher[42] point, ne se desmentir poinct, c'est chose plus rare, plus difficile et moins remerquable. Les vies retirées soustiennent par là, quoy qu'on die, des devoirs, autant ou plus aspres et tendus que ne font les autres vies. Et les privez, dict Aristote, servent la vertu plus difficilement et hautement que ne font ceux qui sont en magistrats. Nous nous preparons aux occasions eminentes plus par gloire que par conscience. La plus courte façon d'arriver à la gloire, ce seroit faire par conscience ce que nous faisons pour la gloire. Et la vertu d'Alexandre me semble representer assez moins de vigueur en son theatre, que ne fait celle de Socrates en cette exercitation basse et obscure. Je conçois aisément Socrates en la place d'Alexandre ;[43] Alexandre en celle de Socrates, je ne puis. Qui demandera à celuy-là ce qu'il sçait faire, il respondra : « Subjuguer le monde » ; qui le demandera à cettuy-cy, il dira : « Mener l'humaine vie conformément à sa naturelle condition » ; science bien plus generale, plus poisante[44] et plus legitime. Le pris de l'ame ne consiste pas à aller haut, mais ordonnéement.

Sa grandeur ne s'exerce pas en la grandeur, c'est en la mediocrité.[45] Ainsi que ceux qui nous jugent et touchent au dedans, ne font pas grand recette de la lueur de noz actions publiques et voyent que ce ne sont que filets et pointes d'eau fine rejaillies d'un fond au demeurant limonneux[46] et poisant, en pareil cas, ceux qui nous jugent par cette brave apparance, concluent de mesmes de nostre constitution interne, et ne peuvent accoupler des facultez populaires et pareilles aux leurs à ces autres facultez qui les estonnent, si loin de leur visée. Ainsi donnons nous aux demons des formes sauvages. Et qui non, à Tamburlan[47] des sourcils eslevez, des nazeaux ouverts, un visage affreux et une taille desmesurée, comme est la taille de l'imagination

---

[31] Actually M. Livius [not Julius] Drusus, Roman champion of the Italians, who was assassinated in 91 B.C.

[32] crowns [a coin]

[33] Spartan king (4th cent. B.C.)

[34] He [that man]

[35] aux choses de néant: trifles

[36] home

[37] circumstance

[38] dead

[39] Le . . . celuy-là: the people carry that one i.e., the "miraculeux" referred to two paragraphs back. The intervening paragraph has been interpolated in a revision of the essay.

[40] selective, unique

[41] To scold

[42] to lose self control

[43] Socrates . . . d'Alexandre: Socrates (469–399 B.C.), Greek philosopher renowned for his wisdom, exhorted above all: know thyself; Alexander the Great, perhaps the most famous conqueror of antiquity (356–323 B.C.)

[44] weighty

[45] [here] measure

[46] muddy

[47] Mongol conqueror (1336–1405), the subject of a great contemporary play by the English dramatist, Christopher Marlowe (1564–1593)

qu'il en a conceuë par le bruit de son nom? Qui m'eut faict veoir Erasme[48] autrefois, il eust esté malaisé que je n'eusse prins pour adages et apophthegmes[49] tout ce qu'il eust dict à son valet et à son hostesse. Nous imaginons bien plus sortablement[50] un artisan sur sa garderobe ou sur sa femme qu'un grand President, venerable par son maintien et suffisance. Il nous semble que de ces hauts thrones ils ne s'abaissen pas jusques à vivre.

Comme les ames vicieuses sont incitées souvent à bien faire par quelque impulsion estrangere, aussi sont les vertueuses à faire mal. Il les faut doncq juger par leur estat rassis, quand elles sont chez elles, si quelque fois elles y sont; ou au moins quand elles sont plus voisines du repos et de leur naïfve assiette. Les inclinations naturelles s'aident et fortifient par institution; mais elles ne se changent guiere et surmontent. Mille natures, de mon temps, ont eschappé vers la vertu ou vers le vice au travers d'une discipline contraire:

Sic ubi desuetæ silvis in carcere clausæ
Mansuevere feræ, et vultus posuere minaces,
Atque hominem didicere pati, si torrida parvus
Venit in ora cruor, redeunt rabiésque furorque,
Admonitæque tument gustato sanguine fauces;
Fervet, et a trepido vix abstinet ira magistro.[51]

On n'extirpe pas ces qualitez originelles, on les couvre, on les cache. Le langage latin m'est comme naturel, je l'entens mieux que le François; mais il y a quarante ans que je ne m'en suis du tout poinct servy à parler, ny à escire; si est-ce que[52] à des extremes et soudaines esmotions où je suis tombé deux ou trois fois en ma vie, et l'une, voyent mon pere tout sain se renverser sur moy, pasmé j'ay tousjours eslancé du fond des entrailles les premieres paroles Latines; nature se sourdant[53] et s'exprimant à force, à l'encontre d'un long usage. Et cet exemple se dict d'assez d'autres.

Ceux qui ont essaié de r'aviser[54] les meurs du monde, de mon temps, par nouvelles opinions, reforment les vices de l'apparence; ceux de l'essence, ils les laissent là, s'ils ne les augmentent; et l'augmentation y est à craindre: on se sejourne volontiers de tout autre bien faire sur ces reformations externes arbitraires, de moindre coust et de plus grand merite; et satisfait-on par là à bon marché les autres vices naturels consubstantiels[55] et intestins. Regardez un peu comment s'en porte nostre experience: il n'est personne, s'il s'escoute, qui ne descouvre en soy une forme sienne, une forme maistresse, qui luicte[56] contre l'institution,[57] et contre la tempeste des passions qui luy sont contraires. De moy, je ne me sens guere agiter par secousse, je me trouve quasi tousjours en ma place, comme font les corps lourds et poisans. Si je ne suis chez moy, j'en suis tousjours bien près. Mes débauches ne m'emportent pas loing. Il n'y a rien d'extreme et d'estrange; et si ay des ravisemens[58] sains et vigoureux.

La vraie condamnation et qui touche la commune façon de nos hommes, c'est que leur retraicte mesme est pleine de corruption et d'ordure; l'idée de leur amendement chafourrée;[59] leur penitence, malade et en coulpe,[60] autant à peu près que leur peché. Aucuns, ou pour estre colléz au vice d'une attache naturelle, ou par longue accoustumance, n'en trouvent plus la laideur. A d'autres (duquel regiment je suis) le vice poise,[61] mais ils le contrebalancent avec le plaisir ou autre occasion, et le souffrent et s'y prestent à certain prix; vitieusement pourtant et lâchement. Si[62] se pourroit-il à l'advanture imaginer si esloignée, disproportion de mesure où avec justice le plaisir excuseroit le peché, comme nous disons de l'utilité; non seulement s'il estoit accidental[63] et hors du peché, comme au larrecin, mais en l'exercice mesme d'iceluy, comme en l'accointance des femmes, où l'incitation est violente et, dit-on, par fois invincible.

En la terre d'un mien parent, l'autre jour que j'estois en Armaignac, je vy un paisan que chacun

---

[48] Dutch scholar (1467–1536), the world's first humanist
[49] pithy sayings
[50] easily
[51] "Thus when wild animals taken from the woods and put in cages have become tame and put aside their threatening mien and have learned to submit to man; yet when a drop of blood touches their burning lips, their rage and fury return and stimulated by the taste of blood, their throat swells; their wrath blazes and barely restrains itself from attacking the frightened tamer." [Lucan]
[52] *si . . . que:* so that
[53] escaping

[54] reform
[55] consubstantial [at one with]
[56] struggles
[57] education
[58] reactions
[59] confused
[60] *en coulpe:* at fault, faulty
[61] weighs heavily
[62] yet
[63] accidental [contingent or secondary]

surnomme le larron. Il faisoit ainsi le conte de sa vie: qu'estant né mendiant, et trouvant que à gaigner son pain au travail de ses mains il n'arriveroit jamais à se fortifier assez contre l'indigence, il s'advisa de se faire larron; et avoit employé à ce mestier toute sa jeunesse en seureté, par le moyen de sa force corporelle; car il moissonnoit et vendangeoit des terres d'autruy, mais c'estoit au loing et à si gros monceaux qu'il estoit inimaginable qu'un homme en eust tant rapporté en une nuict sur ses espaules; et avoit soing outre cela 10 d'egaler et disperser le dommage qu'il faisoit, si que la foule estoit moins importable à chaque particulier. Il se trouve à cette heure, en sa vieillesse, riche pour un homme de sa condition, mercy à cette trafique, dequoy il se confesse ouvertement; et, pour s'accommoder avec Dieu de ses acquets, il dict estre tous les jours après à satisfaire par bienfaicts aux successeurs de ceux qu'il a desrobez; et, s'il n'acheve (car d'y pourvoir tout à la fois il ne peut), qu'il en chargera ses heritiers, à la raison de la science qu'il a luy seul du mal qu'il a faict à 20 chacun. Par cette description, soit vraye ou fauce, cettuy-cy regarde le larrecin comme action deshonneste et le hayt, mais moins que l'indigence; s'en repent bien simplement, mais, en tant qu'elle estoit ainsi contrebalancée et compencée, il ne s'en repent pas. Cela, ce n'est pas cette habitude qui nous incorpore au vice et y conforme nostre entendement mesme, ny n'est ce vent impetueux qui va troublant et aveuglant à secousses nostre ame et nous precipite pour l'heure, jugement et tout, en la puissance du vice.

Je fay coustumierement entier ce que je fay et 30 marche tout d'une piece; je n'ay guere de mouvement qui se cache et desrobe[64] à ma raison, et qui ne se conduise à peu près par le consentement de toutes mes parties, sans division, sans sedition intestine; mon jugement en a la coulpe ou la louange entiere; et la coulpe qu'il a une fois, il l'a tousjours, car quasi dès sa naissance il est un: mesme inclination, mesme route, mesme force. Et en matiere d'opinions universelles, dès l'enfance je me logeay au poinct où j'avois à me tenir. 40

Il y a des pechez impetueux, prompts et subits; laissons les à part. Mais en ces autres pechez à tant de fois reprins, deliberez et consultez, ou pechez de complexion, voire pechez de profession et de vacation,[65] je ne puis pas concevoir qu'ils soient plantez si long

temps en mesme courage sans que la raison et la conscience de celuy qui les possede, le veuille constamment et l'entende ainsi; et le repentir qu'il se vante luy en venir à certain instant prescript, m'est un peu dur à imaginer et former.

Je ne suy pas la secte de Pythagoras,[66] « que les hommes prennent une ame nouvelle quand ils approchent les simulacres[67] des Dieux pour recueillir leurs oracles. » Si non qu'il voulust dire cela mesme, qu'il faut bien qu'elle soit estrangere, nouvelle et prestée pour le temps, la leur montrant si peu de signe de purification et netteté condigne[68] à cet office.

Ils font tout à l'opposite des preceptes Stoïques,[69] qui nous ordonnent bien de corriger les imperfections et vices que nous reconnoissons en nous, mais nous deffendent d'en estre marris et desplaisants. Ceux-cy nous font à croire qu'ils en ont grand regret et remors au dedans. Mais d'amendement et correction, ny d'interruption, ils ne nous en font rien apparoir.[70] Si[71] n'est-ce pas guerison si on ne se descharge du mal. Si la repentance pesoit sur le plat de la balance, elle emporteroit le peché. Je ne trouve aucune qualité si aysée à contrefaire que la devotion, si on n'y conforme les meurs et la vie; son essence est abstruse et occulte; les apparences, faciles et pompeuses.

Quant à moy, je puis desirer en general estre autre; je puis condamner et me desplaire de ma forme universelle, et supplier Dieu pour mon entiere reformation et pour l'excuse de ma foiblesse naturelle. Mais cela, je ne le doits nommer repentir, ce me semble, non plus que le desplaisir de n'estre ny Ange, ny Caton.[72] Mes actions sont reglées et conformes à ce que je suis et à ma condition. Je ne puis faire mieux. Et le repentir ne touche pas proprement les choses qui ne sont pas en nostre force, ouy bien le regretter. J'imagine infinies natures plus hautes et plus reglées que la mienne; je n'amande pourtant mes facultez; comme ny mon bras, ny mon esprit ne deviennent plus vigoreux

---

[64] hide

[65] *Mais . . . vacation:* But as for other sins so often repeated, deliberately and with reflection, either sins of temperament or profession or vocation

[66] Greek philosopher (6th cent. B.C.), part of whose philosophy Montaigne gives here

[67] statues

[68] worthy

[69] ancient school of philosophers founded by Zeno in 4th cent. B.C. whose essential doctrine Montaigne proceeds to give here

[70] appear

[71] however

[72] Cato the Older (2nd–3rd cent. B.C.), Roman statesman renowned for his austere virtue

pour en concevoir un autre qui le soit. Si d'imaginer et desirer un agir plus noble que le nostre produisoit la repentance du nostre, nous aurions à nous repentir de nos operations plus innocentes; d'autant que nous jugeons bien qu'en la nature plus excellente elles auroyent esté conduites d'une plus grande perfection et dignité; et voudrions faire de mesme. Lors que je consulte des deportemens[73] de ma jeunesse avec ma vieillesse, je trouve que je les ay communement con-[10]duits avec ordre, selon moy; c'est tout ce que peut ma resistance. Je ne me flatte pas; à circonstances pareilles, je seroy tousjours tel. Ce n'est pas macheure,[74] c'est plustost une teinture universelle qui me tache. Je ne cognoy pas de repentance superficielle, moyenne et de ceremonie. Il faut qu'elle me touche de toutes pars avant que je la nomme ainsin, et qu'elle pinse mes entrailles et les afflige autant profondement que Dieu me voit, et autant universellement.

Quant aux negoces, il n'est eschappé plusieurs bonnes avantures à faute d'heureuse conduitte. Mes[20] conseils ont pourtant bien choisi, selon les occurrences qu'on leur presentoit; leur façon est de prendre toujours le plus facile et seur party. Je trouve qu'en mes deliberations passées j'ay, selon ma regle, sagement procedé pour l'estat du subject qu'on me proposoit; et en ferois autant d'icy à mille ans en pareilles occasions. Je ne regarde pas quel il est à cette heure, mais quel il estoit quand j'en consultois.

La force de tout conseil gist au temps; les occasions et les matieres roulent et changent sans cesse. J'ay[30] encouru quelques lourdes erreurs en ma vie et importantes, non par faute de bon advis, mais par faute de bon heur. Il y a des parties secretes aux objects qu'on manie et indivinables,[75] signamment en la nature des hommes, des conditions muettes, sans montre,[76] inconnues par fois du possesseur mesme, qui se produisent et esveillent par des occasions survenantes.[77] Si ma prudence ne les a peu penetrer et prophetizer, je ne luy en sçay nul mauvais gré;[78] sa charge se contient en ses limites; l'evenement me bat; et s'il favorise le party[40] que j'ay refusé, il n'y a remede; je ne m'en prens pas à

moy; j'accuse ma fortune, non pas mon ouvrage; cela ne s'appelle pas repentir.

Phocion[79] avoit donné aux Atheniens certain advis qui ne fut pas suyvi. L'affaire pourtant se passant contre son opinion avec prosperité, quelqu'un luy dict: « Et bien, Phocion, es tu content que la chose aille si bien? — Bien suis-je content, fit-il, qu'il soit advenu cecy, mais je ne me repens point d'avoir conseillé cela. » Quand mes amis s'adressent à moy pour estre conseillez, je le fay librement et clairement, sans m'arrester, comme faict quasi tout le monde, à ce que, la chose estant hazardeuse, il peut advenir au rebours de mon sens, par où ils ayent à me faire reproche de mon conseil; dequoy il ne me chaut. Car ils auront tort, et je n'ay deu[80] leur refuser cet office.

Je n'ay guere à me prendre de mes fautes ou infortunes à autre qu'à moy. Car, en effect, je me sers rarement des advis d'autruy, se ce n'est par honneur de ceremonie, sauf où j'ay besoing d'instruction de science ou de la connoissance du faict. Mais, és choses où je n'ay à employer que le jugement, les raisons estrangeres peuvent servir à m'appuyer, mais peu à me destourner. Je les escoute favorablement et decemment toutes; mais, qu'il m'en souvienne,[81] je n'en ay creu jusqu'à cette heure que les miennes. Selon moy, ce ne sont que mousches et atomes qui promeinent ma volonté. Je prise peu mes opinions, mais je prise aussi peu celles des autres. Fortune me paye dignement. Si je ne reçoy pas de conseil, j'en donne encores moins. J'en suis fort peu enquis,[82] mais j'en suis encore moins creu; et ne sache nulle entreprinse publique ny privée que mon advis aie redressée et ramenée.[83] Ceux mesmes que la fortune y avoit aucunement attachez, se sont laissez plus volontiers manier à toute autre cervelle. Comme celuy qui suis bien autant jaloux des droits de mon repos que des droits de mon auctorité, je l'ayme mieux ainsi; me laissant là, on faict selon ma profession, qui est de m'establir et contenir tout en moy; ce m'est plaisir d'estre desinteressé des affaires d'autruy et desgagé de leur gariement.[84]

[73] behavior
[74] stain
[75] unguessable
[76] *sans montre:* invisible
[77] which arise
[78] *je . . . gré:* I bear it no ill-will

[79] Athenian general (4th cent. B.C.). After a war with Macedonia, his pacifist advice was interpreted as treason, bringing about his execution
[80] owed [dû]
[81] *qu'il m'en souvienne:* as well as I can remember
[82] consulted
[83] *redressée et ramenée:* righted and set back on course
[84] direction, responsibility (for them)

En tous affaires, quand ils sont passés, comment que ce soit, j'y ay peu de regret. Car cette imagination me met hors de peine, qu'ils devoyent ainsi passer; les voylà dans le grand cours de l'univers et dans l'encheineure[85] des causes Stoïques; vostre fantasie n'en peut, par souhait et imagination, remuer un point, que tout l'ordre des choses ne renverse, et le passé, et l'advenir.

Au demeurant, je hay cet accidental[86] repentir que l'aage apporte. Celuy qui disoit anciennement estre obligé aux années dequoy elles l'avoyent deffaict de la volupté, avoit autre opinion que la mienne; je ne sçauray jamais bon gré à l'impuissance de bien qu'elle me face. « *Nec tam aversa unquam videbitur ab opere suo providentia, ut debilitas inter optima inventa sit.* »[87] Nos appetits sont rares en la vieillesse; une profonde satieté nous saisit après; en cela je ne voy rien de conscience; le chagrin et la foiblesse nous impriment une vertu lâche et catarreuse.[88] Il ne nous faut pas laisser emporter si entiers aux alterations naturelles, que d'en abastardir nostre jugement. La jeunesse et le plaisir n'ont pas faict autrefois que j'aie mescogneu le visage du vice en la volupté; ny ne faict à cette heure le degoust que les ans m'apportent, que je mescognoisse celuy de la volupté au vice. Ores[89] que je n'y suis plus, j'en juge comme si j'y estoy. Moy qui la secouë vivement et attentivement, trouve que ma raison est celle mesme que j'avoy en l'aage plus licencieux, sinon, à l'avanture, d'autant qu'elle s'est affoiblie et empirée[90] en vieillissant; et trouve que ce qu'elle refuse de m'enfourner[91] à ce plaisir en consideration de l'interest de ma santé corporelle, elle ne le feroit non plus qu'autrefois pour la santé spirituelle. Pour la voir hors de combat, je ne l'estime pas plus valeureuse. Mes tentations sont si cassées et mortifiées qu'elles ne valent pas qu'elle s'y oppose. Tandant seulement les mains audevant, je les conjure. Qu'on luy remette en presence cette ancienne concupiscence, je crains qu'elle auroit moins de force à la soustenir, qu'elle n'avoit autrefois. Je ne luy voy rien juger apar soy, que lors elle

ne jugeast; ny aucune nouvelle clarté. Parquoy, s'il y a convalescence, c'est une convalescence maleficiée.[92]

Miserable sorte de remede, devoir à la maladie sa santé! Ce n'est pas à nostre malheur de faire cet office; c'est au bon heur de nostre jugement. On ne me faict rien faire par les offenses et afflictions, que les maudire. C'est aux gents qui ne s'esveillent qu'à coup de fouët. Ma raison a bien son cours plus delivre[93] en la prosperité. Elle est bien plus distraitte et occupée à digerer les maux que les plaisirs. Je voy bien plus clair en temps serain. La santé m'advertit, comme plus alaigrement,[94] aussi plus utilement que la maladie. Je me suis avancé le plus que j'ay peu vers ma reparation et reglement lors que j'avoy à en jouir. Je seroy honteux et envieux que la misere et desfortunede ma decrepitude eut à se preferer à mes bonnes années saines, esveillées, vigoureuses; et qu'on eust à m'estimer non par où j'ay esté, mais par où j'ay cessé d'estre. A mon advis, c'est le vivre heureusement, non, comme disait Antisthenes,[95] le mourir heureusement qui faict l'humaine felicité. Je ne me suis pas attendu d'attacher monstrueusement la queuë d'un philosophe à la teste et au corps d'un homme perdu; ny que ce chetif bout eust à desadvouër et desmentir la plus belle, entiere et longue partie de ma vie. Je me veux presenter et faire veoir par tout uniformément. Si j'avois à revivre, je revivrois comme j'ay vescu; ny je ne pleins le passé, ny je ne crains l'advenir. Et si je ne me deçoy, il est allé du dedans environ comme du dehors. C'est une des principales obligations que j'aye à ma fortune, que le cours de mon estat corporel ayt esté conduit chasque chose en sa saison. J'en ay veu l'herbe et les fleurs et le fruit; et en vois la secheresse. Heureusement, puisque c'est naturellement. Je porte bien plus doucement les maux que j'ay, d'autant qu'ils sont en leur poinct et qu'ils me font aussi plus favorablement souvenir de la longue felicité de ma vie passée.

Pareillement ma sagesse peut bien estre de mesme taille en l'un et en l'autre temps; mais elle estoit bien de plus d'exploit[96] et de meilleure grace, verte, gaye, naïve, qu'elle n'est à present: croupie,[97] grondeuse,

---

[85] chain
[86] accessory
[87] "Never will one see Providence so hostile to its own work that weakness will be counted among the best of things." [Quintilian]
[88] sickly
[89] now (*maintenant*)
[90] worsened
[91] grant [literally: put in the furnace]

[92] spoiled
[93] free
[94] swiftly and easily
[95] Greek philosopher (3rd–4th cent. B.C.), founder of Cynic School
[96] *de plus d'exploit:* more accomplished
[97] stagnant

laborieuse. Je renonce donc à ces reformations casuelles et douloureuses.

Il faut que Dieu nous touche le courage.[98] Il faut que nostre conscience s'amende d'elle mesme par renforcement de nostre raison, non par l'affoiblissement de nos appetits. La volupté n'en est en soy ny pasle ny descolorée, pour estre aperceuë par des yeux chassieux[99] et troubles. On doibt aymer la temperance par elle mesme et pour le respect de Dieu, qui nous l'a ordonnée, et la chasteté; celle que les catarres nous 10 prestent et que je doibts au benefice de ma cholique ce n'est ny chasteté, ny temperance. On ne peut se vanter de mespriser et combatre la volupté, si on ne la voit, si on l'ignore, et ses graces, et ses forces, et sa beauté, plus attrayante. Je cognoy l'une et l'autre, c'est à moy à la dire. Mais il me semble qu'en la vieillesse nos ames sont subjectes à des maladies et imperfections plus importunes qu'en la jeunesse. Je le disois estant jeune; lors on me donnoit de mon menton par le nez. Je le dis encores à cette heure que mon poil gris m'en donne le credit. 20 Nous appellons sagesse la difficulté de nos humeurs, le desgoust des choses presentes. Mais, à la verité, nous ne quittons pas tant les vices, comme nous les changeons, et, à mon opinion, en pis. Outre une sotte et caduque[100] fierté, un babil ennuyeux, ces humeurs espineuses[101] et inassociables, et la superstition, et un soin ridicule des richesses lors que l'usage en est perdu, j'y trouve plus d'envie, d'injustice et de malignité. Elle nous attache plus de rides en l'esprit qu'au visage; et ne se void point d'ames, ou fort rares, qui en vieillissant 30 ne sentent à l'aigre et au moisi.[102] L'homme marche entier vers son croist et vers son décroist.[103]

A voir la sagesse de Socrates et plusieurs circonstances de sa condamnation,[104] j'oseroy croire qu'il s'y presta aucunement luy mesme par prevarication, à dessein, ayant de si près, aagé de soixante et dix ans, à souffrir l'engourdissement des riches allures de son esprit et l'esblouissement de sa clarté accoustumée.

Quelles Metamorphoses luy voy-je faire tous les 40

jours en plusieurs de mes cognoissans! C'est une puissante maladie et qui se coule naturellement et imperceptiblement. Il y faut grande provision d'estude et grande precaution pour eviter les imperfections qu'elle nous charge, ou aumoins affoiblir leurs progrets. Je sens que, nonobstant tous mes retranchemens, elle gaigne pied à pied sur moy. Je soustien[105] tant que je puis. Mais je ne sçay où elle me menera moy-mesme. A toutes avantures, je suis content qu'on sçache d'où je seray tombé.

1. *Diriez-vous que le style de Montaigne est marqué par l'équilibre et la symétrie syntaxique (emploi des antithèses, des phrases successives avec la même subordination, etc.)? De ce point de vue, étudiez le premier paragraphe.*

2. *La pensée de Montaigne va-t-elle en ligne directe? En général, Montaigne est-il avare de mots?*

3. *Montaigne semble aimer les antithèses (voir la première phrase de cet essai). Trouvez-en d'autres exemples.*

4. *Montaigne aime signaler l'importance d'une idée par des anacoluthes (changement brusque de construction grammaticale), par exemple: . . . et du branle public et du leur (p. 225, II 8–9). Trouvez-en d'autres exemples.*

5. *Dans des versions antérieures de cet essai Montaigne avait écrit dans sa première phrase: je le raconte et je le décris (au lieu de « je le récite »). Lequel des trois verbes convient le mieux? Pourquoi?*

6. *Faites le plan de cet essai: quelles sont les différentes parties de l'argument?*

7. *Montaigne voit la morale comme un dialogue entre la raison et la nécessité, qu'il appelle la forme maîtresse de chaque homme. Donnez un sens précis à ces deux termes—par exemple, la forme maîtresse pourrait être, pour certains*

[98] heart [*cœur*]
[99] bleary
[100] decrepit
[101] thorny
[102] *ne . . . moisi:* do not smack of the bitter and the moldy
[103] *croist . . . décroist:* growth and decline
[104] Socrates was accused of impiety and executed by being obliged to drink hemlock

[105] *Je soustien:* I stand up to it

hommes, *le penchant vers certains vices, la gourmandise, la sensualité, etc.*

8. *Cet essai se termine par une méditation sur la vieillesse où Montaigne dit:* Misérable sorte de remède, devoir à la maladie sa santé! *Quelle solution la vieillesse apporte-t-elle dans le dialogue entre la raison et la nécessité?*

9. *Quel usage Montaigne fait-il des différentes autorités, par exemple les philosophes grecs et latins, les traditions populaires, etc.?*

10. *Montaigne accepte-t-il la notion d'autorité en matière de morale?*

11. *A travers toute cette enquête sur la nature et les limites de la morale, il y a un point de repère auquel Montaigne revient continuellement. Sur quoi Montaigne base-t-il toutes ses observations et sur quoi fonde-t-il ses théories?*

12. *Montaigne voit le monde à travers sa propre vie, sa propre expérience. Peut-on l'absoudre de l'accusation d'égoïsme?*

13. *Quelle conception Montaigne se fait-il de l'homme? Expliquez la contradiction apparente entre l'instabilité de toute chose, y compris l'homme* (Le monde n'est qu'une branloire perenne) *et la notion de la* forme maîtresse *qui ne change pas.*

14. *Est-ce que Montaigne, en commençant cet essai, savait à quelle conclusion il voulait aboutir? Quels procédés stylistiques donnent l'impression que Montaigne avait .commencé sans idées préconçues?*

Septième Lettre écrite à un provincial par un de ses amis

BLAISE PASCAL (1623–1662)

During the seventeenth century and well into the eighteenth, French Catholics engaged in many violent internal quarrels. The chief adversaries were the Jesuits and the Jansenists. The latter, although relatively few in number, included such great figures as Pascal and Racine. In his Lettres *Provinciales, written during the years 1656–1657, Pascal tried to win support for the Jansenists by defending their views and attacking those of the Jesuits. The Jansenists, who wished to return to the asceticism of the early church, took St. Augustine as their spiritual guide. The movement was first condemned by Rome in 1653, partly because of Jesuit influence, partly because Jansenism seemed too close to certain Calvinist doctrines, notably that of predestination. The convent of Port-Royal, which was the Jansenist center, was closed by order of Louis XIV in 1709 and destroyed in 1712.*

De Paris, ce 25 avril 1656.

MONSIEUR,

Après avoir apaisé le bon père, dont j'avais un peu troublé le discours par l'histoire de Jean d'Alba,[1] il le reprit sur l'assurance que je lui donnai de ne lui en plus faire de semblables; et il me parla des maximes de ses Casuistes touchant les gentilshommes, à peu près en ces termes:

Vous savez, me dit-il, que la passion dominante des personnes de cette condition est ce point d'honneur qui les engage à toute heure à des violences qui paraissent bien contraires à la piété chrétienne;[2] de sorte qu'il faudrait les exclure presque tous de nos confessionnaux, si nos pères n'eussent un peu relâché de la sévérité de la religion pour s'accommoder à la faiblesse des hommes. Mais comme ils voulaient demeurer attachés à l'Évangile par leur devoir envers Dieu, et aux gens du monde par leur charité pour le prochain, ils ont eu besoin de toute leur lumière pour trouver des expédients qui tempérassent les choses avec tant de justesse, qu'on pût maintenir et réparer son honneur par les moyens dont on se sert ordinairement dans le monde,

[1] [reference to the sixth letter]. Jean d'Alba, a servant in a Jesuit house, stole something from the house because he felt cheated in his wages. When caught, he appealed to Jesuit doctrines justifying theft. He was nonetheless condemned to be whipped by his Jesuit judge, who threw out the doctrines Jean d'Alba had cited. The case was being appealed when the prisoner disappeared

[2] *piété chrétienne:* Christian piety [invoked here as "a way of life"]

sans blesser néanmoins sa conscience, afin de conserver tout ensemble deux choses aussi opposées en apparence que la piété et l'honneur.

Mais autant que ce dessein était utile, autant l'exécution en était pénible; car je crois que vous voyez assez la grandeur et la difficulté de cette entreprise. Elle m'étonne, lui dis-je assez froidement. Elle vous étonne? me dit-il. Je le crois; elle en étonnerait bien d'autres. Ignorez-vous que d'une part la loi de l'Évangile ordonne « de ne point rendre le mal pour le mal, et d'en 10 « laisser la vengeance à Dieu? » et que de l'autre les lois du monde défendent de souffrir les injures sans en tirer raison soi-même, et souvent par la mort de ses ennemis? Avez-vous jamais rien vu qui paraisse plus contraire? Et cependant, quand je vous dis que nos pères ont accordé ces choses, vous me dites simplement que cela vous étonne. Je ne m'expliquais pas assez, mon père. Je tiendrais la chose impossible, si, après ce que j'ai vu de vos pères, je ne savais qu'ils peuvent faire facilement ce qui est impossible aux autres hommes. C'est ce qui 20 me fait croire qu'ils en ont bien trouvé quelque moyen, que j'admire sans le connaître, et que je vous prie de me déclarer.

Puisque vous le prenez ainsi, me dit-il, je ne puis vous le refuser. Sachez donc que ce principe merveilleux est notre grande méthode de *diriger l'intention*, dont l'importance est telle dans notre morale, que j'oserais quasi la comparer à la doctrine de la probabilité. Vous en avez vu quelques traits en passant, dans de certaines maximes que je vous ai dites. Car, lorsque je 30 vous ait fait entendre comment les valets peuvent faire en conscience de certains messages fâcheux,[3] n'avez-vous pas pris garde que c'était seulement en détournant leur intention du mal dont ils sont les entremetteurs, pour la porter au gain qui leur en revient? Voilà ce que c'est que *diriger l'intention*. Et vous avez vu de même que ceux qui donnent de l'argent pour des bénéfices seraient de véritables simoniaques,[4] sans une pareille diversion. Mais je veux maintenant vous faire voir cette grande méthode dans tout son lustre sur le sujet de 40 l'homicide, qu'elle justifie en mille rencontres, afin que vous jugiez par un tel effet tout ce qu'elle est capable de produire. Je vois déjà, lui dis-je, que par là

tout sera permis, rien n'en échappera. Vous allez toujours d'une extrémité à l'autre, répondit le père; corrigez-vous de cela. Car, pour vous témoigner que nous ne permettons pas tout, sachez que, par exemple, nous ne souffrons jamais d'avoir l'intention formelle de pécher pour le seul dessein de pécher; et que quiconque s'obstine à n'avoir point d'autre fin dans le mal que le mal même, nous rompons avec lui; cela est diabolique: voilà qui est sans exception d'âge, de sexe, de qualité. Mais quand on n'est pas dans cette malheureuse disposition, alors nous essayons de mettre en pratique notre méthode de *diriger l'intention*, qui consiste à se proposer pour fin de ses actions un object permis. Ce n'est pas qu'autant qu'il est en notre pouvoir, nous ne détournions les hommes des choses défendues; mais, quand nous ne pouvons pas empêcher l'action, nous purifions au moins l'intention; et ainsi nous corrigeons le vice du moyen par la pureté de la fin.

Voilà par où nos pères ont trouvé moyen de permettre les violences qu'on pratique en défendant son honneur. Car il n'y a qu'à détourner son intention du désir de vengeance, qui est criminel, pour la porter au désir de défendre son honneur, qui est permis selon nos pères. Et c'est ainsi qu'ils accomplissent tous leurs devoirs envers Dieu et envers les hommes: car ils contentent le monde en permettant les actions, et ils satisfont à l'Évangile en purifiant les intentions. Voilà ce que les anciens n'ont point connu; voilà ce qu'on doit à nos pères. Le comprenez-vous maintenant? Fort bien, lui dis-je. Vous accordez aux hommes l'effet extérieur et matériel de l'action, et vous donnez à Dieu ce mouvement intérieur et spirituel de l'intention; et par cet équitable partage vous alliez les lois humaines avec les divines. Mais, mon père, pour vous dire la vérité, je me défie un peu de vos promesses, et je doute que vos auteurs en disent autant que vous. Vous me faites tort, dit le père; je n'avance rien que je ne prouve, et par tant de passages, que leur nombre, leur autorité et leurs raisons vous rempliront d'admiration.

Car, pour vous faire voir l'alliance que nos pères ont faite des maximes de l'Évangile avec celles du monde, par cette direction d'intention, écoutez notre père Reginaldus, *in Praxi*, t. II, l. 21, n. 62, p. 260: « Il est défendu aux particuliers de se venger; car saint Paul dit aux Rom., ch. 12: Ne rendez à personne le mal pour le mal; et l'Eccl., ch. 28: Celui qui veut se venger attirera sur soi la vengeance de Dieu, et ses péchés ne seront point oubliés. Outre tout ce qui est dit dans l'Évangile, du pardon des offenses, comme dans les

---

[3] improper; e.g., letters proposing illicit love-affairs
[4] *pour ... simoniaques:* for remunerated church offices would be guilty of simony [the purchase of spiritual benefits]

chapitres 6 et 18 de saint Matthieu. » Certes, mon père, si après cela il dit autre chose que ce qui est dans l'Écriture, ce ne sera pas manque de la savoir. Que conclut-il donc enfin? Le voici, dit-il : « De toutes ces choses, il paraît qu'un homme de guerre peut sur l'heure même poursuivre celui qui l'a blessé ; non pas, à la vérité, avec l'intention de rendre le mal pour le mal, mais avec celle de conserver son honneur : *Non ut malum pro malo reddat, sed ut conservet honorem.* »

Voyez-vous comment ils ont soin de défendre d'avoir l'intention de rendre le mal pour le mal, parce que l'Écriture le condamne? Ils ne l'ont jamais souffert. Voyez Lessius, de Just, lib. 2, c. 9, d. 12, n. 79: « Celui qui a reçu un soufflet[5] ne peut pas avoir l'intention de s'en venger ; mais il peut bien avoir celle d'éviter l'infamie, et pour cela de repousser à l'instant cette injure, et même à coups d'épée : *etiam cum gladio.* » Nous sommes si éloignés de souffrir qu'on ait le dessein de se venger de ses ennemis, que nos pères ne veulent pas seulement qu'on leur souhaite la mort par un mouvement de haine. Voyez notre père Escobar, tr. 5, ex. 5, n. 145: « Si votre ennemi est disposé à vous nuire, vous ne devez pas souhaiter sa mort par un mouvement de haine, mais vous le pouvez bien faire pour éviter votre dommage. » Car cela est tellement légitime avec cette intention, que notre grand Hurtado de Mendoza dit qu'on peut prier Dieu de faire promptement mourir ceux qui se disposent à nous persécuter, si on ne le peut éviter autrement. » C'est au livre *de Spe*, v. 2, d. 15, sect. 4, *g* 48.

Mon révérend père, lui dis-je, l'Église a bien oublié de mettre une oraison[6] à cette intention dans ses prières. On n'y a pas mis, me dit-il, tout ce qu'on peut demander à Dieu. Outre que cela ne se pouvait pas ; car cette opinion-là est plus nouvelle que le bréviaire : vous n'êtes pas bon chronologiste. Mais, sans sortir de ce sujet, écoutez encore ce passage de notre père Gaspar Hurtado, *de Subj. pecc., disp.* 4, *diff.* 9, cité par Diana p. 5, tr. 13, r. 99. C'est l'un des vingt-quatre pères d'Escobar. « Un bénéficier peut, sans aucun péché mortel, désirer la mort de celui qui a une pension sur son bénéfice ;[7] et un fils celle de son père, et se réjouir quand elle arrive, pourvu que ce ne soit que pour le bien qui lui en revient, et non pas par une haine personnelle. »

[5] a slap as a provocation to a duel
[6] a prayer
[7] see note 4

O mon père, lui dis-je, voilà un beau fruit de la direction d'intention ! Je vois bien qu'elle est de grande étendue. Mais néanmoins il y a de certains cas dont la résolution sera encore difficile, quoique fort nécessaire pour les gentilshommes. Proposez-les pour voir, dit le père. Montrez-moi, lui dis-je, avec toute cette direction d'intention, qu'il soit permis de se battre en duel. Notre grand Hurtado de Mendoza, dit le père, vous y satisfera sur l'heure dans ce passage que Diana rapporte, p. 5. tr. 14, r. 99 : « Si un gentilhomme qui est appelé en duel est connu pour n'être pas dévot, et que les péchés qu'on lui voit commettre à toute heure sans scrupule fassent aisément juger que, s'il refuse le duel, ce n'est pas par la crainte de Dieu, mais par timidité, et qu'ainsi on dise de lui que c'est une poule, et non pas un homme, *gallina, et non vir*, il peut, pour conserver son honneur, se trouver au lieu assigné, non pas véritablement avec l'intention expresse de se battre en duel, mais seulement avec celle de se défendre, si celui qui l'a appelé l'y vient attaquer injustement. Et son action sera tout indifférente d'elle-même ; car quel mal y a-t-il d'aller dans un champ, de s'y promener en attendant un homme, et de se défendre si on l'y vient attaquer? Et ainsi il ne pèche en aucune manière, puisque ce n'est point du tout accepter un duel, ayant l'intention dirigée à d'autres circonstances. Car l'acceptation du duel consiste en l'intention expresse de se battre, laquelle celui-ci n'a pas. »

Vous ne m'avez pas tenu parole, mon père. Ce n'est pas là proprement permettre le duel ; au contraire, il le croit tellement défendu, que, pour le rendre permis, il évite de dire que c'en soit un. Ho ! ho ! dit le père, vous commencez à pénétrer ; j'en suis ravi. Je pourrais dire néanmoins qu'il permet en cela tout ce que demandent ceux qui se battent en duel. Mais, puisqu'il faut vous répondre juste, notre père Layman le fera pour moi, en permettant le duel en mots propres, pourvu qu'on dirige son intention à l'accepter seulement pour conserver son honneur ou sa fortune. C'est au l. 3, tr. 3, p. 3, c. 3, n. 2 et 3 : « Si un soldat à l'armée, ou un gentilhomme à la cour, se trouve en état de perdre son honneur ou sa fortune s'il n'accepte un duel, je ne vois pas que l'on puisse condamner celui qui le reçoit pour se défendre. » Petrus Hurtado dit la même chose, au rapport de notre célèbre Escobar, au tr. 1, ex. 7, n. 96 ; et au n. 98 il ajoute ces paroles de Hurtado : « Qu'on peut se battre en duel pour défendre même son bien, s'il n'y a que ce moyen de le conserver ; parce que chacun a le droit de défendre son bien, et même par la mort de ses ennemis. » J'admirai, sur ces passages, de voir que la piété du roi emploie sa puissance à défendre et à abolir le duel dans ses États, et que la piété des Jésuites occupe leur subtilité à le permettre et à l'autoriser dans l'Église.[8] Mais le bon père était si en train, qu'on lui eût fait tort de l'arrêter; de sorte qu'il poursuivit ainsi : Enfin, dit-il, Sanchez (voyez un peu quelles gens je vous cite !) passe outre; car il permet non-seulement de recevoir, mais encore d'offrir le duel, en dirigeant bien son intention. Et notre Escobar le suit en cela au même lieu, n. 97. Mon père, lui dis-je, je le quitte, si cela est; mais je ne croirai jamais qu'il l'ait écrit, si je ne le vois. Lisez-le donc vous-même, me dit-il. Et je lus, en effet, ces mots dans la Théologie morale de Sanchez, liv. 2, c. 39, n. 7: « Il est bien raisonnable de dire qu'un homme peut se battre en duel pour sauver sa vie, son honneur ou son bien en une quantité considérable, lorsqu'il est constant qu'on les lui veut ravir[9] injustement par des procès et des chicaneries, et qu'il n'y a que ce seul moyen de les conserver. Et Navarrus dit fort bien qu'en cette occasion il est permis d'accepter et d'offrir le duel: *Licet acceptare et offerre duellum.* Et aussi qu'on peut tuer en cachette son ennemi. Et même, en ces rencontres-là, on ne doit point user de la voie du duel, si on peut tuer en cachette son homme, et sortir par là d'affaire: car par ce moyen on évitera tout ensemble, et d'exposer sa vie dans un combat, et de participer au péché que notre ennemi commettrait par un duel. »

Voilà, mon père, lui dis-je, un pieux guet-apens:[10] mais, quoique pieux, il demeure toujours guet-apens, puisqu'il est permis de tuer son ennemi en trahison. Vous ai-je dit, répliqua le père, qu'on peut tuer en trahison? Dieu m'en garde ! Je vous dis qu'on peut tuer en cachette, et de là vous concluez qu'on peut tuer en trahison, comme si c'était la même chose. Apprenez d'Escobar, tr. 6, ex. 4, n. 26, ce que c'est que tuer en trahison, et puis vous parlerez. « On appelle tuer en trahison, quand on tue celui qui ne s'en défie en aucune manière. Et c'est pourquoi celui qui tue son ennemi n'est pas dit le tuer en trahison, quoique ce soit par derrière ou dans une embûche: *Licet per insidias aut a tergo percutiat.* » Et au même traité, n. 56: « Celui qui tue son ennemi avec lequel il s'était réconcilié, sous promesse de ne plus attenter à sa vie, n'est pas absolument dit le tuer en trahison, à moins qu'il n'y eût entre eux une amitié bien étroite: *arctior amicitia.* »

Vous voyez par là que vous ne savez pas seulement ce que les termes signifient, et cependant vous parlez comme un docteur. J'avoue, lui dis-je, que cela m'est nouveau; et j'apprends de cette définition qu'on n'a peut-être jamais tué personne en trahison, car on ne s'avise guère d'assassiner que ses ennemis. Mais, quoi qu'il en soit, on peut donc, selon Sanchez, tuer hardiment, je ne dis plus en trahison, mais seulement par derrière, ou dans une embûche, un calomniateur qui nous poursuit en justice?[11] Oui, dit le père, mais en dirigeant bien l'intention: vous oubliez toujours le principal. Et c'est ce que Molina soutient aussi, t. 4, tr. 3, disp. 12. Et même, selon notre docte Reginaldus, t. II, lib. 21, c. 5, n. 57: « On peut tuer aussi les faux témoins qu'il suscite contre nous. » Et enfin, selon nos grands et célèbres pères Tannerus et Emmanuel Sa, on peut de même tuer et les faux témoins et le juge, s'il est de leur intelligence. Voici ses mots, t, 3. disp. 4, q. 8, n. 83: « Sotus, dit-il, et Lessius disent qu'il n'est pas permis de tuer les faux témoins et le juge qui conspirent à faire mourir un innocent; mais Emmanuel Sa et d'autres auteurs ont raison d'improuver[12] ce sentiment-là, au moins pour ce qui touche la conscience. » Et il confirme encore, au même lieu, qu'on peut tuer et témoins et juge.

Mon père, lui dis-je, j'entends maintenant assez bien votre principe de la direction d'intention; mais j'en veux bien entendre aussi les conséquences, et tous les cas où cette méthode donne le pouvoir de tuer. Reprenons donc ceux que vous m'avez dits, de peur de méprise; car l'équivoque serait ici dangereuse. Il ne faut tuer que bien à propos, et sur bonne opinion probable. Vous m'avez donc assuré qu'en dirigeant bien son intention, on peut, selon vos pères, pour conserver son honneur et même son bien, accepter un duel, l'offrir quelquefois, tuer en cachette un faux accusateur, et ses témoins avec lui, et encore le juge corrompu qui les favorise; et vous m'avez dit aussi que celui qui a reçu un soufflet peut, sans se venger, le réparer à coups d'épée. Mais, mon père, vous ne m'avez pas dit avec quelle mesure. On ne s'y peut guère tromper, dit le

---

[8] Louis XIII had forbidden duels under pain of death

[9] *constant . . . ravir:* certain that someone wishes to steal them from him

[10] trap

[11] *poursuit en justice:* prosecutes

[12] disapprove of

père; car on peut aller jusqu'à le tuer. C'est ce que prouve fort bien notre savant Henriquez, liv. 14, c. 10, n. 3, et d'autres de nos pères rapportés par Escobar, tr. 1, ex. 7, n. 48, en ces mots : « On peut tuer celui qui a donné un soufflet, quoiqu'il s'enfuie, pourvu qu'on évite de le faire par haine ou par vengeance, et que par là on ne donne pas lieu à des meurtres excessifs et nuisibles à l'État. Et la raison en est qu'on peut ainsi courir après son honneur, comme après du bien dérobé : car encore que votre honneur ne soit pas 10 entre les mains de votre ennemi, comme seraient des hardes[13] qu'il vous aurait volées, on peut néanmoins le recouvrer en la même manière, en donnant des marques de grandeur et d'autorité, et s'acquérant par là l'estime des hommes. Et en effet n'est-il pas véritable que celui qui a reçu un soufflet est réputé sans honneur, jusqu'à ce qu'il ait tué son ennemi ? » Cela me parut si horrible, que j'eus peine à me retenir ; mais, pour savoir le reste, je le laissai continuer ainsi : Et même, dit-il, on peut, pour prévenir un soufflet, tuer 20 celui qui le veut donner, s'il n'y a que ce moyen de l'éviter. Cela est commun dans nos pères. Par exemple, Azor, *Inst. mor.*, part. 3, lib. 2, cap. 1, p. 127 (c'est encore l'un des vingt-quatre vieillards[14]) : « Est-il permis à un homme d'honneur de tuer celui qui lui veut donner un soufflet ou un coup de bâton ? Les uns disent que non, et leur raison est que la vie du prochain est plus précieuse que notre honneur : outre qu'il y a de la cruauté à tuer un homme pour éviter seulement un soufflet. Mais les autres disent que cela est permis ; et 30 certainement je le trouve probable, quand on ne peut l'éviter autrement ; car sans cela l'honneur des innocents serait sans cesse exposé à la malice des insolents. » Notre grand Filiutius, de même, t. 2, tr. 29, c. 3, n. 50 ; et le père Héreau, dans ses écrits de l'Homicide ; Hurtado de Mendoza, in 2.2., disp. 170, sect. 16, g 137 ; et Bécan, *Som.*, part. 3, tr. 2, c. 64, *de homicid.*, q. 8 ; et nos pères Flahaut et Le Court, dans leurs écrits que l'université, dans sa troisième requête, a rapportés tout au long pour les décrier,[15] mais elle n'y a pas réussi, et 40 Escobar, au même lieu, n. 48, disent tous les mêmes

choses. Enfin cela est si généralement soutenu, que Lessius le décide comme une chose qui n'est contestée d'aucun Casuiste, l. 2, c. 9, d. 12, n. 77. Car il en apporte un grand nombre qui sont de cette opinion, et aucun qui soit contraire ; et même il allègue n. 78, Pierre Navarre, qui, parlant généralement des affronts, dont il n'y en a point de plus sensible qu'un soufflet, déclare que, selon le consentement de tous les Casuistes, *ex sententia omnium, licet contumeliosum occidere, quando aliter ea injuria arceri nequit.*[16] En voulez-vous davantage ?

Je l'en remerciai, car je n'en avais que trop entendu. Mais, pour voir jusqu'où irait une si damnable doctrine, je lui dis : Mais, mon père, ne sera-t-il point permis de tuer pour un peu moins ? Ne saurait-on diriger son intention en sorte qu'on puisse tuer pour un démenti ?[17] Oui, dit le père ; et, selon notre père Baldelle, l. 3, dub. 24, n. 24, rapporté par Escobar au même lieu, n. 49, « il est permis de tuer celui qui vous dit : Vous avez menti, si on ne peut le réprimer autrement. » Et on peut tuer de la même sorte pour des médisances, selon nos pères ; car Lessius, que le père Héreau, entre autres, suit mot à mot, dit, au lieu déjà cité : « Si vous tâchez de ruiner ma réputation par des calomnies devant des personnes d'honneur, et que je ne puisse l'éviter autrement qu'en vous tuant, le puis-je faire ? Oui, selon des auteurs modernes, et même encore que le crime que vous publiez soit véritable, si toute fois il est secret, en sorte que vous ne puissiez le découvrir selon les voies de la justice ; et en voici la preuve. Si vous me voulez ravir l'honneur en me donnant un soufflet, je puis l'empêcher par la force des armes : donc la même défense est permise quand vous me voulez faire la même injure avec la langue. De plus, on peut empêcher les affronts : donc on peut empêcher les médisances. Enfin, l'honneur est plus cher que la vie. Or, on peut tuer pour défendre sa vie ; donc on peut tuer pour défendre son honneur. »

[13] clothes
[14] *l'un . . . vieillards*: [allusion to the fifth letter in which the Jesuit told the author about Escobar's compilation from twenty-four "de nos pères" of a *Théologie morale*]
[15] strongly criticize

[16] *ex . . . nequit*: with the approval of all [the Latin repeats the French] it is permitted to kill him who would cast an insult [in this case, affront with a slap], when one cannot otherwise avoid the insult. [Casuistry, a branch of moral theology, was practised to excess by the Jesuits. If the motives for a sin were studied minutely it was always possible to show that the sinner was not responsible for his acts]
[17] contradiction

Voilà des arguments en forme. Ce n'est pas là discourir, c'est prouver. Et enfin ce grand Lessius montre au même endroit, n. 78, qu'on peut tuer même pour un simple geste, ou un signe de mépris. « On peut, dit-il, attaquer et ôter l'honneur en plusieurs manières, dans lesquelles la défense paraît bien juste ; comme si on veut donner un coup de bâton, ou un soufflet, ou si on veut nous faire affront par des paroles ou par des signes : *sive per signa*. »

O mon père ! lui dis-je, voilà tout ce qu'on peut souhaiter pour mettre l'honneur à couvert ;[18] mais la vie est bien exposée, si pour de simples médisances, ou des gestes désobligeants, on peut tuer le monde en conscience. Cela est vrai, me dit-il ; mais comme nos pères sont fort circonspect, ils ont trouvé à propos de défendre de mettre cette doctrine en usage en ces petites occasions. Car ils disent au moins « qu'à peine doit-on la pratiquer : *practice vix probari potest*. » Et ce n'a pas été sans raison ; la voici. Je le sais bien, lui dis-je : c'est parce que la loi de Dieu défend de tuer. Ils ne le prennent pas par là, me dit le père : ils le trouvent permis en conscience, et en ne regardant que la vérité en elle-même. Et pourquoi le défendent-ils donc ? Écoutez-le, dit-il. C'est parce qu'on dépeuplerait un État en moins de rien, si on en tuait tous les médisants. Apprenez-le de notre Reginaldus, t. II, l. 21, n. 63, p. 261 : « Encore que cette opinion, qu'on peut tuer pour une médisance, ne soit pas sans probabilité dans la théorie, il faut suivre le contraire dans la pratique ; car il faut toujours éviter le dommage de l'État dans la manière de se défendre. Or, il est visible qu'en tuant le monde de cette sorte, il se ferait un trop grand nombre de meurtres. » Lessius en parle de même au lieu déjà cité : « Il faut prendre garde que l'usage de cette maxime ne soit nuisible à l'État ; car alors il ne faut pas le permettre : *tunc enim non est permittendus*. »

Quoi ! mon père, ce n'est donc ici qu'une défense de politique, et non pas de religion ? Peu de gens s'y arrêteront, et surtout dans la colère ; car il pourrait être assez probable qu'on ne fait point de tort à l'État de le purger d'un méchant homme. Aussi, dit-il, notre père Filiutius joint à cette raison-là une autre bien considérable, t. II, tr. 29, c. 3, n. 51 : « C'est qu'on serait puni en justice, en tuant le monde pour ce sujet. » Je vous le disais bien, mon père, que vous ne feriez jamais rien qui vaille, tant que vous n'auriez point les juges de

votre côté. Les juges, dit le père, qui ne pénètrent pas dans les consciences, ne jugent que par le dehors de l'action, au lieu que nous regardons principalement à l'intention ; et de là vient que nos maximes sont quelquefois un peu différentes des leurs. Quoi qu'il en soit, mon père, il se conclut fort bien des vôtres qu'en évitant les dommages de l'État, on peut tuer les médisants en sûreté de conscience, pourvu que ce soit en sûreté de sa personne.

Mais, mon père, après avoir si bien pourvu à[19] l'honneur, n'avez-vous rien fait pour le bien ? Je sais qu'il est de moindre considération ; mais il n'importe. Il me semble qu'on peut bien diriger son intention à tuer pour le conserver. Oui, dit le père ; et je vous en ai touché quelque chose qui vous a pu donner cette ouverture. Tous nos Casuistes s'y accordent, et même on le permet, « encore que l'on ne craigne plus aucune violence de ceux qui nous ôtent notre bien, comme quand ils s'enfuient. » Azor, de notre Société, le prouve, p. 3, l, 2, c. 1, q. 20, p. 127.

Mais, mon père, combien faut-il que la chose vaille pour nous porter à cette extrémité ? « Il faut, selon Reginaldus, t. II, l. 21, c. 5, n. 67, et Tannerus, t. III, in 2.2., disp. 4, q. 8, d. 4, n. 69. que la chose soit de grand prix au jugement d'un homme prudent. » Et Layman et Filiutius en parlent de même. Ce n'est rien dire, mon père : où ira-t-on chercher un homme prudent, dont la rencontre est si rare, pour faire cette estimation ? Que ne déterminent-ils exactement la somme ? Comment ! dit le père, était-il si facile, à votre avis, de comparer la vie d'un homme, et d'un chrétien, à de l'argent ? C'est ici où je veux vous faire sentir la nécessité de nos Casuistes. Cherchez-moi dans tous les anciens Pères pour combien d'argent il est permis de tuer un homme. Que vous diront-ils, sinon : *Non occides*, « Vous ne tuerez point ? » Et qui a donc osé déterminer cette somme ? répondis-je. C'est, me dit-il, notre grand et incomparable Molina, la gloire de notre Société, qui, par sa prudence inimitable, l'a estimée « à six ou sept ducats, pour lesquels il assure qu'il est permis de tuer, encore que celui qui les emporte s'enfuie. » C'est en son t. 4, tr. 3, disp. 16, n. 6. Et il dit de plus, au même endroit, « qu'il n'oserait condamner d'aucun péché un homme qui tue celui qui lui veut ôter une chose de la valeur d'un écu, ou moins : *Unius aurei, vel minoris adhuc valoris*. » Ce qui a porté Escobar à établir cette

---

[18] *mettre . . . couvert:* protect one's honor

[19] (provided) for

règle générale, tr. 1, ex. 7, n. 44, « que régulièrement on peut tuer un homme pour la valeur d'un écu, selon Molina. »

O mon père ! d'où Molina a-t-il pu être éclairé pour déterminer une chose de cette importance, sans aucun secours de l'Écriture, des consiles, ni des Pères? Je vois bien qu'il a eu des lumières bien particulières, et bien éloignées de saint Augustin, sur l'homicide, aussi bien que sur la grâce. Me voici bien savant sur ce chapitre; et je connais parfaitement qu'il n'y a plus que les gens d'église qui s'abstiendront de tuer ceux qui leur feront tort en leur honneur ou en leur bien. Que voulez-vous dire? répliqua le père. Cela serait-il raisonnable, à votre avis, que ceux qu'on doit le plus respecter dans le monde fussent seuls exposés à l'insolence des méchants? Nos pères ont prévenu ce désordre; car Tannerus, t. 3, in 2. 2., d. 4, q. 8, d. 4, n. 76 et 77, dit « qu'il est permis aux ecclésiastiques et aux religieux même de tuer, pour défendre non-seulement leur vie, mais aussi leur bien, ou celui de leur communauté. » Molina, qu'Escobar rapporte, n. 43; Bécan, *Summ.*, par. 3, tr. 2, c. 64, q. 7, concl. 2, n. 4; Reginaldus, t. II, l. 21, c. 5, n. 68; Layman, l. 3, tr. 3, p. 3, c. 3, n. 4; Lessius, l 2, c. 9, d. 11, n. 72, et les autres, se servent tous des mêmes paroles.

Et même, selon notre célèbre père L'Amy, il est permis aux prêtres et aux religieux de prévenir ceux qui les veulent noircir par des médisances, en les tuant pour les en empêcher. Mais c'est toujours en dirigeant bien l'intention. Voici ses termes, t. 5, disp. 36, n. 118: « Il est permis à un ecclésiastique, ou à un religieux, de tuer un calomniateur qui menace de publier des crimes scandaleux de sa communauté, ou de lui-même, quand il n'y a que ce seul moyen de l'en empêcher, comme s'il est prêt à répandre ses médisances si on ne le tue promptement: car en ce cas, comme il serait permis à ce religieux de tuer celui qui lui voudrait ôter la vie, il lui est permis aussi de tuer celui qui lui veut ôter l'honneur, ou celui de sa communauté, de la même sorte qu'aux gens du monde. » Je ne savais pas cela, lui dis-je; et j'avais cru simplement le contraire sans y faire de réflexion, sur ce que j'avais ouï dire que l'Église abhorre tellement le sang, qu'elle ne permet pas seulement aux juges ecclésiastiques d'assister aux jugements criminels. Ne vous arrêtez pas à cela, dit-il; notre père L'Amy prouve fort bien cette doctrine, quoique, par un trait d'humilité bienséant à ce grand homme, il la soumette aux lecteurs prudents. Et Caramuel, notre illustre défenseur, qui la

rapporte dans sa Théologie fondamentale, p. 543, la croit si certaine, qu'il soutient que « le contraire n'est pas probable; » et il en tire des conclusions admirables, comme celle-ci, qu'il appelle « la conclusion des conclusions, *conclusionum conclusio:* Qu'un prêtre non-seulement peut, en de certaines rencontres, tuer un calomniateur, mais encore qu'il y en a où il le doit faire: *etiam aliquando debet occidere.* » Il examine plusieurs questions nouvelles sur ce principe; par exemple, celle-ci: *Savoir si les Jésuites peuvent tuer les Jansénistes?* Voilà, mon père, m'écriai-je, un point de théologie bien surprenant! et je tiens les Jansénistes déjà morts par la doctrine du père L'Amy. Vous voilà attrapé, dit le père: Caramuel conclut le contraire des mêmes principes. Et comment cela, mon père? Parce, me dit-il, qu'ils ne nuisent pas à notre réputation. Voici ses mots, n. 1146 et 1147, p. 547 et 548: « Les Jansénistes appellent les Jésuites Pélagiens:[20] pourra-t-on les tuer pour cela? Non, d'autant que les Jansénistes n'obscurcissent non plus l'éclat de la Société qu'un hibou celui du soleil; au contraire, ils l'ont relevée, quoique contre leur intention: *occidi non possunt, quia nocere non potuerunt.* »[21]

Eh quoi! mon père, la vie des Jansénistes dépend donc seulement de savoir s'ils nuisent à votre réputation? Je les tiens peu en sûreté, si cela est. Car, s'il devient tant soit peu probable qu'ils vous fassent tort, les voilà tuables sans difficulté. Vous en ferez un argument en forme; et il n'en faut pas davantage, avec une direction d'intention, pour expédier un homme en sûreté de conscience. O qu'heureux sont les gens qui ne veulent pas souffrir les injures, d'être instruits en cette doctrine! mais que malheureux sont ceux qui les offensent! En vérité, mon père, il vaudrait autant avoir affaire à des gens qui n'ont point de religion, qu'à ceux qui en sont instruits jusqu'à cette direction; car enfin l'intention de celui qui blesse ne soulage point celui qui est blessé: il ne s'aperçoit point de cette direction secrète, et il ne sent que celle du coup qu'on lui porte. Et je ne sais même si on n'aurait pas moins de dépit de

[20] The Pelagians flourished in the fifth century. St. Augustine was the chief adversary of their heretical doctrine which gave too large a place to human freedom at the expense of divine grace

[21] *ils . . . potuerunt:* they have heightened it [the reputation of the Society of Jesus], although unintentionally: *they cannot be killed because they have not been able to do harm*

se voir tuer brutalement par des gens emportés, que de se sentir poignarder consciencieusement par des gens dévots.

Tout de bon, mon père, je suis un peu surpris de tout ceci; et ces questions du père L'Amy et de Caramuel ne me plaisent point. Pourquoi? dit le père: êtes-vous Janséniste? J'en ai une autre raison, lui dis-je. C'est que j'écris de temps en temps à un de mes amis de la campagne ce que j'apprends des maximes de vos pères. Et quoique je ne fasse que rapporter simplement [10] et citer fidèlement leurs paroles, je ne sais néanmoins s'il ne se pourrait pas rencontrer quelque esprit bizarre qui, s'imaginant que cela vous fait tort, n'en tirât de vos principes quelque méchante conclusion. Allez, me dit le père, il ne vous en arrivera point de mal, j'en suis garant.[22] Sachez que ce que nos pères ont imprimé eux-mêmes, et avec l'approbation de nos supérieurs, n'est ni mauvais ni dangereux à publier.

Je vous écris donc sur la parole de ce bon père; mais le papier me manque toujours, et non pas les [20] passages. Car il y en a tant d'autres, et de si forts, qu'il faudrait des volumes pour tout dire. Je suis, etc.

1. *Pourquoi Pascal écrit-il cette satire des jésuites sous la forme d'un dialogue et non d'un essai?*
2. *Considerez la structure (ou la logique) de l'argument. Par exemple, la lettre est-elle organisée autour d'une ou de plusieurs idées? Comment cette idée ou ces idées sont-elles [30] développées? Pascal a-t-il une raison pour terminer la série d'exemples par celui du religieux homicide?*
3. *Quel rôle l'ami joue-t-il dans le développement de l'exposé des mauvaises doctrines des jésuites?*
4. *Remarquez que le père jésuite parle beaucoup, dans un style pédantesque et compliqué. Comment caractériseriez-vous le style de l'ami? Quels effets Pascal recherche-t-il par ce style?*
5. *Quel effet Pascal veut-il produire en donnant toujours les sources précises des citations du père jésuite: livre, chapitre, paragraphe et note? [40] Quel effet l'énumération des autorités ecclesiastiques produit-elle?*
6. *Quel effet le père jésuite espère-t-il créer par ces citations latines? Quel effet crée-t-il en réalité?*
7. *Notez que l'adversaire n'indique que très rarement son antipathie pour les doctrines des Jésuites. Pourquoi ne les attaque-t-il pas directement? Sur quoi compte-t-il pour réfuter ces doctrines?*
8. *Pourquoi l'ami avoue-t-il au père jésuite son intention d'écrire tout à son ami provincial?*
9. *Et ainsi, dit le père jésuite, nous corrigeons le vice du moyen par la pureté de la fin. Reconnaissez-vous ici l'application d'une doctrine générale dont la portée dépasse le cadre de la querelle entre les jansénistes et les jésuites de cette époque? Pascal vous persuade-t-il du mal de cette doctrine?*

Du Cœur

JEAN DE LA BRUYÈRE (1645–1696)

Il y a un goût dans la pure amitié où ne peuvent atteindre ceux qui sont nés médiocres.

L'amitié peut subsister entre des gens de différents [30] sexes, exempte même de toute grossièreté.[1] Une femme cependant regarde toujours un homme comme un homme; et réciproquement un homme regarde une femme comme une femme. Cette liaison n'est ni passion ni amitié pure: elle fait une classe à part.

L'amour naît brusquement, sans autre réflexion, par tempérament ou par faiblesse: un trait de beauté nous fixe, nous détermine. L'amitié au contraire se forme peu à peu, avec le temps, par la pratique, par un long commerce. Combien d'esprit, de bonté de [40] cœur, d'attachement, de services et de complaisance dans les amis, pour faire en plusieurs années bien moins que ne fait quelquefois en un moment un beau visage ou une belle main!

Le temps, qui fortifie les amitiés, affaiblit l'amour.

Tant que l'amour dure, il subsiste de soi-même, et quelquefois par les choses qui semblent le devoir

---

[22] I guarantee it

[1] *exempte . . . grossièreté:* free from all sensuality

éteindre, par les caprices, par les rigueurs, par l'éloignement, par la jalousie. L'amitié au contraire a besoin
de secours: elle périt faute de soins, de confiance et de
complaisance.[2]

Il est plus ordinaire de voir un amour extrême
qu'une parfaite amitié.

L'amour et l'amitié s'excluent l'un l'autre.

Celui qui a eu l'expérience d'un grand amour
néglige l'amitié; et celui qui est épuisé sur l'amitié[3]
n'a encore rien fait pour l'amour.   10

L'amour commence par l'amour; et l'on ne saurait passer de la plus forte amitié qu'à un amour faible.

Rien ne ressemble mieux à une vive amitié, que
ces liaisons que l'intérêt de notre amour nous fait
cultiver.

L'on n'aime bien qu'une seule fois: c'est la première; les amours qui suivent sont moins involontaires.

L'amour qui naît subitement est le plus long à
guérir.

L'amour qui croît[4] peu à peu et par degrés res-   20
semble trop à l'amitié pour être une passion violente.

Celui qui aime assez pour vouloir aimer un million
de fois plus qu'il ne fait, ne cède en amour qu'à celui
qui aime plus qu'il ne voudrait.

Si j'accorde que dans la violence d'une grande passion on peut aimer quelqu'un plus que soi-même, à
qui ferai-je plus de plaisir, ou à ceux qui aiment, ou à
ceux qui sont aimés?

Les hommes souvent veulent aimer, et ne sau-
raient y réussir: ils cherchent leur défaite sans pou-   30
voir la rencontrer, et si j'ose ainsi parler, ils sont
contraints de demeurer libres.

Ceux qui s'aiment d'abord avec la plus violente
passion contribuent bientôt chacun de leur part à
s'aimer moins, et ensuite à ne s'aimer plus. Qui, d'un
homme ou d'une femme, met davantage du sien dans
cette rupture, il n'est pas aisé[5] de le décider. Les femmes
accusent les hommes d'être volages,[6] et les hommes
disent qu'elles sont légères.

Quelque délicat que l'on soit en amour, on par-   40
donne plus de fautes que dans l'amitié.

C'est une vengeance douce à celui qui aime beau-

coup de faire, par tout son procédé,[7] d'une personne
ingrate une très ingrate.

Il est triste d'aimer sans une grande fortune, et
qui nous donne les moyens de combler ce que l'on aime,
et le rendre si heureux qu'il n'ait plus de souhaits à
faire.

S'il se trouve une femme pour qui l'on ait eu une
grande passion et qui ait été indifférente, quelques
importants services qu'elle nous rende dans la suite de
notre vie, l'on court un grand risque d'être ingrat.

Une grande reconnaissance emporte avec soi
beaucoup de goût et d'amitié pour la personne qui
nous oblige.

Être avec des gens qu'on aime, cela suffit; rêver
leur parler, ne leur parler point, penser à eux, penser à
des choses plus indifférentes, mais auprès d'eux, tout
est égal.

Il n'y a pas si loin de la haine à l'amitié que de
l'antipathie.

Il semble qu'il est moins rare de passer de l'antipathie à l'amour qu'à l'amitié.

L'on confie son secret dans l'amitié; mais il
échappe dans l'amour.

L'on peut avoir la confiance de quelqu'un sans en
avoir le cœur. Celui qui a le cœur n'a pas besoin de
révélation ou de confiance; tout lui est ouvert.

L'on ne voit dans l'amitié que les défauts qui
peuvent nuire à nos amis. L'on ne voit en amour de
défauts dans ce qu'on aime que ceux dont on souffre
soi-même.

Il n'y a qu'un premier dépit[8] en amour, comme la
première faute dans l'amitié, dont on puisse faire un
bon usage.

Il semble que s'il y a un soupçon injuste, bizarre
et sans fondement, qu'on ait une fois appelé jalousie,
cette autre jalousie qui est un sentiment juste, naturel,
fondé en raison et sur l'expérience, mériterait un
autre nom.

Le tempérament a beaucoup de part à la jalousie, et
elle ne suppose pas toujours une grande passion. C'est
cependant un paradoxe qu'un violent amour sans délicatesse.[9]

---

[2] obligingness
[3] *qui . . . amitié:* who directs all his energy toward
friendship
[4] develops
[5] *il n'est pas aisé:* it is not easy
[6] fickle

[7] La Bruyère here means that the rejected lover, by
impeccable behavior toward the person who has refused him,
has his revenge in the resultant magnification of the
person's insensibility
[8] chagrin
[9] jealous tension

Il arrive souvent que l'on souffre tout seul de la délicatesse. L'on souffre de la jalousie, et l'on fait souffrir les autres.

Celles qui ne nous m énagent sur rien, et ne nous épargnent nulles occasions de jalousie, ne mériteraient de nous aucune jalousie, si l'on se réglait plus par leurs sentiments et leur conduite que par son cœur.

Les froideurs et les relâchements dans l'amitié ont leurs causes. En amour, il n'y a guère d'autre raison de ne s'aimer plus que de s'être trop aimés.

L'on n'est pas plus maître de toujours aimer qu'on l'a été de ne pas aimer.

Les amours meurent par le dégoût, et l'oubli les enterre.

Le commencement et le déclin de l'amour se font sentir par l'embarras où l'on est de se trouver seuls.

Cesser d'aimer, preuve sensible que l'homme est borné, et que le cœur a ses limites.

C'est faiblesse que d'aimer; c'est souvent une autre faiblesse que de guérir.

On guérit comme on se console: on n'a pas dans le cœur de quoi toujours pleurer et toujours aimer.

Il devrait y avoir dans le cœur des sources inépuisables de douleur pour de certaines pertes. Ce n'est guère par vertu ou par force d'esprit que l'on sort d'une grande affliction: l'on pleure amèrement, et l'on est sensiblement touché; mais l'on est ensuite si faible ou si léger que l'on se console.

Si une laide se fait aimer, ce ne peut être qu'éperdument,[10] car il faut que ce soit ou par une étrange faiblesse de son amant, ou par de plus secrets et de plus invincibles charmes que ceux de la beauté.

L'on est encore longtemps à se voir par l'habitude, et à se dire de bouche que l'on s'aime, après que les manières disent qu'on ne s'aime plus.

Vouloir oublier quelqu'un, c'est y penser. L'amour a cela de commun avec les scrupules, qu'il s'aigrit par les réflexions et les retours que l'on fait pour s'en délivrer. Il faut, s'il se peut, ne point songer à sa passion pour l'affaiblir.

L'on veut faire tout le bonheur, ou si cela ne se peut ainsi, tout le malheur de ce qu'on aime.

Regretter ce que l'on aime est un bien, en comparaison de vivre avec ce que l'on hait.

Quelque désintéressement[11] qu'on ait à l'égard de ceux qu'on aime, il faut quelquefois se contraindre pour eux, et avoir la générosité de recevoir.

Celui-là peut prendre, qui goûte un plaisir aussi délicat à recevoir que son ami en sent à lui donner.

Donner, c'est agir: ce n'est pas souffrir de ses bienfaits, ni céder à l'importunité ou à la nécessité de ceux qui nous demandent.

Si l'on a donné à ceux que l'on aimait, quelque chose qu'il arrive, il n'y a plus d'occasions où l'on doive songer à ses bienfaits.

On a dit en latin qu'il coûte moins cher de haïr que d'aimer, ou si l'on veut, que l'amitié est plus à charge[12] que la haine. Il est vrai qu'on est dispensé de donner à ses ennemis; mais ne coûte-t-il rien de s'en venger? Ou s'il est doux et naturel de faire du mal à ce que l'on hait, l'est-il moins de faire du bien à ce qu'on aime? Ne seroit-il pas dur et pénible de ne lui en point faire?

Il y a du plaisir à rencontrer les yeux de celui à qui l'on vient de donner.

Je ne sais si un bienfait qui tombe sur un ingrat, et ainsi sur un indigne, ne change pas de nom, et s'il méritait plus de reconnaissance.

La libéralité consiste moins à donner beaucoup qu'à donner à propos.

S'il est vrai que la pitié ou la compassion soit un retour vers nous-mêmes qui nous met en la place des malheureux, pourquoi tirent-ils de nous si peu de soulagement dans leurs misères?

Il vaut mieux s'exposer à l'ingratitude que de manquer aux misérables.

L'expérience confirme que la mollesse ou l'indulgence pour soi et la dureté pour les autres n'est qu'un seul et même vice.

Un homme dur au travail et à la peine, inexorable à soi-même, n'est indulgent aux autres que par un excès de raison.

Quelque désagrément[13] qu'on ait à se trouver chargé d'un indigent, l'on goûte à peine les nouveaux avantages qui le tirent enfin de notre sujétion:[14] de même la joie que l'on reçoit de l'élévation de son ami est un peu balancée par la petite peine qu'on a de le voir au-dessus de nous ou s'égaler à nous. Aussi l'on s'accorde mal avec soi-même; car l'on veut des dépendants, et

---

[10] madly
[11] unselfishness

[12] *est plus à charge:* is a greater burden
[13] annoyance
[14] *qui . . . sujétion:* that free him from obligation to us

qu'il n'en coûte rien; l'on veut aussi le bien de ses amis, et s'il arrive, ce n'est pas toujours par s'en réjouir que l'on commence.

On convie, on invite, on offre sa maison, sa table, son bien et ses services: rien ne coûte qu'à tenir parole.

C'est assez pour soi d'un fidèle ami; c'est même beaucoup de l'avoir rencontré: on ne peut en avoir trop pour le service des autres.

Quand on a assez fait auprès de certaines personnes pour avoir dû se les acquérir,[15] si cela ne réussit point, il y a encore une ressource, qui est de ne plus rien faire.

Vivre avec ses ennemis comme s'ils devaient un jour être nos amis, et vivre avec nos amis comme s'ils pouvaient devenir nos ennemis, n'est ni selon la nature de la haine, ni selon les règles de l'amitié; ce n'est point une maxime morale, mais politique.

On ne doit pas se faire des ennemis de ceux qui, mieux connus, pourraient avoir rang entre nos amis. On doit faire choix d'amis si sûrs et d'une si exacte probité, que venant à cesser de l'être, ils ne veuillent pas abuser de notre confiance, ni se faire craindre comme ennemis.

Il est doux de voir ses amis par goût et par estime; il est pénible de les cultiver par intérêt; c'est *solliciter*.

Il faut briguer[16] la faveur de ceux à qui l'on veut du bien, plutôt que de ceux de qui l'on espère du bien.

On ne vole point des mêmes ailes pour sa fortune que l'on fait pour des choses frivoles et de fantaisie. Il y a un sentiment de liberté à suivre ses caprices, et tout au contraire de servitude à courir pour son établissement: il est naturel de le souhaiter beaucoup et d'y travailler peu, de se croire digne de le trouver sans l'avoir cherché.

Celui qui sait attendre le bien qu'il souhaite, ne prend pas le chemin de se désespérer s'il ne lui arrive pas; et celui au contraire qui désire une chose avec une grande impatience, y met trop du sien pour en être assez récompensé par le succes.

Il y a de certaines gens qui veulent si ardemment et si déterminément une certaine chose, que de peur de la manquer, ils n'oublient rien de ce qu'il faut faire pour la manquer.

Les choses les plus souhaitées n'arrivent point; ou si elles arrivent, ce n'est ni dans le temps ni dans les circonstances où elles auraient fait un extrême plaisir.

Il faut rire avant que d'être heureux; de peur de mourir sans avoir ri.

La vie est courte, si elle ne mérite ce nom que lorsqu'elle est agréable, puisque si l'on cousait ensemble toutes les heures que l'on passe avec ce qui plaît, l'on ferait à peine d'un grand nombre d'années une vie de quelques mois.

Qu'il est difficile d'être content de quelqu'un!

On ne pourrait se défendre de quelque joie à voir périr un méchant homme: l'on jouirait alors du fruit de sa haine, et l'on tirerait de lui tout ce qu'on en peut espérer, qui est le plaisir de sa perte. Sa mort enfin arrive, mais dans une conjoncture[17] où nos intérêts ne nous permettent pas de nous en réjouir: il meurt trop tôt ou trop tard.

Il est pénible à un homme fier de pardonner à celui qui le surprend en faute, et qui se plaint de lui avec raison: sa fierté ne s'adoucit que lorsqu'il reprend ses avantages, et qu'il met l'autre dans son tort.

Comme nous nous affectionnons de plus en plus aux personnes à qui nous faisons du bien, de même nous haïssons violemment ceux que nous avons beaucoup offensés.

Il est également difficile d'étouffer dans les commencements le sentiment des injures et de le conserver après un certain nombre d'années.

C'est par faiblesse que l'on hait un ennemi, et que l'on songe à s'en venger; et c'est par paresse que l'on s'apaise, et qu'on ne se venge point.

Il y a bien autant de paresse que de faiblesse à se laisser gouverner.

Il ne faut pas penser à gouverner un homme tout d'un coup, et sans autre préparation, dans une affaire importante et qui serait capitale à lui ou aux siens; il sentirait d'abord l'empire et l'ascendant qu'on veut prendre sur son esprit, et il secouerait le joug par honte ou par caprice: il faut tenter auprès de lui les petites choses, et de là le progrès jusqu'aux plus grandes est immanquable.[18] Tel ne pouvait au plus dans les commencements qu'entreprendre de le faire partir pour la campagne ou retourner à la ville, qui finit par lui dicter un testament où il réduit son fils à la légitime.[19]

---

[17] *dans une conjoncture:* at a time
[18] inevitable
[19] *il réduit . . . légitime:* he reduces his son's inheritance to the required legal minimum

[15] *se les acquérir:* to win them over
[16] solicit

Pour gouverner quelqu'un longtemps et absolument, il faut avoir la main légère, et ne lui faire sentir que le moins qu'il se peut sa dépendance.

Tels se laissent gouverner jusqu'à un certain point, qui au delà sont intraitables et ne se gouvernent plus: on perd tout à coup la route de leur cœur et de leur esprit; ni hauteur ni souplesse, ni force ni industrie ne les peuvent dompter: avec cette différence que quelques-uns sont ainsi faits par raison et avec fondement, et quelques autres par tempérament et par humeur. 10

Il se trouve des hommes qui n'écoutent ni la raison ni les bons conseils, et qui s'égarent volontairement par la crainte qu'ils ont d'être gouvernés.

D'autres consentent d'être gouvernés par leurs amis en des choses presque indifférentes, et s'en font un droit de les gouverner à leur tour en des choses graves et de conséquence.

Drance[20] veut passer pour gouverner son maître, qui n'en croit rien, non plus que le public: parler sans cesse à un grand que l'on sert, en des lieux et en des 20 temps où il convient le moins, lui parler à l'oreille ou en des termes mystériéux, rire jusqu'à éclater en sa présence, lui couper la parole, se mettre entre lui et ceux qui lui parlent, dédaigner ceux qui viennent faire leur cour ou attendre impatiemment qu'ils se retirent, se mettre proche de lui en une posture trop libre, figurer avec lui le dos appuyé à une cheminée, le tirer par son habit, lui marcher sur les talons, faire le familier, prendre des libertés, marquent mieux un fat qu'un favori. 30

Un homme sage ni ne se laisse gouverner, ni ne cherche à gouverner les autres: il veut que la raison gouverne seule, et toujours.

Je ne haïrois pas d'être livré par la confiance à une personne raisonnable, et d'en être gouverné en toutes choses, et absolument, et toujours: je serais sûr de bien faire, sans avoir le soin de délibérer; je jouirais de la tranquillité de celui qui est gouverné par la raison.

Toutes les passions sont menteuses: elles se déguisent autant qu'elles le peuvent aux yeux des 40 autres; elles se cachent à elles-mêmes. Il n'y a point de vice qui n'ait une fausse ressemblance avec quelque vertu, et qu'il ne s'en aide.

On ouvre un livre de dévotion,[21] et il touche; on en ouvre un autre qui est galant, et il fait son impression. Oserai-je dire que le cœur seul concilie les choses contraires, et admet les incompatibles?

Les hommes rougissent moins de leurs crimes que de leurs faiblesses et de leur vanité. Tel est ouvertement injuste, violent, perfide, calomniateur,[22] qui cache son amour ou son ambition, sans autre vue que de la cacher.

Le cas n'arrive guère où l'on puisse dire: « J'étais ambitieux; » ou on ne l'est point, ou on l'est toujours; mais le temps vient où l'on avoue que l'on a aimé.

Les hommes commencent par l'amour, finissent par l'ambition, et ne se trouvent souvent dans une assiette[23] plus tranquille que lorsqu'ils meurent.

Rien ne coûte moins à la passion que de se mettre au-dessus de la raison: son grand triomphe est de l'emporter sur l'intérêt.

L'on est plus sociable et d'un meilleur commerce par le cœur que par l'esprit.

Il y a de certains grands sentiments, de certaines actions nobles et élevées, que nous devons moins à la force de notre esprit qu'à la bonté de notre naturel.

Il n'y a guère au monde un plus bel excès que celui de la reconnaissance.

Il faut être bien dénué d'esprit si l'amour, la malignité, la nécessité n'en font pas trouver.

Il y a des lieux que l'on admire: il y en a d'autres qui touchent, et où l'on aimerait à vivre.

Il me semble que l'on dépend des lieux pour l'esprit, l'humeur, la passion, le goût et les sentiments.

Ceux qui font bien mériteraient seuls d'être enviés, s'il n'y avait encore un meilleur parti à prendre, qui est de faire mieux: c'est une douce vengeance contre ceux qui nous donnent cette jalousie.

Quelques-uns se défendent d'aimer et de faire des vers, comme de deux faibles qu'ils n'osent avouer, l'un du cœur, l'autre de l'esprit.

Il y a quelquefois dans le cours de la vie de si chers plaisirs et de si tendres engagements que l'on nous défend, qu'il est naturel de désirer du moins qu'ils fussent permis: de si grands charmes ne peuvent être surpassés que par celui de savoir y renoncer par vertu.

---

[20] Drance represents the Count of Clermont-Tonnerre, attendant of the Duke of Orléans, younger brother of Louis XIV

[21] a book for religious meditation; *galant*: guggestive risqué

[22] slanderous

[23] position

Entretien d'un philosophe avec la maréchale de***

DENIS DIDEROT (1713–1784)

J'avais je ne sais quelle affaire à traiter avec le maréchal de[1] . . .; j'allai à son hôtel, un matin; il était absent: je me fis annoncer à madame la maréchale. C'est une femme charmante; elle est belle et dévote comme un ange; elle a la douceur peinte sur son visage; [5] et puis, un son de voix et une naïveté de discours tout à fait avenants à sa physionomie. Elle était à sa toilette. On m'approche un fauteuil; je m'assieds, et nous causons. Sur quelques propos de ma part, qui l'édifièrent et qui la surprirent (car elle était dans l'opinion [10] que celui qui nie la très sainte Trinité est un homme de sac et de corde, qui finira par être pendu), elle me dit: N'êtes-vous pas monsieur Diderot?[2]

DIDEROT

Oui, madame.

LA MARÉCHALE

C'est donc vous qui ne croyez rien? [15]

DIDEROT

Moi-même.

LA MARÉCHALE

Cependant votre morale est d'un croyant.

DIDEROT

Pourquoi non, quand il est honnête homme?

LA MARÉCHALE

Et cette morale-là, vous la pratiquez?

DIDEROT

De mon mieux. [20]

LA MARÉCHALE

Quoi! vous ne volez point, vous ne tuez point, vous ne pillez point?

DIDEROT

Très rarement.

LA MARÉCHALE

Que gagnez-vous donc à ne pas croire?

DIDEROT

Rien du tout, madame la maréchale. Est-ce qu'on croit, parce qu'il y a quelque chose à gagner?

LA MARÉCHALE

Je ne sais; mais la raison d'intérêt ne gâte rien aux affaires de ce monde ni de l'autre.

DIDEROT

J'en suis un peu fâché pour notre pauvre espèce humaine. Nous ne valons pas mieux.

LA MARÉCHALE

Mais quoi! vous ne volez point?

DIDEROT

Non, d'honneur.

LA MARÉCHALE

Si vous n'êtes ni voleur ni assassin, convenez du [1] moins que vous n'êtes pas conséquent.

DIDEROT

Pourquoi donc?

LA MARÉCHALE

C'est qu'il me semble que si je n'avais rien à espérer ni à craindre, quand je n'y serai plus, il y a bien de petites douceurs dont je ne me priverais pas, à [1] présent que j'y suis. J'avoue que je prête à Dieu à la petite semaine.[3]

DIDEROT

Vous l'imaginez.

LA MARÉCHALE

Ce n'est point une imagination, c'est un fait.

DIDEROT

Et pourrait-on vous demander quelles sont ces [2] choses que vous vous permettriez, si vous étiez incrédule?

LA MARÉCHALE

Non pas, s'il vous plaît; c'est un article de ma confession.

[1] Believed to be Victor-François, duc de Broglie (1718–1804)
[2] In its first version the role here assigned to *Diderot* was assigned to one *Crudéli*

[3] . . . *prête . . . semaine:* make loans to God at weekly interest. [La maréchale means that she is buying her eternal salvation by sacrificing temporal pleasures]

DIDEROT

Pour moi, je mets à fonds perdu[4].

LA MARÉCHALE

C'est la ressource des gueux.

DIDEROT

M'aimeriez-vous mieux usurier?

LA MARÉCHALE

Mais oui; on peut faire l'usure avec Dieu tant qu'on veut: on ne le ruine pas. Je sais bien que cela n'est pas 5 délicat, mais qu'importe? Comme le point est d'attraper le ciel, d'adresse ou de force, il faut tout porter en ligne de compte, ne négliger aucun profit. Hélas! nous aurons beau faire, notre mise[5] sera toujours bien mesquine en comparaison de la rentrée[6] que nous attendons. 10 Et vous n'attendez rien, vous?

DIDEROT

Rien.

LA MARÉCHALE

Cela est triste. Convenez donc que vous êtes bien méchant ou bien fou!

DIDEROT

En vérité, je ne saurais, madame la maréchale. 15

LA MARÉCHALE

Quel motif peut avoir un incrédule d'être bon, s'il n'est pas fou? Je voudrais bien le savoir.

DIDEROT

Et je vais vous le dire.

LA MARÉCHALE

Vous m'obligerez.

DIDEROT

Ne pensez-vous pas qu'on peut être si heureuse- 20 ment né, qu'on trouve un grand plaisir à faire le bien?

LA MARÉCHALE

Je le pense.

DIDEROT

Qu'on peut avoir reçu une excellente éducation, qui fortifie le penchant naturel à la bienfaisance?

[4] . . . je . . . perdu: I make loans without security. [Diderot means he is morally good without expecting salvation as a reward]
[5] outlay, investment
[6] return (on investment)

LA MARÉCHALE

Assurément.

DIDEROT

Et que, dans un âge plus avancé, l'expérience nous ait convaincus, qu'à tout prendre, il vaut mieux, pour son bonheur dans ce monde, être un honnête homme qu'un coquin?[7] 5

LA MARÉCHALE

Oui-da; mais comment est-on honnête homme, lorsque de mauvais principes se joignent aux passions pour entraîner au mal?

DIDEROT

On est inconséquent: et y a-t-il rien de plus commun que d'être inconséquent! 10

LA MARÉCHALE

Hélas! malheureusement, non: on croit, et tous les jours on se conduit comme si l'on ne croyait pas.

DIDEROT

Et sans croire, l'on se conduit à peu près comme si l'on croyait.

LA MARÉCHALE

A la bonne heure; mais quel inconvénient y 15 aurait-il à avoir une raison de plus, la religion, pour faire le bien, et une raison de moins, l'incrédulité, pour mal faire?

DIDEROT

Aucun, si la religion était un motif de faire le bien, et l'incrédulité un motif de faire le mal. 20

LA MARÉCHALE

Est-ce qu'il y a quelque doute là-dessus? Est-ce que l'esprit de religion n'est pas de contrarier sans cesse cette vilaine nature corrompue; et celui de l'incrédulité, de l'abandonner à sa malice, en l'affranchissant de la crainte? 25

DIDEROT

Ceci, madame la maréchale, va nous jeter dans une longue discussion.

LA MARÉCHALE

Qu'est-ce que cela fait? Le maréchal ne rentrera pas sitôt; et il vaut mieux que nous parlions raison, que de médire de notre prochain. 30

[7] rascal

DIDEROT

Il faudra que je reprenne les choses d'un peu haut.

LA MARÉCHALE

De si haut que vous voudrez, pourvu que je vous entende.

DIDEROT

Si vous ne m'entendiez pas, ce serait bien ma faute.

LA MARÉCHALE

Cela est poli; mais il faut que vous sachez que je 5 n'ai jamais lu que mes heures,[8] et que je ne me suis guère occupée qu'à pratiquer l'Évangile et à faire des enfants.

DIDEROT

Ce sont deux devoirs dont vous vous êtes bien acquittée. 10

LA MARÉCHALE

Oui, pour les enfants: vous en avez trouvé six autour de moi, et dans quelques jours vous en pourriez voir un de plus sur mes genoux; mais commencez.

DIDEROT

Madame la maréchale, y a-t-il quelque bien, dans ce monde-ci, qui soit sans inconvénient? 15

LA MARÉCHALE

Aucun.

DIDEROT

Et quelque mal qui soit sans avantage?

LA MARÉCHALE

Aucun.

DIDEROT

Qu'appelez-vous donc mal ou bien?

LA MARÉCHALE

Le mal, ce sera ce qui a plus d'inconvénients que 20 d'avantages; et le bien, au contraire, ce qui a plus d'avantages que d'inconvénients.

DIDEROT

Madame la maréchale aura-t-elle la bonté de se souvenir de sa définition du bien et du mal?

LA MARÉCHALE

Je m'en souviendrai. Vous appelez cela une définition?

DIDEROT

Oui.

LA MARÉCHALE

C'est donc de la philosophie?

DIDEROT

Excellente. 5

LA MARÉCHALE

Et j'ai fait de la philosophie!

DIDEROT

Ainsi, vous êtes persuadées que la religion a plus d'avantages que d'inconvénients; et c'est pour cela que vous l'appelez un bien?

LA MARÉCHALE

Oui. 10

DIDEROT

Pour moi, je ne doute point que votre intendant ne vous vole un peu moins la veille de Pâques que le lendemain des fêtes;[9] et que de temps en temps la religion n'empêche nombre de petits maux et ne produise nombre de petits biens. 15

LA MARÉCHALE

Petit à petit, cela fait somme.

DIDEROT

Mais croyez-vous que les terribles ravages qu'elle a causés dans les temps passés, et qu'elle causera dans les temps à venir, soient suffisamment compensés par ces guenilleux[10] avantages-là? Songez qu'elle a créé et 20 qu'elle perpétue la plus violente antipathie entre les nations. Il n'y a pas un musulman qui n'imaginât faire une action agréable à Dieu et à son Prophète, en exterminant tous les chrétiens, qui, de leur côté, ne sont guère plus tolérants. Songez qu'elle a créé et 25 qu'elle perpétue dans une même contrée, des divisions qui se sont rarement éteintes sans effusion de sang. Notre histoire ne nous en offre que de trop récents et

---

[8] prayer-book based on liturgical offices. [La maréchale wishes to make it clear that she is no philosopher]

[9] . . . votre intendant . . . des fêtes: i.e., Diderot concedes that the maréchale's steward may rob her less the day before than the day after holy days because the day of reckoning is not yet past
[10] ragged

trop funestes exémples. Songez qu'elle a créé et qu'elle perpétue dans la société entre les citoyens, et dans les familles entre les proches, les haines les plus fortes et les plus constantes. Le Christ a dit qu'il était venu pour séparer l'époux de la femme, la mère de ses enfants, le [5] frère de sa sœur, l'ami de l'ami; et sa prédiction ne s'est que trop fidèlement accompli.

LA MARÉCHALE

Voilà bien les abus; mais ce n'est pas la chose.

DIDEROT

C'est la chose, si les abus en sont inséparables.

LA MARÉCHALE

Et comment me montrerez-vous que les abus de la [10] religion sont inséparables de la religion?

DIDEROT

Très aisément: dites-moi, si un misanthrope s'était proposé de faire le malheur du genre humain, qu'aurait-il pu inventer de mieux que la croyance en un être incompréhensible, sur lequel les hommes n'auraient [15] jamais pu s'entendre, et auquel ils auraient attaché plus d'importance qu'à leur vie? Or est-il possible de séparer de la notion d'une divinité l'incompréhensibilité la plus profonde et l'importance la plus grande?

LA MARÉCHALE

Non. [20]

DIDEROT

Concluez donc.

LA MARÉCHALE

Je conclus que c'est une idée qui n'est pas sans conséquence dans la tête des fous.

DIDEROT

Et ajoutez que les fous ont toujours été et seront toujours le plus grand nombre; et que les plus dange- [25] reux ce sont ceux que la religion fait, et dont les perturbateurs de la société savent tirer bon parti[11] dans l'occasion.

LA MARÉCHALE

Mais il faut quelque chose qui effraye les hommes sur les mauvaises actions qui échappent à la sévérité [30] des lois; et si vous détruisez la religion, que lui substituerez-vous?

DIDEROT

Quand je n'aurais rien à mettre à la place, ce serait toujours un terrible préjugé de moins; sans compter que, dans aucun siècle et chez aucune nation, les opinions religieuses n'ont servi de base aux mœurs nationales. Les dieux qu'adoraient ces vieux Grecs et [5] ces vieux Romains, les plus honnêtes gens de la terre, étaient la canaille la plus dissolue: un Jupiter, à brûler tout vif; une Vénus, à enfermer à l'Hôpital;[12] un Mercure, à mettre à Bicêtre.[13]

LA MARÉCHALE

Et vous pensez qu'il est tout à fait indifférent que [10] nous soyons chrétiens ou païens; que païens, nous n'en vaudrions pas moins; et que chrétiens, nous n'en valons pas mieux.

DIDEROT

Ma foi, j'en suis convaincu, à cela près que nous serions un peu plus gais. [15]

LA MARÉCHALE

Cela ne se peut.

DIDEROT

Mais, madame la maréchale, est-ce qu'il y a des chrétiens? Je n'en ai jamais vu.

LA MARÉCHALE

Et c'est à moi que vous dites cela, à moi?

DIDEROT

Non, madame, ce n'est pas à vous; c'est à une de [20] mes voisines qui est honnête et pieuse comme vous l'êtes, et qui se croyait chrétienne de la meilleure foi du monde, comme vous vous le croyez.

LA MARÉCHALE

Et vous lui fîtes voir qu'elle avait tort?

DIDEROT

En un instant. [25]

LA MARÉCHALE

Comment vous y prîtes-vous?

DIDEROT

J'ouvris un Nouveau Testament, dont elle s'était beaucoup servie, car il était fort usé. Je lui lus le sermon

---

[11] ... tirer ... parti: make good use

[12] a hospital for women as well as a prison for debauched women

[13] a home for old men and asylum for the insane

sur la montagne, et à chaque article je lui demandai:
« Faites-vous cela? et cela donc? et cela encore? »
J'allai plus loin. Elle est belle, et quoiqu'elle soit très
dévote, elle ne l'ignore pas; elle a la peau très blanche,
et quoiqu'elle n'attache pas un grand prix à ce frêle   5
avantage, elle n'est pas fâchée qu'on en fasse l'éloge;
elle a la gorge aussi bien qu'il soit possible de l'avoir, et,
quoiqu'elle soit très modeste, elle trouve bon qu'on s'en
aperçoive.

LA MARÉCHALE

Pourvu qu'il n'y ait qu'elle et son mari qui le   10
sachent.

DIDEROT

Je crois que son mari le sait mieux qu'un autre;
mais pour une femme qui se pique de grand christianisme, cela ne suffit pas. Je lui dis: « N'est-il pas écrit
dans l'Évangile, que celui qui a convoité la femme de   15
son prochain, a commis l'adultère dans son cœur? »

LA MARÉCHALE

Elle vous répondit que oui?

DIDEROT

Je lui dis: « Et l'adultère commis dans le cœur ne
damne-t-il pas aussi sûrement qu'un adultère mieux
conditionné? »   20

LA MARÉCHALE

Elle vous répondit encore que oui?

DIDEROT

Je lui dis: « Et si l'homme est damné pour l'adultère
qu'il a commis dans le cœur, quel sera le sort de la
femme qui invite tous ceux qui l'approchent à commettre ce crime? » Cette dernière question l'embarrassa.   25

LA MARÉCHALE

Je comprends; c'est qu'elle ne voilait pas fort
exactement cette gorge, qu'elle avait aussi bien qu'il est
possible de l'avoir.

DIDEROT

Il est vrai. Elle me répondit que c'était une chose
d'usage; comme si rien n'était plus d'usage que de   30
s'appeler chrétien, et de ne l'être pas; qu'il ne fallait
pas se vêtir ridiculement, comme s'il y avait quelque
comparaison à faire entre un misérable petit ridicule,
sa damnation éternelle et celle de son prochain; qu'elle
se laissait habiller par sa couturière, comme s'il ne valait   35
pas mieux changer de couturière que renoncer à sa
religion; que c'était la fantaisie de son mari, comme si

un époux était assez insensé d'exiger de sa femme
l'oubli de la décence et de ses devoirs, et qu'une véritable chrétienne dût pousser l'obéissance pour un
époux extravagant jusqu'au sacrifice de la volonté de
son Dieu et au mépris des menaces de son rédempteur!   5

LA MARÉCHALE

Je savais d'avance toutes ces puérilités-là; je vous
les aurais peut-être dites comme votre voisine: mais
elle et moi nous aurions été toutes deux de mauvaise
foi. Mais quel parti prit-elle d'après votre remontrance?

DIDEROT

Le lendemain de cette conversation (c'était un   10
jour de fête), je remontais chez moi, et ma dévote et
belle voisine descendait de chez elle pour aller à la
messe.

LA MARÉCHALE

Vêtue comme de coutume?

DIDEROT

Vêtue comme de coutume. Je souris, elle sourit; et   15
nous passâmes l'un à côté de l'autre sans nous parler.
Madame la maréchale, une honnête femme! une
chrétienne! une dévote! Après cet exemple, et cent
mille autres de la même espèce, quelle influence réelle
puis-je accorder à la religion sur les mœurs? Presque   20
aucune, et tant mieux.

LA MARÉCHALE

Comment, tant mieux?

DIDEROT

Oui, madame: s'il prenait en fantaisie à vingt
mille habitants de Paris de conformer strictement leur
conduite au sermon sur la montagne ...   25

LA MARÉCHALE

Eh bien! il y aurait quelques belles gorges plus
couvertes.

DIDEROT

Et tant de fous que le lieutenant de police ne saurait
qu'en faire; car nos petites-maisons n'y suffiraient pas.
Il y a dans les livres inspirés deux morales: l'une géné-   30
rale et commune à toutes les nations, à tous les cultes,
et qu'on suit à peu près; une autre, propre à chaque
nation et à chaque culte, à laquelle on croit, qu'on
prêche dans les temples, qu'on préconise dans les
maisons, et qu'on ne suit point du tout.   35

LA MARÉCHALE

Et d'où vient cette bizarrerie?

DIDEROT

De ce qu'il est impossible d'assujettir un peuple à une règle qui ne convient qu'à quelques hommes mélancoliques, qui l'ont calquée sur[14] leur caractère. Il en est des religions comme des institutions monastiques, qui toutes se relâchent avec le temps. Ce sont des 5 folies qui ne peuvent tenir contre l'impulsion constante de la nature, qui nous ramène sous sa loi. Et faites que le bien des particuliers soit si étroitement lié avec le bien général, qu'un citoyen ne puisse presque pas nuire à la société sans se nuire à lui-même; assurez à la vertu sa 10 récompense, comme vous avez assuré à la méchanceté son châtiment; que sans aucune distinction de culte, dans quelque condition que le mérite se trouve, il conduise aux grandes places de l'État; et ne comptez plus sur d'autres méchants que sur un petit nombre 15 d'hommes, qu'une nature perverse que rien ne peut corriger entraîne au vice. Madame la maréchale, la tentation est trop proche; et l'enfer est trop loin: n'attendez rien qui vaille la peine qu'un sage législateur s'en occupe, d'un système d'opinions bizarres qui n'en 20 impose qu'aux enfants; qui encourage au crime par la commodité des expiations; qui envoie le coupable demander pardon à Dieu de l'injure faite à l'homme, et qui avilit l'ordre des devoirs naturels et moraux, en le subordonnant à un ordre de devoirs chimériques. 25

LA MARÉCHALE

Je ne vous comprends pas.

DIDEROT

Je m'explique; mais il me semble que voilà le carrosse de M. le maréchal, qui rentre fort à propos pour m'empêcher de dire une sottise.

LA MARÉCHALE

Dites, dites votre sottise, je ne l'entendrai pas; je 30 me suis accoutumée à n'entendre que ce qu'il me plaît.

DIDEROT

Je m'approchai de son oreille, et je lui dis tout bas: Madame la maréchale, demandez au vicaire de votre paroisse, de ces deux crimes, pisser dans un vase sacré, ou noircir la réputation d'une femme honnête, quel est 35 le plus atroce? Il frémira d'horreur au premier, criera au sacrilège; et la loi civile, qui prend à peine connaissance de la calomnie, tandis qu'elle punit le sacrilège par le feu, achèvera de brouiller les idées et de corrompre les esprits. 40

---

[14] *l'ont calquée:* traced it from

LA MARÉCHALE

Je connais plus d'une femme qui se ferait un scrupule de manger gras un vendredi, et qui . . . j'allais dire aussi ma sottise. Continuez.

DIDEROT

Mais, madame, il faut absolument que je parle à M. le maréchal. 5

LA MARÉCHALE

Encore un moment, et puis nous l'irons voir ensemble. Je ne sais trop que vous répondre, et cependant vous ne me persuadez pas.

DIDEROT

Je ne me suis pas proposé de vous persuader. Il en est de la religion comme du mariage. Le mariage, qui 10 fait le malheur de tant d'autres, a fait votre bonheur et celui de M. le maréchal; vous avez très bien fait de vous marier tous deux. La religion, qui a fait, qui fait et qui fera tant de méchants, vous a rendue meilleure encore; vous faites bien de la garder. Il vous est doux 15 d'imaginer à côté de vous, au-dessus de votre tête, un être grand et puissant, qui vous voit marcher sur la terre, et cette idée affermit vos pas. Continuez, madame, à jouir de ce garant auguste de vos pensées, de ce spectateur, de ce modèle sublime de vos actions. 20

LA MARÉCHALE

Vous n'avez pas à ce que je vois, la manie du prosélytisme.[15]

DIDEROT

Aucunement.

LA MARÉCHALE

Je vous en estime davantage.

DIDEROT

Je permets à chacun de penser à sa manière, 25 pourvu qu'on me laisse penser à la mienne; et puis, ceux qui sont faits pour se délivrer de ces préjugés n'ont guère besoin qu'on les catéchise.[16]

LA MARÉCHALE

Croyez-vous que l'homme puisse se passer de la superstition? 30

DIDEROT

Non, tant qu'il restera ignorant et peureux.

---

[15] finding disciples
[16] catechize, indoctrinate

LA MARÉCHALE

Eh bien! superstition pour superstition, autant la nôtre qu'une autre.

DIDEROT

Je ne le pense pas.

LA MARÉCHALE

Parlez-moi vrai, ne vous répugne-t-il point à n'être plus rien après votre mort?   5

DIDEROT

J'aimerais mieux exister, bien que je ne sache pas pourquoi un être, qui a pu me rendre malheureux sans raison, ne s'en amuserait pas deux fois.

LA MARÉCHALE

Si, malgré cet inconvénient, l'espoir d'une vie à venir vous paraît consolant et doux, pourquoi nous 10 l'arracher?

DIDEROT

Je n'ai pas cet espoir, parce que le désir ne m'en a point dérobé la vanité; mais je ne l'ôte à personne. Si l'on peut croire qu'on verra, quand on n'aura plus d'yeux; qu'on entendra, quand on n'aura plus d'oreilles; 15 qu'on pensera, quand on n'aura plus de tête; qu'on aimera, quand on n'aura plus de cœur; qu'on sentira, quand on n'aura plus de sens; qu'on existera, quand on ne sera nulle part; qu'on sera quelque chose, sans étendue et sans lieu, j'y consens.   20

LA MARÉCHALE

Mais ce monde-ci, qui est-ce qui l'a fait?

DIDEROT

Je vous le demande.

LA MARÉCHALE

C'est Dieu.

DIDEROT

Et qu'est-ce que Dieu?

LA MARÉCHALE

Un esprit.   25

DIDEROT

Si un esprit fait de la matière, pourquoi de la matière ne ferait-elle pas un esprit?

LA MARÉCHALE

Et pourquoi le ferait-elle?

DIDEROT

C'est que je lui en vois faire tous les jours. Croyez-vous que les bêtes aient des âmes?

LA MARÉCHALE

Certainement, je le crois.

DIDEROT

Et pourriez-vous me dire ce que devient, par exemple, l'âme du serpent du Pérou, pendant qu'il se 5 dessèche, suspendu dans une cheminée, et exposé, à la fumée un ou deux ans de suite?

LA MARÉCHALE

Qu'elle devienne ce qu'elle voudra, qu'est-ce que cela me fait?

DIDEROT

C'est que madame la maréchale ne sait pas que ce 10 serpent enfumé, desséché, ressuscite et renaît.

LA MARÉCHALE

Je n'en crois rien.

DIDEROT

C'est pourtant un habile homme, c'est Bouquer qui l'assure.[17]

LA MARÉCHALE

Votre habile homme a menti.   15

DIDEROT

S'il avait dit vrai?

LA MARÉCHALE

J'en serais quitte pour croire que les animaux sont des machines.

DIDEROT

Et l'homme qui n'est qu'un animal un peu plus parfait qu'un autre . . . Mais, M. le maréchal . . .   20

LA MARÉCHALE

Encore une question, et c'est la dernière. Êtes-vous bien tranquille dans votre incrédulité?

DIDEROT

On ne saurait davantage.

LA MARÉCHALE

Pourtant, si vous vous trompiez?

[17] Pierre Bouquer, member of a scientific expedition to Peru in 1735, describes this phenomenon in his *Figure de la terre* (1749)

DIDEROT

Quand je me tromperais?

LA MARÉCHALE

Tout ce que vous croyez faux serait vrai, et vous seriez damné. Monsieur Diderot, c'est une terrible chose que d'être damné; brûler toute une éternité, c'est bien long.   5

DIDEROT

La Fontaine croyait que nous nous y ferions comme le poisson dans l'eau.

LA MARÉCHALE

Oui, oui; mais votre La Fontaine devint bien sérieux au dernier moment; et c'est où je vous attends.

DIDEROT

Je ne réponds de rien, quand ma tête n'y sera plus; 10 mais si je finis par une de ces maladies qui laissent à l'homme agonisant toute sa raison, je ne serai pas plus troublé au moment où vous m'attendez qu'au moment où vous me voyez.

LA MARÉCHALE

Cette intrépidité me confond.   15

DIDEROT

J'en trouve bien davantage au moribond qui croit en un juge sévère qui pèse jusqu'à nos plus secrètes pensées, et dans la balance duquel l'homme le plus juste se perdrait par sa vanité, s'il ne tremblait de se trouver trop léger: si ce moribond avait alors à son choix, ou 20 d'être anéanti, ou de se présenter à ce tribunal, son intrépidité me confondrait bien autrement s'il balançait à prendre le premier parti, à moins qu'il ne fût plus insensé que le compagnon de saint Bruno,[18] ou plus ivre de son mérite que Bohola.[19]   25

LA MARÉCHALE

J'ai lu l'histoire de l'associé de saint Bruno; mais je n'ai jamais entendu parler de votre Bohola.

[18] Legend has it that Bruno was converted during the funeral of his master, Raymond Diocrès. The corpse of the latter is supposed to have risen once a day during the three-day funeral service, twice to declare that in the eyes of the Lord he had been judged, but the last time to declare that he had been damned

[19] Really the Jesuit, André Bobola (1591–1657), who dedicated his missionary zeal to the schismatic Russians. He was massacred in a cossack raid and canonized a Saint in 1938

DIDEROT

C'était un jésuite de Pinsk, en Lituanie, qui laissa en mourant une cassette pleine d'argent, avec un billet écrit et signé de sa main.

LA MARÉCHALE

Et ce billet?

DIDEROT

Était conçu en ces termes: « Je prie mon cher 5 confrère, dépositaire de cette cassette, de l'ouvrir lorsque j'aurai fait des miracles. L'argent qu'elle contient servira aux frais du procès de ma béatification. J'y ai ajouté quelques mémoires authentiques pour la confirmation de mes vertus, et qui pourront servir 10 utilement à ceux qui entreprendront d'écrire ma vie. »

LA MARÉCHALE

Cela est à mourir de rire.

DIDEROT

Pour moi, madame la maréchale; mais pour vous, votre Dieu n'entend pas raillerie.

LA MARÉCHALE

Vous avez raison.   15

DIDEROT

Madame la maréchale, il est bien facile de pécher grièvement contre votre loi.

LA MARÉCHALE

J'en conviens.

DIDEROT

La justice qui décidera de votre sort est bien rigou-reuse.   20

LA MARÉCHALE

Il est vrai.

DIDEROT

Et si vous en croyez les oracles de votre religion sur le nombre des élus, il est bien petit.

LA MARÉCHALE

Oh! c'est que je ne suis pas janséniste; je ne vois la médaille que par son revers consolant: le sang de 25 Jésus-Christ couvre un grand espace à mes yeux; et il me semblerait très singulier que le diable, qui n'a pas livré son fils à la mort, eût pourtant la meilleure part.

DIDEROT

Damnez-vous Socrate, Phocion, Aristide, Caton, Trajan, Marc-Aurèle?[20]

LA MARÉCHALE

Fi donc! il n'y a que des bêtes féroces qui puissent le penser. Saint Paul dit que chacun sera jugé par la loi qu'il a connue; et saint Paul a raison.[21]   5

DIDEROT

Et par quelle loi l'incrédule sera-t-il jugé?

LA MARÉCHALE

Votre cas est un peu différent. Vous êtes un peu de ces habitants maudits de Corozaïn et de Betzaïda, qui fermèrent leurs yeux à la lumière qui les éclairait, et qui étoupèrent leurs oreilles pour ne pas entendre la voix 10 de la vérité qui leur parlait.[22]

DIDEROT

Madame la maréchale, ces Corozaïnois et ces Betzaïdains furent des hommes comme il n'y en eut jamais que là, s'ils furent maîtres de croire ou de ne pas croire.   15

LA MARÉCHALE

Ils virent des prodiges qui auraient mis l'enchère aux sacs et à la cendre, s'ils avaient été faits à Tyr et à Sidon.[23]

DIDEROT

C'est que les habitants de Tyr et de Sidon étaient des gens d'esprit, et que ceux de Corozaïn et de 20

---

[20] Socrates (469–399 B.C.), Greek philosopher whose exemplary life and ideas are recorded in the writings of his pupils, especially Plato; Phocion (402–318 B.C.), Athenian general of great courage and integrity who, like Socrates, was forced to commit suicide; Aristides (died 468 B.C.), Athenian statesman and soldier, called the Just because of his great probity; Cato the Elder (234–149 B.C.), symbol of extreme probity in public life; Trajan (53–117 A.D.), Roman Emperor of Spanish origin, renowned as military leader and public administrator; Marcus-Aurelius (121–180 A.D.), Roman Emperor and Stoic philosopher

[21] Epistle to the Romans (II, 14)

[22] Matthew (XI, 21)

[23] . . . qui . . . Sidon: which would have bid up the price of sack-cloth and ashes if they had been done at Tyr and Sidon. [The latter were famous commercial centers of the Ancient World, renowned for their materialism. The maréchale means that the wicked inhabitants would have been persuaded to renounce this world because of these "prodiges"]

Betzaïda n'étaient que des sots. Mais est-ce que celui qui fit les sots les punira pour avoir été sots? Je vous ai fait tout à l'heure une histoire, et il me prend envie de vous faire un conte. Un jeune Mexicain . . . Mais M. le maréchal?   5

LA MARÉCHALE

Je vais envoyer savoir s'il est visible. Eh bien! votre Mexicain?

DIDEROT

Las de son travail, se promenait un jour au bord de la mer. Il voit une planche qui trempait d'un bout dans les eaux, et qui de l'autre posait sur le rivage. Il s'assied 10 sur cette planche, et là, prolongeant ses regards sur la vaste étendue qui se déployait devant lui, il se disait: Rien n'est plus vrai que ma grand-mère radote avec son histoire de je ne sais quels habitants qui, dans je ne sais quel temps, abordèrent ici de je ne sais où, d'une 15 contrée au-delà de nos mers. Il n'y a pas le sens commun: ne vois-je pas la mer confiner avec le ciel? Et puis-je croire, contre le témoignage de mes sens, une vieille fable dont on ignore la date, que chacun arrange à sa manière, et qui n'est qu'un tissu de 20 circonstances absurdes, sur lesquelles ils se mangent le cœur et s'arrachent le blanc des yeux? Tandis qu'il raisonnait ainsi, les eaux agitées le berçaient sur sa planche, et il s'endormit. Pendant qu'il dort, le vent s'accroît, le flot soulève la planche sur laquelle il est 25 étendu, et voilà notre jeune raisonneur embarqué.

LA MARÉCHALE

Hélas! c'est bien là notre image: nous sommes chacun sur notre planche; le vent souffle, et le flot nous emporte.

DIDEROT

Il était déjà loin du continent lorsqu'il s'éveilla. 30 Qui fut bien surpris de se trouver en pleine mer? ce fut notre Mexicain. Qui le fut bien davantage? ce fut encore lui, lorsque ayant perdu de vue le rivage sur lequel il se promenait il n'y a qu'un instant, la mer lui parut confiner avec le ciel de tous côtés. Alors il soup- 35 çonna qu'il pourrait bien s'être trompé; et que, si le vent restait au même point, peut-être serait-il porté sur la rive, et parmi ces habitants dont sa grand-mère l'avait si souvent entretenu.

LA MARÉCHALE

Et de son souci, vous n'en dites mot.   40

DIDEROT

Il n'en eut point. Il se dit: Qu'est-ce que cela me fait, pourvu que j'aborde? J'ai raisonné comme un étourdi, soit; mais j'ai été sincère avec moi-même; et c'est tout ce qu'on peut exiger de moi. Si ce n'est pas une vertu que d'avoir de l'esprit, ce n'est pas un crime 5 d'en manquer. Cependant le vent continuait, l'homme et la planche voguaient, et la rive inconnue commençait à paraître: il y touche, et l'y voilà.

LA MARÉCHALE

Nous nous y reverrons un jour, monsieur Diderot.

DIDEROT

Je le souhaite, madame la maréchale; en quelque 10 endroit que ce soit, je serai toujours très flatté de vous faire ma cour. A peine eut-il quitté sa planche, et mis le pied sur le sable, qu'il aperçut un vieillard vénérable, debout à ses côtés. Il lui demanda où il était, et à qui il avait l'honneur de parler: « Je suis le souverain de la 15 contrée », lui répondit le vieillard. A l'instant le jeune homme se prosterne. « Relevez-vous, lui dit le vieillard. Vous aviez nié mon existence? — Il est vrai. — Et celle de mon empire? — Il est vrai. — Je vous le pardonne, parce que je suis celui qui voit le fond des cœurs, et que 20 j'ai lu au fond du vôtre que vous étiez de bonne foi; mais le reste de vos pensées et de vos actions n'est pas également innocent. » Alors le vieillard, qui le tenait par l'oreille, lui rappelait toutes les erreurs de sa vie; et, à chaque article, le jeune Mexicain s'inclinait, se 25 frappait la poitrine, et demandait pardon . . . Là, madame la maréchale, mettez-vous pour un moment à la place du vieillard, et dites-moi ce que vous auriez fait? Auriez-vous pris ce jeune insensé par les cheveux; et vous seriez-vous complu à le traîner à toute éternité 30 sur le rivage?

LA MARÉCHALE

En vérité, non.

DIDEROT

Si un de ces six jolis enfants que vous avez, après s'être échappé de la maison paternelle et avoir fait force sottises, y revenait bien repentant? 35

LA MARÉCHALE

Moi, je courrais à sa rencontre; je le serrerais entre mes bras, et je l'arroserais de mes larmes; mais M. le maréchal son père ne prendrait pas la chose si doucement.

DIDEROT

M. le maréchal n'est pas un tigre.

LA MARÉCHALE

Il s'en faut bien.[24]

DIDEROT

Il se ferait peut-être un peu tirailler; mais il pardonnerait.

LA MARÉCHALE

Certainement. 5

DIDEROT

Surtout s'il venait à considérer qu'avant de donner la naissance à cet enfant, il en savait toute la vie, et que le châtiment de ses fautes serait sans aucune utilité ni pour lui-même, ni pour le coupable, ni pour ses frères.

LA MARÉCHALE

Le vieillard et M. le maréchal sont deux. 10

DIDEROT

Vous voulez dire que M. le maréchal est meilleur que le vieillard?

LA MARÉCHALE

Dieu m'en garde! Je veux dire que, si ma justice n'est pas celle de M. le maréchal, la justice de M. le maréchal pourrait bien n'être pas celle du vieillard. 15

DIDEROT

Ah! madame! vous ne sentez pas les suites de cette réponse. Ou la définition générale de la justice convient également à vous, à M. le maréchal, à moi, au jeune Mexicain et au vieillard; ou je ne sais plus ce que c'est, et j'ignore comment on plaît ou l'on déplaît à ce dernier. 20

Nous en étions là lorsqu'on nous avertit que M. le maréchal nous attendait. Je donnai la main à Mme la maréchale, qui me disait: C'est à faire tourner la tête, n'est-ce pas?

DIDEROT

Pourquoi donc, quand on l'a bonne? 25

LA MARÉCHALE

Après tout, le plus court est de se conduire comme si le vieillard existait.

DIDEROT

Même quand on n'y croit pas.

---

[24] *Il . . . bien:* far from it

LA MARÉCHALE

Et quand on y croit, de ne pas trop compter sur sa bonté.

DIDEROT

Si ce n'est pas le plus poli, c'est du moins le plus sûr.

LA MARÉCHALE

A propos, si vous aviez à rendre compte de vos principes à nos magistrats, les avoueriez-vous?   5

DIDEROT

Je ferais de mon mieux pour leur épargner une action atroce.

LA MARÉCHALE

Ah! le lâche! Et si vous étiez sur le point de mourir, vous soumettriez-vous aux cérémonies de l'Église?   10

DIDEROT

Je n'y manquerais pas.

LA MARÉCHALE

Fi! le vilain hypocrite.

1. *Comparez le début de ce dialogue à celui de la Septième Lettre Provinciale. Quel auteur se soucie-t-il le plus de rendre concrète la situation dramatique?*

2. *L'érudition de l'interlocuteur Diderot (l'incroyant) s'oppose à la naïveté et l'ignorance de la Machérale (le croyant). L'auteur entend-il prouver quelque chose par ce contraste?*

3. *Dans ce dialogue qui traite de vastes problèmes moraux et sociaux le vocabulaire est-il aussi abstrait et technique que celui de Pascal?*

4. *Peut-on distinguer stylistiquement (rythme, tours ou mots préférés, sujets d'intérêt) les interlocuteurs de ce dialogue de même qu'on peut distinguer ceux de la Septième Lettre?*

5. *Malgre la diversité des idées, on peut discerner un certain développement logique. Faites le plan du texte en notant surtout les transitions entre les diverses parties.*

6. *Approfondit-on jamais aucune des idées présentées? Quelle impression Diderot veut-il produire par la diversité même des idées?*

7. *Diderot trouve-t-il une habile adversaire en la personne de la Maréchale? Diderot présente-t-il les meilleurs arguments en faveur de la croyance en Dieu?*

8. *Selon Diderot, pourquoi la Maréchale croit-elle en Dieu? De son côté qu'entend-il par Dieu?*

9. *Pourquoi, selon Diderot, la religion ne peut-elle être une base de morale? Quelle autre base suggère-t-il?*

10. *Dans la réponse de Diderot qui commence je n'ai pas cet espoir . . . (p. 252, I 12) on trouve un résumé concis de la position philosophique qu'il tient dans ce dialogue. Diderot est-il meilleur chrétien que les chrétiens qu'il condamne? Justifiez votre réponse.*

11. *Peut-on accuser Diderot d'inconséquence dans sa tolérance de la croyance de la Maréchale? A ce propos, considerez surtout la réponse qui commence « Je ne me suis pas proposé de vous persuader" (p. 251, II 9).*

12. *Qu'est-ce que Diderot essaie de prouver par l'apologue (histoire morale) du jeune Mexicain?*

13. *Diderot est-il coupable d'insincérité dans sa dernière réponse? Justifiez votre réponse.*

14. *Outre la protection que donne à l'auteur la forme d'un dialogue quasi-imaginaire, Diderot a-t-il d'autres raisons de choisir cette forme pour présenter ses idées?—des raisons d'ordre intellectuel et moral?*

Sixième Promenade[1]

JEAN-JACQUES ROUSSEAU (1712–1788)

Nous n'avons guère de mouvement machinal[2] dont nous ne pussions trouver la cause dans notre cœur, si nous savions bien l'y chercher.

Hier, en passant sur le nouveau boulevard pour aller

[1] from *Rêveries du promeneur solitaire*
[2] of the body

herboriser le long de la Bièvre, du côté de Gentilly, je fis le crochet à droite en approchant de la barrière d'Enfer, et m'écartant dans la campagne, j'allai par la route de Fontainebleau gagner les hauteurs qui bordent cette petite rivière.[3] Cette marche était fort indifférente en elle-même; mais en me rappelant que j'avais fait plusieurs fois machinalement le même détour, j'en recherchai la cause en moi-même, et je ne pus m'empêcher de rire quand je vins à la démêler.

Dans un coin du boulevard, à la sortie de la barrière d'Enfer, s'établit journellement en été une femme qui vend du fruit, de la tisane et des petits pains. Cette femme a un petit garçon fort gentil mais boiteux, qui, clopinant avec ses béquilles, s'en va d'assez bonne grâce demander l'aumône aux passants. J'avais fait une espèce de connaissance avec ce petit bonhomme; il me manquait pas, chaque fois que je passais, de venir me faire son petit compliment, toujours suivi de ma petite offrande. Les premières frois je fus charmé de le voir, je lui donnai de très bon cœur, et je continuai quelque temps de le faire avec le même plaisir, y joignant même le plus souvent celui d'exciter et d'écouter son petit babil[4] que je trouvais agréable. Ce plaisir devenu par degrés habitude, se trouva je ne sais comment transformé dans une espèce de devoir dont je sentis bientôt la gêne, surtout à cause de la harangue préliminaire qu'il fallait écouter, et dans laquelle il ne manquait jamais de m'appeler souvent M. Rousseau, pour montrer qu'il me connaissait bien, ce qui m'apprenait assez au contraire quil ne me connaissait pas plus que ceux qui l'avaient instruit. Dès lors je passais par là moins volontiers, et enfin je pris machinalement l'habitude de faire le plus souvent un détour quand j'approchais de cette traverse.

Voilà ce que je découvris en y réfléchissant, car rien de tout cela ne s'était offert jusqu'alors distinctement à ma pensée. Cette observation m'en a rappelé successivement des multitudes d'autres qui m'ont bien confirmé que les vrais et premiers motifs de la plupart de mes actions ne me sont pas aussi clairs à moi-même que je me l'étais longtemps figuré. Je sais et je sens que faire du bien est le plus vrai bonheur que le cœur

humain puisse goûter; mais il y a longtemps que ce bonheur a été mis hors de ma portée, et ce n'est pas dans un aussi misérable sort que le mien qu'on peut espérer de placer avec choix et avec fruit une seule action réellement bonne. Le plus grand soin de ceux qui règlent ma destinée ayant été que tout ne fût pour moi que fausse et trompeuse apparence, un motif de vertu n'est jamais qu'un leurre qu'on me présente pour m'attirer dans le piège où l'on veut m'enlacer. Je sais cela; je sais que le seul bien qui soit désormais en ma puissance est de m'abstenir d'agir, de peur de mal faire sans le vouloir et sans le savoir.

Mais il fut des temps plus heureux où, suivant les mouvements de mon cœur, je pouvais quelquefois rendre un autre cœur content; et je me dois l'honorable témoignage que, chaque fois que j'ai pu goûter ce plaisir, je l'ai trouvé plus doux qu'aucun autre. Ce penchant fut vif, vrai, pur; et rien dans mon plus secret intérieur ne l'a jamais démenti. Cependant j'ai senti souvent le poids de mes propres bienfaits par la chaîne des devoirs qu'ils entraînaient à leur suite: alors le plaisir a disparu, et je n'ai plus trouvé dans la continuation des mêmes soins qui m'avaient d'abord charmé, qu'une gêne presque insupportable. Durant mes courtes prospérités, beaucoup de gens recouraient à moi, et jamais dans tous les services que je pus leur rendre, aucun d'eux ne fut éconduit.[5] Mais de ces premiers bienfaits, versés avec effusion de cœur, naissaient des chaînes d'engagements successifs que je n'avais pas prévus et dont je ne pouvais plus secouer le joug. Mes premiers services n'étaient, aux yeux de ceux qui les recevaient, que les erres[6] de ceux qui les devaient suivre; et dès que quelque infortuné avait jeté sur moi le grappin[7] d'un bienfait reçu, c'en était fait désormais, et ce premier bienfait libre et volontaire devenait un droit indéfini à tous ceux dont il pouvait avoir besoin dans la suite, sans que l'impuissance même suffît pour m'en affranchir. Voilà comment des jouissances très douces se transformaient pour moi dans la suite en d'onéreux assujettissements.[8]

Ces chaînes cependant ne me parurent pas très pesantes, tant qu'ignoré du public je vécus dans l'obscurité. Mais quand une fois ma personne fut affichée par mes écrits, faute grave sans doute, mais

[3] Rousseau followed the boulevards in the southern part of Paris, going from west to east. The Bièvre, at that time, flowed through the city. The "barrière d'Enfer" was in the Montparnasse quarter, near what is now rue Denfert-Rochereau

[4] babble

[5] sent begging

[6] deposit on

[7] grappling-hook

[8] *onéreux assujettissements:* heavy burdens

plus qu'expiée par mes malheurs, dès lors je devins le bureau général d'adresse de tous les souffreteux ou soi-disant tels,[9] de tous les aventuriers qui cherchaient des dupes, de tous ceux qui, sous prétexte du grand crédit qu'ils feignaient de m'attribuer, voulaient s'emparer de moi de manière ou d'autre. C'est alors que j'eus lieu de connaître que tous les penchants de la nature, sans excepter la bienfaisance elle-même, portés ou suivis dans la société sans prudence et sans choix, changent de nature et deviennent souvent aussi nuisibles qu'ils étaient utiles dans leur première direction. Tant de cruelles expériences changèrent peu à peu mes premières dispositions, ou plutôt, les renferment enfin dans leurs véritables bornes, elles m'apprirent à suivre moins aveuglément mon penchant à bien faire, lorsqu'il ne servait qu'à favoriser la méchanceté d'autrui.

Mais je n'ai point regret à ces mêmes expériences, puisqu'elles m'ont procuré par la réflexion de nouvelles lumières sur la connaissance de moi-même et sur les vrais motifs de ma conduite en mille circonstances sur lesquelles je me suis si souvent fait illusion. J'ai vu que pour bien faire avec plaisir il fallait que j'agisse librement, sans contrainte, et que pour m'ôter toute la douceur d'une bonne œuvre il suffisait qu'elle devînt un devoir pour moi. Dès lors le poids de l'obligation me fait un fardeau des plus douces jouissances, et comme je l'ai dit dans l'*Emile*,[10] à ce que je crois, j'eusse été chez les Turcs un mauvais mari à l'heure où le cri public les appelle à remplir les devoirs de leur état.

Voilà qui modifie beaucoup l'opinion que j'eus longtemps de ma propre vertu; car il n'y en a point à suivre ses penchants, et à se donner, quand ils nous y portent, le plaisir de bien faire: mais elle consiste à les vaincre quand le devoir le commande, pour faire ce qu'il nous prescrit, et voilà ce quel j'ai su moins faire qu'homme du monde. Né sensible et bon, portant la pitié jusqu'à la faiblesse, et me sentant exalter l'âme par tout ce qui tient à la générosité, je fus humain, bienfaisant, secourable par goût, par passion même, tant qu'on n'intéressa que mon cœur; j'eusse été le meilleur et le plus clément des hommes si j'en avais été le plus puissant, et pour éteindre en moi tout désir de vengeance, il m'eût suffi de pouvoir me venger. J'aurais même été juste sans peine contre mon propre

intérêt; mais contre celui des personnes qui m'étaient chères je n'aurais pu me résoudre à l'être. Dès que mon devoir et mon cœur étaient en contradiction, le premier eut rarement la victoire, à moins qu'il ne fallût seulement que m'abstenir; alors j'étais fort le plus souvent; mais agir contre mon penchant me fut toujours impossible. Que ce soient les hommes, le devoir, ou même la nécessité qui commandent, quand mon cœur se tait, ma volonté reste sourde, et je ne saurais obéir. Je vois le mal qui me menace et je le laisse arriver plutôt que de m'agiter pour le prévenir. Je commence quelquefois avec effort, mais ces effort me lasse et m'épuise bien vite; je ne saurais continuer. En toute chose imaginable, ce que je ne fais pas avec plaisir m'est bientôt impossible à faire.

Il y a plus. La contrainte, d'accord avec mon désir, suffit pour l'anéantir et le changer en répugnance, en aversion même, pour peu qu'elle agisse trop fortement; et voilà ce qui me rend pénible la bonne œuvre qu'on exige et que je faisais de moi-même lorsqu'on ne l'exigeait pas. Un bienfait purement gratuit est certainement une œuvre que j'aime à faire. Mais quand celui qui l'a reçu s'en fait un titre pour en exiger la continuation sous peine de sa haine, quand il me fait une loi d'être à jamais son bienfaiteur, pour avoir d'abord pris plaisir à l'être, dès lors la gêne commence et le plaisir s'évanouit. Ce que je fais alors quand je cède est faiblesse et mauvaise honte, mais la bonne volonté n'y est plus, et loin que je m'en applaudisse en moi-même, je me reproche en ma conscience de bien faire à contre-cœur.

Je sais qu'il y a une espèce de contrat et même le plus saint de tous entre le bienfaiteur et l'obligé: c'est une sorte de société qu'ils forment l'un avec l'autre, plus étroite que celle qui unit les hommes en général; et si l'obligé s'engage tacitement à la reconnaissance, le bienfaiteur s'engage de même à conserver à l'autre, tant qu'il ne s'en rendra pas indigne, la même bonne volonté qu'il vient de lui témoigner, et à lui en renouveler les actes toutes les fois qu'il le pourra et qu'il en sera requis. Ce ne sont pas là des conditions expresses, mais ce sont des effets naturels de la relation qui vient de s'établir entre eux. Celui qui, la première fois, refuse un service gratuit qu'on lui demande, ne donne aucun droit de se plaindre à celui qu'il a refusé; mais celui qui dans un cas semblable refuse au même la même grâce qu'il lui accorda ci-devant, frustre une espérance qu'il l'a autorisé à concevoir; il trompe et dément une attente qu'il a fait naître. On sent dans

---

[9] *le bureau . . . tels:* welfare office for all real and pretended hardship cases

[10] *l'Emile* was a book on education published in 1762

ce refus je ne sais quoi d'injuste et de plus dur que dans l'autre; mais il n'en est pas moins l'effet d'une indépendance que le cœur aime, et à laquelle il ne renonce pas sans effort. Quand je paye une dette, c'est un devoir que je remplis; quand je fais un don, c'est un plaisir que je me donne. Or le plaisir de remplir ses devoirs est de ceux que la seule habitude de la vertu fait naître: ceux qui nous viennent immédiatement de la nature ne s'élèvent pas si haut que cela.

Après tant de tristes expériences j'ai appris à pré- 10 voir de loin les conséquences de mes premiers mouvements suivis, et je me suis souvent abstenu d'une bonne œuvre que j'avais le désir et le pouvoir de faire, effrayé de l'assujettissement auquel dans la suite je m'allais soumettre si je m'y livrais inconsidérément. Je n'ai pas toujours senti cette crainte: au contraire, dans ma jeunesse, je m'attachais par mes propres bienfaits, et j'ai souvent éprouvé de même que ceux que j'obligeais s'affectionnaient à moi par reconnaissance encore plus que par intérêt. Mais les choses ont bien changé de 20 face, à cet égard comme à tout autre, aussitôt que mes malheurs ont commencé. J'ai vécu dès lors dans une génération nouvelle qui ne ressemblait point à la première, et mes propres sentiments pour les autres ont souffert des changements que j'ai trouvés dans les leurs. Les mêmes gens que j'ai vus successivement dans ces deux générations si différentes se sont, pour ainsi dire, assimilés successivement à l'une et à l'autre. De vrais et francs qu'ils étaient d'abord, devenus ce qu'ils sont, ils ont fait comme tous les autres; et par cela seul 30 que les temps sont changés, les hommes ont changé comme eux. Eh! comment pourrai-je garder les mêmes sentiments pour ceux en qui je trouve le contraire de ce qui les fit naître! Je ne les hais point, parce que je ne saurais haïr mais je ne puis me défendre du mépris qu'ils méritent, ni m'abstenir de le leur témoigner.

Peut-être, sans m'en apercevoir, ai-je changé moi même plus qu'il n'aurait fallu. Quel naturel[11] résiste sans s'altérer à une situation pareille à la mienne? Convaincu par vingt ans d'expérience que tout ce que 40 la nature a mis d'heureuses dispositions dans mon cœur est tourné par ma destinée et par ceux qui en disposent au préjudice de moi-même ou d'autrui, je ne puis plus regarder une bonne œuvre qu'on me présente à faire que comme un piège qu'on me tend et sous lequel est caché quelque mal. Je sais que, quel que soit l'effet de

l'œuvre, je n'en aurai pas moins le mérite de ma bonne intention. Oui, ce mérite y est toujours sans doute; mais le charme intérieur n'y est plus, et sitôt que ce stimulant me manque, je ne sens qu'indifférence et glace au dedans de moi; et sûr qu'au lieu de faire une action vraiment utile je ne fais qu'un acte de dupe, l'indignation de l'amour-propre, jointe au désaveu de la raison, ne m'inspire que répugnance et résistance, où j'eusse été plein d'ardeur et de zèle dans mon état naturel.

Il est des sortes d'adversités qui élèvent et renforcent l'âme, mais il en est qui l'abattent et la tuent; telle est celle dont je suis la proie. Pour peu qu'il y eût eu quelque mauvais levain[12] dans la mienne, elle l'eût fait fermenter à l'excès, elle m'eût rendu frénétique; mais elle ne m'a rendu que nul. Hors d'état de bien faire et pour moi-même et pour autrui, je m'abstiens d'agir; et cet état, qui n'est innocent que parce qu'il est forcé, me fait trouver une sorte de douceur à me livrer pleinement sans reproche à mon penchant naturel. Je vais trop loin sans doute, puisque j'évite les occasions d'agir, même où je ne vois que du bien à faire. Mais, certain qu'on ne me laisse pas voir les choses comme elles sont, je m'abstiens de juger sur les apparences qu'on leur donne, et de quelque leurre qu'on couvre les motifs d'agir, il suffit que ces motifs soient laissés à ma portée pour que je sois sûr qu'ils sont trompeurs.

Ma destinée semble avoir tendu dès mon enfance le premier piège qui m'a rendu longtemps si facile à tomber dans tous les autres. Je suis né le plus confiant des hommes, et durant quarante ans entiers[13] jamais cette confiance ne fut trompée une seule fois. Tombé tout d'un coup dans un autre ordre de gens et de choses, j'ai donné dans mille embûches sans jamais en apercevoir aucune, et vingt ans d'expérience ont à peine suffi pour m'éclairer sur mon sort. Une fois convaincu qu'il n'y a que mesonge et fausseté dans les démonstrations grimacières[14] qu'on me prodigue, j'ai passé rapidement à l'autre extrémité; car, quand on est une fois sorti de son naturel, il n'y a plus de bornes qui nous retiennent. Dès lors je me suis dégoûté des hommes, et ma volonté concourant avec la leur à cet

[11] nature

[12] leaven, yeast
[13] Until 1762 when l'*Emile* was condemned and a warrant issued for Rousseau's arrest. He fled to Switzerland
[14] grimacing

égard, me tient encore plus éloigné d'eux que ne font toutes leurs machines.[15]

Ils ont beau faire, cette répugnance ne peut jamais aller jusqu'à l'aversion. En pensant à la dépendance où ils se sont mis de moi pour me tenir dans la leur, ils me font une pitié réelle. Si je ne suis malheureux, ils le sont eux-mêmes, et chaque fois que je rentre en moi je les trouve toujours à plaindre. L'orgueil peut-être se mêle encore à ces jugements; je me sens trop au-dessus d'eux pour les haïr. Ils peuvent m'intéresser tout au plus jusqu'au mépris, mais jamais jusqu'à la haine: enfin je m'aime trop moi-même pour pouvoir haïr qui que ce soit. Ce serait resserrer, comprimer mon existence; et je voudrais plutôt l'étendre sur tout l'univers.

J'aime mieux les fuir que les haïr. Leur aspect frappe mes sens, et par eux mon cœur d'impressions que mille regards cruels me rendent pénibles; mais le malaise cesse aussitôt que l'objet qui le cause a disparu. Je m'occupe d'eux, et bien malgré moi, par leur présence, mais jamais par leur souvenir. Quand je ne les vois plus, ils sont pour moi comme s'ils n'existaient point.

Ils ne me sont même indifférents qu'en ce qui se rapporte à moi; car, dans leurs rapports entre eux, ils peuvent encore m'intéresser et m'émouvoir comme les personnages d'un drame que je verrais représenter. Il faudrait que mon être moral fût anéanti pour que la justice me devînt indifférente. Le spectacle de l'injustice et de la méchanceté me fait encore bouillir le sang de colère; les actes de vertu où je ne vois ni forfanterie[16] ni ostentation me font toujours tressaillir de joie et m'arrachent encore de douces larmes. Mais il faut que je les voie et les apprécie moi-même; car après ma propre histoire, il faudrait que je fusse insensé pour adopter, sur quoi que ce fût, le jugement des hommes, et pour croire aucune chose sur la foi d'autrui.

Si ma figure et mes traits étaient aussi parfaitement inconnus aux hommes que le sont mon caractère et mon naturel, je vivrais encore sans peine au milieu d'eux; leur société même pourrait me plaire tant que je leur serais parfaitement étranger; livré sans contrainte à mes inclinations naturelles, je les aimerais encore s'ils ne s'occupaient jamais de moi. J'exercerais sur eux une bienveillance universelle et parfaitement désintéressée; mais sans former jamais d'attachement particulier, et sans porter le joug d'aucun devoir, je ferais envers eux, librement et de moi-même, tout ce qu'ils ont tant de peine à faire, incités par leur amour-propre et contraints par toutes leurs lois.

Si j'étais resté libre, obscur, isolé, comme j'étais fait pour l'être, je n'aurais fait que du bien: car je n'ai dans le cœur le germe d'aucune passion nuisible. Si j'eusse été invisible et tout-puissant comme Dieu, j'aurais été bienfaisant et bon comme lui. C'est la force et la liberté qui font les excellents hommes: la faiblesse et l'esclavage n'ont fait jamais que des méchants. Si j'eusse été possesseur de l'anneau de Gygès,[17] il m'eût tiré de la dépendance des hommes et les eût mis dans la mienne. Je me suis souvent demandé, dans mes châteaux en Espagne, quel usage j'aurais fait de cet anneau; car c'est bien là que la tentation d'abuser doit être près du pouvoir. Maître de contenter mes désirs, pouvant tout sans pouvoir être trompé par personne, qu'aurais-je pu désirer avec quelque suite? Une seule chose: c'eût été de voir tous les cœurs contents; l'aspect de la félicité publique eût pu seul toucher mon cœur d'un sentiment permanent, et l'ardent désir d'y concourir eût été ma plus constante passion. Toujours juste sans partialité et toujours bon sans faiblesse, je me serais également garanti des méfiances aveugles et des haines implacables; parce que, voyant les hommes tels qu'ils sont et lisant aisément au fond de leurs cœurs, j'en aurais peu trouvé d'assez aimables pour mériter toutes mes affections, peu d'assez odieux pour mériter toute ma haine, et que leur méchanceté même m'eût disposé à les plaindre par la connaissance certaine du mal qu'ils se font à eux-mêmes en voulant en faire à autrui. Peut-être aurais-je eu, dans des moments de gaieté, l'enfantillage d'opérer quelquefois des prodiges; mais parfaitement désintéressé pour moi-même, et n'ayant pour loi que mes inclinations naturelles, sur quelques actes de justice sévère j'en aurais fait mille de clémence et d'équité. Ministre de la Providence et dispensateur de ses lois selon mon pouvoir, j'aurais fait des miracles plus sages

---

[15] plots, machinations [Rousseau thought that his former friends, Diderot among them, were plotting against him]

[16] charlatanism

[17] [Mythology] Gyges, a shepherd, possessed a magic ring which made the wearer invisible. He later became king of Lybia

et plus utiles que ceux de la légende dorée et du tombeau de saint Médard.[18]

Il n'y a qu'un seul point sur lequel la faculté de pénétrer partout invisible m'eût pu faire chercher des tentations auxquelles j'aurais mal résisté; et, une fois entré dans ces voies d'égarement, où n'eussé-je point été conduit par elles? Ce serait bien mal connaître la nature et moi-même que de me flatter que ces facilités ne m'auraient point séduit, ou que la raison m'aurait arrêté dans cette fatale pente. Sûr de moi sur tout autre article, j'étais perdu par celui-là seul. Celui que sa puissance met au-dessus de l'homme doit être au-dessus des faiblesses de l'humanité, sans quoi cet excès de force ne servira qu'à le mettre en effet au-dessous des autres et de ce qu'il eût été lui-même s'il fût resté leur égal.

Tout bien considéré, je crois que je ferai mieux de jeter mon anneau magique avant qu'il m'ait fait faire quelque sottise. Si les hommes s'obstinent à me voir tout autre que je ne suis et que mon aspect irrite leur injustice, pour leur ôter cette vue il faut les fuir, mais non pas m'éclipser au milieu d'eux. C'est à eux de se cacher devant moi, de me dérober leurs manœuvres, de fuir la lumière du jour, de s'enforcer en terre comme les taupes.[19] Pour moi, qu'ils me voient s'ils peuvent, tant mieux; mais cela leur est impossible; ils ne verront jamais à ma place que le Jean-Jacques qu'ils se sont fait, et qu'ils ont fait selon leur cœur pour le haïr à leur aise. J'aurais donc tort de m'affecter de la façon dont ils me voient: je n'y dois prendre aucun intérêt véritable, car ce n'est pas moi qu'ils voient ainsi.

Le résultat que je puis tirer de toutes ces réflexions est que je n'ai jamais été vraiment propre à la société civile, où tout est gêne, obligation, devoir, et que mon naturel indépendant me rendit toujours incapable des assujettissements nécessaires à qui veut vivre avec les hommes. Tant que j'agis librement je suis bon et je ne fais que du bien; mais sitôt que je sens le joug, soit de la nécessité soit des hommes, je deviens rebelle ou plutôt rétif;[20] alors je suis nul. Lorsqu'il faut faire le contraire de ma volonté, je ne le fais point, quoi qu'il arrive; je ne fais pas non plus ma volonté même, parce que je suis faible. Je m'abstiens d'agir car toute ma faiblesse est pour l'action, toute ma force est négative, et tous mes péchés sont d'omission, rarement de commission. Je n'ai jamais cru que la liberté de l'homme consistât à faire ce qu'il veut, mais bien à ne jamais faire ce qu'il ne veut pas, et voilà celle que j'ai toujours réclamée, souvent conservée, et par qui j'ai été le plus en scandale à mes contemporains. Car, pour eux, actifs, remuants, ambitieux, détestant la liberté dans les autres et n'en voulant point pour eux-mêmes, pourvu qu'ils fassent quelquefois leur volonté, ou plutôt qu'ils dominent celle d'autrui, ils se gênent toute leur vie à faire ce qui leur répugne et n'omettent rien de servile pour commander. Leur tort n'a donc pas été de m'écarter de la société comme un membre inutile, mais de m'en proscrire comme un membre pernicieux; car j'ai très peu fait de bien, je l'avoue; mais pour du mal, il n'en est entré dans ma volonté de ma vie, et je doute qu'il y ait aucun homme au monde qui en ait réellement moins fait que moi.

1. *Rousseau aimait composer ses œuvres pendant de longues promenades, méditant ses phrases, s'arrêtant de temps en temps pour les écrire. On remarquera le thème de la promenade au début de cet essai. Peut-on retrouver dans la forme de l'essai lui-même les arrêts et les méandres d'une promenade?*

2. *Etudiez la première phrase du second paragraphe. Quel effet est produit par les nombreuses locutions subordonnées?*

3. *Le langage de Rousseau est-il sobre, claire, précis, abstrait? Y a-t-il beaucoup de métaphores?*

4. *Quelle est l'importance du décor, du contexte physique que Rousseau esquisse au début de l'essai (Hier, en passant sur le nouveau boulevard . . .)?*

5. *Vers la fin du quatrième paragraphe Rousseau révèle un état d'esprit que plusieurs ont caractérisé comme névrose sinon folie. Quels mots en particulier ici révèlent cet état d'esprit? Citez-en d'autres exemples dans l'essai.*

[18] *légende dorée:* thirteenth-century compilation of lives of the saints; *tombeau de Saint-Médard:* reference to visions, cures, etc., reputed to have taken place at the tomb of deacon Pâris in the Saint-Médard cemetery in Paris 1727–1732

[19] moles

[20] reluctant

8. *Rousseau est lui-même le sujet de son essai. De quel reproche veut-il s'exonérer?*

9. *Pourquoi lui faut-il parler de sa jeunesse, esquisser brièvement sa carrière? (Mais il fut des temps plus heureux . . . etc. p. 257, II 13 et sq.)*

10. *Cet essai est aussi une étude des motifs et des ressorts de la conduite humaine. Selon Rousseau, dans quelles conditions peut-on le plus facilement, le plus agréablement faire du bien?*

11. *En devenant célèbre pourquoi Rousseau a-t-il trouvé plus difficile de bien faire?*

12. *Relevez les différentes expressions par lesquelles Rousseau se décrit.*

13. *Rousseau observateur de lui-même. Commentez. Par exemple, se regarde-t-il avec mépris? avec tolérance?*

14. *Comment Rousseau définit-il la liberté? Quelle position prend-t-il à l'égard de la société?*

15. *La critique moderne a vu dans Rousseau le plus grand champion de la croyance dans la bonté naturelle de l'homme. Trouve-t-on l'expression de cette idée ici?*

16. *Comparez la notion de Montaigne de la forme maîtresse de chaque homme à la notion de l'homme naturel de Rousseau.*

17. *Lequel des deux, Montaigne ou Rousseau, est le plus à son aise, le plus sûr de lui? Lequel est le plus éloquent? Lequel essaie le plus de nous convaincre de la justesse de ses opinions?*

18. *Tous les écrits de Rousseau, disent certains critiques, ne sont que des chapitres épars de son autobiographie. Croyez-vous qu'ils aient raison? Apprend-on beaucoup sur le monde dans lequel Rousseau a vécu cette vie? Voit-on ici plus de faits et d'événements (sociaux, historiques, etc.) que de jugements?*

De La Démocratie en Amérique: introduction

ALEXIS DE TOCQUEVILLE (1805–1859)

Parmi les objects nouveaux qui, pendant mon séjour aux États-Unis,[1] ont attiré mon attention, aucun n'a plus vivement frappé mes regards que l'égalité des conditions.[2] Je découvris sans peine l'influence prodigieuse qu'exerce ce premier fait sur la marche de la société; il donne à l'esprit public une certaine direction, un certain tour aux lois; aux gouvernants des maximes nouvelles, et des habitudes particulières aux gouvernés.

Bientôt je reconnus que ce même fait étend son influence fort au delà des mœurs politiques et des lois, et qu'il n'obtient pas moins d'empire sur la société civile que sur le gouvernement: il crée des opinions, fait naître des sentiments, suggère des usages et modifie tout ce qu'il ne produit pas.

Ainsi donc, à mesure que j'étudiais la société américaine, je voyais de plus en plus, dans l'égalité des conditions, le fait générateur dont chaque fait particulier semblait descendre, et je le retrouvais sans cesse devant moi comme un point central où toutes mes observations venaient aboutir.

Alors je reportais ma pensées vers notre hémisphère, et il me sembla que j'y distinguais quelque chose d'analogue au spectacle que m'offrait le Nouveau-Monde. Je vis l'égalité des conditions qui, sans y avoir atteint comme aux États-Unis ses limites extrêmes, s'en rapprochait chaque jour davantage; et cette même démocratie, qui régnait sur les sociétés américaines, me parut en Europe s'avancer rapidement vers le pouvoir.

De ce moment j'ai conçu l'idée du livre qu'on va lire.

Une grande révolution démocratique s'opère parmi nous; tous la voient, mais tous ne la jugent point de la même manière. Les uns la considèrent comme une chose nouvelle, et, la prenant pour un accident, ils espèrent pouvoir encore l'arrêter; tandis que d'autres la jugent irrésistible, parce qu'elle leur semble le fait le plus continu, le plus ancien et le plus permanent que l'on connaisse dans l'histoire.

---

[1] May 9, 1831 to February 20, 1832
[2] social equality [de Tocqueville was an aristocrat]

Je me reporte pour un moment à ce qu'était la France il y a sept cents ans : je la trouve partagée entre un petit nombre de familles qui possèdent la terre et gouvernent les habitants ; le droit de commander descend alors de générations en générations avec les héritages ; les hommes n'ont qu'un seul moyen d'agir les uns sur les autres, la force ; on ne découvre qu'une seule origine de la puissance, la propriété foncière.[3]

Mais voici le pouvoir politique du clergé qui vient à se fonder et bientôt à s'étendre. Le clergé ouvre ses rangs à tous, au pauvre et au riche, au roturier[4] et au seigneur ; l'égalité commence à pénétrer par l'Église au sein du gouvernement, et celui qui eût végété comme serf dans un éternel esclavage, se place comme prêtre au milieu des nobles, et va souvent s'asseoir au-dessus des rois.

La société devenant avec le temps plus civilisée et plus stable, les différents rapports entre les hommes deviennent plus compliqués et plus nombreux. Le besoin des lois civiles se fait vivement sentir. Alors naissent les légistes ;[5] ils sortent de l'enceinte obscure des tribuanaux et du réduit poudreux des greffes,[6] et ils vont siéger dans la cour du prince, à côté des barons féodaux couverts d'hermine et de fer.

Les rois se ruinent dans les grandes entreprises ; les nobles s'épuisent dans les guerres privées ; les roturiers s'enrichissent dans le commerce. L'influence de l'argent commence à se faire sentir sur les affaires de l'État. Le négoce[7] est une source nouvelle qui s'ouvre à la puissance, et les financers deviennent un pouvoir politique qu'on méprise et qu'on flatte.

Peu à peu, les lumières se répandent ; on voit se réveiller le goût de la littérature et des arts ; l'esprit devient alors un élément de succès ; la science est un moyen de gouvernement, l'intelligence une force sociale ; les lettrés[8] arrivent aux affaires.

A mesure cependant qu'il se découvre des routes nouvelles pour parvenir au pouvoir, on voit baisser la valeur de la naissance. Au XIe siècle, la noblesse était d'un prix inestimable ; on l'achète au XIIIe, le premier anoblissement a lieu en 1270, et l'égalité s'introduit

enfin dans le gouvernement par l'aristocratie elle-même.[9]

Durant les sept cents ans qui viennent de s'écouler, il est arrive quelquefois que, pour lutter contre l'autorité royale ou pour enlever le pouvoir à leurs rivaux, les nobles ont donné une puissance politique au peuple.

Plus souvent encore, on a vu les rois faire participer au gouvernement les classes inférieures de l'État, afin d'abaisser l'aristocratie.

En France, les rois se sont montrés les plus actifs et les plus constants des niveleurs.[10] Quand ils ont été ambitieux et forts, ils ont travaillé à élever le peuple au niveau des nobles ; et quand ils ont été modérés et faibles, ils ont permis que le peuple se plaçât au-dessus d'eux-mêmes. Les uns ont aidé la démocratie par leurs talents, les autres par leurs vices. Louis XI et Louis XIV ont pris soin de tout égaliser au-dessous du trône, et Louis XV est enfin descendu lui-même avec sa cour dans la poussière.

Dès que les citoyens commencèrent à posséder la terre autrement que suivant la tenure féodale, et que la richesse mobilière,[11] étant connue, put à son tour créer l'influence et donner le pouvoir, on ne fit point de découvertes dans les arts, on n'introduisit plus de perfectionnements dans le commerce et l'industrie, sans créer comme autant de nouveaux éléments d'égalité parmi les hommes. A partir de ce moment, tous les procédés qui se découvrent, tous les besoins qui viennent à naître, tous les désirs qui demandent à se satisfaire, sont des progrès vers le nivellement universel. Le goût du luxe, l'amour de la guerre, l'empire de la mode, les passions les plus superficielles du cœur humain comme les plus profondes, semblent travailler de concert à appauvrir les riches et à enrichir les pauvres.

Depuis que les travaux de l'intelligence furent devenus des sources de force et de richesse, on dut considérer chaque développement de la science, chaque connaissance nouvelle, chaque idée neuve, comme un germe de puissance mis à la portée du peuple. La poésie, l'éloquence, la mémoire, les grâces de l'esprit, les feux de l'imagination, la profondeur de la pensée, tous ces dons que le ciel répartit au hasard, profitèrent à la démocratie, et lors même qu'ils se trouvèrent dans la

[3] landed property
[4] commoner
[5] legislators
[6] *réduit . . . greffes:* dusty confines of the court clerk's office
[7] business
[8] intelligentia

[9] this idea is elaborated in the paragraphs to follow
.[0] levelers
[11] liquid assets, i.e., money and property readily convertible into cash without substantial loss

possession de ses adversaires, ils servirent encore sa cause en mettant en relief la grandeur naturelle de l'homme ; ces conquêtes s'étendirent donc avec celles de la civilisation et des lumières, et la littérature fut un arsenal ouvert à tous, où les faibles et les pauvres vinrent chaque jour chercher des armes.

Lorsqu'on parcourt les pages de notre histoire, on ne rencontre pour ainsi dire pas de grands événements qui depuis sept cents ans n'aient tourné au profit de l'égalité.

Les croisades et les guerres des Anglais déciment les nobles et divisent leurs terres ; l'institution des communes[12] introduit la liberté démocratique au sein de la monarchie féodale ; la découverte des armes à feu égalise le vilain[13] et le noble sur le champ de bataille ; l'imprimerie offre d'égales ressources à leur intelligence, la poste vient déposer la lumière sur le seuil de la cabane du pauvre comme à la porte des palais ; le protestantisme soutient que tous les hommes sont également en état de trouver le chemin du ciel. L'Amérique, qui se découvre, présente à la fortune mille routes nouvelles, et livre à l'obscur aventurier les richesses et le pouvoir.

Si, à partir du XIe siècle, vous examinez ce qui se passe en France de cinquante en cinquante années, au bout de chacune de ces périodes, vous ne manquerez point d'apercevoir qu'une double révolution s'est opérée dans l'état de la société. Le noble aura baissé dans l'échelle sociale, le roturier s'y sera élevé ; l'un descend, l'autre monte. Chaque demi-siècle les rapproche, et bientôt ils vont se toucher.

Et ceci n'est pas seulement particulier à la France. De quelque côté que nous jetions nos regards, nous apercevons la même révolution qui se continue dans tout l'univers chrétien.

Partout on a vu les divers incidents de la vie des peuples tourner au profit de la démocratie ; tous les hommes l'ont aidée de leurs efforts : ceux qui avaient en vue de concourir à ses succès et ceux qui ne songeaient point à la servir, ceux qui ont combattu pour elle, et ceux mêmes qui se sont déclarés ses ennemis ; tous ont été poussés pêle-mêle dans la même voie, et tous ont travaillé en commun, les uns malgré eux, les autres à leur insu, aveugles instruments dans les mains de Dieu.

Le développement graduel de l'égalité des conditions est donc un fait providentiel,[14] il en a les principaux caractères : il est universel, il est durable, il échappe chaque jour à la puissance humaine, tous les événements, comme tous les hommes, servent à son developpement.

Serait-il sage de croire qu'un mouvement social qui vient de si loin, pourra être suspendu par les efforts d'une génération ? Pense-t-on qu'après avoir détruit la féodalité et vaincu les rois, la démocratie reculera devant les bourgeois et les riches ? S'arrêtera-t-elle maintenant qu'elle est devenue si forte et ses adversaires si faibles ?

Où allons-nous donc ? Nul ne saurait le dire ; car déjà les termes de comparaison nous manquent : les conditions sont plus égales de nos jours parmi les chrétiens, qu'elles ne l'ont jamais été dans aucun temps ni dans aucun pays du monde : ainsi la grandeur de ce qui est déjà fait empêche de prévoir ce qui peut se faire encore.

Le livre entier qu'on va lire a été écrit sous l'impression d'une sorte de terreur religieuse produite dans l'âme de l'auteur par la vue de cette révolution irrésistible qui marche depuis tant de siècles à travers tous les obstacles, et qu'on voit encore aujourd'hui s'avancer au milieu des ruines qu'elle a faites.[15]

Il n'est pas nécessaire que Dieu parle lui-même pour que nous découvrions des signes certains de sa volonté : il suffit d'examiner quelle est la marche habituelle de la nature et la tendance continue des événements ; je sais, sans que le Créateur élève la voix, que les astres suivent dans l'espace les courbes que son doigt a tracées.

Si de longues observations et des méditations sincères amenaient les hommes de nos jours à reconnaître que le développement graduel et progressif de l'égalité est à la fois le passé et l'avenir de leur histoire, cette seule découverte donnerait à ce développement le caractère sacré de la volonté du souverain maître. Vouloir arrêter la démocratie paraîtrait alors lutter contre Dieu même, et il ne resterait aux nations qu'à s'accommoder à l'état social que leur impose la Providence.

[12] free towns
[13] villein [peasants whose social level was slightly highe: than that of the serf]

[14] Tocqueville relates the process of equalization to the general scheme of things as directed by Divine Providence
[15] Allusion to the excess of the French Revolution

Les peuples chrétiens me paraissent offrir de nos jours un effrayant spectacle; le mouvement qui les emporte est déjà assez fort pour qu'on ne puisse le suspendre, et il n'est pas encore assez rapide pour qu'on désespère de le diriger; leur sort est entre leurs mains; mais bientôt il leur échappe.

Instruire la démocratie, ranimer s'il se peut ses croyances, purifer ses mœurs, régler ses mouvements, substituer peu à peu la science des affaires à son inexpérience, la connaissance de ses vrais intérêts à ses aveugles instincts; adapter son gouvernement aux temps et aux lieux; le modifier suivant les circonstances et les hommes; tel est le premier des devoirs imposé de nos jours à ceux qui dirigent la société.

Il faut une science politique nouvelle à un monde tout nouveau.

Mais c'est à quoi nous ne songeons guère: placés au milieu d'un fleuve rapide, nous fixons obstinément les yeux vers quelques débris qu'on aperçoit encore sur le rivage, tandis que le courant nous entraîne et nous pousse à reculons vers les abîmes.

Il n'y a pas de peuples de l'Europe chez lesquels la grande révolution sociale que je viens de décrire ait fait de plus rapides progrès que parmi nous; mais elle y a toujours marché au hasard.

Jamais les chefs de l'État n'ont pensé à rien préparer d'avance pour elle; elle s'est faite malgré eux ou à leur insu. Les classes les plus puissantes, les plus intelligentes et les plus morales de la nation n'ont point cherché à s'emparer d'elle, afin de la diriger. La démocratie a donc été abandonnée à ses instincts sauvages; elle a grandi comme ces enfants, privés des soins paternels, qui s'élèvent d'eux-mêmes dans les rues de nos villes, et qui ne connaissent de la société que ses vices et ses misères. On semblait encore ignorer son existence, quand elle s'est emparée à l'improviste du pouvoir. Chacun alors s'est soumis avec servilité à ses moindres désirs; on l'a adorée comme l'image de la force; quand ensuite elle se fut affaiblie par ses propres excès, les législateurs conçurent le projet imprudent de la détruire au lieu de chercher à l'instruire et à la corriger; et sans vouloir lui apprendre à gouverner, ils ne songèrent qu'à la repousser du gouvernement.

Il en est résulté que la révolution démocratique s'est opérée dans le matériel de la société, sans qu'il se fît, dans les lois, les idées, les habitudes et les mœurs, le changement qui eût été nécessaire pour rendre cette révolution utile. Ainsi nous avons la démocratie, moins ce qui doit atténuer ses vices et faire ressortir ses avantages naturels; et voyant déjà les maux qu'elle entraîne, nous ignorons encore les biens qu'elle peut donner.

Quand le pouvoir royal, appuyé sur l'aristocratie, gouvernait paisiblement les peuples de l'Europe, la société, au milieu de ses misères, jouissait de plusieurs genres de bonheur, qu'on peut difficilement concevoir et apprécier de nos jours.

La puissance de quelques sujets élevait des barrières insurmontables à la tyrannie du prince; et les rois, se sentant d'ailleurs revêtus aux yeux de la foule d'un caractère presque divin, puisaient, dans le respect même qu'ils faisaient naître, la volonté de ne point abuser de leur pouvoir.

Placés à une distance immense du peuple, les nobles prenaient cependant au sort du peuple cette espèce d'intérêt bienveillant et tranquille que le pasteur accorde à son troupeau; et, sans voir dans le pauvre leur égal, ils veillaient sur sa destinée, comme sur un dépôt remis par la Providence entre leurs mains.

N'ayant point conçu l'idée d'un autre état social que le sien, n'imaginant pas qu'il pût jamais s'égaler à ses chefs, le peuple recevait leurs bienfaits et ne discutait point leurs droits. Il les aimait lorsqu'ils étaient cléments et justes, et se soumettait sans peine et sans bassesse à leurs rigueurs, comme à des maux inévitables que lui envoyait le bras de Dieu. L'usage et les mœurs avaient d'ailleurs établi des bornes à la tyrannie, et fondé une sorte de droit au milieu même de la force.

Le noble n'ayant point la pensée qu'on voulût lui arracher des priviléges qu'il croyait légitimes; le serf regardant son infériorité comme un effet de l'ordre immuable de la nature, on conçoit qu'il put s'établir une sorte de bienveillance réciproque entre ces deux classes si differemment partagées du sort. On voyait alors dans la société, de l'inégalité, des misères, mais les âmes n'y étaient pas dégradées.

Ce n'est point l'usage du pouvoir ou l'habitude de l'obéissance qui déprave les hommes, c'est l'usage d'une puissance qu'ils considèrent comme illégitime, et l obéissance a un pouvoir qu'ils regardent comme usurpé et comme oppresseur.

D'un côté étaient les biens, la force, les loisirs, et avec eux les recherches du luxe, les raffinements du goût, les plaisirs de l'esprit, le culte des arts; de l'autre, le travail, la grossièreté et l'ignorance.

Mais au sein de cette foule ignorante et grossière,

on rencontrait des passions énergiques, des sentiments généreux, des croyances profondes et de sauvages vertus.

Le corps social ainsi organisé pouvait avoir de la stabilité, de la puissance, et surtout de la gloire.

Mais voici les rangs qui se confondent; les barrières élevées entre les hommes s'abaissent; on divise les domaines, le pouvoir se partage, les lumières se répandent, les intelligences s'égalisent; l'état social devient démocratique, et l'empire de la démocratie 10 s'établit enfin paisiblement dans les institutions et dans les mœurs.

Je conçois alors une société où tous, regardant la loi comme leur ouvrage, l'aimeraient et s'y soumettraient sans peine; où l'autorité du gouvernement étant respectée comme nécessaire et non comme divine, l'amour qu'on porterait au chef de l'État ne serait point une passion, mais un sentiment raisonné et tranquille. Chacun ayant des droits, et étant assuré de conserver ses droits, il s'établirait entre toutes les classes une 20 mâle[16] confiance, et une sorte de condescendance réciproque, aussi éloignée de l'orgueil que de la bassesse.

Instruits de ses vrais intérêts, le peuple comprendrait que, pour profiter des biens de la société, il faut se soumettre à ses charges. L'association libre des citoyens pourrait remplacer alors la puissance individuelle des nobles, et l'État serait à l'abri de la tyrannie et de la licence.

Je comprends que dans un État démocratique, constitué de cette manière, la société ne sera point 30 immobile; mais les mouvements du corps social pourront y être réglés et progressifs; si l'on y rencontre moins d'éclat qu'au sein d'une aristocratie, on y trouvera moins de misères; les jouissances y seront moins extrêmes et le bien-être plus général; les sciences moins grandes et l'ignorance plus rare; les sentiments moins énergiques et les habitudes plus douces; on y remarquera plus de vices et moins de crimes.

A défaut de l'enthousiasme et de l'ardeur des croyances, les lumières et l'expérience obtiendront 40 quelquefois des citoyens de grands sacrifices; chaque homme étant également faible sentira un égal besoin de ses semblables; et connaissant qu'il ne peut obtenir leur appui qu'à la condition de leur prêter son concours, il découvrira sans peine que pour lui l'intérêt particulier se confond avec l'intérêt général.

La nation prise en corps sera moins brillante, moins glorieuse, moins forte peut-être; mais la majorité des citoyens y jouira d'un sort plus prospère, et le peuple s'y montrera paisible, non qu'il désespère d'être mieux, mais parce qu'il sait être bien.

Si tout n'était pas bon et utile dans un semblable ordre de choses, la société du moins se serait approprié tout ce qu'il peut présenter d'utile et de bon, et les hommes, en abandonnant pour toujours les avantages sociaux que peut fournir l'aristocratie, auraient pris à la démocratie tous les biens que celle-ci peut leur offrir. Mais nous, en quittant l'état social de nos aïeux, en jetant pêle-mêle derrière nous leurs institutions, leurs idées et leurs mœurs, qu'avons-vous pris à la place?

Le prestige du pouvoir royal s'est évanoui, sans être remplacé par la majesté des lois: de nos jours, le peuple méprise l'autorité, mais il la craint, et la peur arrache de lui plus que ne donnaient jadis le respect et l'amour.

J'aperçois que nous avons détruit les existences individuelles qui pouvaient lutter séparément contre la tyrannie; mais je vois le gouvernement qui hérite seul de toutes les prérogatives arrachées à des familles, à des corporations ou à des hommes: à la force quelquefois oppressive, mais souvent conservatrice, d'un petit nombre de citoyens, a donc succédé la faiblesse de tous,

La division des fortunes a diminué la distance qu. séparait le pauvre du riche; mais en se rapprochant, ili semblent avoir trouvé des raisons nouvelles de se haïrs et jetant l'un sur l'autre des regards pleins de terreur et d'envie, ils se repoussent mutuellement du pouvoir; pour l'un comme pour l'autre, l'idée des droits n'existe point, et la force leur apparait à tous les deux, comme la seule raison du present et l'unique garantie de l'avenir.

Le pauvre a gardé la plupart des préjugés de ses pères, sans leurs croyances; leur ignorance, sans leurs vertus; il a admis, pour règle de ses actions, la doctrine de l'intérêt, sans en connaître la science, et son égoïsme est aussi dépourvu de lumières[17] que l'était jadis son dévouement.

La société est tranquille, non point parce qu'elle a la conscience de sa force et de son bien-être, mais au contraire parce qu'elle se croit faible et infirme; elle craint de mourir en faisant un effort; chacun sent le mal, mais nul n'a le courage et l'énergie nécessaires pour chercher le mieux; on a des désirs, des regrets, des

---

[16] vigorous

[17] *dépourvu de lumières:* unenlightened

chagrins et des joies qui ne produisent rien de visible, ni de durable, semblables à des passions de vieillards qui n'aboutissent qu'à l'impuissance.

Ainsi nous avons abandonné ce que l'état ancien pouvait présenter de bon, sans acquérir ce que l'état actuel pouvait offrir d'utile; nous avons détruit une société aristocratique, et nous arrêtant complaisamment au milieu des débris de l'ancien édifice, nous semblons vouloir nous y fixer pour toujours.

Ce qui arrive dans le monde intellectuel n'est pas moins déplorable.

Gênée dans sa marche ou abandonnée sans appis à ses passions désordonnées, la démocratie de France a renversé tout ce qui se rencontrait sur son passage, ébranlant ce qu'elle ne détruisait pas. On ne l'a point vue s'emparer peu à peu de la société, afin d'y établir paisiblement son empire; elle n'a cessé de marcher au milieu des désordres et de l'agitation d'un combat. Animé par la chaleur de la lutte, poussé au delà des limites naturelles de son opinion, par les opinions et les excès de ses adversaires, chacun perd de vue l'objet même de ses poursuites, et tient un langage qui répond mal à ses vrais sentiments et à ses instincts secrets.

De là l'étrange confusion dont nous sommes forcés d'être les témoins.[18]

Je cherche en vain dans mes souvenirs, je ne trouve rien qui mérite d'exciter plus de douleur et plus de pitié que ce qui se passe sous nos yeux; il semble qu'on ait brisé de nos jours le lien naturel qui unit les opinions aux goûts et les actes aux croyances; la sympathie qui s'est fait remarquer de tout temps entre les sentiments et les idées des hommes paraît détruite, et l'on dirait que toutes les lois de l'analogie morale sont abolies.

On rencontre encore parmi nous des chrétiens pleins de zèle, dont l'âme religieuse aime à se nourrir des vérités de l'autre vie; ceux-là vont s'animer sans doute en faveur de la liberté humaine, source de toute grandeur morale. Le christianisme, qui a rendu tous les hommes égaux devant Dieu, ne répugnera pas à voir tous les citoyens égaux devant la loi. Mais, par un concours d'étranges événements, la religion se trouve momentanément engagée au milieu des puissances que la démocratie renverse, et il lui arrive souvent de repousser l'égalité qu'elle aime, et de maudire la liberté

comme un adversaire, tandis qu'en la prenant par la main, elle pourrait en sanctifier les efforts.

A côté de ces hommes religieux, j'en découvre d'autres dont les regards sont tournés vers la terre plutôt que vers le ciel; partisans de la liberté, non-seulement parce qu'ils voient en elle l'origine des plus nobles vertus, mais surtout parce qu'ils considèrent comme la source des plus grands biens, ils désirent sincèrement assurer son empire et faire goûter aux hommes ses bienfaits: je comprends que ceux-là vont se hâter d'appeler la religion à leur aide, car ils doivent savoir qu'on ne peut établir le règne de la liberté sans celui des mœurs, ni fonder les mœurs sans les croyances; mais ils ont aperçu la religion dans les rangs de leurs adversaires, c'en est assez pour eux; les uns l'attaquent, et les autres n'osent la défendre.

Les siècles passés ont vu des âmes basses et vénales préconiser[19] l'esclavage, tandis que des esprits indépendants et des cœurs généreux luttaient sans espérance pour sauver la liberté humaine. Mais on rencontre souvent, de nos jours, des hommes naturellement nobles et fiers, dont les opinions sont en opposition directe avec leurs goûts, et qui vantent la servilité et la bassesse qu'ils n'ont jamais connues pour eux-mêmes. Il en est d'autres, au contraire, qui parlent de la liberté comme s'ils pouvaient sentir ce qu'il y a de saint et de grand en elle, et qui réclament bruyamment en faveur de l'humanité des droits qu'ils ont toujours méconnus.

J'aperçois des hommes vertueux et paisibles que leurs mœurs pures, leurs habitudes tranquilles, leur aisance et leurs lumières placent naturellement a la tête des populations qui les environnent. Pleins d'un amour sincère pour la patrie, ils sont prêts à faire pour elle de grands sacrifices: cependant la civilisation trouve souvent en eux des adversaires; ils confondent ses abus avec ses bienfaits, et dans leur esprit l'idée du mal est indissolublement unie à celle du nouveau.

Près de là j'en vois d'autres qui, au nom des progrès, s'efforçant de matérialiser l'homme, veulent trouver l'utile sans s'occuper du juste, la science loin des croyances, et le bien-être séparé de la vertu: ceux-là se sont dits les champions de la civilisation moderne, et ils se mettent insolemment à sa tête, usurpant une place qu'on leur abandonne et dont leur indignité les repousse.

[18] Tocqueville wrote in 1832 during the troubled reign of Louis-Philippe

[19] advocate

Où sommes-nous donc?

Les hommes religieux combattent la liberté, et les amis de la liberté attaquent les religions; des esprits nobles et généreux vantent l'esclavage, et des âmes basses et serviles préconisent l'indépendance; des citoyens honnêtes et éclairés sont ennemis de tous les progrés, tandis que des hommes sans patriotisme et sans mœurs se font les apôtres de la civilisation et des lumières!

Tous les siècles ont-ils donc ressemblé au nôtre? 10 L'homme a-t-il toujours eu sous les yeux, comme de nos jours, un monde où rien ne s'enchaîne, où la vertu est sans génie, et le génie sans honneur; où l'amour de l'ordre se confond avec le goût des tyrans et le culte saint de la liberté avec le mépris des lois; où la conscience ne jette qu'une clarté douteuse sur les actions humaines; où rien ne semble plus défendu, ni permis, ni honnête, ni honteux, ni vrai, ni faux?

Penserai-je que le Créateur a fait l'homme pour le laisser se débattre sans fin au milieu des misères intellec- 20 tuelles qui nous entourent? Je ne saurais le croire: Dieu prépare aux sociétés européennes un avenir plus fixe et plus calme; j'ignore ses desseins, mais je ne cesserai pas d'y croire parce que je ne puisse le pénétrer, et j'aimerai mieux douter de mes lumières que de sa justice.

Il est un pays dans le monde où la grande révolu- tion sociale dont je parle semble avoir à peu près atteint ses limites naturelles; elle s'y est opérée d'une manière simple et facile, ou plutôt on peut dire que ce pays voit 30 les résultats de la révolution démocratique qui s'opère parmi nous, sans avoir eu la révolution elle-même.

Les émigrants qui vinrent se fixer en Amérique au commencement du XVIIe siècle, dégagèrent en quelque façon le principe de la démocratie de tous ceux contre lesquels il luttait dans le sein des vieilles sociétés de l'Europe, et ils le transplantèrent seul sur les rivages du Nouveau-Monde. Là, il a pu grandir en liberté, et, marchant avec les mœurs, se développer paisiblement dans les lois.   40

Il me parait hors de doute que tôt ou tard nous arriverons, comme les Américains, à l'égalité presque complète des conditions. Je ne conclus point de là que nous soyons appelés un jour à tirer nécessairement, d'un pareil état social, les consequences politiques que les Américains en ont tirées. Je suis très loin de croire qu'ils aient trouvé la seule forme de gouvernement que puisse se donner la démocratie; mais il suffit que dans les deux pays la cause génératrice des lois et des mœurs soit la

même, pour que nous ayons un intérêt immense à savoir ce qu'elle produit dans chacun d'eux.

Ce n'est donc pas seulement pour satisfaire une curiosité, d'ailleurs légitime, que j'ai examiné l'Amé- rique; j'ai voulu y trouver des enseignements dont nous puissions profiter. On se tromperait étrangement si l'on pensait que j'aie voulu faire un panégyrique;[20] quiconque lira ce livre sera bien convaincu que tel n'a point été mon dessein; mon but n'a pas été non plus de préconiser telle forme de gouvernement en général; car je suis du nombre de ceux qui croient qu'il n'y a presque jamais de bonté absolue dans les lois; je n'ai même pas prétendu juger si la révolution sociale, dont la marche me semble irrésistible, était avantageuse ou funeste à l'humanité; j'ai admis cette révolution comme un fait accompli ou prêt à s'accomplir, et, parmi les peuples qui l'ont vue s'opérer dans leur sein, j'ai cherché celui chez lequel elle a atteint le développement le plus complet et le plus paisible, afin d'en discerner clairement les conséquences naturelles, et d'apercevoir, s'il se peut, les moyens de la rendre profitable aux hommes. J'avoue que dans l'Amérique j'ai vu plus que l'Amérique; j'y ai cherché une image de la démocratie elle-même, de ses penchants, de son caractère, de ses préjugés, de ses passions; j'ai voulu la connaître, ne fût-ce que pour savoir du moins ce que nous devions espérer ou craindre d'elle.

Dans la première partie de cet ouvrage, j'ai donc essayé de montrer la direction que la démocratie, livrée en Amérique à ses penchants et abandonnée presque sans contrainte à ses instincts, donnait naturellement aux lois, la marche qu'elle imprimait au gouvernement, et en général la puissance qu'elle obtenait sur les affaires. J'ai voulu savoir quels étaient les biens et les maux produits par elle. J'ai recherché de quelles pré- cautions les Américains avaient fait usage pour la diriger, et quelles autres ils avaient omises, et j'ai entrepris de distinguer les causes qui lui permettent de gouverner la société.

Mon but était de peindre dans une seconde partie l'influence qu'exercent en Amérique l'égalité des con- ditions et le gouvernement de la démocratie, sur la société civile, sur les habitudes, les idées et les mœurs; mais je commence à me sentir moins d'ardeur pour l'accomplissement de ce dessein. Avant que je puisse fournir ainsi la tâche que je m'étais proposée, mon

[20] eulogy

travail sera devenu presque inutile. Un autre doit bientôt montrer aux lecteurs les principaux traits du caractère américain, et, cachant sous un voile léger la gravité des tableaux, prêter à la vérité des charmes dont je n'aurais pu la parer.*

Je ne sais si j'ai réussi à faire connaître ce que j'ai vu en Amérique, mais je suis assuré d'en avoir eu sincèrement le désir, et de n'avoir jamais cédé qu'à mon insu[21] au besoin d'adapter les faits aux idées, au lieu de soumettre les idées aux faits.

Lorsqu'un point pouvait être établi à l'aide de documents écrits, j'ai eu soin de recourir aux textes originaux et aux ouvrages les plus authentiques et les plus estimés.** J'ai indiqué mes sources en notes, et chacun pourra les vérifier. Quand il s'est agi d'opinions, d'usages politiques, d'observations de mœurs, j'ai cherché à consulter les hommes les plus éclairés. S'il arrivait que la chose fût importante ou douteuse, je ne me contentais pas d'un témoin, mais je ne me déterminais que sur l'ensemble des témoignages.

Ici il faut nécessairement que le lecteur me croie sur parole. J'aurais souvent pu citer à l'appui de ce que j'avance l'autorité de noms qui lui sont connus, ou qui du moins sont dignes de l'être; mais je me suis gardé de le faire. L'étranger apprend souvent auprès du foyer de son hôte d'importantes vérités, que celui-ci déroberait peut-être à l'amitié; on se soulage avec lui d'un silence obligé; on ne craint pas son indiscrétion, parce qu'il passe. Chacune de ces confidences était enregistrée par moi aussitôt que reçue, mais elles ne sortiront jamais de mon portefeuille; j'aime mieux nuire au succès de mes récits que d'ajouter mon nom à la liste de ces voyageurs qui renvoient des chagrins et des embarras en retour de la généreuse hospitalité qu'ils ont reçue.

Je sais que, malgré mes soins, rien ne sera plus facile que de critiquer ce livre, si personne songe jamais à le critiquer.

Ceux qui voudront y regarder de près retrouveront, je pense, dans l'ouvrage entier, une pensée mère[22] qui enchaîne, pour ainsi dire, toutes ses parties. Mais la diversité des objets que j'ai eus à traiter est très grande, et celui qui entreprendra d'opposer un fait isolé à l'ensemble des faits que je cite, une idée détachée à l'ensemble des idées, y réussira sans peine. Je voudrais donc qu'on me fît la grâce de me lire dans le même esprit qui a présidé à mon travail, et qu'on jugeât le livre par l'impression générale qu'il laisse, comme je me suis décidé moi-même, non par telle raison, mais par la masse des raisons.

Il ne faut pas non plus oublier que l'auteur qui veut se faire comprendre est obligé de pousser chacune de ses idées dans toutes leurs conséquences théoriques, et souvent jusqu'aux limites du faux et de l'impraticable; car s'il est quelquefois nécessaire de s'écarter des règles de la logique dans les actions, on ne saurait le faire de même dans les discours, et l'homme trouve presque autant de difficultés à être inconséquent[23] dans ses paroles qu'il en rencontre d'ordinaire à être conséquent dans ses actes.

Je finis en signalant moi-même ce qu'un grand nombre de lecteurs considérera comme le défaut capital de l'ouvrage. Ce livre ne se met précisément à la suite de personne; en l'écrivant, je n'ai entendu servir ni combattre aucun parti; j'ai entrepris de voir, non pas autrement, mais plus loin que les partis; et tandis qu'ils s'occupent du lendemain, j'ai voulu songer à l'avenir.

* A l'époque où je publiai la première édition de cet ouvrage, M. Gustave de Beaumont, mon compagnon de voyage en Amérique, travaillait encore à son livre intitulé Marie, ou l'Esclavage aux États-Unis, qui a paru depuis. Le but principal de M. de Beaumont a été de mettre en relief et de faire connaître la situation des nègres au milieu de la société anglo-américaine. Son ouvrage jettera une vive et nouvelle lumière sur la question de l'esclavage, question vitale pour les républiques unies. Je ne sais si je me trompe, mais il me semble que le livre de M. Beaumont, après avoir vivement intéressé ceux qui voudront y puiser des émotions et y chercher des tableaux, doit obtenir un succès plus solide et plus durable encore parmi les lecteurs qui, avant tout, désirent des aperçus vrais et de profondes vérités. [Note by Tocqueville]

** Les documents législatifs et administratifs m'ont été fournis avec une obligeance dont le souvenir excitera toujours ma gratitude, Parmi les fonctionnaires américains qui ont ainsi favorisé mes recherches, je citerai surtout M. Edward Livingston, alors secrétaire d'État (maintenant ministre plénipotentiaire à Paris). Durant mon séjour au sein du congrès, M. Linvingston voulut bien me faire remettre la plupart des documents que je possède, relativement au gouvernement fédéral. M. Linvingston est un de ces hommes rares qu'on aime en lisant leurs écrits, qu'on admire et qu'on honore avant même de les connaître, et auxquels on est heureux de devoir de la reconnaissance. [Note by Tocqueville]

[21] à mon insu: without my knowing it

[22] pensée mère: engendering idea
[23] inconsistent

1. *Dans son premier paragraphe Tocqueville énonce un fait, l'égalité des conditions. Dans le deuxième il esquisse son influence et dans son troisième il en fait le fait générateur de la société américaine. Suivez le déroulement de cette idée-maîtresse en faisant le plan de l'essai.*

2. *La pensée de l'auteur se développe-t-elle par détours et méandres à la manière de Montaigne? dialectiquement à la manière de Diderot?*

3. *Le langage est-il plutôt abstrait que concret? y a-t-il des images ou des métaphores?*

4. *Faites une liste des principales idées qui composent la structure de cette exposition.*

5. *Tocqueville donne une impression de grande autorité. Comment?*

6. *L'esprit et le style de Tocqueville. Vous semblent-ils plus adaptés à l'analyse des aspects légaux et publics de la démocratie (sa première tâche, p. 268, II 28 et sq.) qu'à l'analyse des aspects moraux et privés (sa deuxième, qu'il abandonne en disant qu'un autre l'aura accomplie avant lui)?*

7. *Tocqueville parle de la terreur religieuse produite dans l'âme de l'auteur par la vue de cette révolution irrésistible. Est-ce simplement une façon de parler? Est-ce que le style de Tocqueville en donne des preuves? Est-ce que le milieu et les origines de Tocqueville nous inclinent à croire cette terreur réelle?*

8. *A la p. 266, II 41 et sq. le ton de l'essai devient légèrement lyrique. Des mots tels que sympathie, tranquille, etc. révèlent les partis pris sociaux et moraux de Tocqueville. Trouvez d'autres mots-clef qui les expriment.*

9. *Tocqueville donne deux explications de la genèse de la démocratie. Laquelle de ces deux formes de démocratie lui semble préférable?*

10. *Tocqueville écrit ces pages à un moment historique où, pour bien des écrivains, l'individu prévalait sur le groupe ou sur l'institution. Tocqueville reflète-t-il cette tendance? ou fait-il exception?*

11. *Tocqueville croit-il qu'il faut se soumettre aveuglément à la marche de l'histoire?*

12. *Est-il partisan ou ennemi de la démocratie en Amérique?*

13. *Quel est le but de Tocqueville en étudiant la démocratie américaine?*

14. *Est-ce que Tocqueville est vraiment objectif? Quels sont, en général, les limites de l'objectivité dans une étude de ce genre?*

15. *Publié en 1835, cet essai a-t-il une certaine vérité de nos jours?*

16. *Qu'est-ce qui nous permettrait de dire que cet essai est plus scientifique que les autres que nous avons lus?*

Journal pour l'an 1892

ANDRÉ GIDE (1869–1951)

1er *Janvier.*

Wilde[1] ne m'a fait, je crois, que du mal. Avec lui, j'avais désappris de penser. J'avais des émotions plus diverses, mais je ne savais plus les ordonner; je ne pouvais surtout plus suivre les déductions des autres. Quelques pensées, parfois; mais ma maladresse à les remuer me les faisait abandonner. Je reprends maintenant, difficilement mais avec de grandes joies, mon histoire de la philosophie, où j'étudie le problème du langage (que je reprendrai avec Muller et Renan[2]).

3 *Janvier.*

Me tourmenterai-je toujours ainsi, et mon esprit, Seigneur, ne se reposera-t-il désormais dans plus aucune certitude? Comme un malade dans son lit, qui se retourne pour trouver le sommeil, du matin au soir je m'inquiète; et la nuit encore l'inquiétude me réveille.

Je m'inquiète de ne savoir qui je serai; je ne sais même pas celui que je veux être; mais je sais bien qu'il

[1] Oscar Wilde (1854–1900), English writer of Irish extraction, whom Gide met in North Africa, encouraged him to express his latent homosexual tendencies. Here Gide expresses a regret which proved only temporary

[2] *Max Muller (1823–1900) and Ernest Renan (1823–1892)* were philological writers whom Gide was reading

faut choisir. Je voudrais cheminer sur des routes sures, qui mènent seulement où j'aurais résolu d'aller; mais je ne sais pas; je ne sais pas ce qu'il faut que je veuille. Je sens mille possibles en moi; mais je ne puis me résigner à n'en vouloir être qu'un seul. Et je m'effraie, chaque instant, à chaque parole que j'écris, à chaque geste que je fais, de penser que c'est un trait de plus, ineffaçable, de ma figure, qui se fixe; une figure hési- tante, impersonnelle; une lâche figure, puisque je n'ai pas su choisir et la délimiter fièrement.   10

Seigneur, donnez-moi de ne vouloir qu'une seule chose et de la vouloir sans cesse.

La vie d'un homme est son image. A l'heure de mourir, nous nous refléterons dans le passé, et, penchés sur le miroir de nos actes, nos âmes reconnaîtront ce *que nous sommes.* Toute notre vie s'emploie à tracer de nous-mêmes un ineffaçable portrait. Le terrible, c'est qu'on ne le sait pas; on ne songe pas à se faire beau. On y songe en parlant de soi; on se flatte; mais   20 notre terrible portrait, plus tard, ne nous flattera pas. On raconte sa vie et l'on se ment; mais notre vie ne mentira pas; elle racontera notre âme, qui se présentera devant Dieu dans sa posture habituelle.

On peut dire alors ceci, que j'entrevois, comme une sincérite renversée (de l'artiste):

Il doit non pas raconter sa vie telle qu'il l'a vécue, mais la vivre telle qu'il la racontera. Autrement dit: que le portrait de lui, que sera sa vie, s'identifie au   30 portrait idéal qu'il souhaite; et, plus simplement: qu'il soit tel qu'il se veut.

4 *Janvier.*

Je te remercie, Seigneur, de ce que la seule influence de femme sur mon âme ravie et qui n'en souhaite plus d'autre, que l'influence de Em.,[3] ait toujours guidé mon âme vers les vérités les plus hautes et l'ait inclinée tou- jours dans de studieuses attitudes.   40

Je songe avec joie que, si elle me revenait, je n'aurais rien de secret pour elle.

6 *Janvier.*

Je remarque cette différence entre l'intelligence et l'esprit: que l'intelligence est, par sa nature, égoïste, tandis que l'esprit suppose l'intelligence de celui à qui il s'adresse.

D'où ceci: l'intelligence explique (Taine, Bourget;[4] etc.); l'esprit raconte seulement (XVIIIe s.).

Il faut de l'esprit pour bien parler, de l'intelligence suffit pour bien écouter.

11 *Janvier.*

Je m'agite dans ce dilemme: être moral; être sincère.

La morale consiste à supplanter l'être naturel (le vieil homme) par un être factice[5] préféré. Mais alors, on n'est plus sincere. Le vieil homme, c'est l'homme sincère.

Je trouve ceci: le vieil homme, c'est le poète. L'homme nouveau, que l'on préfère, c'est l'artiste. Il faut que l'artiste supplante le poète. De la lutte entre les deux naît l'œuvre d'art.

20 *Janvier.*

A Uzès[6] de nouveau.

On cause; on discute: enfin l'on comprend que l'on est un auditif et que l'on parle à un visuel. Et l'on croyait se comprendre! Comme cela différencie! (Cela entre autres.)

Deux choses s'exaspèrent, et c'est tant mieux: l'immense ennui que j'ai de moi-même; l'immense amour pour l'idée pure.

C'est ce qui doit arriver; c'est une marche victo- rieuse; l'adoration tue l'individu. Le Dieu supplante.

J'avais recommencé de travailler quelque peu à mes médiocres vers de septembre. Cela m'ennuie. J'ai découvert ajourd'hui de telles sciences merveilleuses que toute joie de production se nie devant la joie furieuse d'apprendre. C'est une convoitise[7] enragée. Connaître . . .

---

[4] Hippolyte Taine (1828–1893) was a critic, Paul Bourget (1852–1935) a novelist
[5] artificial
[6] city north of Nîmes in southern France
[7] covetousness

[3] "Emmanuèle": Gide's name in his writings for his cousin Madeleine Rondeaux, who became his wife in 1895

Dimanche de Pâques

Connaître . . . connaître quoi?

De la philologie encore; bien peu. Lu des poésies de Gœthe; le *Prométhée*; lu *la Faustin*; du Banville; *Adolphe*.[8]

Je sens que, dans peu de temps, je me rejetterai dans un mysticisme forcené.

Munich (second jour). 12 *Mai.*

Apprendre la logique; classer ses pensées . . . C'est dans ma tête un fouillis[9] inextricable; chaque pensée nouvelle, en se déplaçant, remue toutes les autres. Rien n'est délimité précisément, et cette absence de contours, qui fait peut-être les rapports plus perceptibles, fait aussi que tout se confond dans ma tête et que chaque concept s'accroche un peu à tous les autres.

Si je n'écris plus de journal, si j'ai l'horreur des lettres à écrire, c'est que je n'ai plus d'émotions personnelles; je n'ai plus d'émotions, que celles que je veux avoir, ou que celles des autres. C'est seulement dans les bons jours, et ils redeviennent fréquents, une exaltation intellectuelle et nerveuse, une vibration puissante de tout l'être, convertible, comme à volonté, en allégresse ou en tristesse; et sans que l'un me soit plus agréable que l'autre. Je suis comme une harpe accordée, qui chanterait au gré du poète un scherzo joyeux ou un andante mélancolique.

Je crois cet état excellent pour produire. Je suis moi-même *ad libitum*:[10] n'est-ce pas dire que je prendrai les émotions de mes personnages. L'important, c'est d'être capable d'émotions; mais n'éprouver que *les siennes*, c'est une triste limitation.

L'égoïsme est haïssable de toute façon. Je m'intéresse de moins en moins à moi-même, et de plus en plus à mon œuvre et à mes pensées. Je ne me demande plus chaque jour, à chaque heure, si je suis digne de

mon Dieu. Mais cela est une grande erreur; il faut être capable de refléter même les choses les plus pures.

Les jugements des autres ne m'intéressent d'ailleurs pas plus que les miens; — si pourtant: en tant que l'énoncé d'un rapport entre l'objet et l'individu qui le juge; et qui me les fait tous deux mieux connaître. Mais il me suffit que cet autre l'affirme; quand il veut l'expliquer, prouver qu'il a raison, il me devient insupportable; on ne peut jamais rien prouver. « Ne jugez point. » Tout jugement porte en soi le témoignage de notre faiblesse. Pour moi, les jugements qu'il me faut porter quelquefois sur les choses sont aussi flottants que les émotions qu'ils soulèvent, et qui expliquent alors cette incertitude infinie qui déconcerte mon action, quand ce doit être un « jugement » qui la décide.

Je vois toujours presque à la fois les deux faces de chaque idée et l'émotion toujours chez moi se polarise. Mais, si je comprends les deux pôles, je perçois fort nettement aussi, entre eux deux, les limites où s'arrête la compréhension d'un esprit qui se résout à être simplement personnel, à ne voir jamais qu'un seul côté des vérités, qui opte[11] une fois pour toutes pour l'un ou pour l'autre des deux pôles.

Et, quand je cause avec un ami, je ne m'occupe presque toujours que de lui dire ce qu'il pense, et je ne pense plus moi-même que cela, ne m'occupant plus que d'établir et de mesurer les rapports entre lui et les choses. (Cela est vrai surtout avec Walckenaër[12].)

Mais, lorsque je suis avec deux amis et que ces deux diffèrent, je reste agacé entre eux deux, ne sachant plus que dire, n'osant prendre parti ni pour l'un ni pour l'autre; acceptant chaque affirmation, repoussant chaque négation.

Puis ces questions de psychologie sont ridicules et bien mesquines.[13]

15 *Mai.*

Les troubles de la chair, les inquiétudes de l'âme, peuvent durer encore, mais ils ne sont intéressants qu'aussi longtemps que l'on croit ces choses importantes.

Une chose ne vaut que par l'importance qu'on lui donne. Prendre son parti d'une chose, c'est en détacher

---

[8] Johann Wolfgang von Goethe (1749-1832), Germany's greatest writer; le *Prométhée*, an unfinished play by Goethe (Gide was to write a short tale on the theme, *Le Prométhée mal enchaîné*); *la Faustin*, a novel about the theater, by Edmond de Goncourt (1822–1896); Théodore de Banville (1823–1891), French writer best remembered as a poet; *Adolphe*, confessional love novel by Benjamin de Constant (1767–1830), French writer and statesman

[9] jumble

[10] [Latin] at liberty. [Gide is uncommitted or, to use one of his own terms, *disponible*]

[11] chooses

[12] a friend who served for the young writer as the subject of a projected novel

[13] paltry

une à une toutes ses pensées, de sorte qu'enfin elle ait lieu sans plus rien agiter dans notre âme.

Deux facultés vraiment extraordinaires du poète; la permission qu'il a de s'abandonner aux choses, quand il le veut, sans se perdre; et de pouvoir être naïf consciemment. Ces deux facultés sont réductibles du reste au seul don de dédoublement.[14]

Les deux ou trois fois dans la vie, où l'on a bu des boissons vraiment rafraîchissantes.   10

**
*

Nancy. Novembre.

(Service militaire.) J'ai souffert ces jours-ci, je m'en rends compte maintenant, de ce que les facultés de mon âme n'étaient pas occupées en raison de leur hiérarchie. Les plus nobles étaient désœuvrées. Et je   20 sais que, si j'eusse été seul, de ces émotions toutes physiques, j'eusse fait des émotions sublimes; mais je ne sentais en les autres de sympathie que pour les émotions médiocres; et je voulais leur sympathie.

Un corps ne peut émettre un son que s'il pressent autour de lui une possibilité d'harmoniques.

La tristesse m'était venue à sentir qu'ici, sympathiser, c'était déchoir.[15]

On raconterait bien les choses d'alentour; mais   30 elles sont si contrefaites...

— Elles te paraissent contrefaites parce que tu ne les comprends pas dans toute leur complexité. C'est pourquoi te séduit l'œuvre du poète, plus simple. En ne montrant dans une œuvre qu'une vérité, il l'exagère. Simplifier, c'est exagérer ce qui reste. L'œuvre d'art est une exagération.

1. *Par la nature même du genre (un Journal tenu*   40 *au jour le jour) s'attendrait-on à trouver la même unité de sujet et de ton qu'on trouve dans les autres essais que nous avons lus? Néanmoins, on peut y voir une certaine unité. Laquelle?*

[14] dividing of the self into two
[15] to fall (from honor)

2. *Chez Gide on trouve le même souci de nuancer sa pensée qu'on avait trouvée chez Montaigne. Ce souci se manifeste-t-il stylistiquement de la même façon chez les deux? Donnez des exemples des procédés.*

3. *Cherchez les mots et les expressions qui révèlent une certaine exagération chez Gide.*

4. *Cette exagération s'accorde-t-elle avec la notion de sincérité exprimée à la date du 11 janvier?*

5. *Comparez, chez Gide et Montaigne, les idées sur la possibilité d'une morale stricte.*

6. *L'introspection chez Gide et Rousseau: cherchent-ils les mêmes eclaircissements? Est-ce que Gide veut se justifier à la manière de Rousseau?*

7. *L'egoïsme est haïssable de toute façon fait écho à une pensée célèbre de Pascal: « Le moi est haïssable » et, en effet, on trouve dans ces pages un intérêt religieux assez fort. Est-ce pour les mêmes raisons et dans le même esprit que chez Pascal?*

8. *Il y a des critiques qui accusent Gide d'être trop facilement content de lui-même. Trouvez-vous des exemples de cette suffisance dans ces pages?*

9. *Dans quel but croyez-vous que Gide a tenu ce Journal (et qu'il a continué à le tenir jusqu'à la fin de sa vie)? A ce propos considerez le paragraphe qui commence: La vie d'un homme... (le 3 janvier).*

A Propos De L'Existentialisme

MISE AU POINT PAR J. P. SARTRE[1]

La presse d'aujourd'hui — et *Action*[2] même — publie volontiers des articles contre l'existentialisme. *Action* a bien voulu me demander de répondre. Je ne

[1] This subtitle is a part of the original publication. It would therefore be misleading for us to place Sartre's dates just after his name here. He was born in 1905 and the initials stand for Jean-Paul.

[2] *Action:* A weekly newspaper founded in Paris in September 1944 immediately after the Liberation

sais si le débat intéressera beaucoup de lecteurs: ils ne manquent pas de préoccupations plus urgentes. Mais si, parmi les personnes qui eussent pu trouver des principes de pensée et des règles de conduite dans cette philosophie et qui en ont été détournées par ces absurdes critiques, il en était une seule que je puisse toucher et détromper, cela vaudrait encore la peine d'écrire pour elle. J'avertis en tout cas que je réponds en mon nom: j'aurais scrupule à engager d'autres existentialistes dans cette polémique.

Que nous reprochez-vous? D'abord de nous inspirer de Heidegger, philosophe allemand et nazi. Ensuite de prêcher sous le nom d'existentialisme un quiétisme de l'angoisse.[3] N'essayons-nous pas de corrompre la jeunesse et de la détourner d'agir en l'incitant à cultiver un désespoir distingué? Ne soutenons-nous pas des doctrines nihilistes (la preuve pour un éditorialiste de l'*Aube* est que j'ai intitulé un livre: « L'Etre et le Néant ».[4] Le Néant, pensez donc! en ces années où tout est à refaire ou à faire, où la guerre dure encore, où chacun a besoin de toute son énergie pour la gagner et pour gagner la paix)? Enfin, votre troisième grief, c'est que l'existentialiste se complaît dans l'ordure et montre plus volontiers la méchanceté des hommes et leur bassesse que leurs beaux sentiments.

Je le dis tout de suite: vos attaques me paraissent inspirées par la mauvaise foi et l'ignorance. Il n'est même pas sûr que vous ayez lu aucun des livres dont vous parlez. Vous avez besoin d'un bouc émissaire,[5] car il faut bien que, de temps en temps, vous mordiez un peu: vous bénissez tant de choses. Vous avez choisi l'existentialisme parce qu'il s'agit d'une doctrine abstraite que peu de gens connaissent et parce que vous savez que personne n'ira vérifier vos dires. Mais je vais répondre point par point à vos accusations.

ELIMINATION D'UNE CRITIQUE EXTÉRIEURE

Heidegger[6] était philosophe bien avant d'être nazi. Son adhésion à l'hitlérisme s'explique par la peur, l'arrivisme[7] peut-être, sûrement le conformisme: ce

n'est pas beau, j'en conviens. Seulement cela suffit pour infirmer[8] votre beau raisonnement: « Heidegger, dites-vous, est membre du parti national-socialiste,[9] donc sa philosophie doit être nazie. » Ce n'est pas cela: Heidegger n'a pas de caractère,[10] voilà la vérité; oserez-vous en conclure que sa philosophie est une apologie de la lâcheté? Ne savez-vous pas qu'il arrive aux hommes de n'être pas à la hauteur de leurs œuvres? Et condamnerez-vous le *Contrat social* parce que Rousseau a exposé ses enfants?[11] Et puis qu'importe Heidegger? Si nous découvrons notre propre pensée à propos de celle d'un autre philosophe, si nous demandons à celui-ci des techniques et des méthodes susceptibles de nous faire accéder à de nouveaux problèmes, cela veut-il dire que nous épousons toutes ses théories? Marx a emprunté à Hegel sa dialectique. Direz-vous que le *Capital* est un ouvrage prussien? Nous avons vu les résultats déplorables de l'autarcie[12] économique: ne tombons pas dans l'autarcie intellectuelle.

DÉFINITION PHILOSOPHIQUE DE L'EXISTENTIALISME

Au temps de l'occupation, les journaux inspirés confondaient dans la même réprobation les existentialistes et les philosophes de l'absurde. Un petit cuistre venimeux nommé Albérès,[13] qui écrivait dans le pétiniste[14] *Echo des Etudiants*, nous aboyait aux chausses[15] toutes les semaines. A cette époque-là, ce genre de confusionnisme allait de soi; plus les attaques étaient basses et sottes, plus nous nous en réjouissions.

Mais vous, pourquoi avez-vous repris les méthodes de la presse vichyssoise?[16]

Pourquoi ce pêle-mêle,[17] sinon parce que, à la faveur de la confusion que vous établissez, il vous est

---

[8] *infirmer:* disprove
[9] the German Nazi party
[10] *Heidegger . . . caractère:* H. lacks moral character
[11] Rousseau turned his five children over to the orphanage
[12] isolationism
[13] *Un . . . venimeux:* A venomous little pedant. [R. M. Albérès has since written a book on Sartre]
[14] pro-Pétain, i.e., collaborationist during the German Occupation (1940–1944)
[15] *aboyait aux chausses:* was yapping at our heels
[16] During the Occupation the city of Vichy was the seat of the pro-German Pétain government. *Vichysoisse* is also a potato-soup
[17] confusion

[3] *un . . . angoisse:* [Quietism is a mystic doctrine that makes pure love of God rather than good works the path to salvation]
[4] Sartre's major philosophical work
[5] *bouc émissaire:* scapegoat
[6] Martin Heidegger (1889–   )
[7] social-climbing

plus facile d'attaquer à la fois ces deux philosophies? Celle de l'absurde est cohérente et profonde. Albert Camus a montré qu'il était de taille à la défendre seul. Aussi je parlerai seulement de l'existentialisme: l'avez-vous seulement défini à vos lecteurs? Pourtant c'est assez simple. En termes philosophiques, tout objet a une essence et une existence. Une essence, c'est-à-dire un ensemble constant de propriétés; une existence, c'est-à-dire une certaine présence effective dans le monde. Beaucoup de personnes croient que l'essence vient d'abord et l'existence ensuite: que les petits pois, par exemple, poussent et s'arrondissent conformément à l'idée de petits pois et que les cornichons[18] sont cornichons parce qu'ils participent à l'essence de cornichon. Cette idée a son origine dans la pensée religieuse; par le fait, celui qui veut faire une maison, il faut qu'il sache au juste quel genre d'objet il va créer: l'essence précède l'existence; et pour tous ceux qui croient que Dieu créa les hommes, il faut bien qu'il l'ait fait en se référant à l'idée qu'il avait d'eux. Mais ceux mêmes qui n'ont pas la foi ont conservé cette opinion traditionnelle que l'objet n'existait jamais qu'en conformité avec son essence, et le dix-huitième siècle tout entier a pensé qu'il y avait une essence commune à tous les hommes, que l'on nommait *nature humaine*. L'existentialiste tient, au contraire, que chez l'homme — et chez l'homme seul — l'existence précède l'essence.

Cela signifie tout simplement que l'homme *est* d'abord et qu'ensuite seulement il est ceci ou cela. En un mot, l'homme doit se créer sa propre essence; c'est en se jetant dans le monde, en y souffrant, en y luttant qu'il se définit peu à peu; et la définition demeure toujours ouverte; on ne peut point dire ce qu'est *cet* homme avant sa mort, ni l'humanité avant qu'elle ait disparu. Après cela, l'existentialisme est-il fasciste, conservateur, communiste ou démocrate? La question est absurde: à ce degré de généralité, l'existentialisme n'est rien du tout sinon une certaine manière d'envisager les questions humaines en refusant de donner à l'homme une nature fixée pour toujours. Il allait de pair,[19] autrefois, chez Kierkegaard, avec la foi religieuse. Aujourd'hui, l'existentialisme français tend à s'accompagner d'une déclaration d'athéisme, mais cela n'est pas absolument nécessaire. Tout ce que je puis

dire — et sans vouloir trop insister sur les ressemblances — c'est qu'il ne s'éloigne pas beaucoup de la conception de l'homme qu'on trouverait chez Marx. Marx n'accepterait-il pas, en effet, *cette devise*[20] *de l'homme qui est la nôtre: faire et en faisant se faire et n'être rien que ce qu'il s'est fait?*

ANGOISSE ET ACTION

Si l'existentialisme définit l'homme par l'action, il va de soi que cette philosophie n'est pas un quiétisme. En fait, l'homme ne peut qu'agir; ses pensées sont des projets et des engagements, ses sentiments des entreprises; il n'est rien d'autre que sa vie et sa vie est l'unité de ses conduites. Mais l'angoisse, dira-t-on? Eh bien! ce mot un peu solennel recouvre une réalité fort simple et quotidienne. Si l'homme *n'est* pas mais *se fait*[21] et si en se faisant il assume la responsabilité de l'espèce entière, s'il n'y a pas de valeur ni de morale qui soient données à priori, mais si, en chaque cas, nous devons décider seuls, sans point d'appui, sans guides et cependant *pour tous*, comment pourrions-nous ne pas nous sentir anxieux lorsqu'il nous faut agir? Chacun de nos actes met en jeu le sens du monde et la place de l'homme dans l'univers; par chacun d'eux, quand bien même nous ne le voudrions pas, nous constituons une échelle de valeurs universelles et l'on voudrait que nous ne soyons pas saisis de crainte devant une responsabilité si entière? Ponge,[22] dans un très beau texte, a dit que l'homme est l'avenir de l'homme. Cet avenir n'est pas encore fait, il n'est pas décidé: c'est nous qui le ferons, chacun de nos gestes contribue à le dessiner: il faudrait beaucoup de pharisaïsme[23] pour ne pas sentir dans l'angoisse la mission redoutable qui est donnée à chacun de nous. Mais vous, pour nous réfuter plus sûrement, vous avez fait exprès de confondre l'angoisse avec la neurasthénie,[24] cette inquiétude virile dont parle l'existentialiste vous en avez fait je ne sais quelle terreur pathologique. Puis-

---

[18] gherkin [pickle]
[19] *Il . . . pair:* It went hand in hand

[20] motto
[21] *l'homme . . . se fait:* man is not, but makes himself [the essential Sartrian notion that existence precedes essence that man makes himself what he is, that he creates his own values]
[22] Francis Ponge (1899–   ), contemporary French poet on whom Sartre has written an important essay
[23] hypocrisy, "holier-than-thou-ism"
[24] neuresthenia, pathological depression

qu'il faut mettre les points sur les *i,* je dirai donc que *l'angoisse, loin d'être un obstacle à l'action, en est la condition même et qu'elle ne fait qu'un avec le sens de cette écrasante responsabilité de tous devant tous qui fait notre tourment et notre grandeur.* Quant au désespoir, il faut s'entendre: il est vrai que l'homme aurait tort d'*espérer.* Mais qu'est-ce à dire sinon que l'espoir est la pire entrave[25] à l'action. Faut-il espérer que la guerre se terminera toute seule et sans nous, que les nazis nous tendront la main, que les privilégiés de la société capitaliste abandonneront leurs privilèges dans la joie d'une nouvelle « nuit du 4 août » ?[26] Si nous espérons tout cela, nous n'avons plus qu'à attendre en nous croisant les bras. L'homme ne peut vouloir que s'il a d'abord compris qu'il ne peut compter sur rien d'autre que sur lui-même, qu'il est seul, délaissé sur la terre au milieu de ses responsabilités infinies, sans aide ni secours, sans autre but que celui qu'il se donnera à lui-même, sans autre destin que celui qu'il se forgera sur cette terre. Cette certitude, cette connaissance intuitive de sa situation, voilà ce que nous nommons désespoir: ce n'est pas un bel égarement romantique, on le voit, mais la conscience sèche et lucide de la condition humaine. *De même que l'angoisse ne se distingue pas du sens des responsabilités, le désespoir ne fait qu'un avec la volonté;* avec le désespoir commence le véritable optimisme: celui de l'homme qui n'attend rien, qui sait qu'il n'a aucun droit et que rien ne lui est dû, qui se réjouit de compter sur soi seul et d'agir seul pour le bien de tous.

Liberté et Révolution

Reprochera-t-on à l'existentialisme d'affirmer la liberté humaine? Mais vous avez tous besoin de cette liberté; vous vous la masquez par hypocrisie et vous y revenez sans cesse malgré vous; quand vous avez expliqué un homme par ses causes, par sa situation sociale, par ses intérêts, tout à coup vous vous indignez contre lui et vous lui reprochez amèrement sa conduite; et il est d'autres hommes que vous admirez au contraire et dont les actes servent de modèles. Eh bien! c'est donc que vous n'assimilez pas les méchants au phyl-

loxera et les bons aux animaux utiles.[27] Si vous les blâmez, si vous les louez, c'est qu'ils auraient pu faire autrement qu'ils n'ont fait. La lutte des classes est un fait, j'y souscris entièrement: mais comment ne voyez-vous pas qu'elle se situe sur le plan de la liberté? On nous traite de social-traître:[28] avec l'opium de cette liberté, vous empêchez l'homme de secouer ses chaînes. Quelle stupidité! Lorsque nous disons qu'un chômeur[29] est libre, nous ne voulons pas dire qu'il peut faire ce qui lui plaît et se transformer à l'instant en un bourgeois riche et paisible. *Il est libre parce qu'il peut toujours choisir d'accepter son sort avec résignation ou de se révolter contre lui.* Et sans doute ne parviendra-t-il pas à éviter la misère: mais, du sein de cette misère qui l'englue, il peut choisir de lutter contre toutes les formes de la misère, en son nom et en celui de tous les autres; il peut choisir d'être l'homme qui refuse que la misère soit le lot des hommes. Est-ce qu'on est un social-traître parce qu'on rappelle quelquefois ces vérités premières? Alors Marx est un social-traître, qui disait: « Nous voulons changer le monde », et qui exprimait, par cette simple phrase, que l'homme est maître de son destin. Alors, vous tous, vous êtes des social-traîtres, car c'est aussi ce que vous pensez lorsque vous sortez des lisières[30] d'un matérialisme qui a rendu des services mais qui a vieilli. Et si vous ne le pensiez pas, alors c'est que l'homme serait une chose, tout juste un peu de phosphore, de carbone et de soufre, et il ne serait pas nécessaire de lever le petit doigt pour lui.

La Pureté n'est pas si Facile

Vous me dites que je travaille dans l'ordure. C'est ce que disait aussi Alain Laubreaux.[31] Ici je pourrais m'abstenir de répondre, car ce reproche me vise personnellement et non comme existentialiste. Mais vous avez une telle précipitation à généraliser qu'il faut pourtant que je me défende, de crainte que mon opprobre ne rejaillisse sur la philosophie que j'ai

---

[25] impediment
[26] August 4, 1789, during the French Revolution when the feudal rights of nobles were abolished by the *Assemblée Nationale*

[27] *vous . . . utiles:* you do not liken the evil ones to phylloxera [plant lice] and the good to useful animals [i.e., you do not accept a mere determinism]
[28] *On . . . social-traître:* We've been branded traitors to the cause. ["Social-traitor" is a common Marxist term of opprobrium]
[29] unemployed worker
[30] boundaries
[31] A pro-Nazi journalist

adoptée. Il n'y a qu'un mot à dire : je me méfie des gens qui réclament que la littérature les exalte en faisant étalage[32] de grands sentiments, qui souhaitent que le théâtre leur *donne le spectacle* de l'héroïsme et de la pureté. Au fond, ils ont envie qu'on leur persuade qu'il est aisé de faire le bien. Eh bien ! non ! ce n'est pas aisé. La littérature vichyssoise et, hélas ! une partie de la littérature d'aujourd'hui voudraient nous faire croire : il est tellement agréable d'être satisfait de soi. Mais c'est un pur mensonge. Héroïsme, grandeur, géné-   10 rosité, abnégation, j'en demeure d'accord, il n'y a rien de mieux et, finalement, c'est le sens même de l'action humaine. Mais si vous prétendez qu'il suffit, pour être un héros, d'adhérer aux ajistes, aux jocistes[33] ou à un parti politique qui vous plaît, de chanter des refrains innocents et d'aller le dimanche à la campagne, vous dévalorisez les vertus que vous prétendez défendre et vous vous moquez du monde.

En ai-je dit assez pour faire comprendre que *l'existentialisme n'est pas une délectation morose,*[34]   20 *mais une philosophie humaniste de l'action, de l'effort, du combat, de la solidarité ?* Retrouvera-t-o sous la plume des journalistes, après cette mise au point, des allusions au « désespoir de nos distingués » et autres fariboles ?[35] C'est à voir. Je dirais volontiers à mes critiques : cela ne dépend plus que de vous. Après tout, vous aussi, vous êtes libres ; et vous qui combattez pour la Révolution comme nous pensons le faire aussi, vous pouvez décider aussi bien que nous si elle se fera dans la bonne ou dans la mauvaise foi. Le cas de   30 l'existentialisme, philosophie abstraite et défendue par quelques hommes sans pouvoir, est bien mince et bien indigne : mais dans ce cas comme dans mille autres, selon que vous continuerez à mentir à son sujet ou que, tout en l'attaquant, vous lui rendrez justice, vous déciderez de ce que sera l'homme. Puissiez-vous le comprendre et en ressentir un peu de salutaire angoisse.

[32] *en . . . étalage:* in displaying
[33] *ajistes et jocistes:* members of *l'Action Française* [a reactionary political movement] and *La Jeunesse Ouvrière Catholique*
[34] *délectation morose:* morbid pleasure
[35] trifles

1. *A quel public Sartre s'adresse-t-il ici ? Quelle est la force polémique et dramatique du vous ?*

2. *Devons-nous nous attendre à lire ici un essai de philosophie technique, ou est-ce plutôt du journalisme ?*

3. *Résumez les trois griefs dont Sartre voudrait se disculper.*

4. *Sartre répond-il toujours aux idées de ses adversaires ou emploi-t-il lui-même l'argument ad hominem ? (Considérez l'allusion à Albérès).*

5. *Définissez la mauvaise foi. En quoi précisément consiste-t-elle ici ?*

6. *En stigmatisant ses adversaires de l'épithète vichyssoise Sartre veut les discréditer. Expliquez.*

7. *Sartre prétend ici que l'existentialisme est simple. L'est-il comme philosophie technique ? comme façon de vivre ? comme point de vue humain ?*

8. *Résumez la notion sartrienne de l'angoisse.*

9. *Dans la partie « Liberté et Révolution » Sartre constate que ces adversaires l'accusent d'un manque de réalisme historique. De quoi les accuse-t-il à son tour ?*

10. *Ici, comme ailleurs, Sartre emploie un des procédés polémiques les plus efficaces : il retourne l'arme des adversaires contre eux. Pourquoi, selon lui, ses adversaires sont-ils à leur tour des social-traîtres ?*

11. *Sartre termine sa défense par un dernier reproche et un défi à ses adversaires, en faisant abstraction de la valeur de l'existentialisme. Expliquez.*

12. *Politique et philosophie : quels rapports entre elles sont suggérés par cet essai ?*

13. *Quel est le ton de l'essai—objectif et détaché ou polémique et engagé ?*

14. *D'après ce que vous avez appris ici de l'existentialisme, pourquoi importe-t-il que l'homme choisisse, qu'il prenne parti dans la lutte sociale et intellectuelle ?*

IV
DRAMA

DRAMA

In a play, no matter how grim the contents or realistic the production, the spectator realizes that the action unfolding before him is not "for real." The very word play, and the French verb jouer, suggest an activity which we indulge in by tacit agreement, one which we do largely for its own sake. At a fixed time and place a group of people gather to watch and listen to another group of people who pretend to be characters everyone knows to have been invented by an author, an author whose presence is neither formally indicated nor required. Seen this way, the play seems not to be "for real"—and yet there is something very real indeed about our involvement with the play. There is something compelling and moving in our empathy for its characters and their problems. Obviously, the embodiment of the characters by flesh-and-blood actors serves as a kind of guarantee of the reality of the play. Yet this alone is not enough to explain our acceptance of the play's make-believe. We know very well that the actor is only acting; we know that people in real life do not speak in rimed alexandrines; we know that we are looking at a stage and not a room from which one wall has been mysteriously removed.

To understand this apparent contradiction, we must introduce a central notion of dramatic criticism: the convention. A convention means "a coming together".* A theatrical convention is any procedure within the play or production on which author, audience, and performers tacitly agree. For example, in stage plays prior to the seventeenth century it was agreed that the parts of women could be played by young men without damage to dramatic probability. The primary convention, one which makes theatre possible at all, is the willingness of all concerned to assume that the play is a make-believe which is somehow significant or real. There is a "willing suspension of disbelief" on the part of the spectator. By his mere presence in the theatre he admits that he is willing to accept the violation of many of the laws which apply outside the theatre, in the "real" world. He does not demand a literal accounting of the passage of time or observance of the law of gravity; he must forego many of these cherished notions if the play is to act on him. Disbelief and suspension of disbelief, the awareness of illusion and the readiness to surrender to the illusion—these are the poles of the paradox on which the play rests.

When we read a play, its formal aspects are more evident than when the play is heard or observed in the theatre: replies, scene and act divisions, stage directions, descriptions of setting are artificially set apart from the stream of dialogue.

This fact is at once a help and a hindrance to the reader. Because of the obvious artificiality of these indications, some readers tend to skip them in order to get at what they consider the essential—the dialogue. The reader should, nevertheless, remember that in these indications the playwright is speaking to him not only as a potential spectator but also as a potential director. Some critics maintain that the reader unconsciously becomes his own director, completing the production of the play on the stage of his imagination. But certainly, for all readers, the playwright's indications should serve as a guide to a conscious staging of the play. (And to the reader with a ready imagination, these indications should serve as a constant check to his staging of the play.) Even the absence or an extreme minimum of these indi-

---

* Conventions are, of course, found in all artistic works. It is by convention that we read words on a page and imagine "real" characters in a work of fiction. It is by convention that we look at dabs of paint on a canvas and see a landscape. However, the term is more widely used in dramatic criticism.

cations is significant in the interpretation of a play (Racine, for example). The reader should constantly ask himself such questions as: in what setting are the actors standing? where are they in relation to one another? how do they react to one another by physical gesture or facial expression? These indications are as much a part of the form of the play as the dialogue.

A play, as you have now begun to realize, is a multitude of conventions. The very genres into which we divide plays (tragedy, comedy, naturalistic drama, etc.) imply some conventions and exclude others. All of the artifices, or conventions, which the author uses make up the world or society of the play.

Seldom, of course, do we get a complete resolution of the tension between artifice and realism in the world of the play. Molière's satiric comedy L'École des femmes is generally credible in its milieu—everyday bourgeois society—but the characters of that milieu speak in the artificial language of alexandrine verse and they emerge more as stylized types than as highly developed individuals (this does not mean that they are not unique creations). On the other hand, Cocteau's Les Parents terribles attempts much more literally to reproduce everyday bourgois situations and behavior in language, setting, and so on. Yet, when we examine the play closely we find a number of patterns or artifices as old as the theatre itself—for example, the role of a choral commentator (Léonie). Again, though apparently presented with literal simplicity, certain settings and key words do have symbolical value in the play—for example, the architecture of Madeleine's apartment and the recurring incroyable.

To be sure, Cocteau has skillfully integrated these patterns and symbols into the realistic context of his action, so that the realism of his play does contrast sharply with the conventionality of L'École and Phèdre and with the experimental character of L'Alouette. Nevertheless, one cannot attribute greater authenticity to Cocteau's play or greater artistry to the others simply on the greater or lesser degree of realism. It is misleading to link the worthwhile with the realistic, or to link the realistic with the serious. In a work of art realism is a means to an end, not an end in itself. Racine and Cocteau both treat man's tragic condition, but one does it almost abstractly while the other does it with a representational realism approaching the documentary. On the other hand, both Molière and Anouilh take potentially tragic subjects and transform them into optimistic views of the human condition, without blinding themselves or us to some very unsavory aspects of human nature. These views are just as real and just as serious as the radically differing views of Racine and Cocteau, but the two comic plays differ in technique from each other as radically as the two tragic plays.

In presenting two plays in the tragic mode and two in the comic mode, we have followed a designation of dramatic forms in use since ancient times. However, we caution you against thinking of comedy and tragedy as forms peculiar to dramatic art. We may even question their use as esthetic categories. They really refer to basic philosophical outlooks on man's place in the universe, and so are to be found in many forms of intellectual and artistic expression. The tragic outlook emphasizes human limitations—whence the symbolic aptness of death, blindness, and exile in plays and works of fiction. The comic outlook emphasizes human possibilities—whence the symbolic aptness of marriage and generative natural forces.

We may decide that one view of life is superior to the other. If we come to a tragic view of life, we might at the same time judge the comic view as shallow, illusory, and escapist. If we come to a comic view, we might judge the tragic view as narrow and defeatist. Or we may decide that each view is an equally valid expression of the human spirit. Whatever your opinion of each view, you should attempt to analyze each play without prejudice precisely in order to evaluate it as a play.

L'École des femmes

MOLIÈRE* (1622–1673)

Among the conventions which give L'École des femmes *its specific character are the following: the use of the three unities and the treatment of the propierties (les bienséances).*

The unities, which were adapted from Aristotle, prescribed that the play span no more than twenty-four hours (l'unité de temps); that it take place in and around a single place (l'unité de lieu); and that it relate one central action (l'unité d'action). Molière respects the unities in his play, without communicating a sense of constraint to the spectator, subtly adapting them to his own demands. Throughout most of the action, the confinement of place and time only serve to intensify the crisis in the life of the three principals which makes up the central action of the play. But in the dénouement, still working within the convention of the unities, Molière manages to expand time and place, as it were, by bringing back the father from the distant past and by bringing in the uncle from across the seas. He fully exploits what another dramatist might have considered a confining convention.

Les bienséances prescribed that nothing shocking be allowed to happen either physically or morally: there was to be no violence and nothing in word or deed which could be described as immodest. Molière does and does not respect these conventions and in this inconsistency lies one of the important moral and esthetic lessons of the play.

There is physical violence in L'École, in those scenes in which the servants appear. Alain and Georgette crudely insult their master, they cudgel him, scheme against him and, in general, behave with the physical extravagance of characters from the old French farces. And there is immodesty in the play: Arnolphe is immodest or impure in the implications he finds in the innocent liberties Agnès has accorded Horace.

* Jean-Baptiste Poquelin

These exceptions to the rule reveal Molière's great skill as a dramatist and his great wisdom as a human being. Note that in the scenes between Arnolphe and his social equals, Molière respects the bienséances in a formal and almost elegant fashion (for example, the philosophical discussions between Arnolphe and Chrysalde or the polite relationship between Arnolphe and his rival, Horace). It is in such scenes that we hear of Arnolphe's fantastic presumption to make human nature do his bidding according to a set of rules which do have limited social value but which he would push to an incredible extreme. One feels the need to get down to earth, back to reality, after such scenes. And this is exactly what Molière does for us: the farcical servant scenes occur immediately after Arnolphe's tirades. Molière breaks the rule of the bienséances advisedly: the sequence of scenes in his play suggests that he was well aware of the dangers of becoming obsessed by a set of conventions in any domain—including the theatre.

The same flexibility and freedom-without-licence characterize Molière's treatment of the theme of cuckoldry, which was a conventionally favorite theme of his period. Numerous sources have been suggested for L'École, but what is significant is the fashion in which Molière exploits the fear of cuckoldry held by a man who is not yet even married. In Arnolphe's celibacy we sense more than a fear of being cheated by his wife (or wife-to-be). We sense a fear of experience of any kind, a fear of life itself. He would rearrange life, obstruct its natural flow, and fit it into a preconceived pattern. This is most obvious in the marriage maxims he would have Agnès learn and in the implications he reads into Agnès account of her relations with Horace. Arnolphe is so obsessed with the typical immodest pattern of behavior of young men and women that he cannot appreciate the innocence of his ward.

What better subject, to depict Arnolphe's presumption and fear, than marriage, the sexual union from which all life flows? And who better to represent life than young lovers? We are instinctively on their side in the play—even to the point of justifying the wiles of Agnès where we condemn those of her guardian.

The plot which carries the theme is simple: each trap Arnolphe sets for Agnès and Horace works to their advantage. Until the very end it seems that young love and the morality of freedom will defeat Arnolphe. Yet, in the end, the lovers are saved not by their own efforts but the revelation of Agnès' true identity. A situation which has suddenly become disastrous is saved by the intervention of an unexpected (or at least forgotten) outside force, the long-lost relative.

Why don't the young lovers save themselves? Romantic notions of elopement are unthinkable in this seventeenth century setting. Still, the lovers might have tricked Arnolphe out of his legal hold on his ward, or the play might have ended like some of Molière's comedies-ballets: in fantasy. If Molière's comic vision were consistent, it might be argued, that is what would happen. Perhaps, then, Molière is giving us a lesson on the limits of comedy. A man like Arnolphe is not merely ridiculous—he is dangerous. It requires an outside force a deus ex machina as in ancient drama to save us from such men, an outside force resembling luck more than destiny. Perhaps, on another occasion, an Agnès and an Horace might not be so lucky.

On the other hand, it might be argued that Molière's comic vision is consistent. What is important is that young love does win out. The pattern of the play leads us to expect it and, inasmuch as the pattern is, in fact, maintained in the end, it is more plausible to read the outside force as destiny rather than as luck. The intervention of the long-lost parent only proves that Fate is on the side of young love (contrast, for example, the outside forces at work in the dénouement of Phèdre).

Note that Arnolphe is the only character who does not share the happines of the happy ending. His spiritual isolation from the others of the play is thus given concrete physical expression. Note, too, that the tone of the play shifts from the satiric to the lyrical—Arnolphe is almost forgotten in the fireworks of the conventional happy ending. Is the ending, then, just a kind of smoke-screen covering up the unpleasant fact of Arnolphe's unchanged nature? Is that nature typical of human nature? Is the only choice one between a mad Arnolphe and an innocent but wily Agnès?*

PERSONNAGES

ARNOLPHE, autrement M. de la Souche
AGNÈS, jeune fille innocente élevée par Arnolphe
HORACE, amant d'Agnès
ALAIN, paysan, valet d'Arnolphe
GEORGETTE, paysanne, servante d'Arnolphe
CHRYSALDE, ami d'Arnolphe
ENRIQUE, beau-frère de Chrysalde
ORONTE, père d'Horace et grand ami d'Arnolphe
Le NOTAIRE

La scène est dans une place de ville.

ACTE PREMIER

Scène première. — CHRYSALDE, ARNOLPHE

CHRYSALDE
Vous venez, dites-vous, pour lui donner la main?[1]

ARNOLPHE
Oui, je veux terminer la chose dans demain.

CHRYSALDE
Nous sommes ici seuls, et l'on peut, ce me semble,
Sans crainte d'être ouïs, y discourir ensemble.
Voulez-vous qu'en ami je vous ouvre mon cœur?   5
Votre dessein pour vous me fait trembler de peur;
Et, de quelque façon que vous tourniez l'affaire,
Prendre femme est à vous un coup bien téméraire.

ARNOLPHE
Il est vrai, notre ami, peut-être que chez vous
Vous trouvez des sujets de crainte pour chez nous;   10
Et votre front, je crois, veut que du mariage
Les cornes soient partout l'infaillible apanage.[2]

CHRYSALDE
Ce sont coups du hasard, dont on n'est point garant
Et bien sot, ce me semble, est le soin qu'on en prend.

---

[1] *pour . . . main:* to marry her
[2] i.e., because you wear horns [are a cuckold] you want to make it a necessary companion to marriage

Mais, quand je crains pour vous, c'est cette raillerie   15
Dont cent pauvres maris ont souffert la furie;
Car enfin vous savez qu'il n'est grands ni petits
Que de votre critique on ait vus garantis;
Car vos plus grands plaisirs sont, partout où vous êtes,
De faire cent éclats des intrigues secrètes . . .³   20

ARNOLPHE

Fort bien: est-il au monde une autre ville aussi
Où l'on ait des maris si patients qu'ici?
Est-ce qu'on n'en voit pas de toutes les espèces,
Qui sont accommodés chez eux de toutes pièces?
L'un amasse du bien, dont sa femme fait part   25
A ceux qui prennent soin de le faire cornard;⁴
L'autre, un peu plus heureux, mais non pas moins
                             infâme,
Voit faire tous les jours des présents à sa femme,
Et d'aucun soin jaloux n'a l'esprit combattu
Parce qu'elle lui dit que c'est pour sa vertu.   30
L'un fait beaucoup de bruit, qui ne lui sert de guères;
L'autre en toute douceur laisse aller les affaires,
Et, voyant arriver chez lui le damoiseau,⁵
Prend fort honnêtement ses gants et son manteau.
L'une de son galant, en adroite femelle,   35
Fait fausse confidence à son époux fidèle,
Qui dort en sûreté sur un pareil appas,
Et le plaint, ce galant, des soins qu'il ne perd pas;
L'autre, pour se purger⁶ de sa magnificence,
Dit qu'elle gagne au jeu l'argent qu'elle dépense,   40
Et le mari benêt,⁷ sans songer à quel jeu,
Sur les gains qu'elle fait rend des grâces à Dieu.
Enfin ce sont partout des sujets de satire;
Et, comme spectateur, ne puis-je pas en rire?
Puis-je pas de nos sots . . .   45

CHRYSALDE

              Oui; mais qui rit d'autrui
Doit craindre qu'en revanche on rie aussi de lui.
J'entends parler le monde, et des gens se délassent
A venir débiter les choses qui se passent;
Mais, quoi que l'on divulgue aux endroits où je suis,
Jamais on ne m'a vu triompher de ces bruits;   50
J'y suis assez modeste; et, bien qu'aux occurrences
Je puisse condamner certaines tolérances,
Que mon dessein ne soit de souffrir nullement
Ce que d'aucuns maris souffrent paisiblement,
Pourtant je n'ai jamais affecté de le dire: 55

Car enfin il faut craindre un revers de satire⁸
Et l'on ne doit jamais jurer, sur de tels cas,
De ce qu'on pourra faire ou bien ne faire pas.
Ainsi, quand à mon front, par un sort qui tout mène,
Il serait arrivé quelque disgrâce humaine,   60
Après mon procédé, je suis presque certain
Qu'on se contentera de s'en rire sous main;
Et peut-être qu'encor j'aurai cet avantage
Que quelques bonnes gens diront que c'est dommage.
Mais de vous, cher compère, il en est autrement: 65
Je vous le dis encor, vous risquez diablement.
Comme sur les maris assusés de souffrance⁹
De tout temps votre langue a daubé d'importance,
Qu'on vous a vu contre eux un diable déchaîné,
Vous devez marcher droit pour n'être point berné;   70
Et, s'il faut que sur vous on ait la moindre prise,
Gare qu'aux carrefours on ne vous tympanise,¹⁰
Et . . .

ARNOLPHE

      Mon Dieu, notre ami, ne vous tourmentez point;
Bien huppé¹¹ qui pourra m'attraper sur ce point.
Je sais les tours rusés et les subtiles trames   75
Dont, pour nous en planter,¹² savent user les femmes,
Et comme on est dupé par leurs dextérités;
Contre cet accident j'ai pris mes sûretés,
Et celle que j'épouse a toute l'innocence
Qui peut sauver mon front de maligne influence.   80

CHRYSALDE

Et que prétendez-vous qu'une sotte, en un mot . . .

ARNOLPHE

Épouser une sotte est pour n'être point sot.
Je crois, en bon chrétien, votre moitié fort sage;
Mais une femme habile est un mauvais présage,
Et je sais ce qu'il coûte à de certaines gens   85
Pour avoir pris les leurs avec trop de talents.
Moi, j'irais me charger d'une spirituelle¹³
Qui ne parlerait rien que cercle et que ruelle,¹⁴
Qui de prose et de vers ferait de doux écrits,
Et que visiteraient marquis et beaux esprits,   90
Tandis, que, sous le nom du mari de Madame,
Je serais comme un saint que pas un ne réclame?
Non, non, je ne veux point d'un esprit qui soit haut,
Et femme qui compose en sait plus qu'il ne faut.

---

³ Arnolphe takes pleasure in revealing the infidelities
of wives
  ⁴ *le faire cornard:* to make him a cuckold
  ⁵ a young gallant
  ⁶ justify
  ⁷ simple-minded

  ⁸ *revers de satire:* i.e., the situation may well be
reversed: *A rieur, rieur-et-demi*
  ⁹ husbands that are said to be cuckolds
  ¹⁰ *on . . . tympanise:* your shame be made public
  ¹¹ cunning
  ¹² *pour . . . planter:* to give us horns
  ¹³ intellectual [pejorative]
  ¹⁴ literary circle

Je prétends que la mienne, en clartés peu sublime,   95
Même ne sache pas ce que c'est qu'une rime,
Et, s'il faut qu'avec elle on joue au corbillon,[15]
Et qu'on vienne à lui dire à son tour : « Qu'y met-on ? »
Je veux qu'elle réponde : « Une tarte à la crème » ;
En un mot qu'elle soit d'une ignorance extrême ;   100
Et c'est assez pour elle, à vous en bien parler,
De savoir prier Dieu, m'aimer, coudre et filer.

CHRYSALDE

Une femme stupide est donc votre marotte ?[16]

ARNOLPHE

Tant, que j'aimerais mieux une laide bien sotte
Qu'une femme fort belle avec beaucoup d'esprit.   105

CHRYSALDE

L'esprit et la beauté . . .

ARNOLPHE
        L'honnêteté suffit.

CHRYSALDE

Mais comment voulez-vous, après tout, qu'une bête
Puisse jamais savoir ce que c'est qu'être honnête ?
Outre qu'il est assez ennuyeux, que je croi,
D'avoir toute sa vie une bête avec soi,   110
Pensez-vous le bien prendre, et que sur votre idée
La sûreté d'un front puisse être bien fondée ?
Une femme d'esprit peut trahir son devoir ;
Mais il faut, pour le moins, qu'elle ose le vouloir ;
Et la stupide au sien peut manquer d'ordinaire   115
Sans en avoir l'envie, et sans penser le faire.

ARNOLPHE

A ce bel argument, à ce discours profond,
Ce que Pantagruel à Panurge[17] répond :
Pressez-moi de me joindre à femme autre que sotte ;
Prêchez, patrocinez jusqu'à la Pentecôte,   120
Vous serez ébahi, quand vous serez au bout,
Que vous ne m'aurez rien persuadé du tout.

CHRYSALDE

Je ne vous dis plus mot.

ARNOLPHE
        Chacun a sa méthode.

En femme, comme en tout, je veux suivre ma mode.
Je me vois riche assez pour pouvoir, que je croi,   125
Choisir une moitié qui tienne tout de moi
Et de qui la soumise et pleine dépendance
N'ait à me reprocher aucun bien ni naissance.
Un air doux et posé, parmi d'autres enfants,
M'inspira de l'amour pour elle dès quatre ans :[18]   130
Sa mère se trouvant de pauvreté pressée,
De la lui demander il me vint la pensée,
Et la bonne paysanne, apprenant mon désir,
A s'ôter cette charge eut beaucoup de plaisir.
Dans un petit couvent, loin de toute pratique,[19]   135
Je la fis élever selon ma politique,
C'est-à-dire ordonnant quels soins on emploierait
Pour la rendre idiote autant qu'il se pourrait.
Dieu merci, le succès a suivi mon attente.
Et, grande, je l'ai vue à tel point innocente   140
Que j'ai béni le Ciel d'avoir trouvé mon fait,
Pour me faire une femme au gré de mon souhait.
Je l'ai donc retirée, et, comme ma demeure
A cent sortes de monde est ouverte à toute heure,
Je l'ai mise à l'écart, comme il faut tout prévoir,   145
Dans cette autre maison, où nul ne me vient voir ;
Et, pour ne point gâter sa bonté naturelle,
Je n'y tiens que des gens tout aussi simples qu'elle.
Vous me direz : « Pourquoi cette narration ? »
C'est pour vous rendre instruit de ma précaution.   150
Le résultat de tout est qu'en ami fidèle,
Ce soir, je vous invite à souper avec elle :
Je veux que vous puissiez un peu l'examiner,
Et voir si de mon choix on me doit condamner.

CHRYSALDE

J'y consens.   155

ARNOLPHE
        Vous pourrez, dans cette conférence,
Juger de sa personne et de son innocence.

CHRYSALDE

Pour cet article-là, ce que vous m'avez dit
Ne peut . . .

ARNOLPHE
        La vérité passe encor mon récit.
Dans ses simplicités à tous coups je l'admire,
Et parfois elle en dit dont je pâme de rire.   160
L'autre jour (pourrait-on se le persuader ?)
Elle était fort en peine, et me vint demander,
Avec une innocente à nulle autre pareille,
Si les enfants qu'on fait se faisaient par l'oreille.

---

[15] A game that required that all answers to *"Dans mon corbillon qu'y met-on?"* end in *"on"*

[16] obsession

[17] *Pantagruel à Panurge:* Two characters from the works of Rabelais, sixteenth century novelist noted for his love of life and his confidence in human nature. The allusion is thus somewhat ironical coming from Arnolphe

[18] *M'inspira . . . ans:* Caused me to love her from the time she was four

[19] *loin . . . pratique:* isolated from all contact with society

CHRYSALDE

Je me réjouis fort, Seigneur Arnolphe . . .   165

ARNOLPHE

                Bon !
Me voulez-vous toujours appeler de ce nom?

CHRYSALDE

Ah! malgré que j'en aie, il me vient à la bouche,
Et jamais je ne songe à Monsieur de la Souche.
Qui diable vous a fait aussi vous aviser,
A quarante et deux ans, de vous débaptiser,   170
Et d'un vieux tronc pourri de votre métairie
Vous faire dans le monde un nom de seigneurie?[20]

ARNOLPHE

Outre que la maison par ce nom se connaît,
La Souche plus qu'Arnolphe à mes oreilles plaît.

CHRYSALDE

Quel abus de quitter le vrai nom de ses pères   175
Pour en vouloir prendre un bâti sur des chimères!
De la plupart des gens c'est la démangeaison;
Et, sans vous embrasser dans la comparaison,
Je sais un paysan qu'on appelait Gros-Pierre,
Qui, n'ayant pour tout bien qu'un seul quartier de terre, 180
Y fit tout à l'entour faire un fossé bourbeux,
Et de Monsieur de l'Isle en prit le nom pompeux.

ARNOLPHE

Vous pourriez vous passer d'exemples de la sorte;
Mais enfin de la Souche est le nom que je porte,
J'y vois de la raison, j'y trouve des appas,   185
Et m'appeler de l'autre est ne m'obliger pas.

CHRYSALDE

Cependant la plupart ont peine à s'y soumettre
Et je vois même encor des adresses de lettre . . .

ARNOLPHE

Je le souffre aisément de qui n'est pas instruit:
Mais vous . . .   190

CHRYSALDE

        Soit. Là-dessus nous n'aurons point de
                         bruit,
Et je prendrai le soin d'accoutumer ma bouche
A ne plus vous nommer que Monsieur de la Souche.

ARNOLPHE

Adieu. Je frappe ici pour donner le bonjour
Et dire seulement que je suis de retour.

CHRYSALDE, s'en allant.

Ma foi, je le tiens fou de toutes les manières.   195

ARNOLPHE

Il est un peu blessé sur certaines matières.
Chose étrange de voir comme avec passion
Un chacun est chaussé de son opinion![21]
Holà ! . . .

Scène II. — ALAIN, GEORGETTE, ARNOLPHE

ALAIN

    Qui heurte?

ARNOLPHE

            Ouvrez. On aura, que je pense,
Grande joie à me voir après dix jours d'absence.   200

ALAIN

Qui va là?

ARNOLPHE

    Moi.

ALAIN

        Georgette?

GEORGETTE

            Hé bien?

ALAIN

                    Ouvre là-bas.

GEORGETTE

Vas-y, toi.

ALAIN

       Vas-y, toi.

GEORGETTE

        Ma foi, je n'irai pas.

ALAIN

Je n'irai pas aussi.

ARNOLPHE

           Belle cérémonie,
Pour me laisser dehors! Holà ho! je vous prie.

GEORGETTE

Qui frappe?   205

ARNOLPHE

      Votre maître.

GEORGETTE

        Alain?

---

[20] Arnolphe, in attempting to assume aristocratic qualities, has taken the ridiculous name La Souche [tree stump]

[21] *Un chacun . . . opinion:* everyone is fixed in his opinion

ALAIN

Quoi?

GEORGETTE

C'est Monsieur.

Ouvre vite.

ALAIN

Ouvre, toi.

GEORGETTE

Je souffle notre feu.

ALAIN

J'empêche, peur du chat, que mon moineau ne sorte.

ARNOLPHE

Quiconque de vous deux n'ouvrira pas la porte
N'aura point à manger de plus de quatre jours.
Ah !   210

GEORGETTE

Par quelle raison y venir quand j'y cours?

ALAIN

Pourquoi plutôt que moi? le plaisant strodagème !²²

GEORGETTE

Ôte-toi donc de là.

ALAIN

Non, ôte-toi toi-même.

GEORGETTE

Je veux ouvrir la porte.

ALAIN

Et je veux l'ouvrir, moi.

GEORGETTE

Tu ne l'ouvriras pas.

ALAIN

Ni toi non plus.

GEORGETTE

Ni toi.

ARNOLPHE

Il faut que j'aie l'âme bien patiente !   215

ALAIN

Au moins, c'est moi, Monsieur.

GEORGETTE

Je suis votre servante;

C'est moi.

AŁAIN

Sans le respect de Monsieur que voilà,

Je te . . .

ARNOLPHE, *recevant un coup d'Alain.*

Peste !

ALAIN

Pardon.

ARNOLPHE

Voyez ce lourdaud-là !

ALAIN

C'est elle aussi, Monsieur . . .

ARNOLPHE

Que tous deux on se taise.
Songez à me répondre et laissons la fadaise.   220
Hé bien ! Alain, comment se porte-t-on ici?

ALAIN

Monsieur, nous nous . . . Monsieur, nous nous por . . .

Dieu merci !

Nous nous . . .

(*Arnolphe ôte par trois fois le chapeau
de dessus la tête d'Alain.*)

ARNOLPHE

Qui vous apprend, impertinente bête,
A parler devant moi le chapeau sur la tête?

ALAIN

Vous faites bien, j'ai tort.   225

ARNOLPHE, *à Alain.*

Faites descendre Agnès.

(*A Georgette.*)
Lorsque je m'en allai, fut-elle triste après?

GEORGETTE

Triste? Non.

ARNOLPHE

Non?

GEORGETTE

Si fait !

ARNOLPHE

Pourquoi donc? . . .

GEORGETTE

Oui, je meure,²³

Elle vous croyait voir de retour à toute heure,
Et nous n'oyions jamais passer devant chez nous
Cheval, âne ou mulet, qu'elle ne prît pour vous.   230

---

²² Alain misprounounces *stratagème*

²³ *je meure:* may I die (if I'm not telling the truth)

Scène III. — AGNÈS, ALAIN, GEORGETTE, ARNOLPHE

ARNOLPHE

La besogne à la main! c'est un bon témoignage.
Hé bien! Agnès, je suis de retour du voyage;
En êtes-vous bien aise?

AGNÈS

Oui, Monsieur, Dieu merci.

ARNOLPHE

Et moi, de vous revoir je suis bien aise aussi.
Vous vous êtes toujours, comme on voit, bien portée? 235

AGNÈS

Hors les puces, qui m'ont la nuit inquiétée.

ARNOLPHE

Ah? vous aurez dans peu quelqu'un pour les chasser.

AGNÈS

Vous me ferez plaisir.

ARNOLPHE

Je le puis bien penser.
Que faites-vous donc là?

AGNÈS

Je me fais des cornettes:
Vos chemises de nuit et vos coiffes[24] sont faites.   240

ARNOLPHE

Ah! voilà qui va bien. Allez, montez là-haut:
Ne vous ennuyez point, je reviendrai tantôt,
Et je vous parlerai d'affaires importantes.
    (Tous étant rentrés.)
Héroïnes du temps, Mesdames les savantes,
Pousseuses de tendresse et de beaux sentiments,   245
Je défie à la fois tous vos vers, vos romans,
Vos lettres, billets doux, toute votre science,
De valoir cette honnête et pudique ignorance.[25]

Scène IV. — HORACE, ARNOLPHE

ARNOLPHE

Ce n'est point par le bien qu'il faut être ébloui,
Et, pourvu que l'honneur soit . . . Que vois-je? Est-ce . . .
                                        Oui. 250
Je me trompe. Nenni, Si fait. Non, c'est lui-même,
Hor . . .

HORACE

Seigneur Ar . . .

ARNOLPHE

Horace.

HORACE

Arnolphe.

ARNOLPHE

Ah! joie extrême!
Et depuis quand ici?

HORACE

Depuis neuf jours.

ARNOLPHE

Vraiment?

HORACE

Je fus d'abord chez vous, mais inutilement.

ARNOLPHE

J'étais à la campagne.   255

HORACE

Oui, depuis deux journées.

ARNOLPHE

Oh! comme les enfants croissent en peu d'années!
J'admire de le voir au point où le voilà,
Après que je l'ai vu pas plus grand que cela.

HORACE

Vous voyez.

ARNOLPHE

Mais, de grâce, Oronte votre père,   260
Mon bon et cher ami, que j'estime et révère,
Que fait-il? que dit-il? est-il toujours gaillard?
A tout ce qui le touche il sait que je prends part.
Nous ne nous sommes vus depuis quatre ans ensemble,
Ni, qui plus est, écrit l'un à l'autre, me semble.

HORACE

Il est, Seigneur Arnolphe, encor plus gai que nous,   265
Et j'avais de sa part une lettre pour vous;
Mais, depuis, par une autre il m'apprend sa venue,
Et la raison encor ne m'en est pas connue.
Savez-vous qui peut être un de vos citoyens
Qui retourne en ces lieux avec beaucoup de biens   270
Qu'il s'est en quatorze ans acquis dans l'Amérique?

ARNOLPHE

Non. Vous a-t-on point dit comme on le nomme?

HORACE

Enrique.

ARNOLPHE

Non.

HORACE

Mon père m'en parle, et qu'il est revenu,
Comme s'il devait m'être entièrement connu,

---

[24] cornettes: night-caps; coiffes: decorations for night-cap

[25] A diatribe against the précieuses of the day, affected women whose intellectual and linguistic pursuits were often ridiculous

Et m'écrit qu'en chemin ensemble ils se vont mettre   275
Pour un fait important que ne dit point sa lettre.

ARNOLPHE

J'aurai certainement grande joie à le voir,
Et pour le régaler je ferai mon pouvoir.
    (Après avoir lu la lettre.)
Il faut, pour des amis, des lettres moins civiles,
Et tous ces compliments sont choses inutiles;   280
Sans qu'il prît le souci de m'en écrire rien,
Vous pouvez librement disposer de mon bien.[26]

HORACE

Je suis homme à saisir les gens par leurs paroles,
Et j'ai présentement besoin de cent pistoles.

ARNOLPHE

Ma foi, c'est m'obliger que d'en user ainsi,   285
Et je me réjouis de les avoir ici.
Gardez aussi la bourse.

HORACE

            Il faut . . .

ARNOLPHE

                        Laissons ce style.
Eh bien! comment encor trouvez-vous cette ville?

HORACE

Nombreuse en citoyens, superbe en bâtiments,
Et j'en crois merveilleux les divertissements.   290

ARNOLPHE

Chacun a ses plaisirs, qu'il se fait à sa guise;
Mais, pour ceux que du nom de galants on baptise,
Ils ont en ce pays de quoi se contenter,
Car les femmes y sont faites à coqueter.
On trouve d'humeur douce et la brune et la blonde,   295
Et les maris aussi les plus bénins[27] du monde:
C'est un plaisir de prince, et des tours que je voi
Je me donne souvent la comédie à moi.
Peut-être en avez-vous déjà féru[28] quelqu'une.
Vous est-il point encore arrivé de fortune?   300
Les gens faits comme vous font plus que les écus,
Et vous êtes de taille à faire des cocus.

HORACE

A ne vous rien cacher de la vérité pure,
J'ai d'amour en ces lieux eu certaine aventure,
Et l'amitié m'oblige à vous en faire part.   305

ARNOLPHE

Bon! voici de nouveau quelque conte gaillard,
Et ce sera de quoi mettre sur mes tablettes.[29]

HORACE

Mais, de grâce, qu'au moins ces choses soient secrètes.

ARNOLPHE

Oh!

HORACE

    Vous n'ignorez pas qu'en ces occasions
Un secret éventé[30] rompt nos précautions.   310
Je vous avouerai donc avec pleine franchise
Qu'ici d'une beauté mon âme s'est éprise.
Mes petits soins d'abord ont eu tant de succès
Que je me suis chez elle ouvert un doux accès;
Et, sans trop me vanter, ni lui faire une injure,   315
Mes affaires y sont en fort bonne posture.

ARNOLPHE, *riant.*

Et c'est?

HORACE, *lui montrant le logis d'Agnès.*
    Un jeune objet qui loge en ce logis
Dont vous voyez d'ici les murs sont rougis:
Simple, à la vérité, par l'erreur sans seconde
D'un homme qui la cache au commerce du monde,   320
Mais qui, dans l'ignorance où l'on veut l'asservir,
Fait briller des attraits capables de ravir;
Un air tout engageant, je ne sais quoi de tendre
Dont il n'est point de cœur qui se puisse défendre.
Mais peut-être il n'est pas que vous n'ayez bien vu   325
Ce jeune astre d'amour de tant d'attraits pourvu:
C'est Agnès qu'on l'appelle.

ARNOLPHE, *à part.*
            Ah! je crève!

HORACE

                    Pour l'homme,
C'est, je crois, de la Zousse, ou Source, qu'on le nomme;
Je ne me suis pas fort arrêté sur le nom;
Riche, à ce qu'on m'a dit, mais des plus sensés,[31] non,   330
Et l'on m'en a parlé comme d'un ridicule.
Le connaissez-vous point?

ARNOLPHE, *à part.*
            La fâcheuse pilule!

---

[26] *Vous . . . bien:* my entire fortune is at your disposal
[27] foolishly indulgent
[28] *féru:* smitten (with love)

[29] Arnolphe expects to hear another story of a deceived husband to enter in his notebooks
[30] revealed
[31] intelligent

HORACE

Eh! vous ne dites mot?

ARNOLPHE

Eh! oui, je le connoi.

HORACE

C'est un fou, n'est-ce pas?

ARNOLPHE

Eh!...

HORACE

Qu'en dites-vous? quoi?

Eh! c'est-à-dire oui. Jaloux à faire rire?   335
Sot? je vois qu'il en est ce que l'on m'a pu dire.
Enfin l'aimable Agnès a su m'assujettir.[32]
C'est un joli bijou, pour ne vous point mentir,
Et ce serait péché qu'une beauté si rare
Fût laissée au pouvoir de cet homme bizarre.   340
Pour moi, tous mes efforts, tous mes vœux les plus
                                                doux,
Vont à m'en rendre maître en dépit du jaloux,
Et l'argent que de vous j'emprunte avec franchise
N'est que pour mettre à bout cette juste entreprise.
Vous savez mieux que moi, quels que soient nos efforts, 345
Que l'argent est la clef de tous les grands ressorts,[33]
Et que ce doux métal, qui frappe tant de têtes,
En amour, comme en guerre, avance les conquêtes.
Vous me semblez chagrin; serait-ce qu'en effet
Vous désapprouveriez le dessein que j'ai fait?   350

ARNOLPHE

Non, c'est que je songeais...

HORACE

Cet entretien vous lasse.

Adieu; j'irai chez vous tantôt vous rendre grâce.

ARNOLPHE

Ah! faut-il...

HORACE, revenant.

Derechef,[34] veuillez être discret,
Et n'allez pas, de grâce, éventer mon secret.
   (Il s'en va.)

ARNOLPHE

Que je sens dans mon âme...   355

HORACE revenant.

Et surtout à mon père,

Qui s'en ferait peut-être un sujet de colère.

ARNOLPHE croyant qu'il revient encore.

Oh!... Oh! que j'ai souffert durant cet entretien!
Jamais trouble d'esprit ne fut égal au mien.
Avec quelle imprudence et quelle hâte extrême
Il m'est venu conter cette affaire à moi-même!   360
Bien que mon autre nom le tienne dans l'erreur
Étourdi montra-t-il jamais tant de fureur?
Mais ayant tant souffert je devais me contraindre
Jusques à m'éclaircir de ce que je dois craindre
A pousser jusqu'au bout son caquet[35] indiscret   365
Et savoir pleinement leur commerce secret.
Tâchons à le rejoindre il n'est pas loin, je pense;
Tirons-en de ce fait l'entière confidence.
Je tremble du malheur qui m'en peut arriver,
Et l'on cherche souvent plus qu'on ne veut trouver.   370

ACTE II

Scène première. — ARNOLPHE

Il m'est, lorsque j'y pense, avantageux, sans doute,
D'avoir perdu mes pas et pu manquer sa route:[1]
Car enfin de mon cœur le trouble impérieux
N'eût pu se renfermer tout entier à ses yeux;
Il eût fait éclater l'ennui que me dévore,   375
Et je ne voudrais pas qu'il sût ce qu'il ignore.
Mais je ne suis pas homme à gober le morceau[2]
Et laisser un champ libre aux vœux du damoiseau,
J'en veux rompre le cours et sans tarder apprendre
Jusqu'où l'intelligence entre eux a pu s'étendre: 380
J'y prends, pour mon honneur, un notable intérêt;
Je la regarde en femme, aux termes qu'elle en est;
Elle n'a pu faillir sans me couvrir de honte,
Et tout ce qu'elle a fait enfin est sur mon compte.
Éloignement fatal! Voyage malheureux!   385
   (Frappant à la porte.)

Scène II. — ALAIN, GEORGETTE, ARNOLPHE

ALAIN

Ah! Monsieur, cette fois...

ARNOLPHE

Paix! Venez ça tous deux:

Passez là, passez là. Venez là, venez, dis-je.

[35] chatter

---

[32] subjugate
[33] grands ressorts: important affairs
[34] once more

[1] Arnolphe had tried unsuccessfully to follow and catch
up with Horace
[2] gober le morceau: swallow the bait

GEORGETTE

Ah! vous me faites peur, et tout mon sang se fige.

ARNOLPHE

C'est donc ainsi qu'absent vous m'avez obéi,
Et tous deux, de concert[3] vous m'avez donc trahi?   390

GEORGETTE

Eh! ne me mangez pas, Monsieur, je vous conjure.

ALAIN, à part.

Quelque chien enragé l'a mordu, je m'assure.

ARNOLPHE

Ouf! Je ne puis parler, tant je suis prévenu,[4]
Je suffoque, et voudrais me pouvoir mettre nu.
Vous avez donc souffert, ô cannille maudite!   395
Qu'un homme soit venu . . . Tu veux prendre la fuite?
Il faut que sur-le-champ . . . Si tu bouges . . . Je veux
Que vous me disiez . . . Euh! Oui, je veux que tous
                                    deux . . .
Quiconque remuera,[5] par la mort je l'assomme.
Comme est-ce que chez moi s'est introduit cet homme?   400
Eh! parlez, dépêchez, vite, promptement, tôt,
Sans rêver. Veut-on dire?
             ALAIN et GEORGETTE, tombant à genoux.
                                    Ah! ah!

GEORGETTE

                      Le cœur me faut![6]

ALAIN

Je meurs.

ARNOLPHE

             Je suis en eau, prenons un peu d'haleine.
Il faut que je m'évente et que je me promène.
Aurais-je deviné, quand je l'ai vu petit,   405
Qu'il croîtrait pour cela? Ciel! que mon cœur pâtit!
Je pense qu'il vaut mieux que de sa propre bouche
Je tire avec douceur l'affaire qui me touche.
Tâchons à modérer notre ressentiment;
Patience, mon cœur, doucement, doucement!   410
Levez-vous, et, rentrant, faites qu'Agnès descende.
Arrêtez. Sa surprise en deviendrait moins grande;
Du chagrin qui me trouble ils iraient l'avertir,
Et moi-même je veux l'aller faire sortir.
Que l'on m'attende ici.   415

Scène III. — ALAIN, GEORGETTE

GEORGETTE

             Mon Dieu, qu'il est terrible!
Ses regards m'ont fait peur, mais une peur horrible,
Et jamais je ne vis un plus hideux chrétien.

ALAIN

Ce monsieur l'a fâché, je te le disais bien.

GEORGETTE

Mais que diantre est-ce là qu'avec tant de rudesse
Il nous fait au logis garder notre maîtresse?   420
D'où vient qu'à tout le monde il veut tant la cacher,
Et qu'il ne saurait voir personne en approcher?

ALAIN

C'est que cette action le met en jalousie.

GEORGETTE

Mais d'où vient qu'il est pris de cette fantaisie?

ALAIN

Cela vient . . . cela vient de ce qu'il est jaloux.   425

GEORGETTE

Oui; mais pourquoi l'est-il, et pourquoi ce courroux?

ALAIN

C'est que la jalousie . . . entends-tu bien, Georgette,
Est une chose . . . là . . . qui fait qu'on s'inquiète . . .
Et qui chasse les gens d'autour d'une maison.
Je m'en vais te bailler[7] une comparaison,   430
Afin de concevoir la chose davantage.
Dis-moi, n'est-il pas vrai, quand tu tiens ton potage,
Que, si quelque affamé venait pour en manger,
Tu serais en colère, et voudrais le charger?

GEORGETTE

Oui, je comprends cela.   435

ALAIN

             C'est justement tout comme.
La femme est en effet le potage de l'homme,
Et, quand un homme voit d'autres hommes parfois
Qui veulent dans sa soupe aller tremper leurs doigts,
Il en montre aussitôt une colère extrême.

GEORGETTE

Oui; mais pourquoi chacun n'en fait-il pas de même,   440
Et que nous en voyons qui paraissent joyeux
Lorsque leurs femmes sont avec les biaux monsieux?[8]

[3] together
[4] tant . . . prévenu: I have such forebodings of misfortune
[5] Quiconque remuera: whoever budges
[6] Le cœur me faut: my heart's failing

[7] give
[8] that is, their lovers

ALAIN

C'est que chacun n'a pas cette amitié goulue[9]
Qui n'en veut que pour soi.

GEORGETTE

Si je n'ai la berlue[10],
Je le vois qui revient.

ALAIN

Tes yeux sont bons, c'est lui.

GEORGETTE

Vois comme il est chagrin.

ALAIN

C'est qu'il a de l'ennui.

Scène IV. — ARNOLPHE, AGNÈS, ALAIN, GEORGETTE

ARNOLPHE

Un certain Grec disait à l'empereur Auguste
Comme une instruction utile autant que juste,
Que, lorsqu'une aventure en colère nous met,
Nous devons avant tout dire notre alphabet,
Afin que dans ce temps la bile se tempère,   450
Et qu'on ne fasse rien que l'on ne doive faire.
J'ai suivi sa leçon sur le sujet d'Agnès,
Et je la fais venir en ce lieu tout exprès,
Sous prétexte d'y faire un tour de promenade,
Afin que les soupçons de mon esprit malade   455
Puissent sur le discours la mettre adroitement,
Et lui sondant le cœur, s'éclaircir doucement.
Venez, Agnès. Rentrez.

Scène V. — ARNOLPHE, AGNÈS

ARNOLPHE

La promenade est belle.

AGNÈS

Fort belle.

ARNOLPHE

Le beau jour!

AGNÈS

Fort beau!

ARNOLPHE

Quelle nouvelle?

AGNÈS

Le petit chat est mort.

ARNOLPHE

C'est dommage; mais quoi?
Nous sommes tous mortels, et chacun est pour soi.
Lorsque j'étais aux champs, n'a-t-il point fait de pluie?

AGNÈS

Non.   445

ARNOLPHE

Vous ennuyait-il?

AGNÈS

Jamais je ne m'ennuie.

ARNOLPHE

Qu'avez-vous fait encor ces neuf ou dix jours-ci?   465

AGNÈS

Six chemises, je pense, et six coiffes aussi.

ARNOLPHE, *ayant un peu rêvé.*

Le monde, chère Agnès, est une étrange chose.
Voyez la médisance, et comme chacun cause!
Quelques voisins m'ont dit qu'un jeune homme
                                    inconnu
Était en mon absence à la maison venu,   470
Que vous aviez souffert sa vue et ses harangues;
Mais je n'ai point pris foi sur ces méchantes langues,
Et j'ai voulu gager que c'était faussement . . .

AGNÈS

Mon Dieu, ne gagez pas, vous perdriez vraiment.   455

ARNOLPHE

Quoi! c'est la vérité qu'un homme . . .   475

AGNÈS

Chose sûre.
Il n'a presque bougé de chez nous; je vous jure.

ARNOLPHE, à *part.*

Cet aveu qu'elle fait avec sincérité
Me marque pour le moins son ingénuité.
   (*Haut.*)
Mais il me semble, Agnès, si ma mémoire est bonne,
Que j'avais défendu que vous vissiez personne.   480

AGNÈS

Oui, mais, quand[11] je l'ai vu, vous ignorez pourquoi,
Et vous en auriez fait, sans doute, autant que moi.

ARNOLPHE

Peut-être; mais enfin contez-moi cette histoire.

AGNÈS

Elle est fort étonnante et difficile à croire.
J'étais sur le balcon à travailler au frais,   485
Lorsque je vis passer sous les arbres d'auprès
Un jeune homme bien fait, qui, rencontrant ma vue,

---

[9] greedy
[10] *Si . . . berlue:* if I'm not seeing things

[11] [here] although

D'une humble révérence aussitôt me salue:
Moi, pour ne point manquer à la civilité,
Je fis la révérence aussi de mon côté.   490
Soudain, il me refait une autre révérence:
Moi, j'en refais de même une autre en diligence;
Et, lui d'une troisième aussitôt repartant,
D'une troisième aussi j'y repars à l'instant.
Il passe, vient, repasse, et toujours de plus belle   495
Me fait à chaque fois révérence nouvelle;
Et moi, qui tous ces tours fixement regardais,
Nouvelle révérence aussi je lui rendais:
Tant que, si sur ce point la nuit ne fût venue,
Toujours comme cela je me serais tenue,   500
Ne voulant point céder, et recevoir l'ennui
Qu'il me pût estimer moins civile que lui.

ARNOLPHE

Fort bien.

AGNÈS

            Le lendemain, étant sur notre porte,
Une vieille[12] m'aborde en parlant de la sorte:
« Mon enfant, le bon Dieu puisse-t-il vous bénir,   505
Et dans tous vos attraits longtemps vous maintenir!
Il ne vous a pas faite une belle personne
Afin de mal user des choses qu'il vous donne,
Et vous devez savoir que vous avez blessé
Un cœur qui de s'en plaindre est aujourd'hui forcé. »   510

ARNOLPHE, à part.

Ah! suppôt de Satan, exécrable damnée!

AGNÈS

« Moi, j'ai blessé quelqu'un? fis-je toute étonnée.
— Oui, dit-elle, blessé, mais blessé tout de bon;
Et c'est l'homme qu'hier vous vîtes du balcon.
— Hélas! qui pourrait, dis-je, en avoir été cause?   515
Sur lui, sans y penser, fis-je choir quelque chose?[13]
— Non, dit-elle, vos yeux ont fait ce coup fatal,
Et c'est de leurs regards qu'est venu tout son mal.
— Hé! mon Dieu! ma surprise est, fis-je, sans seconde:
Mes yeux ont-ils du mal pour en donner au monde?   520
— Oui, fit-elle, vos yeux, pour causer le trépas,
Ma fille, ont un venin que vous ne savez pas:
En un mot, il languit, le pauvre misérable;
Et s'il faut, poursuivit la vieille charitable,
Que votre cruauté lui refuse un secours,   525
C'est un homme à porter en terre dans deux jours.
— Mon Dieu! j'en aurais, dis-je, une douleur bien
                                                        grande.
Mais, pour le secourir, qu'est-ce qu'il me demande?

— Mon enfant, me dit-elle, il ne veut obtenir
Que le bien de vous voir et vous entretenir;   530
Vos yeux peuvent, eux seuls, empêcher sa ruine,
Et du mal qu'ils ont fait être la médecine.
— Hélas! volontiers, dis-je, et, puisqu'il est ainsi,
Il peut tant qu'il voudra me venir voir ici. »

ARNOLPHE, à part.

Ah! sorcière maudite, empoisonneuse d'âmes,   535
Puisse l'enfer payer tes charitables trames![14]

AGNÈS

Voilà comme il me vit et reçut guérison.
Vous-même à votre avis, n'ai-je pas eu raison,
Et pouvais-je, après tout, avoir la conscience
De le laisser mourir faute d'une assistance,   540
Moi qui compatis[15] tant aux gens qu'on fait souffrir,
Et ne puis sans pleurer voir un poulet mourir?

ARNOLPHE, bas.

Tout cela n'est parti que d'une âme innocente,
Et j'en dois accuser mon absence imprudente,
Qui sans guide a laissé cette bonté de mœurs   545
Exposée aux aguets[16] des rusés séducteurs.
Je crains que le pendard, dans ses vœux téméraires,
Un peu plus fort que jeu n'ait poussé les affaires.

AGNÈS

Qu'avez-vous? Vous grondez, ce me semble, un petit;
Est-ce que c'est mal fait ce que je vous ai dit?   550

ARNOLPHE

Non. Mais de cette vue apprenez-moi les suites,
Et comme le jeune homme a passé ses visites.

AGNÈS

Hélas! si vous saviez comme il était ravi,
Comme il perdit son mal sitôt que je le vi,
Le présent qu'il m'a fait d'une belle cassette,   555
Et l'argent qu'en ont eu notre Alain et Georgette,
Vous l'aimeriez sans doute, et diriez comme nous...

ARNOLPHE

Oui, mais que faisait-il étant seul avec vous?

AGNÈS

Il jurait qu'il m'aimait d'une amour sans seconde,
Et me disait des mots les plus gentils du monde,   560
Des choses que jamais rien ne peut égaler,
Et dont, toutes les fois que je l'entends parler,
La douceur me chatouille et là-dedans remue
Certain je ne sais quoi dont je suis toute émue.

---

[12] The traditional go-between or *entremetteuse*
[13] *fis-je . . . chose:* had I let something fall?

[14] conspiracies
[15] sympathize
[16] plots

ARNOLPHE, à *part*.
Ô fâcheux examen d'un mystère fatal,   565
Où l'examinateur souffre seul tout le mal!
  (*A Agnès.*)
Outre tous ces discours, toutes ces gentillesses,
Ne vous faisait-il point aussi quelques caresses?

AGNÈS
Oh tant! il me prenait et les mains et les bras,
Et de me les baiser il n'était jamais las.   570

ARNOLPHE
Ne vous a-t-il point pris, Agnès, quelqu'autre chose?
  (*La voyant interdite.*)
Ouf!

AGNÈS
  Eh! il m'a . . .

ARNOLPHE
    Quoi?

AGNÈS
      Pris . . .

ARNOLPHE
        Euh!
AGNÈS
          Le . . .
ARNOLPHE
            Plaît-il?
AGNÈS
              Je n'ose,
Et vous vous fâcherez peut-être contre moi.

ARNOLPHE
Non.

AGNÈS
  Si fait.

ARNOLPHE
    Mon Dieu! non.

AGNÈS
      Jurez donc votre foi.

ARNOLPHE
Ma foi, soit.   575
AGNÈS
  Il m'a pris . . . Vous serez en colère.

ARNOLPHE
Non.
AGNÈS
  Si.

ARNOLPHE
    Non, non, non, non! Diantre! que de mystère!
Qu'est-ce qu'il vous a pris?

AGNÈS
Il . . .

ARNOLPHE, à *part*.
  Je souffre en damné.

AGNÈS
Il m'a pris le ruban que vous m'aviez donné.
A vous dire le vrai, je n'ai pu m'en défendre.

ARNOLPHE, *reprenant haleine*.
Passe[17] pour le ruban. Mais je voulais apprendre   580
S'il ne vous a rien fait que vous baiser les bras.

AGNÈS
Comment! est-ce qu'on fait d'autres choses?

ARNOLPHE
                              Non pas.
Mais, pour guérir du mal qu'il dit qui le possède,
N'a-t-il point exigé de vous d'autre remède?

AGNÈS
Non. Vous pouvez juger, s'il en eût demandé,   585
Que pour le secourir j'aurais tout accordé.

ARNOLPHE, à *part*.
Grâce aux bontés du Ciel, j'en suis quitte à bon compte.
Si je retombe plus, je veux bien qu'on m'affronte.[18]
Chut! De votre innocence, Agnès, c'est un effet;
Je ne vous en dis mot, ce qui s'est fait est fait.   590
Je sais qu'en vous flattant le galant ne désire
Que de vous abuser, et puis après s'en rire.

AGNÈS
Oh! point. Il me l'a dit plus de vingt fois à moi.

ARNOLPHE
Ah! vous ne savez pas ce que c'est que sa foi.
Mais enfin apprenez qu'accepter des cassettes   595
Et de ces beaux blondins écouter les sornettes,[19]
Que se laisser par eux, à force de langueur,
Baiser ainsi les mains et chatouiller le cœur,
Est un péché mortel des plus gros qu'il se fasse.

AGNÈS
Un péché, dites-vous! et la raison, de grâce?   600

ARNOLPHE
La raison? La raison est l'arrêt prononcé[20]
Que par ces actions le Ciel est courroucé.

[17] it's all right about
[18] *je veux . . . m'affronte:* let them openly ridicule me
[19] nonsense
[20] *arrêt prononcé:* judgment pronounced

AGNÈS

Courroucé? Mais pourquoi faut-il qu'il s'en courrouce?
C'est une chose, hélas! si plaisante et si douce!
J'admire quelle joie on goûte à tout cela,   605
Et je ne savais point encor ces choses-là.

ARNOLPHE

Oui; c'est un grand plaisir que toutes ces tendresses,
Ces propos si gentils et ces douces caresses;
Mais il faut le goûter en toute honnêteté,
Et qu'en se mariant le crime en soit ôté.   610

AGNÈS

N'est-ce plus un péché lorsque l'on se marie?

ARNOLPHE

Non.

AGNÈS

Mariez-moi donc promptement, je vous prie.

ARNOLPHE

Si vous le souhaitez, je le souhaite aussi,
Et pour vous marier on me revoit ici.

AGNÈS

Est-il possible?   615

ARNOLPHE

Oui.

AGNÈS

Que vous me ferez aise!

ARNOLPHE

Oui, je ne doute point que l'hymen ne vous plaise.

AGNÈS

Vous nous voulez nous deux . . .

ARNOLPHE

Rien de plus assuré.

AGNÈS

Que, si cela se fait, je vous caresserai!

ARNOLPHE

Hé! la chose sera de ma part réciproque.

AGNÈS

Je ne reconnais point, pour moi, quand on se moque.
Parlez-vous tout de bon?   620

ARNOLPHE

Oui, vous le pourrez voir.

AGNÈS

Nous serons mariés?

ARNOLPHE

Oui.

AGNÈS

Mais quand?

ARNOLPHE

Dès ce soir.

AGNÈS, *riant*.

Dès ce soir?

ARNOLPHE

Dès ce soir. Cela vous fait donc rire?

AGNÈS

Oui.

ARNOLPHE

Vous voir bien contente est ce que je désire.

AGNÈS

Hélas! que je vous ai grande obligation!   625
Et qu'avec lui j'aurai de satisfaction!

ARNOLPHE

Avec qui?

AGNÈS

Avec . . . Là . . .

ARNOLPHE

Là . . . là n'est pas mon compte.
A choisir un mari vous êtes un peu prompte.
C'est un autre en un mot, que je vous tiens tout prêt,
Et quant au monsieur, *Là*, je prétends, s'il vous plaît,   630
Dût le mettre au tombeau le mal dont il vous berce,
Qu'avec lui désormais vous rompiez tout commerce;
Que, venant au logis, pour votre compliment
Vous lui fermiez au nez la porte honnêtement,
Et lui jetant, s'il heurte, un grès[21] par la fenêtre,   635
L'obligiez tout de bon à ne plus y paraître.
M'entendez-vous, Agnès? Moi, caché dans un coin,
De votre procédé je serai le témoin.

AGNÈS

Las! il est si bien fait! C'est . . .

ARNOLPHE

Ah! que de langage!

AGNÈS

Je n'aurai pas le cœur . . .   640

ARNOLPHE

Point de bruit davantage.
Montez là-haut.

AGNÈS

Mais quoi! voulez-vous . . .

ARNOLPHE

C'est assez.
Je suis maître, je parle: allez, obéissez.

[21] paving-block

ACTE III

Scène première. — ARNOLPHE, AGNÈS, ALAIN, GEORGETTE

ARNOLPHE

Oui, tout a bien été, ma joie est sans pareille.
Vous avez là suivi mes ordres à merveille,
Confondu de tout point le blondin séducteur: 645
Et voilà de quoi sert un sage directeur.
Votre innocence, Agnès, avait été surprise:
Voyez, sans y penser, où vous vous étiez mise.
Vous enfiliez tout droit, sans mon instruction,
Le grand chemin d'enfer et de perdition.   650
De tous ces damoiseaux on sait trop les coutumes:
Ils ont de beaux canons,[1] force rubans et plumes,
Grands cheveux, belles dents et des propos fort doux;
Mais, comme je vous dis, la griffe est là-dessous,
Et ce sont vrais Satans, dont la gueule altérée   655
De l'honneur féminin cherche à faire curée.[2]
Mais, encore une fois, grâce au soin apporté,
Vous en êtes sortie avec honnêteté.
L'air dont je vous ai vu lui jeter cette pierre,
Qui de tous ses desseins a mis l'espoir par terre, 660
Me confirme encor mieux à ne point différer
Les noces où je dis qu'il vous faut préparer.
Mais, avant toute chose, il est bon de vous faire
Quelque petit discours qui vous soit salutaire.
Un siège au frais ici.   665
                    (A Georgette.)
Vous, si jamais en rien ...

GEORGETTE

De toutes vos leçons nous nous souviendrons bien.
Cet autre monsieur-là nous en faisait accroire;[3]
Mais ...

ALAIN

          S'il entre jamais, je veux jamais ne boire.
Aussi bien est-ce un sot: il nous a l'autre fois
Donné deux écus d'or qui n'étaient pas de poids.[4]   670

ARNOLPHE

Ayez donc pour souper tout ce que je désire,
Et pour notre contrat, comme je viens de dire,
Faites venir ici, l'un ou l'autre au retour,
Le notaire qui loge au coin de ce carfour.

---

[1] lace decorations worn on knee-length trousers, and which hang to mid-calf
[2] *faire curée:* gobble up
[3] *nous ... accroire:* deluded us
[4] *qui ... poids:* that were short-weight

Scène II. — ARNOLPHE, AGNÈS

ARNOLPHE, *assis.*

Agnès, pour m'écouter laissez là votre ouvrage.   675
Levez un peu la tête et tournez le visage;
Là, regardez-moi là, durant cet entretien.
Et jusqu'au moindre mot imprimez-vous-le bien.
Je vous épouse, Agnès, et cent fois la journée
Vous devez bénir l'heur de votre destinée,   680
Contempler la bassesse[5] où vous avez été,
Et dans le même temps admirer ma bonté
Qui, de ce vil état de pauvre villageoise,
Vous fait monter au rang d'honorable bourgeoise,
Et jouir de la couche et des embrassements   685
D'un homme qui fuyait tous ces engagements
Et dont à vingt partis fort capables de plaire
Le cœur a refusé l'honneur qu'il vous veut faire.
Vous devez toujours, dis-je, avoir devant les yeux
Le peu que vous étiez sans ce nœud glorieux,   690
Afin que cet objet d'autant mieux vous instruise
A mériter l'état où je vous aurai mise,
A toujours vous connaître, et faire qu'à jamais
Je puisse me louer de l'acte que je fais.
Le mariage, Agnès, n'est pas un badinage.   695
A d'austères devoirs le rang de femme engage,
Et vous n'y montez pas, à ce que je prétends,
Pour être libertine[6] et prendre du bon temps.
Votre sexe n'est là que pour la dépendance:
Du côté de la barbe est la toute-puissance.   700
Bien qu'on soit deux moitiés de la société,
Ces deux moitiés pourtant n'ont point d'égalité:
L'une est moitié suprême, et l'autre subalterne;
L'une en tout est soumise à l'autre, qui gouverne;
Et ce que le soldat, dans son devoir instruit,   705
Montre d'obéissance au chef qui le conduit,
Le valet à son maître, un enfant à son père,
A son supérieur le moindre petit frère,[7]
N'approche point encor de la docilité,
Et de l'obéissance, et de l'humilité,   710
Et du profond respect, où la femme doit être
Pour son mari, son chef, son seigneur et son maître.
Lorsqu'il jette sur elle un regard sérieux,
Son devoir aussitôt est de baisser les yeux,
Et de n'oser jamais le regarder en face   715
Que quand d'un doux regard il lui veut faire grâce.
C'est ce qu'entendent mal les femmes d'aujourd'hui.
Mais ne vous gâtez pas sur l'exemple d'autrui.
Gardez-vous d'imiter ces coquettes vilaines

---

[5] inferior social rank
[6] *être libertine:* to act improperly
[7] monk [in monastery]

Dont par toute la ville on chante les fredaines,[8]   720
Et de vous laisser prendre aux assauts du malin,
C'est-à-dire d'ouïr aucun jeune blondin.
Songez qu'en vous faisant moitié de ma personne,
C'est mon honneur, Agnès, que je vous abandonne;
Que cet honneur est tendre et se blesse de peu;   725
Que sur un tel sujet il ne faut point de jeu,
Et qu'il est aux enfers des chaudières bouillantes[9]
Où l'on plonge à jamais les femmes mal vivantes.
Ce que je vous dis là ne sont pas des chansons,
Et vous devez du cœur dévorer ces leçons.   730
Si votre âme les suit et fuit d'être coquette,
Elle sera toujours comme un lis blanche et nette;
Mais, s'il faut qu'à l'honneur elle fasse un faux bond,
Elle deviendra lors noire comme un charbon;
Vous paraîtrez à tous un objet effroyable,   735
Et vous irez un jour, vrai partage du diable,
Bouillir dans les enfers à toute éternité,
Dont vous veuille garder la céleste bonté.
Faites la révérence. Ainsi qu'une novice
Par cœur dans le couvent doit savoir son office,[10]   740
Entrant au mariage, il en faut faire autant:
       (Il se lève.)
Et voici dans ma poche un écrit important
Qui vous enseignera l'office de la femme.
J'en ignore l'auteur, mais c'est quelque bonne âme,
Et je veux que ce soit votre unique entretien.   745
Tenez. Voyons un peu si vous le lirez bien.

AGNÈS, *lit.*

LES MAXIMES DU MARIAGE

OU

LES DEVOIRS DE LA FEMME MARIÉE,

Avec son exercice journalier.

Ire MAXIME.

Celle qu'un lien honnête
Fait entrer au lit d'autrui
Doit se mettre dans la tête,
Malgré le train d'aujourd'hui,
Que l'homme qui la prend ne la prend que pour lui.   750

ARNOLPHE

Je vous expliquerai ce que cela veut dire;
Mais, pour l'heure présente, il ne faut rien que lire.

AGNÈS, *poursuit.*

IIe MAXIME.

Elle ne se doit parer
Qu'autant que peut désirer   755
Le mari qui la possède.
C'est lui que touche seul le soin de sa beauté,
Et pour rien doit être compté
Que les autres la trouvent laide.

IIIe MAXIME.

Loin ces études d'œillades,[11]   760
Ces eaux, ces blancs, ces pommades,
Et mille ingrédients qui font des teints fleuris!
A l'honneur tous les jours ce sont drogues mortelles,
Et les soins de paraître belles
Se prennent peu pour les maris.   765

IVe MAXIME.

Sous sa coiffe, en sortant, comme l'honneur l'ordonne,
Il faut que de ses yeux elle étouffe les coups[12]:
Car, pour bien plaire à son époux,
Elle ne doit plaire à personne.

Ve MAXIME.

Hors ceux dont au mari la visite se rend,   770
La bonne règle défend
De recevoir aucune âme.
Ceux qui, de galante humeur,
N'ont affaire qu'à Madame,
N'accommodent pas Monsieur.   775

VIe MAXIME.

Il faut des présents des hommes
Qu'elle se défende bien:
Car, dans le siècle où nous sommes,
On ne donne rien pour rien.

VIIe MAXIME.

Dans ses meubles, dût-elle en avoir de l'ennui,   780
Il ne faut écritoire, encre, papier ni plumes.
Le mari doit, dans les bonnes coutumes,
Écrire tout ce qui s'écrit chez lui.

VIIIe MAXIME.

Ces sociétés déréglées,
Qu'on nomme belles assemblées,   785
Des femmes, tous les jours, corrompent les esprits.
En bonne politique, on les doit interdire,
Car c'est là que l'on conspire
Contre les pauvres maris.

[8] escapades
[9] boiling cauldrons
[10] prayer-book
[11] meaningful glances
[12] *etouffe les coups:* hide the brilliance

IXe MAXIME.

Toute femme qui veut à l'honneur se vouer 790
Doit se défendre de jouer,
Comme d'une chose funeste:
Car ce jeu fort décevant,
Pousse une femme souvent
A jouer de tout son reste. 795

Xe MAXIME.

Des promenades du temps,
Ou repas qu'on donne aux champs,
Il ne faut pas qu'elle essaye;
Selon les prudents cerveaux,
Le mari dans ces cadeaux,[13] 800
Est toujours celui qui paye.

XIe MAXIME . . .

ARNOLPHE

Vous achèverez seule, et pas à pas tantôt
Je vous expliquerai ces choses comme il faut.
Je me suis souvenu d'une petite affaire;
Je n'ai qu'un mot à dire et ne tarderai guère. 805
Rentrez, et conservez ce livre chèrement.
Si le notaire vient, qu'il m'attende un moment.

Scène III. — ARNOLPHE

Je ne puis faire mieux que d'en faire ma femme.
Ainsi que je voudrai je tournerai cette âme:
Comme un morceau de cire entre mes mains elle est, 810
Et je lui puis donner la forme qui me plaît.
Il s'en est peu fallu que, durant mon absence,
On ne m'ait attrapé par son trop d'innocence;
Mais il vaut beaucoup mieux, à dire vérité,
Que la femme qu'on a pèche de ce côté. 815
De ces sortes d'erreurs le remède est facile:
Toute personne simple aux leçons est docile,
Et, si du bon chemin on l'a fait écarter,
Deux mots incontinent l'y peuvent rejeter.
Mais une femme habile est bien une autre bête: 820
Notre sort ne dépend que de sa seule tête,
De ce qu'elle s'y met rien ne la fait gauchir,[14]
Et nos enseignements ne font là que blanchir.[15]
Son bel esprit lui sert à railler nos maximes,
A se faire souvent des vertus de ses crimes, 825
Et trouver, pour venir à ses coupables fins,

Des détours à duper l'adresse des plus fins.
Pour se parer du coup en vain on se fatigue: 790
Une femme d'esprit est un diable en intrigue,
Et, dès que son caprice a prononcé tout bas 830
L'arrêt de notre honneur, il faut passer le pas.[16]
Beaucoup d'honnêtes gens en pourraient bien que dire.[17]
Enfin mon étourdi n'aura pas lieu d'en rire:
Par son trop de caquet il a ce qu'il lui faut.
Voilà de nos Français l'ordinaire défaut. 835
Dans la possession d'une bonne fortune,
Le secret est toujours ce qui les importune,
Et la vanité sotte a pour eux tant d'appas
Qu'ils se pendraient plutôt que de ne causer pas.
Eh! que les femmes sont du diable bien tentées 840
Lorsqu'elles vont choisir ces têtes éventées,[18]
Et que . . . Mais le voici, cachons-nous toujours bien,
Et découvrons un peu quel chagrin est le sien.

Scène IV. — HORACE, ARNOLPHE

HORACE

Je reviens de chez vous, et le destin me montre
Qu'il n'a pas résolu que je vous y rencontre. 845
Mais j'irai tant de fois qu'enfin quelque moment . . .

ARNOLPHE

Hé! mon Dieu, n'entrons point dans ce vain
                                        compliment.
Rien ne me fâche tant que ces cérémonies,
Et, si l'on m'en croyait, elles seraient bannies.
C'est un maudit usage, et la plupart des gens 850
Y perdent sottement les deux tiers de leur temps.
Mettons[19] donc, sans façons. Hé bien! vos amourettes?
Puis-je, Seigneur Horace, apprendre où vous en êtes?
J'étais tantôt distrait par quelque vision;
Mais, depuis, là-dessus, j'ai fait réflexion: 855
De vos premiers progrès j'admire la vitesse,
Et dans l'événement mon âme s'intéresse.

HORACE

Ma foi, depuis qu'à vous s'est découvert mon cœur,
Il est à mon amour arrivé du malheur.

ARNOLPHE

Oh! oh! comment cela? 860

---

[13] [here] parties given in honor of a lady, outside her home, usually in the country
[14] *De . . . gauchir:* nothing will dissuade her once she's made her mind up
[15] have no result

[16] *il faut . . . pas:* one must take the leap
[17] *en pourraient . . . dire:* might well have something to talk about
[18] scatter-brained
[19] let's put our hats back on [They have just met and here remove their hats but Horace's politeness irks Arnolphe]

HORACE
La fortune cruelle
A ramené des champs le patron de la belle.

ARNOLPHE
Quel malheur!

HORACE
Et de plus, à mon très grand regret
Il a su de nous deux le commerce secret.

ARNOLPHE
D'où, diantre! a-t-il sitôt appris cette aventure?

HORACE
Je ne sais; mais enfin c'est une chose sûre.   865
Je pensais aller rendre, à mon heure à peu près,
Ma petite visite à ses jeunes attraits,
Lorsque, changeant pour moi de ton et de visage,
Et servante et valet m'ont bouché le passage,
Et d'un: *Retirez-vous, vous nous importunez*,   870
M'ont assez rudement fermé la porte au nez.

ARNOLPHE
La porte au nez!

HORACE
Au nez.

ARNOLPHE
La chose est un peu forte.

HORACE
J'ai voulu leur parler au travers de la porte;
Mais à tous mes propos ce qu'ils m'ont répondu,
C'est: *Vous n'entrerez point, Monsieur l'a défendu.* 875

ARNOLPHE
Ils n'ont donc point ouvert?

HORACE
Non; et de la fenêtre
Agnès m'a confirmé le retour de ce maître
En me chassant de là d'un ton plein de fierté,
Accompagné d'un grès que sa main a jeté.

ARNOLPHE
Comment, d'un grès?   880

HORACE
D'un grès de taille non petite,
Dont on a par ses mains régalé ma visite.

ARNOLPHE
Diantre! ce ne sont pas des prunes que cela,
Et je trouve fâcheux l'état où vous voilà.

HORACE
Il est vrai, je suis mal par ce retour funeste.

ARNOLPHE
Certes j'en suis fâché pour vous, je vous proteste.   885

HORACE
Cet homme me rompt tout.

ARNOLPHE
Oui, mais cela n'est rien,
Et de vous raccrocher vous trouverez moyen.

HORACE
Il faut bien essayer par quelque intelligence[20]
De vaincre du jaloux l'exacte vigilance.

ARNOLPHE
Cela vous est facile, et la fille, après tout,   890
Vous aime?

HORACE
Assurément.

ARNOLPHE
Vous en viendrez à bout.

HORACE
Je l'espère.

ARNOLPHE
Le grès vous a mis en déroute;
Mais cela ne doit pas vous étonner.

HORACE
Sans doute;
Et j'ai compris d'abord que mon homme était là,
Qui, sans se faire voir, conduisait tout cela.   895
Mais ce qui m'a surpris, et qui va vous surprendre,
C'est un autre incident que vous allez entendre,
Un trait hardi qu'a fait cette jeune beauté,
Et qu'on n'attendrait point de sa simplicité.
Il le faut avouer, l'amour est un grand maître.   900
Ce qu'on ne fut jamais, il nous enseigne à l'être,
Et souvent de nos mœurs l'absolu changement
Devient par ses leçons l'ouvrage d'un moment.
De la nature en nous il force les obstacles,
Et ses effets soudains ont de l'air des miracles: 905
D'un avare à l'instant il fait un libéral,
Un vaillant d'un poltron, un civil d'un brutal;
Il rend agile à tout l'âme la plus pesante,
Et donne de l'esprit à la plus innocente.
Oui, ce dernier miracle éclate dans Agnès,   910
Car, tranchant avec moi par ces termes exprès:
Retirez-vous, mon âme aux visites renonce;
Je sais tous vos discours, et voilà ma réponse,
Cette pierre, ou ce grès, dont vous vous étonniez,
Avec un mot de lettre est tombée à mes pieds;   915

[20] complicity

Et j'admire de voir cette lettre ajustée
Avec le sens des mots et la pierre jetée.[21]
D'une telle action n'êtes-vous pas surpris?
L'amour sait-il pas l'art d'aiguiser les esprits?
Et peut-on me nier que ses flammes puissantes
Ne fassent dans un cœur des choses étonnantes?
Que dites-vous du tour et de ce mot d'écrit?
Euh! n'admirez-vous point cette adresse d'esprit?
Trouvez-vous pas plaisant de voir quel personnage
A joué mon jaloux dans tout ce badinage?
Dites.

ARNOLPHE
Oui, fort plaisant.

HORACE
   Riez-en donc un peu.
(Arnolphe rit d'un ris forcé.)
Cet homme gendarmé d'abord contre mon feu,
Qui chez lui se retranche et de grès fait parade,
Comme si j'y voulais entrer par escalade,
Qui pour me repousser, dans son bizarre effroi,
Anime du dedans tous ses gens contre moi,
Et qu'abuse à ses yeux, par sa machine[22] même,
Celle qu'il veut tenir dans l'ignorance extrême!
Pour moi, je vous l'avoue, encor que son retour
En un grand embarras jette ici mon amour,
Je tiens cela plaisant autant qu'on saurait dire;
Je ne puis y songer sans de bon cœur en rire;
Et vous n'en riez pas assez, à mon avis.

ARNOLPHE, *avec un ris forcé.*
Pardonnez-moi, j'en ris tout autant que je puis.

HORACE
Mais il faut qu'en ami je vous montre la lettre.
Tout ce que son cœur sent, sa main a su l'y mettre,
Mais en termes touchants, et tous pleins de bonté,
De tendresse innocente et d'ingénuité;
De la manière enfin que la pure nature
Exprime de l'amour la première blessure.

ARNOLPHE, *bas.*
Voilà, friponne, à quoi l'écriture te sert,
Et contre mon dessein, l'art t'en fut découvert.

HORACE, *lit.*
 Je veux vous écrire, et je suis bien en peine par où je m'y prendrai. J'ai des pensées que je désirerais que vous sussiez; mais je ne sais comment faire pour vous les dire, et je me défie de mes paroles. Comme je commence à connaître qu'on m'a toujours tenue dans l'ignorance, j'ai peur de mettre quelque chose qui ne soit pas bien, et d'en dire plus que je ne devrais. En vérité, je ne sais ce que vous m'avez fait, mais je sens que je suis fâchée à mourir de ce qu'on me fait faire contre vous, que j'aurai toutes les peines du monde à me passer de vous, et que je serais bien aise d'être à vous. Peut-être qu'il y a du mal à dire cela; mais enfin je ne puis m'empêcher de le dire, et je voudrais que cela se pût faire sans qu'il y en eût. On me dit fort que tous les jeunes hommes sont des trompeurs, qu'il ne les faut point écouter, et que tout ce que vous me dites n'est que pour m'abuser; mais je vous assure que je n'ai pu encore me figurer cela de vous; et je suis si touchée de vos paroles que je ne saurais croire qu'elles soient menteuses. Dites-moi franchement ce qui en est: car enfin, comme je suis sans malice, vous auriez le plus grand tort du monde si vous me trompiez, et je pense que j'en mourrais de déplaisir.

ARNOLPHE, à *part.*
Hon! chienne!

HORACE
   Qu'avez-vous?

ARNOLPHE
    Moi? rien; c'est que je tousse.

HORACE
Avez-vous jamais vu d'expression plus douce?
Malgré les soins maudits d'un injuste pouvoir,
Un plus beau naturel peut-il se faire voir?
Et n'est-ce pas sans doute un crime punissable
De gâter méchamment ce fonds d'âme admirable,
D'avoir dans l'ignorance et la stupidité
Voulu de cet esprit étouffer la clarté?
L'amour a commencé d'en déchirer le voile,
Et si, par la faveur de quelque bonne étoile,
Je puis, comme j'espère, à ce franc animal,
Ce traître, ce bourreau, ce faquin, ce brutal . . .

ARNOLPHE
Adieu.

HORACE
 Comment! si vite?

ARNOLPHE
   Il m'est dans la pensée
Venu tout maintenant une affaire pressée.

HORACE
Mais ne sauriez-vous point, comme on la tient de près,
Qui dans cette maison pourrait avoir accès?
J'en use sans scrupule, et ce n'est pas merveille
Qu'on se puisse entre amis servir à la pareille;
Je n'ai plus là dedans que gens pour m'observer,
Et servante et valet, que je viens de trouver,

---

[21] *cette lettre . . . jetée:* i.e., the letter cancels out the sense of Agnès' harsh words and the casting of the stone
[22] intrigue

N'ont jamais, de quelque air que je m'y sois pu prendre,
Adouci leur rudesse à me vouloir entendre.
J'avais pour de tels coups certaine vieille en main,   970
D'un génie, à vrai dire, au-dessus de l'humain.
Elle m'a dans l'abord servi de bonne sorte,
Mais depuis quatre jours la pauvre femme est morte.
Ne me pourriez-vous point ouvrir quelque moyen?

ARNOLPHE

Non vraiment, et sans moi vous en trouverez bien.   975

HORACE

Adieu donc. Vous voyez ce que je vous confie.

Scène V. — ARNOLPHE

Comme il faut devant lui que je me mortifie!
Quelle peine à cacher mon déplaisir cuisant!
Quoi! pour une innocente, un esprit si présent![23]
Elle a feint d'être telle à mes yeux, la traîtresse,   980
Ou le diable à son âme a soufflé cette adresse.
Enfin me voilà mort par ce funeste écrit.
Je vois qu'il a, le traître, empaumé[24] son esprit,
Qu'à ma suppression il s'est ancré chez elle,
Et c'est mon désespoir et ma peine mortelle.   985
Je souffre doublement dans le vol de son cœur,
Et l'amour y pâtit aussi bien que l'honneur.
J'enrage de trouver cette place usurpée,
Et j'enrage de voir ma prudence trompée.
Je sais que pour punir son amour libertin   990
Je n'ai qu'à laisser faire à son mauvais destin,
Que je serai vengé d'elle par elle-même;
Mais il est bien fâcheux de perdre ce qu'on aime.
Ciel! puisque pour un choix j'ai tant philosophé,
Faut-il de ses appas m'être si fort coiffé![25]   995
Elle n'a ni parents, ni support, ni richesse;
Elle trahit mes soins, mes bontés, ma tendresse;
Et cependant je l'aime, après ce lâche tour,
Jusqu'à ne me pouvoir passer de cet amour.
Sot, n'as-tu point de honte? Ah! je crève, j'enrage.   1000
Et je souffletterais[26] mille fois mon visage.
Je veux entrer un peu, mais seulement pour voir
Quelle est sa contenance après un trait si noir.
Ciel! faites que mon front soit exempt de disgrâce,
Ou bien, s'il est écrit qu'il faille que j'y passe,   1005
Donnez-moi, tout au moins, pour de tels accidents,
La constance qu'on voit à de certaines gens.

---

[23] *esprit si présent:* so quick a mind
[24] gained influence over
[25] *Faut-il . . . coiffé:* must I be so infatuated by her charms!
[26] *je souffletterais:* I would slap

ACTE IV

Scène première. — ARNOLPHE

J'ai peine, je l'avoue, à demeurer en place,
Et de mille soucis mon esprit s'embarrasse
Pour pouvoir mettre un ordre et dedans et dehors   1010
Qui du godelureau rompe tous les efforts.[1]
De quel œil la traîtresse a soutenu ma vue!
De tout ce qu'elle a fait elle n'est point émue,
Et, bien qu'elle me mette à deux doigts du trépas,
On dirait, à la voir, qu'elle n'y touche pas.   1015
Plus en la regardant je la voyais tranquille,
Plus je sentais en moi s'échauffer une bile;
Et ces bouillants transports dont s'enflammait mon
                                                    cœur
Y semblaient redoubler mon amoureuse ardeur.
J'étais aigri, fâché, désespéré, contre elle,   1020
Et cependant jamais je ne la vis si belle;
Jamais ses yeux aux miens n'ont paru si perçants,
Jamais je n'eus pour eux des désirs si pressants,
Et je sens là dedans qu'il faudra que je crève
Si de mon triste sort la disgrâce s'achève.   1025
Quoi! j'aurai dirigé son éducation
Avec tant de tendresse et de précaution,
Je l'aurai fait passer chez moi dès son enfance,
Et j'en aurai chéri la plus tendre espérance,
Mon cœur aura bâti sur ses attraits naissants,   1030
Et cru la mitonner pour moi[2] durant treize ans,
Afin qu'un jeune fou dont elle s'amourache
Me la vienne enlever jusque sur la moustache,
Lorsqu'elle est avec moi mariée à demi?
Non, parbleu! non, parbleu! petit sot, mon ami,   1035
Vous aurez beau tourner, ou j'y perdrai mes peines,
Ou je rendrai, ma foi, vos espérances vaines,
Et de moi tout à fait vous ne vous rirez point.

Scène II. — LE NOTAIRE, ARNOLPHE

LE NOTAIRE

Ah! le voilà! Bonjour: me voici tout à point
Pour dresser le contrat que vous souhaitez faire.   1040

ARNOLPHE, *sans le voir.*

Comment faire?

LE NOTAIRE

                Il le faut dans la forme ordinaire.

ARNOLPHE, *sans le voir.*

A mes précautions je veux songer de près.

---

[1] *Qui . . . efforts:* that will upset all the plans of this young fop
[2] *Et . . . moi:* and nursed her along for myself

LE NOTAIRE
Je ne passerai rien contre vos intérêts.

ARNOLPHE, *sans le voir.*
Il se faut garantir de toutes les surprises.

LE NOTAIRE
Suffit qu'entre mes mains vos affaires soient mises.
Il ne vous faudra point, de peur d'être déçu,
Quittancer le contrat que vous n'ayez reçu.[3]

ARNOLPHE, *sans le voir.*
J'ai peur, si je vais faire éclater quelque chose,
Que de cet incident par la ville on ne cause.

LE NOTAIRE
Eh bien, il est aisé d'empêcher cet éclat,
Et l'on peut en secret faire votre contrat.

ARNOLPHE, *sans le voir.*
Mais comment faudra-t-il qu'avec elle j'en sorte?

LE NOTAIRE
Le douaire[4] se règle au bien qu'on vous apporte.

ARNOLPHE, *sans le voir.*
Je l'aime, et cet amour est mon grand embarras.

LE NOTAIRE
On peut avantager une femme, en ce cas.

ARNOLPHE, *sans le voir.*
Quel traitement lui faire en pareille aventure?

LE NOTAIRE
L'ordre est que le futur doit douer la future
Du tiers du dot qu'elle a,[5] mais cet ordre n'est rien,
Et l'on va plus avant lorsque l'on le veut bien.

ARNOLPHE, *sans le voir.*
Si . . .

LE NOTAIRE (*Arnolphe l'apercevant.*)
Pour le préciput,[6] il les regarde ensemble.
Je dis que le futur peut, comme bon lui semble,
Douer la future.

ARNOLPHE
Eh!

LE NOTAIRE
Il peut l'avantager
Lorsqu'il l'aime beaucoup et qu'il veut l'obliger,

Et cela par douaire, ou préfix, qu'on appelle,
Qui demeure perdu par le trépas d'icelle,   1065
Ou sans retour, qui va de ladite à ses hoirs,
Ou coutumier, selon les différents vouloirs;
Ou par donation dans le contrat formelle,
Qu'on fait ou pure et simple, ou qu'on fait mutuelle.[7]
Pourquoi hausser le dos? Est-ce qu'on parle en fat, 1070
Et que l'on ne sait pas les formes d'un contrat?
Qui me les apprendra? Personne, je présume.
Sais-je pas qu'étant joints on est par la coutume
Communs en meubles, biens, immeubles et conquêts,
A moins que par un acte on y renonce exprès?   1075
Sais-je pas que le tiers du bien de la future
Entre en communauté, pour . . .[8]

ARNOLPHE
Oui, c'est chose sûre,
Vous savez tout cela; mais qui vous en dit mot?

LE NOTAIRE
Vous, qui me prétendez faire passer pour sot,
En me haussant l'épaule et faisant la grimace.   1080

ARNOLPHE
La peste soit fait l'homme, et sa chienne de face!
Adieu: c'est le moyen de vous faire finir.

LA NOTAIRE
Pour dresser un contrat m'a-t-on pas fait venir?

ARNOLPHE
Oui, je vous ai mandé; mais la chose est remise,
Et l'on vous mandera quand l'heure sera prise.   1085
Voyez quel diable d'homme avec son entretien!

LE NOTAIRE
Je pense qu'il en tient,[9] et je crois penser bien.

1045

1050

1055

1060

---

[3] *Quittancer . . . reçu:* give a receipt for the contract without having received it

[4] Financial settlement made by husband for his wife

[5] *Du tiers . . . a:* of the third part of the dowry she has

[6] portion of estate falling to surviving mate

[7] The *douaire préfix* [marriage settlement in favor of wife], concluded before the ceremony, might automatically revert to the husband in the case of death of *icelle* (that is, the wife); or it might be left by her [*ladite*] to her heirs. When no formal contract was drawn up, custom determined the disposition of the estate [*douaire coutumier*]. A contract might be made in favor of one or the other [*donation pure et simple*], or of whichever survived the other [*mutuelle*]

[8] Personal [*meubles*] and landed [*immeubles*] property, as well as that acquired during the marriage [*conquêts*] become community property, as does a third of the future bride's estate

[9] *je . . . tient:* I think he's off his rocker

Scène III. — LE NOTAIRE, ALAIN, GEORGETTE,
ARNOLPHE

LE NOTAIRE

M'êtes-vous pas venu quérir pour votre maître?

ALAIN

Oui.

LE NOTAIRE

J'ignore pour qui vous le pouvez connaître,
Mais allez de ma part lui dire de ce pas
Que c'est un fou fieffé.

GEORGETTE

Nous n'y manquerons pas.   1090

Scène IV. — ALAIN, GEORGETTE, ARNOLPHE

ALAIN

Monsieur . . .

ARNOLPHE

Approchez-vous; vous êtes mes fidèles,
Mes bons, mes vrais amis, et j'en sais des nouvelles.

ALAIN

Le notaire . . .

ARNOLPHE

Laissons, c'est pour quelqu'autre jour.
On veut à mon honneur jouer d'un mauvais tour;   1095
Et quel affront pour vous, mes enfants, pourrait-ce
être,
Si l'on avait ôté l'honneur à votre maître!
Vous n'oseriez après paraître en nul endroit,
Et chacun, vous voyant, vous montrerait au doigt.
Donc, puisqu'autant que moi l'affaire vous regarde,   1100
Il faut de votre part faire une telle garde
Que ce galant ne puisse en aucune façon . . .

GEORGETTE

Vous nous avez tantôt montré notre leçon.

ARNOLPHE

Mais à ces beaux discours gardez bien de vous rendre.

ALAIN

Oh! vraiment . . .   1105

GEORGETTE

Nous savons comme il faut s'en défendre.

ARNOLPHE, à *Alain.*

S'il venait doucement: « Alain, mon pauvre cœur,
Par un peu de secours soulage ma langueur. »

ALAIN

« Vous êtes un sot. »

ARNOLPHE, à *Georgette.*

Bon! « Georgette, ma mignonne,
Tu me parais si douce et si bonne personne. »

GEORGETTE

« Vous êtes un nigaud. »   1110

ARNOLPHE, à *Alain.*

Bon! « Quel mal trouves-tu
Dans un dessein honnête et tout plein de vertu? »

ALAIN

« Vous êtes un fripon. »

ARNOLPHE, à *Georgette.*

Fort bien. « Ma mort est sûre
Si tu ne prends pitié des peines que j'endure. »

GEORGETTE

« Vous êtes un benêt, un impudent. »

ARNOLPHE

Fort bien.
« Je ne suis pas un homme à vouloir rien pour rien,   1115
Je sais quand on me sert en garder la mémoire:
Cependant par avance, Alain, voilà pour boire,
Et voilà pour t'avoir, Georgette, un cotillon.
(*Ils tendent tous deux la main, et prennent l'argent*).
Ce n'est de mes bienfaits qu'un simple échantillon.[10]
Toute la courtoisie, enfin ,dont je vous presse,   1120
C'est que je puisse voir votre belle maîtresse. »

GEORGETTE, *le poussant.*

« A d'autres! »

ARNOLPHE

Bon, cela!

ALAIN, *le poussant.*

« Hors d'ici! »

ARNOLPHE

Bon!

GEORGETTE, *le poussant.*

« Mais tôt! »

ARNOLPHE

Bon! Holà! c'est assez.

GEORGETTE

Fais-je pas comme il faut?

ALAIN

Est-ce de la façon que vous voulez l'entendre?

[10] *Et voilà . . . un simple échantillon:* and here, to buy
you off, Georgette, is money for a skirt:/ It's only a sample
of my generosity

ARNOLPHE

Oui, fort bien, hors l'argent, qu'il ne fallait pas prendre. 1125

GEORGETTE

Nous ne nous sommes pas souvenus de ce point.

ALAIN

Voulez-vous qu'à l'instant nous recommencions?

ARNOLPHE

                                        Point.

Suffit, rentrez tous deux.

ALAIN

            Vous n'avez rien qu'à dire.[11]

ARNOLPHE

Non, vous dis-je, rentrez, puisque je le désire.
Je vous laisse l'argent; allez, je vous rejoins.   1130
Ayez bien l'œil à tout, et secondez mes soins.

Scène V. — ARNOLPHE

Je veux pour espion qui soit d'exacte vue
Prendre le savetier[12] du coin de notre rue.
Dans la maison toujours je prétends la tenir,
Y faire bonne garde, et surtout en bannir   1135
Vendeuses de ruban, perruquières, coiffeuses,
Faiseuses de mouchoirs, gantières, revendeuses,[13]
Tous ces gens qui sous main travaillent chaque jour
A faire réussir les mystères d'amour.
Enfin j'ai vu le monde, et j'en sais les finesses.   1140
Il faudra que mon homme ait de grandes adresses
Si message ou poulet[14] de sa part peut entrer.

Scène VI. — HORACE, ARNOLPHE

HORACE

La place m'est heureuse à vous y rencontrer.
Je viens de l'échapper bien belle, je vous jure.
Au sortir d'avec vous, sans prévoir l'aventure,   1145
Seule dans son balcon, j'ai vu paraître Agnès,
Qui des arbres prochains prenait un peu le frais.
Après m'avoir fait signe, elle a su faire en sorte,
Descendant au jardin, de m'en ouvrir la porte;
Mais à peine tous deux dans sa chambre étions-nous   1150

Qu'elle a sur les degrés entendu son jaloux;
Et tout ce qu'elle a pu, dans un tel accessoire,[15]
C'est de me renfermer dans une grande armoire.
Il est entré: d'abord je ne le voyais pas,
Mais je l'oyais marcher, sans rien dire, à grands pas,   1155
Poussant de temps en temps des soupirs pitoyables,
Et donnant quelquefois de grands coups sur les tables;
Frappant un petit chien qui pour lui s'émouvait,[16]
Et jetant brusquement les hardes[17] qu'il trouvait;
Il a même cassé, d'une main mutinée,   1160
Des vases dont la belle ornait sa cheminée,
Et sans doute il faut bien qu'à ce becque cornu[18]
Du trait qu'elle a joué quelque jour soit venu.
Enfin, après cent tours, ayant de la manière
Sur ce qui n'en peut mais déchargé sa colère,[19]   1165
Mon jaloux, inquiet, sans dire son ennui,
Est sorti de la chambre, et moi de mon étui;
Nous n'avons point voulu, de peur du personnage,
Risquer à nous tenir ensemble davantage:
C'était trop hasarder; mais je dois, cette nuit,   1170
Dans sa chambre un peu tard m'introduire sans bruit:
En toussant par trois fois je me ferai connaître,
Et je dois au signal voir ouvrir la fenêtre,
Dont, avec une échelle, et secondé d'Agnès,
Mon amour tâchera de me gagner l'accès.   1175
Comme à mon seul ami je veux bien vous l'apprendre.
L'allégresse du cœur s'augmente à la répandre,
Et, goûtât-on cent fois un bonheur trop parfait,
On n'en est pas content si quelqu'un ne le sait.
Vous prendrez part, je pense, à l'heur de mes affaires. 1180
Adieu, je vais songer aux choses nécessaires.

Scène VII. — ARNOLPHE

Quoi! l'astre qui s'obstine à me désespérer
Ne me donnera pas le temps de respirer!
Coup sur coup je verrai par leur intelligence   1185
De mes soins vigilants confondre la prudence!
Et je serai la dupe, en ma maturité,
D'une jeune innocente et d'un jeune éventé!
En sage philosophe on m'a vu vingt années
Contempler des maris les tristes destinées,

---

[11] *Vous . . . dire:* You have only to give the word (and we'll be ready to start again)

[12] cobbler

[13] *gantières, revendeuses:* glove sellers, second-hand dealers

[14] love letter

[15] difficult situation

[16] *qui . . . s'émouvait:* which was becoming agitated because of him

[17] wearing apparel

[18] *becque cornu:* horned ram [once again, the sign of cuckoldry]

[19] *ayant . . . colère:* having thus taken out his anger on things that were not responsible for it

Et m'instruire avec soin de tous les accidents
Qui font dans le malheur tomber les plus prudents;
Des disgrâces d'autrui profitant dans mon âme,
J'ai cherché les moyens, voulant prendre une femme,
De pouvoir garantir mon front de tous affronts,
Et le tirer de pair[20] d'avec les autres fronts:
Pour ce noble dessein j'ai cru mettre en pratique
Tout ce que peut trouver l'humaine politique;
Et, comme si du sort il était arrêté
Que nul homme ici-bas n'en serait exempté,
Après l'expérience et toutes les lumières
Que j'ai pu m'acquérir sur de telles matières,
Après vingt ans et plus de méditation
Pour me conduire en tout avec précaution,
De tant d'autres maris j'aurais quitté la trace,
Pour me trouver après dans la même disgrâce!
Ah! bourreau de destin, vous en aurez menti!
De l'objet qu'on poursuit je suis encor nanti.[21]
Si son cœur m'est volé par ce blondin funeste,
J'empêcherai du moins qu'on s'empare du reste,
Et cette nuit qu'on prend pour ce galant exploit
Ne se passera pas si doucement qu'on croit.
Ce m'est quelque plaisir, parmi tant de tristesse,
Que l'on me donne avis du piège qu'on me dresse,
Et que cet étourdi, qui veut m'être fatal,
Fasse son confident de son propre rival.

Scène VIII. — CHRYSALDE, ARNOLPHE

CHRYSALDE

Eh bien, souperons-nous avant la promenade?

ARNOLPHE

Non, je jeûne ce soir.

CHRYSALDE

D'où vient cette boutade[22]?

ARNOLPHE

De grâce, excusez-moi, j'ai quelqu'autre embarras.

CHRYSALDE

Votre hymen résolu ne se fera-t-il pas?

ARNOLPHE

C'est trop s'inquiéter des affaires des autres.

CHRYSALDE

Oh! oh! si brusquement! Quels chagrins sont les
vôtres?

1190 Serait-il point, compère,[23] a votre passion
Arrivé quelque peu de tribulation?
Je le jurerais presque à voir votre visage.

ARNOLPHE

Quoi qu'il m'arrive, au moins aurai-je l'avantage   1225
1195 De ne pas ressembler à de certaines gens
Qui souffrent doucement l'approche des galans.

CHRYSALDE

C'est un étrange fait qu'avec tant de lumières
1200 Vous vous effarouchiez toujours sur ces matières;
Qu'en cela vous mettiez le souverain bonheur,   1230
Et ne conceviez point au monde d'autre honneur.
Être avare, brutal, fourbe, méchant et lâche,
N'est rien, à votre avis, auprès de cette tâche,
1205 Et, de quelque façon qu'on puisse avoir vécu,
On est homme d'honneur quand on n'est point cocu. 1235
A le bien prendre, au fond, pourquoi voulez-vous croire
Que de ce cas fortuit[24] dépende notre gloire,
Et qu'une âme bien née ait à se reprocher
1210 L'injustice d'un mal qu'on ne peut empêcher?
Pourquoi voulez-vous, dis-je, en prenant une femme,   1240
Qu'on soit digne à son choix de louange ou de blâme,
Et qu'on s'aille former un monstre plein d'effroi
De l'affront que nous fait son manquement de foi?
1215 Mettez-vous dans l'esprit qu'on peut du cocuage
Se faire en galant homme une plus douce image,   1245
Que, des coups du hasard aucun n'étant garant,
Cet accident de soi doit être indifférent,
Et qu'enfin tout le mal, quoi que le monde glose,[25]
N'est que dans la façon de recevoir la chose;
Car, pour se bien conduire en ces difficultés,   1250
Il y faut comme en tout fuir les extrémités.
N'imitez pas ces gens un peu trop débonnaires[26]
Qui tirent vanité de ces sortes d'affaires,
De leurs femmes toujours vont citant les galants,
En font partout l'éloge et prônent[27] leurs talents,   1255
Témoignent avec eux d'étroites sympathies,
Sont de tous leurs cadeaux, de toutes leurs parties,
Et font qu'avec raison les gens sont étonnés
De voir leur hardiesse à montrer là leur nez.
Ce procédé sans doute est tout à fait blâmable;   1260
Mais l'autre extrémité n'est pas moins condamnable.
Si je n'approuve pas ces amis des galants,
1220 Je ne suis pas aussi pour ces gens turbulents
Dont l'imprudent chagrin, qui tempête et qui gronde,

---

[20] le tirer de pair: to distinguish it
[21] in possession i.e., he still controls Agnès
[22] whim

[23] [familiar] friend
[24] cas fortuit: accident
[25] gossips
[26] easy-going
[27] extol

Attire au bruit qu'il fait les yeux de tout le monde,
Et qui par cet éclat semblent ne pas vouloir
Qu'aucun puisse ignorer ce qu'ils peuvent avoir.
Entre ces deux partis il en est un honnête
Où, dans l'occasion, l'homme prudent s'arrête,
Et, quand on le sait prendre, on n'a point à rougir
Du pis dont une femme avec nous puisse agir.
Quoi qu'uon en puisse dire, enfin, le cocuage
Sous des traits moins affreux aisément s'envisage;
Et, comme je vous dis, toute l'habileté
Ne va qu'à le savoir tourner du bon côté.

ARNOLPHE

Après ce beau discours, toute la confrérie
Doit un remerciement à Votre Seigneurie;
Et quiconque voudra vous entendre parler
Montrera de la joie à s'y[28] voir enrôler.

CHRYSALDE

Je ne dis pas cela, car c'est ce que je blâme;
Mais, comme c'est le sort qui nous donne une femme,
Je dis que l'on doit faire ainsi qu'au jeu de dés,
Où, s'il ne vous vient pas ce que vous demandez,
Il faut jouer d'adresse, et, d'une âme réduite,[29]
Corriger le hasard par la bonne conduite.

ARNOLPHE

C'est-à-dire dormir et manger toujours bien,
Et se persuader que tout cela n'est rien.

CHRYSALDE

Vous pensez vous moquer; mais, à ne vous rien feindre,
Dans le monde je vois cent choses plus à craindre,
Et dont je me ferais un bien plus grand malheur   1290
Que de cet accident qui vous fait tant de peur.
Pensez-vous qu'à choisir de deux choses prescrites,
Je n'aimasse pas mieux être ce que vous dites
Que de me voir mari de ces femmes de bien
Dont la mauvaise humeur fait un procès pour rien,
Ces dragons de vertu, ces honnêtes diablesses,
Se retranchant toujours sur leurs sages prouesses,
Qui, pour un petit tort qu'elles ne nous font pas,
Prennent droit de traiter les gens de haut en bas,   1300
Et veulent, sur le pied de nous être fidèles,
Que nous soyons tenus à tout endurer d'elles?
Encore un coup, compère, apprenez qu'en effet
Le cocuage n'est que ce que l'on le fait,
Qu'on peut le souhaiter pour de certaines causes,   1305
Et qu'il a ses plaisirs comme les autres choses.

ARNOLPHE

Si vous êtes d'humeur à vous en contenter,   1265
Quant à moi, ce n'est pas la mienne d'en tâter[30]
Et, plutôt que subir une telle aventure...

CHRYSALDE

Mon Dieu! ne jurez point, de peur d'être parjure.   1270
Si le sort l'a réglé, vos soins sont superflus,   1310
Et l'on ne prendra pas votre avis là-dessus.

ARNOLPHE

Moi! je serais cocu?   1275

CHRYSALDE

Vous voilà bien malade.
Mille gens le sont bien, sans vous faire bravade,
Qui de mine, de cœur, de biens et de maison,
Ne feraient avec vous nulle comparaison.   1315

ARNOLPHE

Et moi je n'en voudrais avec eux faire aucune.
Mais cette raillerie, en un mot, m'importune: 1280
Brisons là, s'il vous plaît.

CHRYSALDE

Vous êtes en courroux:
Nous en saurons la cause. Adieu; souvenez-vous,   1285
Quoi que sur ce sujet votre honneur vous inspire,   1320
Que c'est être à demi ce que l'on vient de dire
Que de vouloir jurer qu'on ne le sera pas.

ARNOLPHE

Moi, je le jure encore, et je vais de ce pas
Contre cet accident trouver un bon remède.

Scène IX. — ALAIN, GEORGETTE, ARNOLPHE

ARNOLPHE

Mes amis, c'est ici que j'implore votre aide.   1325
Je suis édifié de votre affection;   1295
Mais il faut qu'elle éclate en cette occasion;
Et, si vous m'y servez selon ma confiance,
Vous êtes assurés de votre récompense.
L'homme que vous savez, n'en faites point de bruit,   1330
Veut, comme je l'ai su, m'attraper cette nuit,   1300
Dans la chambre d'Agnès entrer par escalade;
Mais il lui faut, nous trois, dresser une embuscade,
Je veux que vous preniez chacun un bon bâton,
Et, quand il sera près du dernier échelon   1335
(Car dans le temps qu'il faut j'ouvrirai la fenêtre),   1305
Que tous deux à l'envi vous me chargiez ce traître,

---

[28] i.e., in the brotherhood of cuckolds
[29] brought back to reason

[30] ce n'est ... tâter: it is not mine (my humor) to experience it

Mais d'un air dont son dos garde le souvenir,
Et qui lui puisse apprendre à n'y plus revenir,
Sans me nommer pourtant en aucune manière,
Ni faire aucun semblant que je serai derrière.
Aurez-vous bien l'esprit de servir mon courroux?

ALAIN

S'il ne tient qu'à frapper, monsieur, tout est à nous.
Vous verrez, quand je bats, si j'y vais de main morte.

GEORGETTE

La mienne, quoique aux yeux elle n'est pas si forte,   1345
N'en quitte pas sa part à le bien étriller.

ARNOLPHE

Rentrez donc, et surtout gardez de babiller.
Voilà pour le prochain une leçon utile,
Et, si tous les maris qui sont en cette ville
De leurs femmes ainsi recevaient le galand,
Le nombre des cocus ne serait pas si grand.

ACTE V

Scène première. — ALAIN, GEORGETTE, ARNOLPHE

ARNOLPHE

Traîtres, qu'avez-vous fait par cette violence?

ALAIN

Nous vous avons rendu, Monsieur, obéissance.

ARNOLPHE

De cette excuse en vain vous voulez vous armer.
L'ordre était de le battre, et non de l'assommer,[1]   1355
Et c'était sur le dos, et non pas sur la tête,
Que j'avais commandé qu'on fît choir la tempête.
Ciel! dans quel accident me jette ici le sort!
Et que puis-je résoudre à voir cet homme mort?
Rentrez dans la maison, et gardez de rien dire   1360
De cet ordre innocent que j'ai pu vous prescrire:
Le jour s'en va paraître, et je vais consulter
Comment dans ce malheur je me dois comporter.
Hélas! que deviendrai-je? et que dira le père
Lorsqu'inopinément[2] il saura cette affaire?   1365

Scène II. — HORACE, ARNOLPHE

HORACE

Il faut que j'aille un peu reconnaître qui c'est.

ARNOLPHE

Eût-on jamais prévu . . . ? Qui va là, s'il vous plaît?   1340

HORACE

C'est vous, Seigneur Arnolphe?

ARNOLPHE

    Oui; mais vous . . .

HORACE

    C'est Horace.
Je m'en allais chez vous vous prier d'une grâce.
Vous sortez bien matin?   1370

ARNOLPHE, bas.

    Quelle confusion!
Est-ce un enchantement? est-ce une illusion?

HORACE

J'étais, à dire vrai, dans une grande peine,   1350
Et je bénis du ciel la bonté souveraine
Qui fait qu'à point nommé je vous rencontre ainsi.
Je viens vous avertir que tout a réussi,   1375
Et même beaucoup plus que je n'eusse osé dire,
Et par un incident qui devait tout détruire.
Je ne sais point par où l'on a pu soupçonner
Cette assignation[3] qu'on m'avait su donner;
Mais, étant sur le point d'atteindre à la fenêtre,   1380
J'ai, contre mon espoir, vu quelques gens paraître,
Qui, sur moi brusquement levant chacun le bras,
M'ont fait manquer le pied et tomber jusqu'en bas;
Et ma chute, aux dépens de quelque meurtrissure,[4]
De vingt coups de bâton m'a sauvé l'aventure.   1385
Ces gens-là, dont était, je pense, mon jaloux,
Ont imputé ma chute à l'effort de leurs coups;
Et, comme la douleur un assez long espace
M'a fait sans remuer demeurer sur la place,
Ils ont cru tout de bon qu'ils m'avaient assommé,   1390
Et chacun d'eux s'en est aussitôt alarmé.
J'entendais tout leur bruit dans le profond silence:
L'un l'autre ils s'accusaient de cette violence,
Et sans lumière aucune, en querellant le sort,
Sont venus doucement tâter si j'étais mort.   1395
Je vous laisse à penser si, dans la nuit obscure,
J'ai d'un vrai trépassé su tenir la figure.
Ils se sont retirés avec beaucoup d'effroi;
Et, comme je songeais à me retirer, moi,
De cette feinte mort la jeune Agnès émue   1400
Avec empressement est devers moi venue:
Car les discours qu'entre eux ces gens avaient tenus
Jusques à son oreille étaient d'abord venus,
Et, pendant tout ce trouble étant moins observée,

---

[1] to knock him senseless
[2] unexpectedly
[3] rendez-vous
[4] bruise

Du logis aisément elle s'était sauvée.
Mais, me trouvant sans mal, elle a fait éclater
Un transport difficile à bien représenter.
Que vous dirai-je? enfin, cette aimable personne
A suivi les conseils que son amour lui donne,
N'a plus voulu songer à retourner chez soi,
Et de tout son destin s'est commise à ma foi.
Considérez un peu, par ce trait d'innocence,
Où l'expose d'un fou la haute impertinence,[5]
Et quels fâcheux périls elle pourrait courir
Si j'étais maintenant homme à la moins chérir.
Mais d'un trop pur amour mon âme est embrasée;
J'aimerais mieux mourir que l'avoir abusée;
Je lui vois des appas dignes d'un autre sort,
Et rien ne m'en saurait séparer que la mort.
Je prévois là-dessus l'emportement d'un père,
Mais nous prendrons le temps d'apaiser sa colère.
A des charmes si doux je me laisse emporter,
Et dans la vie, enfin, il se faut contenter.
Ce que je veux de vous, sous un secret fidèle,
C'est que je vous puisse mettre en vos mains cette belle,
Que dans votre maison, en faveur de mes feux,
Vous lui donniez retraite au moins un jour ou deux.
Outre qu'aux yeux du monde il faut cacher sa fuite,
Et qu'on en pourra faire une exacte poursuite,
Vous savez qu'une fille aussi de sa façon
Donne avec un jeune homme un étrange soupçon;
Et, comme c'est à vous, sûr de votre prudence,
Que j'ai fait de mes feux entière confidence,
C'est à vous seul aussi, comme ami généreux,
Que je puis confier ce dépôt amoureux.

ARNOLPHE

Je suis, n'en doutez point, tout à votre service.

HORACE

Vous voulez bien me rendre un si charmant office?

ARNOLPHE

Très volontiers, vous dis-je, et je me sens ravir
De cette occasion que j'ai de vous servir;
Je rends grâces au Ciel de ce qu'il me l'envoie,
Et n'ai jamais rien fait avec si grande joie.

HORACE

Que je suis redevable[6] à toutes vos bontés!
J'avais de votre part craint des difficultés;
Mais vous êtes du monde, et, dans votre sagesse,
Vous savez excuser le feu de la jeunesse.
Un de mes gens la garde au coin de ce détour.[7]

[5] unreasonable conduct
[6] indebted
[7] street corner

1405
ARNOLPHE

Mais comment ferons-nous? car il fait un peu jour.
Si je la prends ici, l'on me verra peut-être,
Et, s'il faut que chez moi vous veniez à paraître,
Des valets causeront. Pour jouer au plus sûr,   1450
1410 Il faut me l'amener dans un lieu plus obscur:
Mon allée[8] est commode, et je l'y vais attendre.

HORACE

Ce sont précautions qu'il est fort bon de prendre.
1415 Pour moi, je ne ferai que vous la mettre en main,
Et chez moi sans éclat je retourne soudain.   1455

ARNOLPHE, seul.

Ah! fortune! ce trait d'aventure propice
1420 Répare tous les maux que m'a faits ton caprice.
(Il s'enveloppe le nez de son manteau.)

Scène III. — AGNÈS, HORACE, ARNOLPHE
1425

HORACE

Ne soyez point en peine où je vais vous mener,
C'est un logement sûr que je vous fais donner;
Vous loger avec moi, ce serait tout détruire: 1460
1430 Entrez dans cette porte, et laissez-vous conduire.
(Arnolphe lui prend la main sans qu'elle le
reconnaisse.)

AGNÈS

1435 Pourquoi me quittez-vous?

HORACE

            Chère Agnès, il le faut.

AGNÈS

Songez donc, je vous prie, à revenir bientôt.

HORACE

J'en suis assez pressé par ma flamme amoureuse.
1440
AGNÈS

Quand je ne vous vois point, je ne suis point joyeuse. 1465

HORACE

Hors de votre présence on me voit triste aussi.

AGNÈS

1445 Hélas! s'il était vrai, vous resteriez ici.

HORACE

Quoi! vous pourriez douter de mon amour extrême?

[8] entrance passage [of Arnolphe's house]

AGNÈS

Non, vous ne m'aimez pas autant que je vous aime.
     (*Arnolphe la tire.*)
Ah! l'on me tire trop.   1470

HORACE

               C'est qu'il est dangereux,
Chère Agnès, qu'en ce lieu nous soyons vus tous deux,
Et le parfait ami de qui la main vous presse
Suit le zèle prudent qui pour nous l'intéresse.

AGNÈS

Mais suivre un inconnu que . . .

HORACE

                    N'appréhendez rien:
Entre de telles mains vous ne serez que bien.   1475

AGNÈS

Je me trouverais mieux entre celles d'Horace,
Et j'aurais . . .
     (*A Arnolphe qui la tire encore.*)
          Attendez.

HORACE

          Adieu, le jour me chasse.

AGNÈS

Quand vous verrai-je donc?

HORACE

                    Bientôt assurément.

AGNÈS

Que je vais m'ennuyer jusques à ce moment!

HORACE

Grâce au Ciel, mon bonheur n'est plus en concurrence,[9]   1480
Et je puis maintenant dormir en assurance.

Scène IV. — ARNOLPHE, AGNÈS

ARNOLPHE, *le nez dans son manteau.*
Venez, ce n'est pas là que je vous logerai,
Et votre gîte ailleurs est par moi préparé,
Je prétends en lieu sûr mettre votre personne.
Me connaissez-vous?   1485

AGNÈS, *le reconnaissant.*
          Hay!

ARNOLPHE

               Mon visage, friponne,
Dans cette occasion rend vos sens effrayés,

[9] *en concurrence:* uncertain

Et c'est à contre-cœur qu'ici vous me voyez:
Je trouble en ses projets l'amour qui vous possède.
     (*Agnès regarde si elle ne verra point Horace.*)
N'appelez point des yeux le galant à votre aide,
Il est trop éloigné pour vous donner secours.   1490
Ah! ah! si jeune encor, vous jouez de ces tours!
Votre simplicité, qui semble sans pareille,
Demande si l'on fait les enfants par l'oreille,
Et vous savez donner des rendez-vous la nuit,
Et pour suivre un galant vous évader sans bruit.   1495
Tudieu comme avec lui votre langue cajole![10]
Il faut qu'on vous ait mise à quelque bonne école.
Qui diantre tout d'un coup vous en a tant appris?
Vous ne craignez donc plus de trouver des esprits?
Et ce galant la nuit vous a donc enhardie?   1500
Ah! coquine, en venir à cette perfidie!
Malgré tous mes bienfaits former un tel dessein!
Petit serpent que j'ai réchauffé dans mon sein,
Et qui, dès qu'il se sent,[11] par une humeur ingrate,
Cherche à faire du mal à celui qui le flatte!   1505

AGNÈS

Pourquoi me criez-vous?

ARNOLPHE

               J'ai grand tort, en effet.

AGNÈS

Je n'entends point de mal dans tout ce que j'ai fait.

ARNOLPHE

Suivre un galant n'est pas une action infâme?

AGNÈS

C'est un homme qui dit qu'il me veut pour sa femme:
J'ai suivi vos leçons, et vous m'avez prêché   1510
Qu'il se faut marier pour ôter le péché.

ARNOLPHE

Oui, mais, pour femme, moi, je prétendais vous prendre,
Et je vous l'avais fait, me semble, assez entendre.

AGNÈS

Oui, mais, à vous parler franchement entre nous,
Il est plus pour cela selon mon goût que vous.   1515
Chez vous le mariage est fâcheux et pénible,
Et vos discours en font une image terrible;
Mais, las! il le fait, lui, si rempli de plaisirs
Que de se marier il donne des désirs.

ARNOLPHE

Ah! c'est que vous l'aimez, traîtresse.   15[.]

[10] *Tudieu . . . cajole:* Gad, do you know how to sweet-talk him!
[11] *dès . . . sent:* as soon as it regains consciousness

AGNÈS

Oui, je l'aime.

ARNOLPHE

Et vous avez le front de le dire à moi-même!

AGNÈS

Et pourquoi, s'il est vrai, ne le dirais-je pas?

ARNOLPHE

Le deviez-vous aimer, impertinente?

AGNÈS

Hélas!
Est-ce que j'en puis mais? Lui seul en est la cause,
Et je n'y songeais pas lorsque se fit la chose.   1525

ARNOLPHE

Mais il fallait chasser cet amoureux désir.

AGNÈS

Le moyen de chasser ce qui fait du plaisir?

ARNOLPHE

Et ne saviez-vous pas que c'était me déplaire?

AGNÈS

Moi? point du tout: quel mal cela vous peut-il faire?

ARNOLPHE

Il est vrai, j'ai sujet d'en être réjoui.
Vous ne m'aimez donc pas, à ce compte?   1530

AGNÈS

Vous?

ARNOLPHE

Oui.

AGNÈS

Hélas! non.

ARNOLPHE

Comment, non?

AGNÈS

Voulez-vous que je mente?

ARNOLPHE

Pourquoi ne m'aimer pas, Madame l'impudente?

AGNÈS

Mon Dieu! ce n'est pas moi que vous devez blâmer:
Que ne vous êtes-vous comme lui fait aimer?
Je ne vous en ai pas empêché, que je pense.   1535

ARNOLPHE

Je m'y suis efforcé de toute ma puissance;
Mais les soins que j'ai pris, je les ai perdus tous.

AGNÈS

Vraiment, il en sait donc là-dessus plus que vous,
Car à se faire aimer il n'a point eu de peine.   1540

ARNOLPHE

Voyez comme raisonne et répond la vilaine!
Peste! une précieuse en dirait-elle plus?
Ah! je l'ai mal connue, ou, ma foi, là-dessus
Une sotte en sait plus que le plus habile homme.
Puisqu'en raisonnement votre esprit se consomme,[12]   1545
La belle raisonneuse, est-ce qu'un si long temps
Je vous aurai pour lui nourrie à mes dépens?

AGNÈS

Non, il vous rendra tout jusques au dernier double.[13]

ARNOLPHE

Elle a de certains mots où mon dépit redouble.
Me rendra-t-il, coquine, avec tout son pouvoir,   1550
Les obligations que vous pouvez m'avoir?

AGNÈS

Je ne vous en ai pas de si grandes qu'on pense.

ARNOLPHE

N'est-ce rien que les soins d'élever votre enfance?

AGNÈS

Vous avez là dedans bien opéré vraiment,
Et m'avez fait en tout instruire joliment!   1555
Croit-on que je me flatte, et qu'enfin dans ma tête
Je ne juge pas bien que je suis une bête?
Moi-même j'en ai honte, et, dans l'âge où je suis,
Je ne veux plus passer pour sotte, si je puis.

ARNOLPHE

Vous fuyez l'ignorance, et voulez, quoi qu'il coûte,   1560
Apprendre du blondin quelque chose.

AGNÈS

Sans doute.
C'est de lui que je sais ce que je puis savoir,
Et beaucoup plus qu'à vous je pense lui devoir.

ARNOLPHE

Je ne sais qui me tient qu'avec une gourmade[14]
Ma main de ce discours ne venge la bravade.   1565
J'enrage quand je vois sa piquante froideur,
Et quelques coups de poing satisferaient mon cœur.

AGNÈS

Hélas! vous le pouvez, si cela peut vous plaire.

ARNOLPHE

Ce mot, et ce regard, désarme ma colère,
Et produit un retour de tendresse de cœur   1570

---

[12] *votre . . . consomme:* your mind is spent
[13] coin of small value [cf. cent]
[14] slap

Qui de son action m'efface la noirceur.
Chose étrange d'aimer, et que pour ces traîtresses
Les hommes soient sujets à de telles faiblesses !
Tout le monde connaît leur imperfection :
Ce n'est qu'extravagance et qu'indiscrétion.
Leur esprit est méchant, et leur âme fragile ;
Il n'est rien de plus faible et de plus imbécile.[15]
Rien de plus infidèle ; et, malgré tout cela,
Dans le monde on fait tout pour ces animaux-là.
Hé bien ! faisons la paix ; va, petite traîtresse,
Je te pardonne tout, et te rends ma tendresse.
Considère par là l'amour que j'ai pour toi,
Et, me voyant si bon, en revanche aime-moi.

AGNÈS

Du meilleur de mon cœur je voudrais vous complaire.
Que me coûterait-il, si je le pouvais faire ?

ARNOLPHE

Mon pauvre petit bec[16], tu le peux, si tu veux.
    (*Il fait un soupir.*)
Écoute seulement ce soupir amoureux ;
Vois ce regard mourant, contemple ma personne,
Et quitte ce morveux[17] et l'amour qu'il te donne.
C'est quelque sort qu'il faut qu'il ait jeté sur toi,[18]
Et tu seras cent fois plus heureuse avec moi.
Ta forte passion est d'être brave et leste.[19]
Tu le seras toujours, va, je te le proteste.
Sans cesse nuit et jour je te caresserai,
Je te bouchonnerai,[20] baiserai, mangerai.
Tout comme tu voudras tu pourras te conduire.
Je ne m'explique point, et cela c'est tout dire.
    (*A part.*)
Jusqu'où la passion peut-elle faire aller ?
    (*Haut.*)
Enfin, à mon amour rien ne peut s'égaler.
Quelle preuve veux-tu que je t'en donne, ingrate ?
Me veux-tu voir pleurer ? veux-tu que je me batte ?
Veux-tu que je m'arrache un côté de cheveux ?
Veux-tu que je me tue ? Oui, dis si tu le veux.
Je suis tout prêt, cruelle, à te prouver ma flamme.

AGNÈS

Tenez, tous vos discours ne me touchent point l'âme.
Horace avec deux mots en ferait plus que vous.

ARNOLPHE

Ah ! c'est trop me braver, trop pousser mon courroux.
Je suivrai mon dessein, bête trop indocile,
Et vous dénicherez à l'instant de la ville.
1575 Vous rebutez mes vœux, et me mettez à bout,   161●
Mais un cul de couvent[21] me vengera de tout.

Scène V. — ALAIN, ARNOLPHE

1580

ALAIN

Je ne sais ce que c'est, Monsieur, mais il me semble
Qu'Agnès et le corps mort s'en sont allés ensemble.

ARNOLPHE

La voici : dans ma chambre allez me la nicher.[22]
1585 Ce ne sera pas là qu'il la viendra chercher ;   161●
Et puis c'est seulement pour une demie-heure.
Je vais, pour lui donner une sûre demeure,
Trouver une voiture ; enfermez-vous des mieux,
Et surtout gardez-vous de la quitter des yeux.
Peut-être que son âme, étant dépaysée[23]   162●
Pourra de cet amour être désabusée.

1590

Scène VI. — HORACE, ARNOLPHE

HORACE

Ah ! je viens vous trouver accablé de douleur.
1595 Le Ciel, Seigneur Arnolphe, a conclu mon malheur,
Et, par un trait fatal d'une injustice extrême,
On me veut arracher de la beauté que j'aime.   162●
Pour arriver ici mon père a pris le frais :[24]
J'ai trouvé qu'il mettait pied à terre ici près,
Et la cause, en un mot, d'une telle venue,
Qui, comme je disais, ne m'était pas connue,
1600 C'est qu'il m'a marié sans m'en récrire rien,   163●
Et qu'il vient en ces lieux célébrer ce lien.
Jugez, en prenant part à mon inquiétude,
S'il pouvait m'arriver un contre-temps plus rude.
Cet Enrique, dont hier je m'informais à vous,
Cause tout le malheur dont je ressens les coups :   163●
Il vient avec mon père achever ma ruine,
Et c'est sa fille unique à qui l'on me destine.
J'ai dès leurs premiers mots pensé m'évanouir ;
Et d'abord, sans vouloir plus longtemps les ouïr,
Mon père ayant parlé de vous rendre visite,   16●

[15] weak
[16] dear little one
[17] snot-nosed (boy)
[18] *jeter un sort:* to cast a spell
[19] *brave et leste:* well-dressed and elegant
[20] *Je te bouchonnerai:* I'll coddle you

[21] *cul de couvent:* convent cell
[22] *Dans . . . nicher:* Put her in my room
[23] removed from its usual surroundings
[24] *a pris le frais:* has set out

L'esprit plein de frayeur, je l'ai devancé vite.
De grâce, gardez-vous de lui rien découvrir
De mon engagement, qui le pourrait aigrir,
Et tâchez, comme en vous il prend grande créance[25],
De le dissuader de cette autre alliance.

ARNOLPHE

Oui-da.[26]

HORACE

Conseillez-lui de différer un peu,
Et rendez en ami ce service à mon feu.

ARNOLPHE

Je n'y manquerai pas.

HORACE

C'est en vous que j'espère.

ARNOLPHE

Fort bien.

HORACE

Et je vous tiens mon véritable père.
Dites-lui que mon âge . . . Ah! je le vois venir.
Écoutez les raisons que je vous puis fournir.
(*Ils demeurent en un coin du théâtre.*)

Scène VII. — ENRIQUE, ORONTE, CHRYSALDE,
HORACE, ARNOLPHE

ENRIQUE, à *Chrysalde.*

Aussitôt qu'à mes yeux je vous ai vu paraître,
Quand on ne m'eût rien dit, j'aurais su vous connaître.
Je vous vois tous les traits de cette aimable sœur
Dont l'hymen autrefois m'avait fait possesseur;[27]
Et je serais heureux si la Parque cruelle[28]
M'eût laissé ramener cette épouse fidèle,
Pour jouir avec moi des sensibles douceurs
De revoir tous les siens après nos longs malheurs.
Mais, puisque du destin la fatale puissance
Nous prive pour jamais de sa chère présence,
Tâchons de nous résoudre,[29] et de nous contenter
Du seul fruit amoureux qu'il m'en est pu rester:
Il vous touche de près, et sans votre suffrage

J'aurais tort de vouloir disposer de ce gage.[30]   1665
Le choix du fils d'Oronte est glorieux de soi.
Mais il faut que ce choix plaise comme à moi.

CHRYSALDE

1645   C'est de mon jugement avoir mauvaise estime,
Que douter si j'approuve un choix si légitime.

ARNOLPHE, à *Horace.*

Oui, je vais vous servir de la bonne façon.   1670

HORACE

Gardez encore un coup . . .

ARNOLPHE

N'ayez aucun soupçon.

ORONTE, à *Arnolphe.*

Ah! que cette embrassade est pleine de tendresse!

ARNOLPHE

Que je sens à vous voir une grande allégresse!

ORONTE

1650   Je suis ici venu . . .

ARNOLPHE

Sans m'en faire récit,
Je sais ce qui vous mène.   1675

ORONTE

On vous l'a déjà dit?

ARNOLPHE

Oui.

ORONTE

Tant mieux.

ARNOLPHE

1655   Votre fils à cet hymen résiste,
Et son cœur prévenu n'y voit rien que de triste;
Il m'a même prié de vous en détourner.
Et moi, tout le conseil que je vous puis donner,
1660   C'est de ne pas souffrir que ce nœud se diffère   1680
Et de faire valoir l'autorité de père.
Il faut avec vigueur ranger[31] les jeunes gens,
Et nous faisons contre eux à leur être indulgens.[32]

HORACE

Ah! traître!

---

[25] confidence
[26] Oh, yes indeed
[27] Enrique is Chrysalde's brother-in-law
[28] Atropos one of the Three Fates [*Parques*] of Classical Mythology: Clotho spun the thread of human life; Lachesis measured it; and Atropos cut the thread
[29] *nous résoudre:* resign ourselves

[30] *Je . . . gage:* I would be wrong to wish to dispose of this living proof (of my love for my wife)
[31] force to do their duty
[32] *Et nous . . . indulgens:* and we do them a disservice by being indulgent

CHRYSALDE

Si son cœur a quelque répugnance,
Je tiens qu'on ne doit pas lui faire violence.
Mon frère, que je crois, sera de mon avis.

ARNOLPHE

Quoi! se laissera-t-il gouverner par son fils?
Est-ce que vous voulez qu'un père ait la mollesse
De ne savoir pas faire obéir la jeunesse?
Il serait beau, vraiment, qu'on le vît aujourd'hui
Prendre loi de qui doit la recevoir de lui.
Non, non, c'est mon intime, et sa gloire est la mienne;
Sa parole est donnée, il faut qu'il la maintienne,
Qu'il fasse voir ici de fermes sentiments,
Et force de son fils tous les attachements.

ORONTE

C'est parler comme il faut, et, dans cette alliance,
C'est moi qui vous réponds de son obéissance.

CHRYSALDE, à *Arnolphe.*

Je suis surpris, pour moi, du grand empressement
Que vous me faites voir pour cet engagement,
Et ne puis deviner quel motif vous inspire ...   1700

ARNOLPHE

Je sais ce que je fais, et dis ce qu'il faut dire.

ORONTE

Oui, oui, Seigneur Arnolphe, il est ...

CHRYSALDE

Ce nom l'aigrit;
C'est monsieur de la Souche, on vous l'a déjà dit.

ARNOLPHE

Il n'importe.

HORACE

Qu'entends-je?

ARNOLPHE, *se retournant vers Horace.*
Oui, c'est là le mystère.
Et vous pouvez juger ce que je devais faire.

HORACE

En quel trouble ...

Scène VIII. — GEORGETTE, ENRIQUE, ORONTE,
CHRYSALDE, HORACE, ARNOLPHE

GEORGETTE

Monsieur, si vous n'êtes auprès,
Nous aurons de la peine à retenir Agnès:
Elle veut à tous coups s'échapper, et peut-être
Qu'elle se pourrait bien jeter par la fenêtre.

ARNOLPHE

Faites-la-moi venir; aussi bien de ce pas   1710
1985 Prétends-je l'emmener.

(*A Horace.*)
Ne vous en fâchez pas:
Un bonheur continu rendrait l'homme superbe,
Et chacun a son tour, comme dit le proverbe.[33]

HORACE

1690 Quels maux peuvent, ô Ciel, égaler mes ennuis?   1715
Et s'est-on jamais vu dans l'abîme où je suis?

ARNOLPHE, à *Oronte.*

Pressez vite le jour de la cérémonie;
1695 J'y prends part, et déjà moi-même je m'en prie.[34]

ORONTE

C'est bien notre dessein.

Scène IX. — AGNÈS, ALAIN, GEORGETTE, ORONTE,
ENRIQUE, ARNOLPHE, HORACE, CHRYSLADE

ARNOLPHE

Venez, belle, venez,
Qu'on ne saurait tenir,[35] et qui vous mutinez.
Voici votre galant, à qui pour récompense   1720
Vous pouvez faire une humble et douce révérence.
Adieu, l'événement trompe un peu vos souhaits;
Mais tous les amoureux ne sont pas satisfaits.

AGNÈS

Me laissez-vous, Horace, emmener de la sorte?

HORACE

Je ne sais où j'en suis, tant ma douleur est forte.   172

ARNOLPHE

Allons, causeuse,[36] allons.

AGNÈS

Je veux rester ici.

ORONTE

Dites-nous ce que c'est que ce mystère-ci.
Nous nous regardons tous sans le pouvoir comprendre.

ARNOLPHE

Avec plus de loisir je pourrai vous l'apprendre.
Jusqu'au revoir.   173

[33] That is, everyone has his turn at being unhappy; now,
it is Horace's turn
[34] *je m'en prie:* I invite myself to it
[35] hold back
[36] talker

ORONTE
Où donc prétendez-vous aller?
Vous ne nous parlez point comme il nous faut parler.

ARNOLPHE
Je vous ai conseillé, malgré tout son murmure,
D'achever l'hyménée.

ORONTE
Oui, mais pour le conclure,
Si l'on vous a dit tout, ne vous a-t-on pas dit
Que vous avez chez vous celle dont il s'agit,
La fille qu'autrefois de l'aimable Angélique
Sous des liens secrets eut le seigneur Enrique?
Sur quoi votre discours était-il donc fondé?

CHRYSALDE
Je m'étonnais aussi de voir son procédé.

ARNOLPHE
Quoi!...

CHRYSALDE
D'un hymen secret ma sœur eut une fille
Dont on cacha le sort à toute la famille.

ORONTE
Et qui, sous de feints noms, pour ne rien découvrir,
Par son époux, aux champs, fut donnée à nourrir.[37]

CHRYSALDE
Et dans ce temps le sort, lui déclarant la guerre,
L'obligea de sortir de sa natale terre.

ORONTE
Et d'aller essuyer mille périls divers
Dans ces lieux séparés de nous par tant de mers.

CHRYSALDE
Où ses soins ont gagné ce que dans sa patrie
Avaient pu lui ravir l'imposture et l'envie.

ORONTE
Et de retour en France, il[38] a cherché d'abord
Celle à qui de sa fille il confia le sort.

CHRYSALDE
Et cette paysanne a dit avec franchise
Qu'en vos mains à quatre ans elle l'avait remise.

ORONTE
Et qu'elle l'avait fait, sur votre charité,
Par un accablement d'extrême pauvreté.   1755

[37] aux champs ... à nourrir: was sent to a nurse in the country
[38] i.e., Enrique

CHRYSALDE
Et lui, plein de transport et l'allégresse en l'âme,
A fait jusqu'en ces lieux conduire cette femme.

ORONTE
Et vous allez enfin la voir venir ici
Pour rendre aux yeux de tous ce mystère éclairci.

CHRYSALDE
Je devine à peu près quel est votre supplice;   1760
Mais le sort en cela ne vous est que propice.
1735 Si n'être point cocu vous semble un si grand bien,
Ne vous point marier en est le vrai moyen.

ARNOLPHE, s'en allant tout transporté et
ne pouvant parler.
Oh!

ORONTE
D'où vient qu'il s'enfuit sans rien dire?

1740   HORACE
Ah! mon père,
Vous saurez pleinement ce surprenant mystère.   1765
Le hasard en ces lieux avait exécuté
Ce que votre sagesse avait prémédité.
J'étais, par les doux nœuds d'une ardeur mutuelle,
Engagé de parole avecque cette belle;
Et c'est elle, en un mot, que vous venez chercher,   1770
Et pour qui mon refus a pensé vous fâcher.

ENRIQUE
1745 Je n'en ai point douté d'abord que je l'ai vue,
Et mon âme depuis n'a cessé d'être émue.
Ah! ma fille, je cède à des transports si doux.

CHRYSALDE
J'en ferais de bon cœur, mon frère, autant que vous,   1775
Mais ces lieux et cela ne s'accommodent guères.
Allons dans la maison débrouiller ces mystères,
Payer à notre ami ses soins officieux,
Et rendre grâce au Ciel, qui fait tout pour le mieux.
1750

ACTE I

1. *Quelle est la manie d'Arnolphe?*

2. *Sous le calme raisonnable d'Arnolphe cette manie se révèle par certains mots ou images répétés. Lesquels?*

3. *Molière veut-il qu'Arnolphe nous soit complètement antipathique? Trouvez des preuves dans les premières scènes pour justifier votre réponse.*

4. *Pourquoi Chrysalde, sujet au même destin que*

tous les maris, n'est-il pas aussi vulnérable que son ami?

5. *Expliquez l'ironie des derniers vers (196–198) de la Scène i.*

6. *Quelle est l'attitude des domestiques, Alain et Georgette, envers leur maître?*

7. *Comparez cette scène avec la Scène i., où Arnolphe est tout à fait maître de la situation. Qu'est-ce que Molière veut montrer par ce contraste dramatique?*

8. *Expliquez les sous-entendus des réponses d'Arnolphe aux premières paroles d'Agnès (Scène iii.).*

9. *Qu'y a-t-il de comique dans la réponse d'Agnès au vers 239 (rappelez-vous l'image du cocu qui hante l'esprit d'Arnolphe)?*

10. *Par quelles qualités, physiques et morales, Molière rend-t-il Horace plus sympathique qu'Arnolphe?*

11. *La Scène iv. est typique de l'acte entier. Elle est construite sur une péripétie. Expliquez.*

Acte II

12. *Pourquoi Arnolphe blâme-t-il Alain et Georgette (Scène ii.)?*

13. Je suffoque et voudrais me pouvoir mettre nu *(v. 394); Ce vers révèle le fond du cœur de ce monomane obsédé du désir charnel. Expliquez.*

14. *En quoi consiste l'innocence d'Agnès? – franchise? naïveté? audace? ignorance?*

15. *En quel sens la civilité d'Agnès est-elle une arme qu'Arnolphe s'est forgée contre lui-même?*

16. *L'amour entre Horace et Agnès. Est-il du même genre que celui dont Arnolphe est obsédé?*

17. *Molière ne cache pas qu'Horace a employé certains stratagèmes en faisant sa cour à Agnès: l'entremise de la vieille femme, des cadeaux, de l'argent pour les domestiques. Molière veut-il que nous condamnions ces procédés?*

18. *Quel est le comique des reparties (vers 570 et sq.)?*

19. *A partir du vers 612 la Scène v. est construite sur un malentendu. Expliquez.*

Acte III

20. *Par ses reproches, Arnolphe achève, malgré lui, l'éducation d'Agnès. Expliquez.*

21. *Quel trait essentiel caractérise toutes Les Maximes du Mariage?*

22. *Arnolphe et Horace se servent également de stratagèmes pour arriver à leurs buts. Pourquoi approuvons-nous les uns et non les autres?*

23. *Molière essaie-t-il de justifier le stratagème de l'innocente Agnès qui jette un billet à Horace en faisant semblant de repousser sa cour? (Relisez les vers 900, 909, 919–921, 944).*

24. *Analysez la lettre d'Agnès. Y voyez-vous plutôt des traits de son ingénuité que de son innocence? Etes-vous d'accord avec certains critiques qui ont trouvé Agnès une jeune fille subtile et troublante?*

25. *Des deux raisons que donne Arnolphe pour son dépit (vers 988–989), laquelle est vraiment la plus forte?*

Acte IV

26. *Quelle changement a eu lieu dans le caractère d'Arnolphe depuis la première scène de la pièce?*

27. *Qu'est-ce qui lui importe le plus désormais: la possession d'Agnès ou la défaite d'Horace?*

28. *Arnolphe voit que l'isolement d'Agnès n'a pas réussi. Quel remède choisit-il?*

29. *Horace dans l'armoire chez Agnès et Arnolphe cherchant l'amant – c'est l'image classique du cocuage. Comment Molière épargne-t-il à Agnès la condamnation qui s'attache à cette situation?*

30. *Quel intérêt y a-t-il à faire entrer en scène, sur ces entrefaites, le raisonnable Chrysalde?*

31. *Résumez la philosophie de Chrysalde. (IV. VIII.)*

32. *Quel est l'effet dramatique de ce discours raisonnable adressé à un jaloux enragé?*

Acte V

33. *Avec le vers 1462 (V. iii.) Agnès donne sa*

première réplique spontanée depuis le vers 641 (II. v.). Mais, dans l'intervalle, elle a achevé son éducation. Nous l'avons su indirectement, en apprenant qu'elle emploie divers strata-gèmes. Pourquoi Molière ne nous a-t-il pas montré Agnès employant ces stratagèmes?

34. Le moyen de chasser ce qui fait du plaisir? (v. 1527). Voici la troisième attitude ou philo-sophie exprimée dans la pièce. Quelles sont les deux autres, représentées par Arnolphe et Chrysalde?

35. Jusqu'où Arnolphe est-il prêt à aller pour posséder Agnès?

36. Le hasard joue un grand rôle dans la défaite des desseins d'Arnolphe. (Voyez l'introduction où nous avons appelé le hasard un véritable deus ex machina.) Le hasard ne fait que con-firmer la leçon de la pièce, que ces desseins étaient dès le début voués à l'échec. Expliquez.

QUESTIONS GÉNÉRALES:

37. Quel sens faut-il prêter au titre de la pièce?

38. Discutez: les stratagèmes amoureux et la morale de Molière.

39. Expliquez la remarque de Thierry Maulnier sur le monde de Molière: « cette tension, cette fièvre sublime . . . où chaque acteur semble doublé d'un inavouable fantôme dont il n'est que le masque faussement rassurant. »

40. Quelle leçon doit-on tirer du développement naturel d'Agnès?

41. L'opinion de Molière sur le mariage? sur l'égalité des sexes? Discutez.

42. L'emploi de l'alexandrin chez Molière. Est-ce que le vers rend la pièce plus émouvante? plus intense? lui confère une autre dimension?

43. Doit-on limiter la poésie du théâtre unique-ment à l'emploi des images ou d'un rythme défini? N'y a-t-il pas, dans l'architecture de la pièce, dans l'équilibre de sa forme et l'agence-ment de ces caractères cette « autre dimension poétique »? Peut-on parler du « lyrisme de Molière »?

Phèdre

JEAN RACINE (1639–1699)

Many of the conventions found in Molière's comedy are to be found in Racine's Phèdre. The play conforms to the three unities, and even stricter respect is shown for les bienséances. The observance of these limiting conventions rein-forces the lesson of Racine's play. Limitation to a single place, the inexorable march of events within the twenty-four hours of the play—these esthetic rigors create a closed atmosphere of crisis in which the characters move tensely to a paroxysm of violence. When the paroxysm has subsided, all of the characters have finally learned that man is a limited creature in an indifferent and possibly hostile universe.

These first remarks point to the question inevitably raised in discussing Phèdre: what, according to Racine, is the nature of human limitation? What are those forces or obstacles which doom human endeavor to a tragic outcome?

A study of these limitations might best begin with a remark about the atmosphere of the play. It seems heavy with menace, with the expectation of some imminent disaster; something seems bound to happen. Certain critics explain this atmosphere as a transposition of Racine's Jansenist outlook into the play. To a person influenced at an early age by the Jansenist notions of grace and predestination (see Pascal, p. 234), Phèdre and Hippolyte might seem doomed to sin, shame and destruction. Phèdre's mother was Pasiphaé, who lusted after a bull and gave birth to a monster, the Minotaur. Hippolyte's mother was the Amazon Antiope, who was seduced by Thésée.* A Jansenist might assume that such parentage doomed Phèdre

* For simplicity the French forms of these mythical names will be used throughout. Considerably different versions of these events are given by Greek and Roman authors. In his The Greek Myths Robert Graves gives eight different versions of the relations between Theseus and the Amazons.

and *Hippolyte* in advance. Yet the author's background does not explain the play adequately. Jansenism implies an omnipotent Christian God who has chosen to punish *Phèdre* and *Hippolyte* for the sins of their parents. There is no divine presence of this kind in the play, as we shall see in a moment.

Another explanation might take into account the literary sources which are said to have influenced Racine in the writing of the play. Other French dramatists had written plays on the same subject—notably, Robert Garnier, *Hippolyte* (1574) and Gabriel Gilbert, *Hippolyte* (1647). More important still are the influences of Euripides' *Hippolytus* (428 B.C.) and Seneca's *Phaedra* (c. 60 A.D.).

Phèdre differs from its Greek predecessor most obviously in the use of the gods. Euripides presents Artemis and Aphrodite as characters in his play. The presence of the gods in the play may be interpreted to mean that man is limited by divine interference, by fate. Or, since the goddesses (as Euripides represents them) behave in a spiteful and undignified way, they may represent mere chance which governs the lives of men.

Racine, at any rate, allows no gods to appear in his play, although they are constantly referred to.* He has, to a great extent, internalized the forces (whether of destiny or chance) which Euripides represented in a literal way.

In Racine's play, limitation is imposed from within the human personality itself. One excellent example of this aspect of Racine's dramaturgy is the character of Aricie. She does not appear in the ancient legends and was in fact invented by Racine.† Why? Quite clearly, Hippolyte's devotion to Artemis did not seem a sufficient motive to Racine. Devotion to the goddess is replaced, in Racine's version of the play, by an erotic attachment to a real woman. All the characters are driven by strong emotions: sexual passion, tender

love, pride; their inability to control these emotions shows that man is limited by his psychological make-up. Yet, the pattern of conflicting desires prevents us from saying "if things were different, there would be no tragedy".

The psychological limitation is, therefore, merely one of a whole constellation of forces. Another type of limitation appears in the observance of the bienséances. The characters observe at all times a certain kind of decorum, a code of polite behaviour and linguistic restraint which is in keeping with the society projected by the play, a society which reflects the courtly atmosphere in which Racine himself lived. (In Racine's own day, *Phèdre* was played in a setting and with costumes which suggested a compromise between Greek fashion and the fashions of Racine's own time.)

Time itself is another inexorable limitation. Each moment brings a new danger as the play mounts toward its paroxysm. Time has worked against the principal characters, and it is the advance of time which forces them to make their disastrous choices.

Our study of limitation, as it is dramatized in *Phèdre*, would be incomplete if we did not mention Racine's poetry, and particularly the emotional resonance of style—or tone. Tone has, in fact, been called "the fourth unity," and it is clear that a complex vision of the human condition, such as Racine's, requires an expressive poetic vehicle. Many of the techniques we developed in the study of poetry are useful here: isolation of mots-clef, metrical analysis, explication of metaphor, study of syntax, and so on.

A useful study may be made of Racine's diction, that is, his choice of language. Of the two hundred most frequently used words in *Phèdre* approximately one third of them are strongly emotional in connotation: for example, cœur, amour, crime, craindre, cher, cruel, douleur, ennemi, horreur, pleurs, feu, funeste, fureur, haine. These words point to the violent and destructive emotions which conflict between (and within) the various characters. However, they are expressed in a superbly controlled fashion. These emotions are contained and controlled by the alexandrin

---

* In verses 679–682 Phèdre directly blames the gods for her illicit love

† "invented" at least for a drama based on this subject although Racine himself points to her existence in Virgil's poetry

line with its césure and rime. There is relatively little realistic detail. The effectiveness of Racine's verse comes from internal resonance rather than surface excitement. Consider, for example, the persistence of the rime in ère (or its phonetic equivalent aire) in connection with the subject of the play: the mother (mère) faithless to the father (père). Much of the beauty of Racine's poetry lies in its harmony and in the architecture of the long speeches (les tirades) in which the characters so eloquently explore their dramatic situation.

Even as they yield to the force of their passions, Racine's characters are reflective. The major semantic complex of the play centers around the notion of seeing: voir occurs eighty-nine times, and œil–yeux sixty-six times. Also note the frequency of related visual concepts: jour (in the sense of light); lumière; cacher; chercher; ombre; soleil; and so on. The eye is an age-old metaphor of the intellectual functions ("see" meaning "understand"). This group of words, centering on the intellectual functions, contrasts with the highly emotional language we have already discussed.

We have, up to this point, emphasized the limitations placed upon the characters—by fate, by chance, by society, by the very nature of human personality. But the characters do not meekly accept this limitation. The very action of the play reflects the characters' need to escape from the complex limitations which, as we have seen, are imposed on them from without and within themselves. At the beginning of the play each of the principal characters wants to avoid involvement. Hippolyte announces early in the play his desire to run away: . . . je pars, cher Théramène / Et quitte le séjour de l'aimable Trézène. Phèdre, when first we see her, seems only to wish to return into hiding.

But Phèdre and Hippolyte, despite their apparent wish to avoid entanglement, are brought into conflict by Phèdre's ill-suppressed desires. Racine uses a specific device to reveal the hidden or suppressed depth of the personality: the confidant.

These secondary characters of lower social status encourage in a direct and straightforward way the repressed desires of their masters. Oenone encourages Phèdre's love for Hippolyte. Théramène encourages Hippolyte's love for Aricie. When Phèdre gives in to her guilty desires and confesses her love to Hippolyte, conflict and the tragic dénouement become inevitable.

The political crisis carries the psychological crisis forward. Phèdre's repressed desires find a permissible substitute in political action. The same is true of Hippolyte who wishes to make the kingdom a lover's gift to Aricie. The entanglement of these motives appears in Act II, scene 2, where Hippolyte, speaking first of political matters, finally declares his love to Aricie and says: la raison cède à la violence.

The psychological limitation is woven into the texture of the play by a recurrent symbol—the monster. Thésée is a slayer of monsters. We have spoken of Phèdre's mother, Pasiphaé, who bore a monster, the Minotaur, from her union with a bull. Hippolyte, whom Thésée actually greets as a monstre is the son of an Amazon, a woman monstrous in her physical prowess; and Hippolyte is killed, finally, by a monster from the sea. The monster symbol would therefore seem to suggest that human passion is not subject to reason: . . . la raison cède à la violence. Or again, in the words of Phèdre herself: ma folle ardeur malgré moi se déclare. Our humanity, which is above all our rationality, is limited by the brutal and uncontrollable instincts of sexual passion.

We have scarcely spoken, so far, of Thésée. What is his role in the play? It is Thésée who—from his status as father and husband—must pass moral judgment on Phèdre and Hippolyte. Yet he seems singularly unfit to do so, for he has been wandering around the world in search of amourous adventures while, at home, his family and kingdom degenerate into crisis. Thésée is an amoral man who believes himself beyond good and evil. But as he speaks in the final speech of the play about mon erreur and les complots d'une injuste famille, it is clear that he is addressing a moral reproach to *himself. Along with Aricie, he becomes a witness to the tragedy of the human condition. He takes Aricie to his bosom, not in the role which he had taken all women until that time (i.e., as mistress), but in the role of daughter. This change in Thésée reflects a new moral awareness. The search for knowledge is reflected in the very language of the play, as we have seen; and this knowledge of the limits of the human condition survives in Thésée, who now acknowledges the existence of tragedy and accepts fully his own responsibilities in the catastrophe which has just occurred.*

Personnages

THÉSÉE, fils d'Egée, roi d'Athènes

PHÈDRE, femme de Thésée, fille de Minos et de
  Pasiphaé

HIPPOLYTE, fils de Thésée, et d'Antiope, reine des
  Amazones

ARICIE, princesse du sang royal d'Athènes

ŒNONE, nourrice et confidente de Phèdre

THÉRAMÈNE, gouverneur d'Hippolyte

ISMÈNE, confidente d'Aricie

PANOPE, femme de la suite de Phèdre

GARDES

La scène est à Trézène, ville du Péloponnèse

ACTE PREMIER

Scène première. — HIPPOLYTE, THÉRAMÈNE

HIPPOLYTE

Le dessein en est pris: je pars, cher Théramène,
Et quitte le séjour de l'aimable Trézène.[1]
Dans le doute mortel dont je suis agité,
Je commence à rougir de mon oisiveté.
Depuis plus de six mois éloigné de mon père,   5
J'ignore le destin d'une tête si chère;
J'ignore jusqu'aux lieux qui le peuvent cacher.

THÉRAMÈNE

Et dans quels lieux, Seigneur, l'allez-vous donc
                                           chercher?

Déjà, pour satisfaire à votre juste crainte,
J'ai couru les deux mers que sépare Corinthe[2];   10
J'ai demandé Thésée aux peuples de ces bords
Où l'on voit l'Achéron[3] se perdre chez les morts;
J'ai visité l'Élide[4], et laissant le Ténare,[5]
Passé jusqu'à la mer qui vit tomber Icare.[6]
Sur quel espoir nouveau, dans quels heureux climats 15
Croyez-vous découvrir la trace de ses pas?
Qui sait même, qui sait si le Roi votre père
Veut que de son absence on sache le mystère?
Et si, lorsqu'avec vous nous tremblons pour ses jours,
Tranquille, et nous cachant de nouvelles amours,   20
Ce héros n'attend point qu'une amante abusée . . .

HIPPOLYTE

Cher Théramène, arrête, et respecte Thésée.
De ses jeunes erreurs désormais revenu,
Par un indigne obstacle il n'est point retenu;
Et fixant de ses vœux l'inconstance fatale,   25
Phèdre depuis longtemps ne craint plus de rivale.
Enfin en le cherchant je suivrai mon devoir,
Et je fuirai ces lieux que je n'ose plus voir.

THÉRAMÈNE

Hé! depuis quand, Seigneur, craignez-vous la présence
De ces paisibles lieux, si chers à votre enfance,   30
Et dont je vous ai vu préférer le séjour
Au tumulte pompeux d'Athène et de la cour?
Quel péril, ou plutôt quel chagrin vous en chasse?

HIPPOLYTE

Cet heureux temps n'est plus. Tout a changé de face,
Depuis que sur ces bords les Dieux ont envoyé   35
La fille de Minos et de Pasiphaé.[7]

THÉRAMÈNE

J'entends: de vos douleurs la cause m'est connue.
Phèdre ici vous chagrine, et blesse votre vue.
Dangereuse marâtre,[8] à peine elle vous vit,

---

[1] *l'aimable Trézène:* recalls Homer who often names cities in this way. We shall soon learn of other reasons for Hippolyte's using the term "aimable"

[2] isthmus on the east coast of Greece. Thèraméne emphasizes the wide extent of Thésée's voyages

[3] river of Hades

[4] a country of ancient Greece on west coast of the Peloponnesus

[5] cape at southern tip of the Peloponnesus

[6] the son of Dedalus. [Fleeing from the Labyrinth of Crete by means of wings attached to him with wax, he came so near the sun that the wax melted, and he plunged into the Aegean sea]

[7] The very name of Phèdre's mother portends the daughter's unhappy fate: cursed by Venus, Pasiphaé was enamored of a bull; from this union was born the Minotaur

[8] cruel step-mother

Que votre exil d'abord signala son crédit.
Mais sa haine, sur vous autrefois attachée,
Ou s'est évanouie, ou s'est bien relâchée.
Et d'ailleurs quels périls vous peut faire courir
Une femme mourante et qui cherche à mourir?
Phèdre, atteinte d'un mal qu'elle s'obstine à taire,   45
Lasse enfin d'elle-même et du jour qui l'éclaire,
Peut-elle contre vous former quelques desseins?

HIPPOLYTE

Sa vaine inimitié n'est pas ce que je crains.
Hippolyte en partant fuit une autre ennemie:
Je fuis, je l'avouerai, cette jeune Aricie,   50
Reste d'un sang fatal conjuré contre nous.[9]

THÉRAMÈNE

Quoi! vous-même, Seigneur, la persécutez-vous?
Jamais l'aimable sœur des cruels Pallantides
Trempa-t-elle aux complots de ses frères perfides?
Et devez-vous haïr ses innocents appas?[10]   55

HIPPOLYTE

Si je la haïssais, je ne la fuirais pas.

THÉRAMÈNE

Seigneur, m'est-il permis d'expliquer votre fuite?
Pourriez-vous n'être plus ce superbe Hippolyte,
Implacable ennemi des amoureuses lois
Et d'un joug que Thésée a subi tant de fois?   60
Vénus,[11] par votre orgueil si longtemps méprisée,
Voudrait-elle à la fin justifier Thésée?
Et vous mettant au rang du reste des mortels,
Vous a-t-elle forcé d'encenser ses autels?
Aimeriez-vous, Seigneur?   65

HIPPOLYTE

Ami, qu'oses-tu dire?
Toi, qui connais mon cœur depuis que je respire,
Des sentiments d'un cœur si fier, si dédaigneux,
Peux-tu me demander le désaveu honteux?
C'est peu qu'avec son lait une mère amazone[12]
M'ait fait sucer encor cet orgueil qui t'étonne;   70
Dans un âge plus mûr moi-même parvenu,

Je me suis applaudi quand je me suis connu.   40
Attaché près de moi par un zèle sincère,
Tu me contais alors l'histoire de mon père.
Tu sais combien mon âme, attentive à ta voix,   75
S'échauffait au récits de ses nobles exploits,
Quand tu me dépeignais ce héros intrépide
Consolant les mortels de l'absence d'Alcide,[13]
Les monstres étouffés et les brigands punis,
Procuste, Cercyon, et Scirron, et Sinnis,[14]   80
Et les os dispersés du géant d'Épidaure,
Et la Crète fumant du sang du Minotaure.
Mais quand tu récitais des faits moins glorieux,
Sa foi partout offerte et reçue en cent lieux;
Hélène à ses parents dans Sparte dérobée;[15]   85
Salamine témoin des pleurs de Péribée;[16]
Tant d'autres, dont les noms lui sont même échappés,
Trop crédules esprits que sa flamme a trompés:
Ariane[17] aux rochers contant ses injustices,
Phèdre enlevée enfin sous de meilleurs auspices;[18]   90
Tu sais comme, à regret écoutant ce discours,
Je te pressais souvent d'en abréger le cours,
Heureux si j'avais pu ravir à la mémoire
Cette indigne moitié d'une si belle histoire!
Et moi-même, à mon tour, je me verrais lié?   95
Et les Dieux jusque-là m'auraient humilié?
Dans mes lâches soupirs d'autant plus méprisable,
Qu'un long amas d'honneurs rend Thésée excusable,
Qu'aucuns monstres par moi domptés jusqu'aujour-
                    d'hui
Ne m'ont acquis le droit de faillir[19] comme lui.   100
Quand même ma fierté pourrait s'être adoucie,
Aurais-je pour vainqueur dû choisir Aricie?
Ne souviendrait-il plus à mes sens égarés
De l'obstacle éternel qui nous a séparés?
Mon père la réprouve; et par des lois sévères   105
Il défend de donner des neveux à ses frères:
D'une tige coupable il craint un rejeton;[20]

[9] Aricie, daughter of Pallante, is at the time of the action the last of the Pallantides, holders of the throne of Athens whom the people of that city had deposed in favor of Thésée. Certain historians contest the Pallantides claim to the throne, but Racine has one of his characters testify to the legitimacy of their claim (see verses 494–507)

[10] charms

[11] goddes of love and beauty, mother of Cupid. [It is the goddess of love that Hippolyte has offended]

[12] Hippolyte, son of Thésée and of Antiope (Queen of the Amazons), is the step-son of Phèdre

[13] Hercules, heroic demigod who performed twelve impossible tasks, including the cleaning of the stables of Augias, and ridding Crete of a murderous bull

[14] *Procuste . . . Sinnis:* Cercyon was a fierce warrior; the others, torturers and murderers

[15] Helen had been carried off by Thésée before her marriage to Menelaus

[16] one of the abandoned loves of Thésée

[17] Phèdre's sister, who guided Thésée through the Labyrinth of Minos, later abandoned by him on the isle of Naxos

[18] that is, he married her

[19] *le droit de faillir:* i.e., the right to stray from the strait and narrow path

[20] *D'une tige . . . rejeton:* [Thésée fears a possible descendant from this guilty lineage]

Il veut avec leur sœur ensevelir leur nom,
Et que jusqu'au tombeau soumise à sa tutelle,
Jamais les feux d'hymen ne s'allument pour elle.   110
Dois-je épouser ses droits contre un père irrité?
Donnerai-je l'exemple à la témérité?
Et dans un fol amour ma jeunesse embarquée . . .

THÉRAMÈNE

Ah! Seigneur, si votre heure est une fois marquée,
Le ciel de nos raisons ne sait point s'informer.   115
Thésée ouvre vos yeux en voulant les fermer;
Et sa haine, irritant une flamme rebelle,
Prête à son ennemie une grâce nouvelle.
Enfin d'un chaste amour pourquoi vous effrayer?
S'il a quelque douceur, n'osez-vous l'essayer?   120
En croirez-vous toujours un farouche scrupule?
Craint-on de s'égarer sur les traces d'Hercule?
Quels courages Vénus n'a-t-elle point domptés?
Vous-même, où seriez-vous, vous qui la combattez,
Si toujours Antiope[21] à ses lois opposée,   125
D'une pudique ardeur n'eût brûlé pour Thésée?
Mais que sert d'affecter un superbe discours?
Avouez-le, tout change; et depuis quelques jours
On vous voit moins souvent, orgueilleux et sauvage,
Tantôt faire voler un char sur le rivage,   130
Tantôt, savant dans l'art par Neptune inventé,[22]
Rendre docile au frein un coursier indompté.
Les forêts de nos cris moins souvent retentissent;
Chargés d'un feu secret, vos yeux s'appesantissent.
Il n'en faut point douter: vous aimez, vous brûlez;   135
Vous périssez d'un mal que vous dissimulez.
La charmante Aricie a-t-elle su vous plaire?

HIPPOLYTE

Théramène, je pars, et vais chercher mon père.

THÉRAMÈNE

Ne verrez-vous point Phèdre avant que de partir,
Seigneur?   140

HIPPOLYTE

C'est mon dessein: tu peux l'en avertir.
Voyons-la, puisqu'ainsi mon devoir me l'ordonne.
Mais quel nouveau malheur trouble sa chère Œnone?

Scène II. — HIPPOLYTE, ŒNONE, THÉRAMÈNE

ŒNONE

Hélas! Seigneur, quel trouble au mien peut être égal?
La Reine touche presque à son terme fatal.

[21] Hippolyte's mother
[22] Neptune is the god of horses, of riding and of the sea.
He was reputed to be the father of Thésée and had promised
to grant Thésée any request

En vain à l'observer jour et nuit je m'attache: 145
Elle meurt dans mes bras d'un mal qu'elle me cache.
Un désordre éternel règne dans son esprit.
Son chagrin inquiet l'arrache de son lit.
Elle veut voir le jour; et sa douleur profonde
M'ordonne toutefois d'écarter tout le monde . . .   150
Elle vient.

HIPPOLYTE

Il suffit: je la laisse en ces lieux,
Et ne lui montre point un visage odieux.

Scène III. — PHÈDRE, ŒNONE

PHÈDRE

N'allons point plus avant. Demeurons, chère Œnone.
Je ne me soutiens plus: ma force m'abandonne.
Mes yeux sont éblouis du jour que je revoi,   155
Et mes genoux tremblants se dérobent sous moi.
Hélas!   (Elle s'assit.[23])

ŒNONE

Dieux tout-puissants, que nos pleurs vous apaisent!

PHÈDRE

Que ces vains ornements, que ces voiles me pèsent!
Quelle importune main, en formant tous ces nœuds,
A pris soin sur mon front d'assembler mes cheveux?   160
Tout m'afflige et me nuit, et conspire à me nuire.

ŒNONE

Comme on voit tous ses vœux l'un l'autre se détruire!
Vous-même, condamnant vos injustes desseins,
Tantôt à vous parer vous excitiez nos mains;
Vous-même, rappelant votre force première,   165
Vous vouliez vous montrer et revoir la lumière.
Vous la voyez, Madame; et prête à vous cacher,
Vous haïssez le jour que vous veniez chercher?

PHÈDRE

Noble et brillant auteur d'une triste famille,
Toi, dont ma mère osait se vanter d'être fille,   170
Qui peut-être rougis du trouble où tu me vois,
Soleil,[24] je te viens voir pour la dernière fois.

ŒNONE

Quoi? vous ne perdrez point cette cruelle envie?
Vous verrai-je toujours, renonçant à la vie,
Faire de votre mort les funestes apprêts?   175

PHÈDRE

Dieux! que ne suis-je assise à l'ombre des forêts!
Quand pourrai-je, au travers d'une noble poussière,
Suivre de l'œil un char fuyant dans la carrière?

[23] Elle s'assit: alternate form of that time for s'assied
[24] Pasiphaé was the daughter of the sun

ŒNONE

Quoi, Madame?

PHÈDRE

                Insensée, où suis-je? et qu'ai-je dit?
Où laissé-je égarer mes vœux et mon esprit?
Je l'ai perdu: les Dieux m'en ont ravi l'usage.   180
Œnone, la rougeur me couvre le visage:
Je te laisse trop voir mes honteuses douleurs;
Et mes yeux, malgré moi, se remplissent de pleurs.

ŒNONE

Ah! s'il vous faut rougir, rougissez d'un silence   185
Qui de vos maux encore aigrit la violence.
Rebelle à tous nos soins, sourde à tous nos discours,
Voulez-vous sans pitié laisser finir vos jours?
Quelle fureur les borne au milieu de leur course?
Quel charme ou quel poison en a tari la source?   190
Les ombres par trois fois ont obscurci les cieux
Depuis que le sommeil n'est entré dans vos yeux,
Et le jour a trois fois chassé la nuit obscure
Depuis que votre corps languit sans nourriture.
A quel affreux dessein vous laissez-vous tenter?   195
De quel droit sur vous-même osez-vous attenter?
Vous offensez les Dieux auteurs de votre vie;
Vous trahissez l'époux à qui la foi vous lie;
Vous trahissez enfin vos enfants malheureux,
Que vous précipitez sous un joug rigoureux.   200
Songez qu'un même jour leur ravira leur mère,
Et rendra l'espérance au fils de l'étrangère,
A ce fier ennemi de vous, de votre sang,
Ce fils qu'une Amazone a porté dans son flanc,
Cet Hippolyte...   205

PHÈDRE

Ah, Dieux!

ŒNONE

                Ce reproche vous touche.

PHÈDRE

Malheureuse, quel nom est sorti de ta bouche?

ŒNONE

Hé bien! votre colère éclate avec raison:
J'aime à vous voir frémir à ce funeste nom.
Vivez donc. Que l'amour, le devoir vous excite.
Vivez, ne souffrez pas que le fils d'une Scythe,   210
Accablant vos enfants d'un empire odieux,
Commande au plus beau sang de la Grèce et des Dieux.[25]
Mais ne différez point: chaque moment vous tue.
Réparez promptement votre force abattue,

[25] Œnone reminds Phèdre that her sons by Thésée are
demigods, since they are descendants through her of the Sun

Tandis que de vos jours, prêts à se consumer,   215
Le flambeau dure encore, et peut se rallumer.

PHÈDRE

J'en ai trop prolongé la coupable durée.

ŒNONE

Quoi? de quelques remords êtes-vous déchirée?
Quel crime a pu produire un trouble si pressant?
Vos mains n'ont point trempé dans le sang innocent?   220

PHÈDRE

Grâces au ciel, mes mains ne sont point criminelles.
Plût aux Dieux que mon cœur fût innocent comme
                                            elles!

ŒNONE

Et quel affreux projet avez-vous enfanté
Dont votre cœur encor doive être épouvanté?

PHÈDRE

Je t'en ai dit assez. Épargne-moi le reste.   225
Je meurs, pour ne point faire un aveu si funeste.

ŒNONE

Mourez donc, et gardez un silence inhumain;
Mais pour fermer vos yeux cherchez une autre main.
Quoiqu'il vous reste à peine une faible lumière,
Mon âme chez les morts descendra la première.   230
Mille chemins ouverts y conduisent toujours,
Et ma juste douleur choisira les plus courts.
Cruelle, quand ma foi vous a-t-elle déçue?
Songez-vous qu'en naissant mes bras vous ont reçue?
Mon pays, mes enfants, pour vous j'ai tout quitté.   235
Réserviez-vous ce prix à ma fidélité?

PHÈDRE

Quel fruit espères-tu de tant de violence?
Tu frémiras d'horreur si je romps le silence.

ŒNONE

Et que me direz-vous qui ne cède, grands Dieux!
A l'horreur de vous voir expirer à mes yeux?   240

PHÈDRE

Quand tu sauras mon crime, et le sort qui m'accable,
Je n'en mourrai pas moins, j'en mourrai plus coupable.

ŒNONE

Madame, au nom des pleurs que pour vous j'ai versés,
Par vos faibles genoux que je tiens embrassés,
Délivrez mon esprit de ce funeste doute.   245

PHÈDRE

Tu le veux. Lève-toi.

ŒNONE

                Parlez, je vous écoute.

PHÈDRE

Ciel! que lui vais-je dire, et par où commencer?

ŒNONE

Par de vaines frayeurs cessez de m'offenser.

PHÈDRE

O haine de Vénus! O fatale colère!
Dans quels égarements l'amour jeta ma mère! 250

ŒNONE

Oublions-les, Madame; et qu'à tout l'avenir
Un silence éternel cache ce souvenir.

PHÈDRE

Ariane, ma sœur, de quel amour blessée,
Vous mourûtes aux bords où vous fûtes laissée!

ŒNONE

Que faites-vous, Madame? et quel mortel ennui 255
Contre tout votre sang vous anime aujourd'hui?

PHÈDRE

Puisque Vénus le veut, de ce sang déplorable
Je péris la dernière et la plus misérable.

ŒNONE

Aimez-vous?

PHÈDRE

De l'amour j'ai toutes les fureurs.

ŒNONE

Pour qui?

PHÈDRE

Tu vas ouïr le comble des horreurs.
J'aime . . . A ce nom fatal, je tremble, je frissonne,
J'aime . . .

ŒNONE

Qui?

PHÈDRE

Tu connais ce fils de l'Amazone,
Ce prince si longtemps par moi-même opprimé?

ŒNONE

Hippolyte? Grands Dieux!

PHÈDRE

C'est toi qui l'as nommé.

ŒNONE

Juste ciel! tout mon sang dans mes veines se glace. 265
O désespoir! ô crime! ô déplorable race!
Voyage infortuné! Rivage malheureux,
Fallait-il approcher de tes bords dangereux?

PHÈDRE

Mon mal vient de plus loin. A peine au fils d'Égée[26]
Sous les lois de l'hymen je m'étais engagée, 270
Mon repos, mon bonheur semblait être affermi;
Athènes me montra mon superbe ennemi.
Je le vis, je rougis, je pâlis à sa vue;
Uu trouble s'éleva dans mon âme éperdue;
Mes yeux ne voyaient plus, je ne pouvais parler; 275
Je sentis tout mon corps et transir[27] et brûler.
Je reconnus Vénus et ses feux redoutables,
D'un sang qu'elle poursuit tourments inévitables.
Par des vœux assidus je crus les détourner:
Je lui bâtis un temple, et pris soin de l'orner. 280
De victimes moi-même à toute heure entourée,
Je cherchais dans leurs flancs ma raison égarée.
D'un incurable amour remèdes impuissants!
En vain sur les autels ma main brûlait l'encens:
Quand ma bouche implorait le nom de la Déesse, 285
J'adorais Hippolyte; et le voyant sans cesse,
Même au pied des autels que je faisais fumer,
J'offrais tout à ce dieu que je n'osais nommer.
Je l'évitais partout. O comble de misère!
Mes yeux le retrouvaient dans les traits de son père. 290
Contre moi-même enfin j'osai me révolter:
J'excitai mon courage à le persécuter.
Pour bannir l'ennemi dont j'étais idolâtre,
J'affectai les chagrins d'une injuste marâtre;
Je pressai son exil, et mes cris éternels 295
L'arrachèrent du sein et des bras paternels.
Je respirais, Œnone; et depuis son absence,
Mes jours moins agités coulaient dans l'innocence.
Soumise à mon époux, et cachant mes ennuis,
De son fatal hymen je cultivais les fruits. 300
Vaines précautions! Cruelle destinée!
Par mon époux lui-même à Trézène amenée,
J'ai revu l'ennemi que j'avais éloigné:
Ma blessure trop vive aussitôt a saigné.
Ce n'est plus une ardeur dans mes veines cachée: 305
C'est Vénus toute entière à sa proie attachée.
J'ai conçu pour mon crime une juste terreur;
J'ai pris la vie en haine, et ma flamme en horreur.
Je voulais en mourant prendre soin de ma gloire,
Et dérober au jour une flamme si noire: 310
Je n'ai pu soutenir tes larmes, tes combats;
Je t'ai tout avoué; je ne m'en repens pas,
Pourvu que de ma mort respectant les approches,
Tu ne m'affliges plus par d'injustes reproches,
Et que tes vains secours cessent de rappeler 315
Un reste de chaleur tout prêt à s'exhaler.

[26] fils d'Égée: Thésée
[27] become chilled

Scène IV. — PHÈDRE, ŒNONE, PANOPE

PANOPE

Je voudrais vous cacher une triste nouvelle,
Madame; mais il faut que je vous la révèle.
La mort vous a ravi votre invincible époux;
Et ce malheur n'est plus ignoré que de vous. 320

ŒNONE

Panope, que dis-tu?

PANOPE

    Que la Reine abusée
En vain demande au ciel le retour de Thésée;
Et que par des vaisseaux arrivés dans le port
Hippolyte, son fils, vient d'apprendre sa mort.

PHÈDRE

Ciel! 325

PANOPE

    Pour le choix d'un maître Athènes se partage.
Au Prince votre fils l'un donne son suffrage,
Madame; et de l'État l'autre oubliant les lois,
Au fils de l'étrangère ose donner sa voix.
On dit même qu'au trône une brigue insolente
Veut placer Aricie et le sang de Pallante. 330
J'ai cru de ce péril vous devoir avertir.
Déjà même Hippolyte est tout prêt à partir;
Et l'on craint, s'il paraît dans ce nouvel orage,
Qu'il n'entraîne après lui tout un peuple volage.

ŒNONE

Panope, c'est assez. La Reine, qui t'entend, 335
Ne négligera point cet avis important.

Scène V. — PHÈDRE, ŒNONE

ŒNONE

Madame, je cessais de vous presser de vivre;
Déjà même au tombeau je songeais à vous suivre;
Pour vous en détourner je n'avais plus de voix;
Mais ce nouveau malheur vous prescrit d'autres lois. 340
Votre fortune change et prend une autre face:
Le Roi n'est plus, Madame; il faut prendre sa place.
Sa mort vous laisse un fils à qui vous vous devez,
Esclave s'il vous perd, et roi si vous vivez.
Sur qui, dans son malheur, voulez-vous qu'il s'appuie? 345
Ses larmes n'auront plus de main qui les essuie;
Et ses cris innocents, portés jusques aux Dieux,
Iront contre sa mère irriter ses aïeux.
Vivez, vous n'avez plus de reproche à vous faire.
Votre flamme devient une flamme ordinaire. 350
Thésée en expirant vient de rompre les nœuds
Qui faisaient tout le crime et l'horreur de vos feux.

Hippolyte pour vous devient moins redoutable;
Et vous pouvez le voir sans vous rendre coupable.
Peut-être, convaincu de votre aversion, 355
Il va donner un chef à la sédition.
Détrompez son erreur, fléchissez son courage.
Roi de ces bords heureux, Trézène est son partage.
Mais il sait que les lois donnent à votre fils
Les superbes remparts que Minerve[28] a bâtis. 360
Vous avez l'un et l'autre une juste ennemie;
Unissez-vous tous deux pour combattre Aricie.

PHÈDRE

Hé bien! à tes conseils je me laisse entraîner.
Vivons, si vers la vie on peut me ramener,
Et si l'amour d'un fils en ce moment funeste 365
De mes faibles esprits peut ranimer le reste.

ACTE II

Scène première. — ARICIE, ISMÈNE

ARICIE

Hippolyte demande à me voir en ce lieu?
Hippolyte me cherche, et veut me dire adieu?
Ismène, dis-tu vrai? N'es-tu point abusée?

ISMÈNE

C'est le premier effet de la mort de Thésée. 370
Préparez-vous, Madame, à voir de tous côtés
Voler vers vous les cœurs par Thésée écartés.
Aricie à la fin de son sort est maîtresse,
Et bientôt à ses pieds verra toute la Grèce.

ARICIE

Ce n'est donc point, Ismène, un bruit mal affermi? 375
Je cesse d'être esclave, et n'ai plus d'ennemi?

ISMÈNE

Non, Madame, les Dieux ne vous sont plus contraires;
Et Thésée a rejoint les mânes[1] de vos frères.

ARICIE

Dit-on quelle aventure a terminé ses jours?

ISMÈNE

On sème de sa mort d'incroyables discours. 380
On dit que, ravisseur d'une amante nouvelle,
Les flots ont englouti cet époux infidèle.
On dit même, et ce bruit est partout répandu,

[28] Athena, goddess of wisdom, Patron goddess of Athens

---

[1] departed spirits

Qu'avec Pirithoüs[2] aux enfers descendu,
Il a vu le Cocyte[3] et les rivages sombres,
Et s'est montré vivant aux infernales ombres;
Mais qu'il n'a pu sortir de ce triste séjour,
Et repasser les bords qu'on passe sans retour.

ARICIE

Croirai-je qu'un mortel, avant sa dernière heure,
Peut pénétrer des morts la profonde demeure? 390
Quel charme l'attirait sur ces bords redoutés?

ISMÈNE

Thésée est mort, Madame, et vous seule en doutez.
Athènes en gémit, Trézène en est instruite,
Et déjà pour son roi reconnaît Hippolyte.
Phèdre, dans ce palais, tremblante pour son fils, 395
De ses amis troublés demande les avis.

ARICIE

Et tu crois que pour moi plus humain que son père,
Hippolyte rendra ma chaîne plus légère?
Qu'il plaindra mes malheurs?

ISMÈNE
                    Madame, je le croi.[4]

ARICIE

L'insensible Hippolyte est-il connu de toi? 400
Sur quel frivole espoir penses-tu qu'il me plaigne,
Et respecte en moi seule un sexe qu'il dédaigne?
Tu vois depuis quel temps il évite nos pas,
Et cherche tous les lieux où nous ne sommes pas.

ISMÈNE

Je sais de ses froideurs tout ce que l'on récite; 405
Mais j'ai vu près de vous ce superbe Hippolyte;
Et même, en le voyant, le bruit de sa fierté
A redoublé pour lui ma curiosité.
Sa présence à ce bruit n'a point paru répondre:
Dès vos premiers regards je l'ai vu se confondre. 410
Ses yeux, qui vainement voulaient vous éviter,
Déjà pleins de langueur, ne pouvaient vous quitter.
Le nom d'amant peut-être offense son courage;
Mais il en a les yeux, s'il n'en a le langage.

ARICIE

Que mon cœur, chère Ismène, écoute avidement 415
Un discours qui peut-être a peu de fondement!
O toi qui me connais, te semblait-il croyable

Que le triste jouet d'un sort impitoyable,
Un cœur toujours nourri d'amertume et de pleurs, 385
Dût connaître l'amour et ses folles douleurs? 420
Reste du sang d'un roi, noble fils de la Terre,[5]
Je suis seule échappée aux fureurs de la guerre.
J'ai perdu, dans la fleur de leur jeune saison,
Six frères . . . Quel espoir d'une illustre maison!
Le fer moissonna tout; et la terre humectée 425
But à regret le sang des neveux[6] d'Erechthée.
Tu sais, depuis leur mort, quelle sévère loi
Défend à tous les Grecs de soupirer pour moi:
On craint que de la sœur les flammes téméraires
Ne raniment un jour la cendre de ses frères. 430
Mais tu sais bien aussi de quel œil dédaigneux
Je regardais ce soin d'un vainqueur soupçonneux.
Tu sais que de tout temps à l'amour opposée,
Je rendais souvent grâce à l'injuste Thésée,
Dont l'heureuse rigueur secondait mes mépris. 435
Mes yeux alors, mes yeux n'avaient pas vu son fils.
Non que par les yeux seuls lâchement enchantée,
J'aime en lui sa beauté, sa grâce tant vantée,
Présents dont la nature a voulu l'honorer,
Qu'il méprise lui-même, et qu'il semble ignorer. 440
J'aime, je prise en lui de plus nobles richesses,
Les vertus de son père, et non point les faiblesses.
J'aime, je l'avouerai, cet orgueil généreux
Qui jamais n'a fléchi sous le joug amoureux.
Phèdre en vain s'honorait des soupirs de Thésée: 445
Pour moi, je suis plus fière, et fuis la gloire aisée
D'arracher un hommage à mille autres offert,
Et d'entrer dans un cœur de toutes parts ouvert.
Mais de faire fléchir un courage inflexible,
De porter la douleur dans une âme insensible, 450
D'enchaîner un captif de ses fers étonné,
Contre un joug qui lui plaît vainement mutiné:
C'est là ce que je veux, c'est là ce qui m'irrite;
Hercule à désarmer coûtait moins qu'Hippolyte;
Et vaincu plus souvent, et plus tôt surmonté, 455
Préparait moins de gloire aux yeux qui l'ont dompté.
Mais, chère Ismène, hélas! quelle est mon imprudence!
On ne m'opposera que trop de résistance.
Tu m'entendras peut-être, humble dans mon ennui,
Gémir du même orgueil que j'admire aujourd'hui. 460
Hippolyte aimerait? Par quel bonheur extrême
Aurais-je pu fléchir . . .

ISMÈNE
                    Vous l'entendrez lui-même:
Il vient à vous.

---

[2] King of the Lapithes and former enemy of Thésée
[The two friends tried to save Proserpine, prisoner of Pluto,
god of Hades]
   [3] river that flows to Hades
      [4] *croi:* crois

[5] The king alluded to here is Erechtheus, son of Earth
and ancestor of Thésée
   [6] descendants

Scène II. — HIPPOLYTE, ARICIE, ISMÈNE

HIPPOLYTE

Madame, avant que de partir,
J'ai cru de votre sort vous devoir avertir.
Mon père ne vit plus. Ma juste défiance
Présageait les raisons de sa trop longue absence.
La mort seule, bornant ses travaux éclatants,   465
Pouvait à l'univers le cacher si longtemps.
Les Dieux livrent enfin à la Parque homicide[7]
L'ami, le compagnon, le successeur d'Alcide.
Je crois que votre haine, épargnant ses vertus,   470
Écoute sans regret ces noms qui lui sont dus.
Un espoir adoucit ma tristesse mortelle:
Je puis vous affranchir d'une austère tutelle.
Je révoque des lois dont j'ai plaint la rigueur.   475
Vous pouvez disposer de vous, de votre cœur;
Et dans cette Trézène, aujourd'hui mon partage,
De mon aïeul Pitthée[8] autrefois l'héritage,
Qui m'a, sans balancer, reconnu pour son roi,
Je vous laisse aussi libre, et plus libre que moi.   480

ARICIE

Modérez des bontés dont l'excès m'embarasse.
D'un soin si généreux honorer ma disgrâce,
Seigneur, c'est me ranger, plus que vous ne pensez,
Sous ces austères lois dont vous me dispensez.   485

HIPPOLYTE

Du choix d'un successeur Athènes incertaine
Parle de vous, me nomme, et le fils de la Reine.

ARICIE

De moi, Seigneur?

HIPPOLYTE

Je sais, sans vouloir me flatter,
Qu'une superbe[9] loi semble me rejeter.
La Grèce me reproche une mère étrangère.
Mais si pour concurrent je n'avais que mon frère,   490
Madame, j'ai sur lui de véritables droits
Que je saurais sauver du caprice des lois.
Un frein plus légitime arrête mon audace:
Je vous cède, ou plutôt je vous rends une place,
Un sceptre que jadis vos aïeux ont reçu
De ce fameux mortel que la Terre a conçu.   495

L'adoption le mit entre les mains d'Égée.[10]
Athènes, par mon père accrue et protégée,
Reconnut avec joie un roi si généreux,[11]
Et laissa dans l'oubli vos frères malheureux.   500
Athènes dans ses murs maintenant vous rappelle.
Assez elle a gémi d'une longue querelle;
Assez dans ses sillons votre sang englouti
A fait fumer le champ dont il était sorti.
Trézène m'obéit. Les campagnes de Crète   505
Offrent au fils de Phèdre une riche retraite.
L'Attique[12] est votre bien. Je pars, et vais pour vous
Réunir tous les vœux partagés entre nous.

ARICIE

De tout ce que j'entends étonnée et confuse,
Je crains presque, je crains qu'un songe ne m'abuse.   510
Veillé-je?[13] Puis-je croire un semblable dessein?
Quel Dieu, Seigneur, quel Dieu l'a mis dans votre sein?
Qu'à bon droit votre gloire en tous lieux est semée!
Et que la vérité passe la renommée!
Vous-même, en ma faveur, vous voulez vous trahir?   515
N'était-ce pas assez de ne me point haïr,
Et d'avoir si longtemps pu défendre votre âme
De cette inimitié . . .

HIPPOLYTE

Moi, vous haïr, Madame?
Avec quelques couleurs qu'on ait peint ma fierté,
Croit-on que dans ses flancs un monstre m'ait porté?   520
Quelles sauvages mœurs, quelle haine endurcie
Pourrait, en vous voyant, n'être point adoucie?
Ai-je pu résister au charme décevant . . .

ARICIE

Quoi? Seigneur.

HYPPOLITE

Je me suis engagé trop avant.
Je vois que la raison cède à la violence.   525
Puisque j'ai commencé de rompre le silence,
Madame, il faut poursuivre: il faut vous informer
D'un secret que mon cœur ne peut plus renfermer.
Vous voyez devant vous un prince déplorable,[14]

---

[7] *la Parque homicide*: one of the three Fates who determined the course of human life. They were Clotho, spinner of the thread of life; Lachesis, who held it and fixed the life span; and Atropos, who cut the thread. With which are we concerned here?

[8] founder of Trézène, maternal grandfather of Thésée

[9] insolent

[10] Egée, father of Thésée, is supposed to have been the adopted son of Pandion II, descendant of Erechtheus; while Pallante (Pallas), father of Aricie, was Pandion's legitimate son. Thus Hippolyte can here claim that Aricie is the rightful heir to the throne of Athens

[11] noble

[12] Attica, the country surrounding Athens

[13] *Veillé-je?*: Am I awake?

[14] worthy of pity

D'un téméraire orgueil exemple mémorable.   530
Moi qui, contre l'amour fièrement révolté,
Aux fers de ses captifs ai longtemps insulté;
Qui des faibles mortels déplorant les naufrages,
Pensais toujours du bord contempler les orages;
Asservi maintenant sous la commune loi,   535
Par quel trouble me vois-je emporté loin de moi!
Un moment a vaincu mon audace imprudente:
Cette âme si superbe est enfin dépendante.
Depuis près de six mois, honteux, désespéré,
Portant partout le trait dont je suis déchiré,   540
Contre vous, contre moi, vainement je m'éprouve:
Présente, je vous fuis; absente, je vous trouve;
Dans le fond des forêts votre image me suit;
La lumière du jour, les ombres de la nuit,
Tout retrace à mes yeux les charmes que j'évite;   545
Tout vous livre à l'envi le rebelle Hippolyte.
Moi-même, pour tout fruit de mes soins superflus,
Maintenant je me cherche et ne me trouve plus.
Mon arc, mes javelots, mon char, tout m'importune;
Je ne me souviens plus des leçons de Neptune;   550
Mes seuls gémissements font retentir les bois,
Et mes coursiers oisifs ont oublié ma voix.
Peut-être le récit d'un amour si sauvage
Vous fait, en m'écoutant, rougir de votre ouvrage.
D'un cœur qui s'offre à vous quel farouche entretien!   555
Quel étrange captif pour un si beau lien!
Mais l'offrande à vos yeux en doit être plus chère.
Songez que je vous parle une langue étrangère;
Et ne rejetez pas des vœux mal exprimés,
Qu'Hippolyte sans vous n'aurait jamais formés.   560

Scène III. — HIPPOLYTE, ARICIE, THÉRAMÈNE, ISMÈNE

THÉRAMÈNE
Seigneur, la Reine vient, et je l'ai devancée.
Elle vous cherche.

HIPPOLYTE
Moi?

THÉRAMÈNE
J'ignore sa pensée.
Mais on vous est venu demander de sa part.
Phèdre veut vous parler avant votre départ.

HIPPOLYTE
Phèdre? Que lui dirai-je? Et que peut-elle attendre . . .   565

ARICIE
Seigneur, vous ne pouvez refuser de l'entendre.
Quoique trop convaincu de son inimitié,
Vous devez à ses pleurs quelque ombre de pitié.

HIPPOLYTE
Cependant[15] vous sortez. Et je pars. Et j'ignore
Si je n'offense point les charmes que j'adore!   570
J'ignore si ce cœur que je laisse en vos mains . . .

ARICIE
Partez, Prince, et suivez vos généreux desseins.
Rendez de mon pouvoir Athènes tributaire[16]
J'accepte tous les dons que vous me voulez faire.
Mais cet empire enfin si grand, si glorieux,   575
N'est pas de vos présents le plus cher à mes yeux.

Scène IV. — HIPPOLYTE, THÉRAMÈNE

HIPPOLYTE
Ami, tout est-il prêt? Mais la Reine s'avance,
Va, que pour le départ tout s'arme en diligence.
Fais donner le signal, cours, ordonne, et revien
Me délivrer bientôt d'un fâcheux entretien.   580

Scène V. — PHÈDRE, HIPPOLYTE, ŒNONE

PHÈDRE, à Œnone, dans le fond du théâtre.
Le voici. Vers mon cœur tout mon sang se retire.
J'oublie, en le voyant, ce que je viens lui dire.

ŒNONE
Souvenez-vous d'un fils qui n'espère qu'en vous.

PHÈDRE
On dit qu'un prompt départ vous éloigne de nous,
Seigneur. A vos douleurs je viens joindre mes larmes   585
Je vous viens pour un fils expliquer mes alarmes.
Mon fils n'a plus de père; et le jour n'est pas loin
Qui de ma mort encor doit le rendre témoin.
Déjà mille ennemis attaquent son enfance.
Vous seul pouvez contre eux embrasser sa défense.   590
Mais un secret remords agite mes esprits.
Je crains d'avoir fermé votre oreille à ses cris.
Je tremble que sur lui votre juste colère
Ne poursuive bientôt une odieuse mère.

HIPPOLYTE
Madame, je n'ai point des sentiments si bas.   595

PHÈDRE
Quand vous me haïriez, je ne m'en plaindrais pas,
Seigneur. Vous m'avez vue attachée à vous nuire;
Dans le fond de mon cœur vous ne pouviez pas lire.
A votre inimitié j'ai pris soin de m'offrir.

---

[15] in the meantime
[16] *Rendez . . . tributaire:* bring Athens under my power

Aux bords que j'habitais je n'ai pu vous souffrir.
En public, en secret, contre vous déclarée,
J'ai voulu par des mers en être séparée.
J'ai même défendu, par une expresse loi,
Qu'on osât prononcer votre nom devant moi.
Si pourtant à l'offense on mesure la peine,   605
Si la haine peut seule attirer votre haine,
Jamais femme ne fut plus digne de pitié,
Et moins digne, Seigneur, de votre inimitié.

HIPPOLYTE

Des droits de ses enfants une mère jalouse
Pardonne rarement au fils d'une autre épouse.   610
Madame, je le sais. Les soupçons importuns[17]
Sont d'un second hymen les fruits les plus communs.
Toute autre aurait pour moi pris les mêmes ombrages,[18]
Et j'en aurais peut-être essuyé plus d'outrages.

PHÈDRE

Ah! Seigneur, que le ciel, j'ose ici l'attester,   615
De cette loi commune a voulu m'excepter!
Qu'un soin bien différent me trouble et me dévore!

HIPPOLYTE

Madame, il n'est pas temps de vous troubler encore.
Peut-être votre époux voit encore le jour;
Le ciel peut à nos pleurs accorder son retour.   620
Neptune le protège, et ce Dieu tutélaire
Ne sera pas en vain imploré par mon père.

PHÈDRE

On ne voit point deux fois le rivage des morts,
Seigneur. Puisque Thésée a vu les sombres bords,
En vain vous espérez qu'un Dieu vous le renvoie;   625
Et l'avare Achéron ne lâche point sa proie.
Que dis-je? Il n'est point mort, puisqu'il respire en vous.
Toujours devant mes yeux je crois voir mon époux.
Je le vois, je lui parle; et mon cœur . . . Je m'égare,
Seigneur, ma folle ardeur malgré moi se déclare.   630

HIPPOLYTE

Je vois de votre amour l'effet prodigieux.
Tout mort qu'il est, Thésée est présent à vos yeux;
Toujours de son amour votre âme est embrasée.[19]

PHÈDRE

Oui, Prince, je languis, je brûle pour Thésée.
Je l'aime, non point tel que l'ont vu les enfers,   635
Volage adorateur de mille objets divers,

Qui va du Dieu des morts déshonorer la couche;   600
Mais fidèle, mais fier, et même un peu farouche,
Charmant, jeune, traînant tous les cœurs après soi,
Tel qu'on dépeint nos Dieux, ou tel que je vous vois.   640
Il avait votre port, vos yeux, votre langage,
Cette noble pudeur colorait son visage,
Lorsque de notre Crète il traversa les flots,
Digne sujet des vœux des filles de Minos.[20]
Que faisiez-vous alors? Pourquoi, sans Hippolyte,   645
Des héros de la Grèce assembla-t-il l'élite?
Pourquoi, trop jeune encor, ne pûtes-vous alors
Entrer dans le vaisseau qui le mit sur nos bords?
Par vous aurait péri le monstre de la Crète,[21]
Malgré tous les détours de sa vaste retraite.   650
Pour en développer l'embarras incertain,
Ma sœur du fil fatal[22] eût armé votre main.
Mais non, dans ce dessein je l'aurais devancée;
L'amour m'en eût d'abord inspiré la pensée.
C'est moi, prince, c'est moi, dont l'utile secours   655
Vous eût du Labyrinthe enseigné les détours.
Que de soins m'eût coûtés cette tête charmante!
Un fil n'eût point assez rassuré votre amante.
Compagne du péril qu'il vous fallait chercher,
Moi-même devant vous j'aurais voulu marcher;   660
Et Phèdre au Labyrinthe avec vous descendue
Se serait avec vous retrouvée, ou perdue.

HIPPOLYTE

Dieux! qu'est-ce que j'entends? Madame, oubliez-vous
Que Thésée est mon père, et qu'il est votre époux?

PHÈDRE

Et sur quoi jugez-vous que j'en perds la mémoire,   665
Prince? Aurais-je perdu tout le soin de ma gloire?

HIPPOLYTE

Madame, pardonnez. J'avoue, en rougissant,
Que j'accusais à tort un discours innocent.
Ma honte ne peut plus soutenir votre vue;
Et je vais . . .   670

PHÈDRE

            Ah! cruel, tu m'as trop entendue.
Je t'en ai dit assez pour te tirer d'erreur.
Hé bien! connais donc Phèdre et toute sa fureur.
J'aime. Ne pense pas qu'au moment que je t'aime,
Innocente à mes yeux, je m'approuve moi-même,
Ni que du fol amour qui trouble ma raison   675

---

[17] persistent, troublesome
[18] *prendre ombrage:* to become jealous
[19] *Toujours . . . embrasée:* your soul still burns with love for him

[20] Ariane and Phèdre herself
[21] *monstre de la Crète:* the Minotaur, killed by Thésée in its Labyrinth
[22] *fil fatal:* fatal because upon it depended the fate of Thésée who was guided by it through the Labyrinth to safety

Ma lâche complaisance ait nourri le poison.
Objet infortuné des vengeances célestes,
Je m'abhorre encor plus que tu ne me détestes.
Les Dieux m'en sont témoins, ces Dieux qui dans mon flanc
Ont allumé le feu fatal à tout mon sang;   680
Ces Dieux qui se sont fait une gloire cruelle
De séduire le cœur d'une faible mortelle.
Toi-même en ton esprit rappelle le passé.
C'est peu de t'avoir fui, cruel, je t'ai chassé.
J'ai voulu te paraître odieuse, inhumaine;   685
Pour mieux te résister, j'ai recherché ta haine.
De quoi m'ont profité mes inutiles soins?
Tu me haïssais plus, je ne t'aimais pas moins.
Tes malheurs te prêtaient encor de nouveaux charmes.
J'ai langui, j'ai séché, dans les feux, dans les larmes.   690
Il suffit de tes yeux pour t'en persuader,
Si tes yeux un moment pouvaient me regarder.
Que dis-je? Cet aveu que je te viens de faire,
Cet aveu si honteux, le crois-tu volontaire?
Tremblante pour un fils que je n'osais trahir,   695
Je te venais prier de ne le point haïr.
Faibles projets d'un cœur trop plein de ce qu'il aime!
Hélas! je ne t'ai pu parler que de toi-même.
Venge-toi, punis-moi d'un odieux amour.
Digne fils du héros qui t'a donné le jour,   700
Délivre l'univers d'un monstre qui t'irrite.
La veuve de Thésée ose aimer Hippolyte!
Crois-moi, ce monstre affreux ne doit point t'échapper.
Voilà mon cœur. C'est là que ta main doit frapper.
Impatient déjà d'expier son offense,   705
Au-devant de ton bras je le sens qui s'avance.
Frappe. Ou si tu le crois indigne de tes coups,
Si ta haine m'envie un supplice si doux,
Ou si d'un sang trop vil ta main serait trempée,
Au défaut de ton bras prête-moi ton épée.   710
Donne.

ŒNONE

Que faites-vous, Madame? Justes Dieux!
Mais on vient. Éviter des témoins odieux;
Venez, rentrez, fuyez une honte certaine.

Scène VI. — HIPPOLYTE, THÉRAMÈNE

THÉRAMÈNE

Est-ce Phèdre qui fuit, ou plutôt qu'on entraîne?
Pourquoi, Seigneur, pourquoi ces marques de douleur?
Je vous vois sans épée, interdit, sans couleur?   715

HIPPOLYTE

Théramène, fuyons. Ma surprise est extrême.
Je ne puis sans horreur me regarder moi-même.

Phèdre . . . Mais non, grands Dieux! qu'en un profond oubli
Cet horrible secret demeure enseveli.   720

THÉRAMÈNE

Si vous voulez partir, la voile est préparée.[23]
Mais Athènes, Seigneur, s'est déjà déclarée.
Ses chefs ont pris les voix de toutes ses tribus.
Votre frère l'emporte, et Phèdre a le dessus.

HIPPOLYTE

Phèdre?   725

THÉRAMÈNE

Un héraut chargé des volontés d'Athènes
De l'État en ses mains vient remettre les rênes.
Son fils est roi, Seigneur.

HIPPOLYTE

Dieux, qui la connaissez,
Est-ce donc sa vertu que vous récompensez?

THÉRAMÈNE

Cependant un bruit sourd veut que le Roi respire.
On prétend que Thésée a paru dans l'Épire.   730
Mais moi qui l'y cherchai, Seigneur, je sais trop bien . . .

HIPPOLYTE

N'importe, écoutons tout, et ne négligeons rien.
Examinons ce bruit, remontons à sa source.
S'il ne mérite pas d'interrompre ma course,
Partons; et quelque prix qu'il en puisse coûter,   735
Mettons le sceptre aux mains dignes de le porter.

ACTE III

Scène première. — PHÈDRE, ŒNONE

PHÈDRE

Ah! que l'on porte ailleurs les honneurs qu'on m'envoie.
Importune, peux-tu souhaiter qu'on me voie?
De quoi viens-tu flatter mon esprit désolé?
Cache-moi bien plutôt: je n'ai que trop parlé.
Mes fureurs au dehors ont osé se répandre.   740
J'ai dit ce que jamais on ne devait entendre.
Ciel! comme il m'écoutait! Par combien de détours
L'insensible a longtemps éludé mes discours!
Comme il ne respirait qu'une retraite prompte!
Et combien sa rougeur a redoublé ma honte!   745
Pourquoi détournais-tu mon funeste dessein?

[23] *la voile . . . préparée:* we are ready to set sail

Hélas! quand son épée allait chercher mon sein,
A-t-il pâli pour moi? me l'a-t-il arrachée?
Il suffit que ma main l'ait une fois touchée,
Je l'ai rendue horrible à ses yeux inhumains;
Et ce fer malheureux profanerait ses mains.

ŒNONE

Ainsi, dans vos malheurs ne songeant qu'à vous
                                    plaindre,
Vous nourrissez un feu qu'il vous faudrait éteindre.
Ne vaudrait-il pas mieux, digne sang de Minos,   755
Dans de plus nobles soins chercher votre repos,
Contre un ingrat qui plaît recourir à la fuite,
Régner, et de l'État embrasser la conduite?

PHÈDRE

Moi, régner! Moi, ranger un État sous ma loi,
Quand ma faible raison ne règne plus sur moi!   760
Lorsque j'ai de mes sens abandonné l'empire!
Quand sous un joug honteux à peine je respire!
Quand je me meurs!

ŒNONE

           Fuyez.

PHÈDRE

           Je ne le puis quitter.

ŒNONE

Vous l'osâtes bannir, vous n'osez l'éviter.

PHÈDRE

Il n'est plus temps. Il sait mes ardeurs insensées.   765
De l'austère pudeur les bornes sont passées.
J'ai déclaré ma honte aux yeux de mon vainqueur,
Et l'espoir, malgré moi, s'est glissé dans mon cœur.
Toi-même, rappelant ma force défaillante,
Et mon âme déjà sur mes lèvres errante,   770
Par tes conseils flatteurs tu m'as su ranimer.
Tu m'as fait entrevoir que je pouvais l'aimer.

ŒNONE

Hélas! de vos malheurs innocente ou coupable,
De quoi pour vous sauver n'étais-je point capable?
Mais si jamais l'offense irrita vos esprits,   775
Pouvez-vous d'un superbe oublier les mépris?
Avec quels yeux cruels sa rigueur obstinée
Vous laissait à ses pieds peu s'en faut[1] prosternée!
Que son farouche orgueil le rendait odieux!
Que Phèdre en ce moment n'avait-elle mes yeux?   780

PHÈDRE

Œnone, il peut quitter cet orgueil qui te blesse.
Nourri dans les forêts, il en a la rudesse.   750
Hippolyte, endurci par de sauvages lois,
Entend parler d'amour pour la première fois.
Peut-être sa surprise a causé son silence,   785
Et nos plaintes peut-être ont trop de violence.

ŒNONE

Songez qu'une barbare en son sein l'a formé.

PHÈDRE

Quoique Scythe et barbare, elle a pourtant aimé.

ŒNONE

Il a pour tout le sexe[2] une haine fatale.

PHÈDRE

Je ne me verrai point préférer de rivale.   790
Enfin tous tes conseils ne sont plus de saison.
Sers ma fureur, Œnone, et non point ma raison.
Il oppose à l'amour un cœur inaccessible:
Cherchons pour l'attaquer quelque endroit plus sensible
Les charmes d'un empire ont paru le toucher;   795
Athènes l'attirait, il n'a pu s'en cacher;
Déjà de ses vaisseaux la pointe était tournée,[3]
Et la voile flottait aux vents abandonnée.
Va trouver de ma part ce jeune ambitieux,
Œnone; fais briller la couronne à ses yeux.   800
Qu'il mette sur son front le sacré diadème;
Je ne veux que l'honneur de l'attacher moi-même.
Cédons-lui ce pouvoir que je ne puis garder.
Il instruira mon fils dans l'art de commander;
Peut-être il voudra bien lui tenir lieu de père.   805
Je mets sous son pouvoir et le fils et la mère.
Pour le fléchir enfin tente tous les moyens:
Tes discours trouveront plus d'accès que les miens.
Presse, pleure, gémis; plains-lui Phèdre mourante;
Ne rougis point de prendre une voix suppliante.   810
Je t'avouerai de tout;[4] je n'espère qu'en toi.
Va: j'attend ton retour pour disposer de moi.

Scène II. — PHÈDRE, seule.

O toi, qui vois la honte où je suis descendue,
Implacable Vénus, suis-je assez confondue?
Tu nu saurais plus loin pousser ta cruauté.   815

---

[1] à ses pieds . . . prosternée: very nearly prostrate at his feet

[2] all women
[3] Déjà . . . tournée: the prows of his ships were already turned toward Athens
[4] Je . . . tout: I shall approve all that you do

Ton triomphe est parfait; tous tes traits ont porté.[5]
Cruelle, si tu veux une gloire nouvelle,
Attaque un ennemi qui te soit plus rebelle.
Hippolyte te fuit; et bravant ton courroux,
Jamais à tes autels n'a fléchi les genoux.   820
Ton nom semble offenser ses superbes oreilles.
Déesse, venge-toi: nos causes sont pareilles.
Qu'il aime ... Mais déjà tu reviens sur tes pas,
Œnone? On me déteste, on ne t'écoute pas.

Scène III. — PHÈDRE, ŒNONE

ŒNONE

Il faut d'un vain amour étouffer la pensée,   825
Madame. Rappelez votre vertu passée.
Le Roi, qu'on a cru mort, va paraître à vos yeux;
Thésée est arrivé, Thésée est dans ces lieux.
Le peuple, pour le voir, court et se précipite.
Je sortais par votre ordre, et cherchais Hippolyte,   830
Lorsque jusques au ciel mille cris élancés ...

PHÈDRE

Mon époux est vivant, Œnone, c'est assez.
J'ai l'indigne aveu d'un amour qui l'outrage.
Il vit: je ne veux pas en savoir davantage.

ŒNONE

Quoi?   835

PHÈDRE

        Je te l'ai prédit; mais tu n'as pas voulu.
Sur mes justes remords tes pleurs ont prévalu.
Je mourais ce matin digne d'être pleurée;
J'ai suivi tes conseils, je meurs déshonorée.

ŒNONE

Vous mourez?

PHÈDRE

        Juste ciel! qu'ai-je fait aujourd'hui?
Mon époux va paraître, et son fils avec lui.   840
Je verrai le témoin de ma flamme adultère
Observer de quel front j'ose aborder son père,
Le cœur gros de soupirs, qu'il n'a point écoutés,
L'œil humide de pleurs, par l'ingrat rebutés.
Penses-tu que, sensible à l'honneur de Thésée,   845
Il lui cache l'ardeur dont je suis embrasée?
Laissera-t-il trahir et son père et son roi?
Pourra-t-il contenir l'horreur qu'il a pour moi?
Il se tairait en vain. Je sais mes perfidies,
Œnone, et ne suis point de ces femmes hardies   850

Qui, goûtant dans le crime une tranquille paix,
Ont su se faire un front qui ne rougit jamais.
Je connais mes fureurs, je les rappelle toutes.
Il me semble déjà que ces murs, que ces voûtes
Vont prendre la parole, et prêts à m'accuser,   855
Attendent mon époux pour le désabuser.
Mourons. De tant d'horreurs qu'un trépas me délivre.
Est-ce un malheur si grand que de cesser de vivre?
La mort aux malheureux ne cause point d'effroi.
Je ne crains que le nom que je laisse après moi.   860
Pour mes tristes enfants quel affreux héritage!
Le sang de Jupiter[6] doit enfler leur courage;
Mais quelque juste orgueil qu'inspire un sang si beau,
Le crime d'une mère est un pesant fardeau.
Je tremble qu'un discours, hélas! trop véritable,   865
Un jour ne leur reproche une mère coupable.
Je tremble qu'opprimés de ce poids odieux
L'un ni l'autre jamais n'ose lever les yeux.

ŒNONE

Il n'en faut point douter, je les plains l'un et l'autre;
Jamais crainte ne fut plus juste que la vôtre.   870
Mais à de tels affronts pourquoi les exposer?
Pourquoi contre vous-même allez-vous déposer?
C'en est fait: on dira que Phèdre, trop coupable,
De son époux trahi fuit l'aspect redoutable.
Hippolyte est heureux qu'aux dépens de vos jours   875
Vous-même en expirant appuyez ses discours.
A votre accusateur que pourrai-je répondre?
Je serai devant lui trop facile à confondre.
De son triomphe affreux je le verrai jouir,
Et conter votre honte à qui voudra l'ouïr.   880
Ah! que plutôt du ciel la flamme me dévore!
Mais ne me trompez point, vous est-il cher encore?
De quel œil voyez-vous ce prince audacieux?

PHÈDRE

Je le vois comme un monstre effroyable à mes yeux.

ŒNONE

Pourquoi donc lui céder une victoire entière?   885
Vous le craignez. Osez l'accuser la première
Du crime dont il peut vous charger aujourd'hui.
Qui vous démentira? Tout parle contre lui:
Son épée en vos mains heureusement laissée,
Votre trouble présent, votre douleur passée,   890
Son père par vos cris dès longtemps prévenu,
Et déjà son exil par vous-même obtenu.

PHÈDRE

Moi, que j'ose opprimer et noircir l'innocence?

---

[5] *tous ... porté:* each of your arrows has struck home

[6] Minos, father of Phèdre, was supposedly a descendant of Jupiter

ŒNONE

Mon zèle n'a besoin que de votre silence.
Tremblante comme vous, j'en sens quelque remords.   895
Vous me verriez plus prompte affronter mille morts.
Mais puisque je vous perds sans ce triste remède,
Votre vie est pour moi d'un prix à qui tout cède.
Je parlerai. Thésée, aigri par mes avis,
Bornera sa vengeance à l'exil de son fils.   900
Un père, en punissant, Madame, est toujours père :
Un supplice léger suffit à sa colère.
Mais le sang innocent dût-il être versé,
Que ne demande point votre honneur menacé ?
C'est un trésor trop cher pour oser le commettre.   905
Quelque loi qu'il vous dicte, il faut vous y soumettre,
Madame ; et pour sauver votre honneur combattu,
Il faut immoler tout, et même la vertu.
On vient ; je vois Thésée.

PHÈDRE

                    Ah ! je vois Hippolyte ;
Dans ces yeux insolents je vois ma perte écrite.   910
Fais ce que tu voudras, je m'abandonne à toi.
Dans le trouble où je suis, je ne puis rien pour moi.

Scène IV. — THÉSÉE, HIPPOLYTE, PHÈDRE,
            ŒNONE, THÉRAMÈNE

THÉSÉE

La fortune à mes yeux cesse d'être opposée,
Madame, et dans vos bras met . . .

PHÈDRE

                    Arrêtez, Thésée,
Et ne profanez point des transports si charmants.   915
Je ne mérite plus ces doux empressements.
Vous êtes offensé. La fortune jalouse
N'a pas en votre absence épargné votre épouse.
Indigne de vous plaire et de vous approcher,
Je ne dois désormais songer qu'à me cacher.   920

Scène V. — THÉSÉE, HIPPOLYTE, THÉRAMÈNE

THÉSÉE

Quel est l'étrange accueil qu'on fait à votre père,
Mon fils ?

HIPPOLYTE

            Phèdre peut seule expliquer ce mystère.
Mais si mes vœux ardents vous peuvent émouvoir,
Permettez-moi, Seigneur, de ne la plus revoir.
Souffrez que pour jamais le tremblant Hippolyte   925
Disparaisse des lieux que votre épouse habite.

THÉSÉE

Vous, mon fils, me quitter ?

HIPPOLYTE

                    Je ne la cherchais pas :
C'est vous qui sur ces bords conduisîtes ses pas.
Vous daignâtes, Seigneur, aux rives de Trézène
Confier en partant Aricie et la Reine.   930
Je fus même chargé du soin de les garder.
Mais quels soins désormais peuvent me retarder ?
Assez dans les forêts mon oisive jeunesse
Sur de vils ennemis a montré son adresse.
Ne pourrai-je, en fuyant un indigne repos,   935
D'un sang plus glorieux teindre mes javelots ?
Vous n'aviez pas encore atteint l'âge où je touche
Déjà plus d'un tyran, plus d'un monstre farouche
Avait de votre bras senti la pesanteur ;
Déjà, de l'insolence heureux persécuteur,   940
Vous aviez des deux mers assuré les rivages.
Le libre voyageur ne craignait plus d'outrages ;
Hercule, respirant sur le bruit de vos coups,
Déjà de son travail se reposait sur vous.
Et moi, fils inconnu d'un si glorieux père,   945
Je suis même encor loin des traces de ma mère.
Souffrez que mon courage ose enfin s'occuper.
Souffrez, si quelque monstre a pu vous échapper,
Que j'apporte à vos pieds sa dépouille honorable,
Ou que d'un beau trépas[7] la mémoire durable,   950
Éternisant des jours si noblement finis,
Prouve à tout l'univers que j'étais votre fils.

THÉSÉE

Que vois-je ? Quelle horreur dans ces lieux répandue
Fait fuir devant mes yeux ma famille éperdue ?
Si je reviens si craint et si peu désiré,   955
O ciel, de ma prison pourquoi m'as-tu tiré ?
Je n'avais qu'un ami.[8] Son imprudente flamme
Du tyran de l'Épire allait ravir la femme ;
Je servais à regret ses desseins amoureux ;
Mais le sort irrité nous aveuglait tous deux.   960
Le tyran m'a surpris sans défense et sans armes.
J'ai vu Pirithoüs, triste objet de mes larmes,
Livré par ce barbare à des monstres cruels
Qu'il nourrissait du sang des malheureux mortels.
Moi-même, il m'enferma dans des cavernes sombres,   965
Lieux profonds, et voisins de l'empire des ombres.
Les Dieux, après six mois, enfin m'ont regardé :
J'ai su tromper les yeux de qui j'étais gardé.
D'un perfide ennemi j'ai purgé la nature ;
A ses monstres lui-même a servi de pâture.   970

[7] death
[8] Pirithous [See p. 326, note 2]

Et lorsque avec transport je pense m'approcher
De tout ce que les Dieux m'ont laissé de plus cher;
Que dis-je? quand mon âme, à soi-même rendue,
Vient se rassasier[9] d'une si chère vue,
Je n'ai pour tout accueil que des frémissements: 975
Tout fuit, tout se refuse à mes embrassements.
Et moi-même, éprouvant la terreur que j'inspire,
Je voudrais être encor dans les prisons d'Épire.
Parlez. Phèdre se plaint que je suis outragé.
Qui m'a trahi? Pourquoi ne suis-je pas vengé?
La Grèce, à qui mon bras fut tant de fois utile,
A-t-elle au criminel accordé quelque asile?
Vous ne répondez point. Mon fils, mon propre fils
Est-il d'intelligence avec mes ennemis?
Entrons. C'est trop garder un doute qui m'accable.
Connaissons à la fois le crime et le coupable.
Que Phèdre explique enfin le trouble où je la voi.

Scène VI. — HIPPOLYTE, THÉRAMÈNE

HIPPOLYTE

Où tendait ce discours qui m'a glacé d'effroi?
Phèdre, toujours en proie à sa fureur extrême,
Veut-elle s'accuser et se perdre elle-même?
Dieux! que dira le Roi? Quel funeste poison
L'amour a répandu sur toute sa maison!
Moi-même, plein d'un feu que sa haine réprouve,
Quel il m'a vu jadis, et quel il me retrouve!
De noirs pressentiments viennent m'épouvanter.
Mais l'innocence enfin n'a rien à redouter.
Allons, cherchons ailleurs par quelle heureuse adresse
Je pourrai de mon père émouvoir la tendresse,
Et lui dire un amour qu'il peut vouloir troubler,
Mais que tout son pouvoir ne saurait ébranler. 1000

ACTE IV

Scène première. — THÉSÉE, ŒNONE

THÉSÉE

Ah! qu'est-ce que j'entends? Un traître, un téméraire
Préparait cet outrage à l'honneur de son père?
Avec quelle rigueur, destin, tu me poursuis!
Je ne sais où je vais, je ne sais où je suis.
O tendresse! ô bonté trop mal récompensée! 1005
Projet audacieux! détestable pensée!

Pour parvenir au but de ses noires amours,
L'insolent de la force empruntait le secours.
J'ai reconnu le fer, instrument de sa rage,
Ce fer dont je l'armai pour un plus noble usage. 1010
Tous les liens du sang n'ont pu le retenir?
Et Phèdre différait[1] à le faire punir?
Le silence de Phèdre épargnait le coupable?

ŒNONE

Phèdre épargnait plutôt un père déplorable. 1015
Honteuse du dessein d'un amant furieux
Et du feu criminel qu'il a pris dans ses yeux,
Phèdre mourait, Seigneur, et sa main meurtrière
Éitegnait de ses yeux l'innocente lumière.
J'ai vu lever le bras, j'ai couru la sauver.
Moi seule à votre amour j'ai su la conserver; 1020
Et plaignant à la fois son trouble et vos alarmes,
J'ai servi, malgré moi, d'interprète à ses larmes.

THÉSÉE

Le perfide! Il n'a pu s'empêcher de pâlir.
De crainte, en m'abordant, je l'ai vu tressaillir.
Je me suis étonné de son peu d'allégresse; 1025
Ses froids embrassements ont glacé ma tendresse.
Mais ce coupable amour dont il est dévoré
Dans Athènes déjà s'était-il déclaré?

ŒNONE

Seigneur, souvenez-vous des plaintes de la Reine.
Un amour criminel causa toute sa haine. 1030

THÉSÉE

Et ce feu dans Trézène a donc recommencé?

ŒNONE

Je vous ai dit, Seigneur, tout ce qui s'est passé.
C'est trop laisser la Reine à sa douleur mortelle;
Souffrez que je vous quitte et me range auprès d'elle.

Scène II. — THÉSÉE, HIPPOLYTE

THÉSÉE

Ah! le voici. Grands Dieux! à ce noble maintien 1035
Quel œil ne serait pas trompé comme le mien?
Faut-il que sur le front d'un profane adultère
Brille de la vertu le sacré caractère?
Et ne devrait-on pas à des signes certains
Reconnaître le cœur des perfides humains? 1040

---

[9] *Vient se rassasier:* comes to feast

[1] *différer à:* to defer

HIPPOLYTE

Puis-je vous demander quel funeste nuage,
Seigneur, a pu troubler votre auguste visage?
N'osez-vous confier ce secret à ma foi?

THÉSÉE

Perfide! oses-tu bien te montrer devant moi?
Monstre, qu'a trop longtemps épargné le tonnerre,
Reste[2] impur des brigands dont j'ai purgé la terre.
Après que le transport d'un amour plein d'horreur
Jusqu'au lit de ton père a porté sa fureur,
Tu m'oses présenter une tête ennemie,
Tu parais dans des lieux pleins de ton infamie,
Et ne vas pas chercher, sous un ciel inconnu,
Des pays où mon nom ne soit point parvenu.
Fuis, traître. Ne viens point braver ici ma haine,
Et tenter un courroux que je retiens à peine.
C'est bien assez pour moi de l'opprobre[3] éternel
D'avoir pu mettre au jour un fils si criminel,
Sans que ta mort encor, honteuse à ma mémoire,
De mes nobles travaux vienne souiller la gloire.
Fuis; et si tu ne veux qu'un châtiment soudain
T'ajoute aux scélérats qu'a punis cette main,
Prends garde que jamais l'astre qui nous éclaire
Ne te voie en ces lieux mettre un pied téméraire.
Fuis, dis-je; et sans retour précipitant tes pas,
De ton horrible aspect purge tous mes États.
Et toi, Neptune, et toi, si jadis mon courage
D'infâmes assassins nettoya ton rivage,
Souviens-toi que pour prix de mes efforts heureux,
Tu promis d'exaucer le premier de mes vœux.
Dans les longues rigueurs d'une prison cruelle
Je n'ai point imploré ta puissance immortelle.
Avare du secours que j'attends de tes soins,
Mes vœux t'ont réservé pour de plus grands besoins.
Je t'implore aujourd'hui. Venge un malheureux père.
J'abandonne ce traître à toute ta colère;
Étouffe dans son sang ses désirs effrontés:
Thésée à tes fureurs connaître tes bontés.

HIPPOLYTE

D'un amour criminel Phèdre accuse Hippolyte!
Un tel excès d'horreur rend mon âme interdite;
Tant de coups imprévus m'accablent à la fois,
Qu'ils m'ôtent la parole et m'étouffent la voix.

THÉSÉE

Traître, tu prétendais qu'en un lâche silence
Phèdre ensevelirait ta brutale insolence.
Il fallait, en fuyant, ne pas abandonner

Le fer qui dans ses mains aide à te condamner;
Ou plutôt il fallait, comblant ta perfidie, 1085
Lui ravir tout d'un coup la parole et la vie.

HIPPOLYTE

D'un mensonge si noir justement irrité,
Je devrais faire ici parler la vérité,
Seigneur; mais je supprime un secret qui vous touche. 1045
Approuvez le respect qui me ferme la bouche; 1090
Et sans vouloir vous-même augmenter vos ennuis,
Examinez ma vie, et songez qui je suis.
Quelques crimes toujours précèdent les grands crimes.
Quiconque a pu franchir les bornes légitimes 1050
Peut violer enfin les droits les plus sacrés; 1095
Ainsi que la vertu, le crime a ses degrés;
Et jamais on n'a vu la timide innocence
Passer subitement à l'extrême licence.
Un jour seul ne fait point d'un mortel vertueux 1055
Un perfide assassin, un lâche incestueux. 1100
Élevé dans le sein d'une chaste héroïne,
Je n'ai point de son sang démenti l'origine.[4]
Pitthée,[5] estimé sage entre tous les humains,
Daigna m'instruire encore au sortir de ses mains. 1060
Je ne veux point me peindre avec trop d'avantage; 1105
Mais si quelque vertu m'est tombée en partage,
Seigneur, je crois surtout avoir fait éclater
La haine des forfaits qu'on ose m'imputer.
C'est par là qu'Hippolyte est connu dans la Grèce. 1065
J'ai poussé la vertu jusques à la rudesse. 1110
On sait de mes chagrins l'inflexible rigueur.
Le jour n'est pas plus pur que le fond de mon cœur.
Et l'on veut qu'Hippolyte, épris d'un feu profane . . .
1070

THÉSÉE

Oui, c'est ce même orgueil, lâche! qui te condamne.
Je vois de tes froideurs le principe[6] odieux: 1115
Phèdre seule charmait tes impudiques yeux;
Et pour tout autre objet ton âme indifférente 1075
Dédaignait de brûler d'une flamme innocente.

HIPPOLYTE

Non, mon père, ce cœur, c'est trop vous le celer,
N'a point d'un chaste amour dédaigné de brûler. 1120
Je confesse à vos pieds ma véritable offense:
J'aime; j'aime, il est vrai, malgré votre défense. 1080
Aricie à ses lois tient mes vœux asservis;
La fille de Pallante a vaincu votre fils.
Je l'adore, et mon âme, à vos ordres rebelle, 1125
Ne peut ni soupirer ni brûler que pour elle.

---

[4] Hippolyte alludes to Mars, father of Antiope
[5] ancestor of Thésée
[6] origin

[2] remainder
[3] disgrace

THÉSÉE

Tu l'aimes? ciel! Mais non, l'artifice est grossier.
Tu te feins criminel pour te justifier.

HIPPOLYTE

Seigneur, depuis six mois je l'évite, et je l'aime.
Je venais en tremblant vous le dire à vous-même.
Hé quoi? de votre erreur rien ne vous peut tirer?
Par quel affreux serment faut-il vous rassurer?
Que la terre, le ciel, que toute la nature . . .

THÉSÉE

Toujours les scélérats ont recours au parjure.
Cesse, cesse, et m'épargne un importun discours,   1135
Si ta fausse vertu n'a point d'autre secours.

HIPPOLYTE

Elle vous paraît fausse et pleine d'artifice.
Phèdre au fond de son cœur me rend plus de justice.

THÉSÉE

Ah! que ton impudence excite mon courroux!

HIPPOLYTE

Quel temps à mon exil, quel lieu prescrivez-vous?   1140

THÉSÉE

Fusses-tu-par delà les colonnes d'Alcide,⁷
Je me croirais encor trop voisin d'un perfide.

HIPPOLYTE

Chargé du crime affreux dont vous me soupçonnez,
Quels amis me plaindront, quand vous m'abandonnez?

THÉSÉE

Va chercher des amis dont l'estime funeste   1145
Honore l'adultère, applaudisse à l'inceste,
Des traîtres, des ingrats sans honneur et sans loi,
Dignes de protéger un méchant tel que toi.

HIPPOLYTE

Vous me parlez toujours d'inceste et d'adultère?
Je me tais. Cependant Phèdre sort d'une mère,   1150
Phèdre est d'un sang, Seigneur, vous le savez trop bien,
De toutes ces horreurs plus rempli que le mien.

THÉSÉE

Quoi! ta rage à mes yeux perd toute retenue?
Pour la dernière fois, ôte-toi de ma vue:
Sors, traître. N'attends pas qu'un père furieux   1155
Te fasse avec opprobre arracher de ces lieux.

Scène III. — THÉSÉE, *seul.*

Misérable, tu cours à ta perte infaillible.
Neptune, par le fleuve aux Dieux mêmes terrible,
M'a donné sa parole, et va l'exécuter.
Un Dieu vengeur te suit, tu ne peux l'éviter.   1160
Je t'aimais; et je sens que malgré ton offense
Mes entrailles⁸ pour toi se troublent par avance.
Mais à te condamner tu m'as trop engagé.
Jamais père en effet fut-il plus outragé?
Justes Dieux, qui voyez la douleur qui m'accable,   1165
Ai-je pu mettre au jour un enfant si coupable?

Scène IV. PHÈDRE, THÉSÉE

PHÈDRE

Seigneur, je viens à vous, pleine d'un juste effroi.
Votre voix redoutable a passé jusqu'à moi.
Je crains qu'un prompt effet n'ai suivi la menace.
S'il en est temps encore, épargnez votre race,   1170
Respectez votre sang, j'ose vous en prier.
Sauvez-moi de l'horreur de l'entendre crier;
Ne me préparez point la douleur éternelle
De l'avoir fait répandre à la main paternelle.

THÉSÉE

Non, Madame, en mon sang ma main n'a point trempé.   1175
Mais l'ingrat toutefois ne m'est point échappé.
Une immortelle main de sa perte est chargée.
Neptune me la doit, et vous serez vengée.

PHÈDRE

Neptune vous la doit! Quoi? vos vœux irrités . . .

THÉSÉE

Quoi? craignez-vous déjà qu'ils ne soient écoutés?   1180
Joignez-vous bien plutôt à mes vœux légitimes.
Dans toute leur noirceur retracez-moi ses crimes;
Échauffez mes tranports⁹ trop lents, trop retenus.
Tous ses crimes encor ne vous sont pas connus:
Sa fureur contre vous se répand en injures: 1185
Votre bouche, dit-il, est pleine d'impostures;
Il soutient qu'Aricie a son cœur, a sa foi,
Qu'il l'aime.

PHÈDRE

Quoi! Seigneur?

---

⁷ *les colonnes d'Alcide:* the Pillars of Hercules, i.e., the
straits of Gibraltar

⁸ heart [lit., entrails]
⁹ wrath

THÉSÉE

Il l'a dit devant moi.
Mais je sais rejeter un frivole artifice.
Espérons de Neptune une prompte justice.
Je vais moi-même encore au pied de ses autels
Le presser d'accomplir ses serments immortels.

Scène V. — PHÈDRE, *seule*.

Il sort. Quelle nouvelle a frappé mon oreille?
Quel feu mal étouffé dans mon cœur se réveille?
Quel coup de foudre, ô ciel! et quel funeste avis![10]
Je volais toute entière au secours de son fils;
Et m'arrachant des bras d'Œnone épouvantée,
Je cédais au remords dont j'étais tourmentée.
Qui sait même où m'allait porter ce repentir?
Peut-être à m'accuser j'aurais pu consentir;
Peut-être, si la voix ne m'eût été coupée,
L'affreuse vérité me serait échappée.
Hippolyte est sensible, et ne sent rien pour moi!
Aricie a son cœur! Aricie a sa foi!
Ah, Dieux! Lorsqu'à mes vœux l'ingrat inexorable
S'armait d'un œil si fier, d'un front si redoutable,
Je pensais qu'à l'amour son cœur toujours fermé
Fût contre tout mon sexe également armé.
Une autre cependant a fléchi son audace;
Devant ses yeux cruels une autre a trouvé grâce.
Peut-être a-t-il un cœur facile à s'attendrir.
Je suis le seul objet qu'il ne saurait souffrir;
Et je me chargerais du soin de le défendre?

Scène VI. — PHÈDRE, ŒNONE

PHÈDRE

Chère Œnone, sais-tu ce que je viens d'apprendre?

ŒNONE

Non, mais je viens tremblante, à ne vous point mentir. 1215
J'ai pâli du dessein qui vous a fait sortir:
J'ai craint une fureur à vous-même fatale.

PHÈDRE

Œnone, qui l'eût cru? j'avais une rivale.

ŒNONE

Comment?

PHÈDRE

Hippolyte aime, et je n'en puis douter.
Ce farouche ennemi qu'on ne pouvait dompter, 1220
Qu'offensait le respect, qu'importunait la plainte,
Ce tigre, que jamais je n'abordai sans crainte,
Soumis, apprivoisé, reconnaît un vainqueur:
Aricie a trouvé le chemin de son cœur.

ŒNONE

Aricie? 1225

PHÈDRE

Ah! douleur non encore éprouvée!
A quel nouveau tourment je me suis réservée!
Tout ce que j'ai souffert, mes craintes, mes transports,
La fureur de mes feux, l'horreur de mes remords,
Et d'un refus cruel l'insupportable injure,
N'était qu'un faible essai du torment que j'endure. 1230
Ils s'aiment! Par quel charme ont-ils trompé mes yeux?
Comment se sont-ils vus? Depuis quand? Dans quels
lieux?
Tu le savais. Pourquoi me laissais-tu séduire?
De leur furtive ardeur ne pouvais-tu m'instruire?
Les a-t-on vus souvent se parler, se chercher? 1235
Dans le fond des forêts allaient-ils se cacher?
Hélas! ils se voyaient avec pleine licence.[11]
Le ciel de leurs soupirs approuvait l'innocence;
Ils suivaient sans remords leur penchant amoureux;
Tous les jours se levaient clairs et sereins pour eux. 1240
Et moi, triste rebut[12] de la nature entière,
Je me cachais au jour, je fuyais la lumière:
La mort est le seul Dieu que j'osais implorer.
J'attendais le moment où j'allais expirer;
Me nourissant de fiel,[13] de larmes abreuvée, 1245
Encor dans mon malheur de trop près observée,
Je n'osais dans mes pleurs me noyer à loisir;
Je goûtais en tremblant ce funeste plaisir;
Et sous un front serein déguisant mes alarmes,
Il fallait bien souvent me priver de mes larmes. 1250

ŒNONE

Quel fruit recevront-ils de leurs vaines amours?
Ils ne se verront plus.

PHÈDRE

Ils s'aimeront toujours.
Au moment que je parle, ah! mortelle pensée!
Ils bravent la fureur d'une amante insensée.[14]
Malgré ce même exil qui va les écarter, 1255

[11] *pleine licence:* complete freedom
[12] outcast
[13] gall
[14] *amante insensée:* Phèdre herself

[10] news

Ils font mille serments de ne se point quitter.
Non, je ne puis souffrir un bonheur qui m'outrage,
Œnone. Prends pitié de ma jalouse rage.
Il faut perdre Aricie. Il faut de mon époux
Contre un sang odieux réveiller le courroux.   1260
Qu'il ne se borne pas à des peines légères :
Le crime de la sœur passe celui des frères.
Dans mes jaloux transports je le veux implorer.
Que fais-je? Où ma raison se va-t-elle egarer?
Moi jalouse! et Thésée est celui que j'implore!   1265
Mon époux est vivant, et moi je brûle encore!
Pour qui? Quel est le cœur où prétendent mes vœux?
Chaque mot sur mon front fait dresser mes cheveux.
Mes crimes désormais ont comblé la mesure.
Je respire à la fois l'inceste et l'imposture.   1270
Mes homicides mains, promptes à me venger,
Dans le sang innocent brûlent de se plonger.
Misérable! et je vis? et je soutiens la vue
De ce sacré soleil dont je suis descendue?
J'ai pour aïeul le père et le maître des Dieux;   1275
Le ciel, tout l'univers est plein de mes aïeux.
Où me cacher? Fuyons dans la nuit infernale.
Mais que dis-je? mon père y tient l'urne fatale;
Le sort, dit-on, l'a mise en ses sévères mains :
Minos juge aux enfers tous les pâles humains.[15]   1280
Ah! combien frémira son ombre épouvantée,
Lorsqu'il verra sa fille à ses yeux présentée,
Contrainte d'avouer tant de forfaits divers,
Et des crimes peut-être inconnus aux enfers!
Que diras-tu, mon père, à ce spectacle horrible?   1285
Je crois voir de ta main tomber l'urne terrible;
Je crois te voir, cherchant un supplice nouveau,
Toi-même de ton sang devenir le bourreau.
Pardonne. Un Dieu cruel a perdu ta famille;
Reconnais sa vengeance aux fureurs de ta fille.   1290
Hélas! du crime affreux dont la honte me suit
Jamais mon triste cœur n'a recueilli le fruit.
Jusqu'au dernier soupir de malheurs poursuivie,
Je rends dans les tourments une pénible vie.

ŒNONE

Hé! repoussez, Madame, une injuste terreur.
Regardez d'un autre œil une excusable erreur.
Vous aimez. On ne peut vaincre sa destinée.
Par un charme fatal vous fûtes entraînée.
Est-ce donc un prodige inouï parmi nous?
L'amour n'a-t-il encore triomphe que de vous?
La faiblesse aux humains n'est que trop naturelle.
Mortelle, subissez le sort d'une mortelle.
Vous vous plaignez d'un joug imposé dès longtemps.

Les Dieux même, les Dieux, de l'Olympe habitants,
Qui d'un bruit si terrible épouvantent les crimes,   1305
Ont brûlé quelquefois de feux illégitimes.

PHÈDRE

Qu'entends-je? Quels conseils ose-t-on me donner?
Ainsi donc jusqu'au bout tu veux m'empoisonner,
Malheureuse? Voilà comme tu m'as perdue.
Au jour que je fuyais c'est toi qui m'as rendue.   1310
Tes prières m'ont fait oublier mon devoir.
J'évitais Hippolyte, et tu me l'as fait voir.
De quoi te chargeais-tu? Pourquoi ta bouche impie
A-t-elle, en l'accusant, osé noircir sa vie?
Il en mourra peut-être, et d'un père insensé   1315
Le sacrilège vœu peut-être est exaucé.[16]
Je ne t'écoute plus. Va-t-en, monstre exécrable.
Va, laisse-moi le soin de mon sort déplorable.
Puisse le juste ciel dignement te payer!
Et puisse ton supplice à jamais effrayer   1320
Tous ceux qui, comme toi, par de lâches adresses,
Des princes malheureux nourrissent les faiblesses,
Les poussent au penchant où leur cœur est enclin,
Et leur osent du crime aplanir le chemin,
Détestables flatteurs, présent le plus funeste   1325
Qui puisse faire aux rois la colère céleste!

ŒNONE, *seule.*

Ah! Dieux! pour la servir j'ai tout fait, tout quitté;
Et j'en reçois ce prix? Je l'ai bien mérité.

ACTE V

Scène première. — HIPPOLYTE, ARICIE

ARICIE

Quoi? vous pouvez vous taire en ce pèril extrême?
Vous laissez dans l'erreur un père qui vous aime?   1330
Cruel, si de mes pleurs méprisant le pouvoir,
Vous consentez sans peine à ne me plus revoir,
Partez, séparez-vous de la triste Aricie.
Mais du moins en partant assurez votre vie.
Défendez votre honneur d'un reproche honteux,   1335
Et forcez votre père à révoquer ses vœux.
Il en est temps encor. Pourquoi, par quel caprice,
Laissez-vous le champ libre à votre accusatrice?
Eclaircissez[1] Thésée.

---

[15] Minos, after his death, was made one of the judges of the souls of the dead in Hades

[16] fulfilled

[1] enlighten

HIPPOLYTE

Hé! que n'ai-je point dit?
Ai-je dû mettre au jour l'opprobre de son lit? 1340
Devais-je, en lui faisant un récit trop sincère,
D'une indigne rougeur couvrir le front d'un père?
Vous seule avez percé ce mystère odieux.
Mon cœur pour s'épancher n'a que vous et les Dieux.
Je n'ai pu vous cacher, jugez si je vous aime, 1345
Tout ce que je voulais me cacher à moi-même.
Mais songez sous quel sceau[2] je vous l'ai révélé.
Oubliez, s'il se peut, que je vous ai parlé,
Madame; et que jamais une bouche si pure
Ne s'ouvre pour conter cette horrible aventure. 1350
Sur l'équité[3] des Dieux osons nous confier:
Ils ont trop d'intérêt à me justifier;
Et Phèdre, tôt ou tard de son crime punie,
N'en saurait éviter la juste ignominie.
C'est l'unique respect que j'exige de vous. 1355
Je permets tout le reste à mon libre courroux.
Sortez de l'esclavage où vous êtes réduite;
Osez me suivre, osez accompagner ma fuite;
Arrachez-vous d'un lieu funeste et profané,
Où la vertu respire un air empoisonné. 1360
Profitez, pour cacher votre prompte retraite,
De la confusion que ma disgrâce y jette.
Je vous puis de la fuite assurer les moyens.
Vous n'avez jusqu'ici de gardes que les miens.
De puissants défenseurs prendront notre querelle; 1365
Argos nous tend les bras, et Sparte nous appelle:
A nos amis communs portons nos justes cris;
Ne souffrons pas que Phèdre, assemblant nos débris,
Du trône paternel nous chasse l'un et l'autre,
Et promette à son fils ma dépouille[4] et la vôtre. 1370
L'occasion est belle, il la faut embrasser.
Quelle peur vous retient? Vous semblez balancer?
Votre seul intérêt m'inspire cette audace.
Quand je suis tout de feu, d'où vous vient cette glace?
Sur les pas d'un banni craignez-vous de marcher? 1375

ARICIE

Hélas! qu'un tel exil, Seigneur, me serait cher!
Dans quels ravissements, à votre sort liée,
Du reste des mortels je vivrais oubliée!
Mais n'étant point unis par un lien si doux,
Me puis-je avec honneur dérober[5] avec vous? 1380
Je sais que, sans blesser l'honneur le plus sévère,
Je me puis affranchir des mains de votre père:
Ce n'est point m'arracher du sein de mes parents;

Et la fuite est permise à qui fuit ses tyrans.
Mais vous m'aimez, Seigneur; et ma gloire[6] alarmée... 1385

HIPPOLYTE

Non, non, j'ai trop de soin de votre renommée.
Un plus noble dessein m'amène devant vous:
Fuyez vos ennemis, et suivez votre époux.
Libres dans nos malheurs, puisque le ciel l'ordonne,
Le don de notre foi ne dépend de personne. 1390
L'hymen n'est point toujours entouré de flambeaux.
Aux portes de Trézène, et parmi ces tombeaux,
Des princes de ma race antiques sépultures,
Est un temple sacré formidable aux parjures.
C'est là que les mortels n'osent jurer en vain. 1395
Le perfide y reçoit un châtiment soudain;
Et craignant d'y trouver la mort inévitable,
Le mensonge n'a point de frein plus redoutable.
Là, si vous m'en croyez, d'un amour éternel
Nous irons confirmer le serment solennel; 1400
Nous prendrons à témoin le Dieu qu'on y révère;
Nous le prierons tous deux de nous servir de père.
Des Dieux les plus sacrés j'attesterai le nom.
Et la chaste Diane, et l'auguste Junon,
Et tous les Dieux enfin, témoins de mes tendresses, 1405
Garantiront la foi de mes saintes promesses.

ARICIE

Le Roi vient. Fuyez, Prince, et partez promptement.
Pour cacher mon départ je demeure un moment.
Allez; et laissez-moi quelque fidèle guide,
Qui conduise vers vous ma démarche timide. 1410

Scène II. — THÉSÉE, ARICIE, ISMÈNE

THÉSÉE

Dieux! éclairez mon trouble, et daignez à mes yeux
Montrer la vérité que je cherche en ces lieux.

ARICIE

Songe à tout, chère Ismène, et sois prête à la fuite.

Scène III. — THÉSÉE, ARICIE

THÉSÉE

Vous changez de couleur et semblez interdite,
Madame. Que faisait Hippolyte en ce lieu? 1415

ARICIE

Seigneur, il me disait un éternel adieu.

[2] i.e., in secrecy
[3] fairness
[4] *ma dépouille:* what is rightfully mine
[5] flee

[6] honor

THÉSÉE

Vos yeux ont su dompter ce rebelle courage,
Et ses premiers soupirs sont votre heureux ouvrage.

ARICIE

Seigneur, je ne vous puis nier la vérité:
De votre injuste haine il n'a pas hérité;
Il ne me traitait point comme une criminelle.

THÉSÉE

J'entends: il vous jurait une amour éternelle.
Ne vous assurez point sur ce cœur inconstant;
Car à d'autres que vous il en jurait autant.

ARICIE

Lui, Seigneur?   1425

THÉSÉE

           Vous deviez le rendre moins volage.[7]
Comment souffriez-vous cet horrible partage?

ARICIE

Et comment souffrez-vous que d'horribles discours
D'une si belle vie osent noircir le cours?
Avez-vous de son cœur si peu de connaissance?
Discernez-vous si mal le crime et l'innocence?
Faut-il qu'à vos yeux seuls un nuage odieux
Dérobe sa vertu qui brille à tous les yeux?
Ah! c'est trop le livrer à des langues perfides.
Cessez: repentez-vous de vos vœux homicides;
Craignez, Seigneur, craignez que le ciel rigoureux   1435
Ne vous haïsse assez pour exaucer vos vœux.
Souvent dans sa colère il reçoit nos victimes;
Ses présents sont souvent la peine de nos crimes.

THÉSÉE

Non, vous voulez en vain couvrir son attentat:[8]
Votre amour vous aveugle en faveur de l'ingrat.
Mais j'en crois des témoins certains, irréprochables:
J'ai vu, j'ai vu couler des larmes véritables.

ARICIE

Prenez garde, Seigneur. Vos invincibles mains
Ont de monstres sans nombre affranchi les humains;
Mais tout n'est pas détruit, et vous en laissez vivre 1445
Un . . . Votre fils, Seigneur, me défend de poursuivre.
Instruite du respect qu'il veut vous conserver,
Je l'affligerais trop si j'osais achever.
J'imite sa pudeur, et fuis votre présence
Pour n'être pas forcée à rompre le silence.   1450

---

[7] fickle
[8] crime

Scène IV. — THÉSÉE, *seul.*

Quelle est donc sa pensée? et que cache un discours
Commencé tant de fois, interrompu toujours?
Veulent-ils m'éblouir par une feinte vaine?
Sont-ils d'accord tous deux pour me mettre à la gêne?   1420
Mais moi-même, malgré ma sévère rigueur,   1455
Quelle plaintive voix crie au fond de mon cœur?
Une pitié secrète et m'afflige et m'étonne.
Une seconde fois interrogeons Œnone.
Je veux de tout le crime être mieux éclairci.
Gardes, qu'Œnone sorte, et vienne seule ici.   1460

Scène V. — THÉSÉE, PANOPE

PANOPE

J'ignore le projet que la Reine médite,
Seigneur, mais je crains tout du transport qui l'agite.
Un mortel désespoir sur son visage est peint;
La pâleur de la mort est déjà sur son teint.
Déjà, de sa présence avec honte chassée,   1465
Dans la profonde mer Œnone s'est lancée.
On ne sait point d'où part ce dessein furieux;
Et les flots pour jamais l'ont ravie à nos yeux.

THÉSÉE

Qu'entends-je?

PANOPE

           Son trépas n'a point calmé la Reine:
Le trouble semble croître en son âme incertaine.   1470
Quelquefois, pour flatter ses secrètes douleurs,
Elle prend ses enfants et les baigne de pleurs;
Et soudain, renonçant à l'amour maternelle,
Sa main avec horreur les repousse loin d'elle.
Elle porte au hasard ses pas irrésolus;   1475
Son œil tout égaré ne nous reconnaît plus.
Elle a trois fois écrit; et changeant de pensée,
Trois fois elle a rompu sa lettre commencée.
Daignez la voir, Seigneur; daignez la secourir.

THÉSÉE

O ciel! Œnone est morte, et Phèdre veut mourir?   1480
Qu'on rappelle mon fils, qu'il vienne se défendre!
Qu'il vienne me parler, je suis prêt de l'entendre.
Ne précipite point tes funestes bienfaits,
Neptune; j'aime mieux n'être exaucé jamais.
J'ai peut-être trop cru des témoins peu fidèles,   1485
Et j'ai trop tôt vers toi levé mes mains cruelles.
Ah! de quel désespoir mes vœux seraient suivis!

Scène VI. — THÉSÉE, THÉRAMÈNE

THÉSÉE

Théramène, est-ce toi? Qu'as-tu fait de mon fils?
Je te l'ai confié dès l'âge le plus tendre.
Mais d'où naissent les pleurs que je te vois répandre?
Que fait mon fils?

THÉRAMÈNE

      O soins tardifs et superflus!
Inutile tendresse! Hippolyte n'est plus.

THÉSÉE

Dieux!

THÉRAMÈNE

      J'ai vu des mortels périr le plus aimable,
Et j'ose dire encor, Seigneur, le moins coupable.

THÉSÉE

Mon fils n'est plus? Hé quoi? quand je lui tends les bras, 1495
Les Dieux impatients ont hâté son trépas?
Quel coup me l'a ravi? quelle foudre soudaine?

THÉRAMÈNE

A peine nous sortions des portes de Trézène,
Il était sur son char; ses gardes affligés
Imitaient son silence, autour de lui rangés.
Il suivait tout pensif le chemin de Mycènes; 1500
Sa main sur ses chevaux laissait flotter les rênes.
Ses superbes coursiers, qu'on voyait autrefois
Pleins d'une ardeur si noble obéir à sa voix,
L'œil morne maintenant et la tête baissée,
Semblaient se conformer à sa triste pensée. 1505
Un effroyable cri, sorti du fond des flots,
Des airs en ce moment a troublé le repos;
Et du sein de la terre une voix formidable
Répond en gémissant à ce cri redoutable.
Jusqu'au fond de nos cœurs notre sang s'est glacé. 1510
Des coursiers attentifs le crin s'est hérissé.[9]
Cependant sur le dos de la plaine liquide
S'élève à gros bouillons une montagne humide.
L'onde approche, se brise, et vomit à nos yeux,
Parmi des flots d'écume, un monstre furieux. 1515
Son front large est armé de cornes menaçantes;
Tout son corps est couvert d'écailles[10] jaunissantes;
Indomptable taureau, dragon impétueux,
Sa croupe se recourbe en replis tortueux.[11]
Ses longs mugissements font trembler le rivage. 1520
Le ciel avec horreur voit ce monstre sauvage;
La terre s'en émeut, l'air en est infecté;

Le flot, qui l'apporta, recule épouvanté.
Tout fuit; et sans s'armer d'un courage inutile, 1525
Dans le temple voisin chacun cherche un asile.
Hippolyte lui seul, digne fils d'un héros,
Arrête ses coursiers, saisit ses javelots,
Pousse au monstre, et d'un dard lancé d'une main sûre,
Il lui fait dans le flanc une large blessure. 1530
De rage et de douleur le monstre bondissant
Vient aux pieds des chevaux tomber en mugissant,
Se roule, et leur présente une gueule enflammée,
Qui les couvre de feu, de sang et de fumée.
La frayeur les emporte; et sourds à cette fois, 1535
Ils ne connaissent plus ni le frein ni la voix.
En efforts impuissants leur maître se consume.
Ils rougissent le mors[12] d'une sanglante écume.
On dit qu'on a vu même, en ce désordre affreux,
Un Dieu qui d'aiguillons pressait leur flanc poudreux.[13] 1540
A travers les rochers la peur les précipite;
L'essieu[14] crie et se rompt. L'intrépide Hippolyte
Voit voler en éclats tout son char fracassé;
Dans les rênes lui-même il tombe embarrassé.
Excusez ma douleur. Cette image cruelle 1545
Sera pour moi de pleurs une source éternelle.
J'ai vu, Seigneur, j'ai vu votre malheureux fils
Traîné par les chevaux que sa main a nourris.
Il veut les rappeler, et sa voix les effraie.
Ils courent. Tout son corps n'est bientôt qu'une plaie. 1550
De nos cris douloureux la plaine retentit.
Leur fougue impétueuse enfin se ralentit:
Ils s'arrêtent, non loin de ces tombeaux antiques
Où des rois ses aïeux sont les froides reliques.
J'y cours en soupirant, et sa garde me suit. 1555
De son généreux sang la trace nous conduit:
Les rochers en sont teints; les ronces[15] dégouttantes
Portent de ses cheveux les dépouilles sanglantes.
J'arrive, je l'appelle; et me tendant la main,
Il ouvre un œil mourant, qu'il referme soudain. 1560
« Le ciel, dit-il, m'arrache une innocente vie.
Prends soin après ma mort de la triste Aricie.
Cher ami, si mon père un jour désabusé
Plaint le malheur d'un fils faussement accusé,
Pour apaiser mon sang et mon ombre plaintive, 1565
Dis-lui qu'avec douceur il traite sa captive;
Qu'il lui rende . . . » A ce mot ce héros expiré
N'a laissé dans mes bras qu'un corps défiguré,
Triste objet, où des Dieux triomphe la colère,
Et que méconnaîtrait l'œil même de son père. 1570

---

[9] *le crin . . . hérissé:* their manes stood on end
[10] scales
[11] *Sa . . . tortueux:* its tail curls in twisting folds

[12] bit (of a harness)
[13] that is, they were spurred on by Neptune
[14] axle
[15] *ronces dégouttantes:* dripping thorns

THÉSÉE

O mon fils! cher espoir que je me suis ravi!
Inexorables Dieux, qui m'avez trop servi!
A quels mortels regrets ma vie est réservée!

THÉRAMÈNE

La timide Aricie est alors arrivée.
Elle venait, Seigneur, fuyant votre courroux, 1575
A la face des Dieux l'accepter pour époux.
Elle approche: elle voit l'herbe rouge et fumante;
Elle voit (quel objet pour les yeux d'une amante!)
Hippolyte étendu, sans forme et sans couleur.
Elle veut quelque temps douter de son malheur; 1580
Et ne connaissant plus ce héros qu'elle adore,
Elle voit Hippolyte, et le demande encore.
Mais trop sûre à la fin qu'il est devant ses yeux,
Par un triste regard elle accuse les Dieux;
Et froide, gémissante, et presque inanimée, 1585
Aux pieds de son amant elle tombe pâmée.
Ismène est auprès d'elle; Ismène, toute en pleurs,
La rappelle à la vie, ou plutôt aux douleurs.
Et moi, je suis venu, détestant la lumière,
Vous dire d'un héros la volonté dernière, 1590
Et m'acquitter, Seigneur, du malheureux emploi
Dont son cœur expirant s'est reposé sur moi.
Mais j'aperçois venir sa mortelle ennemie.

Scène VII. — THÉSÉE, PHÈDRE, THÉRAMÈNE,
PANOPE, gardes

THÉSÉE

Hé bien! vous triomphez, et mon fils est sans vie.
Ah! que j'ai lieu de craindre! et qu'un cruel soupçon, 1595
L'excusant dans mon cœur, m'alarme avec raison!
Mais, Madame, il est mort, prenez votre victime:
Jouissez de sa perte, injuste ou légitime.
Je consens que mes yeux soient toujours abusés.
Je le crois criminel, puisque vous l'accusez. 1600
Son trépas à mes pleurs offre assez de matières,
Sans que j'aille chercher d'odieuses lumières,
Qui ne pouvant le rendre à ma juste douleur,
Peut-être ne feraient qu'accroître mon malheur.
Laissez-moi, loin de vous et loin de ce rivage, 1605
De mon fils déchiré fuir la sanglante image.
Confus, persécuté d'un mortel souvenir,
De l'univers entier je voudrais me bannir.
Tout semble s'élever contre mon injustice.
L'éclat de mon nom même augmente mon supplice. 1610
Moins connu des mortels, je me cacherais mieux.
Je hais jusques aux soins dont m'honorent les Dieux;
Et je m'en vais pleurer leurs faveurs meurtrières,
Sans plus les fatiguer d'inutiles prières.
Quoi qu'ils fissent pour moi, leur funeste bonté 1615
Ne me saurait payer de ce qu'ils m'ont ôté.

PHÈDRE

Non, Thésée, il faut rompre un injuste silence:
Il faut à votre fils rendre son innocence.
Il n'était point coupable.

THÉSÉE

                    Ah! père infortuné!
Et c'est sur votre foi que je l'ai condamné! 1620
Cruelle, pensez-vous être assez excusée...

PHÈDRE

Les moments me sont chers,[16] écoutez-moi, Thésée.
C'est moi qui sur ce fils chaste et respectueux
Osai jeter un œil profane, incestueux.
Le ciel mit dans mon sein une flamme funeste; 1625
La détestable Œnone a conduit tout le reste.
Elle a craint qu'Hippolyte, instruit de ma fureur,
Ne découvrît un feu qui lui faisait horreur.
La perfide, abusant de ma faiblesse extrême,
S'est hâtée à vos yeux de l'accuser lui-même. 1630
Elle s'en est punie, et, fuyant mon courroux,
A cherché dans les flots un supplice trop doux.
Le fer aurait déjà tranché ma destinée;[17]
Mais je laissais gémir la vertu soupçonnée.
J'ai voulu, devant vous exposant mes remords, 1635
Par un chemin plus lent descendre chez les morts.
J'ai pris, j'ai fait couler dans mes brûlantes veines
Un poison que Médée[18] apporta dans Athènes.
Déjà jusqu'à mon cœur le venin parvenu
Dans ce cœur expirant jette un froid inconnu; 1640
Déjà je ne vois plus qu'à travers un nuage
Et le ciel et l'époux que ma présence outrage;
Et la mort, à mes yeux dérobant la clarté,
Rend au jour, qu'ils souillaient, toute sa pureté.

PANOPE

Elle expire, Seigneur! 1645

THÉSÉE

                    D'une action si noire
Que ne peut avec elle expirer la mémoire!
Allons, de mon erreur, hélas! trop éclaircis,
Mêler nos pleurs au sang de mon malheureux fils.
Allons de ce cher fils embrasser ce qui reste,
Expier la fureur d'un vœu que je déteste. 1650
Rendons-lui les honneurs qu'il a trop mérités;
Et pour mieux apaiser ses mânes[19] irrités,
Que, malgré les complots d'une injuste famille,
Son amante aujourd'hui me tienne lieu de fille.

[16] precious [Phèdre is dying]
[17] that is, she would have died by the sword
[18] Medea was a sorceress and maker of poisons. She had fled to Athens after murdering her own two sons as vengeance for her husband Jason's infidelity
[19] spirit

ACTE I

1. *Expliquez comment dès les deux premières tirades (vv. 1–21) Racine établit un contraste moral et psychologique entre Thésée et son fils.*

2. *Les raisons que donne Hippolyte pour vouloir partir sont-elles sincères (vv. 27–28)?*

3. *Qu'apprend-on du caractère de Phèdre avant même de la voir (voyez les vers 37–47)?*

4. *Expliquez la réplique d'Hippolyte: Si je la haïssais, je ne la fuirais pas (v. 56).*

5. *Pourquoi Thésée défend-il à son fils d'épouser Aricie? Est-ce pour Hippolyte la vraie raison de l'éviter?*

6. *Pourquoi Théramène encourage-t-il le penchant d'Hippolyte pour Aricie malgré les injonctions de Thésée?*

7. *Dans l'absence de Thésée quel rôle Théramène semble-t-il jouer auprès du jeune prince?*

8. *Remarquez qu'au moment même où l'action semble trouver un certain équilibre, Racine introduit un nouvel élément qui approfondit le conflit et rétablit l'état de crise. Par exemple, au moment où Hippolyte prépare son départ, vient sur scène une Œnone troublée. Trouvez d'autres exemples de cette technique.*

9. *Notez que surtout en ce qui concerne Phèdre elle-même, l'image de lumière-obscurité se poursuit à travers la pièce. Trouvez-en plusieurs exemples dans cet acte et dans les autres.*

10. *Par quels moyens Phèdre essaie-t-elle de se cacher?*

11. *Commentez la réplique de Phèdre: Insensée . . (v. 179).*

12. *Quel est le sens de la dispute entre Œnone et Phèdre (v. 185 et sq.)?*

13. *Pourquoi Phèdre s'occupe-t-elle tellement de ses ancêtres (par exemple, de sa mère aux vers 249–250)?*

14. *Expliquez pourquoi Phèdre montre une certaine hésitation à nommer celui qu'elle aime (vv. 260 et sq.).*

15. *Analysez la longue réplique de Phèdre (vv. 269–316) des points de vue linguistique et dramatique. Cette réplique vous semble-t-elle se développer logiquement?*

16. *Sur quel ton vous imaginez-vous la réplique de Phèdre apprenant la mort de Thésée?*

17. *Vous semble-t-il que l'exposition soit terminée à la fin du premier acte?*

ACTE II

18. *Quelle impression d'Aricie Racine donne-t-il au début de cet acte—d'innocence et de pureté ou de calcul et de subtilité, etc.? (Notez qu'Aricie pose beaucoup de questions et essaie de modérer son espoir d'être aimée d'Hippolyte.)*

19. *Pourquoi insiste-t-on dans toute la pièce sur les infidélités de Thésée (par exemple, aux vers 380–381)?*

20. *Commentez la longue réplique d'Aricie Que mon cœur . . . (v. 415). Vous semble-t-elle une petite fille tout innocente et sans force?*

21. *La scène II dépend d'une péripétie ou renversement de situation. Analysez la scène en indiquant les étapes de ce renversement. A ce propos considérez aussi les changements de ton qui s'opèrent chez les deux personnages.*

22. *Quel est l'effet dramatique produit par l'annonce de l'entrée de Phèdre à ce moment précis (v. 561)?*

23. *Comment Hippolyte réagit-il aux paroles de Phèdre Je le vois, je lui parle, et mon cœur . . . (v. 629)?*

24. *Comment Phèdre déguise-t-elle son amour pour Hippolyte (vv. 634–662)? Que lui arrive-t-il tout naturellement lorsqu'elle s'exalte ainsi?*

25. *Par quoi la Phèdre amoureuse d'Hippolyte est-elle tourmentée? Est-ce par l'antipathie de ce dernier? Expliquez pourquoi elle serait forcément tourmentée même s'il répondait à son amour.*

26. *A quoi Phèdre attribue-t-elle son amour fatal (vv. 679–682)? Essaie-t-elle ainsi de diminuer sa propre responsabilité?*

27. Trouvez-vous un rapport inattendu entre l'amour et la mort lorsque Phèdre demande la mort à Hippolyte (vv. 707–711)? Justifiez votre réponse.
28. Quel effet dramatique l'arrivée de Théramène produit-elle?
29. Pourquoi Racine termine-t-il l'acte avec la nouvelle que Thésée vit peut-être encore?

ACTE III

30. A quels conseils flatteurs Phèdre fait-elle allusion au vers 771? Essai-t-elle ainsi de faire peser la responsabilité de son amour sur Œnone?
31. Quel changement psychologique apparaît dans la demande de Phèdre: Sers ma fureur, Œnone, et non point ma raison (v. 792)?
32. Auparavant Phèdre employait sa raison à combattre son amour. Comment s'en sert-elle maintenant (vv. 794–812)?
33. Etudiez la réaction de Phèdre (vv. 909–912) aux sollicitations immorales d'Œnone. Phèdre approuve-t-elle cette immoralité par son silence? Peut-on l'excuser à cause de circonstances atténuantes?
34. Qu'est-ce qui avait retardé le retour de Thésée?

ACTE IV

35. Est-ce en tant que père, mari, guerrier ou roi que Thésée se sent le plus outragé par son fils?
36. Comment Œnone explique-t-elle les silences de Phèdre (vv. 1014 et sq.)?
37. Pourquoi Hippolyte ne révèle-t-il pas à son père le crime de Phèdre?
38. Comment Hippolyte se défend-t-il? Essaie-t-il de montrer que la culpabilité est du côté de Phèdre et non du sien? Pourquoi en fin de compte Hippolyte révèle-t-il son amour pour Aricie?
39. Quel effet la nouvelle de l'amour d'Hippolyte pour Aricie produit-elle sur Phèdre?

40. Au vers 1264 Phèdre commence à voir un peu clair dans les suites de sa folle jalousie. A ce propos, quelle est la portée du vers 1276: Le ciel, tout l'univers est plein de mes aïeux?
41. Ayant chassé Œnone, Phèdre peut-elle s'attendre à sauver Hippolyte? Croyez-vous qu'elle va même essayer de le faire?

ACTE V

42. Pourquoi Racine réunit-il les jeunes amants une dernière fois avant la mort d'Hippolyte? Cette scène est-elle dramatiquement justifiable? Expliquez votre réponse.
43. En quoi Hippolyte met-il sa foi (v. 1351)? Qu'y a-t-il d'ironique dans cette confiance? Justifiez votre réponse.
44. Quel effet la nouvelle de la mort d'Œnone produit-elle sur Thésée?
45. Commentez la rapidité de l'action dans cet acte: mort d'Œnone, mort d'Hippolyte, suicide de Phèdre.
46. Remarquez que le récit de Théramène forme un petit drame en lui-même. Quels en sont les étapes?
47. Commentez le symbolisme du récit de Théramène: la mer, les chevaux, le taureau, etc.
48. Quels traits de caractère voit-on dans les dernières paroles d'Hippolyte rapportées par Théramène?
49. Trouvez-vous que ce long récit ralentisse l'action? Racine ne pouvait pas montrer de violence sur la scène à son époque (la doctrine des bienséances) mais pouvez-vous justifier ce long récit du point de vue dramatique?
50. Pourquoï à la fin Thésée veut-il se bannir de l'univers entier?
51. Montrez comment les vers 1625–1626 résume la pièce du point de vue dramatique et moral.
52. En quoi les quatre derniers vers de Phèdre sont-ils une illumination tragique?
53. Discutez les raisons pour lesquelles Thésée et Aricie sont les seuls à survivre à la fin de la pièce.

QUESTIONS GÉNÉRALES:

54. *Trouvez-vous que Phèdre enseigne une leçon morale? que (comme Racine lui-même l'a dit) « le vice soit peint partout avec des couleurs qui en font connaître et haïr la difformité? »*

55. *Phèdre s'adressait au moment de sa création à un public assez restreint, surtout formé par la noblesse. Trouvez-vous que la pièce conserve cependant une certaine valeur et une certaine portée à notre époque?*

Les Parents terribles

JEAN COCTEAU (1889–   )

The passionate ambiguities of family life, what the psychologist Freud called the family romance, emerge in the twentieth century as a recurrent theme of dramatic literature. Yet the theme is far from modern. Greek tragedies are family dramas; Phèdre is a domestic drama; so, too, in many ways, is L'Ecole des femmes. Racine was criticized for treating forbidden themes of incest in Phèdre, and Cocteau's Les Parents terribles was twice closed for the same reason, first by the Conseil Municipal de Paris and later by the German occupation authorities. In the courtly Paris of Louis XIV, in the mad-cap Paris before World War II and in the sombre Paris of a conquered France, an audience (or part of it) could be shocked by the representation of an illicit situation. Moral conventions had not much changed.

However, theatrical conventions had—from the poetic formalism of Racine to the representational realism of Cocteau.* Cocteau's play obeys

* We would mislead you if we presented Les Parents terribles as typical of Cocteau. The body of his work is poetic and inventive. Here, he appears to have departed from his usual style in a kind of défi not only of his critics, but also of his admirers—giving up his free style in a profound demonstration of the artist's freedom

the conventions of the pièce-bien-faite (well-made-play) which reached its peak in the late nineteenth century. Such a play is dominated by le souci du réalisme: it tries to present life as if it were being recorded by a hidden camera trained upon everyday reality. The stage represents a room with one wall (le mur idéal) removed. Much of the author's art lies in a willful concealment of that very artfulness. He tries to make us believe that the coincidences and carefully prepared effects of the play might occur in everyday life, that they are arranged by life and not by an author. All the entrances and exits which the characters make are made to appear motivated from within the world of the play; every emotion is accounted for by the situation in which the characters find themselves.

Yet beneath the pattern of life-as-it-really-is certain familiar and even ancient dramatic conventions are visible. Léonie functions throughout much of the action like the chorus of Greek tragedy (more like the dramatically integrated choruses of Sophocles and Euripides than the lyrical choruses of Aeschylus). And, unlike most of life's events, the pattern is circular: it begins with an attempted suicide and concludes with a successful suicide. (Compare Hippolyte's intention to depart in the beginning of Phèdre with his departure through death at the end). It could even be argued that the people of the more obviously conventional Phèdre are more rounded and fully developed than the people of the more obviously realistic Les Parents. The latter is very neat—with a neatness, in fact, which probably does not correspond with everyday reality as most of us experience it.

Since this play does, nevertheless, attempt to suggest life as it really is, a useful inquiry might begin with the question: how probable is the play? Are we sufficiently convinced by the plot and the characters to accord it that willing suspension of disbelief which is necessary to involve the audience? Again, what is the relation between the surface realism (we do not mean superficial) and the underlying dramatic conventions found on close study. In discussing realism in fiction (p. 156), we observed that the artist is concerned not with reproducing *the world in which he lives, but with creating—through language, gesture and all the other resources which his freely chosen convention allows him—a world of his own, as believable in its numerous relations as the world without. Does this observation apply here?*

Finally, is there a necessary relation between the realistic mode of the play and the situation it depicts, that is, its subject? Some scholars make a distinction between realism as a technique and realism as a term applying only to subject matter. To avoid confusion, other scholars have suggested the use of the term naturalistic *for literature that involves the sordid side of life in lower and middle-class modern society. Which term do you think most appropriate for* Les Parents terribles?

Personnages[1]

YVONNE
LÉONIE
MADELEINE
GEORGES
MICHEL

A Paris de nos jours.

DÉCORS
Acte   I: Chambre d'Yvonne.
Acte II: Chez Madeleine.
Acte III: Chambre d'Yvonne.

NOTE

Les chambres seront celles de cette famille en désordre et de Madeleine (le contraire).
Un seul détail obligatoire: Les décors, très réalistes, seront construits assez solidement pour que les portes puissent claquer.
LÉO *(Léonie) répète souvent: « Chez vous, c'est la maison des portes qui claquent. »*

---

[1] Yvonne and Léonie (Léo) are sisters. Michel is the son of Georges and Yvonne

ACTE I

LA CHAMBRE D'YVONNE

Au second plan à gauche,[2] porte de la chambre de Léo. Au premier plan à gauche, fauteuil et coiffeuse.[3] Au fond à gauche, porte sur l'appartement. Au fond à droite, de face aussi, porte de la salle de bains qu'on devine blanche et très éclairée. Au deuxième plan à droite, porte d'entrée sur le vestibule. Premier plan à droite, de profil, le lit très vaste et très en désordre. Fourrures, châles, etc. . . .
   Au bout du lit une chaise.
   Centre au fond, chiffonnier.
Près du lit, petite table avec lampe. Lustre[4] central éteint. Des peignoirs trainent.
Les fenêtres sont censées ouvertes dans le mur idéal.[5]
Il en arrive une lumière sinistre: celle de l'immeuble d'en face. Pénombre.[6]

Scène I

GEORGES, *puis* LÉO, *puis* YVONNE

Lorsque le rideau se lève, Georges court du cabinet de toilette à la porte de Léo et crie en claquant cette porte.
GEORGES — Léo! Léo! Vite . . . Vite . . . Où es-tu?
Voix de LÉO — Michel a donné signe de vie?
GEORGES, *criant* — Il s'agit bien de Michel . . . Dépêche-toi.
LÉO, *ouvre la porte. Elle entre, en passant une robe de chambre élégante.* — Qu'y a-t-il?
GEORGES — Yvonne s'est empoisonnée.
LÉO, *stupéfaite* — Quoi?
GEORGES — L'insuline . . . Elle a dû remplir la seringue.[7]
LÉO — Où est-elle?
GEORGES — Là . . . Dans le cabinet de toilette . . .
Yvonne ouvre la porte entrouverte du cabinet de toilette et apparaît en peignoir éponge,[8] livide, se tenant à peine debout.
LÉO — Yvonne . . . Qu'est-ce que tu as fait? (*Elle tra-10 verse la scène et la soutient.*) Yvonne! (*Yvonne fait*

---

[2] *Au second plan:* upstage [*au premier plan:* downstage]
[3] dressing table
[4] chandelier
[5] *mur idéal:* see Glossary p. 434
[6] semi-darkness
[7] An overdose of insulin causes shock
[8] *peignoir éponge:* terry cloth robe

un signe — le signe non.) Parle-nous . . . Parle-moi . . .

YVONNE, *presque intelligible.* — Sucre.

GEORGES — Je vais téléphoner à la clinique.[9] C'est dimanche; il n'y aura personne . . .

LÉO — Reste. Vous perdez la tête . . . Heureusement que je suis là. (*Elle couche Yvonne sur le lit.*) Tu ne sais pas encore qu'il faut manger après l'insuline et que si on n'a pas mangé il faut du sucre.

GEORGES — Mon Dieu!   10

Il entre dans le cabinet et sort, un verre d'eau à la main. Léo le lui prend et fait boire Yvonne . . .

LÉO — Bois . . . Essaie, fais l'impossible . . . Ne te crispe pas,[10] ne te laisse pas aller. Tu ne vas pas mourir avant d'avoir revu Michel.

Yvonne se soulève et boit.

GEORGES — Que je suis bête. Sans toi, Léo, elle mourait; je la laissais mourir sans comprendre.

LÉO, à *Yvonne* — Comment te sens-tu?

YVONNE, *très bas* — C'est immédiat. Je vais mieux. Je vous demande pardon. J'ai été grotesque . . .

GEORGES — J'entends encore le professeur: « Surtout pas le sucre de chez vous. C'est rarement du sucre. 20 Achetez du sucre de canne. » Le verre est toujours préparé d'avance, le sucre fondu.[11]

YVONNE, *d'une voix plus claire* — C'est ma faute.

LÉO — Avec une folle comme toi.

YVONNE, *elle se redresse et sourit* — J'étais plus folle que d'habitude . . . C'est justement ce qui m'a trompé.

GEORGES — C'est justement ce qui m'a trompé.

YVONNE — Léo n'est pas folle, elle. Je n'aurais pas réservé cette surprise charmante à Mik . . .

GEORGES — Il n'a pas tes scrupules.

YVONNE — Ouf! (*A Léo.*) Merci, Léo. (*Elle s'appuie sur* 30 *les oreillers.*[12]) Voici ce qui est arrivé. Il était cinq heures, l'heure de ma piqûre.[13] J'ai pensé que ce serait une distraction. Une fois la piqûre finie, j'ai cru entendre l'ascenseur qui s'arrêtait à l'étage. J'ai couru dans l'antichambre. Je m'étais trompée. En revenant dans la salle de bains, je me suis presque trouvée mal. Georges est arrivé par miracle!

GEORGES — Par miracle. Je venais voir si tu dormais un peu.

LÉO — Les voilà avec leurs miracles! Tu travaillais dans la lune . . .[14] Tu as entendu sonner cinq heures, pas 40

dans la lune, et tu as marché dans la lune, jusqu'à la chambre d'Yvonne.

GEORGES — C'est possible, Léo. Tu es plus forte que moi. Je croyais être venu chez Yvonne par hasard . . .

YVONNE — Par miracle, mon bon Georges. Sans toi! . . .

GEORGES — Et sans Léo . . .

YVONNE, *riant, tout à fait bien* — Sans vous je risquais de rendre beaucoup de mal pour un peu de mal . . .

GEORGES — Pour beaucoup de mal, Yvonne. Je ne vois qu'une chose: Michel n'est pas rentré hier soir. Michel 10 a découché.[15] Michel n'a donné aucun signe de vie. Michel te connaît. Il devine l'état où tu dois être . . . Tu as oublié le sucre parce que tu as les nerfs à bout. C'est monstrueux.

YVONNE — Pourvu qu'il ne lui soit rien arrivé de grave. Un dimanche, on ne trouve personne. Peut-être qu'un de ses camarades n'ose pas nous téléphoner, nous prévenir . . .

GEORGES — Les choses graves, Yvonne, on les apprend tout de suite. Non, non. C'est in-cro-yable!   20

Il prononce ce mot en séparant les lettres, d'une manière spéciale et comme entre guillemets.[16]

YVONNE — Mais où peut-il être? Où est-il?

LÉO — Écoute, Yvonne, après ce choc ne t'excite pas. Georges, ne l'excite pas. Retourne à ton travail, je l'appellerai si nous avons besoin de toi.

YVONNE — Essaie de travailler . . .

GEORGES, *il se dirige vers la porte, de face au fond à gauche* — J'aligne des chiffres.[17] Je me trompe et je recommence.

Il sort.

Scène II

YVONNE, LÉO

YVONNE — Léo, où cet enfant a-t-il couché? Comment 30 ne se dit-il pas que je deviens folle? . . . Comment ne me téléphone-t-il pas? Enfin, ce n'est pas difficile de téléphoner . . .

LÉO — Cela dépend. S'il faut mentir, les êtres propres, neufs, maladroits comme Michel, détestent le téléphone.

YVONNE — Pourquoi Mik mentirait-il?

LÉO — De deux choses l'une: Ou bien il n'ose ni rentrer, ni téléphoner. Ou bien il se trouve si bien ailleurs qu'il ne pense ni à l'une ni à l'autre. De toute manière, il cache quelque chose.   40

---

[9] private hospital
[10] *Ne te crispe pas:* don't tense up
[11] sugar is the antidote for an overdose of insuline
[12] pillows
[13] injection
[14] *Tu . . . lune:* you were off in your dream world

[15] slept out
[16] *entre guillemets:* between quotation marks
[17] *J'aligne des chiffres:* I'm doing columns of numbers

YVONNE — Je connais Mik. Tu ne vas pas m'apprendre à le connaître. Oublier de rentrer, il n'en est pas question. Et, s'il n'ose pas prendre le téléphone, c'est peut-être qu'il court un danger mortel. Peut-être qu'il ne peut pas téléphoner.

LÉO — On peut toujours téléphoner. Michel peut et ne veut pas téléphoner.

YVONNE — Depuis ce matin tu es drôle, tu as l'air trop calme. Tu sais quelque chose.

LÉO — Je ne sais pas quelque chose. Je suis sûre de quel- 10 que chose. Ce n'est pas pareil.

YVONNE — De quoi es-tu sûre?

LÉO — Ce n'est pas la peine de te le dire, tu ne le croirais pas. Tu t'écrierais sans doute: « C'est in-cro-ya-ble » car, c'est incroyable ce que vous pouvez tous employer ce mot, depuis quelque temps.

YVONNE — Écoute!... C'est un mot de Michel...

LÉO — Possible. Mais quelquefois un mot arrive du dehors, dans une famille qui l'adopte. Il est apporté par l'un ou par l'autre. Je trouve à votre « in-cro- 20 yable » un petit air d'enfant volé. D'où vient-il? Je me le demande. J'aimerais beaucoup savoir d'où il vient.

YVONNE, riant — Il n'y a rien d'extraordinaire à ce que des maniaques, des fous, des romanichels,[18] des voleurs d'enfants, une famille que habite une roulotte...

LÉO — Tu plaisantes, Yvonne, parce que j'ai dit que vous habitiez une roulotte. Mais c'est exact. Je le répète. Et il est exact aussi que vous êtes des fous. 30

YVONNE — La maison est une roulotte, j'en conviens. Nous sommes des fous, j'en conviens. A qui la faute?

LÉO — Tu vas me sortir grand-père![19]

YVONNE — Qui collectionnait des points et virgules. Il comptait les points et virgules de Balzac. Il disait: « J'ai trente-sept mille points et virgules dans La Cousine Bette. »[20] Et il croyait se tromper, et il recommençait ses calculs. Seulement à l'époque on ne disait pas un fou. On disait « un maniaque ». Aujourd'hui, avec un peu de complaisance, tout le 40 monde passerait pour fou.

LÉO — Mettons que vous soyez des maniaques. Tu le reconnais.

YVONNE — Toi aussi, dans ton genre, tu es une maniaque.

LÉO — C'est probable... Une maniaque d'ordre comme vous êtes des maniaques de désordre. Tu sais fort bien pourquoi notre oncle m'a légué sa très petite fortune. Il sous-entendait que je vous ferais vivre.

YVONNE — Léonie!

LÉO — Ne te fâche pas. Je ne formule aucun grief. Personne n'admire Georges plus que moi. Et je suis trop heureuse que, grâce à ce legs,[21] il puisse poursuivre ses recherches. 10

YVONNE — Alors, que toi, toi! tu prennes ces recherches au sérieux... ça me dépasse... Tiens, Georges, voilà le type de maniaque. Perfectionner le fusil sous-marin! Entre nous, c'est ridicule, à son âge!...

LÉO — Georges est un enfant. Il n'a lu que ses livres d'école et Jules Verne.[22] C'est un bricoleur,[23] mais c'est un inventeur. Tu es injuste.

YVONNE — L'affaire des munitions... J'admets: parce que Georges est un ami de collège du Ministre! J'admets... bien que la commande traîne.[24] Quant 20 au fusil sous-marin à balles... Veux-tu que je te dise ce que j'en pense? Il manquait à la roulotte un « tireur sous-marin ». Moi, avec mes vieux peignoirs et mes réussites, je suis la tireuse de cartes.[25] Toi, la dompteuse; tu serais superbe en dompteuse... et Mik... Mik...

Elle cherche.

LÉO — La huitième merveille du monde.

YVONNE — Tu es méchante...

LÉO — Je ne suis pas méchante, je t'observe depuis hier, Yvonne, et je me félicite d'avoir apporté un peu 30 d'ordre dans la roulotte. En ce monde il y a les enfants et les grandes personnes. Je me compte, hélas, parmi les grandes personnes. Toi... Georges ... Mik, vous êtes de la race des enfants qui ne cessent jamais de l'être, qui commettraient des crimes...

YVONNE, l'arrêtant — Chut... Écoute... (Silence.) Non. Je croyais entendre une voiture. Tu parlais de crimes... Si je ne m'abuse, tu nous traitais même de criminels. 40

LÉO — Comme tu écoutes mal... Je te parlais de crimes qu'on peut commettre par inconscience. Il n'existe pas d'âmes simples. N'importe quel prêtre de cam-

---

[18] gypsies, who live in a caravan [roulotte]
[19] Tu ... grand-père: you're going to drag in grandfather again
[20] La Cousine Bette: one of the greatest novels of Balzac (1799–1850)

[21] legacy
[22] writer of science-fiction (1828–1905)
[23] tinkerer
[24] bien ... traîne: although the Ministry of War hasn't ordered any yet
[25] réussites: patience [card-game]; tireuse-de-cartes: fortune teller

pagne te dira que le moindre village abrite des instincts de meurtre, d'inceste, de vol, qu'on ne rencontre pas dans les villes. Non, je ne vous traitais pas de criminels. Au contraire! Une vraie nature de criminel est quelquefois préférable à cette pénombre où vous vous complaisez et qui me fait peur.

YVONNE — Mik a sans doute bu une goutte de champagne. Il n'a pas l'habitude. Il est resté chez un camarade. Peut-être dort-il. Peut-être a-t-il honte de sa fugue.[26] Je le trouve impardonnable de m'avoir fait passer cette nuit d'angoisse et cette journée sans fin, mais je t'avoue que je ne peux pas le trouver criminel!

LÉO, *elle s'approche du lit d'Yvonne* — Yvonne, je voudrais savoir si tu te moques de moi.

YVONNE — Hein?

LÉO, *elle lui lève le visage par le menton* — Non. Je croyais que tu crânais,[27] que tu jouais un rôle. Je me trompais. Tu es aveugle.

YVONNE — Explique-toi.

LÉO — Michel a passé la nuit chez une femme.

YVONNE — Michel?

LÉO — Michel.

YVONNE — Tu perds la tête. Mik est un enfant. Tu le disais toi-même il y a une minute...

LÉO — C'est toi qui perds la tête. J'ai dit que vous étiez, toi, Georges et Michel, d'une race d'enfants, une race dangereuse que j'opposais à la race des grandes personnes. Mais Michel n'est plus un enfant à la manière dont tu l'imagines. C'est un homme.

YVONNE — Il n'a pas fait son service.[28]

LÉO — A cause de ses bronches et du ministre,[29] ma chère Yvonne. Ce service libérait Michel. Il ne fallait à aucun prix qu'il s'éloigne.[30] Il a vingt-deux ans.

YVONNE — Eh bien...

LÉO — Tu es fantastique... Tu sèmes, tu sèmes, et tu ne vois même pas la récolte.

YVONNE — J'ai semé quoi? Et je récolte quoi?

LÉO — Tu as semé du linge sale, des cendres de cigarettes, que sais-je? Et tu récoltes ceci: que Michel étouffe dans votre roulotte et qu'il a fallu qu'il cherche de l'air.

YVONNE — Et tu prétends qu'il cherche de l'air chez des femmes, qu'il fréquente des grues.[31]

LÉO — Voilà le style des familles qui revient. Sais-tu pourquoi Michel n'a pas téléphoné? Pour ne pas entendre au bout du fil: «Rentre, mon enfant, ton père a à te parler» ou quelque baliverne de ce genre, et c'est moi, moi qui veille sur la roulotte, moi l'ordre, moi la maniaque d'ordre, la seule à ne pas me draper dans les vestiges de la bourgeoisie. Qu'est-ce qu'une famille bourgeoise? je te le demande: c'est une famille riche, en ordre avec des domestiques... Chez nous, pas d'argent, pas d'ordre et pas de domestiques. Les domestiques restaient quatre jours. Il a fallu que je m'arrange, grâce à une femme de ménage (qui ne vient pas le dimanche). Mais les phrases et les principes tiennent bon. L'épave de la bourgeoisie![32] Nous ne sommes pas une famille artiste. Nous n'avons pas le type bohémien. Alors?

YVONNE — Qu'est-ce que tu as, Léo... Tu t'exaltes...

LÉO — Je ne m'exalte pas. Mais il y a des moments où votre roulotte, votre épave, dépassent les bornes. Sais-tu pourquoi une montagne de linge sale s'empile au beau milieu de la chambre de Michel? Sais-tu pourquoi Georges pourrait écrire ses calculs dans la poussière de sa table d'architecte, pourquoi la baignoire bouchée depuis une semaine n'est pas encore débouchée? Eh bien, c'est que, quelquefois, j'ai une espèce de jouissance à vous laisser vous enfoncer, vous enfoncer, vous enliser,[33] à voir ce qui arriverait si cela continuait... et puis ma manie d'ordre prend le dessus et je vous sauve.

YVONNE — Et, selon toi, notre roulotte aurait poussé Michel à se chercher... un intérieur... chez une femme...

LÉO — Il n'est pas le seul.

YVONNE — Tu parles de Georges?

LÉO — Je parle de Georges.

YVONNE — Tu accuses Georges de me tromper?

LÉO — Je n'accuse personne. Puisque je ne profite pas des avantages de la bourgeoisie, je me refuse aux mensonges qui viennent d'une vieille habitude sinistre de chuchoter et de fermer les portes dès qu'on parle de naissance, de fortune, d'amour, de mariage ou de mort.

YVONNE — Tu as découvert que Georges me trompe?

LÉO — Tu le trompes bien, toi!

YVONNE — Moi... Je trompe Georges? Et avec qui?

LÉO — Depuis le jour de la naissance de Michel tu as trompé Georges. Tu as cessé de t'occuper de Georges

---

[26] escapade
[27] *tu crânais:* you were brazening it out
[28] military service
[29] *A cause... ministre:* because of his bronchitis and his government connections
[30] *Ce service... s'éloigne:* Army service would have freed Michel. But you had to keep him home
[31] hussies

[32] *L'épave... bourgeoisie:* what's left of the bourgeoisie
[33] *vous enliser:* get bogged down, go under (in your disorder)

pour ne t'occuper que de Michel. Tu l'adorais . . . tu en étais folle et ton amour n'a fait que grandir tandis que Michel grandissait. Ils grandissaient ensemble. Et Georges restait seul . . . Et tu t'étonnes qu'il ait cherché de la tendresse ailleurs. Tu croyais naïvement que la roulotte n'avait qu'à être une roulotte.

YVONNE — En admettant que toutes ces folies soient véritables . . . que Georges (qui ne s'intéresse à rien en dehors de ses soi-disant inventions) ait une 10 maîtresse et que Michel (qui me raconte tout, pour qui je suis un camarade) ait passé la nuit chez une femme, pourquoi donc avoir tant tardé à me l'apprendre?

LÉO — Je ne te croyais pas aveugle. Je pensais: C'est impossible. Yvonne s'arrange. Elle ferme les yeux . . .

YVONNE — Georges encore . . . aurait des excuses . . . après vingt ans de mariage l'amour change de forme. Il existe une parenté entre époux qui rendrait certaines choses très gênantes, très indécentes,[34] 20 presque impossibles.

LÉO — Tu es une drôle de femme, Yvonne.

YVONNE — Non . . . mais je dois te paraître drôle, parce que tu me considères de si loin. Pense donc! . . . tu as toujours été belle, ondulée, tirée à quatre épingles, élégante, brillante, et moi je suis venue au monde avec un rhume des foins, avec des mèches de travers et des peignoirs criblés de trous de cigarettes.[35] Si je mets de la poudre ou du rouge j'ai l'air d'une grue.

LÉO — Tu as quarante-cinq ans et j'en ai quarante-sept. 30

YVONNE — Tu as l'air plus jeune que moi.

LÉO — Georges ne t'en a pas moins choisie. Nous étions fiancés. Tout à coup, il a décidé que c'était toi qu'il voulait, toi qu'il épousait . . .

YVONNE — Tu n'y tenais pas beaucoup. Tu nous as presque poussés l'un vers l'autre.

LÉO — Cela me regarde. Je respecte Georges. J'ai craint que chez moi tout ne se passe ici. (Elle montre son front.) Chez toi tout se passait là et là. (Elle désigne son cœur et son ventre.) Je ne savais pas que tu 40 voulais si fortement un fils — et vous autres, gens de la lune, ce que vous voulez on vous l'accorde — et que tu deviendrais folle de ce fils au point de lâcher Georges.

YVONNE — Georges pouvait se réfugier auprès de toi.

LÉO — Tu aurais voulu que je couche avec Georges pour t'en débarrasser . . . je reste vieille fille. Merci.

YVONNE, avec lassitude — Écoute! . . .

LÉO — Et du reste, je n'y ai aucun mérite. Il n'aurait pas voulu de moi. Il cherche la jeunesse . . .

YVONNE — Tiens . . . tiens . . . tiens . . .

LÉO — Ton incrédulité ne change pas mon opinion.

YVONNE — Tu t'es faite détective . . .

LÉO — Je ne moucharde[36] pas Georges. Il est libre. Michel est libre. Mais il y a des indices[37] qui ne trompent pas une femme aussi femme que moi, même si elle est restée vieille fille. Il y a un fantôme 10 de femme, un fantôme de très jeune femme qui circule dans la maison.

YVONNE — C'est in-cro-yable.

LÉO — Et voilà cet in-cro-yable dont je te parlais. Il nous arrive de Georges. Il l'avait avant Michel. Il l'a donné à Michel et il te l'a donné comme une maladie honteuse.

YVONNE — Et sans doute Michel aussi me trompait . . . Je veux dire . . . me mentait.

LÉO — Le terme était exact. Inutile de te reprendre. Il 20 te trompait. Il te trompe.

YVONNE — Je ne peux pas l'imaginer. C'est impossible. Je ne veux pas, je ne peux pas l'imaginer.

LÉO — Tu supportes d'imaginer un Georges qui te trompe. Ce spectacle te laisse tranquille. Michel, c'est une autre affaire . . .

YVONNE — Tu mens. J'ai toujours été pour Michel un camarade. Il peut tout me dire . . .

LÉO — Aucune mère n'est le camarade de son fils. Le fils devine vite l'espion derrière le camarade et la 30 femme jalouse derrière l'espion.

YVONNE — Je ne suis pas une femme aux yeux de Mik.

LÉO — C'est ce qui te trompe. Michel n'est pas un homme à tes yeux. C'est le petit Michel que tu portais dans son lit et que tu laissais entrer et jouer dans ton cabinet de toilette. Aux yeux de Michel tu es devenue femme. Et c'est là que tu as eu tort de n'être pas coquette. Il t'a observée, jugée. Il a quitté la roulotte.

YVONNE — Et où le pauvre Michel trouverait-il le temps 40 de se consacrer à cette femme mystérieuse?

LÉO — Le temps est élastique. Avec un peu d'adresse on peut avoir l'air d'être toujours dans un endroit et être toujours dans un autre.

YVONNE — Il rapporte des dessins de ses cours.

LÉO — Trouves-tu Mik très très doué pour le dessin?

YVONNE — Il est doué pour une foule de choses.

LÉO — Justement. Il a des dons de touche-à-tout.[38] Les pires. Et, de plus, il appartient à une génération qui

---

[34] that is, physical intimacy

[35] tirée . . . cigarettes: smart, elegant, brilliant and I was born with hay fever, unmanageable hair, and dressing gowns riddled with cigarette burns.

[36] spy on

[37] signs

[38] jack-of-all-trades

confondait la poésie et l'ivresse de ne rien faire. Michel est d'une génération qui flâne.[39] Cette génération est loin d'être bête. Crois-tu qu'il rapporterait le genre de dessins qu'il rapporte s'il se rendait au cours? Je suis certaine qu'il en rapporterait d'autres.

YVONNE — Je lui avais interdit l'académie de nu.[40]

LÉO — Est-il possible que tu te sois donné ce ridicule?

YVONNE — Il avait dix-huit ans . . .

LÉO — Tu n'as aucun sens des âges ni des sexes.

YVONNE — Je sais que nous . . .

LÉO — Tu ne vas pas comparer un garçon de dix-huit ans, en pleine force malgré ses fameuses bronches, élevé dans une roulotte, avec deux femmes dont l'une passe sa vie en peignoir éponge et l'autre a renoncé à vivre.

YVONNE — Michel travaille.

LÉO — Non. Michel ne travaille pas. Et tu ne veux pas qu'il travaille. Tu ne tiens pas à ce qu'il travaille.

YVONNE — Voilà du nouveau.

LÉO — Tu as toujours empêché Michel de prendre du travail.

YVONNE — Pour ce qu'on lui offrait.

LÉO — On lui offrait des places de débutant et où il pouvait gagner de quoi vivre.

YVONNE — Je me suis renseignée chaque fois. Ces places étaient stupides et le mettaient en contact avec une quantité de gens de cinéma, de gens d'automobile, de gens affreux.

LÉO — Ici nous approchons de la vérité. Nous sommes moins loin du mensonge. Tu redoutais de voir Michel prendre le large.[41] Tu le voulais dans tes jupes. Tu voulais qu'il quitte la roulotte le moins possible. Et tu l'as découragé de chercher une situation.

YVONNE — Georges lui trouvait des places extravagantes.

LÉO — Une d'elles était une très bonne place. Mais il fallait voyager. Aller au Maroc. Tu lui as défendu d'aller au rendez-vous.

YVONNE — J'agis comme bon me semble.

LÉO — Et tu as la naïveté de croire que Michel ne passe pas entre les mailles du filet.[42]

YVONNE — C'est lui qui refusait de sortir.

LÉO — Lui en as-tu donné souvent l'occasion? As-tu cherché à ce qu'il rejoigne des bandes de jeunes gens et de jeunes filles? Avais-tu admis d'envisager son mariage?

YVONNE — Le mariage de Mik!

LÉO — Parfaitement. Beaucoup de jeunes gens se marient à vingt-trois ans, vingt-quatre, vingt-cinq ans . . .

YVONNE — Mik est un bébé.

LÉO — Et s'il ne l'était plus?

YVONNE — Je serais la première à lui chercher une femme . . .

LÉO — Oui . . . Une jeune fille bien laide et bien stupide qui te permettrait de garder ton rôle et de surveiller ton fils.

YVONNE — C'est faux. Michel est libre. Dans la mesure où je peux laisser libre un garçon très naïf et très recherché.[43]

LÉO — Je te mets en garde, n'essaie pas de chambrer Michel. Il pourrait s'en apercevoir et t'en vouloir.

YVONNE — Je ne te savais pas si grande psychologue. (*Sans transition.*) Mon Dieu! On sonne à la porte! (*Sonnerie dans l'antichambre.*) Oh! Vas-y, Léo, vas-y vite. Je n'aurais pas la force de me tenir debout.

Léo sort par la porte de droite. A peine seule, Yvonne saisit le sac oublié par Léo sur le lit, l'ouvre, se regarde dans la petite glace, se poudre les coins du nez, se recoiffe. La porte s'ouvre. Elle a juste le temps de jeter le sac où il était. Entrent Léo et Georges. Georges allume.

Scène III

YVONNE, LÉO, GEORGES, *puis* MICHEL

YVONNE, *se détournant* — Qui est-ce qui allume?

GEORGES — C'est moi. J'éteins . . . J'avais cru . . . Il fait si sombre dans ta chambre.

YVONNE — J'aime l'obscurité. Qui était-ce?

LÉO — Un client du docteur au-dessus qui se trompait d'étage. Nous lui avons évité un étage. Tous les dimanches le docteur est à la chasse.

Silence.

GEORGES — Rien de neuf?

YVONNE — Rien . . . Jusqu'à ce coup de sonnette.

GEORGES — Le professeur aussi est à la chasse. On serait malade . . . le dimanche on peut mourir.

Silence.

YVONNE — Du reste . . . je suis idiote. Il a les clefs.

GEORGES — Il est intolérable que les clefs de l'appartement traînent n'importe où . . .

YVONNE — D'autant plus qu'il a pu les perdre.

---

[39] *génération . . . flâne:* generation of idlers
[40] *Je . . . nu:* I forbade him to draw from the nude
[41] *prendre le large:* gain his independence
[42] *mailles du filet:* mesh of the net

[43] sought after

GEORGES — Et un beau jour on s'étonne d'être assassiné !
Il doit me les rendre.

LÉO — Il est dommage que l'on ne puisse pas enregistrer votre dialogue.

Ils sont tous groupés au premier plan. Pendant qu'ils parlent, Michel entre sans être entendu, par la porte de droite. Il a l'air gai d'un garçon qui a fait une farce.

YVONNE — Quelle heure est-il ?

MICHEL — Six heures.

Tous se lèvent d'un bond. Yvonne elle-même, debout près du lit.

MICHEL — Ce n'est pas mon spectre. C'est moi !

GEORGES — Michel, tu as fait une peur effroyable à ta mère. Regarde-la. Comment es-tu rentré ?

MICHEL, *pendant que Léo recouche Yvonne* — Par la porte. J'ai monté l'escalier quatre à quatre. Je n'ai plus de souffle, Sophie ! Qu'est-ce que tu as ? [10]

GEORGES — D'abord, je trouve indécent, qu'à ton âge, tu t'obstines à appeler ta mère Sophie.

YVONNE — Georges ! . . . c'est une vieille taquinerie qui sort de la bibliothèque rose.[44] Ce n'est pas grave.

GEORGES — Ta mère n'est pas bien du tout, Michel.

MICHEL, *tendrement* — Sophie . . . C'est moi qui t'ai mise dans un état pareil . . .

Il s'approche pour embrasser sa mère ; elle le repousse.

YVONNE — Laisse . . . [20]

MICHEL — Vous en faites des figures.[45] On dirait que j'ai commis un crime.

GEORGES — Tu n'en es pas loin, mon petit. Ta mère a failli mourir d'inquiétude.

MICHEL — Je rentrais, fou de joie de vous voir, de retrouver la roulotte, d'embrasser maman. Je suis consterné . . .

GEORGES — Il y a de quoi. D'où viens-tu ?

MICHEL — Laisse-moi souffler un peu ! Je n'en ai que trop à vous dire. [30]

LÉO, *à Georges* — Tu vois . . .

MICHEL — Tante Léo n'a pas perdu la tête. Comme d'habitude.

LÉO — On pouvait perdre la tête, Michel, je ne plaisante pas. Aujourd'hui je ne trouve pas l'état de ta mère excessif.

MICHEL — Qu'est-ce que j'ai fait ?

GEORGES — Tu n'es pas rentré hier soir. Tu as découché. Tu ne nous as pas prévenus de l'heure à laquelle tu reviendrais. [40]

MICHEL — J'ai vingt-deux ans, papa . . . Et c'est la première fois que je découche. Avoue . . .

YVONNE — D'où viens-tu ? Ton père t'a demandé d'où tu venais.

MICHEL — Écoutez, mes enfants . . . (*Il se rattrape.*) Oh ! pardon . . . Écoute, papa, écoute, tante Léo, ne gâchez[46] pas mon plaisir . . . Je voulais . . .

YVONNE — Tu voulais, tu voulais. C'est ton père qui commande, ici. Du reste, il a à te parler. Tu vas le suivre dans son bureau. [10]

LÉO, *les imitant* — In-cro-yable.

MICHEL — Non, Sophie. D'abord papa n'a pas de bureau. Il a une chambre très mal tenue. Ensuite je voudrais te parler à toi, à toi seule, d'abord.

GEORGES — Mon cher enfant, je ne sais pas si tu te rends compte . . .

MICHEL — Je me rends compte qu'il fait noir comme dans un four. J'allume . . . (*Il allume une lampe de table*) . . . et qu'en mon absence la roulotte fabriquait du film d'aventures au kilomètre. [20]

YVONNE — Puisque Michel trouve plus facile de me parler à moi d'abord, laissez-nous.

LÉO — Naturellement.

YVONNE — Si Mik a quelque chose sur le cœur, il est normal qu'il veuille le confier à sa mère. Georges, retourne à ton travail. Emmène-le, Léo.

MICHEL — Papa, tante, il ne faut pas m'en vouloir. Je vous dirai tout. J'éclate ![47]

YVONNE — Ce n'est pas grave. N'est-ce pas, Mik ?

MICHEL — N . . . on, oui et non. [30]

YVONNE — Georges, tu l'intimides.

MICHEL — Papa m'intimide. Et toi, tante Léo, tu es trop maligne . . .[48]

YVONNE — Moi je suis son camarade. Tu vois, Léo, je te l'avais dit.

LÉO — Bonne chance. Viens, Georges. Quittons le confessional. (*Elle se détourne.*) Tu ne veux pas que j'éteigne ? Tu avais grondé Georges parce qu'il allumait.

YVONNE — C'était le lustre. La lampe ne me gêne pas. [40]

Ils sortent par le fond, à gauche.

GEORGES, *avant de sortir* — J'ai à te parler, mon petit. Je ne te tiens pas quitte.[49]

MICHEL — Entendu, papa.

Il ferme la porte.

---

[44] *bibliothèque rose:* a collection of sentimental novels for young people and also moralistic novels for children

[45] *Vous . . . figures:* you're making such faces !

[46] spoil

[47] *J'éclate:* I'm bursting

[48] sly

[49] *Je . . . quitte:* I'm not done with you

Scène IV

YVONNE, MICHEL

MICHEL — Sophie! Ma petite Sophie adorée. Tu m'en veux?

Il s'élance, l'embrasse de force.

YVONNE — Tu ne peux pas embrasser sans bousculer, sans vous tirer les cheveux. (*Michel continue.*) Ne m'embrasse pas dans l'oreille, j'ai horreur de ça! Michel!

MICHEL — Je ne l'ai pas fait exprès.

YVONNE — Ce serait le comble!

MICHEL, *se reculant, et sur un ton de farce* — Mais . . . Sophie . . . Que vois-je? Vous avez du rouge aux 10 lèvres!

YVONNE — Moi!

MICHEL — Oui, toi! Et de la poudre. En voilà des manières. Et pour qui tous ces frais?[50] Pour qui? C'est in-cro-yable . . . du rouge, du vrai « rouge baiser ».

YVONNE — J'étais livide. J'ai craint d'effrayer ton père.

MICHEL — Ne l'essuie pas. Ça t'allait si bien!

YVONNE — Pour ce que tu me regardes.[51]

MICHEL — Sophie! tu me fais une scène, ma parole! Moi qui te connais par cœur. 20

YVONNE — Il est possible que tu me connaisses par cœur. Mais tu ne me regardes pas. Tu ne me vois pas.

MICHEL — Erreur, chère Madame. Je vous regarde du coin de l'œil — et je trouvais même que vous vous négligiez beaucoup. Si vous me laissiez vous coiffer, vous maquiller . . .

YVONNE — Ce serait du propre.

MICHEL — Sophie, tu boudes! Tu m'en veux encore.

YVONNE — Je suis incapable de bouder. Non, Mik, je ne t'en veux pas. J'aimerais apprendre ce qui se passe. 30

MICHEL — Patience. Et vous apprendrez tout.

YVONNE — Je t'écoute . . .

MICHEL — Pas d'air solennel, maman. Pas d'air solennel!

YVONNE — Mik!

MICHEL — Jure-moi de ne pas prendre l'air famille, de prendre l'air roulotte. Jure-moi que tu ne pousseras pas de cris, que tu me laisseras m'expliquer jusqu'au bout. Jure-le.

YVONNE — Je ne jure rien d'avance.

MICHEL — Tu vois . . . 40

YVONNE — Dehors on doit te flatter, t'encenser. Et quand moi, je te dis ce qui est . . .

MICHEL — Sophie . . . Je vais chez papa . . . Il fera semblant de finir un calcul et il me sortira les phrases que tu me sors, à la queue leu leu.[52]

YVONNE — Ne te moque pas du travail de ton père!

MICHEL — Tu n'arrêtes pas de plaisanter le fusil sous-marin à balles et maintenant . . .

YVONNE — Moi, ce n'est pas pareil. C'est déjà énorme que je ne t'empêche pas de m'appeler Sophie, sauf en public . . .

MICHEL — Nous ne sommes jamais en public.

YVONNE — Enfin, bref, je te permets de m'appeler Sophie, 10 mais je t'ai trop laissé la bride sur le cou[53] et je n'ai pas surveillé ton désordre. Ta chambre est une écurie . . . laisse-moi parler . . . une écurie! on en est chassé par le linge sale.

MICHEL — C'est tante qui s'occupe du linge . . . et puis tu m'as répété cent fois que tu aimais voir mes affaires qui traînent, que tu détestais les armoires, les commodes, la naphtaline . . .[54]

YVONNE — Je n'ai pas dit ça! . . .

MICHEL — Pardon! 20

YVONNE — J'ai dit, il y a un siècle, que j'aimais trouver un peu partout tes petites affaires d'enfant. Un jour je me suis aperçu que ces affaires qui traînaient étaient des chaussettes d'homme, des caleçons d'homme, des chemises d'homme. Ma chambre avait pris un air de chambre de crime. Je t'ai prié de ne plus semer tes affaires chez moi.

MICHEL — Maman! . . .

YVONNE — Ah! Il n'y a plus de Sophie. Tu te souviens. J'en ai eu assez de peine. 30

MICHEL — Tu refusais de me border.[55] Nous nous sommes battus . . .

YVONNE — Mik! je t'ai porté dans ton lit jusqu'à onze ans. Après, tu es devenu trop lourd. Tu te pendais à mon cou. Après tu mettais tes pieds nus sur mes savates, tu me tenais par les épaules et nous marchions ensemble jusqu'à ton lit. Un soir tu t'es moqué de moi parce que je te bordais, et je t'ai prié d'aller te coucher seul.

MICHEL — Sophie! Laisse-moi monter sur ton lit; j'ôte 40 mes souliers . . . Ah! Me fourrer près de toi, mettre mon cou sur ton épaule. (*Il le fait.*) Je n'aimerais pas que tu me regardes. Nous regarderons ensemble droit devant nous la fenêtre de l'immeuble d'en face, la nuit. Chevaux de roulotte pendant une halte. Hein?

YVONNE — Ces préparatifs ne présagent rien de bon.

---

[50] *tous . . . frais:* all this trouble
[51] *Pour . . . regardes:* as if you bothered to look at me

[52] *à la queue leu leu:* one after the other
[53] *mais . . . cou:* but I've given you too free a rein
[54] moth balls
[55] *me border:* tuck me in

MICHEL — Tu m'as promis d'être très, très gentille.

YVONNE — Je n'ai rien promis du tout.

Ils gardent la pose, tandis que leurs visages sont éclairés par une lumière qui doit venir de la fenêtre et qui est peut-être celle de l'appartement d'en face.

MICHEL — Ce que tu es méchante.

YVONNE — Ne m'enjôle pas. Si tu as quelque chose à me dire, dis-le. Plus on traîne, plus c'est difficile. Tu as des dettes?

MICHEL — Sophie, taisez-vous. Ne soyez pas absurde.

YVONNE — Michel! . . .

MICHEL — Tai-sez-vous.

YVONNE — Je me tais, Mik. Parle. Je t'écoute.

MICHEL, *assez vite et avec un peu de gêne. Pendant qu'il parle, sans voir sa mère, la figure d'Yvonne se décompose,*[56] *jusqu'à devenir terrible* — Sophie, je suis très heureux, et je voulais attendre d'être sûr de mon bonheur pour t'en faire part. Parce que si tu n'es pas heureuse en même temps que moi, je ne pourrai plus l'être. Tu comprends? Imagine-toi que j'ai rencontré au cours, une jeune fille . . .

YVONNE, *prenant sur elle* — Le cours n'est pas mixte...[57]

MICHEL, *il met la main sur la bouche d'Yvonne* — Veux-tu m'écouter. Je n'allais pas chaque fois au cours de dessin. Je parle d'un cours de sténodactylo.[58] Papa m'avait laissé entendre qu'il me trouverait une place de secrétaire, et il fallait savoir la sténo. J'ai essayé, mais comme tu me déconseillais cette place, j'ai lâché le cours. J'y ai été trois fois — par miracle! J'y ai rencontré une jeune fille, une jeune femme, plutôt . . . enfin, elle a trois ans de plus que moi . . . qui vivait grâce à la gentillesse d'un type de cinquante ans. Le type la considérait un peu comme sa fille. Il était veuf et il avait perdu une fille qui lui ressemblait. Toujours est-il qu'elle m'a ouvert son cœur, et c'était triste. Je l'ai revue. Je séchais[59] les cours . . . Je préparais des dessins d'avance: cruches et pivoines.[60] Je n'aurais jamais osé t'en ouvrir la bouche avant qu'elle ne se soit décidée, d'elle-même, à quitter ce pauvre type, à faire place nette, à repartir à zéro. Elle m'adore maman, et je l'adore, et tu l'adoreras, et elle est libre et notre roulotte a l'esprit large, et mon rêve est de vous conduire chez elle, toi, papa, Léo, dès demain. C'est ce soir qu'elle va dire la vérité au vieux. Il croyait qu'une sœur de province habitait chez elle, et il n'y venait plus. Il ne la rencontrait presque plus. Il avait loué une garçonnière.[61] Bien

sûr, il ne peut pas être question de jalousie — c'est moins grave qu'une femme mariée —, seulement, à cause de toi, à cause de la maison, à cause de nous, je ne pouvais pas admettre un partage et une situation louche.

YVONNE, *faisant un effort surhumain pour parler* — Et cette personne . . . t'a aidé . . . je veux dire, tu n'as jamais un sou en poche. Elle a dû t'aider . . .

MICHEL — On ne peut rien vous cacher, Sophie. Elle m'a aidé pour des repas, pour des cigarettes, pour des voitures . . . (*Silence.*) Je suis heureux . . . heureux! Sophie! tu es heureuse?

YVONNE, *elle se retourne d'un bloc. Michel est effrayé par sa figure* — Heureuse?

MICHEL, *reculant* — Oh!

YVONNE — Alors, voilà ma récompense. Voilà pourquoi je t'ai porté, fait, dorloté, soigné, élevé, aimé jusqu'à l'absurde. Voilà pourquoi je me suis désintéressée de mon pauvre Georges. Pour qu'une vieille femme vienne te prendre, te voler à nous et te mêler à des mic-macs[62] ignobles!

MICHEL — Maman!

YVONNE — . . . Ignobles! et à te faire donner de l'argent. Je suppose que tu sais comment cela s'appelle?

MICHEL — Maman, tu perds la tête. De quoi parles-tu? Madeleine est jeune . . .

YVONNE — Voilà le nom![63]

MICHEL — Je ne comptais pas te le cacher.

YVONNE — Et tu croyais qu'il suffirait de me prendre par le cou, de me flatter — on ne me flatte pas, moi! — pour que j'accepte avec le sourire que mon fils soit entretenu par l'amant d'une vieille femme à cheveux jaunes.

MICHEL — Madeleine a les cheveux blonds. Tu tombes juste. Mais pas jaunes, et je te répète qu'elle a vingt-cinq ans. (*Criant.*) M'écouteras-tu? Et elle n'a aucun autre amant que moi . . .

YVONNE, *le doigt tendu* — Ah! tu avoues . . .

MICHEL — Qu'est-ce que j'avoue? Il y a une heure que je te raconte les choses en détail.

YVONNE, *la figure dans les mains* — Je deviens folle!

MICHEL — Calme-toi, couche-toi.

YVONNE, *elle marche de long en large* — Me coucher! Je suis couchée depuis hier au soir comme un cadavre. Je n'aurais pas dû boire ce sucre. Tout serait fini. Je ne serais pas morte de honte!

---

[56] becomes distorted

[57] coéducational

[58] shorthand-typist

[59] cut

[60] *cruches et pivoines:* jugs and peonies i.e., absurdly simple subjects

[61] bachelor apartment

[62] intrigues

[63] Yvonne jumps on the name as a revelation, since she wants to know and be in control of the situation. But it is also possible that she means: She would be called that! i.e., Marie-Madeleine after the New Testament figure who was a prostitute before her conversion

MICHEL — Tu parles de te suicider parce que j'aime une jeune fille!

YVONNE — Mourir de honte est pire que le suicide. N'essaie pas de jouer au plus fin.[64] Si tu aimais une jeune fille . . . Si tu avais à m'exposer une intrigue nette, convenable, digne de toi et de nous, il est probable que je t'aurais écouté sans colère. Au lieu de cela, tu n'oses pas me regarder en face et tu me débites une histoire dégoûtante.

MICHEL — Je te défends!

YVONNE — Par exemple!   10

MICHEL, *dans un mouvement adorable* — Sophie . . . Embrasse-moi.

YVONNE, *le repoussant* — Tu as plein de rouge à lèvres sur la figure . . .

MICHEL — C'est le tien!

YVONNE — Je ne pourrais pas t'embrasser sans dégoût.

MICHEL — Sophie . . . Ce n'est pas vrai . . .

YVONNE — Je vais prendre, avec ton père, des dispositions pour t'enfermer, pour t'empêcher de voir cette femme, pour te défendre contre toi . . . (*Michel* 20 *balance sa chaise.*) Michel! Tu ne seras content que quand tu auras cassé cette chaise.

MICHEL — Tu es une mère, Sophie, une vraie mère. Je te croyais un camarade. Me l'as-tu assez répété . . .

YVONNE — Je suis ta mère. Le meilleur camarade n'agirait pas autrement que moi. Et . . . il y a longtemps que ce manège[65] dure?

MICHEL — Trois mois.

YVONNE — Trois mois de mensonges . . . de mensonges ignobles . . .   30

MICHEL — Je ne t'ai jamais menti, maman. Je me taisais.

YVONNE — Trois mois de mensonges, de ruses, de calculs, de caresses hypocrites . . .

MICHEL — Je voulais te ménager . . .[66]

YVONNE — Merci! Je ne suis pas de celles qu'on ménage. Je n'en ai aucun besoin. C'est toi qui es à plaindre.

MICHEL — Moi?

YVONNE — Oui, toi, toi . . . Pauvre petit imbécile, tombé entre les griffes d'une femme plus vieille que toi, d'une femme qui ment certainement sur son âge . . . 40

MICHEL — Tu n'auras qu'à voir Madeleine . . .

YVONNE — Dieu m'en garde. Ta tante Léonie se donne bien trente ans! Tu ne connais pas les femmes.

MICHEL — Je commence à les connaître . . .

YVONNE — Je te fais grâce de tes grossièretés.[67]

MICHEL — Enfin, Sophie, pourquoi veux-tu que je cherche ailleurs ce que j'ai ici, mieux que tout le monde.

Quelle excuse aurais-je à m'adresser à une femme de ton âge . . .

YVONNE, *se lève d'un bond* — Il m'insulte!

MICHEL, *stupéfait* — Moi?

YVONNE — N'essaie pas de me tenir tête, mon bonhomme. J'ai peut-être l'air d'une vieille, mais je n'en ai que l'air. Je te materai.[68]

MICHEL — Mieux vaut le silence. On se laisse emporter, on gaffe,[69] on se blesse . . .

YVONNE — Trop commode! Non, non, non . . . Je par- 10 lerai. Chacun son tour. Et, moi vivante, jamais tu n'épouseras cette ordure.

MICHEL, *bondit* — Tu vas retirer ce mot.

YVONNE, *au visage de Michel* — Ordure! Ordure! Ordure!

Il lui empoigne les épaules. Elle glisse par terre, sur les genoux.

MICHEL — Relève-toi, maman! maman!

YVONNE — Il n'y a plus de maman. Il y a une vieille qui souffre et qui va crier, et qui ameutera l'immeuble.[70] (*Coups sourds.*) Tiens, la voisine de Léonie nous entendait; elle cogne.[71] Je l'aurai, mon scandale! Je 20 l'aurai! (*Michel la rejette, l'écarte de ses vêtements auxquels elle s'accroche.*) Assassin! Assassin! Tu m'as tordu le poignet. Regarde tes yeux.

MICHEL, *criant* — Et les tiens.

YVONNE — Ils me tueraient s'ils étaient des armes. Tu voudrais me tuer!

MICHEL — Tu divagues . . .

YVONNE — Assassin! Je t'empêcherai de sortir! Je te ferai! J'appellerai la police! Oh! la fenêtre! (*Elle veut se relever et courir côté public. Michel la maintient.*) J'ameuterai la rue! (*Elle hurle.*) Arrêtez-le, 30 arrêtez-le!

MICHEL, *il appelle* — Ma tante! ma tante! Papa!

La porte de Léonie s'ouvre.

Scène V

YVONNE, MICHEL, LÉO, GEORGES

LÉO, *elle enlace Yvonne* — Yvonne! Yvonne! (*Yvonne la frappe presque.*) Veux-tu! . . .

MICHEL — De l'eau . . .

---

[64] *jouer . . . fin:* outsmart me
[65] game
[66] to spare
[67] *Je . . . grossièretés:* I'll have no more of your vulgarities

[68] *Je te materai:* I'll bring you down to size
[69] one blunders
[70] *qui . . . l'immeuble:* who'll stir up everyone in the building
[71] knock (against the wall)

Il s'élance vers le cabinet de toilette, entre et sort avec un verre d'eau inutile qu'il pose près du lit.

YVONNE, *riant d'un rire stupide* — De l'eau sucrée ! Il ne fallait pas la prendre ! Il ne fallait pas ! Léo . . . fiche-moi la paix, laisse-moi ouvrir la fenêtre, laisse-moi crier . . .

LÉO — La voisine tape . . .

YVONNE — Je m'en moque . . .

Georges apparaît porte au fond à gauche.

GEORGES — Et moi je ne m'en moque pas. C'est la vingtième fois que j'ai des ennuis à cause de notre tapage. On finira par nous mettre à la porte.

YVONNE, *elle se lève et se laisse mener sur le lit* — A la porte . . . Pas à la porte . . . Qu'est-ce que cela peut faire maintenant ? Georges . . . ton fils est un misérable. Il m'a insultée. Il m'a frappée . . . 10

MICHEL. — Papa, c'est faux !

GEORGES, *à Michel* — Viens chez moi.

MICHEL, *à Yvonne* — Je parlerai à papa. Il y a des choses qu'on ne devrait dire qu'entre hommes.

Il sort derrière son père et claque la porte.

Scène VI

YVONNE, LÉO

YVONNE, *étouffant* — Léo ! Léo ! Léo ! Écoute-le . . .

LÉO — Pour changer ! La maison des portes qui claquent.

YVONNE — Léo . . . Tu écoutais à la porte . . . Tu l'entendais . . . 20

LÉO — Je ne pouvais pas ne pas entendre. Je n'entendais pas tout.

YVONNE — Léo, tu avais raison. Il aime. Il aime une dactylo, ou je ne sais quoi de ce genre. Il nous lâcherait pour elle. Il m'a jetée par terre. Il avait les yeux d'un monstre. Il ne m'aime plus.

LÉO — Il n'y a aucun rapport.

YVONNE — Si, Léo . . . Ce qu'on donne à l'un on l'enlève à l'autre. C'est forcé . . . 30

LÉO — Un garçon de l'âge de Michel doit vivre et les mères doivent fermer les yeux sur certaines choses. Un garçon peut avoir une femme dans la peau.[72] Je ne vois pas en quoi . . .

YVONNE — Tu ne vois pas en quoi ! Tu ne vois pas en quoi . . . Et nous, les mères, nous ne les avons pas eus dans la peau ? Et ils ne nous ont pas jusque dans les veines ? Je l'ai porté dans mon ventre et chassé de

mon ventre, ma petite. Ce sont des choses dont tu ne te doutes même pas.

LÉO — C'est possible. Mais il faut faire quelquefois un formidable effort sur soi-même.

YVONNE — Tu as beau jeu. Y parviendrais-tu, si tu étais en cause ?

LÉO — J'ai connu cet effort.

YVONNE — Tout dépend des circonstances.

LÉO — Les circonstances étaient assez épouvantables. Vous vivez dans la lune, c'est entendu, mais votre égoïsme, ton égoïsme, dépassent les bornes. 10

YVONNE — Mon égoïsme ?

LÉO — Qu'est-ce que tu crois donc que je fais dans cette maison depuis vingt-trois ans ? Pauvre aveugle . . . pauvre sourde. Je souffre. J'ai aimé Georges et je l'aime, et je l'aimerai sans doute jusqu'à la mort. *(Elle lui impose silence du geste.)* Quand il a rompu nos fiançailles sans le moindre motif, par caprice, et qu'il a décidé que c'était toi qu'il devait épouser, et qu'il m'a consultée avec une inconscience incroyable, j'ai fait semblant de prendre ce coup de massue à la légère.[73] Me buter,[74] c'était devenir malheureuse. T'éloigner, c'était le perdre. Et sottement je me suis sacrifiée. Oui, si incroyable que cela paraisse, j'étais jeune, éprise, mystique, idiote. J'ai cru qu'étant plus de sa race tu serais une épouse, une mère meilleure quoi. Je mariais le désordre avec le désordre ! Je me suis vouée, outre le legs de notre oncle que je pouvais vous servir de loin, à surveiller votre roulotte et à la rendre habitable. Que suis-je, depuis vingt-trois ans ? Je te le demande ? Une bonne ! 30

YVONNE — Léo, tu me hais !

LÉO — Non. Je t'ai haïe . . . Pas au moment de la rupture. L'idée du sacrifice m'exaltait, me soutenait. Je t'ai haïe parce que tu aimais trop Michel et que tu délaissais Georges. J'ai quelquefois été injuste envers Michel, parce que je rendais sa présence responsable. C'est drôle . . . Je t'aurais peut-être détestée si vous aviez réussi à être un bon ménage . . . Non . . . j'ai pour toi un sentiment qui ne s'analyse pas et qui ressemble à une habitude du cœur. Tu n'es pas méchante, Yvonne. Tu n'es pas responsable. Tu n'es pas humaine et tu fais le mal sans t'en rendre compte. Et vous ne vous apercevez de rien. De rien. Vous traînez de chambre en chambre, de tache en tache, d'ombre en ombre, vous gémissez du moindre 40

---

[72] *avoir . . . peau:* be infatuated with a woman

[73] *j'ai . . . légère:* I pretended to take that hammer-blow lightly
[74] *Me buter:* to be obstinate

malaise, et vous vous moquez de moi s'il m'arrive de me plaindre de quoi que ce soit.

Tu te souviens de ce « vomitif »[75] que Michel a trouvé dans ma chambre et qui vous a tant fait rire, il y a six mois? Malgré ma santé bien connue, j'étais écœurée, malade. Je croyais digérer mal. C'était le foie. Je me faisais de la bile, comme on dit et comme on a raison de le dire. Et le foie se détraquait à cause des nerfs, et les nerfs à cause de Georges. Oui, je flairais un départ de collégien sur les pointes[76] et je 10 t'en voulais de ne rien deviner et de ne pas empêcher Georges de partir. Et je savais que Georges essayait d'attraper une fausse chance et n'y arrivait pas. Et quand Michel, sans s'en rendre compte — il est aussi aveugle, aussi égoïste que vous —, a imité son père et a pris le large . . . je n'ai pu m'empêcher de te parler, de te mettre en garde . . .

YVONNE — Pas par esprit de roulotte, Léo. Tu étais contente. Michel vengeait Georges.

LÉO — Voilà ton inhumanité, ta méchanceté, tes coups 20 de couteau par-derrière.

YVONNE — Je ne vois pas si loin.

LÉO, *dressée, écarlate* — Tant mieux si Michel reçoit de l'argent de cette femme . . . Cela vous apprendra peut-être à ne pas laisser un homme dehors avec de quoi s'acheter un sucre d'orge![77] Tant mieux si Michel épouse une grue! Tant mieux si votre roulotte se renverse, se démantibule, et pourrit dans le fossé. Tant mieux! Je ne ferai pas un geste pour vous secourir. Pauvre Georges! Vingt-trois ans! Et 30 la vie est longue, ma petite, longue . . . longue . . . longue . . . (*Elle sent que Georges entre dans son dos et elle enchaîne sans transition, d'une voix très féminine . . .*) et la veste courte . . . Et si tu ôtes la veste, tu es en robe décolletée et tu peux aller n'importe où le soir. (*Yvonne, d'abord stupéfaite, voit Georges.*)

Scène VII

YVONNE, LÉO, GEORGES

GEORGES — Vous pouvez parler robes. Vous avez de la chance.

YVONNE — Qu'est-ce que tu as? Tu es vert.

GEORGES — Je viens d'entendre Michel . . .

YVONNE — Eh bien?

GEORGES — Eh bien . . . Il regrette de t'avoir serré le poignet . . . il regrette vos cris . . . il aimerait te voir . . .

YVONNE — C'est tout ce qu'il regrette!

GEORGES — Yvonne . . . Il aimerait te voir . . . il a de la peine. Ne l'oblige pas à te demander pardon ou autre sottise. C'est assez grave . . . Je resterai près de Léo . . . Je voudrais que tu sois un peu seule avec Michel et dans sa chambre. Je t'en prie, Yvonne. 10 Tu aiderais Michel et tu m'aiderais. Je suis mort de fatigue.

YVONNE — J'espère que Michel n'a pas su t'entortiller,[78] te convaincre.

GEORGES — Écoute, Yvonne, je te le répète. Il ne s'agit pas de convaincre ou de ne pas convaincre. Cet enfant aime — ce n'est que trop certain. Ne lui parle de quoi que ce soit . . . ne l'interroge sur quoi que ce soit. Il est à plat ventre sur une pile de linge sale. Assieds-toi près de lui et donne-lui la main. 20

LÉO — C'est la sagesse.

YVONNE, *à la porte* — J'irai, à une condition . . .

GEORGES, *d'une voix douce* — Vas-y . . . sans conditions . . .

Il l'embrasse et la pousse dehors, porte au fond à gauche.

Scène VIII

LÉO, GEORGES

LÉO — Georges, tu es défait . . . qu'y a-t-il?

GEORGES — En vitesse . . . Léo . . . ils peuvent revenir d'un moment à l'autre.

LÉO — Tu m'effraies . . .

GEORGES — Il y a de quoi. Je viens de recevoir l'immeuble sur la tête.[79] 30

LÉO — De quoi s'agit-il? De Michel?

GEORGES — De Michel. C'est-à-dire qu'il n'existe aucun vaudeville, aucune pièce de Labiche mieux agencés que ce drame.[80]

LÉO — Dépêche-toi. (*Silence.*) Georges! (*Elle le secoue.*) Georges!

---

[75] emetic
[76] *je . . . pointes:* I suspected he would sneak off like a kid
[77] *sucre d'orge:* stick of candy

[78] get around you
[79] *Je viens . . . tête:* I've just received a terrible shock
[80] The play has in fact been compared to *vaudeville*, a rapid-fire comedy based on a sexual mix-up. Cf. Labiche, *Le Chapeau de paille d'Italie*

GEORGES — Ah! oui. Je ne savais plus où j'étais. Pardonne-moi. Léo, j'ai fait une folie et je la paie cher. Il y a six mois, je croyais avoir besoin d'une sténodactylo; on me donne une adresse. Je tombe chez une jeune personne de vingt-cinq ans, malheureuse, belle, simple, parfaite. Je me sentais très seul à la maison. Toi tu cours à droite et à gauche. Yvonne ne songe qu'à Michel. Michel . . . enfin bref . . . Sous un faux nom, j'invente que je suis veuf . . . que j'avais une fille qui était morte . . . qu'elle lui res- 10 semble . . .

LÉO — Mon pauvre Georges . . . Comment t'en vouloir. Tu cherchais un peu d'air . . . Ici . . . on étouffe.

GEORGES — J'invente, j'invente jusqu'à ne jamais lui ouvrir la bouche de mes marottes.[81] Elle me dit qu'elle m'aime . . . que les jeunes sont des mufles,[82] etc. . . ., etc. Au bout de trois mois, elle change d'attitude. Une sœur de province habite chez elle. Une sœur mariée, dévote, sévère. Je t'emprunte une assez grosse somme . . .   20

LÉO — Je m'en doutais . . .

GEORGES — A qui me confier, sinon à toi? La somme qui devait servir à mon travail, sert à louer un rez-de-chaussée lugubre. La personne espace ses visites. Je me trouve empêtré dans des mensonges et dans un malaise noir. Tu devines le reste. La sœur était un jeune homme qu'elle aime. Et le jeune homme c'est Michel. Je viens de l'apprendre de sa propre bouche.

LÉO — Se doute-t-il? . . .   30

GEORGES — De rien. Il est en extase. Mon effondrement a été mis sur le même compte que celui de sa mère.

LÉO — Et que te voulait-il?

GEORGES — Madeleine — puisque Madeleine il y a — m'avait donné rendez-vous ce soir. Je viens d'être renseigné par Michel. C'était, comment dirais-je . . .

LÉO — Pour te signifier ton congé . . .

GEORGES — Et m'avouer tout, paraît-il. Avouer tout à Monsieur X . . . pour être libres, propres — dignes l'un de l'autre. J'en crèverai, Léo. Je suis fou d'elle. 40

LÉO — Je ne sais pas si c'est un drame ou un vaudeville. De toute manière c'est un chef-d'œuvre.

GEORGES — Un chef-d'œuvre de monstruosité. Comment un pareil hasard peut-il se produire dans une ville . . .

LÉO — Je croyais qu'il n'y avait jamais de hasards. Vous autres qui aimez les miracles, les chefs-d'œuvre du sort,[83] en voilà un de premier ordre. Ce n'est pas plus étrange qu'une série à la roulette, que de gagner à la loterie.   50

GEORGES — J'ai gagné le gros lot.[84]

LÉO — Tu as gagné l'envers du gros lot, mon pauvre Georges. Que ressens-tu en face de Michel?

GEORGES — Une gêne atroce. Je ne lui en veux pas. Ce n'est pas sa faute.

LÉO — Que comptes-tu faire?

GEORGES — Je te le demande. Je me suis décommandé[85] ce soir.

LÉO — Je comprends maintenant pourquoi la roulotte gardait un faux air d'ordre. Lorsque l'un sortait, 10 l'autre était là. Mon pauvre Georges.

GEORGES — J'ai encaissé honte sur honte. Michel disait: le vieux. Il m'a avoué que Madeleine l'aidait.

LÉO — Avec ton argent.

GEORGES — Le tien . . .

LÉO — Ici le sort s'amuse. Il vaut mieux que nos sous rentrent dans la poche de ton fils. Et, soyons justes, cela t'apprendra qu'on ne lâche pas un garçon de cet âge sans un centime, dans les rues de Paris.

GEORGES — Je regrette mon ridicule. Il t'empêche de voir 20 que j'ai mal.

LÉO, *lui prenant la main* — Mon Georges . . . Je t'aiderai.

GEORGES — Comment?

LÉO — Il est indispensable de frapper un coup dur, de te venger et de rendre ce mariage impossible. Michel veut que la roulotte aille, au grand complet, demain, chez la jeune femme. Il faut y aller.

GEORGES — Tu es folle!

LÉO — Je suis raisonnable.   30

GEORGES — Yvonne n'acceptera jamais.

LÉO — Elle acceptera.

GEORGES — Et la scène — tu te représentes la scène. J'entre . . .

LÉO — La petite avalerait sa langue plutôt que de révéler à Michel . . .

GEORGES — En me voyant . . . elle risque de s'évanouir, de pousser un cri.

LÉO — Je m'arrangerai. Frappe dur.

GEORGES — Elle le mérite, Léo.   40

LÉO — Romps le premier, et si elle refuse de rompre avec Michel, menace-la de dire tout.

GEORGES — Es-tu le diable?

LÉO, *elle baisse les yeux* — Je t'aime beaucoup, Georges, et je veux protéger ta maison.

GEORGES — Et Yvonne? Jamais, au grand jamais, elle . . .

LÉO — Tais-toi, Yvonne approche . . .

GEORGES — Tu as de grandes oreilles, Léo.

---

[81] *marottes:* idiosyncrasies
[82] cads
[83] fate

[84] *gros lot:* first prize
[85] *Je . . . soir:* I've cancelled my appointment for this evening

LÉO — C'est pour mieux empêcher qu'on te dévore, mon enfant !

La *porte au fond à gauche s'ouvre. Yvonne paraît.*

Scène IX

LÉO, GEORGES, YVONNE

GEORGES — Eh bien?

YVONNE — Nous n'avons pas prononcé une parole. Je lui serrais la main. Comme il gémissait et retirait sa main et avait l'air de vouloir rester seul, je suis sortie de sa chambre. Je suis brisée. Je flotte. Je voudrais dormir et je ne pourrais pas dormir.

Qu'allons-nous devenir? Il est évident que Michel n'est pas dans son état normal. Il est sous une influence néfaste qui le détraque.

LÉO — Il faudrait la connaître, cette influence.

YVONNE — Je ne la connais que trop.

LÉO — Je veux dire ne pas buter Michel. Être habile . . .

YVONNE — Non, non. Il faut couper net.

LÉO — Tu espères empêcher ces enfants de se rejoindre...

YVONNE — Quels enfants?

LÉO — Voyons, Yvonne! Michel et cette petite . . .

YVONNE — Mais, Léo, il n'y a pas l'ombre d'une petite. Il y a une femme qui couche avec l'un et avec l'autre . . . une femme de Dieu sait quel âge, une sainte-nitouche[86] que Mik voit à travers un prisme et dont il fait une sainte.

LÉO — Raison de plus pour la lui montrer telle qu'elle est.

YVONNE — Je compte sur Georges pour faire preuve de caractère une fois au moins, et pour trancher dans le vif.

GEORGES — Trancher dans le vif est une phrase.

YVONNE — Du reste, en admettant que cela ne soit pas des fables et que cette femme veuille vraiment quitter son . . . protecteur . . . pour risquer sa chance et qu'elle cherche à épouser Mik, il serait de ton devoir de décharger Mik d'une responsabilité qui est un enfantillage. Mik ne peut pas la priver de ce monsieur et la planter là.

LÉO — Enfin, des choses qui ont un sens.

YVONNE — Comment comptait-il la faire vivre?

GEORGES — Il m'a dit qu'il en avait assez de ne rien faire; qu'il était décidé à travailler.

YVONNE — Et à vivre à nos crochets,[87] aux crochets de sa tante.

LÉO — Mon peu d'argent est le vôtre . . .

YVONNE — Ce n'est pas celui de cette femme. Je ne divague plus, j'y vois clair. Il est essentiel que Georges fasse une démarche. Léo? c'est son rôle . . .

GEORGES — C'est facile à dire.

YVONNE — Tu n'as qu'à être ferme et à lui *défendre* . . .

LÉO — As-tu vu des ordres réussir auprès de gens qui s'aiment?

YVONNE, *elle hausse les épaules* — Mik n'aime pas cette fille. Il croit l'aimer. C'est sa première amourette. Il s'imagine être en face de l'amour idéal, éternel.

LÉO — S'il l'imagine c'est comme s'il aimait.

YVONNE — Pardon! cela deviendra des dessins, des promenades, des songes. Il guérira d'une idée fixe. Je connais mon Mik.

LÉO — Tu le connaissais.

YVONNE — Enfin, vous êtes incroyables! Voilà vingt-deux ans que je l'observe. Une Madame X . . . ne peut pas me le changer de fond en comble en trois mois.

GEORGES — Pas en trois mois, Yvonne. En trois minutes. C'est justement le propre de l'amour.

YVONNE — Ah! Si j'étais un homme, si je lui parlais, moi . . . je trouverais ce qu'il faut dire.

LÉO — C'est ce que Michel demande.

YVONNE — Il n'espère tout de même pas que j'obéirai à ses ordres?

GEORGES — Qui parle d'ordres? Pourquoi prendre une attitude tragique? Yvonne!

YVONNE — Voyons, voyons, alors si je comprends bien . . . vous prétendez, toi et Georges . . .

GEORGES — Je ne prétends rien . . .

YVONNE — Enfin, quoi, si vous envisagez comme possible que moi, j'accompagne Georges chez cette . . . femme et que Léo ferme le cortège.

GEORGES — Une reconnaissance, une simple reconnaissance chez l'ennemi.

YVONNE — La roulotte au complet, la famille en bloc, une visite de jour de l'An.[88]

LÉO — Tu n'y es pas du tout, Yvonne. Yvonne, peux-tu, toi, toi, envisager de vivre avec un Michel qui se taise, qui t'évite, ou qui te mente du matin au soir? Peux-tu envisager de vivre sans Michel? Peux-tu envisager que Michel quitte la maison?

YVONNE — Tais-toi!

LÉO — Idiote chérie . . . sais-tu ce qui arriverait? Tu te laisserais aller à n'importe quelle bassesse, tu courrais

---

[86] *nitouche* is a contraction of *n'y touche*. A literal translation of *sainte-nitouche* would thus be *Saint Don't Touch*, that is, one who is *beyond evil* or *above it all* — thus, a hypocrite

[87] *vivre . . . crochets:* to sponge on us
[88] *visite . . . l'An:* like a New Year's Day visit

à ses trousses, tu lui embrasserais les genoux, tu supplierais cette femme.

YVONNE — Tais-toi! Tais-toi!

LÉO — Alors qu'il serait si simple d'employer la ruse, de regagner Michel, de mériter sa reconnaissance, de ne pas considérer cette démarche sous l'angle bourgeois, mais sous votre angle à vous, Princes de Lune... Ah! tu ne m'obliges plus à me taire.

YVONNE — Ce serait tromper Mik. Ensuite, il ne nous en voudrait que davantage.

LÉO — Le tromper pour son bien. Yvonne. Libre à toi de conclure ce mariage si tu te trouves en face d'une perle.

GEORGES — Crois-moi, Yvonne, au premier abord on reçoit un choc. J'ai réagi comme toi. Mais peu à peu, il devient clair que Léo ne nous propose pas une folie.

YVONNE, *arpentant la chambre* —[89] Et puis non! non! non! Je suis trop lâche, je me dégoûte, je ne mettrai pas les pieds chez cette femme.

LÉO, *près d'Yvonne, elle l'immobilise* — Autre chose, Yvonne. Notre pire souffrance n'est-elle pas de ne pouvoir imaginer l'endroit où ceux que nous aimons nous évitent? N'as-tu pas la curiosité de cet être chez lequel Mik te faisait du mal sans que tu puisses donner à ce mal aucune forme précise? N'as-tu pas la curiosité de toucher ton mal? Si un objet t'est volé, ne cherches-tu pas à te représenter où il se trouve?

YVONNE — Chez cette voleuse...

LÉO — Tu iras chez cette voleuse, Yvonne. Tu iras reprendre ton bien. Tu accompagneras Georges. Et je ne vous laisserai pas seuls.

Yvonne, la main sur les yeux, tombe sur le bord du lit, assise, et n'accepte que par sa pose, par son silence.

GEORGES — Je t'admire, Yvonne. Tu es toujours plus forte qu'on ne pourrait s'y attendre.

YVONNE — Ou plus faible.

LÉO — Tu te crois faible parce que le « j'irai » ne te passe pas par la gorge.

YVONNE — Si on m'avait dit, hier...

LÉO — Ton courage, à toi, c'est de quitter ta chambre noire et d'aller au soleil.

YVONNE — Tu appelles cela le soleil. Alors j'ai raison de préférer la nuit.

LÉO — Soyez très, très prudents dans votre manière d'annoncer à Mik cette nouvelle; il peut flairer le piège.

GEORGES — Léo, va le chercher... décide-le en lui annonçant une surprise.

LÉO — Courage!...

Elle sort par le fond à gauche.

[89] *arpentant la chambre:* pacing the floor

Scène X

GEORGES, YVONNE

YVONNE — Quel cauchemar!

GEORGES — A qui le dis-tu?

YVONNE — Si je vais chez cette personne... Je m'éloignerai avec Léonie pendant que tu lui parleras.

GEORGES — Je te promets de lui parler tête à tête.

YVONNE — Ne m'oblige pas à lui parler, Georges, je m'emporterais... Je n'ai aucune habitude de ce genre de femmes.

GEORGES — Ni moi... A un certain âge les habitudes sont difficiles à prendre.

La porte au fond à gauche s'ouvre. Léo pousse Michel par le dos dans la chambre. Il a ses vêtements et ses cheveux en désordre. L'air sur la défensive.

Scène XI

LÉO, GEORGES, MICHEL, YVONNE

LÉO — Va...

GEORGES — Entre, Michel.

MICHEL — Que me veut-on?

GEORGES — Ta mère va te le dire.

Michel entre et Léo referme la porte.

YVONNE, *la tête basse, elle parle avec effort* — Mik, j'ai été dure et j'ai mal répondu à ta franchise. Je le regrette. Ton père est très bon. Il m'a parlé. Mik, mon chéri, nous ne te voulons pas le moindre mal, tu le sais. Au contraire. C'est ton bien que je cherche, et je déteste être injuste. Tu nous as demandé une chose presque impossible.

MICHEL — Mais...

GEORGES — Laisse parler ta mère.

YVONNE — Cette chose presque impossible, cette démarche que tu exiges de nous, Mik, nous avons décidé de te l'accorder. Nous irons chez ton amie.

MICHEL, *il saute jusqu'à sa mère* — Sophie! papa! Est-ce Dieu possible?

GEORGES — Oui, Michel. Nous t'autorisons à prévenir demain de notre visite.

MICHEL — Je rêve, pour sûr... papa, comment te remercier? Maman...

Il veut embrasser Yvonne.

YVONNE, *elle se détourne* — Ce n'est pas nous qu'il faut remercier, c'est ta tante.

MICHEL — Toi, tante Léo!

Il court vers Léo, la prend dans ses bras, la soulève et la fait tourner à toute vitesse.

LÉO, *criant* — Tu m'étouffes! Quel ours! Mik! Je n'y suis pour rien. Ce n'est pas moi qu'il faut remercier. C'est la roulotte.

Rideau.

ACTE II

Une grande pièce claire.
Au premier plan à gauche escalier en colimaçon[1] qui mène à l'étage supérieur.
Au fond à gauche porte d'entrée. Au premier plan à droite porte de la salle de bains.
Au milieu, premier plan, divan et petite table.
Sur le mur du fond, planches couvertes de livres.
Le mur idéal est censé donner sur des arbres par une baie. Beaucoup d'ordre.

Scène I

MADELEINE, MICHEL

MADELEINE — C'est in-cro-yable!

MICHEL — Figure-toi que tout le monde dit « in-cro-yable » à la maison. J'en arrive à imaginer qu'on le disait avant que je te connaisse et que je l'apporte. Maman serait folle si elle savait qu'elle t'imite.

MADELEINE — Je ne vois pas ce que ma façon de pro-noncer ce mot a de spécial. Je le prononce comme 10 tout le monde.

MICHEL — Tu le prononces comme personne et à propos de bottes.[2] C'est un tic que tu m'as passé et que je leur ai passé à tous. Maman, papa, tante Léo. Tous disent: c'est in-cro-yable!

MADELEINE — Michel!

MICHEL — Quoi?

MADELEINE — La baignoire déborde.[3]

MICHEL — J'ai laissé le robinet[4] ouvert. (*Il se précipite.*)

MADELEINE — Et dépêche-toi. Ta mère ne croirait jamais 20 que tu es venu prendre ton bain ici. Elle croirait que tu te moques d'elle, que tu veux avoir l'air d'être chez toi.

MICHEL — C'est la faute de tante Léo. La baignoire est

bouchée et la baignoire c'est son rayon.[5] Tante Léo, c'est l'ordre. Vous êtes faites pour vous entendre.

MADELEINE — Chez moi, la baignoire marche.

MICHEL — Chez nous, on prend des tubs. De temps en temps Léo nous laisse en panne. Mais elle aime trop ses aises. Elle ne tient pas le coup.[6]

MADELEINE — Essuie-toi. Dépêche-toi.

MICHEL — Que je puisse agacer maman en me baignant ici . . . ne me serait jamais venu à l'idée . . . et c'est vrai! Tu es comme tante Léo, une grande politique.[7] 10

MADELEINE — Tu as bien su observer ta tante . . .

MICHEL — A force de vivre les uns sur les autres. Moi, je ne pense à rien.

MADELEINE — C'est ta propreté que j'aime.

MICHEL — Ça, c'est drôle!

MADELEINE — A l'extérieur, tu n'es pas sale. Tu as la saleté des enfants. Des genoux d'enfant, ce n'est pas sale. A l'intérieur il n'existe personne au monde de plus propre que toi.

MICHEL — Inculte et bête. 20

MADELEINE — Et moi?

MICHEL — Toi, tu es une savante, tu as lu les classiques.

MADELEINE — Je les relie.

MICHEL — Tu es mille fois trop intelligente pour moi. Sais-tu que tu arriveras à gagner de quoi vivre avec tes reliures.[8] Je me ferai entretenir.

MADELEINE — Tu travailleras, mon vieux. Au besoin tu m'aideras et un jour nous ouvrirons une boutique.

MICHEL — Et nous deviendrons riches. Eh bien, sais-tu? Quand nous posséderons une maison . . . 30

MADELEINE — Un appartement, Michel. Pourquoi dis-tu toujours une maison?

MICHEL — Chez nous on dit: maison. La maison. A la maison.

MADELEINE — C'est in-cro-yable.

MICHEL — Mais c'est comme ça. Ecoute! Quand nous posséderons une maison, si tu m'empêches d'avoir du désordre, je te traînerai chez nous, dans la roulotte, et je te séquestrerai, je te forcerai à partager ma chambre, mon linge sale, et mes cravates dans le 40 pot-à-eau.

MADELEINE — Au bout de cinq minutes ta chambre serait en ordre.

MICHEL — Tu es diabolique. Chez nous, l'atelier de reliure descendrait dans cette chambre, ou cette

---

[5] department
[6] *Elle . . . coup:* she can't hold out. [That is, she cleans or repairs the tub herself — another indication of the place of Léo in their lives]
[7] [ironical] a diplomatic mastermind
[8] book bindings [Note the pun: *relie* (bind books) and *relis* (reread)]

---

[1] *escalier en colimaçon:* spiral staircase
[2] *à propos des bottes:* without rhyme or reason
[3] is running over
[4] tap

chambre monterait dans l'atelier de reliure. Les objets me suivent comme des chats. Comment fais-tu?

MADELEINE — C'est l'ordre. On a le sens de l'ordre ou on ne l'a pas.

Michel retrouve ses chaussettes sous Madeleine.

MICHEL — Regarde où je trouve mes chaussettes. Pourtant, je suis sûr de les avoir retirées dans la salle de bains.

MADELEINE — Tu les as retirées dans le salon.

MICHEL, *il met ses chaussettes* — Le salon! Chez nous, 10 tu ne pourrais même pas imaginer un salon. Les drames ont lieu dans la chambre de Sophie. Chambre du crime. Quand les disputes deviennent sérieuses, les voisins de tante Léo tapent contre le mur, on fait: pouce!⁹ et les armistices, les traités de paix, les silences orageux, se passent dans une espèce de salle à manger fantôme, de salle d'attente, de pièce vide où la femme de ménage revisse¹⁰ une table très laide, très lourde et très incommode.

MADELEINE — Et ton père supporte . . .   20

MICHEL — Oh! papa . . . papa, lui, il croit qu'il invente des merveilles. En réalité, il perfectionne le fusil sous-marin. Il cherche le fusil à balles. Je ne plaisante pas. Les classiques de papa, c'est Jules Verne. Il a dix ans de moins que moi.

MADELEINE — Et ta mère?

MICHEL — Quand j'étais petit, je voulais épouser maman . . . Papa me disait: tu es trop jeune. Et je répondais: « J'attendrai d'avoir dix ans de plus qu'elle. »

MADELEINE — Mon amour . . .   30

MICHEL — Excuse-moi de te rebattre les oreilles avec la famille. Tu comprends, je n'osais pas te parler d'eux avant d'avouer tout. Je te cachais là-bas, alors ici, j'étais gêné, emprunté, et comme je suis très bête, je préférais ne pas parler d'eux. Je me rattrape.

MADELEINE — Tu es toujours guidé par de la délicatesse, et il était trop naturel de ne pas trahir ta roulotte chez nous, puisque tu ne trahissais pas notre secret dans ta roulotte.

MICHEL — Sophie a été admirable, et papa, et tante Léo, 40 tous. La scène a commencé par un drame.

MADELEINE — Un drame?

MICHEL — Maman voulait appeler la police, me faire arrêter.

MADELEINE, *stupéfaite* — La police? Pourquoi?

MICHEL — Ah! ça, c'est le style de maman, le style de la chambre de maman . . .

MADELEINE — C'est . . .

MICHEL *et* MADELEINE, *ensemble* — In-cro-yable!

MADELEINE, *riant* — A qui la faute, Michel?

MICHEL — A moi. A toi. Je n'ai pas pu résister à passer la nuit chez toi. Et le lendemain . . . le lendemain . . .

MADELEINE, *l'imitant et lui ôtant le pied de sur un meuble* — Le lendemain . . . le lendemain, tu avais la frousse.¹¹

MICHEL — Voui.¹²

MADELEINE — Je t'ai dit vingt fois de téléphoner.

MICHEL — Reine des gaffeuses,¹³ ne dites pas cela devant 10 Sophie.

MADELEINE — Je te conseille de parler, tu gaffes comme tu respires.

MICHEL — Exact.

MADELEINE — Et c'est encore ce que j'aime, mon stupide. Tu n'es pas menteur.

MICHEL — C'est trop compliqué.

MADELEINE — Je hais le mensonge. Le moindre mensonge me rend malade. J'admets qu'on se taise ou qu'on s'arrange pour faire le moins de peine possible. 20 Mais, le mensonge . . . le mensonge de luxe! . . . Je ne me place pas au point de vue de la morale, je suis très amorale. J'ai l'intuition que le mensonge fausse des mécanismes que nous dépassent, qu'il dérange des ondes, qu'il détraque¹⁴ tout.

MICHEL, *après avoir noué son soulier gauche* — Mon soulier!

MADELEINE — Cherche-le.

MICHEL — Ça c'est incroyable. Il y a une minute . . .

MADELEINE — Cherche!   30

MICHEL, *à quatre pattes* — Tu sais où il est.

MADELEINE — Je le vois pendant que je te parle. Il crève les yeux.

MICHEL, *il s'éloigne de la table au milieu de laquelle est son soulier* — Je brûle?

MADELEINE — Tu gèles.

MICHEL — Et tu veux que je me dépêche . . .

MADELEINE — Grand politique!

Elle lui montre le soulier qu'elle soulève par un lacet.

MICHEL — C'est trop fort! Maman l'aurait repêché dans mon lit.

MADELEINE — Elle doit être adorable, ta mère. Quel dommage que je crève de peur.   40

MICHEL, *il se chausse* — Maman se croit laide et elle est plus belle que si elle était belle. Elle va se mettre sur son trente et un.¹⁵ Il est possible que tante Léo

---

⁹ *on . . . pouce:* we say: I give up!
¹⁰ tightens the screws of

¹¹ *tu . . . frousse:* you had the jitters
¹² A hesitant "oui"
¹³ blunderers
¹⁴ upsets
¹⁵ *se mettre . . . un:* to put on her Sunday best

l'oblige à se maquiller et à sortir les fourrures de la penderie.[16]

MADELEINE — J'ai peur . . . j'ai peur . . .

MICHEL — C'est eux qui ont peur. Et tante Léo nous dégèlera, elle est très forte.

MADELEINE — Et vous vous déplacez toujours en bande?

MICHEL, *naïvement* — Jamais Sophie ne sort. Papa sort, tante Léo sort pour faire des courses. Elle est très prise à la maison. Moi je sors parce que je vous aime . . .

MADELEINE, *elle lui prend les mains* — Tu m'aimes?

MICHEL — Regarde. (*Il se tourne.*) Je suis propre, prêt pour la « demande en mariage ». Oh!

MADELEINE, *inquiète* — Quoi?

MICHEL — Je devais me faire couper les cheveux.

MADELEINE — Lundi. Les coiffeurs sont fermés.

MICHEL — Comment t'arranges-tu pour savoir tout?

MADELEINE — Comment je m'arrange pour savoir que les coiffeurs sont fermés le lundi? . . .

MICHEL — Non . . . (*Il l'embrasse.*) Pour savoir qu'on est lundi. Moi, je ne sais que c'est dimanche que parce que la femme de ménage ne vient pas et que j'aide à la cuisine.

MADELEINE — On sent le dimanche à autre chose. Les gens sont libres. Il y a du désordre dans l'air, un désordre triste.

MICHEL — Oh! Votre ordre et votre désordre!

MADELEINE — Ils s'attendent à trouver de l'ordre ou du désordre?

MICHEL — Ils s'attendent au pire. Ils croient venir chez une vieille femme à cheveux jaunes.

MADELEINE — Je suis une vieille femme à cheveux jaunes. J'ai trois ans de plus que toi.

MICHEL — Figure-toi que j'ai un pressentiment! Cette vieille femme va les étonner.

MADELEINE — Touche du bois . . .

MICHEL, *il la prend dans ses bras* — Madeleine, tu ensorcellerais n'importe qui. Il n'y a qu'un seul point qui m'inquiète, qui me travaille.

MADELEINE — Lequel?

MICHEL — J'aurais voulu la chose faite, la place libre, la situation liquidée.

MADELEINE — Le rendez-vous est remis à ce soir . . .

MICHEL — Quelle malchance!

MADELEINE — Demain tout sera en ordre . . .

MICHEL — On dirait que tu es contente de voir ce rendez-vous reculé.

MADELEINE — Oui, quand Georges m'a téléphoné, je n'ai pas insisté, j'ai été lâche.

MICHEL — Papa aussi s'appelle Georges.

MADELEINE — Tu devines ce que peut être pour moi le rendez-vous avec le premier Georges. Eh bien, il ne m'effraie presque pas à côté du rendez-vous avec le second.

MICHEL — Tu ne l'aimes pas!

MADELEINE — Si, Michel.

MICHEL — Tu l'aimes?

MADELEINE — Le cœur n'est pas si simple, Michel. Je n'aime que toi, mais j'aime Georges.

MICHEL — Ça, par exemple!

MADELEINE — Si je ne l'aimais pas, Michel, je ne serais pas digne de t'aimer. D'abord je ne t'aurais pas connu. Je serais morte. Il m'a rencontrée au bord du suicide.

MICHEL — Que tu aies de la reconnaissance . . .

MADELEINE — Non, Michel. C'est plus que de la reconnaissance.

MICHEL — Je ne comprends plus.

MADELEINE — Il faut comprendre, mon chéri. Beaucoup d'hommes m'ont proposé ce que Georges m'a offert. J'ai refusé. Si j'ai accepté son offre, c'est que je l'aimais . . .

MICHEL — Tu ne me connaissais pas.

MADELEINE — Cher petit égoïste. Je ne l'aimais pas assez pour ne pas attendre l'amour. Et avec toi j'ai rencontré l'amour. Je l'aimais assez pour le lui cacher, pour traîner, pour accepter qu'il m'aide. Je l'aime assez pour être malade d'avoir à lui tirer ce coup de revolver à bout portant.[17]

MICHEL — C'est in-cro-yable.

MADELEINE — Écoute, Michel, sois juste. Tâche de te mettre à sa place. Je suis tout pour lui. Il est veuf. Il a perdu sa fille. Je lui ressemble. C'est son arrêt de mort que tu me demandes. Il me croit incapable de mentir . . .

MICHEL — Mais garde-le, garde-le. Pouce! Je préviendrai la famille. Rien de plus facile.

MADELEINE — Ne sois pas absurde. Est-ce que je te refuse cette démarche? Je la fais parce que quand on aime comme je t'aime, on passe par-dessus tout, on assassine, on égorge. C'est décidé. On n'en parle plus.

MICHEL — Si je t'en parle . . .

MADELEINE — Je ne parlais pas de lui. Il t'ignore. C'était mille fois mieux.

MICHEL — Regarde . . . maman . . . si c'était nécessaire je n'hésiterais pas . . .

MADELEINE — Tu hésiterais. Et tu aurais raison. Et c'est pourquoi je t'adore. Et puis, Michel, ce n'est pas pareil. Ta mère a ton père, ta tante.

---

[16] wardrobe

[17] *à bout portant:* point-blank

MICHEL — Elle n'a que moi.

MADELEINE — Alors, elle me hait.

MICHEL — On ne peut pas te haïr, mon amour; maman t'aimera quand elle comprendra que tu es moi-même, que nous ne formons qu'une seule personne.

MADELEINE — Tu n'aurais pas dû lui parler de l'autre . . .

MICHEL — Sophie m'a tellement répété qu'elle était un camarade, que je n'avais rien à lui cacher.

MADELEINE — Tu lui avais caché notre amour.

MICHEL — C'est parce que cet autre me gênait, me met- 10 tait mal à l'aise et que je savais qu'il traîne à la maison une foule de préjugés, de phrases conventionnelles, de scènes de famille. Je voulais te montrer libre, courageuse, sans rien de louche[18] entre nous. J'ai débité notre histoire d'une traite.[19]

MADELEINE — Tu as bien fait. C'est moi qui suis stupide. Du moment qu'on parle, il faut tout dire.

MICHEL — C'est ce qui te donnera du courage demain.

MADELEINE — N'en parlons plus, je te le demande. Puisque Georges il y a, admets que j'avais pour Georges 20 la tendresse que j'aurais pour ton père, que j'aurai pour ton père.

MICHEL — Mais . . .

MADELEINE — Chut.

MICHEL — Tu m'en veux?

MADELEINE — Je t'en voudrais de ne pas être jaloux. Je t'en voudrais d'être jaloux. Je t'en voudrais de ne pas t'être mis en colère. Je t'en voudrais de ne pas t'en vouloir de t'être mis en colère.

MICHEL — Ils sont d'une bonté inimaginable. Cette 30 visite le prouve.

MADELEINE — Cette visite m'effraie. Elle est trop simple, trop belle. Tu m'as dit que ta mère ne voulait pas en entendre parler. Une minute après, elle se décide. Ce changement m'effraie.

MICHEL — Il se fâchent, ils crient, ils claquent les portes . . . mais tante Léo les calme et ils l'écoutent. Sophie est comme ça. Tout est en coups de tête.[20] Elle dit: Non, mon bonhomme, jamais. Elle s'enferme . . . Je boude . . . elle arrive, elle m'embrasse et elle dit: 40 Oui, Mik. Je l'embrasse et on n'en parle plus.

MADELEINE — Je n'arrive pas à me raisonner.

MICHEL — Je te le répète: Tante Léo c'est l'ange gardien de la roulotte. Elle est très belle, très élégante, très droite. Elle critique notre désordre, mais, au fond, elle ne pourrait pas se passer de lui.

On sonne.

MADELEINE — On sonne. Les voilà. Je me sauve.[21] Je grimpe là-haut.

[18] underhanded
[19] *J'ai . . . traite:* I poured out our story in one breath
[20] *Tout . . . tête:* everything is done impulsively
[21] *Je me sauve:* I'm clearing out

MICHEL — Ne me laisse pas seul.

MADELEINE — Tu viendras me chercher.

MICHEL — Madeleine!

MADELEINE — Si! si! si!

Elle monte le petit escalier pendant que Michel quitte la scène pour aller ouvrir.

Scène II

MICHEL, LÉO

On entend que Michel ouvre, dit: « C'est toi, tante Léo! Tu es seule! » Et Léo pénètre sur scène, porte au fond, avec Michel.

MICHEL — Il n'y a rien de changé? Ils viennent?

LÉO — Ils viennent . . . rassure-toi. Je me suis arrangée pour être très en avance.

MICHEL — Tu es bonne.

LÉO, *regardent autour d'elle* — Quel ordre!

MICHEL, *riant* — C'est moi, tu me reconnais. C'est mon 10 ordre.

LÉO — J'en doute. Où est ton amie?

MICHEL — Dans son atelier de reliure, là-haut.

Il montre l'escalier.

LÉO, *regardant vers la salle* — Vous donnez sur les jardins. Voilà ce qu'il faudrait à ta mère qui vit dans sa chambre, au lieu d'un immeuble et de l'éclairage sinistre des gens d'en face.

MICHEL — Ne dis pas du mal de la roulotte.

LÉO — Une roulotte se traîne n'importe où.

MICHEL — Moi je donne sur une cour et j'aime ma cour. 20

LÉO — Appelle ton amie.

MICHEL, *il appelle* — Madeleine! . . . Inutile, de là-haut, on n'entend rien.

LÉO — C'est une chance.

MICHEL — Pourquoi?

LÉO — Ton père est indulgent, lucide, calme. Il doit parler seul avec ton amie. Il est inutile que ta mère écoute et intervienne. Quand nous descendrons, tout sera fait.

MICHEL — Ange! (*Il embrasse sa tante.*) Je te la ramène. 30

Il monte quatre à quatre. Seule, Léo s'approche de la salle de bains, ouvre la porte et la referme. Elle remonte au fond et regarde les titres des livres. Madeleine, poussée par Michel, apparaît au haut de l'escalier. Elle descend lentement, Michel la tenant par les épaules.

Scène III

LÉO, MICHEL, MADELEINE

LÉO — Bonjour, Mademoiselle.

MICHEL — Je te dis qu'elle est seule. Tu ne vas pas avoir peur de tante Léo, c'est l'avant-garde !

MADELEINE — Madame . . .

Léo lui tend la main, Madeleine la serre.

LÉO — Vous êtes très jolie, Mademoiselle.

MADELEINE — Oh ! Madame . . . Michel avait raison.

MICHEL — Je lui avais raconté que tu étais bossue, boiteuse, que tu louchais . . .[22]

MADELEINE — Il ne parle que de votre beauté, de votre élégance.

LÉO — De mon « ordre » ! Je ne suis pas la seule. 10

MADELEINE — Le désordre me terrorise.

LÉO — Je vous félicite si vous arrivez à quelque chose avec celui de Michel.

MADELEINE — Il y a du progrès.

MICHEL — Et je retrouve mes souliers sur la table. J'étais sûr que son ordre t'étonnerait. Tu es étonnée ?

LÉO, *souriant* — Oui.

MICHEL — Et Sophie, et papa, ils suivent ?

LÉO — Je leur ai donné rendez-vous ici. Ta mère n'était pas contente. Mais je déteste les arrivées en masse. 20 J'ai prétexté une course. Je ne vous cache pas que je voulais arriver la première et préparer le terrain.

MICHEL — Tu vois, Madeleine, tante Léo est une merveille.

LÉO — Me voilà votre complice. (*Montrant l'escalier.*) Votre atelier de reliure arrange tout. Je craignais que vous n'ayez qu'une seule pièce.

MADELEINE — C'est une ancienne mansarde, deux mansardes, je suppose, transformées et réunies à cette pièce par un escalier de bateau.[23] 30

LÉO — Et, de vos mansardes, on n'entend rien de ce qui se passe en bas ?

MICHEL — Tu n'as pas entendu que je t'appelais . . .

MADELEINE — Non.

LÉO — C'est d'une importance énorme. Ils n'arriveront pas avant un quart d'heure. Il faut essayer. Tu connais ta mère . . .

MICHEL — Tante Léo prévoit tout.

MADELEINE — C'est facile de se rendre compte.

LÉO, *à Madeleine* — Nous monterons ensemble. Michel 40 se promènera et criera ce qu'il veut. Je t'autorise même à claquer les portes.

MICHEL — Mon rêve !

LÉO — Conduisez-moi ! (*Madeleine monte, suivie de Léo. Avant de disparaître Léo se retourne et pardessus la rampe.*) Et crie, crie à tue-tête,[24] et marche

fort. Comme ton amie et ton père ont des timbres de voix très doux, nous ne courrons plus aucun risque. *Elle disparaît.*

Scène IV

MICHEL, *seul*

MICHEL. *Il prend n'importe quel livre, l'ouvre et lit à tue-tête, en courant de droite et de gauche —* « Caché près de ces lieux, je vous verrai, Madame.

« Renfermez votre amour dans le fond de votre âme,

« Vous n'aurez point pour moi de langages secrets ;

« J'entendrai des regards que vous croirez muets. » (*Il s'arrête, criant.*) Vous m'entendez ? (*Léo apparaît en haut des marches.*) Vous m'entendiez ? 10

Scène V

LÉO, MICHEL, *puis* MADELEINE

LÉO — Non. Est-ce que tu parlais fort ?

MICHEL — Comme à la Comédie-Française.

LÉO — Qu'est-ce que tu criais ?

MICHEL — BRITANNICUS.[25]

LÉO — Écoute, Michel ! C'est le contraire d'une chose à crier. (*Elle descend.*) S'il te fallait un livre, tu n'avais qu'à prendre LORENZACCIO.[26]

MICHEL — Connais pas.

LÉO, *elle prend un livre et le parcourt* — Monte. J'essayerai, moi. Je ne serai tranquille que si je suis 20 certaine qu'Yvonne ne se mêlera pas des explications de Georges et de ton amie. Tu y es ? (*Silence. La lecture de* Lorenzaccio *doit être d'une grande violence et très juste.*) « A l'assassin ! On me tue ! On me coupe la gorge ! . . . Meurs ! Meurs ! Meurs ! — Frappe donc du pied. (*Elle frappe du pied.*) A moi, mes archers ! Au secours ! On me tue ! Lorenzo de l'Enfer !

---

[22] *que tu . . . louchais:* that you were humpbacked, lame and that you were cross-eyed

[23] *escalier de bateau:* small spiral staircase as on a ship

[24] *à tue-tête:* at the top of your lungs

[25] The quotation read by Michel in the preceding scene comes from Racine's *Brittanicus* (1669), in which Nero warns Junie that he will hear and see all that goes on during her meeting with her betrothed Britannicus

[26] 1834 play by Alfred de Musset. The lines that Léo will read in her next reply foretell symbolically Michel's own "murder" which is to follow

— Meurs, infâme! Je te saignerai, pourceau, je te saignerai! au cœur! au cœur! il est éventré. — Crie donc, frappe donc, tue donc! Ouvre-lui les entrailles! (*Michel, sur la pointe des pieds, descend quelques marches et passe la tête par-dessus la rampe.*) Coupons-le par morceaux et mangeons! mangeons!

Elle s'arrête.

MICHEL — Bravo!

LÉO — Michel! Tu n'étais pas dans l'atelier?

MICHEL — Si. Je n'entendais rien, je voulais t'entendre crier.

LÉO — Tu en as l'habitude.

MICHEL — T'entendre crier ici, ce n'est pas pareil. Mais, tante Léo, tu ferais une actrice admirable! Tu aurais pu être actrice. [10]

Lui et Madeleine descendent.

MADELEINE — Vous étiez superbe. Et, moi, je ne vous voyais pas.

LÉO — Ta mère aussi est assez bonne comédienne, quand elle veut. Entre nous, je crois que notre grand-mère était chanteuse et que, quand grand-père l'a épousée, il lui a demandé de quitter le théâtre. Mais, ce sont des choses dont on ne parle pas en famille, ou bien, si quelqu'un en parle, tout le monde fourre son nez dans son assiette. (*Sonnette.*) Cette fois, ce sont eux. [20]

LÉO, à *Madeleine* — Montez vite. Il ne faut, à aucun prix, que je vous aie vue avant que ma sœur vous voie. Je ne vous connais pas. Je viens d'arriver. (*Pendant que Madeleine monte les marches.*) Et c'est toi, Michel, qui as refusé de me montrer ton amie. Va, va. Ta mère d'abord.

On sonne une deuxième fois.

Scène VI

LÉO, MICHEL, GEORGES, YVONNE

On entend d'abord, dans le vestibule.

VOIX DE GEORGES — Je croyais m'être trompé d'étage.

VOIX D'YVONNE — Il n'y a pas de domestique?

VOIX DE MICHEL — Pas plus qu'à la maison. (*Il entre, les précédant.*) Tante Léo, tu avais entendu la sonnette? [30]

Ils entrent.

YVONNE — Léo est là?

LÉO — J'arrive. J'ai sonné trois fois. J'aurais pu vous rencontrer devant la porte.

YVONNE — Il y a longtemps que tu es arrivée?

LÉO — Je te répète que j'arrive. Michel?

MICHEL — Tante Léo croyait être en retard et vous trouver ici.

YVONNE — Vous êtes . . . seuls?

MICHEL — Madeleine est en haut, dans un petit atelier de reliure.

LÉO — Michel n'aurait jamais voulu me la montrer avant de te la montrer à toi . . . de vous la montrer à vous.

MICHEL — Là-haut on n'entend pas sonner, on n'entend rien. Il y a une demi-heure qu'elle se cache.

YVONNE — Elle se cache?

MICHEL — Enfin . . . Elle a peur de la famille. [10]

YVONNE — Nous ne sommes pas des ogres.

MICHEL — Tu es toute pâle, Sophie. Il est bien naturel que Madeleine ait le trac.[27]

LÉO — Je la comprends.

YVONNE — Quel luxe!

MICHEL — C'est propre.

LÉO — La propreté, c'est le luxe. Je disais à Michel . . .

YVONNE — Ce n'est pas précisément ton genre.

MICHEL — Patience! Je viens très peu. Si j'habitais chez Madeleine ou si j'y venais davantage, je gagnerais la partie.[28] [20]

LÉO — J'en doute . . .

GEORGES — Michel, tu dois prévenir de notre arrivée?

MICHEL — Oui . . . Oh! papa, que tu es guindé.[29] Sophie, assieds-toi . . . asseyez-vous. Prenez l'air naturel. Tante Léo installe-les . . . Fais la maîtresse de maison. La pauvre Madeleine en est incapable. Si vous ne l'aidez pas, elle restera comme une borne et vous la croirez poseuse.[30]

GEORGES — Je me demande, mon petit, si tu mesures la gravité de cette visite. On ne le dirait pas. [30]

LÉO — Il essaie de rompre la glace.

MICHEL — J'en pleurerais.

YVONNE — Allons, allons. Georges est ému, Léo, très ému. C'est à ces minutes-là qu'on devient père, mère, fils. On ne traite plus ces choses par-dessous la jambe.[31]

LÉO — En tout cas, il vaut mieux ne pas redevenir des père et mère conventionnels, sous prétexte que les événements cessent de l'être. Je trouve Michel très courageux et très gentil. Va chercher la petite. [40]

YVONNE, *entre les dents* — Si petite il y a.

MICHEL, *au pied de l'escalier* — Ma vie est en jeu. Une dernière fois, je vous demande d'aider Madeleine, de ne pas la recevoir avec une douche froide.

---

[27] jitters
[28] *je . . . partie:* I would win out, i.e., learn how to be orderly too
[29] *que . . . guindé:* you're acting like a stuffed shirt
[30] affected
[31] *par-dessous la jambe:* lightly

YVONNE — Nous ne sommes pas venus dans cette intention.

MICHEL — Ma Sophie! Papa! Léo! Il ne faut pas m'en vouloir. J'ai les nerfs en pelote.[32]

LÉO — Qui songe à t'en vouloir! Nous sommes tous plus intimidés les uns que les autres et nous prenons des attitudes. Elles ne tarderont pas à fondre. Allez, hop!

MICHEL — J'y vais.

Il monte.

Scène VII

YVONNE, LÉO, GEORGES

YVONNE, *à* Georges — Tu as l'air encore plus malade 10 que moi.

GEORGES — Asseyez-vous, mes enfants. Moi je reste debout, derrière Yvonne.

Groupe.

Scène VIII

YVONNE, LÉO, GEORGES, MADELEINE, MICHEL

MICHEL, *de dos, il descend* — Souriez!

Il démasque Madeleine. Elle commence à descendre sans rien voir.

MADELEINE, *en bas de l'escalier* — Madame . . .

Yvonne se lève et s'avance vers elle. Georges reste planté seul, à l'extrême droite, derrière Léo.

MICHEL — C'est maman . . .

Petit silence.

YVONNE — Vous êtes ravissante, Mademoiselle. On vous prendrait pour une petite fille. Quel âge avez-vous?

MADELEINE — J'ai vingt-cinq ans. C'est vous, Madame, 20 qui . . . (*Elle vient d'apercevoir Georges. Sa voix s'étrangle. Elle se précipite de son côté.*) Dieu! Excusez-moi. Qui vous a fait entrer? (*Elle se retourne vers les femmes, hagarde.*) Ce Monsieur . . .

MICHEL, *riant et s'approchant* — C'est papa, ce Monsieur. Papa, je te présente Madeleine.

MADELEINE, *elle recule* — Ton père! . . .

MICHEL — Là! Encore une. Personne ne veut jamais croire que papa est d'âge à être papa. Si nous sortions ensemble on nous prendrait pour deux copains.

30

[32] *J'ai . . . pelote:* my nerves are in a tangle

LÉO — Présente-moi.

MICHEL — Je ne sais plus ce que je fais. Madeleine . . . (*Il lui prend la main.*) Que tu as froid! . . . Tâte sa main, Léo!

Léo prend la main de Madeleine.

LÉO — Elle a les mains glacées. (*A Madeleine.*) Sommes-nous donc si terribles?

MICHEL — Serre la main de Léo.

MADELEINE, *sans timbre* — Madame . . .

LÉO — Une vieille demoiselle. Une vieille demoiselle qui cessera vite de vous intimider. 10

MICHEL — La famille au grand complet. Tu vois que ce n'était pas la mer à boire. (*Madeleine tombe sur le divan.*) Tu te trouves mal?

MADELEINE — Non . . . Michel, non.

YVONNE — Restez assise, surtout. (*Madeleine essaie de se relever.*) Léo, empêche-la. Michel veut nous montrer comme on a bien arrangé les mansardes.

MICHEL — Mais . . .

YVONNE — Nous te suivons, Léo et moi.

GEORGES, *mouvement* — Je pourrais . . . 20

YVONNE — Reste.

MICHEL — Il y a un thermos plein de thé bouillant et trois tasses. Et du sucre! Et du lait concentré! Nous savons recevoir.

Yvonne traverse et met le pied sur la première marche. Léo la suit. Michel embrasse Madeleine et s'apprête à les rejoindre.

MADELEINE, *se dressant* — Tu me laisses seule?

MICHEL — Pas seule! avec papa.

MADELEINE — C'est impossible. Ne me laisse pas seule. Écoute, Michel . . .

YVONNE — Michel!

MADELEINE — Madame . . . Mesdames, je vais monter 30 avec vous. Je dois servir le thé.

YVONNE — Nous nous débrouillerons. Michel nous aidera. Je suis curieuse de voir s'il restera trois tasses tout à l'heure.

MICHEL — Il y en avait six. Je n'en ai cassé que trois!

GEORGES, *d'où il est* — Restez, Mademoiselle. J'ai promis à Michel de vous parler, et à ma femme, comme elle est beaucoup plus nerveuse que moi, de vous parler tête à tête. Bien que Michel me trouve l'air jeune, je suis un vieux monsieur par rapport à vous. 40 N'ayez aucune crainte.

YVONNE, *du haut des marches où les deux autres s'engagent* — Dépêchez-vous et faites-nous signe.

MADELEINE — Madame, un instant. Votre sœur pourrait peut-être rester avec nous. Une femme . . .

YVONNE — Ma chère enfant. Laissez-nous prendre le thé. Je trouve ridicule que les femmes s'occupent de certaines choses. D'autre part, vous avez entendu ce que Michel vous a dit de son père? C'est un camarade de Michel qui vous parlera . . . un camarade 50 très bon et très accommodant. Beaucoup plus que moi.

MICHEL — Ils ne nous veulent aucun mal, Madeleine, au contraire. Veux-tu que je te descende une tasse de thé?

LÉO — Elle prendra son thé après.

Elle pousse Yvonne et toutes deux disparaissent suivies de Michel.

MICHEL — Fais la conquête de papa. Ne vous sauvez pas ensemble.

Il envoie un baiser sur deux doigts et claque la porte invisible.

Scène IX

GEORGES, MADELEINE

GEORGES — Et voilà.

MADELEINE — C'est une monstruosité.   10

GEORGES — Exact. C'est une monstruosité. C'est in-cro-yable, mais c'est comme ça. C'est même un chef-d'œuvre. Hé, oui. (*Il s'approche de la bibliothèque et frappe le dos des livres.*) Tous ces Messieurs, qui ont écrit des chefs-d'œuvre, les ont écrits autour d'une petite monstruosité du même modèle. C'est pourquoi ces livres nous intéressent. Il existe, cependant, une différence. Je ne suis pas un héros de tragédie. Je suis un héros de comédie. Ces choses-là plaisent beaucoup, amusent beaucoup. C'est l'ha-   20 bitude. Un aveugle fait pleurer mais un sourd fait rire. Mon rôle fait rire. Pense donc! Un homme trompé c'est déjà risible. Un homme de mon âge trompé par un jeune homme c'est encore bien plus risible. Mais si cet homme est trompé par son fils, le rire éclate! C'est un chef-d'œuvre de fou rire. Une farce, une bonne farce. La meilleure de toutes les farces. S'il ne se produisait pas de situations analogues, il n'y aurait pas de pièces. Nous sommes des personnages classiques. Tu n'es pas fière? A ta   30 place, je le serais.

MADELEINE — Georges!

GEORGES — Ils ne peuvent pas nous entendre, de l'atelier?

MADELEINE — Tu . . . Vous savez bien que non.

GEORGES — Tu me dis vous.

MADELEINE — Il me serait impossible de vous tutoyer. Pardonnez-moi.

GEORGES — A ton aise. Et moi qui demande s'ils peuvent nous entendre de là-haut: tu m'as enfermé là-haut   40 les deux premières fois que ta sœur venait te rendre visite. C'était Michel?

MADELEINE — Oui.

GEORGES — C'est admirable. Et après tu as trouvé plus pratique de me faire louer un pied-à-terre.[33] Pourquoi continuais-tu? Pourquoi mentais-tu? Il fallait vivre. Tu aidais Michel?

MADELEINE — Oh! Georges. Michel est un enfant. Il était plus pauvre que moi. Je lui payais des cigarettes, des repas.

GEORGES — Ici nous rentrons dans le convenable. C'est moi qui payais.   10

MADELEINE — Je gagne assez, avec mes reliures, pour me débrouiller seule.

GEORGES — J'aime mieux penser que cet argent lui venait de moi. Il me semblait que le mensonge te rendait folle. Pourquoi mentais-tu?

MADELEINE — Vous ne me croiriez pas, c'est inutile.

GEORGES — Toi, toi, une menteuse, toi!

MADELEINE — Et vous, pourquoi m'avoir menti? Vous avez été prudent. Quelle confiance vous aviez en moi!   20

GEORGES — J'étouffais chez moi. Je me sentais seul, dans le vide. J'en ai souffert. J'ai voulu en jouir. J'ai voulu que cette solitude devienne une chance. Qu'elle soit vraie. J'ai triché. J'ai inventé une fable. J'ai poussé le scrupule jusqu'à ne pas te parler de mes marottes. Quand j'étais chez toi, chez nous, j'étais seul au monde, libre, j'oubliais même Michel. Je ne confondais jamais mes deux vies. C'est te dire le coup que m'a porté Michel, hier, en m'apprenant la vérité.   30

MADELEINE — Si tu m'avais dit ton vrai nom . . .

GEORGES — Tu n'en aurais pas moins rencontré Michel.

MADELEINE — Je l'aurais évité.

GEORGES — Allons donc! Tout au plus devancé notre rupture. Au lieu de recevoir mon congé hier ou aujourd'hui, je le recevais il y a trois mois. Pourquoi n'as-tu pas eu cette franchise?

MADELEINE — Vous ne me croiriez pas, je vous le répète . . .

GEORGES — C'est facile. La combinaison t'arrangeait.   40 Un vieux, un jeune . . .

MADELEINE — Ah! Georges. N'ajoutez pas de saletés au gâchis[34] où nous sommes. Je vous mentais parce que je vous aimais, parce que je vous aime . . .

GEORGES — In-cro-yable.

MADELEINE — Oui, Georges, j'ai pour vous une tendresse immense.

GEORGES — Naturellement!

MADELEINE — Laissez-moi parler: que vous le vouliez ou

---

[33] room
[34] mess

non, je vous ai donné ce que je croyais ma mesure.
Vous me parliez d'une fille morte. Vous étiez bon.
Vous ne ressemblez pas aux autres hommes. J'étais
une loque,[35] une noyée ou presque. Je me suis
accrochée à vous. Je me suis attachée à vous de tout
mon cœur.

GEORGES — Je ne vois qu'une chose! M'aimais-tu? Je
t'aimais, moi, je t'adorais, moi, et je te demandais
mille fois: m'aimes-tu? et j'ajoutais: c'est impossible,
et tu me répondais: « Mais non, Georges . . . Je   10
t'aime. » Est-ce exact?

MADELEINE — Georges il y a des réserves qu'on n'exprime pas, qui se devinent. Il m'arrivait de répondre
à vos questions: « Je t'aime beaucoup. » Vous vous
mettiez en colère, vous me suppliiez, vous me
harceliez; de guerre lasse,[36] je vous disais: « Mais
oui, Georges, je t'aime. Je t'aime tout court. »

GEORGES — Il ne fallait pas me le dire.

MADELEINE — Ces derniers mois, quel cauchemar! J'ai
tenté l'impossible pour vous ouvrir les yeux. Vous   20
ne vouliez rien voir, rien entendre.

GEORGES — Je me rongeais.[37]

MADELEINE — Vous vous obstiniez dans votre attitude.
Contre toute sagesse, contre toute gentillesse,
vous . . .

GEORGES — Il était trop tard, petite malheureuse! Si tu
m'avais dit à temps: « Je ne t'aime pas. J'essayerai.
Tu dois attendre. » Mais tu m'as engagé à fond. Tu
m'as laissé m'enfoncer, me prendre; tu m'as traîné,
lanterné,[38] jusqu'à ce que l'amour te tombe du ciel.   30
Et comme je te dérangeais . . .

MADELEINE — C'est faux. Je ne pouvais me résoudre à
vous causer la moindre peine. Avant que je sache,
cette rupture me torturait. Je l'ai dit à Michel. Je ne
pouvais pas lui donner une plus grande preuve
d'amour.

GEORGES, *en face de son visage* — Aimes-tu Michel?

MADELEINE — Au compte de qui m'interrogez-vous? A
son compte ou au vôtre?

GEORGES — C'est son père qui te parle.   40

MADELEINE — Je l'aime. Il est à moi. Michel c'est moi.
Je ne peux plus m'imaginer sans Michel. La malchance rend très humble. Si je vous ai donné le
change,[39] c'est que j'étais sincère. Je me croyais
indigne de posséder plus. Je n'espérais pas d'amour.
Pas davantage d'amour que le nôtre. Il fallait que

Michel arrive pour que je comprenne que l'amour
ce n'est pas pareil et que j'avais le droit d'être heureuse. Une chance aussi *incroyable*, Georges, je ne
la rêvais pas.

GEORGES — Et Michel t'aime?

MADELEINE — Il en donne la preuve. S'il savait, s'il
apprenait la vérité, il vous haïrait, il me tuerait et il
en mourrait.

GEORGES — Il n'est pas question qu'il l'apprenne.

MADELEINE — Vous êtes bon, Georges. Je savais bien,   10
qu'après le premier choc, je n'aurais plus à plaider
ma cause et que le bonheur de Michel passerait avant
tout.

GEORGES — Le bonheur de Michel . . .

MADELEINE — Ma vie entière ne sera pas assez longue
pour vous témoigner ma gratitude.

GEORGES — Alors, tu t'imagines, purement et simplement, que je te donnerai Michel?

MADELEINE — Quoi?

GEORGES — Tu t'imagines que je vais te laisser Michel?   20

MADELEINE — Vous plaisantez . . . M'enlever Michel?

GEORGES — Tout de suite.

MADELEINE — Hein?

GEORGES — Qu'espérais-tu donc? Que j'allais m'incliner,
me retirer, pousser Michel dans tes bras et supporter
le reste de ma vie le spectacle de ton triomphe?

MADELEINE — Vous êtes fou. Il s'agit de votre fils. Du
bonheur de votre fils. Du bonheur de Michel.

GEORGES — Quel bonheur établir sur une femme qui
trompe? Je te le demande. S'il y en a deux, pourquoi   30
n'y en aurait-il pas un troisième? Puisque tu trompais
l'un, qui me prouve que tu ne tromperais pas l'autre?
si ce n'est déjà chose faite.

MADELEINE — Georges! Georges! Vous ne pensez pas
ce que vous dites. Vous ne le pensez pas.

GEORGES — A vrai dire, non. Je ne le pense pas.

MADELEINE — J'en étais sûre.

Elle lui embrasse la main.

GEORGES — Eh bien, Madeleine, eh bien, puisque ce
troisième n'existe pas . . . que j'en ai la certitude . . .
il faut l'inventer.   40

MADELEINE — L'inventer?

GEORGES — Il faut inventer un jeune homme de ton
âge. Un peu plus âgé que Michel, que tu lui cachais
parce que tu en avais honte, qui te tient par la peau
et qui espérait te marier, te mettre à l'aise.

MADELEINE — Vous vous moquez de moi, Georges?
Vous m'éprouvez?

GEORGES — Je n'ai jamais été aussi sérieux.

MADELEINE — Vous me proposez un crime, une horreur,
une folie!   50

GEORGES — Il le faut, Madeleine, ou je dirai tout.

MADELEINE — A votre fils! A votre femme! Georges!

GEORGES — Ne t'inquiète pas de ma femme. Elle, je suis

---

[35] wreck
[36] *de guerre lasse:* for the sake of peace and quiet
[37] *Je me rongeais:* I was eating my heart out
[38] trifled with
[39] *Si . . . change:* if I deceived you

décidé à le lui dire, quoi qu'il advienne. Je le lui dois. Je l'ai négligée, délaissée . . . et je craindrais que les premières larmes de Michel ne l'attendrissent.

MADELEINE — Elle parlera.

GEORGES — Elle parlera si tu la mets en demeure[40] de parler à Michel, si tu t'accroches.

MADELEINE — Voilà donc où vous avez entraîné Michel! J'avais raison de craindre. Il était naïf, confiant, crédule. Et, en admettant que je mente, que je me salisse, que je raconte cette histoire à dormir debout, 10 Michel ne me croira pas. Il me connaît!

GEORGES — Ne lui as-tu pas inculqué ta haine du mensonge? Tu ne peux lui mentir. *Il te connaît.*

MADELEINE — Et vous accompliriez ce crime! Vous vous laveriez les mains. Vous me l'arracheriez. Vous me laisseriez sans personne. Car n'espérez pas que je vous revoie.

GEORGES — Me revoir? Non. Je suis guéri et je guérirai Michel.

MADELEINE — De l'amour? 20

GEORGES — L'amour . . . l'amour . . . c'est vite dit. Je le guérirai d'un projet de mariage que les circonstances rendent inadmissible.

VOIX DE MICHEL, *en haut de l'escalier* — Vous avez fini? On peut descendre?

GEORGES, *criant* — Pas encore. Nous causons comme de vieilles connaissances.

MICHEL, *de même* — Bravo! . . . Madeleine, j'ai cassé une tasse. Délivrez-nous vite.

Il claque la porte invisible.

MADELEINE — Georges, quand ceux qu'on aime sont 30 absents, on ne se rend plus compte qu'ils existent. On les aime comme les morts d'une petite mort.[41] Ils ne vivent que dans notre cœur. Je parlais, avec vous, en rêve, dans un monde où rien ne pouvait m'ôter Michel. C'étaient des mots. Je viens d'entendre sa voix. Il existe. Il existe dans un monde terrible où on peut me l'ôter, me le voler. Je m'accroche, comme vous dites. Je le garde.

GEORGES — J'ai réfléchi, Madeleine. Tu es libre. Je parlerai donc. Michel saura qui était l'autre. Je le perdrai, 40 mais nous le perdrons ensemble.

MADELEINE — C'est un chantage[42] indigne!

GEORGES — Il le faut.

MADELEINE — Georges! . . . Georges! . . . Georges! . . . Écoute-moi crois-moi . . .

GEORGES — Me crois-tu assez naïf . . .

MADELEINE — Oui, naïf, bon, noble. Tout ce que j'aimais et que j'aime en vous. Tout ce que j'adore en Michel. Je le lui ai dit que je vous aimais. Il s'est fâché presque. Ne soyez pas un monstre. Ne devenez pas un monstre.

GEORGES — C'est toi qui souffres?

MADELEINE — Est-ce que je n'ai pas été assez punie par votre coup de théâtre, votre arrivée effrayante? Je pouvais rester morte sur place. Je pouvais crier et tout découvrir. 10

GEORGES — J'étais tranquille. Je savais que tu n'adorerais pas Michel si tu te laissais aller, que si tu te contenais tu adorerais Michel.

MADELEINE — Ah! tu vois bien. Tu l'avoues. Tu sais que je l'adore.

GEORGES — Ce mariage est absurde. Michel doit rester dans son milieu, je lui souhaite une autre vie.

MADELEINE — Laquelle? J'aimerais le savoir . . . Je suis fille et petite-fille d'ouvriers. J'ai de la poigne.[43] Je changerai Michel. Il travaillera. Déjà, il change. 20 Votre milieu ne lui donne que des exemples de désordre, d'oisiveté, de flânerie. L'amertume s'évanouira, et vous aurez fait son bonheur. Si vous faites son malheur, vous en aurez honte toute votre vie.

GEORGES — Son malheur ne sera pas si long.

MADELEINE — C'est ce qui vous trompe. Michel est un enfant. Les enfants se souviennent d'une peine, comme d'un drame. Et vous aussi, Georges, vous êtes un enfant. On vous casse votre jouet; vous vous butez. Ce n'était qu'un jouet. Que suis-je, Georges? 30 Peu de chose. Beaucoup pour Michel. Michel a besoin de moi. Vous, vous avez ce que vous me cachiez, vous êtes chef de famille. Comment pouvez-vous comparer notre aventure construite sur du faux, un faux nom, une fausse adresse, une fausse solitude, et celle d'un être jeune qui se livre corps et âme?

GEORGES — Sa mère refuserait.

MADELEINE — Vous êtes donc des ennemis?

GEORGES — On a coutume de dire cela des pères et 40 mères que ne laissent pas leurs enfants grimper aux arbres.

MADELEINE — Sa tante . . .

GEORGES — Elle m'a aimé . . . jeune fille. Elle me garde un sentiment secret. Peut-être m'aime-t-elle en cachette. Elle te haïra si, par ta faute on me ridiculise, on me tue à petit feu.[44]

MADELEINE — Elle me verra aimer Michel et verra que Michel m'aime, et si nous avons des enfants . . .

---

[40] *si . . . demeure:* if you force her to

[41] *comme . . . mort:* as one loves those who die a slow death

[42] blackmail

[43] energy

[44] *on . . . feu:* If I'm slowly tortured to death

GEORGES — Des enfants! Mettre des enfants au monde pour ces abominations . . . Ah! par exemple!

MADELEINE — Georges, ne vous enlisez pas, ne vous abandonnez pas à la dérive.[45] Soyez bon, soyez juste, soyez *vous*.

GEORGES — Je ne m'enlise pas. Je ne m'abandonne pas à la dérive, ma petite. Il faut nous rendre Michel. Il faut inventer cette troisième personne. Il faut vous décider entre ce mensonge ou la vérité que je me charge de lui dire. 10

MADELEINE — C'est ignoble, ignoble!

GEORGES — Je ferai mon devoir.

MADELEINE — Vous êtes un fou.

GEORGES — Je suis un père.

MADELEINE — Vous mentez! Vous agissez par égoïsme. Vous n'êtes pas un père. Vous êtes un homme délaissé qui se venge.

GEORGES — Je te défends . . .

MADELEINE, *elle se jette sur lui* — Oui menteur! menteur! égoïste! (*Il la bouscule.*) J'aime mieux cela, 20 mais ne me parlez plus de votre fils. Vous croyez vous venger de moi; vous vous vengez de lui. Vous ne vous moquez pas mal qu'il soit heureux ou malheureux. Vous êtes jaloux. Et il n'y a que votre intérêt qui compte.

GEORGES — Il nous reste quelques minutes. J'exige. Tu t'accuses ou je parle.

MADELEINE — Parlez.

GEORGES — Soit. As-tu bien réfléchi à ce que provoquera notre aveu? 30

MADELEINE — Non! Non! Ne parlez pas. J'étais folle. S'il ne sait pas et qu'il me quitte je peux encore espérer. Il existe sans doute une chance, une justice . . . Mais s'il sait il ne me reste plus rien.

GEORGES — Tu vois . . .

MADELEINE — Je n'aurai jamais la force.

GEORGES — Je t'aiderai.

MADELEINE *bas* — C'est abominable.

GEORGES — Et crois-tu que ce n'était pas abominable, hier, d'écouter Michel m'avouer qu'il t'aimait, que 40 tu étais sa maîtresse, de m'entendre appeler « le vieux » ?

MADELEINE, *en larmes* — Il était si fier de vous, de votre jeunesse . . .

GEORGES — C'était toi, ma jeunesse, ma dernière carte.

MADELEINE — Soyez généreux, Georges. C'est son tour de vivre. Effacez-vous.

GEORGES, *glacial* — Je te le répète, je n'en fais pas une question personnelle. C'est la vie de mon fils que je prétends sauver et diriger. 50

MADELEINE — Vous mentez! Vous mentez! Vous êtes une famille dans la lune, des gens froids, secs, inhumains . . . Et Michel est humain. Vous lui détruirez toutes ses illusions.

GEORGES — Toutes, si tu n'obéis pas.

MADELEINE — Laissez-moi du temps . . .

GEORGES — Y penses-tu? Ils attendent la fin de ce conciliabule interminable. Il faut que tu décides.

Silence.

GEORGES — Une fois, deux fois . . . je parle?

Il se dirige vers les marches.

MADELEINE, *cri* — Non! 10

Elle le ramène.

GEORGES — Tu feras ce que j'ai décidé.

MADELEINE — Oui.

GEORGES — Tu le jures?

MADELEINE — Oui.

GEORGES — Jure-le sur Michel.

MADELEINE — Oui.

GEORGES — « Je le jure. »

MADELEINE — Sur Michel . . . Vous êtes un monstre.

GEORGES — Je suis un père qui évite à son fils un piège 20 où il est tombé lui-même.

MADELEINE — Je ne suis pas de celles qui se tuent, qui se ratent et qui recommencent. Mais je mourrai lentement, de désespoir, de dégoût de vivre.

GEORGES — Merci de ne pas me faire le chantage du suicide. Tu vivras. Tu travailleras et . . . tu oublieras Michel.

MADELEINE — Jamais.

GEORGES — Hop. Je ne parle pas? je parle?

MADELEINE — Tout pour qu'il ne sache rien. 30

GEORGES — Je monte.

Il s'engage sur les marches.

MADELEINE — Georges, je t'en supplie . . . Georges! Encore un petit instant!

GEORGES — Traîner servirait à quoi?

Il monte l'escalier.

Scène X

MADELEINE, GEORGES, YVONNE
LÉO, MICHEL

Georges, ayant monté les marches, disparaît et dit: « Venez. » Il redescend suivi de sa femme, de Léo et de Michel.

MICHEL — Est-ce un homme, une femme, une plante, un personnage historique?[46]

---

[45] *ne . . . dérive:* don't cast yourself adrift

[46] *Est-ce . . . historique:* i.e., Michel makes a guessing-game out of the situation

GEORGES — Michel, je vais être obligé de te faire du mal.

MICHEL — Du mal? (*Il se tourne vers Madeleine et voit l'état où elle se trouve.*) Madeleine. Qu'est-ce que tu as?

GEORGES — Mon enfant, j'ai eu, avec ton amie, une longue conversation, pleine de surprises.

MICHEL — Madeleine n'a pas pu te dire autre chose que ce que je t'avais appris.

GEORGES — Elle était faible. Elle a été courageuse. Je l'ai confessée.[47] Tu n'es pas seul.

MICHEL — Madeleine est la première à regretter ce retard. Demain, les choses seront en ordre. N'est-ce pas, Madeleine?

GEORGES — Pardonne-moi de te parler pour elle. Je le lui ai promis. Cet homme, dont tu parles, elle est prête à te le sacrifier. Reste l'autre.

MICHEL — Quel autre?

GEORGES — Vous n'étiez que deux, à ta connaissance. Vous êtes trois.

MICHEL — De quel troisième parlez-vous?

GEORGES — Sois un homme, Michel. Tu es jeune, très jeune. Tu connais mal les femmes et les difficultés de la vie. Cette jeune femme est amoureuse...

MICHEL — De moi.

GEORGES — Elle est amoureuse de toi. Je ne le mets pas en doute. Mais elle est esclave, si tu veux, d'un garçon du même âge qu'elle; qui n'est pas de notre milieu, qui se cache, qui l'épouvante, qui tire les ficelles, qui trouvait votre amour suspect, qui ne l'admettait que si la petite t'épouse et se case.

MICHEL — C'est un mensonge, une invention; je connais Madeleine. Madeleine, parle! Dis-leur que ce n'est pas vrai, disculpe-toi.[48] (*Silence.*) Je connais la vie de Madeleine de A jusqu'à Z. Tu mens!

YVONNE — Michel!

MICHEL — Madeleine! Madeleine! Sauve-moi! Sauve-nous! Dis-leur qu'ils mentent! Chasse-les!

GEORGES — Il est naturel que tu tombes de haut. Mon pauvre petit, as-tu pensé que tu voyais très peu cette jeune femme, que ses nuits étaient libres, que...

MICHEL — Mais qui? qui? Comment? Où?

GEORGES — Elle espérait un miracle. Elle a tout essayé. Cet individu la tient. C'est une vieille histoire. Elle lui obéissait comme une somnambule, elle le suivrait n'importe où!

MICHEL — Si c'est vrai, qu'elle crève! (*Il s'élance vers elle.*) J'exige...

YVONNE — Michel! Tu perds la tête. Tu frapperais une femme?

MICHEL — Je la giflerais. Une gifle... voilà ce qu'elle mérite. (*Il tombe à genoux.*) Madeleine, ma petite fleur, pardonne-moi. Je sais bien qu'ils mentent, qu'ils veulent voir si je t'aime... Parle! Parle! Je t'en supplie. J'oubliais notre dernière nuit, notre journée... Toi! Toi! me tromper, m'épouser par calcul.

GEORGES — Je ne t'ai pas dit que cette jeune femme voulait t'épouser par calcul. Je t'ai dit qu'elle espérait se délivrer, sortir d'une influence qui la domine. Je t'ai dit qu'elle t'aimait et qu'elle avait ce garçon dans la peau.

MICHEL — Ah! Tout était clair, pur, joyeux. Et je marchais. Je marchais à fond.[49] Je deviens fou. (*Devant Madeleine.*) Qui? Qui? Qui est-ce?

GEORGES — Elle affirme que tu ne le connais pas. Que tu ne peux pas le connaître.

MICHEL, *il enlace sa mère* — Une vieille femme aux cheveux jaunes... Et moi qui t'ai presque insultée, blessée... Maman!

YVONNE — Les parents savent, mon amour. Ils ont l'air ridicule, insupportable, trouble-fête... mais ils savent. Viens. Ta pauvre vieille te reste. Là, là, là...

MICHEL, *il se détache* — Encore une fois, Madeleine, réponds. C'est un mensonge, c'est un cauchemar, je vais me réveiller. Réveille-moi... Madeleine!

YVONNE — Prends ton calme.

MICHEL — Mon calme! J'attendais, là-haut. Je me morfondais.[50] Je me disais: Papa découvre Madeleine. Il convaincra Sophie. Tante Léo est déjà convaincue. Je mourais d'impatience. J'étais sûr que la séance finirait dans les larmes et dans les embrassades. Et je trouve une dame qui se confesse, mon rêve qui s'écroule, une horreur sans nom...

MADELEINE, *sans voix* — Michel...

MICHEL — Et elle ose ouvrir la bouche! Elle ose m'adresser la parole!

YVONNE — Michel! Sois généreux. Mademoiselle pouvait continuer, jouer la comédie, entortiller ton père, s'introduire chez nous, t'exposer à des chantages, à un scandale public. Elle a été assez propre pour nous prévenir à temps. (*A Madeleine.*) Je vous exprime notre reconnaissance. Si un jour...

MADELEINE — Assez! Assez! Je n'en peux plus! Je n'en peux plus!

Elle se sauve, monte les marches où elle bute,[51] et disparaît. La porte claque.

MICHEL, *il court derrière elle* — Madeleine! Madeleine! Madeleine!

---

[47] *Je l'ai confessée:* I made her confess
[48] clear yourself

[49] *Je... fond:* believed every word of it
[50] I was waiting impatiently
[51] stumbles

GEORGES — Laisse-la.

MICHEL — Emmenez-moi, sauvez-moi. Non, je reste ! Je saurai !

GEORGES — Pourquoi savoir ?

MICHEL — Tu as raison, papa. J'ai mon compte. Je ne veux rien savoir. Je veux décamper. M'enfermer dans ma chambre. Me réfugier chez nous.

YVONNE — On ne te dérangera pas. On te bercera . . .

MICHEL — Je n'avais qu'à ne pas quitter la roulotte.

YVONNE — Il te fallait une expérience . . .

MICHEL — Je m'en serais passé, merci. Comme tu es sage de ne pas sortir . . . Les gens sont immondes !

YVONNE — Pas tous, Michel.

MICHEL — Tous. (*Il regarde autour de lui.*) Quel ordre ! Hein, Léo ? On ne risque pas d'embrouiller les visites, de laisser traîner une canne, une chemise, un chapeau, des cendres. Le confort moderne, quoi !

Madeleine apparaît, en haut des marches, livide. Elle tient à peine debout.

MADELEINE, *d'une voix suppliante* — Sortez . . .

MICHEL — Le numéro trois s'impatiente ! Restez. C'est mon tour de prendre mes aises. Et cette femme a osé me dire qu'elle aimait le numéro deux. Elle l'aimait et elle m'aime et elle aime l'autre. Quel grand cœur ! Il y a de la place pour tout le monde.

YVONNE — Mon petit . . .

Madeleine s'effondre sur une des marches. Léo s'élance.

MICHEL — Reste, Léo. Laisse-la. C'est du mélodrame. Laissez-la s'évanouir.

YVONNE — Ne sois par dur. Elle pouvait se taire.

Georges se glisse dans le vestibule.

Scène XI

YVONNE, LÉO, MICHEL

MICHEL — Si papa ne l'avait pas mise au pied du mur, je marchais de pied ferme. Je m'enfonçais dans les égouts. Sophie, papa, c'est bon de sentir des cœurs qui vous aiment, qui ne peuvent pas faire des combines. En route ! Je vide les lieux. Tante, maman . . . (*Il se dirige vers la porte.*) Où est papa ?

LÉO — Il ne supporte pas les scènes. Il a dû filer à l'anglaise.[52]

YVONNE — Tant mieux.

MICHEL — Ses marottes ne lui réservent pas des surprises aussi charmantes.

---

[52] *filer à l'anglaise:* leave without warning [note that the French refer to such leave as "English," whereas we speak of "French leave"]

YVONNE — Tu trembles.

MICHEL — Pas le moins du monde.

YVONNE — Si, tu trembles. Prends-moi le bras, mon chéri, nous descendrons comme des invalides.

Ils sortent.

YVONNE — Léo ! (*Elle rentre en scène et s'adresse à Léo, de la porte.*) On ne peut pas laisser cette enfant toute seule, dans un état pareil . . .

LÉO — Enlève-le. Ramène-le. Je reste une minute.

10 YVONNE — Merci, Léo.

Elle sort. On entend la porte se refermer.

Scène XII

MADELEINE, LÉO

MADELEINE — Michel ! Michel ! Mon Michel !   10

LÉO — Là . . . là . . . là . . . je ne vous abandonne pas. Calmez-vous. Couchez-vous !

20 MADELEINE — Oh ! Madame ! Madame ! Oh ! Madame ! Oh ! Oh ! Madame . . . Madame . . .

LÉO — Là . . . là . . . Détendez-vous . . .

MADELEINE — Madame ! Madame ! Vous ne pouvez pas savoir . . .

LÉO — Si. J'ai deviné.

MADELEINE — Quoi ?

LÉO — J'ai deviné que le numéro deux et le père de   20 Michel n'étaient qu'une seule et même personne.

MADELEINE — Comment avez-vous pu ? . . .

LÉO — Pour ne pas s'en apercevoir, ma chère petite, il fallait être aveugle, des aveugles dans le genre de ma sœur et de Michel. La scène était atroce. La chose sautait aux yeux. Je le répète, il faut être Yvonne et Michel pour n'avoir rien vu.

MADELEINE — J'en serais morte.

LÉO — Et ce numéro trois ? C'est un mythe ? Je veux dire, il n'existe pas ? . . .   30

MADELEINE — Non.

30 LÉO — Il existe ?

MADELEINE — Non, Madame. Il n'existe pas. Et Michel n'a pas interrogé, pas douté. Il a accepté cette histoire grotesque, sans hésiter, sans se dire que c'était fou !

LÉO — C'est une chance. S'il était capable de réfléchir, de découvrir la seconde chose, il risquait de comprendre la première. Georges vous a forcée, menacée de tout dire . . .

MADELEINE — Oui, Madame . . .   40

LÉO — Il l'aurait fait.

MADELEINE — Je préférais n'importe quoi . . . Perdre Michel.

LÉO — C'est drôle . . . J'ai cru que Georges s'effacerait devant son fils et vous supplierait de vous taire.

MADELEINE — Il m'a torturée, menacée; il voulait guérir Michel, disait-il. Il avait préparé ce mensonge.

LÉO — Il y a des limites . . .

Elle lui prend la main.

MADELEINE — Merci, Madame. Je ne croyais pas, je n'espérais pas . . .

LÉO — Vous me plaisez beaucoup. Vous m'avez conquise. Je ne savais pas. Je n'avais pas plus confiance en Georges qu'en Michel pour le choix d'une femme. Ah! je serais entrée dans une maison en désordre, dans une nouvelle roulotte, votre partie était peut- 10 être gagnée du côté d'Yvonne; elle était perdue pour moi. Je ne venais pas comme votre alliée, encore moins comme votre complice. J'ai le désir de l'être. C'est sans doute l'alliance de l'ordre contre le désordre. Toujours est-il que je passe dans votre camp.[53]

MADELEINE — Hélas, Madame . . . A quoi bon? C'est fini. Michel ne croira personne et Georges recommencera ses mensonges. C'est fini.

LÉO — Rien n'est fini sur des bases fausses. Il n'y a de grave, de définitif, que du vrai grabuge,[54] du vrai 20 mensonge, du vrai mal.

MADELEINE — Peut-être est-il exact que je ne suis pas faite pour votre milieu.

LÉO — Quel milieu? Vous plaisantez. Écoutez-moi. (*La secouant.*) Madeleine!

MADELEINE — Je suis morte.

LÉO — Vous voulez que je vous ressuscite?

MADELEINE — C'est insoluble.

LÉO — M'écouterez-vous? Madeleine . . . Demain, à cinq heures, vous viendrez à la roulotte. 30

MADELEINE — A la roulotte?

LÉO — Chez nous. Chez Georges.

MADELEINE — Qui? Moi!

LÉO — Vous.

MADELEINE — Vous n'y pensez pas, Madame. On me chasserait.

LÉO — Non.

MADELEINE — Est-ce possible?

LÉO, *elle se met du rouge aux lèvres et parle avec la grimace des femmes qui se remaquillent* — Madeleine, il y a des moments où je me venge de l'amour, 40 où il me révolte. Il y en a d'autres où l'amour me remue de fond en comble et gagne sa cause. Sait-on ce qui se passe en nous? Madeleine, ma petite, je suis un mélange de cette famille de saltimbanques et . . . de-je-ne-sais-quoi. C'est la nuit du corps humain qui fonctionne. Ne cherchez pas à me comprendre. Je suis un peu pédante de nature.[55]

MADELEINE — Georges parlera.

LÉO — Georges se taira. Je vous l'affirme.

MADELEINE — Il m'a juré . . .

LÉO — Il se vengeait. Demain il sera un père noble qui protège son fils.

MADELEINE — Il a été un monstre.

LÉO — Il n'a pas été un monstre, ma petite. Georges est un enfant, un inconscient. Il peut faire un mal atroce sans se rendre compte . . .

MADELEINE — Madame . . . Madame . . . Comment vous 10 exprimer ma reconnaissance!

LÉO — Ah! ça, non. Ça non. Pas de reconnaissance, voulez-vous? Sait-on qui on aide? Sait-on de quels gestes on est capable lorsque le bateau coule? Où commence-t-on à servir les autres et à se servir soi-même? C'est de l'hébreu.[56] Pas de reconnaissance, ma petite. Dans les catastrophes, ceux qui sont incapables d'entraide peuvent sauver un groupe qui se noie.

MADELEINE — Votre cœur est bon . . . 20

LÉO — Pas bon . . . J'ai un cœur comme tout le monde et la haine du désordre. Le désordre fait ici par Georges me dégoûte. Il faut laver, repasser, ranger ce linge sale. Venez demain!

MADELEINE — Mais . . .

LÉO — Il n'y pas de mais. A cinq heures. C'est un ordre. Jurez-le-moi sur Michel.

MADELEINE — Sur Michel . . .

LÉO — Je le . . .

MADELEINE — Jure. 30

LÉO — Sur Michel.

MADELEINE — Sur Michel.

LÉO — Parfait. Et dormez. Soyez ravissante. Ne vous gonflez pas les yeux. (*Elle se lève, sort une carte de son sac et la pose sur la table.*) Ma carte.

MADELEINE — Après ce cauchemar . . .

LÉO — C'est de l'histoire ancienne. Je t'adopte. (*Elle se dirige vers la porte.*) Ne me reconduisez pas . . .

MADELEINE — Madame . . .

LÉO — Et surtout, ne me remerciez pas. Parce que vous 40 savez . . . les remerciements . . .

Rideau.

ACTE III

La chambre d'Yvonne. Même décor qu'au premier acte. Il fait sombre. On lèvera la lumière peu à peu comme il arrive lorsque l'œil s'habitue dans le noir.

---

[53] *je passe . . . campe:* I'm coming over to your side
[54] squabbling
[55] *Je . . . nature:* I am a little pedantic by nature

[56] *C'est de l'hébreu:* it's all Greek to me.

Scène I

LÉO, GEORGES

LÉO, à *Georges, qui entre par le fond, à gauche* — C'est pareil?

GEORGES — C'est pareil. J'aime mieux ne pas rester chez moi. Je n'en mène pas large[1] et je risquerais de vous donner le même spectacle.

LÉO — Impossible de rester dans ma chambre. La porte de communication entre ma chambre et celle de Mik a beau être condamnée,[2] je ne l'entends pas moins gémir et frapper du poing par terre. Et, en plus, dans ma chambre, moi qui ne suis pas comme 10 vous, moi qui suis équilibrée, je me sens au bout du monde, loin de je ne sais quoi qui se passe et qui se passe chez Yvonne. Si je déraille, c'est le bouquet.[3]

GEORGES — On étouffe.

LÉO — Yvonne est avec Michel?

GEORGES — Impossible d'en sortir une phrase. Je ne le croyais pas capable d'une douleur aussi bestiale. Quand je pense au contrôle qu'il faut que j'observe, à cette espèce de rage au cœur qui n'arrête pas. Ho!

LÉO — C'est la première fois qu'il aime et qu'il souffre. 20

GEORGES — Ceux qui savent se dominer ont l'air moins à plaindre, naturellement.

LÉO — Georges, personne au monde n'est capable de te comprendre et de te plaindre plus que moi. Mais je me refuse à comparer ta peine, si dure soit-elle, à celle de cet enfant qui ne possède aucune expérience du malheur et qui du jour au lendemain . . .

GEORGES — Il a Yvonne . . .

LÉO — Voyons, Georges!

GEORGES — Oui, il a Yvonne. Il ne lui dit rien, mais il 30 se serre contre elle. C'est instinctif. Et Yvonne triomphe. Elle l'a « retrouvé ». Elle a retrouvé son fils! Elle n'a que ce mot dans la bouche. Et moi, moi qui ai vidé mon cœur, qui ai fait cet effort de lui raconter tout, de me ridiculiser, c'est à peine si elle s'est rendu compte de ce que cette histoire avait d'incroyable. Elle n'a pour ainsi dire pas marqué de surprise. Elle ne pensait qu'à Michel, qu'au danger que Michel puisse apprendre quelque chose, qu'à la prudence qu'il faudrait avoir. En ce qui me concerne, 40 elle prenait un air vague et répétait: « C'est ta punition, mon pauvre Georges . . . c'est ta punition. » Et je ne suis pas seul! Et voilà l'Yvonne que je retrouve, qui me retrouve, qui m'aide à tenir le coup!

LÉO — Que cette histoire ne la bouleverse pas, il fallait s'y attendre. Qu'un père et qu'un fils rencontrent, chacun de son côté, une jeune personne et jouent à cache-cache sans le savoir, ce doit être une chose assez fréquente dans la lune. Quant à la « punition », Yvonne n'a peut-être pas tort.

GEORGES — Ah! par exemple! Punition! Punition de quoi?

LÉO — Georges, je suis restée seule avec cette petite, après votre départ. Nous avons parlé, autant que 10 son état le lui permettait, bien entendu.

GEORGES — Et alors?

LÉO — Georges, ce que tu as fait est atroce.

GEORGES — Répète . . .

LÉO — Je répète: Georges, ce que tu as fait est atroce.

GEORGES — Comment, ce que j'ai fait? Léo! c'est toi, toi qui m'as dicté ma conduite, qui as inventé tout, construit la machine pièce par pièce . . .

LÉO — Je te conseille de ne jamais répéter ce que tu viens de dire. De ne jamais te le répéter, de ne jamais te 20 répéter, serais-tu sans âme qui vive,[4] quelque chose qui ressemble à ce que tu viens de dire.

GEORGES — C'est in-cro-yable!

LÉO — Ton « in-cro-yable », je l'ai entendu prononcer par cette petite. Ce que j'entendais et ce que je voyais ici, je ne le voyais plus, je ne l'entendais plus, déformé par votre clair de lune. Il allonge les ombres, il enchante les objets et j'en ai été victime, je l'avoue. Je n'attachais aucune réalité à votre histoire, qui se présentait déjà, d'elle-même, d'une manière assez 30 irréelle. Et je ne te surprendrai pas en t'avouant que j'avais aussi peu de confiance en ton goût qu'en celui de Michel pour le choix d'une femme. Votre « jeune fille » devait être une roublarde[5] qui vous menait par le bout du nez. Je me suis trompée. Je m'en excuse.

GEORGES — Madeleine t'a eue.[6]

LÉO — Non, mon brave Georges, non. Madeleine ne m'a pas eue. Elle n'avait pas à m'avoir. Elle est une enfant, une malheureuse enfant . . . 40

GEORGES — C'est superbe! cette jeune personne me trompe avec Michel, elle trompe Michel avec . . .

LÉO — Tu ne vas pas croire au fantôme que tu as inventé?

GEORGES — Que nous avons, que tu as inventé . . .

LÉO — Georges!

GEORGES — C'est bon . . . c'est bon . . . Que j'ai inventé.

---

[1] *Je . . . large:* I'm in a tight spot
[2] nailed up
[3] *c'est le bouquet:* that caps it all

[4] *serais-tu . . . vive:* even if there's not a living soul near you
[5] wily person
[6] *Madeleine t'a eue:* M. got around you

Mais, du reste, ma brave Léo, peut-être ne l'avons-nous inventé ni l'un ni l'autre. Une femme qui peut . . .

LÉO — Georges! Tu ne vas pas te mettre à croire cette infamie, maintenant qu'elle t'arrange.[7]

GEORGES — Superbe! Superbe! Voilà qu'on canonise Madeleine. Madeleine est une sainte.

LÉO — Elle est jeune et elle aime Michel, et elle t'aime bien, mon vieux Georges. Il faut en prendre ton parti. Et tout à coup il m'est apparu que nous étions 10 allés chez cette petite fille neuve avec nos vieilles habitudes, notre égoïsme, nos manies, nos préjugés, nos amertumes, nos rancœurs, pour mettre à sac de la jeunesse, de la joie, de l'avenir, de l'ordre.

GEORGES — C'est par l'ordre qu'elle t'a eue.

LÉO — Georges! Finiras-tu par comprendre qu'il ne s'agit pas de m'avoir ou de ne pas m'avoir. Il s'agit de réparer le mal que j'ai fait . . .

GEORGES — Ah!

LÉO — L'énervement me pousse à dire n'importe quoi. 20 J'ai voulu dire qu'il s'agit, coûte que coûte, de réparer le mal que vous avez fait, que nous avons fait, que la pauvre Yvonne a fait sans se rendre compte.

GEORGES — Revenir sur la journée d'hier? N'y compte pas, ma bonne. Jamais.

LÉO — Fais ce sacrifice. Il est indispensable de se sacrifier quelquefois. C'est l'hygiène de l'âme. Il le faut.

GEORGES — Je constate que tu adoptes le style d'Yvonne.

LÉO — Ne plaisante pas. Je dois te convaincre et tu dois convaincre Yvonne. Il faut que tu paies; il faut qu'elle 30 paie . . .

GEORGES — Et toi! toi! toi! C'est inouï! Tu te dresses comme un juge et tu veux faire payer tout le monde. Est-ce que tu te sacrifies dans cette sale histoire? Est-ce que tu te sacrifies le moins du monde?

LÉO — C'est chose faite.

GEORGES — C'est chose faite . . . Comment?

LÉO — Je veux dire: sais-tu si je n'ai pas eu mon sacrifice et si je n'ai pas acheté le droit de vous conseiller le vôtre?   40

GEORGES — De quel sacrifice parles-tu? Je serais curieux de le connaître.

LÉO — Je t'aimais, Georges. Sais-tu si je ne t'aime pas encore? J'ai cru que je me sacrifiais à ton bonheur. Je me suis trompée. Cette fois, je ne me trompe pas. Il est impossible de sacrifier cette petite et Michel à une espèce de confort abject . . .

GEORGES, *il veut prendre la main de Léo* — Léo . . .

LÉO — Ah! pas d'attendrissement surtout, les attendrissements, les remerciements . . . je m'en passe. Non. 50 Il *faut*, Georges . . . il faut convaincre Yvonne.

GEORGES — Et moi?

⁷ *elle t'arrange:* it suits you

LÉO — Je ne te fais pas l'injure de croire que tu n'es pas convaincu.

GEORGES — Tu prétends introduire Madeleine ici?

LÉO — C'est indispensable.

GEORGES — Mais, ma pauvre Léonie, en admettant que je consente à m'imposer le supplice de ces amoureux, Yvonne, elle, refusera net, criera, menacera. Elle a « retrouvé » . . . « retrouvé » son Mik. Essaie de le lui reprendre.

LÉO — Elle a retrouvé une loque. Elle s'en apercevra vite. 10

GEORGES — Elle l'aimerait mieux à elle, mort, que vivant dans d'autres mains.

LÉO — Si c'est vrai, tu agiras. Je te connais, tu t'élèveras instinctivement contre une attitude inhumaine, immonde, immonde. Ce n'est pas parce qu'on traîne des tares qu'il ne faut pas essayer de réagir.[8]

GEORGES — Et que dirions-nous à Michel?

LÉO — C'est très simple. Que Madeleine a été sublime, et nous serons bien près d'être exacts, qu'elle a inventé ce numéro trois pour le rendre libre, pour 20 le restituer à sa famille, à son milieu. Sic![9] Il ne l'en adorera que davantage. Elle le mérite.

GEORGES — Je ne te savais pas ces trésors de cœur . . .

LÉO — Mon cœur ne servait à rien. C'est le moment qu'il serve.[10] J'aime Michel. C'est ton fils.

GEORGES — Et tu aimes Yvonne, Léo? . . . Léo, n'est-ce pas contre elle que tu te dépenses et que tu agis?

LÉO — Ne fouille pas trop le cœur, Georges. Il est mauvais de fouiller trop le cœur. Il y a de tout dans le cœur. Ne fouille pas trop dans mon cœur, ni dans 30 le tien.

Silence.

GEORGES — Nous allons encore ressembler à des girouettes.[11]

LÉO — Se contredire, Georges. Quel luxe! C'est mon luxe. C'est mon désordre à moi. Laisse-le-moi. La famille, une épave de famille, une épave de bourgeoisie, une épave de morale inflexible, une épave de ligne droite! tout peut bien crouler sous ce tank aveugle, sous le passage de cette force idiote: chances, rêves, espoirs, rien ne trouve grâce. Profitons d'être 40 une épave, mon cher Georges, contournons, contournons, et suivons notre chemin sans empêcher les autres de suivre le leur.

GEORGES, *baissant la tête* — Léo . . . Je crois que tu as raison.

LÉO, *avec gentillesse et comme à un enfant sage* — Georges, je t'aime.

⁸ *Ce n'est . . . reagir:* [i.e., don't let your own defects of character prevent you from at least trying to react]
⁹ thus
¹⁰ *C'est . . . serve:* it is time that it do so
¹¹ weathervanes

Scène II

YVONNE, LÉO, GEORGES. *Sur le dernier mot, la porte s'ouvre et Yvonne entre, vêtue du peignoir éponge du premier acte, les cheveux décoiffés.*

GEORGES — Nous t'attendions ici; nous espérions que, seul avec toi, il aurait une détente. Léo l'entendait gémir à travers la porte.

YVONNE — C'est infernal.

LÉO — Il t'a parlé?

YVONNE — Non. Il me serrait la main à me la broyer.[12] J'ai retiré ma main. J'ai voulu lui caresser les cheveux et je lui ai demandé bêtement s'il avait soif. Il m'a dit: « Va-t'en. » Je me suis levée. J'espérais qu'il me rappellerait, qu'il m'empêcherait de sortir. Je restais debout devant la porte. Il m'a répété: « Va-t'en. » C'est infernal. Je n'en peux plus. *Je n'en peux plus.*

GEORGES — J'irais bien . . .

YVONNE — S'il me chasse, c'est qu'il ne supporterait personne. Je l'avais supplié de se mettre au lit. Il m'a répondu en donnant des coups de poing par terre. Il est à plat ventre dans le noir.

LÉO — Il a fermé ses persiennes?

YVONNE — Ses persiennes, ses rideaux. Il se roule. Il mord ses manches. C'est infernal. Il vaut mieux le laisser seul. Ce n'est pas de la dureté, pauvre Mik! . . . Il me broyait la main et me la collait contre sa joue . . . mais il souffre de la peine affreuse qu'il me cause. Son « va-t'en » était le « va-t'en » de quelqu'un qui ne veut plus qu'on le plaigne, qu'on le touche, qu'on le regarde.

LÉO — Il est à vif.[13]

YVONNE — Si cette femme n'était pas une grue, je l'appellerais, je la lui donnerais. Voilà où j'en arrive.

LÉO — C'est facile à dire, maintenant . . .

YVONNE — Non, Léo . . . Ce n'est pas facile à dire. Pour que je le dise, il faut que je sois à bout.

LÉO — Tu la donnerais . . .

YVONNE — N'importe quoi, oui . . . je pense que oui . . . Je n'en peux plus.

LÉO — Eh bien, Yvonne, c'est cette phrase que je voulais que tu prononces. Je ne voulais pas la dire la première, ni que Georges t'oblige à la dire. Parle, Georges.

YVONNE — Encore des paroles . . .

GEORGES — Non, Yvonne. Je ne sais pas si tu comptes comme de simples paroles l'aveu que je t'ai fait, mais cette fois c'est beaucoup plus grave.

YVONNE — Je ne vois pas ce qui peut être plus grave que le point où nous en sommes.

GEORGES — C'est plus grave, si ce point où nous en sommes est le résultat d'un crime, et si je me trouve être le criminel.

YVONNE — Toi?

GEORGES — Yvonne, Madeleine est innocente. Le mystérieux individu n'existe pas.

YVONNE — Je comprends mal.

GEORGES, *donnant la parole à Léo* — Léo . . .

LÉO — Je suis restée seule avec la petite, hier . . .

YVONNE — Et elle t'a roulée. Quelle innocente! Et Georges, de victime est devenu criminel.

GEORGES — Laisse, Léo. Il est préférable que je m'accuse en bloc. Voilà, Yvonne: j'ai joué un triste personnage. J'ai forcé cette pauvre petite à mentir, à se salir. Je lui ai soufflé son rôle.[14] L'individu est de moi. J'ai profité de ce que Michel est crédule et de ce que Madeleine mourait de peur. C'est effrayant.

YVONNE — Tu as fait cela?

GEORGES — Je l'ai fait. Je le jure.

YVONNE — Georges! Tu pouvais tuer Michel!

GEORGES — Il n'en vaut guère mieux. C'est pourquoi je parle de crime. Et je risquais de tuer Madeleine en arrivant à l'improviste. Et après l'avoir jetée dans l'état que vous avez pris pour du trac, j'ai profité du tête-à-tête que tu exigeais, et je l'ai achevée. C'est du beau travail. C'est même ma meilleure invention. La seule de mes inventions qui marche. Et j'en étais fier. Il a fallu Léo pour me mettre le nez dans mon ordure.

LÉO — Georges! . . . Georges! . . . Je dois être franche. Sans moi . . .

GEORGES — Sans toi, je continuais. Assez sur ce chapitre! Non, Léo, je prétends prendre aujourd'hui toutes mes responsabilités, les prendre seul. C'est à croire que cette roulotte, comme vous dites, exerce un charme . . . (*A Yvonne qu'il embrasse.*) . . . le charme d'Yvonne, et nous rend sourds et aveugles. Nous en parlions, avec Léo, avant que tu n'entres. C'est pourquoi ta phrase « si cette femme n'était une grue » nous a ôté un poids. Je craignais, je l'avoue, d'avoir à combattre.

YVONNE — Georges, ne sois pas absurde. Tu es dans une crise de sublime, de confessions et de sacrifices. Léo est trop équilibrée pour ne pas le comprendre. Méfie-toi, mon bon ami. C'est toi qui rêves debout! Voyons, voyons, c'est à moi, la somnambule extra-lucide et la tireuse de cartes de cette roulotte d'y voir clair. Ce qui est fait est fait. Michel ni cette jeune femme ne sont morts. Ils traversent une crise, comme toi, comme nous tous. La sagesse consiste à crier ouf! parce que rien n'est arrivé de ce que l'on pouvait craindre, et à profiter de nos chances.

[12] *à me la broyer:* till he almost crushed it
[13] *Il . . . vif:* he's in torment
[14] *Je . . . rôle:* I prompted her in her role

GEORGES — Nos chances! Quelles chances? Est-ce que tu te rends compte des mots que tu emploies?

YVONNE — J'emploie les mots qui me viennent, les mots naturels. Je suis une mère qui aime son fils et qui soigne ses blessures. Je ne suis pas sublime le moins du monde . . . Ah! non. J'estime que tu as peut-être eu tort, c'est possible, mais que, dans l'ensemble, nous avons eu la chance, oui, oui, la chance, d'en sortir sains et saufs.

GEORGES — Il n'y a pas cinq minutes que tu disais d'une 10 voix mourante: c'est infernal! Je n'en peux plus!

YVONNE — C'est justement parce que c'est infernal, parce que je n'en peux plus, que je retrouve des forces pour crier: halte! quand vous voulez que ce qui était fini, classé, se remette en marche. Je répète, moi, l'idiote du village, qu'il faut profiter des chances d'une malheureuse histoire sur laquelle vous ne pouvez plus revenir!

LÉO — Mais, Yvonne, de quelles chances parles-tu?

YVONNE — Eh bien, par exemple, c'est une chance que 20 le vieux ait été Georges.

GEORGES — Merci beaucoup.

YVONNE — Parce que si le vieux avait été un autre, un vrai autre, je connais Georges . . . Je te connais . . . Tu te serais laissé attendrir et tu aurais manqué de poigne.

GEORGES — Poigne? Je me vengeais bassement et je me donnais l'excuse de te rendre service, de suivre tes ordres . . .

LÉO — Ma chère Yvonne, il me semble que vous vous 30 comprenez mal et que ton point de vue échappe à Georges.

GEORGES — Je ne comprends pas mal, je ne comprends rien du tout.

LÉO — Vous voyez? (*A Georges.*) Yvonne, si je ne me trompe, trouve que, malgré la casse,[15] c'est une chance que Michel croie ce mariage impossible.

YVONNE — Mais . . .

LÉO — Une seconde — et Georges te prouve, lui, qu'il ne se présente plus le moindre obstacle.   40

YVONNE — Obstacle à quoi?

GEORGES — Aucun obstacle à l'amour de Michel et de Madeleine.

YVONNE — Tu dis?

GEORGES — Je dis que nous avons failli tuer ces enfants par égoïsme, et qu'il est urgent de les faire revivre, voilà ce que je dis.

YVONNE — Et c'est toi! toi . . .

GEORGES — Yvonne, c'est le moment de se dire la vérité vraie. Je n'ai jamais eu grand-chose de Madeleine; 50

si, pour être juste, une véritable tendresse, et je me montais le cou,[16] et je m'arrangeais, et je me refusais d'admettre sa franchise. Je l'obligeais à traîner le poids d'un pauvre mensonge qu'elle ne demandait qu'à ne plus me faire. Cette idylle lamentable ne prendrait forme, hélas, que si Michel apprenait . . .

YVONNE — Quelle horreur!

GEORGES — Là-dessus nous sommes d'accord.

LÉO — Et vous allez l'être sur le reste.

YVONNE — Georges, tu penses, vous pensez, Léo et toi, 10 sérieusement, tranquillement, que cette personne pourrait porter notre nom, entrer dans notre milieu.

GEORGES — Ton grand-père collectionnait les points et virgules, le sien était relieur, je trouve, ma chère Yvonne . . .

YVONNE — Je ne plaisante pas et je te demande . . .

GEORGES — Ne me demande pas d'envisager sans rire des absurdités pareilles. Un nom! un milieu? As-tu regardé d'en haut une salle de théâtre? Tous ces gens ne se connaissent pas, et chacun possède un milieu 20 et croit que c'est le seul qui compte. Il y avait peut-être des milieux, mais il n'y en a plus.[17]

YVONNE — Nos familles existent.

GEORGES — A t'entendre on nous croirait sortis de la cuisse de Jupiter![18] Je suis un inventeur de seconde main, un raté. Toi, une malade qui vit dans l'ombre. Léo reste une vieille fille pour nous venir en aide. Et c'est au nom de tout cela, de tout ce désastre, de tout ce vide, de tout ce déséquilibre, que tu refuserais à Michel la réussite, l'air, l'espace? Non! non! non! 30 je m'y oppose.

LÉO — Bravo, Georges.

YVONNE — Naturellement! Georges est un dieu. Il est infaillible.

LÉO — Je l'admire.

YVONNE — Dis plutôt que tu l'aimes.

GEORGES — Yvonne!

YVONNE — Mariez-vous! mariez-les! Moi je disparaîtrai! Je vous laisserai la place libre! Rien de plus simple!

LÉO — Tu deviens folle! . . .   40

YVONNE — Oui, Léo, je deviens folle. Il ne faut pas m'en vouloir.

LÉO — Je ne t'en veux pas.

YVONNE — Merci. Je te demande pardon.

LÉO — Voilà les « merci » et les « pardon » qui recommencent. Rayons-les de notre liste. Écoute-moi, Yvonne: si j'avais vraiment *voulu* Georges, je ne

---

[15] damage

[16] *je . . . cou:* I was talking myself into it

[17] Georges means there are no more class distinctions

[18] *on . . . Jupiter:* you'd think we were descended from the gods

t'aurais pas laissé le prendre. J'aurais trouvé quelque chose. C'est trop tard pour revenir là-dessus. Il ne nous reste qu'un moyen de retaper nos ruines, c'est d'empêcher celle de Mik. C'est d'écouter Georges. C'est d'éclairer Mik, c'est de lui rendre la vie.

YVONNE — Est-ce la vie?

GEORGES — Sans aucun doute. Du reste, tu ne pourrais plus supporter maintenant l'état où Michel se trouve. Tu le supportais tant que tu avais une excuse. Pourquoi tarder? Yvonne.   10

YVONNE — De toute façon, cette petite est beaucoup trop jeune.

LÉO — Hein?

GEORGES — Elle a trois ans de plus que Michel. Hier tu la trouvais trop vieille . . .

YVONNE — Elle est trop jeune . . . par rapport à moi.

GEORGES — C'est énorme . . .

YVONNE — Vous me demandez l'impossible.

GEORGES — On l'a demandé à cette petite, elle l'a fait.

LÉO — Tu luttes contre toi, avec de vieilles armes.   20

YVONNE — J'ai retrouvé Mik, je ne veux pas le reperdre.

GEORGES — Tu ne retrouveras Michel qu'en lui donnant Madeleine. Le Michel que tu crois avoir retrouvé habite les limbes.[19] Non seulement tu risques de te faire haïr, mais, même si nous lui laissions croire que Madeleine le trompe, ce qui serait abominable, ce à quoi je me refuse, une part de lui douterait et vivrait auprès d'elle. Tu ne bénéficierais pas de ton crime.

LÉO — En somme, si je comprends bien, ton idéal serait d'avoir un fils infirme pour qu'il ne quitte pas la 30 maison.

YVONNE, elle se brise et fond en larmes — C'est trop . . . c'est trop pour moi.

GEORGES — Rien n'est trop quand on aime. Tu aimes Michel. Songe à sa gratitude quand tu lui apprendras que Madeleine avait menti par héroïsme . . .

YVONNE — Georges . . . Georges . . .

GEORGES, comme à une enfant — Il ne demande qu'à le croire . . . Au lieu de cette fête et de cette gratitude, tu nous vois avec un Michel amer.   40

LÉO, même jeu — Qui épousera, par amertume, un de ces jeunes filles niaises et laides qui attendent le malheur sur une chaise de bal.

GEORGES, même jeu — Yvonne, laisse-toi briser, ouvre-toi en deux, montre ton cœur.

YVONNE, elle se dégage, se met à genoux sur le lit et a un sursaut de révolte — Laissez-moi! Ne vous hissez pas sur un piédestal! Vous n'en êtes pas plus dignes que moi, après tout. Mensonges! Mensonges! Mensonges! Essyaez donc de sortir de vos men-

songes. (A Georges.) Hier, en arrivant chez cette femme, je me rappelle, tu as été jusqu'à faire semblant de te tromper d'étage, de ne pas savoir son étage. J'ai été roulée,[20] j'ai été votre dupe. Vous vous êtes ligués contre moi. Tu as osé me conduire chez ta maîtresse.

GEORGES — Tais-toi!

YVONNE — Chez ta maîtresse . . .

GEORGES — Tais-toi. Tu perds la tête. Veux-tu que cet enfant t'entende? . . .   10

YVONNE — Je me défendrai!

GEORGES — Tu te défends contre toi et à tort et à travers. Mets-toi en ordre . . .

YVONNE — Et si j'y tiens, moi, à mon désordre. C'est le nôtre.

GEORGES — Yvonne, il y a des minutes où l'on sent qu'on peut racheter tout, se sauver et sauver les autres. Yvonne, ma chérie, accepte, imite-moi.

YVONNE — Convoquer encore cet enfant, retourner chez cette femme, s'humilier . . .   20

GEORGES — Mais lâche donc cet orgueil absurde! Il ne s'agit plus de « convoquer » Michel et de lui parler du « bureau de son père », il s'agit de courir jusqu'à sa chambre, de l'embrasser, de le miraculer.[21]

LÉO — Et quant à Madeleine, je m'en suis chargée. Je m'en suis chargée à mes périls et risques.

YVONNE, droit sur Léo — Léo! De quoi te mêles-tu? Qu'est-ce que tu as fait?

LÉO — Mon devoir. J'ai parlé, j'ai écouté, consolé; j'ai même téléphoné.   30

YVONNE, détachant toutes les syllabes — Tu lui as téléphoné?

LÉO — De venir.

Léo entre dans sa chambre.

Scène III

GEORGES, YVONNE

YVONNE — Voilà donc ce que vous complotiez!

GEORGES — Ce que Léo complotait à mon insu[22] et dont je la remercie.

YVONNE — Vous voulez me forcer la main.

GEORGES — Nous voulons te sauver, nous sauver, sauver Michel.

YVONNE — Elle a ce qu'elle veut. Elle sera dans la place. 40

---

[19] limbo

[20] taken in
[21] le miraculer: cure him as if by miracle
[22] à mon insu: without my knowledge

GEORGES — Ne parle pas comme ça; c'est si mal.

YVONNE — Vous êtes devenus des saints. Il me faudra du temps. J'irai moins vite.

GEORGES — Est-ce que tu t'imagines que je ne fais pas un immense effort?

YVONNE — Mon pauvre vieux.

GEORGES — Ma pauvre vieille! Nous ne sommes des vieux ni l'un ni l'autre, Yvonne . . . et pourtant . . .

YVONNE — Et pourtant un jour on s'aperçoit que les enfants poussent, que ce sont des ôte-toi-de-là-que- 10 je-m'y-mette.[23]

GEORGES — C'est dans l'ordre.

YVONNE — L'ordre n'est pas mon fort.

GEORGES — Ni le mien. Tu es glacée . . .

YVONNE — Oh! moi . . .

Léo sort de sa chambre.

LÉO — Une porte qui claque. C'est Michel. Il te facilite la besogne. Un « miracle », tu vois.

YVONNE — Voilà où vous m'avez conduite.

GEORGES, *il écoute* — Qu'est-ce qu'il fait? Où allait-il?

LÉO — S'il sortait . . .

YVONNE — Il claquerait l'autre porte.

LÉO — C'est juste.

YVONNE, *très bas. D'une voix d'extra-lucide* — Il n'a rien mangé depuis hier. Il a été au buffet. Il hésite. Il se dirige vers ma porte. Il écoute, il met la main sur 10 le bouton de la porte.

On voit le bouton qui tourne.

LÉO — Notre roulotte ne vole pas son monde.

YVONNE — Il ouvre. (*La porte s'ouvre lentement.*) J'ai peur, comme si ce n'était pas Mik . . . Comme si c'était je ne sais quoi d'extraordinaire . . . de terrible. Léo! Georges! . . . (*Elle s'accroche à eux.*) Qu'est-ce que j'ai? (*Elle appelle.*) Mik!

Scène IV

YVONNE, LÉO, GEORGES

LÉO — Préparons notre petite fête. Allumons l'arbre. C'est la bonne note, tenons-nous-y.

GEORGES — Je n'ai aucune habitude des fêtes, des surprises.

YVONNE — Quand tu en fais, tu les fais excellentes. 20

LÉO — Pouce! Pas de disputes.

GEORGES — Comment comptes-tu procéder?

LÉO — C'est très simple. Yvonne, il est capital que la chose lui vienne de toi, qu'il te la doive.

YVONNE — Mais . . .

LÉO — Il n'y a pas de mais.

YVONNE — Puisque j'agis à contrecœur . . .[24]

LÉO — Ne le montre pas.

YVONNE — J'aurai l'air grotesque. Et puis je gèle. Regarde. Écoute. J'ai les dents qui claquent. 30

GEORGES — C'est nerveux.

YVONNE — Je mourrais que tu dirais: c'est nerveux.[25] J'ai les genoux qui flanchent.

LÉO — Essaie. Prends mon épaule. Il *faut.*

GEORGES — Il faut, Yvonne. Pense au cadeau que tu vas mettre dans ses souliers.

YVONNE — Si je les trouve!

Une porte claque.

Scène V

LES MÊMES, *plus* MICHEL

MICHEL, *il apparaît et laisse la porte entrouverte, il a une sale tête et les yeux rouges, presque fermés* — Sophie . . . c'est moi . . .

YVONNE — Eh bien, entre! Ferme *tes* portes.

MICHEL — Pourquoi *tes* portes? Je ferme, je ferme. Je ne 20 voulais qu'entrer et sortir. Je cherchais le sucre.

YVONNE — Tu sais où il est.

MICHEL — Oui. Tu es seule?

YVONNE — Mon pauvre chéri, tu ne vois donc pas ta tante et ton père?

MICHEL — Oh! pardon, Léo, pardon, papa. Je n'y vois plus à un mètre . . . Je vous dérange?

Il entre dans le cabinet de toilette et revient en mangeant du sucre.

GEORGES — Tu nous déranges si peu que ta mère voulait aller te chercher.

MICHEL — Du reste . . . je voulais . . . j'avais à te parler, 30 maman, et puisque ce que j'ai à te dire, j'aurai à le dire après à papa et à Léo, je profite de ce que vous êtes tous ensemble. D'abord, Sophie, je m'excuse de t'avoir renvoyée de ma chambre, de t'avoir dit de t'en aller. Je me dégoûtais. Je ne tenais pas . . . enfin, tu comprends.

YVONNE — J'ai très bien compris, mon pauvre Mik.

MICHEL — Je ne suis pas à plaindre.

GEORGES — Qu'est-ce que tu voulais nous apprendre?

MICHEL, *mangeant son sucre, gêné* — Voilà. Je ne 40 compte pas vivre à plat ventre par terre. Alors, papa, cette place au Maroc, tu m'avais affirmé que si je me décidais . . .

---

[23] [literally] get out of there so I can get there [i.e., children want to run things for themselves]

[24] à *contrecœur:* against my will

[25] *Je . . . nerveux:* if I were dying you'd say: it's your nerves

YVONNE — Tu me quitterais!

MICHEL — C'est décidé.

YVONNE — Mik!

MICHEL — Oh! Sophie, je ne peux plus être d'un voisinage bien agréable et, même, je risque de vous infecter, de vous rendre tous malades.

YVONNE — Tu es fou!

MICHEL — Fou, je le deviendrai à Paris. Il est impossible que j'y reste. Il est impossible que je reste à la maison. Et, comme je ne quitterai pas la maison pour une 10 autre . . . j'aimerais partir loin et très vite. Je travaillerai. Je suis un touche-à-tout, un bon à rien. Le suicide me dégoûte. Il est indispensable de changer d'air, de voir du neuf. L'Europe . . .

Il fait un geste d'adieu.

YVONNE — Et moi, et nous!

MICHEL — Oh! Sophie!

YVONNE — Donne ta main. Écoute, Mik. Écoute-moi. Lève la tête. Et si tu n'avais plus à partir?

GEORGES — Si nous t'annoncions, par exemple, une bonne nouvelle? 20

MICHEL — Il ne peut plus y avoir de bonnes nouvelles pour moi.

LÉO — Cela dépend. Si ce qui motive ta fuite . . . ton départ, disparaissait.

YVONNE — Si tu n'avais plus, pour nous quitter, pour mépriser l'Europe, les mêmes motifs?

MICHEL — Laisse, Sophie. Je retourne dans ma chambre. Papa . . .

GEORGES — Non, Michel, ne retourne pas dans ta chambre et ne me demande pas que je m'occupe de 30 ce poste.

MICHEL — Tu m'avais promis . . .

GEORGES — Mik, je t'annonce, moi, une nouvelle, une très grosse et très bonne nouvelle. Madeleine . . .

MICHEL — Qu'on ne me parle plus d'elle! Qu'on ne me parle plus de cette personne. Jamais! Jamais! Qu'on ne me touche plus à cet endroit-là. Vous voyez bien que je suis à vif! Taisez-vous!

LÉO — Michel, écoute ton père.

MICHEL, *sauvagement* — Je défends qu'on recommence! 40 Je défends qu'on me parle de cette personne . . . Entendez-vous!

GEORGES, *il l'empêche de passer* — Il faut que je te parle d'elle.

MICHEL — Je n'écouterai pas. J'en ai assez.

Il frappe du pied contre le lit.

GEORGES — Ne donne pas de coups de pied dans le lit de ta mère, s'il te plaît. Ta mère est malade. Et d'abord, parle plus bas.

MICHEL, *buté* — Que me voulez-vous?

GEORGES — Ta tante est rentrée après nous tous, hier, 50 de cette visite.

MICHEL — Vous essayez de me convaincre de rester à

Paris en inventant des mensonges. Vous essayez de retarder ma décision. Ne vous donnez pas tant de mal, ma décision est prise.

YVONNE, *dans un cri* — Tu ne partiras pas!

MICHEL, *montrant sa mère* — Vous voyez!

GEORGES — Tu ne partiras pas, parce que ce serait un crime de partir.

MICHEL — Quel crime?

GEORGES — Un crime, parce que si ta famille ne compte plus, il existe au moins une personne qui doit 10 recevoir tes excuses, une personne à qui tu dois demander la permission de partir.

MICHEL, *riant d'un mauvais rire, à Georges* — Ah! que je suis bête. J'ai compris. Cette personne a eu du cran en ta présence et elle a cessé d'en avoir en face de Léo. Elle s'est retrouvée d'égale à égale. Elle a fait du charme.

LÉO — Il n'est pas facile de me mentir.

MICHEL — Je ne croirai plus rien.

GEORGES — Et tu auras tort . . . Yvonne? 20

YVONNE — Crois-le, Mik.

GEORGES — Te voilà moins incrédule.

MICHEL — Ne me torturez pas.

GEORGES — Qui parle de te torturer? Non seulement cette jeune femme est innocente, mais elle est admirable.

MICHEL — En quoi, grands dieux

GEORGES — Et c'est à moi, à moi de te demander pardon. Hier, notre attitude l'a épouvantée. Elle a cru que jamais elle n'en viendrait à bout. Elle m'a menti. Et 30 je le sentais et je faisais la sourde oreille. Mik, elle a inventé cette histoire sur place, pour te rendre libre, pour nous délivrer d'elle.

MICHEL — Si c'était vrai, ce mensonge-là, je serais une brute de n'avoir cherché aucune preuve, de m'être sauvé, buté.

GEORGES — Tu n'as pas été une brute, mon petit. Tu as été comme les êtres simples et propres. Tu crois le mal aussi vite que tu crois le bien.

MICHEL — Vous me trompez. On craignait que mon 40 départ ne désespère Sophie.

LÉO — Il ne s'agissait pas de Maroc, mon petit Mik, sois raisonnable. Quand tu as ouvert la porte, ta mère allait chez toi te prendre par le cou, te relever, t'amener. Elle s'en faisait une fête.

MICHEL — Si c'était vrai, auriez-vous attendu? Sophie m'aurait-elle laissé . . .

LÉO — Ta mère ne savait pas encore. Et il nous manquait une preuve. Et puis, voilà, je complotais; je te préparais une surprise. 50

MICHEL — Maman, toi, toi, dis-le.

YVONNE — Je te l'ai déjà dit.

MICHEL — Mais alors, il faut courir, téléphoner, la rattraper n'importe où! Dieu sait de quoi elle est

capable! Elle s'est peut-être sauvée! Papa. Léo. Vite!
Vite! Où est-elle? Où est-elle?

LÉO, *montrant sa porte* — Elle est là.

YVONNE — Elle est là?

LÉO — Je la tiens enfermée dans ma chambre depuis
cinq heures.

Michel tombe, raide, évanoui.

Scène VI

LES MÊMES, *plus* MADELEINE. *Elle sort de la chambre
de Léo avec Léo.*

YVONNE — Mik! Mik! Il se trouve mal.

GEORGES — Michel, regarde: Madeleine est près de toi.

Madeleine aide à soutenir Michel.

LÉO — Il était dans un état de nerfs effroyable; ce n'est
rien, Madeleine, parlez-lui.   10

MADELEINE — Michel! Michel! C'est moi. Comment te
sens-tu?

MICHEL, *il se soulève* — J'ai tourné de l'œil.[26] C'est ridicule. Madeleine, ma petite fille; je te demande
pardon...

Il la serre contre lui. Yvonne s'écarte.

MADELEINE — Il faut t'asseoir. Viens.

LÉO — Le fauteuil!...

Elle éloigne le fauteuil de la coiffeuse.

GEORGES — Je l'aiderai.

MICHEL, *il se dégage* — Mais je n'ai pas besoin que tu
m'aides. Je ne compte pas m'évanouir. J'ai envie de 20
sauter, de galoper, de crier.

MADELEINE — Sois calme. Embrasse-moi.

MICHEL, *il la pousse dans le fauteuil, s'agenouille près
d'elle et lui embrasse les genoux* — Pardonne-moi,
ma petite fille, ma petite Madeleine, pardonne-moi.
Tu me pardonnes?

MADELEINE — Te pardonner, mon pauvre Michel chéri,
moi qui t'ai fait tant de mal!

MICHEL — C'est moi, c'est moi qui suis un imbécile, une
sale brute.

LÉO — Si j'étais vous, mes enfants, je ne m'expliquerais 30
pas, je recommencerais à zéro.

*Pendant ce qui précède, Yvonne est restée seule,
contre le mur, entre la porte du fond et l'angle de
la pièce. Elle s'éloigne un peu vers la droite et,
pendant ce qui va suivre, regagne lentement son
lit où elle se couche.*

GEORGES, *debout près du fauteuil de Madeleine. Ils*

forment un groupe à *l'extrême gauche* — Léo a
raison.

MICHEL — Léo est une merveille.

GEORGES — Léo est une merveille. C'est vrai.

MADELEINE — Je n'arrive pas encore à croire que ce qui
se passe, se passe en réalité.

MICHEL — Et moi qui voulais me sauver à toutes jambes,
obtenir mon poste au Maroc.

MADELEINE — Au Maroc?

*C'est à ce moment qu'Yvonne se couche. Elle ne les
a pas quittés des yeux.*

GEORGES — Eh oui! Pendant que vous attendiez dans la 10
chambre de Léo, Michel nous annonçait d'un air
funèbre, en mangeant du sucre, qu'il trouvait
l'Europe inhabitable et qu'il avait décidé de vivre
au Maroc.

LÉO — Es-tu encore décidé, Michel?

MICHEL — Moque-toi de moi.

GEORGES — Il ne voulait rien entendre.

MICHEL — Papa...

LÉO — Cette fois, c'est Georges qui recommence.

GEORGES — Pouce!   20

MADELEINE — Que vous êtes bons...

*Sur cette réplique, Yvonne descend du lit et se glisse
dans la salle de bains, sans être vue.*

LÉO, *lui prenant les mains* — Elle se réchauffe.

MICHEL — Tu avais froid?

MADELEINE — J'avais froid comme tu as tourné de l'œil.
La surprise était un peu forte. Maintenant, je parle,
je m'habitue. Quand je suis entrée, je n'y voyais rien.
Je ne reconnaissais pas ta tante.

GEORGES — Vous n'y voyiez rien parce qu'on n'y voit
rien. Ma femme déteste la grande lumière. Ne vous
avisez[27] pas d'allumer le lustre...   30

LÉO, *bas à Michel* — Ta mère...

MICHEL, *il regarde vers la chambre vide* — Où est-elle?

MADELEINE *se lève* — C'est peut-être ma faute...

GEORGES — Quelle folie! Elle était avec nous il y a une
minute...

LÉO, *à Michel* — Tu aurais dû aller l'embrasser...

MICHEL — Je la croyais près de nous. (*Il appelle.*) Sophie!

GEORGES — Yvonne!

YVONNE, *de la salle de bains* — Je ne suis pas perdue. Je
suis là. Je fais ma piqûre.   40

MADELEINE, *haut* — Madame, voulez-vous que je vous
aide?

YVONNE, *même jeu* — Merci, merci. J'ai l'habitude d'être
seule.

LÉO — Yvonne ne supporte pas d'être aidée. Elle est
maniaque.[28]

---

[26] *J'ai... l'œil:* I fainted

[27] *Ne vous avisez pas:* you'd better not
[28] finicky

Ils parlent à voix basse.

MADELEINE — A la longue, j'arriverai peut-être à la convaincre.

MICHEL — Ce serait une victoire.

LÉO, *à Madeleine* — Yvonne est très susceptible. Michel était tout à vous, ce qui est normal. Soyez attentifs, mes enfants . . .

MADELEINE — Justement, je craignais de l'avoir mise en fuite.

GEORGES — Pas le moins du monde. Léo, ne présente pas Yvonne comme un loup-garou.[29]

LÉO — Je ne présente pas Yvonne comme un loup-garou, mais je préviens Michel. Dans l'intérêt de la petite. Il ne faudrait pas rendre Yvonne jalouse.

GEORGES — Effraie-la, maintenant!

MICHEL — Laisse, papa. Madeleine est très intelligente.

MADELEINE — Je ne m'effraie pas, Michel, mais je crains . . .

GEORGES — Prenez garde . . .

La porte de la salle de bains s'ouvre. Yvonne, debout dans l'ombre, s'appuie au chambranle.[30] Elle parle d'une voix bizarre.

YVONNE — Vous voyez, Mademoiselle, comment on m'aime. Je ne peux pas sortir une petite seconde sans qu'ils se sentent perdus. Je n'étais pas perdue. Je me soignais. (*Elle avance vers le lit et s'y laisse tomber.*) Mademoiselle, je suis une vieille dame. Sans l'insuline, je serais morte.

LÉO, *bas à Michel* — Cours l'embrasser.

MICHEL, *cherchant à entraîner Madeleine* — Viens.

MADELEINE, *elle le pousse* — Va.

GEORGES, *à Yvonne* — Tu n'es pas mal?

YVONNE, *avec effort* — N . . on.

MICHEL, *il lâche Madeleine et s'approche du lit* — Sophie! Tu es contente?

YVONNE — Très. (*Michel veut l'embrasser.*) Ne me bouscule pas! Mademoiselle, vous avez de la chance si Mik ne vous embrasse sur les oreilles et ne vous tire les cheveux.

LÉO, *frappant dans ses mains* — Michel, tu devrais montrer ta fameuse chambre à Madeleine.

MADELEINE — Michel! . . . Tu refuses de me montrer ta chambre?

MICHEL — Tu vas ranger![31]

MADELEINE — Oh!

GEORGES — Je vous accompagne. Je vous expliquerai ma carabine.

MICHEL — On va lui faire les honneurs de la roulotte.

En marche! (*Il ouvre la porte du fond à gauche et s'efface.*) . . . Sophie, on te laisse avec la représentante de l'ordre. Léo, empêche maman de dire du mal de nous.

YVONNE — Mik! arrêtez . . . restez!

GEORGES, *il s'élance vers le lit* — Qu'est-ce que tu as? . . . Yvonne! (*Yvonne retombe en arrière.*) Yvonne! . . .

YVONNE — J'ai peur.

MICHEL — Peur de nous?

YVONNE — Rien. J'ai peur. J'ai une peur atroce. Restez! Restez! Georges! Mik! Mik! J'ai une peur atroce.

LÉO — Ce n'est pas l'insuline. Elle a pris autre chose! (*Léo s'élance vers le cabinet de toilette, y entre et ressort en criant:*) J'en étais sûre![32]

LÉO — Qu'est-ce que tu as fait?

YVONNE — La tête me tourne, Georges, j'ai fait une folie, une folie affreuse. J'ai fait . . .

MICHEL — Sophie! parle-nous.

YVONNE — Je ne peux pas. Je voudrais. Sauvez-moi! Sauve-moi, Mik! Je vous ai vus ensemble, là-bas, dans le coin. Je me suis dit que je vous gênais, que je dérangeais les autres.

MICHEL — Maman!

GEORGES — Bon Dieu!

YVONNE — J'ai perdu la tête. Je voulais mourir. Mais je ne veux plus mourir. Je veux vivre! Je veux vivre avec vous! Vous voir . . . heureux. Madeleine, je vous aimerai. Je vous le promets. Courez! Faites quelque chose. Je veux vivre! J'ai peur! Au secours!

MADELEINE — Ne restez pas ahuris.[33]

GEORGES — Michel, ne perdons pas la tête. Cours chez le médecin du dessus. Ramène-le de force. Moi je téléphonerai au professeur, à la clinique.

MADELEINE, *à Michel, hébété* — Mais va, va donc!

Elle le secoue. Michel se sauve par le fond, à droite. On entend claquer une porte et toute la fin d'acte sera accompagnée de portes bruyantes.

LÉO, *à Georges* — Téléphone. Je reste.

GEORGES — Il y a de quoi rendre fou.

Il sort par le fond à gauche.

Scène VII

YVONNE, LÉO, MADELEINE

MADELEINE — Son pouls est très faible . . . il est égal, mais très faible.

---

[29] recluse
[30] door-casing
[31] *Tu . . . ranger:* you'll put things in order!

[32] *J'en . . . sûre:* I was sure of it [that Yvonne has taken poison]
[33] *Ne . . . ahuris:* don't stand there dumbfounded

LÉO — Je sentais quelque chose . . . je le sentais.

MADELEINE, *elle s'écarte du lit* — C'est ma faute. Ma place n'est pas ici. Je dois partir.

LÉO — Partir?

MADELEINE — Quitter Michel, Madame.

LÉO — Ne soyez pas stupide. Restez. Je vous l'ordonne. Du reste, Michel va avoir besoin de vous, comme Georges aura besoin de moi.

Silence.

YVONNE — Je t'entends, Léo.

LÉO — Qu'est-ce que tu entends?   10

YVONNE — Je t'ai entendue. Tu as oublié que je pouvais t'entendre.

LÉO — Entendu quoi?

YVONNE — Fais l'innocente. On veut se débarrasser de moi . . . on veut . . .

LÉO — Yvonne!

YVONNE — Je me suis empoisonnée et je vous empoisonnerai. Je vous empoisonnerai, Léo! Je vous ai vus . . . je vous ai vus là-bas, dans le coin, je vous ai vus tous. On voulait me mettre au rancart,[34] on voulait . . .   20
on voulait . . . Mik! Mik!

LÉO, *criant* — Georges!

Scène VIII

YVONNE, LÉO, MADELEINE, GEORGES
plus MICHEL

GEORGES, *il rentre par le fond à gauche* — Le professeur est à la campagne. Ils envoient un interne . . .

LÉO — Georges, Yvonne a le délire . . .

YVONNE — Je n'ai pas le délire, Léo. On voulait m'évincer, me plaquer, me laisser en plan.[35] J'ai compris. Je par-le-rai.

GEORGES, *il embrasse Yvonne sur les lèvres* — Du calme . . . du calme.   30

YVONNE — Voilà combien d'années que tu ne m'embrasses plus sur la bouche? Tu m'embrasses pour me fermer la bouche . . .

GEORGES, *il essaie de la faire taire en la caressant* — Là . . . là . . . là . . .

YVONNE — Je vous empoisonnerai. Je vous dénoncerai. Je dirai à Mik . . .

MICHEL, *il entre en coup de vent* — Personne. On ne répond pas.

YVONNE — Michel! Écoute-moi . . . Écoute-moi, Michel!

---

[34] *me mettre au rancart:* cast me aside

[35] *On . . . plan:* you wanted to turn me out, to abandon me, to leave me in the lurch

Je ne veux pas . . . je ne veux pas . . . je veux . . . je veux que tu saches . . .

LÉO, *pendant les cris d'Yvonne* — Michel, ta maman délire. Retéléphone à la clinique. Ma petite Madeleine, je vous en supplie, aidez-le. Jamais il ne se débrouillera seul. Vite, vite, ne traînez pas.

Elle les pousse dehors, par la porte du fond à gauche, pendant les répliques suivantes.

Scène IX

YVONNE, LÉO, GEORGES

YVONNE — Restez! Restez! Je vous l'ordonne! Mik! Mik! On te trompe! On t'écarte. C'est un prétexte. Les misérables! Je ne vous laisserai pas profiter de votre sale besogne![36]   10

LÉO, *au pied du lit, terrible* — Yvonne!

YVONNE — C'est toi, toi qui as tout manigancé[37] Tu voulais ma mort, tu voulais rester seule avec Georges.

GEORGES — Quelle horreur . . .

YVONNE — Oui, quelle horreur! Et je . . . je . . .

Elle retombe.

GEORGES — Pourvu que l'interne arrive . . . Si Michel prenait une voiture.

LÉO — Il se croiserait avec l'interne.

GEORGES — Mais que faire? que faire?

LÉO — Attendre . . .   20

YVONNE, *ouvrant les yeux* — Mik! tu es là? Où es-tu?

GEORGES — Il est là . . . il va venir.

YVONNE, *d'une voix douce* — Je ne serai pas méchante . . . Je ne voulais pas . . . je vous voyais tous, dans le coin . . . J'étais seule, seule au monde. On m'avait oubliée. J'ai voulu vous rendre service. Ma tête tourne, Georges, redresse-moi. Merci . . . Léo, c'est toi? Et cette petite . . . je l'aimerai . . . Je veux vivre. Je veux vivre avec vous. Je veux que Mik . . .

LÉO — Tu verras ton Mik heureux . . . Reste tranquille.   30
Le médecin arrive . . . nous te gardons.

YVONNE, *un recul* — Quoi? C'est vous! C'est encore toi, et Georges! Qu'on les arrête. Qu'on m'interroge. Ah! Ah! Ils crèvent de peur. Vous, ne me touchez pas! ne m'approchez pas. Qu'ils viennent! Qu'ils viennent! Qu'ils entrent! . . . Michel! Michel! Au secours! Michel! Michel! Michel! Michel! Michel! Michel! Michel! Michel! (*Elle hurle.*) Michel! Michel! Michel! Michel! Michel! Michel! Michel! Michel! Mik! Mik! Mik! Mik! Mik! . . .   40

Elle s'immobilise.

---

[36] *sale besogne:* dirty work

[37] plotted

GEORGES et LÉO, *pendant les cris d'Yvonne* — Yvonne, je t'en conjure. Couche-toi. Repose-toi. Tu vas te tuer. Tu vas te tuer de fatigue. Écoute-moi . . . Écoute-nous . . . aide-nous . . .

Léo a saisi un des oreillers tombés par terre pendant qu'Yvonne se débat. Elle veut lui soulever la tête, se redresse lentement, laisse tomber l'oreiller et regarde Georges.

GEORGES — C'est impossible . . .

Il se laisse glisser, la figure dans les draps et les châles.

Scène X

YVONNE, LÉO, GEORGES, MADELEINE, MICHEL

MICHEL, *il entre avec Madeleine, par le fond* — Impossible d'obtenir quoi que ce soit. Je descends . . .

LÉO — Inutile, Michel.

MICHEL — Fiche-moi la paix !

LÉO, *après un grand silence* — Ta mère est morte.

MICHEL — Quoi?   10

Il reste frappé de stupeur, avance vers le lit.

GEORGES — Mik, mon pauvre Mik . . .

MICHEL — Sophie . . .

Léo s'est écartée, seule, jusqu'à l'extrême gauche.

LÉO — Le voilà votre milieu. Vous donneriez n'importe quoi pour qu'Yvonne soit vivante . . . et pour la torturer après.

MICHEL, *dressé vers Léo* — Léo !

GEORGES — Michel ! Tu oublies que tu es chez ta mère.

MICHEL, *frappant du pied* — Il n'y a pas de mère. Sophie est une camarade. (*Il s'élance vers le lit.*) Maman, 20 dis-leur. Ne m'as-tu pas répété mille fois . . .

MADELEINE, *qui est restée clouée par ce spectacle* — Michel ! Tu es fou . . .

MICHEL — Dieu ! J'avais oublié . . . J'oublierai toujours. (*Il s'effondre, contre le lit.*) Jamais je ne comprendrai. Jamais.

On sonne dans le vestibule.

Léo traverse la scène et sort par le fond à droite. Madeleine met sa tête contre celle de Mik.

MADELEINE — Michel . . . Michel. Mon chéri . . .

LÉO, *elle rentre* — C'était la femme de ménage. Je lui ai dit qu'ici elle n'avait rien à faire, que tout était en ordre.

Rideau.

ACTE I

1. *On apprend tout de suite, à la p. 347, II 10, la cause de l'inquiétude d'Yvonne. Qu'est-ce que c'est? Ne vous semble-t-il pas que son inquiétude est un peu exagérée? D'après les indications données dans ces premières pages, décrivez le caractère d'Yvonne.*

2. *Au début de la Scène ii. (p. 347) Léo raisonne avec sa sœur. Analysez sa réplique: De deux choses l'une . . . Est-elle logique?*

3. *Dans cette même scène Yvonne, et surtout Léo, s'analysent et se décrivent. Trouvez les mots-clef, par exemple: enfant, in-cro-yable, grande personne.*

4. *Dans cette scène d'exposition, Cocteau établit le milieu dans lequel la pièce va évoluer. Quels sont les vices de ce milieu? A ce propos, considérez les rapports d'amitié et d'amour entre les membres de la famille.*

5. *Le style de cette pièce—est-il poétique, fleuri, imagé? ou concis, même quelquefois elliptique?*

6. *Malgré cette langue d'apparence si dépouillée on trouve des complexités et de temps en temps des métaphores. La réplique de Léo au bas de la p. 350, II (Le temps est élastique . . .) exprime, sous forme de métaphore, une notion psychologique assez subtile. Expliquez.*

7. *Au début de la Scène iv., Michel et sa mère s'expliquent et s'analysent. On parle encore de l'ordre et du désordre. Quel désordre y a-t-il dans les rapports entre Michel et sa mère?*

8. *A la page 354, I 10 Michel parle enfin de son amie. Commentez son choix de mots. Ménage-t-il sa mère? Essaye-t-il de dorer la pilule? Quelle naïveté montre-t-il par rapport à la jeune fille et à sa mère?*

9. *Les auteurs naturalistes se vantaient de montrer «une tranche de vie,» la vie telle qu'elle est. Est-ce bien une pièce naturaliste à cet égard?*

10. *A la page 353, II 22 Yvonne appelle Mik Assassin ! Assassin ! En quel sens cette épithète est-elle vraie?*

11. *Etudiez, aux pp. 356–357, les longues répliques de Léo. Trouvez les différents éléments dont ces répliques sont composées—par exemple, ex-*

position des événements passés, commentaire philosophique sur la situation familiale, expressions d'amour ou de haine, etc.

12. Le drame naturaliste est le plus souvent un drame domestique. Il se passe dans un salon ou une chambre à coucher banale ou nous voyons révélée la furie de la vie intime d'une famille bourgeoise. A cet égard considérez le symbole de la roulotte. Qu'est-ce qu'elle représente? Trouvez-vous que, comme symbole, la roulotte compromet une manière de présenter les chose qui est par ailleurs naturaliste? Y a-t-il d'autres symboles?

13. Dans la Scène vii a lieu le premier « déclenchement » de l'intrigue. Qu'est-ce que c'est?

14. Le drame naturaliste veut imiter la vie; donc il présente des situations probables. Est-ce que la situation que nous apprend Georges dans cette scène est « probable? » Discutez la notion de ce qui est probable et ce qui ne l'est pas.

15. Léo (p. 358, II 25) veut amener toute la famille chez la jeune fille. Quelles sont ses raisons de vouloir cette rencontre?

16. Considérez, à la page 359, II 23, la réplique de Georges: Pas en trois mois, Yvonne ... Quelle conception Georges a-t-il de l'amour?

17. Léo est le seul personnage qui, d'une façon continue, analyse et commente les actions des autres. Est-elle plus lucide parce que moins engagée que les autres?

Acte II

18. Comparez la chambre de Madeleine à la roulotte.

19. Madeleine dit aussi, à la p. 361, in-cro-yable. Quel est l'effet dramatique de cette prononciation?

20. Considérez la réplique de Madeleine, à la p. 361, II 16: A l'extérieur tu n'es pas sale ... etc. Quel thème est repris ici?

21. A la p. 361, II 36 et sq. Michel décrit sa maison. Quels sont les mots–clef de cette description?

22. Le salon de Madeleine et la roulotte représen-

tent, symboliquement, deux formes d'amour. Acceptez-vous cette attribution? pouvez-vous l'expliquer?

23. Quels sont les traits dominants du caractère de Mik? Est-ce vrai que sa naïveté rend toute cette intrigue possible? Expliquez.

24. L'amour est le ressort principal de la pièce dite du boulevard. Quelles sont les deux genres d'amour que Madeleine essaye d'expliquer à Mik (p. 363, II 24)? Comprend-t-il facilement cette nuance?

25. A la p. 364, I 45 Mik dit de sa tante: Elle critique notre désordre, mais, au fond, elle ne pourrait pas se passer de lui. Est-ce vrai? En quel sens?

26. Comparez l'ordre de Léo à celui de Madeleine.

27. Les extraits de BRITANNICUS et LORENZACCIO sont-ils choisis exprès pour suggérer l'action qui va suivre?

28. La Scène viii. débute par un coup de théâtre, ce qu'on appelait autrefois la scène à faire, c'est-à-dire la scène en vue de laquelle toute la pièce est écrite. Expliquez.

29. Dans son monologue de la p. 368, I 11, Georges développe une longue comparaison. Quelle est cette comparaison?

30. La comparaison sert à rendre cette rencontre plus probable. Est-ce que l'auteur a tort de souligner précisément le fait que l'action de sa pièce repose sur une donnée peu vraisemblable?

31. Dans le drame naturaliste, les caractères sont posés a priori sur des postulats qui ne changent pas. Est-ce vrai de Georges et de Madeleine?

32. A la p. 370, II 17, Georges emploie le terme milieu. Quelle critique est faite du milieu bourgeois implicitement par l'auteur et explicitement par Madeleine?

33. Tous ces personnages sont-ils victimes de leur milieu?

34. Tous les personnages dans cette pièce doivent souffrir tour à tour. Pourquoi la souffrance de Michel semble-t-elle plus injuste que celle des autres?

35. A la p. 374 I 15, Léo dit à Madeleine: Toujours est-il que je passe dans votre camp. Quelle raison

donne-t-elle pour ce changement? Ce changement est-il justifié?

ACTE III

36. *L'Acte II se termine par un problème et la
    promesse d'une résolution (dans le change-
    ment inattendu de Léo). A quoi peut-on donc
    s'attendre dans ce dernier acte?*

37. *A la p. 375, l 30, Georges nous fait voir le
    désordre d'Yvonne. Expliquez.*

38. *Est-ce que le changement de Georges est plus
    ou moins probable que celui de Léo? Comment
    l'explique-t-on?*

39. *Dans le drame naturaliste les personnages
    sont conçus comme étant en grande partie
    déterminés par leur milieu. Comment ce fait
    rendrait-il difficile et même invraisemblable
    l'évolution des personnages? Est-ce vrai de
    cette pièce?*

40. *Décrivez la souffrance de Michel. Elle dépasse
    celle des autres personnages. Pourquoi?*

41. *Yvonne parle de profiter de nos chances et elle
    dit J'ai retrouvé Mik, je ne veux pas le reperdre.
    Quels sont les défauts de son amour pour son
    fils?*

42. *La Scène v. nous fait comprendre enfin le
    véritable sens du titre Les Parents Terribles.
    Expliquez.*

43. *Michel vient manger du sucre chez sa mère.
    Quel est l'effet de ce petit détail? Comment
    rend-il Michel encore plus touchant?*

44. *Quel est le troisième déclenchement qui ter-
    mine la pièce? Quel était, dans le second acte,
    le deuxième?*

45. *Etant données l'enfance et l'éducation de Mik,
    qu'attendre de son mariage avec Madeleine?*

L'Alouette

JEAN ANOUILH (1910–   )

*Logic may be said to govern all of the preced-
ing plays, whether in the form of the classical*
stringencies observed by Racine and Molière or
the naturalistic rigors of race, milieu, et moment*
exemplified by Les Parents terribles. But the chief
motive behind L'Alouette is a conscious rejection
of the logical approach to dramatic action. This
rejection is seen most clearly in the unusual time
sequence with its multiple use of flashbacks.

However, Anouilh has experimented in other
ways. The trial, contrary to historical fact, is
presented as a serious affair rather than the
travesty of justice it actually was. Anouilh presents
in all honesty not only Jeanne's, but the judges'
side of the case, for they, too, are on trial in the
court of Anouilh's play.

If Anouilh has changed the character of the
trial and, to a lesser degree, the facts of history, he
has also changed the character of Jeanne. In his
introduction to the program of the first production
of the play, the dramatist says he is not interested
in presenting Jeanne as she really was: a big,
healthy country girl. His Jeanne is going to be
weary, undernourished and haggard. Instead of
the religious exaltation of the legendary saint,
Jeanne exemplifies a kind of humanistic enthu-
siasm. Anouilh's play, particularly in its curious
dénouement, celebrates human experience and
human goodness rather than the mysterious and
paradoxical goodness of God.

But the logic of history and legend can be
disregarded only for the sake of something else.
Anouilh's dramaturgy is, in fact, governed by
another kind of convention, one which has made
the avant-garde theatre of revision and experiment
possible. It may be stated generally: the author
can do what he likes as long as he makes an
acceptable point. Ultimately, of course, it is the
audience who say what is and what is not acceptable
and whether the experimentation was justified.

Anouilh's point seems to be that we must
constantly rethink history, judge its great figures

---

* These terms, from the critical vocabulary of H. Taine
(1828–1893), suggest the forces which shape character
according to a deterministic philosophy

for our own time, extract from them a meaning valid for us. We may contend that this is the lesson of any play which treats an historical or legendary figure. True, but we should note how Anouilh's very dramaturgy enforces this lesson so much more emphatically than a conventional treatment would. Instead of ending with the logical conclusion to Jeanne's story—her death by fire or, possibly, her canonisation centuries later—Anouilh ends, in medias res, with the high point of Jeanne's career: her crowning of the Dauphin. "Thereby the audience is furnished with a perspective on the event simultaneously with the event itself."*

Within that perspective, Anouilh leaves us with a new image of Jeanne: a conquering heroine rather than a beleaguered martyr. The dramatist deliberately refuses his heroine that "ironic" victory which belongs to every saint: heavenly reward. Subtly and paradoxically, Anouilh uses the sophisticated devices of the experimental theatre to present us with a franker and more naive Jeanne than history and art have heretofore given us. His heroine thus transcends the narrow truth of history in order to give us what Aristotle called the "more philosophical and higher" truth of poetry.

The values which this fictional Jeanne stands for are not too different from those represented by Cocteau's Madeleine and Molière's Agnes. However, if the three heroines represent a stereotype, each is shown in a different light. Each play suggests different conclusions about the type. Molière's heroine is a wonderful and mysterious combination of innocence and ruse, and as such may in some eyes represent something rather specifically feminine. But Cocteau and Anouilh are concerned with such humanistic and not necessarily feminine virtues as intensity of feeling and emotional honesty. Yet there is an important difference here, too. The fluid and open dramaturgy of Anouilh suggests what he considers an im-

portant lesson to be learned from Jeanne d'Arc for men as well as women: that man can free himself from the molding circumstances of his life and rise above them. Cocteau's tight mechanical plot offers no such hope. Michel and Madeleine are saved by Léonie, but the very données of character as well as the circular plot suggest that they in turn will become the parents terribles of another Michel and Madeleine. The very title of Cocteau's play suggests the negative, restrictive forces of life in contrast to the lyrical, expansive, and hopeful title of Anouilh's L'Alouette.

If there is a similarity of basic outlook from Molière to Anouilh or from Racine to Cocteau, there are significant dramatic and formal qualities distinguishing one member of the group from the other. Each writer comes to a truth about the human condition in his own way.

This is the point at which you must look for a new approach. In the further study of literature you should constantly ask yourself: what is the usefulness of the critical terms and concepts I am using? Just how inclusive is a definition, a category? You should learn to expect more from direct and immediate contact with the text and less from any critical scaffolding, however useful. The true critic is a critic not only of poems or plays, but of criticism itself.

PERSONNAGES

JEANNE

CAUCHON
L'INQUISITEUR
LE PROMOTEUR
FRÈRE LADVENU

LE COMTE DE WARWICK

CHARLES
LA REINE YOLANDE
LA PETITE REINE
AGNÈS
L'ARCHEVÊQUE

* L'Alouette, edited by Thomas and Lee (New York, Appleton-Century-Crofts, Inc., 1957), p. 15

LA TRÉMOUILLE
BEAUDRICOURT
LA HIRE

LE PÈRE
LA MÈRE
LE FRÈRE

LE BOURREAU
LE GARDE BOUDOUSSE
LE SOLDAT ANGLAIS
LE SECOND SOLDAT ANGLAIS
LE PAGE DU ROI

*Un décor neutre, des bancs pour le tribunal, un
tabouret[1] pour* JEANNE, *un trône, des fagots.*
*La scène est d'abord vide, puis les personnages entrent
par petits groupes.*
*Les costumes sont vaguement médiévaux, mais au-
cune recherche de forme ou de couleur;* JEANNE
*est habillée en homme, une sorte de survêtement
d'athlète, d'un bout à l'autre de la pièce.*
*En entrant, les personnages décrochent leurs casques
ou certains de leurs accessoires qui avaient été
laissés sur scène à la fin de la précédente resprésen-
tation, ils s'installent sur les bancs dont ils rectifient
l'ordonnance.* LA MÈRE *se met à tricoter dans un
coin. Elle tricotera pendant toute la pièce, sauf
quand c'est à elle.*
Les derniers qui entrent sont CAUCHON *et* WARWICK.

WARWICK (*il est très jeune, très charmant, très élégant,
très racé*)[2] Nous sommes tous là? Bon. Alors le
procès, tout de suite. Plus vite elle sera jugée et brûlée,
mieux cela sera. Pour tout le monde.
CAUCHON — Mais, Monseigneur, il y a toute l'histoire
à jouer. Domrémy, les Voix, Vaucouleurs, Chinon,
le Sacre . . .
WARWICK — Mascarades! Cela, c'est l'histoire pour les
enfants. La belle armure blanche, l'étendard, la
tendre et dure vierge guerrière, c'est comme cela
qu'on lui fera ses statues, plus tard, pour les néces- 10
sités d'une autre politique. Il n'est même pas exclu
que nous lui en élevions une à Londres. J'ai l'air de
plaisanter, Monseigneur, mais les intérêts profonds
du Gouvernement de Sa Majesté peuvent être tels,
dans quelques siècles . . . Pour l'instant, moi, je suis

Beauchamp, comte de Warwick; je tiens ma petite
sorcière crasseuse[3] sur une litière de paille au fond
de ma prison de Rouen, ma petite empêcheuse de
danser en rond, ma petite peste — je l'ai payée assez
cher . . .
(Si j'avais pu l'acheter directement à ce Jean de Ligny
qui l'a capturée, je l'aurais eue à un prix raisonnable.
C'est un homme qui a besoin d'argent. Mais il a fallu
que je passe par le duc de Bourgogne. Il avait été sur
l'affaire avant nous, il savait que nous en avions 10
envie et, lui, il n'avait pas besoin d'argent. Il nous l'a
durement fait sentir.)
Mais le Gouvernement de Sa Majesté a toujours su
payer le prix qu'il fallait pour obtenir quelque chose
sur le continent. Elle nous aura coûté cher, la France!
. . . Enfin, je l'ai ma pucelle . . .
Il touche JEANNE *accroupie dans son coin du bout de
son stick.*
C'est d'un coût exorbitant pour ce que c'est, mais je
l'ai. Je la juge et je la brûle.
CAUCHON — Pas tout de suite. Elle a toute sa vie à jouer
avant. Sa courte vie. Cette petite flamme à l'éclat 20
insoutenable — tôt éteinte. Ce ne sera pas bien long,
Monseigneur.
WARWICK (*va s'asseoir dans un coin, résigné*) — Puis-
que vous y tenez. Un Anglais sait toujours attendre.
Il demande inquiet.
Vous n'allez pas vous amuser à refaire toutes les
batailles tout de même? Orléans, Patay, Beaugency
. . . ce serait extrêmement désagréable pour moi.
CAUCHON (*sourit*) — Rassurez-vous, Monseigneur, nous
ne sommes pas assez nombreux pour jouer les
batailles . . .   30
WARWICK — Bien.
CAUCHON (*se retourne vers* JEANNE) — Jeanne?
Elle lève les yeux sur lui.
Tu peux commencer.
JEANNE — Je peux commencer où je veux?
CAUCHON — Oui.
JEANNE — Alors au commencement. C'est toujours ce
qu'il y a de plus beau, les commencements. A la
maison de mon père quand je suis encore petite.
Dans le champ où je garde le troupeau, la première
fois que j'entends les Voix.   40
*Elle est restée accroupie à la même place, les person-
nages qui n'ont rien à voir avec cette scène
s'éloignent dans l'ombre. Seuls s'avancent*
LE PÈRE, LA MÈRE, LE FRÈRE *de* JEANNE *qui auront à
intervenir.* LA MÈRE *tricote toujours.*
C'est après l'Angélus du soir. Je suis toute petite. J'ai

[1] stool
[2] aristocratic

[3] dirty

encore ma tresse.[4] Je ne pense à rien. Dieu est bon, qui me garde toute pure et heureuse près de ma mère, de mon père, et de mes frères dans cette petite enclave épargnée[5] brûlent, pillent et violent dans le pays. Mon gros chien est venu mettre son nez contre ma jupe . . . Tout le monde est bon et fort autour de moi, et me protège. Comme c'est simple d'être une petite fille heureuse ! . . . Et puis soudain, c'est comme si quelqu'un me touchait l'épaule derrière moi, et pourtant je sais bien que personne ne m'a touchée, et la voix dit . . .   10

QUELQU'UN (*demande soudain au fond*) — Qui fera les voix?

JEANNE (*comme si c'était évident*) — Moi, bien sûr.

Elle continue.

Je me suis retournée, il y avait une grande et éblouissante lumière du côté de l'ombre, derrière moi. La voix était douce et grave et je ne la connaissais pas; elle dit seulement ce jour-là:

— Jeanne, sois bonne et sage enfant, va souvent à   20
l'église.

J'étais bonne et sage et j'allais souvent à l'église. Je n'ai pas compris, j'ai eu très peur et je me suis sauvée en courant.

Un silence, elle rêve un peu, elle ajoute:

Je suis revenue un peu après, avec mon frère, chercher le troupeau que j'avais laissé. Le soleil s'était couché et il n'y avait plus de lumière.

Alors il y a eu la seconde fois. C'était l'Angélus de midi. Une lumière encore, mais en plein soleil et plus forte que le soleil. Je l'ai vu, cette fois!   30

CAUCHON — Qui?

JEANNE — Un prud'homme[6] avec une belle robe bien repassée[7] et deux grandes ailes toutes blanches. Il ne m'a pas dit son nom ce jour-là, mais plus tard j'ai appris que c'était Monseigneur saint Michel.

WARWICK (*agacé, à* CAUCHON) — Est-il absolument nécessaire de lui laisser raconter encore une fois ces niaiseries?[8]

CAUCHON (*ferme*) — Absolument nécessaire, Monseigneur.   40

WARWICK *se remet dans son coin en silence, il respire une rose qu'il tient à la main.*

JEANNE (*avec la grosse voix de l'Archange*) — Jeanne, va au secours du roi de France et tu lui rendras son royaume.

Elle répond:

— Mais, Messire, je ne suis qu'une pauvre fille, je ne saurais chevaucher,[9] ni conduire des hommes d'armes . . .

— Tu iras trouver Monsieur de Beaudricourt, capitaine de Vaucouleurs . . .

BEAUDRICOURT *se redresse dans la foule et se glisse au premier rang, faisant signe aux autres que ça va être à lui — quelqu'un le retient, ce n'est pas encore à lui.*

. . . il te donnera des habits d'homme et il te fera mener au dauphin.[10] Sainte Catherine et sainte Marguerite viendront t'assister.

Elle s'écroule soudain sanglotante, épouvantée.

— Pitié! Pitié, Messire! Je suis une petite fille, je suis heureuse. Je n'ai rien dont je sois responsable, que   10
mes moutons . . . Le royaume de France c'est trop pour moi. Il faut considérer que je suis petite et ignorante et pas forte du tout. C'est trop lourd, Messire, la France! Il y a des grands capitaines autour du roi qui sont forts et qui ont l'habitude . . . Et puis eux, ça ne les empêche pas de dormir quand ils perdent une bataille. Ils disent qu'il y a eu une préparation d'artillerie insuffisante, qu'ils n'ont pas été secondés, qu'ils ont eu la neige ou le vent contre eux et tous les hommes morts, ils les rayent tout   20
simplement sur leurs listes. Moi je vais y penser tout le temps si je fais tuer des hommes . . . Pitié, Messire!
. . .

Elle se redresse et d'un autre ton.

Ah, ouiche! Pas de pitié. Il était déjà parti et moi j'avais la France sur le dos.

Elle ajoute simplement.

Sans compter le travail à la ferme et mon père qui ne badinait pas.

LE PÈRE, *qui tournait en rond autour de* LA MÈRE, *explose soudain.*

LE PÈRE — Qu'est-ce qu'elle fout?[11]

LA MÈRE (*toujours tricotant*) — Elle est aux champs.

LE PÈRE — Moi aussi, j'étais aux champs et je suis rentré. Il est six heures. Qu'est-ce qu'elle fout?   30

LE FRÈRE (*s'arrêtant un instant de se décrotter le nez*) — La Jeanne? Elle rêve auprès de l'Arbre aux Fées. Je l'ai vue en rentrant le taureau.

LE PROMOTEUR (*aux autres au fond*) — L'Arbre aux Fées! Je vous prie de noter, Messieurs. Superstition. Sorcellerie déjà en herbe! L'Arbre aux Fées![12]

---

[4] braid
[5] popular nickname for the English [goddams]
[6] good man
[7] ironed
[8] stupidities

[9] ride horseback
[10] the uncrowned king
[11] What the hell is she up to?
[12] *L'Arbre . . . Fées:* the enchanted tree [allusion to a common superstition]

CAUCHON — Il y en a partout en France, Messire Promoteur, des arbres aux Fées. Il nous faut laisser quelques
fées aux petites filles, dans notre propre intérêt.

LE PROMOTEUR (*pincé*) — Nous avons nos saintes, cela
doit leur suffire !

CAUCHON (*conciliant*). Plus tard, certainement. Mais
quand elles sont encore toutes petites . . . Jeanne
n'avait pas quinze ans.

LE PROMOTEUR — A quinze ans une fille est une fille. Ces
garces savent déjà tout !   10

CAUCHON — Jeanne était très pure et très simple, alors.
Vous savez que je ne l'épargnerai guère sur ses Voix,
au cours de ce procès, mais j'entends lui passer ses
fées de petite fille . . .

Il ajoute ferme.

Et c'est moi qui préside ces débats.

LE PROMOTEUR *s'incline haineux et se tait.*

LE PÈRE (*explose à nouveau*). Et qu'est-ce qu'elle fait
près de l'Arbre aux Fées ?

LE FRÈRE — Allez le savoir avec elle ! Elle regarde droit
devant elle. Elle rêve comme si elle attendait quelque
chose, ce n'est pas la première fois que je la vois.   20

LE PÈRE (*le secoue*) — Pourquoi ne me l'as-tu pas dit,
petit malheureux? Tu y crois encore aux filles qui
rêvent, à ton âge, grand dadais?[13] Elle attend quelqu'un, oui, pas quelque chose! Je vous dis qu'elle a
un amoureux, la Jeanne. Donnez-moi ma trique![14]

LA MÈRE (*doucement, tricotant toujours*) — Mais, papa,
tu sais bien que Jeanne est pure comme l'enfant !

LE PÈRE — Les filles, c'est pur comme l'enfant, ça vous
tend leur front pour le baiser du soir avec des yeux
bien clairs où on peut lire jusqu'au fond, une dernière 30
fois un soir. Et puis crac! le lendemain matin — on
les a pourtant enfermées à clef — on ne sait pas ce
qui s'est passé, on ne peut plus rien y lire du tout,
dans leurs yeux, ils vous fuient et elles vous mentent !
C'est devenu le diable.

LE PROMOTEUR (*lève un doigt*) — Le mot est prononcé,
Messires, et par son père !

LA MÈRE — Comment le sais-tu, toi? Jeanne était pure
ce matin encore quand elle est partie aux champs et
moi quand tu m'as prise chez mon père j'étais 40
pure . . . Comment étaient donc mes yeux le lendemain?

LE PÈRE (*grommelle*) — Pareils. Là, n'est pas la question.

LA MÈRE — C'est donc que tu as connu d'autres filles,
bonhomme? Tu ne me l'avais jamais dit, ça !

LE PÈRE (*tonne pour masquer sa gêne*) — Je te dis qu'il
n'est pas question de toi, ni d'autres filles, mais de

Jeanne ! Donne-moi ma trique. Je vais la chercher,
moi. Et si elle a un rendez-vous, je les assomme, tous
les deux.

JEANNE (*sourit doucement*) — Oui, j'avais un rendez-
vous mais mon amoureux avait deux grandes ailes
blanches, une belle robe bien repassée et de sa voix
grave il répétait :

— «Jeanne ! Jeanne ! Qu'attends-tu? Il y a grand-pitié
au royaume de France.

— « J'ai peur, Messire, je ne suis qu'une pauvre fille; 10
vous vous êtes sûrement trompé.

— « Est-ce que Dieu se trompe, Jeanne? »

Elle se retourne vers les juges.

Je ne pouvais tout de même pas lui répondre oui?

LE PROMOTEUR (*hausse les épaules*) — Il fallait faire ton
signe de croix !

JEANNE — Je l'ai fait et l'Archange avec moi en me
regardant bien dans les yeux pendant que la cloche
sonnait.

LE PROMOTEUR — Il faillait lui crier: « Vade retro Satana ! »[15]   20

JEANNE — Je ne sais pas le latin, Messire.

LE PROMOTEUR — Ne fais pas l'idiote ! Le diable comprend le français. Il fallait lui crier: « Va-t'en, sale
diable puant, ne me tente pas davantage ! »

JEANNE (*crie*) — Mais c'était saint Michel, Messire !

LE PROMOTEUR (*ricane*) — Qu'il t'a dit, petite dinde ![16]
Et tu l'as cru?

JEANNE — Bien sûr. D'abord, ça ne pouvait pas être le
diable, il était si beau.

LE PROMOTEUR (*proclame dressé, hors de lui*) — Juste- 30
ment ! Le diable est beau !

JEANNE (*scandalisée*) — Oh, Messire !

CAUCHON (*apaise LE PROMOTEUR d'un geste*) — Je crains,
Messire Promoteur, que ces subtilités théologiques —
qui peuvent être matière à discussion entre clercs
— dépassent l'entendement de cette pauvre fille. Vous
la scandalisez inutilement.

JEANNE (*s'est dressée aussi, elle crie au PROMOTEUR*) —
Tu as menti, Chanoine ! Je ne suis pas si savante que
toi, mais je sais moi que le diable est laid et que tout
ce qui est beau est l'œuvre de Dieu.   40

LE PROMOTEUR (*ricane*) — Ce serait trop facile !

Il ajoute :

Et trop bête ! Crois-tu donc que le diable est bête? Il est
mille fois plus intelligent que toi et moi réunis. Quand
il veut tenter une âme, tu crois qu'il se présente à elle
comme un chat au derrière empuanti, comme un
chameau d'Arabie, comme une licorne épouvan-

---

[13] booby
[14] club

[15] *Vade . . . Satana:* Get thee behind me, Satan !
[Notice the way the Prosecutor himself translates the phrase
in his next speech]
[16] turkey-hen [here] —: you little ninny !

table?¹⁷ Dans les contes pour enfants peut-être ! . . .
En réalité le diable choisit la nuit la plus douce, la
plus lumineuse, la plus embaumée, la plus trompeuse
de l'année . . . Il prend les traits d'une belle fille toute
nue, les seins dressés, insupportablement belle . . .

CAUCHON (*l'arrête sévère*) — Chanoine ! Vous vous
égarez. Vous voilà bien loin du diable de Jeanne si
elle en a vu un. Je vous en prie, ne mélangeons pas
les diables de chacun.¹⁸

LE PROMOTEUR (*se reprend, confus, au milieu des sou-*
rires des autres) — Je m'excuse, Monseigneur, mais 10
il n'y a qu'un diable.

CAUCHON — D'ailleurs, nous n'en sommes pas au procès.
Nous l'interrogerons tout à l'heure. Continue,
Jeanne.

JEANNE (*est restée interdite, elle dit encore*) — Alors si
le diable est beau, comment peut-on savoir que c'est
le diable?

LE PROMOTEUR — En le demandant à ton curé.

JEANNE — On ne peut pas le savoir tout seul?

LE PROMOTEUR — Non. C'est pourquoi il n'y a pas de 20
salut hors l'Église.

JEANNE — On n'a pas toujours son curé avec soi, sauf
les riches. C'est difficile pour les pauvres.

LE PROMOTEUR — C'est difficile pour tout le monde de
ne pas être damné.

CAUCHON — Laissez-la, Messire Promoteur, laissez-la
parler avec ses Voix, tranquillement. C'est le commencement de l'histoire. Personne ne peut les lui
reprocher encore.

JEANNE (*continue*) — Et puis une autre fois c'est sainte 30
Marguerite et sainte Catherine qui sont venues . . .

Elle se retourne avec un peu de défi dé espiègle vers
LE PROMOTEUR *et lui lance:*

Et elles étaient belles, elles aussi !

LE PROMOTEUR (*ne peut s'empêcher de lancer, soudain*
tout rouge) — Étaient-elles toutes nues?

JEANNE (*sourit*) — Oh, Messire ! Croyez-vous que Notre-
Seigneur n'ait pas les moyens de payer des robes à ses
saintes?

Il y a des petits rires à cette réponse et LE PROMOTEUR
se rassoit confus.

CAUCHON — Vous nous faites tous sourire, vous voyez,
Messire Promoteur, avec vos questions. Abstenez-
vous dorénavant d'intervenir tant que nous n'abor-
derons pas le fond du débat. Et surtout, n'oubliez 40

pas que dans cette histoire, même en la jugeant —
surtout en la jugeant — nous avons la charge de cette
âme qui est dans ce petit corps frêle et insolent . . .
Quelle confusion risquez-vous de jeter dans cette
jeune cervelle en lui insinuant que le bien et le mal
ce n'est qu'une question de vêtements? Nos saints
sont généralement vêtus, dans leur représentation
habituelle, je vous l'accorde. Mais . . .

JEANNE (*lance au* PROMOTEUR) — Notre-Seigneur est
bien nu sur la croix !   10

CAUCHON (*se retourne vers elle*) — Tu as dit ce que
j'allais dire, Jeanne, en me coupant la parole d'ailleurs ! Mais ce n'est pas à toi à reprendre le vénérable
Chanoine. Tu oublies qui tu es et qui nous sommes.
Tes pasteurs, tes maîtres, et tes juges. Garde-toi de
ton orgueil, Jeanne, si le démon un jour peut
t'atteindre, c'est de lui qu'il se servira.

JEANNE (*doucement*) — Je sais que je suis orgueilleuse . . .
Mais je suis une fille de Dieu. S'Il ne voulait pas que
je fusse orgueilleuse, pourquoi m'a-t-Il envoyé Son 20
Archange flamboyant et Ses Saintes vêtues de
lumière? Pourquoi m'a-t-Il promis de convaincre tous
ces hommes que j'ai convaincus — et d'aussi savants,
d'aussi sages que vous, — d'avoir une belle armure
blanche, don de mon roi, une fière épée et de conduire tous ces vaillants garçons au milieu de la
mitraille,¹⁹ toute droite sur mon cheval? Il n'avait
qu'à me laisser à garder mes moutons et à filer près
de ma mère, je ne serais jamais devenue orgueil-
leuse . . .   30

CAUCHON — Pèse tes paroles, Jeanne, pèse tes pensées !
Tu accuses ton Seigneur maintenant.

JEANNE (*se signe*) — Qu'Il m'en garde ! Je dis que Sa
Volonté soit faite même s'Il a voulu me rendre
orgueilleuse et me damner. C'est aussi Son droit.

LE PROMOTEUR (*ne peut plus se retenir*) — Épouvantable ! Ce qu'elle dit est épouvantable ! Dieu peut-il
vouloir damner une âme? Et vous l'écoutez sans
frémir, Messires? Je vois là le germe d'une affreuse
hérésie qui déchirera un jour l'Église . . .   40

L'INQUISITEUR *s'est levé. C'est un homme à l'air in-*
telligent, maigre et dur et qui parle avec une grande
douceur.

L'INQUISITEUR — Écoute bien ce que je vais te demander,
Jeanne. Te crois-tu en état de grâce en ce moment?

JEANNE (*toute claire, demande*) — A quel moment,
Messire? On ne sait plus où on en est. On mélange
tout. Au commencement quand j'entends mes Voix
ou à la fin du procès quand j'ai compris que mon roi
et mes compagnons aussi m'abandonnaient, quand

---

¹⁷ *comme un chat . . . épouvantable:* like a cat with a
stinking backside, like an Arabian camel, like a frightening
unicorn

¹⁸ *ne . . . chacun:* let's not mix up everybody's private
devils

¹⁹ shooting

j'ai douté, quand j'ai abjuré et que je me suis reprise?[20]

L'INQUISITEUR — N'élude pas ma question. Te crois-tu en état de grâce?

Il y a un silence chez tous les prêtres qui la regardent avidement; ce doit être une question dangereuse.

LADVENU (*se lève*) — Messire Inquisiteur, c'est une question redoutable pour une simple fille qui croit sincèrement que Dieu l'a distinguée. Je demande que sa réponse ne soit pas portée contre elle, elle risque inconsidérément . . .

L'INQUISITEUR — Silence, Frère Ladvenu! Je demande ce que je juge bon de demander. Qu'elle réponde à ma question. Te crois-tu en état de grâce, Jeanne? 10

JEANNE — Si je n'y suis, Dieu veuille m'y mettre; si j'y suis, Dieu veuille m'y tenir.

Murmure des prêtres. L'INQUISITEUR *se rassoit impénétrable.* LADVENU *lance gentiment.*

LADVENU — Bien répondu, Jeanne!

LE PROMOTEUR (*grommelle, vexé du succès de* JEANNE) — Et après? Le diable est habile, ou il ne serait pas le diable. Et vous pensez qu'on lui a déjà posé la question. Je le connais. Il a ses réponses toutes prêtes.

WARWICK (*qui s'ennuie, soudain à* CAUCHON) — Monseigneur, tout cela est sans doute très intéressant, quoique je m'y perde un peu moi aussi, comme cette jeune fille. Mais si nous allons de ce train, nous 20 n'arriverons jamais au procès. Nous ne la brûlerons jamais. Qu'elle la joue, sa petite histoire, puisqu'il paraît que c'est nécessaire, mais vite. Et qu'on en arrive à l'essentiel. Le Gouvernement de Sa Majesté a le plus urgent besoin de déconsidérer ce petit pouilleux[21] de roi Charles; de proclamer à la face du monde chrétien que son sacre ne fut qu'une mascarade, conduite par une sorcière, une hérétique, une aventurière, une fille à soldats . . .

CAUCHON — Monseigneur, nous ne la jugeons que com- 30 me hérétique . . .

WARWICK — Je le sais, mais moi, je suis obligé d'en remettre, pour mes troupes. Je crains que les attendus de votre jugement ne soient un peu trop distingués pour mes soldats. La propagande est une chose sommaire, Seigneur Évêque, apprenez-le. L'essentiel est de dire quelque chose de très gros et de le répéter souvent, c'est comme cela qu'on fait une vérité. Je vous dis là une idée neuve, mais je suis persuadé qu'elle fera son chemin . . . Pour moi, il est urgent de 40 faire une rien du tout de cette fille . . . Qui qu'elle soit. Et ce qu'elle est, en réalité, n'a aucune espèce d'importance aux yeux du Gouvernement de Sa

Majesté. Personnellement, je ne vous cacherai même pas qu'elle m'est plutôt sympathique avec sa façon de vous clouer le bec à tous[22] et je trouve qu'elle monte bien, ce qui est rare pour une femme . . . C'est une fille avec qui, en d'autres circonstances et si elle eût été de mon monde, j'aurais eu plaisir à chasser le renard. Malheureusement, il y a eu ce sacre insolent dont, la première, elle a eu l'idée . . . Enfin, Monseigneur, quelle impudence! Aller se faire sacrer roi de France à notre barbe,[23] un Valois? Venir nous 10 faire ça à Reims, chez nous? Oser nous retirer la France de la bouche, piller impunément le patrimoine anglais? Fort heureusement Dieu est avec le droit anglais. Il l'a prouvé à Azincourt. Dieu et notre droit. Ce sont deux notions maintenant tout à fait confondues. D'ailleurs, c'est écrit sur nos armes. Alors dépêchez-vous de lui faire raconter sa petite affaire et brûlez-la, qu'on n'en parle plus. Je plaisantais tout à l'heure: dans dix ans tout le monde aura oublié cette histoire. 20

CAUCHON (*soupire*) — Dieu le veuille, Monseigneur!

WARWICK — Où en était-on?

LE PÈRE (*s'avance avec sa trique*) — On en était au moment où je la retrouve, rêvassant à Dieu sait qui, sous son Arbre aux Fées, la petite garce. Et ça va barder,[24] je vous le jure!

Il se précipite vers JEANNE *et la relève brutalement par le poignet.*

Qu'est-ce que tu fais là? Dis? Tu vas me répondre qu'est-ce que tu fais là, que la soupe est servie et que ta mère s'inquiète?

JEANNE (*balbutie, honteuse d'être surprise, la main levée pour protéger son visage comme une petite fille.*) — Je ne savais pas qu'il était si tard. J'ai perdu la 30 notion de l'heure.

LE PÈRE (*la secoue, hurlant*) — Ah! tu ne savais pas qu'il était si tard, petite teigne?[25] Ah! tu perds la notion de l'heure maintenant? Dieu veuille que tu n'aies pas perdu autre chose que tu n'oses pas dire! . . .

Il la secoue abominablement.

Qui te l'a fait perdre dis, qui te l'a fait perdre la notion de l'heure, dévergondée?[26] Quand je suis arrivé, tu parlais, tu criais au revoir à quelqu'un. A quelqu'un que j'ai raté cette fois; je ne sais pas où il s'est sauvé le bougre,[27] mais il ne perd rien pour attendre, ce

---

[20] recovered
[21] lousy

[22] *vous . . . tous:* shut you all up
[23] *à . . . barbe:* under our very noses
[24] *Et . . . barder:* And there'll be hell to pay!
[25] pest
[26] shameless thing
[27] brute

voyou-là !²⁸ Avec qui parlais-tu ? Réponds ! ou je te bats comme plâtre . . .²⁹

JEANNE — Avec saint Michel.

LE PÈRE (*lui envoie une formidable gifle*) — Tiens ! Ça t'apprendra à te moquer de ton père ! Ah ! tu as rendez-vous avec saint Michel, petite coureuse ? Ah ! tu restes le soir à lui parler sous les arbres pendant que toute ta famille s'inquiète et t'attend, mauvaise fille ? Ah ! tu veux commencer déjà le sabbat, comme les autres, au lieu d'aider ton père et ta mère et de te 10 marier avec le garçon sérieux qu'ils t'auront choisi ? Hé bien ! ton prétendu saint Michel, je lui mettrai ma fourche dans le ventre, moi, et je te noierai de mes propres mains comme une sale chatte en chaleur que tu es !

JEANNE (*répondant calmement à l'orage d'insultes*) — Je n'ai rien fait de mal, mon père, et c'est vraiment Monseigneur saint Michel qui me parlait.

LE PÈRE — Et quand tu nous reviendras le ventre gonflé, ayant déshonoré le nom de ton père, tué ta mère de douleur, et forcé tes frères à s'engager dans l'armée 20 pour fuir la honte au village — ce sera le Saint-Esprit, peut-être, qui aura fait le coup ! Je vais le dire au curé que, non contente de courir, tu blasphèmes. On te jettera, au pain et à l'eau, à moisir dans un cul de couvent !

JEANNE (*s'agenouille devant lui*) — Mon père, cessez de crier, vous ne pouvez pas m'entendre. Je vous jure par Notre-Seigneur que je dis vrai. Voilà déjà long-temps qu'ils viennent me voir et me demandent. C'est toujours à l'angélus de midi ou à l'angélus du 30 soir ; c'est toujours quand je suis en prières, quand je suis la plus pure et la plus près de Dieu. Et cela ne peut pas ne pas être vrai. Saint Michel m'apparaît ; et sainte Marguerite et sainte Catherine. Ils me parlent, ils me répondent quand je les questionne et ils disent tous les trois pareil.

LE PÈRE (*la houspillant*) — Pourquoi te parlerait-il saint Michel ? pauvre idiote. Est-ce qu'il me parle, à moi, qui suis ton père ? S'il avait quelque chose à nous dire, il me semble que c'est à moi, qui suis le chef de 40 famille, qu'il se serait adressé. Est-ce qu'il parle à notre curé ?

JEANNE — Père, père, au lieu de cogner³⁰ et de crier, es-sayez une fois de me comprendre. Je suis si seule, si petite et c'est si lourd. Voilà trois ans que je résiste, trois ans qu'ils me disent toujours pareil. Je n'en

peux plus de lutter toute seule avec ces voix que j'entends. Il va falloir que je le fasse maintenant.

LE PÈRE (*explose*) — Tu entends des voix maintenant ? C'est un comble !³¹ Ma fille entend des voix ! J'aurai travaillé pendant quarante ans, je me serai tué à élever chrétiennement mes enfants pour avoir une fille qui entend des voix !

JEANNE — Il va falloir maintenant que je leur dise oui, elles disent que cela ne peut plus attendre.

LE PÈRE — Qu'est-ce qui ne peut plus attendre, imbécile ? 10 Qu'est-ce qu'elles te disent de faire tes Voix ? Ses Voix ! Enfin ! il vaut mieux entendre ça que d'être sourd !

JEANNE — Elles me disent d'aller sauver le royaume de France qui est en grand danger de périr. Est-ce vrai ?

LE PÈRE — Pardine !³² Bien sûr qu'il est en grand danger de périr, le royaume de France. On en sait quelque chose, nous autres gens de l'Est, surtout dans ce coin où c'est plein de godons. Mais ce n'est pas la première fois et sans doute pas la dernière qu'il est en danger 20 de périr le royaume de France et il s'en tire toujours. Laisse-le dans la main de Dieu. Qu'est-ce que tu veux y faire pauvre fille ? Même un homme, si c'est pas son métier de se battre, il n'y peut rien.

JEANNE — Moi, je peux. Mes Voix me le disent.

LE PÈRE (*ricane*) — Toi, tu peux ? Tu es plus maligne que nos grands capitaines peut-être, quie ne peuvent plus que se faire piler à tous les coups, de nos jours ?

JEANNE — Oui, mon père !

LE PÈRE (*la singeant*) — Oui, mon père ! Tu n'es peut- 30 être pas une coureuse, tu es pire. Tu es une folle. Et qu'est-ce que tu peux donc, pauvre idiote ?

JEANNE — Ce que me disent mes Voix. Demander une escorte d'armes au Sire de Beaudricourt . . .

Entendant son nom, BEAUDRICOURT *fait un « Ah ! » de satisfaction et veut s'avancer . . . On lui chuchote : « Mais non, mais non, tout à l'heure » . . . et on le fait rentrer dans le rang.*

. . . et quand j'aurai mon escorte, aller jusqu'au dauphin à Chinon, lui dire qu'il est le vrai roi, l'emmener à la tête de ses soldats délivrer Orléans, le faire sacrer à Reims par Monseigneur l'Archevêque avec les Saintes Huiles et jeter les Anglais à la mer . . .

LE PÈRE (*qui a tout compris*) — Ah, tu t'expliques, enfin, 40 sale fille ! C'est aller avec les soldats que tu veux comme la dernière des dernières ?

JEANNE (*sourit mystérieusement*) — Non, père. Comme la première, en avant, au milieu des flèches, et sans

---

²⁸ rascal
²⁹ *je . . . plâtre:* I'll beat you to a pulp
³⁰ hitting

³¹ *C'est . . . comble:* that's the last straw !
³² Is it now !

jamais regarder en arrière, mes Voix me l'ont dit, jusqu'à ce que j'aie sauvé la France.

Elle ajoute, soudain triste:

Après, il arrivera ce que Dieu voudra.

LE PÈRE (*hors de lui à cette perspective*) — Sauver la France? Sauver la France? Et qui gardera mes vaches pendant ce temps-là? Tu crois que je t'ai élevée, moi, que j'ai fait tous les sacrifices que j'ai faits pour toi, pour que tu t'en ailles faire la fête avec des soldats, sous prétexte de sauver la France, maintenant que tu as enfin atteint l'âge de te rendre utile à la ferme? 10 Tiens! Je vais te l'apprendre, moi, à sauver la France!

Il lui saute dessus et la roue sauvagement de gifles et de coups de pied.

JEANNE (*crie, piétinée*) — Arrêtez, père, arrêtez! Arrêtez!

LE PÈRE *a détaché son ceinturon et commence à la fouetter, ahanant*[33] *sous l'effort.*

LADVENU (*s'est levé, tout blême*) — Arrêtez-le, voyons! Il lui fait mal!

CAUCHON (*doucement*) — Nous n'y pouvons rien, Frère Ladvenu. Nous ne connaîtrons Jeanne qu'au procès. Nous ne pouvons que jouer nos rôles, chacun le sien, bon ou mauvais, tel qu'il est écrit, et à son tour.

Il ajoute:

Et nous lui ferons encore bien plus mal tout à l'heure, vous le savez.

Il se retourne vers WARWICK.

Désagréable, n'est-ce pas, cette petite scène de famille? 20

WARWICK (*a un geste*) — Pourquoi? En Angleterre aussi nous sommes fermement partisans des châtiments corporels pour les enfants, cela forme le caractère. J'ai moi-même été rossé à mort,[34] je m'en porte fort bien.

LE PÈRE (*qui s'est arrêté enfin, épuisé, essuyant la sueur de son front, crie à Jeanne évanouie à ses pieds*) — Là! charogne![35] Tu veux toujours la sauver, la France?

Il se retourne un peu gêné vers les autres.

Qu'auriez-vous fait, Messieurs, à ma place, si votre fille vous avait dit ça?

WARWICK (*détourne le regard de ce rustre et continue flegmatique*) — Une seule chose me peine et me sur- 30 prend. La carence[36] de notre service de renseignements dans cette affaire. Nous aurions dû, dès le début, nous entendre avec cet homme-là.

CAUCHON (*sourit*) — Oui, mais on ne pouvait pas prévoir.

WARWICK — Un bon service de renseignements doit toujours tout prévoir. Une petite fille illuminée quelque part dans un village parle de sauver la France. Il faut le savoir tout de suite, s'entendre avec le père pour qu'il la boucle et étouffer l'affaire dans l'œuf. Pas la peine d'attendre qu'elle le fasse... Cela revient trop cher après...

Il se remet à respirer sa rose.

LA MÈRE (*s'est avancée*) — Tu l'as tuée?

LE PÈRE — Pas cette fois. Mais la prochaine fois qu'elle parle d'aller avec des soldats, je la noie, ta fille, dans 10 la Meuse, tu entends? de mes propres mains. Et si je ne suis pas là, j'autorise ses frères à le faire à ma place...

Il s'en va à grands pas. LA MÈRE *s'est penchée sur* JEANNE, *elle lui éponge le visage.*

LA MÈRE — Jeanne, ma petite Jeanne... Jeannette!... Il t'a fait mal?

JEANNE (*d'abord effrayée, reconnaît sa mère, elle a un pauvre petit sourire*) — Oui. Il a tapé dur.

LA MÈRE — Tu dois endurer en patience, c'est ton père.

JEANNE (*de sa petite voix*) — J'endure, maman. Et j'ai prié pour lui tout le temps qu'il cognait. Pour que Notre-Seigneur lui pardonne.   20

LA MÈRE (*choquée tout de même*) — Notre-Seigneur n'a pas à pardonner les pères qui tapent sur leur fille, Jeanne. C'est son droit.

JEANNE (*achève*) — Et pour qu'il comprenne...

LA MÈRE (*la caresse*) — Qu'il comprenne quoi, ma petite chèvre? Pourquoi as-tu été lui raconter toutes ces bêtises?

JEANNE (*crie, angoissée*) — Il faut que quelqu'un comprenne, mère, ou toute seule je ne pourrai pas!

LA MÈRE (*la berce*)[37] — Allons, allons, ne t'agite pas. 30 Reste un peu contre moi comme lorsque tu étais petite... Qu'elle est grande!... Je ne peux même plus la tenir dans mes bras... Tu es quand même ma petite tu sais, pareille à moi, qui m'a suivie si longtemps pendue à mon jupon dans la cuisine. Et je te donnais toujours une carotte à gratter ou un petit plat à essuyer pour que tu fasses tout comme moi... Tes frères ce n'était pas la même chose, c'étaient des hommes, comme ton père... Il ne faut pas essayer de leur faire comprendre aux hommes... 40 Il faut dire oui et puis comme ils sont toujours aux champs, après, quand ils sont partis, on est maîtresse. Je ne devrais pas te dire tout ça, mais maintenant tu es un femme, tu es grande... Ton père est bon et juste, mais si je ne trichais pas un peu — pour son bien même — tu crois que je m'en tirerais?

---

[33] puffing
[34] *rossé ... mort:* nearly beaten to death
[35] slut
[36] failure

[37] cradles

Elle lui dit à l'oreille.

J'ai une petite gratte[38] que je fais sur le ménage. Un sou par-ci, un sou par-là. Si tu veux, à la prochaine foire je t'achèterai un beau mouchoir brodé. Tu seras belle.

JEANNE — Ce n'est pas être belle que je veux maman.

LA MÈRE — Moi aussi, j'ai été folle moi aussi j'ai aimé un garçon avant ton père, il était beau, mais ce n'était pas possible, il est parti comme soldat et, tu vois, j'ai été heureuse tout de même. Qui c'est donc? n'aie pas de secrets pour ta mère. C'en est un dont tu ne peux même pas dire le nom? Il est du village tout de même? Peut-être que ton père accepterait, il n'est pas contre un bon mariage. On pourrait lui faire croire que c'est lui qui l'a choisi, petite sotte . . . Tu sais les hommes, ils crient, ils commandent, ils cognent — mais on les mène par le nez.

JEANNE — Je ne veux pas me marier mère. Monseigneur saint Michel m'a dit que je dois partir, prendre un habit d'homme et aller trouver notre Sire le Dauphin pour sauver le royaume de France.

LA MÈRE (*sévère*) — Jeanne, je te parle doucement, mais, à moi, je te défends de dire des bêtises! D'abord, je ne te laisserai jamais t'habiller en homme. Ma fille en homme! Je voudrais voir ça par exemple!

JEANNE — Mais, mère, il faudra bien pour aller à cheval au milieu des soldats! C'est Monseigneur saint Michel qui le commande.

LA MÈRE — Que Monseigneur saint Michel te le commande ou non, tu ne monteras jamais à cheval! Jeanne d'Arc à cheval! Hé bien, ça serait du joli dans le village!

JEANNE — Mais la demoiselle de Vaucouleurs monte bien pour chasser au faucon.

LA MÈRE — Tu ne monteras jamais à cheval! Ce n'est pas de ta condition. En voilà des idées de grandeur!

JEANNE — Mais si je ne monte pas à cheval, comment veux-tu que je mène les soldats?

LA MÈRE — Et tu n'iras jamais voir les soldats, mauvaise fille! Pour ça j'aimerais mieux te voir morte. Tu vois, je parle comme ton père. Il y a tout de même des points sur lesquels nous sommes d'accord. Une fille, ça file, ça tisse, ça lave[39] et ça reste à la maison. Ta grandmère n'a jamais bougé d'ici, moi non plus; tu feras de même et quand tu auras une fille plus tard, tu lui apprendras à faire pareil.

Elle éclate brusquement en sanglots bruyants.

T'en aller avec des soldats! Mais qu'est-ce que j'ai fait au ciel pour avoir une fille pareille? Mais enfin, tu veux donc me voir morte?

JEANNE (*se jette dans ses bras, sanglotante aussi et criant*) — Non, maman!

Elle se redresse et clame encore en larmes, tandis que LA MÈRE *s'éloigne.*

— Vous voyez, Monseigneur saint Michel, ce n'est pas possible, ils ne comprendront jamais. Personne ne comprendra jamais. Il vaut mieux que je renonce tout de suite. Notre-Seigneur a dit qu'il fallait obéir à son père et à sa mère.

Elle répond avec la voix de l'Archange.

— Avant, Jeanne, il faut obéir à Dieu.

Elle demande.

— Mais si Dieu commande l'impossible?

— Alors, il faut tenter l'impossible tout tranquillement. Commence, Jeanne, Dieu ne te demande pas autre chose, après il pourvoiera à tout. Et si tu crois qu'il t'abandonne, s'il laisse un obstacle insurmontable sur ton chemin, c'est pour t'aider encore, c'est parce qu'il te fait confiance. C'est parce qu'il pense: avec la petite Jeanne je peux laisser cette montagne — je suis tellement occupé — elle s'écorchera les mains et les genoux jusqu'au sang, mais je la connais, elle passera. Chaque fois qu'il laisse une montagne sur ta route, il faut être très fière, Jeanne. C'est que Dieu se décharge sur toi . . .

Un petit temps, elle demande encore.

— Messire, croyez-vous que Notre-Seigneur puisse vouloir qu'on fasse pleurer son père et sa mère, qu'on les tue, peut-être, de peine, en partant. C'est difficile à comprendre.

— Il a dit: je suis venu apporter non la paix, mais le glaive . . . Je suis venu pour que le frère se dresse contre son frère et le fils contre son père . . . Dieu est venu apporter la guerre, Jeanne. Dieu n'est pas venu pour arranger les choses, il est venu pour que tout soit plus difficile encore. Il ne demande pas l'impossible à tout le monde, mais à toi, il te le demande. Il ne pense pas que quelque chose soit trop difficile pour toi. Voilà tout.

JEANNE *se redresse et répond simplement.*

— Bien, j'irai.

UNE VOIX (*venue on ne sait d'où, crie dans l'ombre dans le fond*) — Orgueilleuse!

JEANNE (*s'est dressée inquiète, elle demande*) — Qui a dit orgueilleuse?

Un petit temps, elle répond avec la voix de l'Archange.

— C'est toi, Jeanne. Et dès que tu auras commencé ce que Dieu te demande, c'est le monde qui te le dira. Il va falloir que tu sois assez humble dans la main de Dieu pour accepter ce manteau d'orgueil.

— Ce sera lourd, Messire!

— Oui. Ce sera lourd. Dieu sait que tu es forte.

---

[38] savings
[39] *Une . . . lave:* a girl spins, weaves, washes

Un silence. Elle regarde droit devant elle et soudain elle redevient une petite fille et s'exclame joyeuse et décidée, se tapant sur la cuisse.

Bon. C'est décidé. C'est vu. J'irai trouver mon oncle Durand. Celui-là, j'en fais ce que je veux. Je le fais tourner en bourrique.[40] Je l'embrasserai sur les deux joues, je lui monterai sur les genoux ; il me paiera un beau fichu tout neuf et il me conduira à Vaucouleurs !

LE FRÈRE (*se décrottant toujours le nez, s'est approché d'elle*) — Idiote !... Pauvre idiote !... T'avais besoin d'aller raconter tout ça aux parents ?

Il se rapproche.

Si tu me donnes un sou pour m'acheter une chique,[41] la prochaine fois, je ne le dirai pas que je t'ai vue avec ton amoureux.

JEANNE (*lui saute joyeusment dessus*) — Ah ! c'est toi qui le leur as dit, vermine ? Ah ! c'est toi qui le leur as dit, petit cochon ? Tiens ! le voilà mon sou, tête de lard ![42] la voilà ta chique, sale bête ! Je t'apprendrai moi à rapporter !...

Ils se battent comme des chiffonniers, elle court après lui à travers les autres ; la poursuite l'amène jusqu'au ventre de BEAUDRICOURT *qui a enfin occupé le milieu de la scène, poussé par les autres — il avait oublié que c'était à lui — elle fonce dans son gros ventre, la tête la première en courant.*

BEAUDRICOURT (*crie, entrant*) — Quoi ? Qu'est-ce qu'elle veut ? Qu'est-ce qu'elle veut ? Qu'est-ce que c'est que cette histoire de fous ?

Il reçoit JEANNE *dans le ventre, pousse un cri de douleur, la hisse par le bras jusqu'à son nez, congestionné de fureur.*

Qu'est-ce que tu veux au juste, puceron,[43] depuis trois jours que tu fais l'idiote à la porte du château à amuser mes sentinelles avec des contes à dormir debout ?

JEANNE (*haletante d'avoir couru, dressée sur la pointe des pieds au bout du bras du géant*) — Je voudrais un cheval, Messire, un habit d'homme et une escorte, pour aller jusqu'à Chinon voir Monseigneur le Dauphin.

BEAUDRICOURT (*hors de lui*) — Et mon pied quelque part, tu ne le veux pas aussi ?

JEANNE (*sourit*) — Je veux bien, Messire, et aussi de bonnes gifles — j'ai l'habitude avec mon père — pourvu qu'après j'aie mon cheval.

BEAUDRICOURT (*la tenant toujours*) — Tu sais qui je suis et ce que je veux. Les filles de ton village t'ont mise au courant ? Quand il y en a une qui vient me demander quelque chose, généralement la vie du petit frère ou de leur vieille crapule[44] de père qu'on a pris en train de braconner un lièvre sur mes terres : si la fille est jolie, je fais toujours décrocher la corde — j'ai bon coeur — si elle est laide, je pends mon gaillard[45]... pour l'exemple ! Mais ce sont toujours les jolies qui viennent ; on se débrouille pour en trouver une, dans la famille — et c'est pour ça que j'ai fini par me faire une réputation de bonté dans le pays. Donc, donnant donnant, tu connais le tarif ?

JEANNE (*simplement*) — Je ne sais pas ce que vous voulez dire, Messire. Moi, c'est Monseigneur saint Michel qui m'envoie...

BEAUDRICOURT (*se signe craintivement, de sa main restée libre*) — Ne mêle pas les saints du paradis à ces histoires-là, effrontée !... Le coup de saint Michel, c'est bon pour les sentinelles, pour arriver jusqu'à moi. Tu y es, devant moi. Et je ne dis pas que tu ne l'auras pas ton cheval. Une vieille rosse pour une belle fille toute neuve, c'est raisonnable comme marché. Tu es pucelle ?

JEANNE — Oui, Messire.

BEAUDRICOURT (*qui la regarde toujours*) — Va pour le cheval. Tu as de jolis yeux.

JEANNE (*doucement*) — C'est que je ne veux pas seulement un cheval, Messire.

BEAUDRICOURT (*sourit amusé*) — Tu es gourmande, toi ! Continue, tu m'amuses... Il n'y a que les imbéciles qui se croient volés en donnant trop à une fille. Moi, j'aime bien qu'il me coûte cher, mon plaisir. Ça me permet de me figurer que j'en ai vraiment envie. Tu comprends ce que je veux dire ?

JEANNE (*toute claire*) — Non, Messire.

BEAUDRICOURT — Tant mieux. Je n'aime pas les raisonneuses au lit. Qu'est-ce que tu veux en plus du cheval ? La taille[46] rentre bien cet automne, je me sens d'humeur à la dépense.

JEANNE — Une escorte d'hommes d'armes, Messire, pour m'accompagner à Chinon.

BEAUDRICOURT (*la lâche, changeant de ton*) — Ecoute-moi bien. Je suis bonhomme. Mais je n'aime pas qu'on se moque de moi. Je suis le maître ici. Tu es tout au bord de ma patience. Je peux aussi bien te faire fouetter pour avoir forcé ma porte et te renvoyer chez toi sans rien du tout que des marques sur

---

[40] *Je... bourrique:* I twist him around my little finger
[41] quid (of tobacco)
[42] *tête... lard:* fat-head
[43] brat

[44] scoundrel
[45] fellow
[46] (property) tax

les fesses. Je t'ai dit que j'aimais bien que ça me coûte cher pour que ça me donne envie, mais si ça doit me coûter trop cher, c'est le phénomène contraire qui se produit — je n'ai soudain plus envie du tout. Qu'est-ce que tu veux aller faire à Chinon?

JEANNE — Trouver Monseigneur le Dauphin.

BEAUDRICOURT — Hé bien, tu as de l'ambition toi, au moins, pour une pucelle de village! Pourquoi pas le duc de Bourgogne tant que tu y es? Tu aurais au moins une chance de ce côté-là — théoriquement — 10 c'est un chaud lapin,[47] le duc ... Parce que tu sais, le dauphin, pour ce qui est de la guerre et des femmes ... Qu'est-ce que tu espères donc de lui?

JEANNE — Une armée, Messire, dont je prendrai la tête, pour aller délivrer Orléans.

BEAUDRICOURT (la lâche soudain, soupçonneux) — Si tu es folle, c'est autre chose. Je ne veux pas me fourrer dans une vilaine histoire ...

Il va appeler au fond.

Holà, Boudousse!

Un garde s'avance.

BEAUDRICOURT — Fais-la doucher un peu et fourre-la en 20 prison. Demain soir, tu la renverras chez son père. Mais pas de coups, je ne veux pas avoir d'ennuis: c'est une folle.

JEANNE (tranquillement, tenue par le garde) — Je veux bien aller en prison, Messire, mais je reviendrai demain soir quand on me relâchera. Alors, vous feriez mieux de m'écouter tout de suite.

BEAUDRICOURT (va à elle, hurlant, se tapant la poitrine comme un gorille) — Mais enfin, mille millions de tonnerres, je ne te fais donc pas peur?

JEANNE (les yeux au fond des siens avec son petit sourire tranquille) — Non, Messire. Pas du tout. 30

BEAUDRICOURT (s'arrête interloqué et hurle au garde) — Fous le camp,[48] toi! Tu n'as pas besoin d'écouter tout ça!

Le garde disparaît. Quand il est sorti, BEAUDRICOURT demande, un peu inquiet.

Pourquoi est-ce que je ne te fais pas peur? Je fais peur à tout le monde pourtant.

JEANNE (doucement) — Parce que vous êtes très bon, Messire ...

BEAUDRICOURT (grommelle) — Bon! Bon! ça dépend. Je t'ai dit le prix.

JEANNE (achève) — Et surtout très intelligent.

Elle ajoute.

Je vais avoir à convaincre beaucoup de monde, pour 40 faire tout ce que mes Voix m'ont demandé; c'est une

chance que le premier par qui je dois passer — et de qui tout dépend en somme — soit justement le plus intelligent.

BEAUDRICOURT (d'abord un peu interloqué, demande d'une voix négligente en se versant un gobelet de vin) — Tu es une drôle de fille, c'est vrai. Pourquoi crois-tu que je suis très intelligent?

JEANNE — Parce que vous êtes très beau.

BEAUDRICOURT (avec un regard furtif à un petit miroir de métal, tout proche) — Bah! Il y a vingt ans, je ne dis pas; je plaisais aux femmes ... J'ai tâché de ne pas trop vieillir, voilà tout. Mais, c'est tout de même drôle d'avoir une conversation de cette portée avec 10 une petite bergère de rien du tout, qui vous tombe un beau matin du ciel.

Il soupire.

Au fond, je m'encroûte[49] ici. Mes lieutenants sont des brutes, personne à qui parler ... — Enfin, je serais curieux, puisque nous en sommes là, d'apprendre de ta bouche, quels rapports tu établis entre l'intelligence et la beauté. D'habitude, on dit que c'est le contraire, que les gens beaux sont toujours bêtes.

JEANNE — Ce sont les bossus ou les gens qui ont le nez trop long qui disent cela. Croient-ils donc que le bon 20 Dieu n'a pas les moyens de réussir quelque chose de parfait, si cela lui plaît?

BEAUDRICOURT (rit, flatté) — Évidemment, pris sous cet angle ... Mais, tu vois, moi par exemple qui ne suis pas laid ... Je me demande parfois si je suis très intelligent. Non, non, ne proteste pas. Il m'arrive de me poser la question ... Je te confie cela, à toi, parce que tu n'as aucune espèce d'importance ... mais pour mes lieutenants, bien entendu, je suis beaucoup plus intelligent qu'eux. Forcément, je suis capitaine. 30 Si ce principe n'était pas admis, il n'y aurait plus d'armée possible. — Cependant ... (je veux bien condescendre à bavarder de cela avec toi, l'insolite[50] de notre situation, l'énorme différence sociale qui nous sépare, rendent ces propos à bâtons rompus[51] en quelque sorte inoffensifs) ... cependant, il y a quelquefois des problèmes qui me dépassent. On me demande de décider quelque chose, du point de vue tactique ou administratif et, tout d'un coup, je ne sais pourquoi, il y a un trou. Le brouillard. Je ne 40 comprends plus rien. Remarque que je ne perds pas la face. Je m'en tire avec un coup de gueule;[52] et je prends tout de même une décision. L'essentiel, quand on a un commandement, c'est de prendre une

---

[47] c'est ... lapin: he's hot-blooded
[48] Fous le camp: beat it!

[49] I'm in a rut
[50] unusualness
[51] à ... rompus: rambling
[52] un ... gueule: by shouting everyone down

décision, quelle qu'elle soit. On s'effraie au début, puis avec l'expérience, on s'aperçoit que cela revient à peu près au même . . . quoi qu'on décide. Pourtant, j'aimerais faire mieux. Tu sais, Vaucouleurs, c'est tout petit. J'aimerais un jour prendre une décision importante, une de ces décisions à l'échelle du pays[53] . . . pas une histoire de taille qui ne rentre pas ou d'une demi-douzaine de déserteurs à faire pendre; quelque chose d'un peu exceptionnel, quelque chose qui me fasse remarquer en haut lieu . . .   10

Il s'arrête de rêver, la regarde.

Je me demande pourquoi je te dis tout ça à toi qui n'y peux rien et qui es peut-être à moitié folle, par-dessus le marché . . .

JEANNE (*sourit doucement*) — Moi, je sais pourquoi. On m'avait avertie. Écoute, Robert . . .

BEAUDRICOURT (*sursaute*) — Pourquoi m'appeles-tu par mon petit nom?

JEANNE — Parce que c'est celui que Notre-Seigneur t'a donné. Parce que c'est le tien. L'autre, il est aussi à ton frère et à ton père. Écoute, gentil Robert, et ne 20 hurle pas encore, c'est inutile. C'est justement moi, ta décision à prendre, la décision qui te fera remarquer . . .

BEAUDRICOURT — Qu'est-ce que tu me chantes?

JEANNE (*s'approche*) — Écoute, Robert. D'abord, ne pense plus que je suis une fille. Ça t'embrouille les idées . . . Bien sûr, Notre-Seigneur ne m'a pas faite laide, mais tu es comme tous les hommes, c'est l'occasion que tu ne voulais pas laisser passer . . . Tu aurais eu peur d'avoir l'air bête à tes yeux . . . Tu en 30 retrouveras d'autres, va, des filles, vilain pourceau,[54] si tu tiens absolument à pécher . . . Des filles qui te feront plus plaisir et qui te demanderont moins de choses . . . Moi, je ne te plais pas tellement.

Il hésite un peu, il a peur d'être dupe, elle se fache soudain.

Robert, si tu veux que je t'aide, aide-moi aussi! Chaque fois que je te dis la vérité, conviens-en et réponds-moi oui, sans ça nous n'en sortirons pas.

BEAUDRICOURT (*grommelle, le regard fuyant, un peu honteux*) — Hé bien, non . . .

JEANNE (*sévère*) — Comment, non?

BEAUDRICOURT — Je veux dire: oui . . . C'est vrai. Je n'ai 40 pas tellement envie de toi . . .

Il ajoute, poli.

Remarque, tu es tout de même un beau brin de fille![55]

JEANNE (*bon enfant*) — C'est bon. C'est bon. Ne te

donne pas tant de mal, mon gros Robert. Ça ne me vexe pas; au contraire. Ce point éclairci, figure-toi que tu me l'as déjà donné mon habit d'homme, et que nous discutons tous les deux, comme deux braves garçons, avec bon sens et avec calme.

BEAUDRICOURT (*encore méfiant*) — Va toujours . . .

JEANNE (*s'assoit sur le bord de la table, vide le fond de son gobelet*) — Mon gros Robert, ta décision, tu la tiens. Ton coup d'éclat, qui va te faire remarquer en haut lieu, c'est pour tout de suite . . . Considère où 10 ils en sont, à Bourges. Ils ne savent plus à quel saint se vouer. L'Anglais est partout; Bretagne et Anjou attendent pour voir qui payera le plus. Le duc de Bourgogne — qui joue au preux chevalier avec sa belle Toison d'Or[56] toute neuve —, leur tire tout de même dans les pattes et gratte doucement tous les paragraphes gênants sur les traités.[57] On croyait qu'on pouvait au moins compter sur sa neutralité . . . Elle nous avait coûté assez cher. Aux dernières nouvelles, il parle de marier son fils à une princesse 20 anglaise. Tu te rends compte? L'armée française, tu sais ce que c'est. Des bons garçons capables de donner de bonnes buffes et de bons torchons,[58] mais découragés. Ils se sont mis dans la tête qu'il n'y avait plus rien à faire, que l'Anglais serait toujours le plus fort. Dunois le bâtard; c'est un bon capitaine, intelligent, ce qui est rare dans l'armée, mais on ne l'écoute plus et tout cela commence à l'ennuyer. Il fait la fête avec ses ribaudes dans son camp (mais à cela aussi je mettrai bon ordre; il ne perd rien pour 30 attendre) et puis, il se sent trop grand Seigneur, comme tous les bâtards . . . Les affaires de la France, après tout, ce n'est pas ses oignons;[59] que ce gringalet[60] de Charles se débrouille avec son patrimoine. . . . La Hire, Xaintrailles, de bons taureaux furieux, ils veulent toujours attaquer, donner de formidables coups d'épée dont on parlera dans les chroniques; c'est des champions de l'exploit individuel, mais ils ne savent pas se servir de leurs canons et ils se font toujours tuer, pour rien, comme à Azincourt. Ah! 40 pour se faire tuer, ils sont un peu là: tous volontaires! . . . Mais ça ne sert à rien du tout de se faire tuer. Tu comprends, mon petit Robert, la guerre,

---

[53] *à . . . pays:* on a national scale
[54] hog
[55] *un . . . fille:* a fine-looking girl

[56] *Toison d'Or:* Order of the Golden Fleece [a knightly order]
[57] *leur . . . traités:* shoots at their feet all the same [i.e., harasses them] and gently scratches out all the annoying paragraphs of the treaties
[58] *buffes . . . torchons:* buffs and clouts
[59] *ce . . . oignons:* it's not his problem
[60] [slang] shrimp

ce n'est pas une partie de balle au pied, ce n'est pas un tournoi; il ne suffit pas de bien jouer de toutes ses forces, en respectant les lois de l'honneur . . . Il faut gagner. Il faut être malin.

Elle lui touche le front.

Il faut que ça travaille, là-dedans. Toi, qui es intelligent, tu le sais mieux que moi.

BEAUDRICOURT — Je l'ai toujours dit. On ne pense plus assez, de nos jours. Vois mes lieutenants: des brutes, toujours prêts à cogner, c'est tout. Mais ceux qui pensent, personne ne songe à les utiliser.   10

JEANNE — Personne. C'est pourquoi il faut qu'ils y pensent eux-mêmes, entre autres pensées. Or, justement toi qui penses un beau jour, tu as une idée. Une idée géniale et qui peut sauver tout.

BEAUDRICOURT (*inquiet*) — J'ai une idée?

JEANNE — Laisse venir. Tu es en train de l'avoir. Dans ta tête, où ça va vite et où ça se met en ordre tout de suite, tu fais le point en ce moment. Tu n'en as pas l'air, c'est ce qui est admirable en toi, mais tu fais le point. Tu es en train d'y voir clair. C'est malheureux   20 à dire mais, en France, en ce moment, il n'y a que toi qui y vois clair!

BEAUDRICOURT — Tu crois?

JEANNE — Je te le dis.

BEAUDRICOURT — Et qu'est-ce que je vois?

JEANNE — Tu vois qu'il faut leur donner une âme à ces gens-là, une foi, quelque chose de simple. Il y a justement dans ta capitainerie une petite à qui saint Michel est apparu et aussi sainte Catherine et sainte Marguerite à ce qu'elle dit. Je t'arrête. Je sais ce que   30 tu vas me dire: tu n'y crois pas. Mais tu passes là-dessus, provisoirement. — C'est là que tu es vraiment extraordinaire. Tu te dis: c'est une petite bergère de rien du tout, bon! Mais supposons qu'elle ait Dieu avec elle, rien ne peut plus l'arrêter. Et qu'elle ait Dieu avec elle ou non, c'est pile ou face.[61] On ne peut pas le prouver, mais on ne peut pas non plus prouver le contraire . . . Or, elle est parvenue jusqu'à moi, malgré moi, et il y a déjà une demi-heure que je l'écoute — ça ,tu ne le discutes pas, c'est   40 un fait. Tu constates. Alors, tout d'un coup, il y a ton idée, ton idée qui commence à te venir. Tu te dis: puisqu'elle m'a convaincu, moi, pourquoi ne convaincrait-elle pas le dauphin et Dunois et l'Archevêque? Ce sont des hommes comme moi après tout — et (entre nous) plutôt moins intelligents que moi. Pourquoi ne convaincrait-elle pas nos soldats que, tout bien pesé, les Anglais, ils sont exactement faits comme eux, moitié courage et moitié envie de sauver sa peau et qu'il suffirait de leur taper fort dessus, et au bon moment, pour les faire décaniller d'Orléans?[62] De quoi ont-ils besoin nos gars, après tout — que tu dis en ce moment même, avec ta tête qui voit plus clair que celle des autres — d'un étendard, de quelqu'un qui galvanise leurs énergies, qui leur prouve que Dieu est avec eux. Alors, c'est là que tu es admirable, tout d'un coup.

BEAUDRICOURT (*piteux*) — Tu crois?   10

JEANNE — Admirable! c'est moi qui te le dis, Robert, mais je ne serai pas la seule. Tu verras dans quelque temps, tout le monde sera de cet avis — et réaliste, comme tous les grands politiques. Tu te dis: moi, Beaudricourt, je ne suis pas tellement sûr qu'elle soit l'envoyée de Dieu. Mais je fais semblant de le croire, je la leur envoie, moi, envoyée de Dieu ou pas, et si *eux* ils le croient, cela reviendra au même. J'ai justement mon courrier pour Bourges qui doit partir demain matin . . .   20

BEAUDRICOURT (*sidéré*) — Qui t'a dit ça? C'est secret.

JEANNE — Je me suis renseignée.

Elle continue.

Je prends six solides garçons pour l'escorte, je lui donne un cheval et j'expédie la petite avec le courrier. A Chinon, telle que je la connais, elle se débrouillera.

Elle le regarde avec admiration.

Hé bien, tu sais, Robert!

BEAUDRICOURT — Quoi?

JEANNE — Tu es rudement[63] intelligent pour avoir pensé tout ça.

BEAUDRICOURT (*s'éponge le front, épuisé*) — Oui.   30

JEANNE (*ajoute gentiment*) — Seulement le cheval, donne-m'en un bien doux, parce que je ne sais pas encore monter.

BEAUDRICOURT (*rigolant*) — Tu vas te casser la gueule, ma fille . . .

JEANNE — Penses-tu! Saint Michel me retiendra. Tiens, je te fais un pari, Robert. Je te parie un habit — l'habit d'homme que tu ne m'as encore promis — contre une bonne buffe sur le nez. Tu fais venir deux chevaux dans la cour. On va faire un temps de galop   40 et si je tombe, tu ne me crois pas. C'est régulier[64] ça?

Elle lui tend la main.

Tope-là! Cochon, qui s'en dédit?[65]

BEAUDRICOURT (*se lève*) — Tope-la! J'ai besoin de me

---

[61] *pile ou face:* heads or tails

[62] *pour . . . Orléans:* to make them get out of Orléans
[63] really
[64] fair enough
[65] *Tope . . . dédit:* Shake! The one who goes back on it's a pig, o.k.?

remuer un peu. On ne croirait pas, mais de penser, ça fatigue.

Il appelle.

Boudousse !

Paraît LE GARDE.

LE GARDE (*désignant* JEANNE) — Je la fourre en prison ?

BEAUDRICOURT — Non, imbécile ! Tu lui fais donner une culotte et tu nous amènes deux chevaux. Nous allons faire un petit temps de galop tous les deux.

LE GARDE — Mais, et le Conseil ? Il est quatre heures.

BEAUDRICOURT (*superbe*) — Demain ! Aujourd'hui, j'ai assez pensé. 10

Il sort. JEANNE *passe devant* LE GARDE *sidéré et lui tire la langue ; ils se perdent parmi les autres personnages dans l'ombre de la scène.*

WARWICK (*qui a suivi toute la scène, amusé, à* CAUCHON,—Évidemment, cette fille avait quelque chose ! J'ai beaucoup apprécié cette façon de retourner cet imbécile en lui faisant croire que c'était lui qui pensait.

CAUCHON — Pour mon goût, je trouve la scène un peu grosse. Il faudra tout de même qu'elle trouve mieux avec Charles . . .

WARWICK — Seigneur Évêque, dans votre métier et dans le mien, nos ficelles valent les siennes. Qu'est-ce que gouverner le monde — avec la trique ou la houlette[66] 20 de pasteur — sinon faire croire à des imbéciles qu'ils pensent d'eux-mêmes, ce que nous leur faisons penser ? Pas besoin de l'intervention de Dieu là-dedans. C'est en cela que cette scène m'amuse.

Il s'incline poli, vers l'évêque.

A moins qu'on n'y soit professionnellement tenu, comme vous ; bien entendu.

Il demande soudain.

Vous avez la foi, vous, Seigneur Évêque ? Excusez ma brutalité. Mais nous sommes entre nous.

CAUCHON (*simplement*)—Une foi de petit enfant, Monseigneur. Et c'est pourquoi je vous donnerai du fil à 30 retordre au cours de ce procès. C'est pourquoi mes assesseurs et moi-même nous nous efforcerons jusqu'au bout de sauver Jeanne. Quoique nous ayons été des collaborateurs sincères du régime anglais qui nous pasraissait alors la seule solution raisonnable, dans le chaos. Notre honneur, notre pauvre honneur, aura été de faire pourtant l'impossible contre vous, en vivant de votre argent, et avec vos huit cents soldats à la porte du prétoire[67] . . . Ils avaient beau jeu à Bourges, protégés par l'armée française, 40

de nous traiter de vendus ! Nous, nous étions dans Rouen occupé !

WARWICK (*agacé*) — Je n'aime pas le mot « occupé. » Vous oubliez le traité de Troyes. Vous étiez sur les terres de Sa Majesté tout simplement.

CAUCHON — Entouré des soldats de Sa Majesté, des exécutions d'otages de Sa Majesté. Soumis au couvre-feu[68] et au bon plaisir du ravitaillement de Sa Majesté. Nous étions des hommes, nous avions la faiblesse de vouloir vivre et de tenter de sauver Jeanne en même 10 temps. C'était de toute façon un piètre rôle.

WARWICK (*sourit*) — Il ne tenait qu'à vous de le rendre plus brillant et d'être des martyrs, mon cher. Mes huit cents soldats étaient prêts.

CAUCHON — Nous l'avons toujours su. Et ils avaient beau nous crier des insultes et taper de grands coups de crosse[69] dans notre porte pour nous rappeler qu'ils étaient là ; nous avons ergoté[70] neuf mois avant de vous livrer Jeanne. Neuf mois pour faire dire « oui » à une petite fille abandonnée de tous. Ils auront beau 20 nous traiter de barbares plus tard, je suis persuadé qu'avec tous leurs grands principes, ils se résigneront à être plus expéditifs. Dans tous les camps.

WARWICK — Neuf mois, c'est vrai. Quel accouchement, ce procès ! Elle en met du temps, notre Sainte Mère l'Église, quand on lui demande d'enfanter un petit acte politique. Enfin le cauchemar est passé ! La mère et l'enfant se portent bien.

CAUCHON — J'ai beaucoup réfléchi à tout cela Monseigneur. La santé de la mère, comme vous dites, 30 nous préoccupait seule et nous avons de bonne foi sacrifié l'enfant quand nous avons cru comprendre qu'il n'y avait pas autre chose à faire. Dieu s'était tu depuis l'arrestation de Jeanne. Ni elle, quoi qu'elle en ait dit, ni nous bien sûr, ne l'entendions plus. Nous, nous avons continué avec notre routine ; il fallait défendre la vieille maison d'abord, cette grande et raisonnable construction humaine qui est en somme tout ce qui nous reste, dans le désert, les jours où Dieu s'absente . . . Depuis nos quinze ans, dans nos 40 séminaires, on nous avait appris comment on la défend. Jeanne, qui n'avait pas notre solide formation et qui avait douté, j'en suis sûr, abandonnée des hommes et de Dieu, a continué elle aussi, se reprenant tout de suite après son unique faiblesse ; avec ce curieux mélange d'humilité et d'insolence, de grandeur et de bon sens, jusqu'au bûcher inclusivement. Nous n'avons pas pu le comprendre alors,

---

[66] shepherd's crook
[67] courtroom

[68] curfew
[69] butt (of weapon)
[70] quibbled

nous étions serrés dans les jupes de notre mère, nous bouchant les yeux, comme de vieux petits garçons. Mais c'est dans cette solitude, dans ce silence d'un Dieu disparu, dans ce dénuement et cette misère de bête, que l'homme qui continue à redresser la tête est bien grand. Grand tout seul.

WARWICK — Oui, sans doute. Mais, nous autres, hommes politiques, nous sommes obligés de nous efforcer de ne pas trop penser à cette grandeur de l'homme seul. Comme par un fait exprès, nous la rencontrons 10 généralement chez les gens que nous faisons fusiller.

CAUCHON (après un temps, ajoute sourdement) — Je me dis parfois pour me consoler : que c'est bien beau tous ces vieux prêtres, que chacune de ses insolentes réponses offusquait, et qui ont tout de même essayé pendant neuf mois, l'épée dans les reins, de ne pas commettre l'irréparable . . .

WARWICK — Pas de grands mots ! . . . Rien n'est irréparable en politique. Je vous dis que nous lui élèverons une belle statue à Londres, le temps venu . . . 20

Il se tourne vers les gens de Chinon qui ont occupé le plateau, dressant avec les moyens du bord[71] une petite mise en scène du palais, pendant qu'ils bavardaient.

Mais écoutons plutôt Chinon, Monseigneur. J'ai le plus profond mépris pour ce petit lâche de Charles, mais c'est un personnage qui m'a toujours amusé.

CHARLES *est entouré des deux reines et d'*AGNÈS SOREL. *Les trois hauts hennins[72] s'agitent autour de lui.*

AGNÈS — Mais, Charles, c'est inadmissible ! Tu ne peux pas me laisser paraître à ce bal fagotée[73] comme ça . . . Ta maîtresse avec un hennin de la saison dernière. Tu penses bien que cela serait scandaleux !

LA REINE (*le retourne de son côté*) — Et ta reine, Charles ! La reine de France ! Qu'est-ce qu'on dirait ?

CHARLES (*qui joue avec un bilboquet,[74] affalé sur son trône*) — On dirait que le roi de France n'a pas un 30 sou. Ce qui est exact.

LA REINE — Je les entends d'ici à la cour d'Angleterre ! La Bedford, la Gloucester, sans compter la maîtresse du cardinal de Winchester ! En voilà une qui est bien habillée !

AGNÈS — Tu imagines, Charles, qu'elles ont nos hennins avant nous ? On ne s'habille bien qu'à Bourges, c'est connu. Il faut voir comme elles seraient fagotées là-bas, si elles n'envoyaient pas des émissaires acheter nos derniers modèles pour les copier. Enfin, tu es roi 40 de France, tout de même ! Comment peux-tu tolérer cela ?

CHARLES — D'abord, je ne suis pas roi de France. C'est un bruit que je fais courir, il y a une nuance . . . Ensuite, nos articles de mode, c'est tout ce que j'arrive à leur vendre, aux Anglais. La mode de Bourges et notre cuisine, c'est avec cela que nous avons encore quelque prestige à l'étranger.

LA REINE YOLANDE — Ce prestige, le seul bien qui nous reste, ces petites n'ont pas tout à fait tort Charles, il faut le défendre. Il est indispensable, qu'à cette fête, on soit obligé de convenir que les dames de la 10 cour de France étaient les mieux vêtues du monde. Souvenez-vous que personne n'a jamais pu dire où commençait exactement la futilité . . . Un nouveau hennin qu'elles n'ont pas là-bas, Agnès n'a pas entièrement tort, cela peut équivaloir à une victoire . . .

CHARLES (*ricane*) — Une victoire qui ne les empêchera pas de nous escamoter Orléans, belle-maman ! . . . Remarquez qu'Orléans n'est pas à moi, il fait partie du fief[75] de mon cousin ; moi, personnellement, je suis 20 tranquille, on ne peut plus rien me prendre, à part Bourges qui n'intéresse personne, je n'ai plus rien. Mais tout de même c'est le royaume ! . . . Or, aux dernières nouvelles, Orléans est fichue ! . . . Et j'aurai beau contre-attaquer à coup de hennin . . .

AGNÈS — Tu ne te rends pas compte, Charles, comme cela peut être dangereux, un coup de hennin, dans l'œil d'une femme . . . Je te dis, moi, que la Bedford et la Gloucester — et surtout la maîtresse du cardinal qui se doit d'être la plus élégante étant donné sa 30 position — en feront une maladie ! Songe que nous lançons le hennin de douze pouces . . . avec des cornes ! c'est-à-dire tout le contraire de la ligne du hennin actuel . . . Tu ne te rends pas compte, mon petit Charles, du bruit que vont faire ces deux cornes-là dans toutes les cours d'Europe . . . C'est une véritable révolution !

LA REINE (*s'exclame*) — Et le petit plissé[76] derrière !

AGNÈS — Le petit plissé est un chef-d'œuvre ! . . . C'est bien simple, elles ne vont plus en dormir, mon chéri. 40 . . . Et le cardinal, le Bedford et le Gloucester par contrecoup, je t'assure qu'ils n'auront plus une minute à eux pour penser à Orléans !

Elle ajoute solonnelle, pleine de sagesse.

Si tu as envie d'une victoire, Charles, en voilà une à ta portée et pour rien.

CHARLES (*grommelle*) — Pour rien, pour rien . . . Tu me fair rire ! A combien m'as-tu dit qu'ils revenaient ces hennins ?

---

[71] *les moyens du bord:* whatever is at hand
[72] hennin [tall, conical headdress]
[73] badly dressed
[74] cup-and-ball, a child's game
[75] territory which a vassal held from a lord
[76] pleat

AGNÈS — Six mille francs chacun, mon chéri. C'est pour rien, étant donné qu'ils sont entièrement brodés de perles . . . Et les perles c'est un placement . . . Quand le hennin est démodé, tu peux toujours les revendre à un juif et avoir un peu d'argent pour tes troupes.

CHARLES (*sursaute*) — Six mille francs ! Mais où veux-tu que je prenne six mille francs, pauvre idiote ? . . .

LA REINE (*doucement*) — Douze mille francs, Charles, parce que nous sommes deux, ne l'oubliez pas. Vous ne voudriez tout de même pas que votre femme soit 10 moins bien vêtue que votre maîtresse.

CHARLES (*lève les bras au ciel*) — Douze mille francs ! Elles sont complètement folles !

AGNÈS — Remarque qu'il y a un modèle plus simple, mais je ne te le conseille pas. Tu raterais ton effet psychologique sur ces imbéciles d'anglaises. Et en somme, c'est ça que tu cherches !

CHARLES — Douze mille francs ! Vous rêvez, mes chattes. De quoi payer la moitié des hommes de Dunois à qui je dois six mois de solde. Je ne comprends pas que 20 vous les encouragiez, belle-maman, vous qui êtes une femme de grand jugement.

LA REINE YOLANDE — C'est parce que je suis une femme de grand jugement que je les soutiens, Charles. M'avez-vous jamais trouvée contre vous quand il s'est agi de votre bien et de votre grandeur ? Ai-je jamais fait preuve d'étroitesse d'esprit ? Je suis la mère de votre reine et c'est moi qui vous ai présenté Agnès quand j'ai compris qu'elle pourrait vous faire du bien. 30

LA REINE (*un peu peinée*) — Je vous en prie, mère, ne vous en vantez pas !

LA REINE YOLANDE — Agnès est une fille charmante, ma fille, et qui se tient parfaitement à sa place. Et nous avions toutes les deux le plus urgent besoin que Charles se décide à devenir un homme. Et le royaume en avait encore plus besoin que nous. Un peu de hauteur ma fille, vous pensez comme une petite bourgeoise en ce moment ! . . . Pour que Charles devînt un homme, il lui fallait une femme . . . 40

LA REINE (*aigre*) — J'étais une femme, il me semble, et la sienne par-dessus le marché !

LA REINE YOLANDE — Je ne veux pas vous blesser, ma petite chèvre . . . mais si peu ! Je vous en parle parce que j'ai été comme vous. De la droiture, de la tête — plus que vous — mais c'est tout. C'est pourquoi j'ai toujours toléré que le roi, votre père, ait des maîtresses. Soyez sa reine, tenez sa maison, faites-lui un dauphin, et pour le reste, déchargez-vous de la besogne. On ne peut pas tout faire. Et puis ce n'est 50 pas un métier d'honnêtes femmes l'amour. Nous le faisons mal . . . D'ailleurs, vous me remercierez plus tard, on dort si bien toute seule . . . Regardez comme Charles est plus viril depuis qu'il connaît

Agnès ! N'est-ce pas Charles, que vous êtes plus viril ?

CHARLES — Hier, j'ai dit non, à l'Archevêque. Il a essayé de me faire peur, il a envoyé La Trémouille gueuler un bon coup, il m'a menacé de me faire excommunier. Le grand jeu quoi ![77] . . . J'ai tenu bon.[78]

AGNÈS — Et grâce à qui ?

CHARLES (*avec une petite caresse à sa cuisse*) — Grâce à Agnès ! On avait répété toute la scène au lit.

LA REINE YOLANDE (*se rapproche*) — Qu'est-ce qu'il voulait l'Archevêque ? Vous ne me l'avez pas redit ? 10

CHARLES (*qui caresse toujours distraitement la cuisse d'Agnès debout près de lui*) — Je ne sais plus. Donner Paris au duc de Bourgogne ou quelque chose comme cela, pour obtenir une trêve d'un an. Remarquez que c'était pratiquement sans importance. Il y est déjà à Paris, le duc. Mais il faut avoir des principes ; Paris, c'est la France et la France est à moi. Enfin, je m'efforce de le croire. J'ai dit non. Il en faisait une tête l'Archevêque, le duc avait dû lui promettre gros.[79]

AGNÈS — Et qu'est-ce qui se serait passé si tu avais dit 20 oui, malgré moi, petit Charles ?

CHARLES — Tu aurais eu la migraine ou mal au ventre pendant huit jours, sale fille ! Et je peux à la rigueur me passer de Paris, mais pas de toi . . .

AGNÈS — Alors, mon chéri, puisque je t'ai aidé à sauver Paris, tu peux bien me le payer ce hennin, et un aussi pour ta petite reine, à qui tu viens de dire des choses très désagréables sans t'en rendre compte, comme toujours, vilain garçon . . . Tu ne veux tout de même pas que je sois malade pendant huit jours ? Tu 30 t'ennuierais trop . . .

CHARLES (*vaincu*) — C'est bon, commandez-les, vos hennins . . . Si ce n'est pas à l'Archevêque, c'est à vous qu'il faut dire oui, c'est toujours la même comédie . . . Mais je vous avertis que je ne sais pas du tout comment je les payerai.

AGNÈS — Tu signeras un bon[80] sur le Trésor, petit Charles, et on verra plus tard. Venez, ma petite Majesté, nous allons les essayer ensemble. Préférez-vous le rose ou le vert ? Je crois qu'à votre teint, c'est 40 le rose qui ira le mieux . . .

CHARLES (*sursaute*) — Comment ? Ils sont déjà là ?

AGNÈS — Tu n'y entends rien, mon chéri ! Tu penses bien que pour les avoir pour la fête, il a fallu les commander il y a un mois. Mais on était sûres que

---

[77] *Le . . . quoi:* the whole works, by Golly !

[78] *J'ai . . . bon:* I stood fast

[79] *Il . . . gros:* he was quite put out about it, the Archbishop, the Duke must have promised him an awful lot

[80] a promissory note

tu dirais oui, n'est-ce pas Majesté? Tu vas voir la tête qu'elles vont faire[81] à Londres! C'est une grande victoire pour la France, tu sais Charles!

Elles se sont sauvées avec des baisers.

CHARLES (*se remet sur son trone, sifflotant*) — Ils me font rire avec leurs victoires! La Trémouille, Dunois, c'est pareil! Ça va toujours être une grande victoire; mais tout s'achète de nos jours, les grandes victoires comme le reste. Et si je n'ai pas assez d'argent, moi, pour m'offrir une grande victoire? si c'est au-dessus de mes moyens, la France? 10

Il prend son écritoire en grommelant.

Enfin, on verra bien! Je vais toujours signer un bon sur le Trésor! Espérons que le marchand s'en contentera. Le Trésor est vide, mais rien ne l'indique sur le papier.

Il se retourne vers LA REINE YOLANDE.

Vous n'en voulez pas un hennin, vous aussi, tant que j'y suis? Ne vous gênez pas. De toute façon, ma signature ne vaut rien.

LA REINE YOLANDE (*se rapproche*) — J'ai renoncé aux hennins, Charles, à mon âge. Je veux autre chose.

CHARLES (*lassé*) — Faire de moi un grand roi, je sais! C'est fatigant à la longue tous ces gens qui veulent 20 faire de moi un grand roi. Même Agnès! même au lit! vous pensez comme c'est drôle... Ah! vous l'avez bien dressée! Quand comprendrez-vous, tous, que je ne suis qu'un pauvre petit Valois de rien du tout et qu'il faudrait un miracle? C'est entendu, mon grand-père Charles a été un grand roi; mais il vivait avant la guerre où tout était beaucoup moins cher. Et d'ailleurs, lui, il était riche... Mon père et ma mère ont tout mangé; il y a eu je ne sais combien de dévaluations en France, et je n'ai plus les moyens 30 d'être un grand roi, moi, voilà tout! Je fais ce que je peux (pour faire plaisir à cette petite putain[82] d'Agnès dont je ne peux pas me passer). Mais entre nous, ce n'est pas seulement les moyens qui me manquent, c'est le courage. C'est trop fatigant le courage et trop dangereux dans ce monde de brutes où nous vivons. Vous savez que ce gros porc de La Trémouille a tiré l'épée de fureur l'autre jour? Nous étions seuls, personne pour me défendre... C'est qu'il m'en aurait aussi bien fichu un coup,[83] cette grande brute- 40 là! Je n'ai eu que le temps de sauter derrière mon trône... Vous vous rendez compte où nous en sommes? Tirer l'épée devant le roi! J'aurais dû faire appeler le Connétable[84] pour l'arrêter, malheureuse-

[81] *Tu ... faire:* you'll see the way they take it
[82] whore
[83] *C'est ... coup:* he would have really let me have it
[84] High Constable [Chief Police Officer]

ment c'était lui, le Connétable, et je ne suis pas tellement sûr d'être le roi... C'est pour ça qu'ils me traitent tous comme ça; ils savent que je ne suis peut-être qu'un bâtard.

LA REINE YOLANDE (*doucement*) — C'est vous, et vous seul, qui le répétez tout le temps, Charles...

CHARLES — Quand je vois leurs gueules de fils légitimes à tous, c'est fou ce que je me sens bâtard! Qu'est-ce que c'est que cette époque où il faut être premier prix de gymnastique pour être quelqu'un? où il faut 10 pouvoir brandir une épée de huit livres, se balader avec une armure de je ne sais combien sur le dos!... Quand on me la met, la mienne, je ne peux plus bouger. Je suis bien avancé! Et je n'aime pas les coups, moi. Ni en donner ni en recevoir.

Il tape soudain du pied comme un enfant.

Et puis j'ai peur, là!

Il se retourne vers elle, hargneux.

Qu'est-ce que vous voulez me demander encore qui est au-dessus de mes forces?

LA REINE YOLANDE — De recevoir cette pucelle, Charles, qui nous arrive de Vaucouleurs. Elle se dit envoyée 20 de Dieu. Elle dit qu'elle vient pour délivrer Orléans. Déjà dans le peuple, on ne parle plus que d'elle, on attend avec une immense espérance que vous acceptiez de la recevoir.

CHARLES — Alors, vous trouvez que je ne suis pas assez ridicule comme ça? Donner audience à une petite illuminée de village? Vraiment, belle-maman, pour une femme de bon sens, vous me décevez...

LA REINE YOLANDE — Je vous ai déjà donné Agnès, Charles, contre mes intérêts de mère, pour votre bien. 30 Maintenant, je vous dis de prendre cette pucelle. ... Cette fille a quelque chose d'extraordinaire ou tout au moins tout le monde le croit, et c'est l'essentiel.

CHARLES (*ennuyé*) — Je n'aime pas les pucelles... Vous allez encore me dire que je me suis pas assez viril, mais cela me fait peur... Et puis j'ai Agnès qui me plaît encore... Ce n'est pas pour vous faire un reproche, mais vous avez une drôle de vocation, belle-maman, pour une reine... 40

LA REINE YOLANDE (*sourit*) — Vous ne me comprenez pas, Charles. Ou vous faites semblant de ne pas me comprendre. C'est dans votre conseil que je vous demande de prendre cette petite paysanne. Pas dans votre lit.

CHARLES — Alors là, malgré tout le respect que je vous dois, vous êtes complètement folle, belle-maman! Dans mon conseil, avec l'Archevêque, et La Trémouille qui se croit sorti de la cuisse de Jupiter, une petite paysanne de rien du tout? Mais vous voulez 50 donc qu'ils me crèvent les yeux?

LA REINE YOLANDE (*doucement*) — Je crois que vous avez

tous besoin d'une paysanne, précisément, dans vos conseils. Ce sont les grands qui gouvernent le royaume et c'est justice; Dieu l'a remis entre leurs mains . . . Mais, sans vouloir me mêler de juger les décisions de la Providence, je suis étonnée quelquefois qu'Elle ne leur ait pas donné en même temps, comme Elle l'a fait généreusement aux plus humbles de Ses créatures, meilleure mesure de simplicité et de bon sens.

CHARLES (*ironise*) — Et de courage ! . . .   10

LA REINE YOLANDE (*doucement*) — Et de courage, Charles.

CHARLES — En somme, belle-maman, à ce que je crois comprendre, vous êtes pour confier le gouvernement aux peuples? A ces bons peuples qui ont toutes les vertus? Vous savez ce qu'il fait, ce bon peuple, quand les circonstances le lui offrent, le pouvoir? Vous avez lu l'histoire des tyrans?

LA REINE YOLANDE — Je ne connais rien de l'Histoire, Charles. De mon temps, les filles de roi n'appre- 20 naient qu'à filer; comme les autres.

CHARLES — Eh bien, moi, je la connais, cette suite d'horreurs et de cancans,[85] et je m'amuse quelquefois à en imaginer le déroulement futur pendant que vous me croyez occupé à jouer au bilboquet . . . On essaiera ce que vous préconisez.[86] On essaiera tout. Des hommes du peuple deviendront les maîtres des royaumes, pour quelques siècles — la durée du passage d'un météore dans le ciel — et ce sera le temps des massacres et des plus monstrueuses erreurs. Et au jour 30 du jugement, quand on fera les additions, on s'apercevra que le plus débauché, le plus capricieux de ses princes aura coûté moins cher au monde, en fin de compte, que l'un de ces hommes vertueux. Donnez-leur un gaillard à poigne,[87] venu d'eux, qui les gouverne, et qui veuille les rendre heureux, coûte que coûte,[88] mes Français, et vous verrez qu'ils finiront par le regretter leur petit Charles avec son indolence et son bilboquet . . . Moi, du moins, je n'ai pas d'idées générales sur l'organisation du bonheur. 40 Ils ne se doutent pas encore combien c'est un détail inappréciable.

LA REINE YOLANDE — Vous devriez cesser de jouer avec ce bilboquet, Charles, et de vous asseoir à l'envers sur votre trône ! Cela n'est pas royal !

CHARLES — Laissez-moi donc. Quand je rate mon coup, au moins c'est sur mon doigt ou sur mon nez que la boule retombe. Cela ne fait de mal à personne, qu'à moi. Que je prenne la boule d'une main et le bâton de l'autre, que je m'asseye droit sur mon trône, que je commence à me prendre au sérieux et chaque fois que je ferai une bêtise, c'est sur votre nez à tous que la boule retombera.

Entrent L'ARCHEVÊQUE *et* LA TRÉMOUILLE. *Il leur crie, se tenant noblement sur son trône comme il l'a dit:* Archevêque, Connétable, vous arrivez bien ! Je suis en train de gouverner. Vous voyez, je me suis procuré le globe et la main de justice.

L'ARCHEVÊQUE (*prend son face-à-main*)[89] Mais c'est un 10 bilboquet !

CHARLES — Aucune importance, Monseigneur: tout est symbole. Ce n'est pas à un prince de l'Église que je vais l'apprendre. Vous avez sollicité une audience, Monseigneur, que je vous vois soudain devant moi?

L'ARCHEVÊQUE — Ne plaisantons pas, Monsieur. Je sais qu'une fraction de l'opinion qui toujours s'agite et intrigue, cherche à vous imposer de recevoir cette pucelle, dont tout le monde parle depuis quelque temps. Cela, Monseigneur, le Connétable et moi- 20 même, nous sommes venus vous dire que nous ne l'admettrions jamais !

CHARLES (*à la Reine Yolande*) — Qu'est-ce que je vous disais? Messieurs, je prends note de vos bons conseils et je vous en remercie. J'aviserai de la suite à donner à cette affaire. Vous pouvez disposer, l'audience est terminée.

L'ARCHEVÊQUE — Encore une fois, Monseigneur, nous ne jouons pas !

CHARLES — Vous voyez, pour une fois que je parle en 30 roi, tout le monde croit que je m'amuse.

Il se recouche sur son trône avec son bilboquet.

Alors laissez-moi donc m'amuser tranquillement . . .

L'ARCHEVÊQUE — La réputation miraculeuse de cette fille l'a déjà précédée ici, Monseigneur. Un inexplicable engouement. Il paraît qu'ils parlent déjà d'elle et l'attendent, dans Orléans assiégée. La main de Dieu la conduit . . . Dieu a décidé de sauver le royaume de France par elle et de faire repasser la mer aux Anglais, et autres balivernes;[90] Dieu voudra que vous la receviez en votre royale présence . . . rien ne peut 40 l'empêcher . . . Je ne sais pas ce qu'ils ont tous à vouloir que Dieu se mêle de leurs affaires ! . . . Et, naturellement, elle fait des miracles, la petite garce, c'est le contraire qui m'eût étonné. Un soldat l'a traitée de je ne sais quoi comme elle arrivait à Chinon. Elle lui a dit: « Tu as tort de jurer, toi qui

---

[85] gossip
[86] recommend
[87] *gaillard . . . poigne:* strong man
[88] *coûte que coûte:* whatever the price
[89] lorgnette
[90] nonsense

paraîtras bientôt devant ton Seigneur . . . » Une heure plus tard, cet imbécile tombait par mégarde dans le puits de la cour des communs et se noyait. Ce faux pas d'un ivrogne a fait plus pour la réputation de cette fille qu'une grande victoire pour Dunois. Tout le monde est unanime, du dernier des valets de chiens, aux plus grandes dames de votre cour, comme je le vois: il n'y a plus qu'elle qui peut nous sauver. C'est absurde.

CHARLES *s'est remis de travers sur son trône et est occupé a jouer au bilboquet.*

Monseigneur, je traite devant vous d'une des plus 10 graves affaires du royaume et vous jouez au bilboquet!

CHARLES — Monseigneur, il faut s'entendre. Ou vous voulez que je joue au bilboquet, ou vous voulez que je gouverne.

Il se dresse.

Voulez-vous que je gouverne?

L'ARCHEVÊQUE (*effrayé*) — On ne vous en demande pas tant! On voudrait seulement que vous reconnaissiez nos efforts . . .

CHARLES — Je les reconnais, je les apprécie et je les trouve 20 complètement inutiles. Tout le monde a envie que je reçoive cette fille, n'est-ce pas?

L'ARCHEVÊQUE — Je n'ai pas dit cela, Monseigneur!

CHARLES — Moi, personnellement, je n'ai aucune curiosité, vous le savez. Les nouvelles têtes m'ennuient et on connaît toujours trop de gens . . . Et puis les envoyés de Dieu, il est rare que ce soient des rigolos.[91] Mais je veux être un bon roi et contenter mes peuples. Je verrai cette illuminée, ne serait-ce que pour la confondre. Vous lui avez parlé vous, Archevêque? 30

L'ARCHEVÊQUE (*hausse les épaules*) — J'ai autre chose à faire, Monseigneur, avec le poids des affaires du royaume sur mes épaules.

CHARLES — Bien. Moi, je n'ai rien d'autre à faire qu'à jouer au bilboquet. Je la verrai donc pour vous décharger de ce souci, et je vous promets de vous dire franchement mon impression. Vous pouvez me faire confiance, Monseigneur. Vous me méprisez cordialement, vous n'avez aucune sorte d'estime pour moi, mais vous savez, du moins, que je suis un homme 40 léger. Et ce défaut doit vous paraître en cette circonstance une qualité inappréciable. Tout ce qui se prend un peu au sérieux m'ennuie très vite. Je vais recevoir cette fille et si elle me donne envie de l'écouter me parler du salut du royaume — ce que personne n'a encore jamais réussi sans me faire

bâiller — c'est qu'elle peut vraiment faire des miracles . . .

L'ARCHEVÊQUE (*grommelle*) — Une fille de paysan chez le roi! . . .

CHARLES (*simplement*) — Oh! vous savez, je reçois un peu tous les mondes chez moi . . . Je ne dis pas cela pour Monsieur de La Trémouille qui sort directement de la cuisse de Jupiter . . . Mais vous-même, Monseigneur, je crois me souvenir qu'on m'a dit que vous étiez le petit-fils d'un marchand de vins . . . 10 Loin de moi de vous en faire un reproche! Quoi de plus naturel? Vous êtes venu à la prêtrise par les burettes,[92] en somme. Et moi, vous me l'avez assez répété: il n'est pas du tout sûr que je sois fils de roi. Alors, ne jouons pas au petit jeu des castes, nous nous rendrions tous ridicules . . . Venez, belle-maman. J'ai envie de lui faire une bonne farce à cette petite pucelle-là! . . . Nous allons déguiser un de mes pages avec un pourpoint royal, le moins troué; nous le mettrons sur le trône — où il aura sûrement 20 meilleure mine que moi — et moi je me perdrai dans la foule . . . Le petit discours de l'envoyée de Dieu à un page! . . . Ce sera du dernier comique . . .

Ils sont sortis.

L'ARCHEVÊQUE (*à La Trémouille*) — On le laisse faire? Il prend cela en jouant comme le reste. Ça ne peut pas être très dangereux. Et puis le fait qu'il l'ait reçue calmera peut-être les esprits. Dans quinze jours, on se toquera[93] d'une autre envoyée de Dieu et on aura oublié celle-là.

LA TRÉMOUILLE — Archevêque, je commande l'armée. Et 30 tout ce que je peux vous dire, c'est que la médecine officielle a maintenant dit son dernier mot. Nous en sommes aux rebouteux,[94] aux guérisseurs, aux charlatans . . . Enfin, à ce que vous appelez les envoyés de Dieu. Qu'est-ce qu'on risque?

L'ARCHEVÊQUE (*soucieux*) — Connétable, avec Dieu, on risque toujours tout. S'il nous a vraiment envoyé cette fille, s'Il se met à s'occuper de nous, nous n'avons pas fini d'avoir des ennuis. Nous sortirons de notre petit train-train,[95] nous gagnerons quatre 40 ou cinq batailles et puis les scandales et les complications commenceront. Une vieille expérience d'homme de gouvernement et d'homme d'Église m'a appris qu'il ne fallait jamais attirer l'attention de Dieu. Il faut se faire tout petits, Connétable, tout petits.

---

[91] jokesters

[92] altar cruets for wine or water. Charles alludes to the Archbishop's wine merchant ancestors
[93] will become infatuated over
[94] bone-setters
[95] routine

Les courtisans prennent place avec les reines, un page occupe le trône tandis que CHARLES *s'est glissé dans la foule.* L'ARCHEVÊQUE *achève tout bas:*

D'autant plus qu'avec Dieu, ce qu'il y a de terrible, c'est qu'on ne sait jamais si ce n'est pas un coup du diable ... Enfin, par l'un ou par l'autre, les dés sont jetés![96] La voilà!

Tout le monde s'est groupé autour du trône où se tient le petit page; CHARLES *est dans la foule.* JEANNE *entre toute seule, toute petite, toute grise, dans son simple costume, au milieu des armures et des hauts hennins ... On s'écarte, lui frayant un chemin jusqu'au trône. Elle va pour se prosterner, hésite, toute rouge, regardant le page ...*

LA REINE YOLANDE (*lui glisse à l'oreille*) — Il faut se prosterner, petite, devant le roi.

JEANNE *se retourne vers elle, affolée, la regarde avec une expression presque douloureuse sur le visage, puis soudain, elle regarde tous ces gens muets qui l'épient, et s'avance en silence dans la foule qui s'écarte. Elle va jusqu'à* CHARLES *qui essaie de l'éviter; quand il voit qu'elle va l'atteindre, il se met presque à courir pour se faufiler derrière les autres, mais elle le suit, courant presque elle aussi, le traque dans un coin et tombe à ses genoux.*

CHARLES (*gêné, dans le silence*) — Qu'est-ce que vous me voulez, Mademoiselle? 10

JEANNE — Gentil Dauphin, j'ai nom Jeanne la Pucelle. Le Roi des Cieux vous fait dire par moi que vous serez sacré et couronné dans la ville de Reims et vous serez lieutenant du Roi des Cieux, qui est roi de France!

CHARLES (*gêné*) — Heu ... Voilà qui est bien, Mademoiselle. Mais Reims est aux Anglais, que je sache. Comment y aller?

JEANNE (*toujours à genoux*) — En les battant, gentil Dauphin — de force, bien sûr! Nous commencerons par Orléans et après nous irons à Reims.

LA TRÉMOUILLE (*s'approche*) — Mais, petite folle, n'est- 20 ce pas ce que cherchent à faire tous nos grands capitaines depuis des mois? Je suis leur chef, j'en sais quelque chose. Et ils n'y parviennent pas.

JEANNE (*s'est relevée*) — Moi, j'y parviendrai.

LA TRÉMOUILLE — Je voudrais bien savoir comment!

JEANNE — Avec l'aide de Notre-Seigneur Dieu qui m'envoie.

LA TRÉMOUILLE — Parce que Dieu, aux dernières nouvelles, a décidé de nous faire reprendre Orléans?

JEANNE — Oui, Messire, et de chasser les Anglais hors de 30 France.

LA TRÉMOUILLE (*ricane*) — Voilà une bonne pensée! Mais il ne peut pas faire ses commissions lui-même? Il avait besoin de toi?

JEANNE — Oui, Messire.

L'ARCHEVÊQUE (*s'approche*) — Jeune fille ...

JEANNE *le voit, se prosterne et baise le bas de sa robe. Il lui donne sa bague, la relève d'un geste.*

Vous dites que Dieu veut délivrer le royaume de France. Si telle est sa volonté il n'a pas besoin de gens d'armes ...

JEANNE (*bien en face*) — Oh, Monseigneur, Dieu n'aime pas les fainéants.[97] Il faudra que les gens d'armes 10 bataillant un bon coup et puis, Lui, donnera la victoire.

CHARLES (*qui la regarde troublé, demande soudain*) — A quoi m'avez-vous reconnu? Je n'avais pas ma couronne ...

JEANNE — Gentil Dauphin, ce petit rien du tout sur votre trône, avec votre couronne et votre pourpoint, c'était une bonne farce, mais on voyait bien que ce n'était qu'un petit rien du tout ...

CHARLES — Vous vous trompez Mademoiselle, c'est le fils d'un très grand seigneur ...   20

JEANNE — Je ne sais pas qui sont les grands seigneurs ... C'est tout de même un petit rien du tout auprès de vous qui êtes notre roi.

CHARLES (*troublé*) — Qui t'a dit que j'étais ton roi? Moi non plus, je ne paie pas de mine ...

JEANNE — Dieu, gentil Dauphin, qui vous a désigné depuis toujours, à travers votre père et votre grand-père et toute la suite des rois, pour être le lieutenant de Son royaume.

L'ARCHEVÊQUE *et* LA TRÉMOUILLE *échangent un regard agacé.* L'ARCHEVÊQUE *s'avance.*

L'ARCHEVÊQUE — Monseigneur. Les réponses de cette 30 fille sont en effet intéressantes et font preuve d'un certain bon sens. Mais dans une matière aussi délicate, il convient d'être circonspect, de s'entourer des plus sévères précautions. Une commission de sages docteurs devra longuement l'interroger et l'examiner ... Nous statuerons alors, en Conseil, sur leur rapport et nous verrons s'il est opportun d'accorder à cette fille une audience plus longue. Il n'est pas nécessaire, aujourd'hui, qu'elle vous importune davantage. Je vais moi-même lui faire 40 subir un premier interrogatoire. Venez, ma fille.

CHARLES — Non, par exemple!

Il arrête JEANNE.

Ne bougez pas, vous.

---

[96] *les ... jetés:* the die is cast

[97] laggards

Il se retourne vers L'ARCHEVÊQUE, *prenant la main de*
JEANNE *pour se donner du courage.*

C'est moi qu'elle a reconnu. C'est à moi qu'elle s'est
adressée. Je veux que vous me laissiez seul avec elle,
tous.

L'ARCHEVÊQUE — Mais, Altesse, il n'est pas décent que
de but en blanc . . . Le souci de votre sécurité
même . . .

CHARLES (*à ce mot, a un petit peu peur, mais il regarde
Jeanne et se reprend*) — J'en suis seul juge.

Il récite.

A travers mon père, mon grand-père et cette longue 10
suite de rois . . .

Il cligne de l'œil à JEANNE.

C'est bien ça? . . .

Il se retourne vers les autres, imperturbable.

Sortez, Messieurs, le roi l'ordonne.

Tous s'inclinent et sortent. CHARLES *garde son attitude
noble un instant, puis soudain pouffe de rire.*

Ils sont sortis! Tu es une fille épatante! C'est bien la
première fois que je me fais obéir . . .

Il la regarde soudain, inquiet.

Ce n'est pas vrai tout de même ce qu'il a tenté d'in-
sinuer? Tu n'es pas venue pour me tuer? Tu n'as pas
un couteau sous ta jupe?

Il la regarde, elle sourit, grave.

Non. Tu as une bonne bille. Au milieu de tous ces
forbans[98] de ma cour, j'avais fini par oublier ce que 20
c'était, une bonne bille . . . Vous êtes beaucoup à
avoir une bonne tête comme ça, dans mon royaume?

JEANNE (*sourit toujours, grave*) — Plein, Sire.

CHARLES — Seulement, je ne vous vois jamais . . . Des
brutes, des prêtres ou des putains — voilà tout ce qui
m'entoure . . .

Il se reprend.

Il y a ma petite reine qui est bien gentille, mais elle est
bête . . .

*Il se remet sur son trône, les pieds sur l'accoudoir, et
soupire.*

Bon. Maintenant, tu vas commencer à m'ennuyer. Tu
vas commencer à me dire qu'il faut que je sois un 30
grand roi, toi aussi . . .

JEANNE (*doucement*) — Oui, Charles.

CHARLES (*il se relève, il a une idée*) — Écoute, il va falloir que nous restions enfermés ensemble au moins
une heure pour les impressionner . . . Si tu me parles
de Dieu et du royaume de France pendant une heure
je ne tiendrai jamais . . . Je vais te faire une proposition. On va parler de tout autre chose pendant ce
temps-là.

Il demande soudain.

Tu sais jouer aux cartes?

JEANNE (*ouvre de grands yeux*) — Je ne sais pas ce que
c'est.

CHARLES — C'est un jeu très amusant qu'on a inventé
pour papa; pour le distraire pendant sa maladie. Tu
vas voir, je vais t'apprendre. Moi c'est arrivé à
m'ennuyer comme le reste depuis le temps que j'y
joue, mais toi qui n'as pas encore l'habitude, cela va
sûrement t'amuser beaucoup.

Il va fourrager dans un coffre.

J'espère qu'ils ne me l'ont pas volé. On me vole tout 10
ici. Et, tu sais, cela vaut très cher un jeu de cartes. Il
n'y a que les très grands princes qui en ont. Moi,
c'est un reste[99] de papa. Je n'aurai jamais assez
d'argent pour m'en acheter un autre . . . Si ces
cochons-là me l'ont volé . . . Non, le voilà.

Il revient avec les cartes.

Tu sais qu'il était fou, papa? Il y a des jours où je
voudrais bien être son fils pour être sûr que je suis le
vrai roi . . . Il y a des jours où je me dis qu'il vaudrait
mieux que je sois un bâtard, pour ne pas craindre de
devenir fou comme lui vers la trentaine.   20

JEANNE (*doucement*) — Et entre les deux, qu'est-ce que
tu préférerais, Charles?

CHARLES (*se retourne surpris*) — Tiens, tu me tutoies?
On en voit de si drôles aujourd'hui! C'est un jour
très amusant. J'ai l'impression que je ne vais pas
m'ennuyer aujourd'hui; c'est merveilleux!

JEANNE — Tu ne t'ennuieras plus jamais maintenant,
Charles.

CHARLES — Tu crois? Ce que je préfère, dis-tu? Hé bien,
les jours où j'ai du courage, j'aime mieux risquer de 30
devenir fou un jour et être le vrai roi. Et les jours où
je n'ai pas de courage, j'aime mieux envoyer tout
promener et me retirer avec mes quatre sous quelque
part à l'étranger et vivre tranquille. Tu connais
Agnès?

JEANNE — Non.

CHARLES (*qui bat les cartes*) — C'est une jolie fille. Je ne
m'ennuie pas trop avec elle non plus. Mais elle veut
toujours que je lui achète des choses.

JEANNE (*demande, grave soudain*) — Et aujourd'hui, 40
Charles, tu as du courage?

CHARLES — Aujourd'hui? . . .

Il cherche.

Oui, il me semble que j'ai un petit peu de courage
aujourd'hui. Pas beaucoup mais un petit peu.
D'ailleurs, tu as vu comment j'ai envoyé promener
l'Archevêque . . .

---

[98] pirates

[99] left-over

JEANNE — Hé bien, à partir d'aujourd'hui tu auras du courage tous les jours, Charles.

CHARLES (*se penche, intéressé*) — Tu as un truc?[100]

JEANNE — Oui.

CHARLES — Tu es un peu sorcière? Tu peux me le dire, à moi cela m'est égal. Et je te jure que je ne le répéterai pas. Les supplices, j'ai ça en horreur. Une fois, ils m'ont emmené voir brûler une hérétique. J'ai vomi toute la nuit.

JEANNE (*sourit*) — Non, Charles, je ne suis pas sorcière, mais j'ai tout de même un truc.

CHARLES — Tu ne me le vendrais pas, sans le dire aux autres? Je ne suis pas très riche mais je te ferai un bon sur le Trésor.

JEANNE — Je te le donnerai, Charles.

CHARLES (*méfiant*) — Pour rien?

JEANNE — Oui.

CHARLES (*se ferme soudain*) — Alors, je me méfie. Ou bien ce n'est pas un bon truc, ou bien cela me coûtera trop cher. Les gens désintéressés, c'est toujours hors de prix . . .

Il bat[101] les cartes.

Tu sais, j'ai pris l'habitude de faire l'imbécile pour qu'on me fiche la paix, mais j'en sais long. On ne me roule pas facilement.

JEANNE (*doucement*) — Tu en sais trop long, Charles.

CHARLES — Trop long? On n'en sait jamais trop long.

JEANNE — Si. Quelquefois.

CHARLES — Il faut bien se défendre. Je voudrais t'y voir ! . . . Si tu étais toute seule au milieu de ces brutes qui ne pensent qu'à vous donner un bon coup de dague au moment où vous vous y attendez le moins, et plutôt gringalet de nature, comme moi, tu n'aurais pas été longue à comprendre que le seul moyen de s'en tirer, c'est d'être beaucoup plus intelligent qu'eux. Je suis beaucoup plus intelligent qu'eux. C'est pourquoi je tiens tant bien que mal sur mon petit trône de Bourges.

JEANNE (*met la main sur son bras*) — Je serai là, maintenant, pour te défendre.

CHARLES — Tu crois?

JEANNE — Oui. Et moi je suis forte. Je n'ai peur de rien.

CHARLES (*soupire*) — Tu en as de la chance ! . . .

Il dispose les cartes.

Mets-toi sur le coussin, je vais t'apprendre à jouer aux cartes.

JEANNE (*sourit, s'asseyant près du trône*) — Si tu veux. Après, moi, je t'apprendrai autre chose.

CHARLES — Quoi?

JEANNE — A n'avoir peur de rien. Et à ne pas être trop intelligent.

CHARLES — Entendu. Tu vois les cartes? On a peint des figures dessus. Il y a de tout, comme dans la vie : des valets, des reines, des rois . . . Sur les autres les petits cœurs, les petits piques,[102] les petits trèfles,[103] les petits carreaux ;[104] c'est la troupe. On en a beaucoup, on peut en faire tuer tant qu'on veut. On distribue les cartes sans les regarder, le hasard t'en donne beaucoup de bonnes ou beaucoup de mauvaises et on livre bataille. Suivant leur valeur, les cartes peuvent se prendre les unes les autres. Quelle est la plus forte à ton avis?

JEANNE — C'est le roi.

CHARLES — Oui. C'est une des plus fortes, mais il y a plus fort encore que les rois, ma fille, au jeu de cartes. Cette carte-là, ce grand cœur tout seul. Tu sais comment on l'appelle?

JEANNE — Dieu, pardine, c'est lui qui commande les rois.

CHARLES (*agacé*) — Mais non bougre d'obstinée ![105] Laisse Dieu cinq minutes tranquille ! On joue aux cartes en ce moment. C'est l'as.

JEANNE — Quoi, l'as? C'est idiot ton jeu de cartes. Qu'est-ce qui peut être plus fort que les rois, sinon Dieu?

CHARLES — L'as précisément. L'as, c'est Dieu si tu veux, mais dans chaque camp. Tu vois, as de cœur, as de pique, as de trèfle, as de carreau. Il y a un pour chacun. On n'en sait pas long, à ce que je vois, dans ton village ! Tu crois donc que les Anglais, ils ne font pas leurs prières aussi bien que nous? Tu crois donc qu'ils n'ont pas Dieu, eux aussi, qui les protège et qui les fait vaincre? Et mon cousin, le duc de Bourgogne, il a son petit Dieu pour la Bourgogne, tout pareil, un petit Dieu très entreprenant et très malin qui lui tire toujours son épingle du jeu. Dieu est avec tout le monde ma fille. C'est l'arbitre et il marque les points. Et, en fin de compte, il est toujours avec ceux qui ont beaucoup d'argent et de grosses armées. Pourquoi voudrais-tu que Dieu soit avec la France, maintenant qu'elle n'a plus rien du tout?

JEANNE (*doucement*) — Peut-être parce qu'elle n'a plus rien du tout, Charles.

CHARLES (*hausse les épaules*) — Tu ne le connais pas !

JEANNE — Si Charles, mieux que toi. Dieu n'est pas avec ceux qui sont les plus forts. Il est avec ceux qui ont le plus de courage. Il y a une nuance. Dieu n'aime pas ceux qui ont peur.

[100] trick, gimmick
[101] shuffles

[102] spades
[103] clubs
[104] diamonds
[105] *bougre d'obstinée:* stubborn mule

CHARLES — Alors, il ne m'aime pas. Et s'il ne m'aime pas, pourquoi veux-tu que je l'aime? Il n'avait qu'à m'en donner du courage. Je ne demandais pas mieux, moi!

JEANNE (sévère) — Tu crois donc que c'est ta nourrice et qu'Il n'a que toi à s'occuper? Tu ne pourrais pas essayer de te débrouiller un peu toi-même avec ce que tu as? Il ne t'a pas donné de très gros bras, c'est vrai, comme à Monsieur de La Trémouille, et Il t'a fait de trop longues jambes, toutes maigres . . . 10

CHARLES — Tu as remarqué? Pour ça, il aurait pu faire mieux. Surtout avec la mode actuelle. Tu sais que c'est à cause de mes jambes qu'Agnès ne m'aimera jamais? Si au moins, il avait eu le compas dans l'œil, s'il ne m'avait pas donné de gros genoux en même temps . . .

JEANNE — Je te l'accorde. Il n'a pas fait grands frais pour tes genoux. Seulement, Il t'a donné autre chose, dans ta vilaine caboche[106] de vilain garçon. La petite étincelle, qui est ce qui Lui ressemble le plus. Tu 20 peux en faire un bon ou un mauvais usage Charles, pour cela, Il te laisse libre, Dieu. Tu peux t'en servir pour jouer aux cartes et pour continuer à rouler l'Archevêque à la petite semaine . . . ou bien pour bâtir ta maison et refaire ton royaume que tout le monde t'a pris. Tu as un fils Charles avec ta petite reine. Qu'est-ce que tu vas lui laisser à ce garçon lorsque tu mourras? Ce tout petit morceau de Frar ce grignoté[107] par les Anglais? Tu n'as pas honte? Lui aussi, il pourra dire quand il sera grand, Dieu ne s'est 30 pas occupé de moi! Mais ce sera toi, Charles, qui ne te seras pas occupé de lui. C'est toi, Dieu, pour ton fils. C'est toi qui l'as en charge. Dieu t'a fait roi, Il t'a donné quelque chose de très lourd à porter. Ne te plains pas, c'est Sa meilleure façon de s'occuper d'un homme.

CHARLES (gémit) — Mais je vous dis que j'ai peur de tout! . . .

JEANNE (se rapproche) — Je vais t'apprendre Charles. Je vais te le donner, mon truc. D'abord — ne le répète à 40 personne surtout — moi aussi, j'ai peur de tout. Tu sais pourquoi il n'a peur de rien Monsieur de La Trémouille?

CHARLES — Parce qu'il est fort.

JEANNE — Non. Parce qu'il est bête. Parce qu'il n'imagine jamais rien. Les sangliers non plus n'ont jamais peur, ni les taureaux. Pour moi, cela a été encore plus compliqué que pour toi de refaire ton royaume, de venir ici. Il a fallu que j'explique à mon père qui m'a

battue, et qui a cru que je voulais devenir une ribaude à la traîne des soldats, et toutes proportions gardées, il cogne encore plus dur que les Anglais, tu sais, mon père! Il a fallu que je fasse pleurer ma mère, et cela aussi paraissait insurmontable, que je convainque le gros Beaudricourt qui criait tant qu'il pouvait et qui était plein de mauvaises pensées . . . Tu crois que je n'ai pas eu peur? J'ai eu peur tout le temps.

CHARLES — Et comment as-tu fait?

JEANNE — Comme si je n'avais pas peur. Ce n'est pas 10 plus difficile que cela, Charles. Tu n'as qu'à essayer, une fois. Tu dis: « Bon, j'ai peur. Mais c'est mon affaire, ça ne regarde personne. Continuons. » Et tu continues. Et si tu vois quelque chose qui te paraît insurmontable, devant toi . . .

CHARLES — La Trémouille en train de gueuler . . .

JEANNE — Si tu veux. Ou les Anglais bien solides devant Orléans dans leurs bonnes grosses bastilles.[108] Tu dis: « Bon, ils sont plus nombreux, ils ont de gros murs, des canons, de grosses réserves de flèches, ils 20 sont toujours les plus forts. Soit. J'ai peur. Un bon coup. Là. Voilà. Maintenant que j'ai eu bien peur, allons-y! » Et les autres sont si étonnés que tu n'aies pas peur que, du coup, ils se mettent à avoir peur, eux, et tu passes! Tu passes, parce que comme tu es plus intelligent, que tu as plus d'imagination, toi, tu as eu peur avant. Voilà tout le secret.

CHARLES — Mais tout de même, s'ils sont plus forts!

JEANNE — Cela ne sert pas à grand-chose d'être les plus forts. Moi, une fois, j'ai vu un garçon de mon 30 village, un petit braconnier, il était poursuivi par deux molosses[109] sur les terres du seigneur. Il s'est arrêté, il les a attendus, et il les a étranglés, l'un après l'autre.

CHARLES — Et il n'a pas été mordu?

JEANNE — Pour ça, il a été mordu! Il n'y a pas de miracle. Mais il les a étranglés tout de même. Et Dieu avait pourtant fait les deux molosses beaucoup plus forts que mon petit braconnier. Seulement, Il a donné autre chose à l'homme qui le rend plus fort que les 40 brutes. C'est pour ça que mon petit braconnier s'est arrêté de courir, qu'il a vidé toute sa peur d'un coup et qu'il s'est dit: « Bon. Maintenant, j'ai eu assez peur. Je m'arrête et je les étrangle. »

CHARLES — C'est tout?

JEANNE — C'est tout.

CHARLES (un peu déçu) — Ce n'est pas sorcier.

JEANNE (sourit) — Non. Ce n'est pas sorcier. Mais ça suffit. Dieu ne demande rien d'extraordinaire aux

---

[106] head
[107] nibbled away

[108] forts [which the English had built around Orléans]
[109] mastiffs

hommes. Seulement d'avoir confiance en cette petite part d'eux-mêmes, qui est Lui. Seulement de prendre un peu de hauteur. Après Il se charge du reste.

CHARLES (*rêveur*) — Et c'est un truc qui réussit toujours, tu crois?

JEANNE — Toujours. Bien sûr, il faut être avisé aussi, mais cela tu ne l'es que trop! Mon petit braconnier, il a saisi le moment où les deux molosses s'étaient séparés l'un de l'autre à cause d'un lièvre pour pouvoir les expédier un par un. Mais surtout, c'est parce qu'à la minute où tu vides toute ta peur, et où tu t'arrêtes tout de même et que tu fais face, Dieu vient à toi.

Elle ajoute:

Seulement, tu sais comme Il est. Il veut qu'on fasse le premier pas.

CHARLES (*après un silence*) — Tu crois qu'on l'essaye, ton truc?

JEANNE — Bien sûr qu'on l'essaye. Il faut toujours essayer.

CHARLES (*effrayé soudain de son audace*) — Demain, que j'aie le temps de me préparer . . .

JEANNE — Non. Tout de suite. Tu es fin prêt.

CHARLES — On appelle l'Archevêque et La Trémouille et on leur dit que je te confie le commandement de l'armée pour voir leur tête?

JEANNE — On les appelle.

CHARLES — J'ai peur, je crève[110] de peur en ce moment.

JEANNE — Alors, le plus dur est fait. Ce qu'il ne faut pas, c'est qu'il te reste de la peur quand ils seront là. Tu as bien peur, tant que tu peux?

CHARLES (*qui se tient le ventre*) — Je te crois.

JEANNE — Alors ça va. Tu as une énorme avance sur eux. Quand eux, ils vont se mettre à avoir peur, toi tu auras déjà fini. Le tout, c'est d'avoir peur le premier, et avant la bataille. Tu vas voir. Je les appelle.

Elle va appeler au fond.

Monseigneur l'Archevêque, Monsieur de La Trémouille! Monseigneur le Dauphin désire vous parler.

CHARLES (*crie, piétinant sur place, pris de panique*) — Ah! ce que j'ai peur! Ah! ce que j'ai peur!

JEANNE — Vas-y Charles, de toutes tes forces!

CHARLES (*qui claque des dents*) — Je ne peux pas plus fort!

JEANNE — Alors, c'est gagné. Dieu te regarde, Il sourit et Il se dit: « Tout de même, ce petit Charles, il a peur et il les appelle. » Dans huit jours nous tenons Orléans, fiston![111]

---

[110] I'm dying
[111] lad

Entrent L'ARCHEVÊQUE *et* LA TRÉMOUILLE *surpris.*

L'ARCHEVÊQUE — Vous nous avez fait appeler, Altesse?

CHARLES (*soudain, après un dernier regard à* JEANNE) — Oui. J'ai pris une décision, Monseigneur. Une décision qui vous concerne aussi, Monseigneur de La Trémouille. Je donne le commandement de mon armée royale à la Pucelle ici présente.

Il se met à crier soudain.

Si vous n'êtes pas d'accord, Monsieur de La Trémouille, je vous prie de me rendre votre épée. Vous êtes arrêté!

LA TRÉMOUILLE *et* L'ARCHEVÊQUE *s'arrêtent, pétrifiés.*

JEANNE (*battant des mains*) — Bravo, petit Charles! Tu vois comme c'était simple! Regarde leurs têtes! . . . Non, mais regarde leurs têtes! . . . Ils meurent de peur!

Elle éclate de rire, CHARLES *est pris de fou rire aussi, ils se tapent sur les cuisses tous deux, ne pouvant plus s'arrêter, devant* L'ARCHEVÊQUE *et* LA TRÉMOUILLE *changés en statues de sel.*

JEANNE (*tombe soudain à genoux, criant*) — Merci, mon Dieu!

CHARLES (*leur crie, s'agenouillant aussi*) — A genoux, Monsieur de La Trémouille, à genoux! Et vous Archevêque, donnez-nous votre bénédiction, et plus vite que ça! Nous n'avons plus une minute à perdre! . . . Maintenant que nous avons eu tous bien peur, il faut que nous filions à Orléans!

LA TRÉMOUILLE *s'est agenouillé, abruti, sous le coup.* L'ARCHEVÊQUE, *ahuri, leur donne machinalement sa bénédiction.*

WARWICK (*éclate de rire au fond et s'avance avec* CAUCHON) — Évidemment, dans la réalité cela ne s'est pas exactement passé comme ça. Il y a eu Conseil, on a longuement discuté le pour et le contre et décidé finalement de se servir de Jeanne comme d'une sorte de porte-drapeau pour répondre au vœu populaire. Une gentille petite mascotte, en somme, bien faite pour séduire les gens simples et les décider à se faire tuer. Nous, nous avions beau donner avant chaque assaut, triple ration de gin, à nos hommes, cela ne leur faisait pas du tout le même effet. Et nous avons commencé à être battus de ce jour-là, contre toutes les lois de la stratégie. On a dit qu'il n'y avait pas de miracle de Jeanne, qu'autour d'Orléans notre réseau de bastilles isolées était absurde et qu'il suffisait d'attaquer — comme elle aurait simplement décidé l'état-major armagnac à le faire. C'est faux. Sir John Talbot n'était pas un imbécile, et il connaissait son métier, il l'a prouvé avant cette malheureuse affaire et depuis. Son réseau fortifié était théoriquement in-attaquable. Non, ce qu'il y a eu en plus — ayons l'élégance d'en convenir — c'est l'impondérable. Dieu si vous y tenez, Seigneur Évêque — ce que les états-majors ne prévoient jamais . . . C'est cette petite alouette chantant dans le ciel de France, au-dessus de la tête de leurs fantassins[112] . . . Personnellement, Monseigneur, j'aime beaucoup la France. C'est pourquoi je ne me consolerais jamais, si nous la perdions. Ces deux notes claires, ce chant joyeux et absurde d'une petite alouette immobile dans le soleil pendant qu'on lui tire dessus, c'est tout elle.

Il ajoute:

Enfin ce qu'elle a de mieux en elle . . . Car elle a aussi sa bonne mesure d'imbéciles, d'incapables et de crapules; mais de temps en temps, il y a une alouette dans son ciel qui les efface. J'aime bien la France. 10

CAUCHON (*doucement*) — Pourtant, vous lui tirez dessus . . .

WARWICK — L'homme est fait de contradictions, Seigneur Évêque. Il est très fréquent de tuer ce qu'on aime. J'adore les bêtes aussi, et je suis chasseur.

Il se lève soudain, dur. D'un coup de stick sur ses bottes, il fait signe à deux soldats qui s'avancent.

Allez! la petite alouette est prise. Le piège de Compiègne s'est refermé. La page éclatante est jouée. Charles et sa cour vont abandonner, sans un regard, la petite mascotte quie ne semble plus leur porter bonheur et revenir à la bonne vieille politique . . . 20

En effet, CHARLES, LA TRÉMOUILLE *et* L'ARCHEVÊQUE *se sont levés sournois et se sont éloignés de* JEANNE *qui prie toujours à genoux.*

Elle s'est dressée étonnée d'être seule et de voir CHARLES *s'éloigner, l'air faux. Le garde l'entraîne.*

CAUCHON (*lui crie, soulignant le jeu de scène*) — Ton roi t'abandonne, Jeanne! Pourquoi t'obstiner à le défendre? On t'a lu hier la lettre qu'il a envoyée à toutes ses bonnes villes, te désavouant.

JEANNE (*après un silence, doucement*) — C'est mon roi.

CHARLES (*bas, à* L'ARCHEVÊQUE) — Ils n'ont pas fini de nous la reprocher, cette lettre!

L'ARCHEVÊQUE (*bas*) — Nécessaire, Sire, elle était néces- 30 saire. Dans les conjonctures présentes la cause de la France ne pouvait plus, en aucune façon, être liée à celle de Jeanne.

CAUCHON — Jeanne écoute-moi bien et essaie de me comprendre. Ton roi n'est point notre roi. Un traité en bonne et due forme fait de notre Sire Henri VI de Lancastre le roi de France et d'Angleterre. Ce procès n'est pas placé sur le plan politique . . . Nous essayons simplement en ce moment, de toutes nos forces, de toute notre bonne foi, de ramener une brebis égarée 40 dans le sein de notre Sainte Mère l'Église. Mais, tout de même, nous sommes des hommes, Jeanne, nous

nous considérons comme les féaux[113] sujets de Sa Majesté Henri et notre amour de la France — qui est aussi grand, aussi sincère que le tien — nous l'a fait reconnaître comme son suzerain, pour qu'elle se relève de ses ruines, panse ses blessures et sorte enfin de cette épouvantable, de cette interminable guerre qui l'a saignée . . . La résistance vaine du clan armagnac, les ambitions ridicules de celui que tu appelles ton roi, à un trône qui n'est pas le sien, sont, pour nous, acte de rébellion et de terrorisme, contre 10 une paix qui était presque assurée. Le fantoche[114] que tu as servi n'est pas notre maître, comprends-le bien.

JEANNE — Dites toujours, vous n'y pouvez rien. C'est le roi que Dieu vous a donné. Tout maigrichon[115] qu'il est, le pauvre, avec ses longues jambes et ses vilains gros genoux.

CHARLES (*bas, à* L'ARCHEVÊQUE) — Tout cela est très désagréable pour moi en fin de compte . . .

L'ARCHEVÊQUE (*l'entraînant même jeu*) — Patience, Sire, ils vont expédier le procès et la brûler, et après nous 20 serons tranquilles. D'ailleurs, convenez qu'ils nous ont plutôt rendu service, les Anglais, en se chargeant de l'arrêter et de la mettre à mort. Si ce n'avait pas été eux, il aurait fallu que ce soit nous qui le fassions un jour ou l'autre. Elle devenait impossible!

Ils sont sortis. Ils reviendront plus tard se mêler à la foule sans qu'on s'en aperçoive.

CAUCHON (*reprend*) — Tu n'es pourtant pas sotte, Jeanne. Maintes de tes insolentes réponses nous l'ont prouvé. Mets-toi un instant à notre place. Comment veux-tu qu'en tant qu'hommes, au plus profond de notre conviction humaine, nous admettions que 30 c'est Dieu qui t'a envoyée contre la cause que nous défendons? Comment veux-tu que nous admettions, uniquement parce que tu nous assures avoir entendu des voix que Dieu s'est mis contre nous?

JEANNE — Vous le verrez bien quand nous vous aurons tout à fait battus!

CAUCHON (*hausse les épaules*) — Tu me réponds comme une petite fille butée,[116] volontairement. Si nous considérons maintenant la question en tant que prêtres, en tant que défenseurs de notre Sainte Mère 40 l'Église, quelles meilleures raisons avons-nous d'ajouter foi à ce que tu dis? Crois-tu être la première à avoir entendu des voix?

JEANNE (*doucement*) — Non, sans doute.

CAUCHON — Ni la première ni la dernière, Jeanne. Main-

___

[112] infantrymen

[113] faithful
[114] puppet
[115] skinny
[116] stubborn

tenant crois-tu que si chaque fois qu'une petite fille dans son village est venue dire à son curé: j'ai vu telle sainte ou la vierge Marie, j'ai entendu des voix qui m'ont dit de faire telle ou telle chose, son curé l'avait crue et laissé faire, l'Église serait encore debout?

JEANNE — Je ne sais pas.

CAUCHON — Tu ne sais pas mais tu es pleine de bon sens, c'est pourquoi je m'efforce de t'amener à raisonner avec moi. Tu as été chef de guerre, Jeanne?   10

JEANNE (se redresse, fière) — Oui, j'ai commandé à des centaines de bons garçons qui me suivaient et me croyaient!

CAUCHON — Tu as commandé. Si le matin d'une attaque, un de tes soldats avait entendu des voix lui persuadant d'attaquer par une autre porte que celle que tu avais choisie ou de ne pas attaquer du tout, qu'aurais-tu fait?

JEANNE (reste interdite un moment, puis soudain elle éclate de rire) — Seigneur Évêque, on voit bien que vous êtes prêtre! Que vous ne les avez jamais vus de 20 près nos troufions![117] Ils cognent dur, ils boivent sec, oui, mais pour ce qui est d'entendre des voix . . .

CAUCHON — Une plaisanterie n'a jamais été une réponse, Jeanne . . . Mais ta réponse à ma question tu l'as faite avant de parler, pendant la seconde où tu t'es tue, désemparée.[118] Hé bien, l'Église militante est une armée sur cette terre encore grouillante[119] d'infidèles et de forces du mal. Elle doit obéissance à notre Saint Père le Pape et à ses évêques, comme on te devait obéissance à toi et à tes lieutenants. Et le 30 soldat qui le matin de l'attaque vient dire qu'il a entendu des voix qui lui conseillaient de ne pas attaquer, dans toutes les armées du monde — y compris la tienne — on le fait taire. Et beaucoup plus brutalement que nous essayons de te raisonner.

JEANNE (pelotonnée[120] sur elle-même, sur la défensive) — Cognez dur, c'est votre droit. Moi, mon droit est de continuer à croire et de vous dire non.

CAUCHON — Ne t'enferme pas dans ton orgueil, Jeanne. Tu comprends bien que ni en tant qu'hommes ni en 40 tant que prêtres, nous n'avons aucune raison valable de croire à l'origine divine de ta mission. Toi seule as une raison d'y croire — poussée sans doute par le démon qui veut te perdre — et, bien entendu, dans la mesure où cela leur a été utile, ceux qui se sont servis de toi. Encore que les plus intelligents d'entre

eux, leur attitude devant ta capture et leur désaveu formel le prouvent, n'y aient jamais cru. Personne ne croit plus à toi, Jeanne, hormis le menu peuple, qui croit tout, qui en croira une autre demain. Tu es toute seule.

JEANNE ne répond pas, assise toute petite au milieu d'eux tous.

Et ne va pas croire non plus que ton obstination à nous résister, que ta force de caractère soient le signe que Dieu te soutient. Le diable aussi a la peau dure — et l'intelligence. Il a été un des anges les plus intelligents avant de se révolter.   10

JEANNE (après un silence) — Je ne suis pas intelligente, Messire. Je suis une pauvre fille de mon village, pareille aux autres. Mais quand quelque chose est noir, je ne peux pas dire que c'est blanc, voilà tout. Un silence encore.

LE PROMOTEUR (surgit derrière elle, soudain) — A quel signe t'es-tu fait reconnaître de celui que tu appelles ton roi pour qu'il te confie son armée?

JEANNE — Je vous ai dit qu'il n'y avait pas eu de signe.

LE PROMOTEUR — Tu lui as donné un morceau de ta mandragore[121] pour le protéger?   20

JEANNE — Je ne sais pas ce que c'est qu'une mandragore.

LE PROMOTEUR — Philtre ou formule, ton secret a un nom et nous voulons le savoir. Qu'as-tu donné à ton prince à Chinon pour qu'il reprenne soudain courage? Cela a-t-il un nom hébreu? Le diable parle toutes les langues, mais il affectionne l'hébreu.

JEANNE (sourit) — Non, Messire, cela a un nom français et vous venez vous-même de le dire. Je lui ai donné du courage, voilà tout.

CAUCHON — Et Dieu, ou enfin la puissance que tu crois 30 être Dieu, n'est intervenu en rien, crois-tu?

JEANNE (lumineuse) — Je crois que Dieu intervient tout le temps, Seigneur Évêque. Quand une fille dit deux mots de bon sens et qu'on l'écoute, c'est que Dieu est là. Dieu est économe; quand deux sous de bon sens suffisent, Il ne va pas faire la dépense d'un miracle.

LADVENU (doucement) — Voilà une bonne et humble réponse, Monseigneur, et qui ne peut pas être retenue contre elle.

LE PROMOTEUR (se dresse venimeux) — Voire![122] Tu ne 40 crois donc pas aux miracles tels qu'ils nous sont enseignés dans les Livres Saints? Tu nies ce qu'a fait Notre-Seigneur Jésus aux Noces de Cana, tu nies qu'Il ait ressuscité Lazare?

JEANNE — Non, Messire. Notre-Seigneur a fait sûrement tout cela, puisque c'est écrit dans Ses Livres. Il a

[117] foot soldiers
[118] at a loss
[119] seething (with)
[120] rolled up

[121] mandrake
[122] indeed

changé l'eau en vin comme Il avait créé l'eau et le vin; Il a renoué le fil de la vie de Lazare. Mais pour Lui, qui est le Maître de la vie et de la mort, ce ne devait rien être de plus extraordinaire que pour moi de filer une quenouille.

LE PROMOTEUR (*glapit*) — Écoutez-la! Écoutez-la! Elle dit qu'il n'y a pas de miracles!

JEANNE — Si, Messire. Il me semble seulement que les vrais miracles, ça ne doit pas être ces tours de passe-passe ou de physique amusante. Les romanichels[123] 10 sur la place de mon village en faisaient aussi . . . Les vrais miracles, ceux qui font sourire Dieu de plaisir dans le Ciel, ce doit être ceux que les hommes font tout seuls, avec le courage et l'intelligence qu'Il leur a donnés.

CAUCHON — Tu mesures la gravité de tes paroles, Jeanne? Tu es en train de nous dire tout tranquillement que le vrai miracle de Dieu sur cette terre, ce serait l'homme, pas autre chose. L'homme qui n'est que péché, erreur, maladresse, impuissance . . .   20

JEANNE — Oui, mais force et courage aussi et clarté au moment où il est le plus vilain. Je les ai vus, moi, à la guerre . . .

LADVENU — Monseigneur, Jeanne nous dit dans son langage maladroit des intuitions peut-être erronées mais sûrement naïves, de son cœur . . . Sa pensée en tout cas ne peut pas être assez ferme pour se mouler dans notre dialectique. Peut-être qu'en la pressant de questions, nous risquons de lui faire dire davan-tage ou autre chose que ce qu'elle veut dire . . .   30

CAUCHON — Frère Ladvenu, nous tâcherons d'apprécier la part de maladresse de ses réponses aussi honnête-ment que possible. Mais notre devoir est de la questionner jusqu'au bout. Nous ne sommes pas tellement sûrs de n'avoir affaire qu'a Jeanne, ne l'oubliez pas. Ainsi Jeanne, tu excuses l'homme? Tu le crois l'un des plus grands miracles de Dieu, voire le seul?

JEANNE — Oui, Messire.

LE PROMETEUR (*glapit, hors de lui*) — Tu blasphèmes! L'homme est impureté, stupre,[124] visions obscènes! 40 L'homme se tord sur sa couche dans la nuit, en proie à toutes les obsessions de la bête . . .

JEANNE — Oui, Messire. Et il pèche, il est ignoble. Et puis soudain, on ne sait pas pourquoi (il aimait tant vivre et jouir, ce pourceau), il se jette à la tête d'un cheval emballé, en sortant d'une maison de débauche, pour sauver un petit enfant inconnu et les os brisés, meurt tranquille, lui qui s'était donné tant de mal pour organiser sa nuit de plaisir . . .

LE PROMOTEUR — Il meurt comme une bête dans le péché, damné, sans prêtre!

JEANNE — Non, Messire, tout luisant, tout propre, et Dieu l'attend en souriant. Car il a agi deux fois comme un homme, en faisant le mal et en faisant le bien. Et Dieu l'avait justement créé pour cette contradiction.

Un tumulte indigné de tous les prêtres lorsqu'elle dit cela. L'INQUISITEUR *les apaise d'un geste et se lève soudain.*

L'INQUISITEUR (*de sa voix calme*) — Jeanne. Je t'ai laissé parler tout au long de ce procès sans presque jamais 10 t'interroger. Je voulais te laisser venir . . . Cela a été long . . . Le Promoteur voyait partout le diable, l'Évêque voyait partout l'orgueil d'une petite fille enivrée[125] de sa réussite; derrière ton obstination tranquille, derrière ton petit front têtu,[126] j'attendais qu'autre chose se montre. . . . Et voici que tu viens maintenant . . . Je représente ici la Sainte Inquisition dont je suis le vicaire pour la France. Monseigneur l'Évêque t'a dit tout à l'heure, très humainement, que ses sentiments d'homme qui l'attachent à la cause anglaise, qu'il croit juste, se confor.daient ce- 20 pendant avec ses sentiments de prêtre et d'évêque, chargé de défendre les intérêts de notre Mère l'Église. Moi, j'arrive du fond de l'Espagne; c'est la première fois qu'on m'envoie ici. J'ignore le clan anglais et le clan armagnac de la même ignorance. Il m'est in-différent à moi, que ce soit ton prince ou Henri VI de Lar.castre qui règne sur la France . . . La discipline au sein de notre Mère l'Église qui rejette ses francs-tireurs[127] — même bien intentionnés — et qui fait rentrer durement chacun dans le rang; je ne veux 30 pas dire qu'elle me soit indifférente — mais enfin, s'est une besogne secondaire, un travail de gen-darmerie — dont l'Inquisition laisse le soin aux évêques et aux curés. La Sainte Inquisition a autre chose de plus haut et de plus secret à défendre que l'intégrité temporelle de l'Église. Elle lutte dans l'invisible, secrètement, contre un ennemi qu'elle seule sait détecter, dont elle seule sait apprécier le danger. Il lui arrive parfois de s'armer contre un empereur, elle déploie d'autres fois le même apparat, 40 la même vigilance, la même dureté contre un vieux savant en apparence inoffensif, un petit pâtre[128] perdu au fond d'un village de montagne, une jeune fille. Les princes de la terre éclatent de rire de lui voir

---

[123] gypsies
[124] lechery

[125] intoxicated
[126] stubborn
[127] [approximately] guerilla fighters
[128] shepherd

se donner tant de mal, où il leur suffirait à eux, d'un bout de corde et de la signature d'un sergent au bas d'une sentence de mort. L'Inquisition laisse rire . . . Elle sait reconnaître et ne pas sousestimer son ennemi, où qu'il se trouve. Et son ennemi n'est pas le diable, le diable fourchu pour enfants turbulents que Messire Promoteur voit partout. Son ennemi, son seul ennemi, tu viens, te dévoilant, de prononcer son nom: c'est l'homme. Debout Jeanne et réponds! C'est moi, maintenant, qui t'interroge.   10

JEANNE *s'est levée, tournée vers lui. Il demande d'une voix neutre:*

Tu es chrétienne?

JEANNE — Oui, Messire.

L'INQUISITEUR — Tu as été baptisée et toute petite tu as vécu à l'ombre de l'église qui touchait ta maison. Les cloches réglaient tes prières et tes travaux. Les émissaires que nous avons envoyés dans ton village ont tous recueilli le même bruit: tu étais une petite fille très pieuse. Quelquefois, au lieu de jouer et de courir avec les autres — et pourtant tu n'étais pas une petite fille triste, tu aimais bien jouer et courir — tu te 20 faufilais[129] dans l'église et tu y restais longtemps toute seule, à genoux; sans même prier, regardant le vitrail devant toi.

JEANNE — Oui, Messire. J'étais bien.

L'INQUISITEUR — Tu as eu une petite amie que tu aimais tendrement, une petite fille comme toi, nommée Haumette.

JEANNE — Oui, Messire.

L'INQUISITEUR — Tu devais l'aimer fort. Car, lorsque tu as décidé de partir pour Vaucouleurs, sachant déjà 30 que tu ne reviendrais jamais, tu as été dire adieu à toutes tes autres compagnes et chez elle tu n'es pas passée.

JEANNE — Non. J'avais peur d'avoir trop de peine.

L'INQUISITEUR — Cette tendresse pour la créature, tu ne l'as pas limitée à celle que tu préférais. Tu soignais les petits enfants pauvres, les malades, sans le dire, quelquefois tu faisais plusieurs lieues pour porter un bouillon à une misérable vieille abandonnée dans une cabane de la forêt. Plus tard, à la première 40 rencontre à laquelle tu as participé, tu t'es mise à sangloter au milieu des blessés.

JEANNE — Je ne pouvais voir couler le sang français.

L'INQUISITEUR — Pas seulement le sang français. Une brute qui avait capturé deux Anglais dans une escarmouche, devant Orléans, en a abattu un, qui n'avançait pas assez vite. Tu t'es jetée de ton cheval, en larmes, la tête de l'homme sur tes genoux, tu l'as consolé et aidé à mourir, essuyant le sang de sa

bouche, l'appelant ton petit enfant et lui promettant le ciel.

JEANNE — Vous savez cela, Messire?

L'INQUISITEUR (*doucement*) — La Sainte Inquisition sait tout, Jeanne. Elle a pesé le poids de ta tendresse humaine avant de m'envoyer te juger.

LADVENU (*se lève*) — Messire Inquisiteur, je suis heureux de vous entendre rappeler tous ces détails qui jusqu'ici avaient été passés sous silence. Oui, tout ce que nous savons de Jeanne depuis sa petite enfance 10 n'est qu'humilité, gentillesse, charité chrétienne.

L'INQUISITEUR (*se retourne vers lui, soudain durci*) — Silence, Frère Ladvenu! Encore une fois. Maintenant, c'est moi qui interroge. Je vous prie de ne pas oublier que je représente ici la Sainte Inquisition, seule qualifiée pour distinguer entre la charité, vertu théologale, et l'ignoble, le répugnant, le trouble breuvage[130] du lait de la tendresse humaine . . .

Il les regarde tous.

Ah, mes maîtres! . . . comme vous êtes prompts à vous attendrir! Que l'accusée soit une petite fille; avec de grands yeux bien clairs ouverts sur vous, deux sous 20 de bon cœur et d'ingénuité et vous voilà prêts à l'absoudre — bouleversés. Les bons défenseurs de la foi que voilà! Je vois que la Sainte Inquisition a du pain, encore, sur la planche et qu'il faudra tailler,[131] tailler, toujours tailler et que d'autres taillent encore lorsque nous ne serons plus, abattant sans pitié, éclaircissant les rangs, pour que la forêt reste saine . . .

Il y a un petit silence et LADVENU *répond.*

LADVENU — Notre-Seigneur a aimé de cet amour-là, Messire. Il a dit: « Laissez venir à moi les petits enfants. » Il a mis sa main sur l'épaule de la femme 30 adultère et il lui a dit: « Va en paix. »

L'INQUISITEUR (*tonne*) — Silence, Frère Ladvenu, vous dis-je! Ou il faudra que je m'occupe aussi de votre cas. Nous faisons lire des passages de l'Évangile au prône,[132] nous demandons à nos curés de l'expliquer. L'avons-nous traduit en langue vulgaire? L'avons-nous mis entre toutes les mains? Ne serait-ce pas un crime de laisser les âmes simples rêver et broder[133] sur ces textes, que nous seuls devons interpréter?

Il se calme.

Vous êtes jeune, je veux le croire, Frère Ladvenu, et 40 généreux — donc. Mais n'allez pas imaginer que jeunesse et générosité trouvent grâce devant les défenseurs de la foi. Ce sont des maladies passagères, dont l'expérience vous guérira. On aurait simple-

[129] slipped

[130] draught
[131] *a . . . tailler:* [metaphors from baking and lumbering] has work to do and (The Inquisition) must act
[132] *au prône:* during the service
[133] embroider

ment dû considérer votre âge, au lieu de votre savoir — qui est paraît-il très grand — avant de vous admettre parmi nous. L'expérience vous apprendra bientôt que jeunesse, générosité, tendresse humaine sont des noms d'ennemis. En tout cas, je vous le souhaite. Apprenez que dans les textes dont vous parlez, si nous faisions l'imprudence de les leur confier, les simples puiseraient l'amour de l'homme. Et qui aime l'homme, n'aime pas Dieu.

LADVENU (*doucement*) — Il a voulu se faire homme, 10 pourtant . . .

L'INQUISITEUR (*se retourne soudain vers* CAUCHON, *coupant*) — Seigneur Évêque, en vertu de votre pouvoir discrétionnaire de président de ces débats, je vous demande de vous priver pour aujourd'hui de la collaboration de votre jeune assesseur. J'aviserai, après cette séance, des conclusions à déposer contre lui, s'il y a lieu.

Il tonne soudain.

Contre lui ou contre quiconque! Il n'y a pas de têtes trop hautes pour nous, vous le savez. Je déposerais contre moi-même, si Dieu me laissait m'égarer. 20

Il se signe gravement et conclut.

Qu'il m'en garde!

Un vent de peur a soufflé sur le tribunal. CAUCHON *dit simplement avec un geste navré*[134] *à* FRÈRE LADVENU.

CAUCHON — Sortez, Frère Ladvenu.

LADVENU (*avant de s'éloigner*) — Messire Inquisiteur, je vous dois obéissance, ainsi qu'à mon Révérend Seigneur Évêque. Je sors. Je me tais. Je prie seulement Notre-Seigneur Jésus quand vous serez seul en face de Lui, de vous amener à considérer la fragilité de votre petit ennemi . . .

L'INQUISITEUR, *ne répond pas, le laisse sortir et doucement, quand il est sorti* — Plus notre ennemi est petit et fragile, plus il est tendre, plus il est pur, plus il est 30 innocent, plus il est redoutable . . .

Il se retourne JEANNE *et reprend de sa voix neutre.*

La première fois que tu as entendu tes Voix, tu n'avais pas quinze ans. Au début, elles t'ont seulement dit: « Sois bonne et sage et va souvent à l'Église . . . » ?

JEANNE — Oui, Messire.

L'INQUISITEUR (*sourit, ambigu*) — Jusqu'ici — je vais te choquer — il n'y avait rien de très exceptionnel dans ton cas. Messire Cauchon te l'a dit: nos archives sont pleines des rapports de nos curés disant que, dans leur village, il y a une petite fille qui entend des voix. 40 Nous laissons faire. La petite fille fait tranquillement sa petite crise de mysticisme, avec ses maladies d'enfant. Si la crise se prolonge au-delà de sa puberté, elle se fait généralement religieuse et nous la signalons simplement à son couvent pour qu'on limite son temps de méditation et de prière et qu'on l'accable de travaux grossiers — la fatigue est un bon remède. Et tout cela finit par s'éteindre et se noyer tranquillement dans les eaux de vaisselle . . . D'autres fois la crise tourne court, la fille se marie, et au deuxième moutard[135] pendu, hurlant, à ses jupes, nous sommes tranquilles sur les voix qu'elle entendra — dorénavant . . . Toi, tu as continué. Et un beau jour tes Voix t'ont dit autre chose. Quelque chose de précis, 10 d'insolite, pour des voix célestes.

JEANNE — D'aller sauver le royaume de France et d'en chasser les Anglais.

L'INQUISITEUR — Avais-tu souffert de la guerre à Domrémy?

JEANNE — Non. Rien n'a été brûlé, jamais, chez nous. Une fois les godons sont venus tout près; nous avons tous quitté le village. Quand nous sommes revenus, le lendemain, tout était intact, ils étaient passés plus loin. 20

L'INQUISITEUR — Ton père était riche. Les travaux des champs ne te rebutaient pas . . .

JEANNE — J'aimais bien garder mes moutons. Mais je n'étais pas une bergère comme vous le dites tous.

Elle se redresse, naïvement orgueilleuse.

J'étais la jeune fille de la maison. Pour coudre et pour filer, il n'est femme de Rouen qui saurait m'en remontrer.[136]

L'INQUISITEUR (*sourit à cette vanité enfantine*) — Tu étais donc une petite fille aisée et heureuse. Et les malheurs de la France pour toi, ce n'était que des 30 récits de veillées. Un jour, pourtant, tu as senti qu'il fallait que tu partes.

JEANNE — Mes Voix me le disaient.

L'INQUISITEUR — Un jour, tu as senti qu'il fallait que tu te charges de ce malheur des autres hommes autour de toi. Et tu savais déjà tout: que ta chevauchée[137] serait glorieuse et courte et que ton roi sacré, tu te retrouverais où tu es en ce moment, traquée parmi nous, au pied de ce bûcher qui t'attend prêt à être allumé sur la Place du Marché. Ne mens pas, Jeanne, 40 tu le savais.

JEANNE — Mes Voix m'ont dit que je serais prise et qu'après je serais délivrée.

L'INQUISITEUR (*sourit*) — Délivrée! C'est un terme pour voix célestes, ça! Tu t'es bien doutée, n'est-ce pas, ce que « délivrée » pouvait vouloir dire, pour elles, de très vague et de très éthéré? La mort, bien sûr, délivre. Et tu es partie tout de même, malgré ton père et ta mère, malgré tous les obstacles devant toi.

---

[134] heartbroken

[135] brat
[136] *qui . . . remontrer:* who could teach me anything
[137] ride

JEANNE — Oui, Messire, il le fallait. Eussé-je eu cent pères et cent mères et quand j'aurais dû user mes pieds jusqu'aux genoux, je serais partie.

L'INQUISITEUR — Pour aider tes frères, les hommes, dans leur œuvre la plus strictement humaine, la posession du sol où ils sont nés et qu'ils s'imaginent leur appartenir.

JEANNE — Notre-Seigneur ne pouvait pas vouloir que les Anglais pillent, tuent et fassent la loi chez nous. Quand ils auront repassé la mer, eux aussi seront des 10 enfants de Dieu — chez eux! Et moi, je n'irai pas leur chercher noise.[138]

LE PROMOTEUR — Présomption! Orgueil! Tu crois que tu n'aurais pas mieux fait de continuer à coudre et à filer chez ta mère?

JEANNE — J'avais autre chose à faire, Messire. Pour ce qui est des œuvres de femmes, il y aura toujours bien d'autres femmes pour les faire.

L'INQUISITEUR — Puisque tu étais en relations directes avec le ciel, en somme, de là à imaginer que tes 20 prières étaient particulièrement écoutées là-haut, il n'y avait qu'un pas. L'idée toute simple ne t'est pas venue, plus conforme à ta condition de fille de consacrer une vie de prières et de pénitence à obtenir du ciel qu'il chasse les Anglais?

JEANNE — Dieu veut qu'on cogne d'abord, Messire! La prière, c'est en plus. J'ai préféré expliquer à Charles comment il fallait attaquer, c'était plus simple, et il m'a crue et le gentil Dunois m'a crue aussi. Et La Hire et Xaintrailles, mes bons taureaux furieux!... 30 Ah! nous avons eu quelques joyeuses batailles tous ensemble... On était bien, dans le petit matin, entre bons amis, botte à botte...

LE PROMOTEUR (fielleux) — Pour tuer, Jeanne!... Notre-Seigneur a-t-il dit de tuer?

JEANNE ne répond pas.

CAUCHON (doucement) — Tu as aimé la guerre, Jeanne...

JEANNE (simplement) — Oui. Ce doit être un des péchés dont il faudra que Dieu m'absolve. Le soir, je pleurais sur le champ de bataille, de voir que cette joyeuse fête du matin avait fait tant de pauvres morts. 40

LE PROMOTEUR — Et le lendemain, tu recommençais?

JEANNE — Dieu le voulait. Tant qu'il resterait un Anglais en France. Ce n'est pourtant pas difficile à comprendre. Il y avait le travail à faire d'abord, voilà tout. Vous êtes savants, vous pensez trop. Vous ne pouvez plus comprendre les choses simples, mais le plus bête de mes soldats comprenait, lui. Pas vrai La Hire?

LA HIRE surgit soudain, de la foule énorme, caparaçonné de fer,[139] joyeux, terrible.

LA HIRE — Bien sûr, Madame Jeanne!

Tout le monde se trouve plongé dans l'ombre, lui seul est éclairé. On entend au loin une vague musique de fifres.[140] JEANNE va doucement à lui, incrédule, elle le touche du doigt et murmure.

JEANNE — La Hire...

LA HIRE (reprenant la plaisanterie de chaque matin) — Alors, Madame Jeanne, on a fait notre petite prière, comme convenu, est-ce qu'on va cogner un peu ce matin?

JEANNE (se jette dans ses bras) — Bon La Hire! Mon gros La Hire! C'est toi! Ah, tu sens bon!

LA HIRE (gêné) — Un petit coup de rouge[141] et un oignon. C'est mon menu, le matin. Faites excuse, Madame Jeanne, je sais que vous n'aimez pas ça, mais j'ai ma 10 prière avant pour que le bon Dieu ne me sente pas pendant que je lui parlais... Ne vous approchez pas trop je dois puer.[142]

JEANNE (serrée contre lui) — Non. Tu sens bon!

LA HIRE — M'accablez pas, Madame Jeanne. D'habitude, vous dites que je pue, que c'en est une honte, pour un chrétien. D'habitude, vous dites que si le vent porte par là, je vais nous faire repérer des godons tellement je pue et qu'on va rater notre embuscade, à cause de moi... Un tout petit oignon et deux doigts de 20 rouge, pas plus. Ça, il faut être franc, j'ai pas mis d'eau.

JEANNE (serrée contre lui) — Bon La Hire! J'étais bête, je ne savais pas. Tu sais, les filles, il ne leur est jamais rien arrivé, ça a des idées toutes faites, ça tranche de tout et ça ne sait rien. Je sais maintenant. Tu sens bon, La Hire, tu sens la bête: tu sens l'homme.

LA HIRE (a un geste modeste) — C'est la guerre. Un capitaine, c'est pas comme un curé ou un petit freluquet[143] de la cour; ça transpire... Et pour se 30 laver en campagne... Ceux qui se lavent, c'est pas des hommes!... L'oignon, je dis pas... C'est en plus. Je pourrais me contenter d'un morceau de saucisson à l'ail[144] le matin comme tout le monde. C'est plus distingué comme odeur. Enfin, c'est tout de même pas un péché, l'oignon?

JEANNE (sourit) — Non, La Hire.

LA HIRE — Avec vous, on ne sait plus...

JEANNE — Rien n'est péché, La Hire, de ce qui est vrai!

---

[138] leur... noise: try to harm then

[139] caparaçonné ... fer: in full armor
[140] fifes
[141] red wine
[142] stink
[143] whippersnapper
[144] saucisson ... ail: salami

J'étais une bête, je t'ai trop tourmenté ; je ne savais pas. Mon gros ours, tu sens bon la sueur chaude, l'oignon cru, le vin rouge, toutes les bonnes odeurs innocentes des hommes. Mon gros ours, tu tues, tu jures, tu ne penses qu'aux filles.

LA HIRE (*au comble de l'étonnement*) — Moi ?

JEANNE — Toi. Fais l'étonné, pourceau. Et tu es pourtant comme un petit sou neuf dans la main de Dieu.

LA HIRE — C'est vrai, Madame Jeanne ? Vous croyez qu'avec ma chienne de vie, j'ai tout de même une 10 petite chance de paradis si je fais bien ma prière tous les jours, comme convenu ?

JEANNE — On t'y attend, La Hire ! Le paradis de Dieu, je sais maintenant qu'il est plein de brutes comme toi.

LA HIRE — C'est vrai ? J'aimerais mieux, à tout prendre, qu'il y ait quelques copains . . . J'ai toujours eu peur d'être gêné au début avec les saints et les évêques . . . Faudrait parler . . .

JEANNE (*lui saute dessus et le bourre joyeusement de coups de poing*) — Gros ballot ! Gros lourdaud ! Grosse tourte ![145] Mais c'est plein d'imbéciles le 20 paradis ! Notre-Seigneur l'a dit. Il n'y a peut-être même que ceux-là qui y entrent ; les autres, ils ont tellement eu d'occasions de pécher avec leurs sales caboches,[146] qu'ils sont tous obligés d'attendre à la porte. C'est rien que des copains au paradis !

LA HIRE (*inquiet*) — On ne va pas s'ennuyer tout de même entre nous, s'il faut être polis ? On se battra tout de même un petit peu ?

JEANNE — Toute la journée ! . . .

LA HIRE (*respectueusement*) — Minute ! Quand le bon 30 Dieu nous verra pas.

JEANNE — Mais il vous verra tout le temps, ballot ! Il voit tout. Et Il rigolera de vous voir faire. Il te criera : « Vas-y, La Hire ! Entre-lui dans le chou à Xaintrailles ! Tanne-lui le lard ![147] Montre-lui que t'es un homme ! . . .

LA HIRE — Comme ça !

JEANNE — En plus distingué, bien sûr.

LA HIRE (*au comble de l'enthousiasme*) — Ah, nom de Dieu !   40

JEANNE (*lui crie sévère, soudain*) — La Hire !

LA HIRE (*baisse la tête*) — Pardon.

JEANNE (*impitoyable*) — Si tu jures, Il te fout dehors.

LA HIRE (*balbutie*) — C'était de plaisir. C'était pour Lui dire merci.

JEANNE (*a un sourire*) — Il s'en est douté. Mais ne recommence pas ou c'est à moi que tu auras affaire !

---

[145] *Gros . . . tourte:* Big duffer ! Big blockhead ! Big lout !
[146] faces, "mugs"
[147] *Entre-lui . . . lard:* Stick him in the guts Xantrailles ! Tan his hide !

Allez, assez parlé ce matin. A cheval, maintenant, mon gars. A cheval !

Ils enfourchent[148] *des chevaux imaginaires.*

Ils sont à cheval l'un à coté de l'autre, bercés par le mouvement de leurs montures.

JEANNE — On est bien à cheval dans le petit matin, La Hire, avec un copain . . . Tu sens l'herbe mouillée. C'est ça la guerre. C'est pour ça que les hommes se battent. Pour sentir la vraie odeur de l'herbe mouillée du matin, botte à botte avec un copain.

LA HIRE — Remarquez qu'il y en a qui se contentent de faire une petite promenade . . .

JEANNE — Oui, mais ceux-là ne sentent pas la vraie 10 odeur de l'aube, la vrai chaleur du copain contre leur cuisse . . . Il faut la mort au bout, mon petit père pour que le bon Dieu vous donne tout ça . . .

Un silence, ils avancent dans la campagne bercés par leurs chevaux.

LA HIRE (*demande*) — Et si on rencontre des godons, des godons qui les aimeraient aussi les bonnes odeurs ?

JEANNE (*joyeusement*) — On fonce.[149] C'est-y que t'aurais peur mon gars ?

LA HIRE — Moi !

JEANNE — On fonce dedans, mon petit pote,[150] et on cogne dur. On est là pour ça !   20

Un petit silence et LA HIRE *demande encore.*

LA HIRE — Mais alors, Madame Jeanne, si c'est vrai ce que vous avez dit, ceux qu'on expédie, ils vont tout droit au paradis : il y a pas plus couillon[151] que des Anglais . . .

JEANNE — Bien sûr qu'ils y vont ! Qu'est-ce que tu crois ?

Elle crie soudain.

Arrête !

Ils s'arrêtent.

Voilà trois godons là-bas. Ils nous ont vus. Ils se sauvent ! Non ! Ils se sont retournés, ils ont compté qu'on était que deux. Ils foncent. T'as pas peur La Hire ? Moi, je compte pas, je suis qu'une fille et j'ai 30 même pas d'épée. T'y vas-t-y quand même ?

LA HIRE (*brandissant son épée avec un rugissement joyeux*) — Foutre oui,[152] nom de Dieu ! . . .

Il crie au ciel en chargeant.

J'ai rien dit, mon Dieu, j'ai rien dit ! Faites pas attention . . .

Il se jette au milieu du tribunal, caracolant,[153] *charge-*

---

[148] mount
[149] We attack
[150] pal
[151] fat-head
[152] *foutre oui:* Hell, yes
[153] wheeling about

ant, les dispersant à grands coups d'épée. Il disparaît au fond, se battant toujours . . .

JEANNE (*à genoux*) — Il a rien dit, mon Dieu. Il a rien dit! Il est bon comme le pain. Il est bon comme Xaintrailles. Il est bon comme chacun de mes soldats qui tue, qui viole, qui pille, qui jure . . . Il est bon comme vous loups, mon Dieu, que vos avez faits innocents . . . Je réponds d'eux tous!

Elle est abîmée dans sa prière. Le tribunal s'est reformé autour d'elle, la lumière est revenue. JEANNE *relève la tête, les voit, semble sortir d'un rêve et s'exclame.*

JEANNE — Mon La Hire! Mon Xaintrailles! Oh, le dernier mot n'est pas dit. Vous verrez qu'ils viendront me délivrer tous les deux avec trois ou quatre cents bonnes lances . . .   10

CAUCHON (*doucement*) — Ils sont venus, Jeanne, jusqu'aux portes de Rouen pour savoir combien il y avait d'Anglais dans la ville, et puis ils sont repartis . . .

JEANNE (*démontée*) — Ah! ils sont repartis? . . . Sans se battre?

Un silence, elle se reprend.

Ils sont repartis chercher du renfort, bien sûr! C'est moi qui leur ai appris qu'il ne fallait pas attaquer n'importe comment, comme à Azincourt.

CAUCHON — Ils sont repartis vers le Midi, au sud de la   20 Loire où Charles, las de la guerre, licencie ses armées et cherche à conclure un traité pour conserver au moins son petit bout de France. Ils ne reviendront jamais, Jeanne!

JEANNE — Ce n'est pas vrai! La Hire reviendra même s'il n'a aucune chance!

CAUCHON — La Hire n'est qu'un chef de bande qui s'est vendu avec sa compagnie à un autre prince, quand il a su que le tien allait faire la paix. Il marche en ce moment vers l'Allemagne pour trouver un autre   30 pays à piller — tout simplement.

JEANNE — Ce n'est pas vrai!

CAUCHON (*se lève*) — T'ai-je jamais menti, Jeanne? C'est vrai. Alors, pourquoi te sacrifierais-tu pour défendre ceux qui t'abandonnent? Les seuls hommes au monde qui essaient encore de te sauver — si paradoxal que cela puisse paraître — c'est nous; tes anciens ennemis et tes juges. Abjure, Jeanne, tu ne résistes plus que pour ceux qui viennent de te trahir. Rentre dans le sein de ta Mère l'Église. Humilie-toi,   40 elle te relèvera par la main. Je suis persuadé qu'au fond de ton cœur tu n'as pas cessé d'être une de ses filles.

JEANNE — Oui, je suis une fille de l'Église!

CAUCHON — Confie-toi à ta mère, Jeanne, sans restriction! Elle pèsera ta part d'erreur; te délivrant même de cette angoisse de la juger par toi-même; tu n'auras plus à penser à rien, tu feras ta punition —

qu'elle soit lourde ou légère — et tu iras en paix, enfin! Tu dois affreusement avoir besoin de paix.

JEANNE (*après un silence*) — Pour ce qui est de la foi, je m'en remets à l'Église. Mais pour ce qui est de ce que j'ai fait, je ne m'en dédirai[154] jamais.

Mouvement des prêtres. L'INQUISITEUR *éclate.*

L'INQUISITEUR — Vous le voyez, mes maîtres, l'homme, relever la tête! Vous comprenez maintenant *qui* vous jugez? Ces voix célestes vous avaient assourdi aussi, ma parole! Vous vous obstiniez à chercher je   10 ne sais quel diable embusqué derrière elles . . . Je voudrais bien qu'il ne s'agisse que du diable! Son procès serait vite fait. Le diable est notre allié. Après tout, c'est un ancien ange, il est de chez nous. Avec ses blasphèmes, ses insultes, sa haine même de Dieu, il fait encore acte de foi . . . L'homme, l'homme transparent et tranquille me fait mille fois plus peur. Regardez-le, enchaîné, désarmé, abandonné des siens et plus très sûr — n'est-ce pas Jeanne? — que ces voix qui se sont tues depuis si longtemps lui aient jama.s   20 vraiment parlé. S'écroule-t-il[155] suppliant Dieu de le reprendre dans Sa main? Implore-t-il au moins que ses voix lui reviennent pour éclairer sa route? Non. Il se retourne, il fait face sous la torture, sous l'humiliation et les coups, dans cette misère de bête, sur la litière humide de son cachot; il lève les yeux vers cette image invaincue de lui-même . . .

Il tonne.

. . . qui est son seul vrai Dieu! Voilà ce que je crains! Et il répond, répète, Jeanne — tu meurs d'envie de le   30 redire: « Pour ce qui est de ce que j'ai fait . . . »

JEANNE (*doucement*) — Je ne m'en dédirai jamais.

L'INQUISITEUR (*répète, tordu de haine*) — « Pour ce qui est de ce que j'ai fait, je ne m'en dédirai jamais! . . . » Les entendez-vous les mots, qu'ils ont tous dit sur les bûchers, les échafauds, au fond des chambres de torture, chaque fois que nous avons pu nous saisir d'eux? Les mots qu'ils rediront encore dans des siècles, avec la même impudence, car la chasse à l'homme ne sera jamais fermée . . . Si puissants que   40 nous devenions un jour, sous une forme ou sous une autre, si lourde que se fasse l'Idée sur le monde, si dures, si précises, si subtiles que soient son organisation et sa police; il y aura toujours un homme à chasser quelque part qui lui aura échappé, qu'on prendra enfin, qu'on tuera et qui humiliera encore une fois l'Idée au comble de sa puissance, simplement parce qu'il dira « non » sans baisser les yeux.

Il siffle entre ses dents, haineux, regardant JEANNE.

L'insolente race!   50

Il se retourne vers le tribunal.

---

[154] take back
[155] does he collapse

Avez-vous besoin de l'interroger encore? de lui
demander pourquoi elle s'est jetée du haut de cette
tour où elle était prisonnière pour fuir ou pour se
détruire, contre les commandements de Dieu? Pourquoi elle a quitté son père et sa mère, mis cet habit
d'homme qu'elle ne veut plus laisser, contre les
commandements de l'Église? Elle vous fera la même
réponse d'homme: « Ce que j'ai fait, je l'ai fait. C'est
à moi. Personne ne peut me le reprendre et je ne le
renie pas. Tout ce que vous pouvez, c'est me tuer, 10
me faire crier n'importe quoi sous la torture mais
me faire dire « oui » cela vous ne le pouvez pas. »

Il leur crie:

Hé bien, il faudra que nous apprenions, mes maîtres,
d'une façon ou d'une autre, et si cher que cela coûte
à l'humanité — à faire dire « oui » à l'homme! Tant
qu'il restera un homme qui ne sera pas brisé, l'Idée,
même si elle domine et broie tout le reste du monde,
sera en danger de périr. C'est pourquoi je réclame
pour Jeanne l'excommunication, le rejet hors du sein
de l'Église et sa remise au bras séculier pour qu'il la 20
frappe.

Il ajoute neutre, récitant une formule.

. . . le priant toutefois de limiter sa sentence en deçà
de la mort et de la mutilation des membres.

Il s'est retourné vers JEANNE.

Ce sera une piètre[156] victoire contre toi, Jeanne, mais,
enfin, tu te tairas. Et, jusqu'ici, nous n'avons pas
trouvé mieux.

Il se rassied dans le silence.

CAUCHON *(doucement)* — Messire l'Inquisiteur vient, le
premier, de demander ton excommunication et ton
supplice, Jeanne. Dans un instant, je crains que
Messire le Promoteur ne demande la même chose. 30
Chacun de nous dira son sentiment et il me faudra
décider. Avant de couper et de jeter loin d'elle ce
membre pourri que tu es, ta Mère l'Église, à qui la
brebis égarée est plus chère que toutes les autres, ne
l'oublie pas, va te conjurer une dernière fois.

Il fait un signe, un homme s'avance.

Connais-tu cet homme, Jeanne?

Elle se retourne, elle a un petit frisson d'effroi.

C'est le maître bourreau de Rouen. C'est à lui que tu
vas appartenir tout à l'heure si tu ne veux pas nous
remettre ton âme afin que nous la sauvions. Ton
bûcher est-il prêt, Maître?   40

LE BOURREAU — Prêt, Monseigneur. Plus haut que le
bûcher réglementaire, des ordres m'ont été donnés —
pour qu'on voie bien la fille de partout. L'ennui,
pour elle, c'est que je ne pourrai pas l'aider, elle sera
trop haut.

CAUCHON — Qu'appelles-tu l'aider, Maître?

LE BOURREAU — Un tour de main du métier, Monseigneur, qui est de coutume quand il n'y a pas
d'instructions spéciales. On laisse les premières
flammes monter et puis, dans la fumée, je grimpe
derrière, comme pour arranger les fagots, et j'étrangle
Il n'y a plus que la carcasse qui grille c'est moins dur.
Mais avec les instructions que j'ai reçues c'est trop
haut je ne pourrai pas grimper.

Il ajoute simplement.

Alors forcément ça sera plus long.   10

CAUCHON — Tu as entendu Jeanne?

JEANNE *(doucement)* — Oui.

CAUCHON — Je vais te tendre une dernière fois la main
la grande main secourable de ta Mère qui veut te
reprendre et te sauver. Mais tu n'auras pas plus long
délai. Écoute ce grondement, c'est la foule qui
t'attend déjà depuis l'aube . . . Ils sont venus tôt
pour avoir de bonnes places. Ils mangent leurs
provisions en ce moment, grondent leurs enfants,
se font des farces et demandent aux soldats si cela va 20
bientôt commencer. Ils ne sont pas méchants. Ce
sont les mêmes qui seraient venus t'acclamer à ton
entrée solennelle si tu avais pris Rouen. Les choses
ont tourné autrement, voilà tout, alors ils viennent
te voir brûler. Eux à qui n'arrive jamais rien, le
triomphe ou la mort des grands de ce monde est
leur spectacle. Il faut leur pardonner, Jeanne. Ils
paient, toute leur vie, assez cher d'être le peuple,
pour avoir ces petites distractions-là.

JEANNE *(doucement)* — Je leur pardonne. Et à vous 30
aussi, Messire.

LE PROMOTEUR *(se dresse, hurlant)* — Orgueilleuse!
Abominable orgueilleuse! Monseigneur te parle
comme un père pour sauver ta misérable âme perdue
et tu as le front de lui dire que tu lui pardonnes?

JEANNE — Monseigneur me parle doucement, mais je ne
sais si c'est pour me sauver ou pour me vaincre. Et
comme il sera obligé de me faire brûler tout de même
tout à l'heure, je lui pardonne.

CAUCHON — Jeanne, essaie de comprendre qu'il y a 40
quelque chose d'absurde dans ton refus. Tu n'es pas
une infidèle? Le Dieu dont tu te réclames est le nôtre
aussi. C'est nous précisément qu'Il a désignés pour
te guider à travers Son apôtre Pierre qui a fondé Son
Église. Dieu n'a pas dit à Sa créature: « Tu t'adres-
seras directement à moi. » Il a dit: « Tu es Pierre et
sur cette pierre je bâtirai mon Église . . . et ses prêtres
seront vos pasteurs . . . « Tu ne nous crois pas des
prêtres indignes, Jeanne?

JEANNE *(doucement)* — Non.   50

CAUCHON — Alors, pourquoi ne veux-tu pas faire ce que
Dieu a dit? Pourquoi ne veux-tu pas remettre ta
faute à Son Église, comme tu le faisais, enfant, dans

ton village? Tu n'as pas changé de foi?

JEANNE (*crie soudain angoissée*) — Je veux m'en remettre à l'Église. Je veux la sainte communion! on
me la refuse.

CAUCHON — Nous te la donnerons après ta confession
et ta pénitence commencée; il faut seulement que tu
nous dises « oui. » Tu es courageuse, nous le savons
tous, mais ta chair est tendre encore, tu dois avoir
peur de mourir?

JEANNE (*doucement*) — Oui. J'ai peur. Mais qu'est-ce 10
que cela fait?

CAUCHON — Je t'estime assez, Jeanne, pour croire que
cela ne serait pas suffisant pour te faire abjurer. Mais
tu dois avoir une autre peur, plus grande encore;
celle de t'être trompée et de t'exposer par orgueil,
par obstination, à la damnation éternelle. Or, qu'est-
ce que tu risques, même si tes Voix viennent de Dieu,
à faire acte de soumission aux prêtres de Son Église?
Si nous ne croyons pas à tes Voix et à leurs commandements et que nous t'infligions la punition que 20
nous croirons raisonnable — admettons que Dieu
t'ait vraiment parlé, par l'intermédiaire de Son
Archange et de Ses Saintes — hé bien, c'est nous qui
commettrons un monstrueux péché d'ignorance, de
présomption et d'orgueil et qui le paierons tout au
long de notre vie éternelle. Nous prenons ce risque
pour toi, Jeanne, toi, tu n'en prends aucun. Dis-nous
« je m'en remets à vous, » dis-nous simplement
« oui » et toi tu es en paix, tu es blanche à coup sûr,
tu ne risques plus rien. 30

JEANNE (*épuisée soudain*) — Pourquoi me torturez-vous
si doucement, Messire? J'aimerais mieux que vous
me battiez.

CAUCHON (*sourit*) — Si je te battais, je donnerais une
trop bonne excuse à ton orgueil qui ne demande
qu'à te faire mourir. Je te raisonne parce que Dieu
t'a faite pleine de bon sens et de raison. Je te supplie
même, parce que je sais que tu es tendre. Je suis un
vieil homme, Jeanne, je n'attends plus grand-chose
de ce monde, et j'ai beaucoup tué, comme chacun de 40
nous ici, pour défendre l'Église. C'est assez. Je suis
las. Je ne voudrais pas, avant de mourir, avoir
encore tué une petite fille. Aide-moi, toi aussi.

JEANNE (*le regarde désemparée après un silence*) —
Qu'est-ce qu'il faut que je réponde?

CAUCHON (*s'approche*) — Il faut d'abord que tu com-
prennes que proclamer que tu es sûre que Dieu
t'envoyait ne peut plus être utile à rien ni à personne.
C'est tout juste faire le jeu du bourreau et des
Anglais. Ton roi même, en avisé politique, a mani- 50
festé par les lettres que nous t'avons lues qu'il ne
voulait en aucune façon être redevable de sa couronne à une intervention divine dont tu aurais été
l'instrument.

JEANNE *se retourne vers* CHARLES, *angoissée. Celui-ci
dit simplement.*

CHARLES — Mets-toi à ma place, Jeanne! S'il a fallu un
miracle pour que je sois sacré roi de France, c'est
qu'alors il n'était pas tout naturel que je le sois. C'est
que je n'étais pas vraiment le fils de mon père, sinon
mon sacre allait de soi. Tous les rois ont toujours été
sacrés dans ma famille sans qu'on ait eu besoin d'un
miracle. L'aide divine, c'est bien, mais c'est louche;
pour quelqu'un dont la seule puissance est le bon
droit. Et c'est d'autant plus louche quand elle
s'arrête . . . Depuis la malheureuse affaire de Paris,[157] 10
nous nous faisons battre à tous les coups; toi tu t'es
fait prendre à Compiègne. Ils te mijotent[158] un petit
verdict qui va te proclamer sorcière, hérétique, envoyée du diable, à coup sûr. J'aime mieux laisser
entendre que tu n'as jamais été envoyée par rien du
tout. Comme cela, Dieu ne m'a ni aidé ni abandonné. J'ai gagné parce que j'étais le plus fort
momentanément; je suis en train de me faire piler[159]
parce qu'en ce moment je suis le moins fort. Ça c'est
de la politique, c'est sain! Tu comprends? 20

JEANNE (*doucement*) — Oui. Je comprends.

CAUCHON — Je suis heureux de te voir enfin raisonnable.
On t'a posé beaucoup de questions dans lesquelles tu
t'es perdue. Je vais t'en poser trois, essentielles,
réponds-moi « oui » trois fois et nous serons tous
sauvés ici, toi qui vas mourir et nous qui allons te
faire mourir.

JEANNE (*doucement après un silence*) — Posez toujours.
Je verrai si je peux répondre.

CAUCHON — La première question est la seule impor- 30
tante. Si tu me réponds oui, les autres réponses iront
de soi. Écoute bien et pèse chaque terme: « Vous en
remettez-vous avec humilité à la Sainte Église
apostolique et romaine; à notre Saint Père le Pape
et à ses évêques du soin d'apprécier vos actes et de
vous juger. Faites-vous acte de soumission entière
et totale et demandez-vous à rentrer dans le sein de
l'Église? » Il suffit que tu répondes oui.

JEANNE *après un silence, regarde autour d'elle désemparée. Enfin, elle dit:*

JEANNE — Oui, mais . . .

L'INQUISITEUR (*sourdement de sa place*) — Sans un 40
« mais » Jeanne! . . .

JEANNE (*refermée*) — Je ne veux pas être obligée de dire
le contraire de ce que mes Voix m'ont dit. Je ne veux
rien avoir à témoigner contre mon roi, rien qui

---

[157] *malheureuse . . . Paris:* [allusion to Joan's futile
attack on Paris after the coronation]
[158] concoct
[159] *me faire piler:* get crushed

puisse ternir[160] la gloire de son sacre qui lui est acquise à jamais maintenant . . .

L'INQUISITEUR *hausse les épaules.*

L'INQUISITEUR — Écoutez, l'homme! Il n'y a pas deux façons de le faire taire . . .

CAUCHON (*se met lui aussi en colère*) — Enfin, Jeanne, es-tu folle? Ne vois-tu pas cet homme en rouge qui t'attend? Tu dois pourtant comprendre que c'est mon dernier geste pour toi, que je n'en pourrai plus d'autre. L'Église veut encore croire que tu es une de ses filles. Elle a pesé avec soin la forme de sa question 10 pour te faciliter la route, et tu ergotes, tu marchandes. Tu n'as pas à marchander avec ta Mère, impudente fille! Tu dois la supplier à genoux de t'envelopper dans sa robe et de te protéger. La pénitence qu'elle t'infligera, tu l'offriras à Dieu, avec l'injustice, si tu y trouves de l'injustice! Notre-Seigneur a souffert plus que toi, pour toi, dans l'humiliation et l'injustice de Sa Passion. A-t-il marchandé, Lui, a-t-Il ergoté quand il s'est agi de mourir pour toi? Tu es en retard sur Lui, des gifles, 20 des crachats au visage, de la couronne d'épines et de l'interminable agonie entre deux voleurs; tu ne pourras jamais te rattraper![161] Tout ce qu'Il te demande par notre voix, c'est de te soumettre au jugement de Son Église et tu hésites?

JEANNE (*doucement, après un silence, les larmes aux yeux*) — Pardon, Messire. Je n'avais pas pensé que Notre-Seigneur pouvait le vouloir. C'est vrai qu'Il a dû plus souffrir que moi.

Un petit silence encore, et elle dit:

Je me soumets.

CAUCHON — Supplies-tu humblement et sans restriction 30 aucune, la Sainte Église catholique de te reprendre dans son sein et t'en remets-tu à son jugement?

JEANNE — Je supplie humblement ma Mère l'Église de me reprendre dans son sein et je m'en remets à son jugement . . .

CAUCHON (*a un soupir de soulagement*) — Bien, Jeanne. Le reste va être tout simple maintenant. Promets-tu de renoncer à jamais à prendre les armes?

JEANNE — C'est qu'il y a encore de la besogne à faire . . .

CAUCHON — La besogne, comme tu dis, sera pour d'au- 40 tres! Ne sois pas bête, Jeanne. Tu es enchaînée, prisonnière et en grand danger d'être brûlée. De toute façon, tu t'en doutes bien que tu dises oui, ou que tu dises non, cette besogne-là ne sera plus pour toi. Ton rôle est joué. Les Anglais qui te tiennent ne te laisseront plus te battre. Tu nous as dit

tout à l'heure que lorsqu'une fille avait deux sous de bon sens, c'était Dieu qui faisait un miracle. Si Dieu te protège, c'est le moment pour Lui de t'envoyer ces deux sous de bon sens. Promets-tu de renoncer à jamais à prendre les armes?

JEANNE (*gémit*) — Si mon roi a encore besoin de moi? . . .

CHARLES (*précipitamment*) — Oh, là là! . . . Si c'est pour moi, vous pouvez dire oui tout de suite. Je n'ai plus besoin de vous.

JEANNE (*sourdement*) — Alors, oui.   10

CAUCHON — Promets-tu de renoncer à jamais à porter, contre toutes les lois de la décence et de la modestie chrétienne, cet impudent habit d'homme dont tu t'es affublée?[162]

JEANNE (*lassée de cette question*) — Vous me l'avez demandé dix fois. L'habit n'est rien. Ce sont mes Voix qui m'ont dit de le prendre.

LE PROMOTEUR (*glapit*) — C'est le diable! Qui, hors du diable, aurait pu inciter une fille à choquer ainsi la pudeur?   20

JEANNE (*doucement*) — Mais, le bon sens, Messire.

LE PROMOTEUR (*ricane*) — Le bon sens? Il a bon dos avec toi, le bon sens! Le bon sens, une culotte à une fille?

JEANNE — Bien sûr, Messire. Je devais chevaucher avec des soldats; pour qu'ils ne pensent pas que j'étais une fille, pour qu'ils ne voient qu'un soldat comme eux dans moi, il fallait bien que je sois vêtue comme eux.

LE PROMOTEUR — Mauvaise réponse! Une fille qui n'est pas damnée d'avance n'a pas à aller courir avec des soldats!   30

CAUCHON — Admettons même que cet habit t'ait été utile pour la guerre, depuis que nous te tenons, depuis que tu as cessé de te battre, pourquoi as-tu toujours refusé de reprendre l'habit de ton sexe?

JEANNE — Je ne le pouvais pas.

CAUCHON — Pourquoi?

JEANNE (*hésite un peu, puis, toute rouge*) — Si j'avais été en prison d'Église, j'aurais accepté.

LE PROMOTEUR — Vous voyez bien, Monseigneur, que cette fille ergote, qu'elle se joue de nous. Pourquoi 40 dans la prison d'Église aurais-tu accepté et refuses-tu dans la prison où tu es? Je ne comprends pas, moi, et je veux comprendre! . . .

JEANNE (*sourit tristement*) — C'est pourtant bien facile à comprendre, Messire. Il n'y a pas besoin d'être grand clerc!

LE PROMOTEUR (*hors de lui*) — C'est facile à comprendre et moi je ne comprends pas, parce que je ne suis qu'une bête, sans doute? Notez, Messires, notez qu'elle m'insulte dans l'exercice de mon ministère 50

---

[160] dim
[161] catch up

[162] decked yourself out

public! Qu'elle se fait un titre de gloire de son impudeur, qu'elle s'en vante; qu'elle y trouve je ne sais quelle jouissance obscène! . . . Si elle se soumet à l'Église sur le fond comme elle semble vouloir le faire, après les derniers efforts de Monseigneur l'Évêque, il faudra peut-être que j'abandonne mon chef d'accusation d'hérésie, mais tant qu'elle refusera de quitter cet habit diabolique — et quelles que soient les pressions qu'on pourra exercer sur moi dans cette volonté de la soustraire[163] a son sort que je sens 10 présider ces débats — tant qu'elle aura cette livrée d'impudeur et de vice, je refuserai de renoncer à mon chef d'accusation de sorcellerie! J'en appellerai au besoin au concile de Bâle![164] Le diable est là, Messires, le diable est là! Je sens son affreuse présence! C'est lui qui lui dicte de refuser de quitter cet habit d'homme, pas de doute là-dessus.

JEANNE — Mettez-moi en prison d'Église et je le quitterai.

LE PROMOTEUR — Tu n'as pas à marchander avec l'Église, Jeanne! Monseigneur te l'a dit. Tu quitteras de toute 20 façon cet habit ou tu seras déclarée sorcière et brûlée!

CAUCHON — Pourquoi, si tu en acceptes le principe, ne veux-tu pas quitter cet habit dans la prison où tu es présentement?

JEANNE (*murmure, rouge*) — Je n'y suis pas seule.

LE PROMOTEUR (*glapit*)[165] — Et alors?

JEANNE — Deux soldats anglais veillent jour et nuit dans la cellule avec moi.

LE PROMOTEUR — Et alors?

Un silence. JEANNE *rougit encore et ne répond pas.*

Vas-tu répondre? Tu ne trouves plus rien à inventer 30 n'est-ce pas? Je croyais le diable plus malin! Je ne lui fais pas mes compliments! Tu te sens prise, hein, ma fille? que te voilà toute rouge maintenant?

CAUCHON (*doucement*) — Il faut que tu répondes, Jeanne, à présent. Je crois te comprendre, mais il faut que ce soit toi qui le dises.

JEANNE (*après un petit temps d'hésitation*) — Les nuits sont longues. Je suis enchaînée. J'essaie bien de ne pas dormir, mais quelquefois la fatigue est plus forte . . . 40

Elle s'arrête, plus rouge encore.

LE PROMOTEUR (*de plus en plus obtus*) — Et alors? Les nuits sont longues, tu es enchaînée, tu as envie de dormir . . . Et alors?

JEANNE (*doucement*) — Avec cet habit-là, je peux mieux me défendre.

CAUCHON (*demande soudain sourdement*) — Et tu as à te défendre de cette façon-là depuis le début du procès?

JEANNE — Depuis que je suis prise, Messire — toutes les nuits. Dès que vous me renvoyez là-bas, le soir, cela recommence. Je me suis habituée à ne pas dormir, c'est pour cela que quelquefois, le lendemain, quand on me ramène devant vous, je réponds un peu de travers. Mais c'est long toutes les nuits et ils sont forts et rusés. Il faut que je me batte dur. Seulement, 10 si j'ai une jupe . . .

Elle s'arrête.

CAUCHON — Pourquoi n'appelles-tu pas l'officier pour qu'on te défende?

JEANNE (*après un temps, sourdement*) — Ils m'ont dit qu'ils seraient pendus, si j'appelais . . .

WARWICK (*à* CAUCHON) — Détestable! C'est détestable! Dans l'armée française passe . . . Mais dans l'armée anglaise, non. Je veillerai à cela.

CAUCHON (*doucement*) — Reviens dans le sein de ta Mère l'Église, Jeanne, accepte de reprendre l'habit de 20 femme et c'est l'Église qui te protégera dorénavant.[166] Tu n'auras plus à te battre, je te le promets.

JEANNE — Alors, j'accepte.

CAUCHON (*a un profond soupir*) — Bien. Merci, Jeanne, de m'avoir aidé. J'ai craint un moment de ne pouvoir te sauver. On va te lire ton acte d'abjuration, il est tout préparé, tu n'auras qu'à le signer.

JEANNE — Je ne sais pas écrire.

CAUCHON — Tu feras une croix. Messire Inquisiteur, me permettez-vous de rappeler Frère Ladvenu pour qu'il 30 lise l'acte? Je lui avais demandé de le rédiger.[167] Nous devons d'ailleurs être au complet maintenant, pour prononcer la sentence, puisque Jeanne revient parmi nous.

Il se penche vers lui.

Vous devez être satisfait, l'homme a dit oui.

L'INQUISITEUR (*a un sourire pale sur ses minces lèvres*) — J'attends la fin.

CAUCHON *va au fond crier à un garde.*

CAUCHON — Rappelez Frère Ladvenu!

LE PROMOTEUR (*va à* L'INQUISITEUR *et lui parle bas*) — Messire Inquisiteur, vous n'allez pas laisser faire une chose pareille?

L'INQUISITEUR (*a un geste vague*) — Si elle a dit « oui. » 40

LE PROMOTEUR — Monseigneur l'Évêque a conduit ces débats avec une indulgence pour cette fille que je n'arrive pas à comprendre! Je sais pourtant, de source sûre, qu'il mange au râtelier anglais.[168]

[163] remove, save
[164] *concile . . . Bâle:* a General Council called by the Pope
[165] yelps

[166] henceforth
[167] draw up
[168] *il . . . anglais:* he eats at the English manger

Mangerait-il encore plus gros, au râtelier français? Voilà la question que je me pose.

L'INQUISITEUR (*sourit*) — Je ne me la pose pas, Messire Promoteur. Ce n'est pas une question de mangeoire. C'est plus grave.

Il s'agenouille soudain, oubliant l'autre.

O Seigneur! Vous avez permis, à la onzième heure, que l'homme s'humilie et s'abaisse dans cette jeune fille. Vous avez permis que, cette fois, il dise « oui. » Pourquoi, en même temps, avez-Vous laissé naître une inavouable tendresse au cœur de ce vieil homme 10 usé par une vie de compromis qui la jugeait? Ne permettrez-Vous donc jamais, Seigneur, que ce monde soit débarrassé de toute trace d'humanité, afin que nous puissions le consacrer en paix à Votre Gloire?

FRÈRE LADVENU *s'est avancé.*

CAUCHON — Frère Ladvenu, Jeanne est sauvée. Elle accepte de rentrer dans le sein de notre Mère l'Église. Lisez-lui l'acte d'abjuration, elle va le signer.

LADVENU — Merci, Jeanne. J'ai prié tout le temps pour toi.   20

Il lit.

« Moi, Jeanne, communément appelée la Pucelle, je confesse avoir péché par orgueil, opiniâtreté[169] et malice en prétendant avoir reçu des révélations de Notre-Seigneur Dieu par l'intermédiaire de Ses anges et de Ses bienheureuses saintes. Je confesse avoir blasphémé en portant un costume immodeste, contraire à la bienséance de mon sexe et aux canons de notre Sainte Mère l'Église et avoir incité par mes maléfices[170] des hommes à s'entretuer. Je désavoue et abjure tous ces péchés, je jure sur les Saints Évangiles 30 de renoncer à porter jamais cet habit d'hérésie et de ne jamais plus prendre les armes. Je déclare m'en remettre humblement à notre Sainte Mère l'Église, et à notre Saint Père le Pape de Rome et à ses évêques, pour l'appréciation de mes péchés et de mes erreurs. Je la supplie de me recevoir dans son sein et me déclare prête à subir la sentence qu'il lui plaira de m'infliger. En foi de quoi j'ai signé de mon nom sur cet acte d'abjuration dont je déclare avoir eu connaissance. »   40

JEANNE (*qui n'est plus qu'une petite fille embarrassée*) — Je fais un rond ou une croix? Je ne sais pas écrire mon nom.

LADVENU — Je vais te tenir la main.

Il l'aide à signer.

CAUCHON — Voilà, Jeanne. Ta Mère est en fête de te voir revenue à elle. Et tu sais qu'elle se réjouit plus pour la brebis égarée que pour les quatre-vingt-dix-neuf autres ... Ton âme est sauvée et ton corps ne sera point livré au bourreau. Nous te condamnons seulement, par grâce et modération, à passer le reste de tes jours en prison, pour la pénitence de tes erreurs, au pain de douleur et à l'eau d'angoisse, afin que tu puisses t'y repentir par la contemplation solitaire et moyennant quoi,[171] nous te déclarons délivrée du danger d'excommunication où tu étais 10 tombée. Tu peux aller en paix.

Il fait un signe, la bénissant.

Reconduisez-la!

Les soldats emmènent JEANNE. *Tout le monde se lève et se met à bavarder par petits groupes; atmosphère de fin d'audience.*

WARWICK (*se rapproche, respirant sa rose*) — Bien, Monseigneur, bien. Je me suis demandé un moment quelle étrange lubie[172] vous poussait à sauver, coûte que coûte, cette jeune fille ... Et si vous n'aviez pas tendance à trahir un tout petit peu votre roi.

CAUCHON — Quel roi, Monseigneur?

WARWICK (*avec une pointe de raideur*) — J'ai dit votre roi. Vous n'en avez qu'un, je présume? Oui, j'ai eu 20 peur que Sa Majesté n'en ait pas pour son argent à cause de vous. Et puis j'ai réfléchi! L'abjuration nous suffit amplement pour déshonorer le petit Charles. Cela a même l'avantage de nous éviter les conséquences du martyre, qui sont toujours imprévisibles, avec la sentimentalité actuelle des peuples. Le bûcher, cette petite fille irréductible au milieu des flammes, cela avait un petit air de triomphe encore pour la cause française. L'abjuration, cela a quelque chose de lamentable. C'est parfait.   30

Tous les personnages se sont retirés. L'éclairage change. On voit JEANNE *passer au fond reconduite dans sa prison par un garde. Les personnages de Chinon se sont glissés furtifs, l'attendant sur son passage.*

AGNÈS (*s'avance*) — Jeanne, Jeanne ma chère, vous ne pouvez pas savoir combien nous sommes contentes de ce succès! Félicitations!

LA REINE YOLANDE — C'était absolument inutile de mourir, ma petite Jeanne, et il faut que tout ce qu'on fait dans la vie soit efficace ... Moi, on jugera mon attitude de diverses façons, bien sûr, mais, du moins, je n'ai jamais rien fait qui ne soit efficace.

AGNÈS — C'est trop bête! J'aime beaucoup les procès politiques, je demande toujours à Charles de m'avoir 40

---

[169] stubbornness
[170] spells

[171] *moyennant quoi:* on which condition
[172] whim

une place; un homme qui défend sa tête, c'est un spectacle passionnant... Mais là, vraiment, je n'étais pas heureuse... Tout le temps je me disais c'est trop bête! Ce pauvre petit bout de chou qui va se faire tuer pour rien.

Elle s'est accrochée au bras de CHARLES.

C'est si bon, vous savez Jeanne, de vivre...

CHARLES — Oui, vraiment, quand vous avez failli tout compromettre à cause de moi — j'étais touché bien sûr, mais je ne savais pas comment vous faire comprendre que vous faisiez fausse route... D'abord, 10 naturellement, j'avais pris mes précautions, sur les conseils de ce vieux renard d'Archevêque, dans cette lettre à mes bonnes villes, vous désavouant, mais, surtout, je n'aime pas qu'on se dévoue pour moi. Je n'aime pas qu'on m'aime. Cela vous crée des obligations. Et j'ai horreur des obligations.

JEANNE *ne les regarde pas, elle écoute leur papotage*[173] *sans sembler les voir, elle dit soudain doucement:*

JEANNE — Occupez-vous bien de Charles. Qu'il ait du courage toujours.

AGNÈS — Mais bien sûr, sotte. Je travaille dans le même sens que vous. Vous croyez que j'ai envie d'être la 20 maîtresse d'un petit roi toujours battu? Vous verrez que j'en ferai un grand roi du petit Charles et sans me faire brûler pour lui, moi...

Elle ajoute tout bas:

C'est un peu triste à dire, Jeannot, mais après tout, Dieu l'a voulu, qui a fait les hommes et les femmes — avec mes petites scènes au lit — j'ai obtenu de lui autant que vous.

JEANNE *(murmure)* — Pauvre Charles...

AGNÈS — Pourquoi pauvre? Il est très heureux comme 30 tous les égoïstes et il deviendra tout de même un très grand roi.

LA REINE YOLANDE — Nous y veillerons, Jeanne, avec d'autres moyens que vous, mais très efficacement aussi.

AGNÈS *(avec un geste à la petite reine)* — Même Sa petite Majesté, n'est-ce pas? qui lui a fait un second garçon. C'est tout ce qu'elle sait faire, mais elle le fait très bien. Et comme cela, le premier peut mourir, on est tranquille. La succession est tout de même assurée... Vous voyez, vous laissez tout en ordre, Jeanne, à la Cour de France.   40

CHARLES *(qui a éternué)* — Vous venez, chérie? J'ai horreur de cette atmosphère de prison, c'est d'un humide! Au revoir, Jeanne. Nous reviendrons vous faire une petite visite, de temps en temps.

JEANNE — Au revoir, Charles.

CHARLES *(agacé)* — Au revoir, au revoir... En tout cas, si vous revenez à la Cour, il faudra que vous m'appeliez Sire, maintenant, comme tout le monde. Depuis que je suis sacré, j'y veille. La Trémouille même le fait. C'est une grande victoire!

Il sont sortis trottinants dans un frou-frou[174] *de robes.*

JEANNE *(murmure)* — Adieu, Sire. Je suis contente de vous avoir au moins obtenu cela.

Elle se remet en marche. Le garde la conduit jusqu'à son tabouret. L'éclairage change encore. Elle est seule maintenant dans sa prison.

JEANNE *(seule)* — Monseigneur saint Michel, Mesdames Catherine et Marguerite, vous ne me parlerez donc plus? Pourquoi m'avez-vous laissée seule depuis que 10 les Anglais m'ont prise? Vous étiez là pour me conduire à la victoire, mais c'est surtout dans la peine que j'avais besoin de vous. Je sais bien que cela serait trop facile que Dieu vous tienne toujours la main — où serait le mérite? Il m'a pris la main au début parce que j'étais encore petite et après, il a pensé que j'étais assez grande. Je ne suis pas encore très grande, mon Dieu, et dans tout ce que disait l'Évêque, c'était difficile d'y voir clair... Avec le vilain chanoine, c'était facile; j'avais envie de lui répondre mal, rien 20 que pour le faire enrager; mais l'Évêque parlait si doucement et il m'a semblé plusieurs fois que c'était lui qui avait raison. Sans doute, vous avez voulu cela, mon Dieu, et puis aussi que j'aie eu si peur de souffrir quand cet homme a dit qu'il ne pourrait même pas m'étrangler. Sans doute avez-vous voulu que je vive?

Un silence. Elle semble attendre une réponse, les yeux au ciel.

C'est bien. Il faudra que je réponde toute seule à cette question-là, aussi.

Un temps. Elle ajoute:

Après tout, je n'étais peut-être qu'orgueilleuse?... Après tout, c'est moi qui ai peut-être tout inventé? 30 Cela doit être bon, aussi, d'être en paix, que tout devoir vous soit remis, et qu'on n'ait plus que la petite carcasse à traîner modestement, au jour le jour...

Un silence, encore elle murmure.

Cela devait être un peu trop grand pour moi, cette histoire...

Elle tombe soudain sanglotante sur son escabeau. WARWICK *entre rapidement précédé d'un garde qui les laisse aussitot. Il s'arrête, regarde* JEANNE, *surpris.*

WARWICK — Vous pleurez?

JEANNE *(se redresse)* — Non, Monseigneur.

---

[173] prattle

[174] *trottinants ... frou frou:* trotting in a rustle

WARWICK — Et moi qui venais vous féliciter ! Heureuse issue en somme de ce procès. Je le disais à Cauchon, je suis très heureux que vous ayez coupé au bûcher. Ma sympathie personnelle pour vous, mise à part — on souffre horriblement, vous savez, et c'est toujours inutile la souffrance, et inélégant — je crois que nous avons tous intérêt à vous avoir évité le martyre. Je vous félicite bien sincèrement. Malgré votre petite extraction, vous avez eu un réflexe de classe. Un gentleman est toujours prêt à mourir, quand il le 10 faut, pour son honneur ou pour son roi, mais il n'y a que les gens du petit peuple qui se font tuer pour rien. Et puis, cela m'amusait de vous voir damer le pion[175] a cet inquisiteur. Sinistre figure ! Ces intellectuels sont ce que je déteste le plus au monde. Ces gens sans chair, quels animaux répugnants ! Vous êtes vraiment vierge ?

JEANNE — Oui.

WARWICK — Oui, bien sûr. Une femme n'aurait pas parlé comme vous. Ma fiancée, en Angleterre qui est une 20 fille très pure, raisonne tout à fait comme un garçon elle aussi. Elle est indomptable comme vous. Savez-vous qu'un proverbe indien dit qu'une fille peut marcher sur l'eau ?

Il rit un peu.

Quand elle sera Lady Warwick, nous verrons si elle continuera ! C'est un état de grâce d'être pucelle. Nous adorons cela et, malheureusement, dès que nous en rencontrons une, nous nous dépêchons d'en faire une femme — et nous voudrions que le miracle continue ... Nous sommes des fous ! Cette cam- 30 pagne finie — bientôt, j'espère (vous savez, votre petit Charles est tout à fait knock out maintenant), je rentre en Angleterre, faire cette folie. Warwick Castle est une très belle demeure, un peu grande un peu sévère, mais très belle. J'y élève des chevaux superbes. Ma fiancée monte très bien, moins bien que vous, mais très bien. Elle sera très heureuse là-bas. Nous chasserons le renard, nous donnerons quelques belles fêtes ... Je regrette que tant de circonstances contraires ne me permettent pas de 40 vous y inviter.

Un temps gêné, il conclut.

Voilà. Je tenais à vous faire cette petite visite de courtoisie, comme on se serre la main après un match. J'espère ne pas vous avoir importunée. Mes hommes sont convenables, maintenant ?

JEANNE — Oui.

WARWICK — On va sans doute vous transférer dans une prison d'Église. En tout cas, pour le temps qui vous reste à passer ici, à la première incorrection, n'hésitez pas à m'avertir. Je ferai pendre le goujat.[176] Nous ne pouvons pas avoir une armée de gentlemen, mais nous devons y tendre.

Il s'incline.

Madame.

Il va sortir. JEANNE *le rappelle.*

JEANNE — Monseigneur ?

WARWICK (*s'est retourné*) — Oui.

JEANNE (*demande soudain sans le regarder*) — Cela aurait été mieux, n'est-ce pas, si j'avais été brûlée ?

WARWICK — Je vous ai dit que pour le Gouvernement 10 de Sa Majesté, l'abjuration est exactement la même chose ...

JEANNE — Non. Pour moi ?

WARWICK — Une souffrance inutile. Quelque chose de laid. Non, vraiment, cela n'aurait pas été mieux. Cela aurait même été, je vous l'ai dit, un peu vulgaire, un peu peuple, un peu bête, de vouloir mourir coûte qui coûte, pour braver tout le monde et crier des insultes sur le bûcher.

JEANNE (*doucement, comme pour elle*) — Mais je suis 20 du peuple, moi, je suis bête ... Et puis ma vie n'est pas ornée comme la vôtre, Monseigneur, toute lisse, toute droite, entre la guerre, la chasse, les plaisirs et votre belle fiancée ... Qu'est-ce qui va me rester, à moi, quand je ne serai plus Jeanne ?

WARWICK — Ils ne vont pas vous faire une vie très gaie, certainement ; tout au moins au début. Mais vous savez les choses s'arrangent toujours, avec le temps.

JEANNE (*murmure*) — Mais je ne veux pas que les choses s'arrangent ... Je ne veux pas le vivre, votre temps 30 ...

Elle se relève comme une somnambule regardant on ne sait quoi, au loin.

Vous voyez Jeanne ayant vécu, les choses s'étant arrangées ... Jeanne délivrée, peut-être, végétant à la Cour de France d'une petite pension ?

WARWICK (*agacé*) — Mais je vous dis que dans six mois il n'y aura plus de cour de France !

JEANNE (*qui rit presque, douloureusement*) — Jeanne acceptant tout, Jeanne avec un ventre,[177] Jeanne devenue gourmande ... Vous voyez Jeanne fardée, en hennin, empêtrée dans ses robes, s'occupant de 40 son petit chien ou avec un homme à ses trousses, qui sait, Jeanne mariée ?

WARWICK — Pourquoi pas ? Il faut toujours faire une fin. Je vais moi-même me marier.

JEANNE (*crie soudain d'une autre voix*) — Mais je ne

---

[175] *damer ... pion:* outwit

[176] cad
[177] pot belly

veux pas faire une fin! Et en tout cas, pas celle-là. Pas une fin heureuse, pas une fin qui n'en finit plus . . .

Elle se dresse et appelle.

Messire saint Michel! Sainte Marguerite! Sainte Catherine! vous avez beau être muets, maintenant, je ne suis née que du jour où vous m'avez parlé. Je n'ai vécu que du jour où j'ai fait ce que vous m'avez dit de faire, à cheval, une épée dans la main! C'est celle-là, Jeanne! Pas l'autre, qui va bouffir, blêmir et radoter[178] dans son couvent — ou bien trouver son petit confort — délivrée . . . Pas l'autre qui va s'habi- 10 tuer à vivre . . . Vous vous taisiez, mon Dieu, et tous ces prêtres parlaient en même temps, embrouillant tout avec leurs mots. Mais quand vous vous taisez, vous me l'avez fait dire au début par Monseigneur saint Michel, c'est quand vous nous faites le plus confiance. C'est quand vous nous laissez assumer tout seuls.

Elle se redresse soudain grandie.

Hé bien, j'assume, mon Dieu! Je prends sur moi! Je vous rends Jeanne! Pareille à elle et pour toujours! 20 Appelle tes soldats, Warwick, appelle tes soldats, je te dis, vite! Je renonce à l'abjuration, je renonce à l'habit de femme, ils vont pouvoir l'utiliser leur bûcher, ils vont enfin l'avoir leur fête!

WARWICK (*ennuyé*) — Pas de folies, je vous en prie. Je suis très satisfait comme cela, je vous l'ai dit. Et puis d'abord, j'ai horreur des supplices. Je ne pourrais pas vous voir mourir.

JEANNE — Il faudra avoir du courage, petit gars, j'en au- rai bien, moi.   30

Elle le regarde qui est tout pale, elle le prend par les deux épaules.

Tu es bien gentil tout de même malgré ta petite gueule de gentleman mais, tu vois, il n'y a rien à faire, on n'est pas de la même race, tous les deux.

Elle a une petite caresse inattendue à sa joue et sort, criant:

Soldats! Soldats! Hé, les godons! Rendez-les-moi mes habits d'homme et quand j'aurai remis mes culottes, appelez-les, tous les curés! . . .

Elle est sortie, criant.

WARWICK *resté seul, s'essuie la joue et murmure:*

WARWICK — Comme tout cela est déplacé! Et vulgaire. Décidément, on ne peut pas fréquenter ces Français . . .

De grandes clameurs s'élèvent soudain.

— A mort la sorcière!

— Brûlez l'hérétique!   40

— A mort! à mort! à mort!

Tous les personnages reviennent rapidement, em- poignant des fagots hurlant des cris de mort précédant le bourreau qui traîne JEANNE, *aidé par deux soldats anglais.* LADVENU *tout pale, suit.*

Tout cela est rapide et brutal, comme un assassinat. Le bourreau, aidé par n'importe qui, peut-être LE PROMOTEUR, *fait un bûcher avec les bancs qu'il y a sur la scène. On y fait grimper* JEANNE, *on l'attache au poteau, on cloue l'écriteau infamant[179] sur sa tête. La foule crie:*

— Au poteau la sorcière!

— Au poteau! Tondez-la, la fille à soldats!

— Au poteau! Au poteau! Brûlez-la!

WARWICK (*agacé*) — Stupide! C'est stupide! Nous avi- ons bien besoin de cette mise en scène!

JEANNE (*crie sur le bûcher*) — Une croix! Une croix par pitié!

LE PROMOTEUR — Pas de croix pour une sorcière!

JEANNE — Je vous en supplie, une croix.   10

CAUCHON (à LADVENU) — Ladvenu! A l'Église paroissiale. Courez!

LADVENU *sort en courant.*

LE PROMOTEUR (à L'INQUISITEUR) — C'est irrégulier! Vous ne protestez pas, Messire Inquisiteur?

L'INQUISITEUR (*qui regarde* JEANNE, *tout pale*) — Avec ou sans croix, mais qu'elle se taise, vite! Regardez-la sur son bûcher qui nous nargue.[180] Mais on ne triomphera donc jamais de lui!

JEANNE (*crie encore*) — Une croix!

Un soldat anglais a pris deux bouts de bois, les attache ensemble et crie à JEANNE.

LE SOLDAT — Tiens, ma fille! Ils me dégoûtent après tout, 20 tous ces curés. Elle a droit à une croix comme les autres, cette fille-là!

LE PROMOTEUR (*se précipite*) — Elle est hérétique! Je te défends, l'homme!

LE SOLDAT (*le renvoyant d'une bourrade*) — Moi, je t'emmerde.[181]

Il tend sa croix improvisée à JEANNE *qui la serre avide- ment contre elle et l'embrasse.*

LE PROMOTEUR (*se précipite sur* WARWICK) — Mon- seigneur! Cet homme doit être arrêté et jugé aussi comme hérétique. J'exige que vous le fassiez im- médiatement arrêter!   30

WARWICK — Vous m'ennuyez, Monsieur. J'en ai huit cents comme cela, tous plus hérétiques les uns que les autres. C'est avec ça que je fais la guerre moi!

---

[178] *bouffir . . . radoter:* get bloated and pale and talk nonsense

[179] *l'ecriteau infamant:* defamatory sign
[180] *defies*
[181] *Moi . . . emmerde:* Go to hell.

L'INQUISITEUR (*au bourreau*) — Allez mets le feu, toi, vite! Que la fumée l'entoure qu'on ne la voie plus!

A WARWICK.

Il faut faire vite! Dans cinq minutes, Monseigneur, tout le monde sera pour elle.

WARWICK — Je crains que ce ne soit déjà fait.

LADVENU *est accouru avec une croix.*

LE PROMOTEUR (*glapit*) — Pas de croix, Frère Ladvenu!

CAUCHON — Laissez, Chanoine, je vous l'ordonne!

LE PROMOTEUR — J'en référerai en Cour de Rome!

CAUCHON — Vous en référez au diable si vous voulez, pour le moment, c'est moi qui commande ici.

Tout cela est rapide, bousculé, improvisé, honteux, comme une opération de police.

L'INQUISITEUR (*répète nerveusement courant de l'un à l'autre*) — Il faut faire vite! Il faut faire vite! Il faut faire vite!

LADVENU (*qui est monté sur le bûcher*) — Courage, Jeanne. Nous prions tous pour toi.

JEANNE — Merci, petit frère. Mais descends, tu serais en danger d'être brûlé, toi aussi.

L'INQUISITEUR (*n'y tenant plus, crie au bourreau*) — Alors, l'homme ça y est?

LE BOURREAU (*qui redescend*) — Ça y est, Messire, ça brûle. Dans deux minutes, la flamme l'atteindra.

L'INQUISITEUR (*soupire, soulagé*) — Enfin! 20

CAUCHON (*crie soudain, s'agenouillant*) — Mon Dieu, pardonnez-nous!

Il fait un signe, tous s'agenouillent et commencent les prières des morts. LE PROMOTEUR, *haineux, est resté debout.*

CAUCHON (*lui crie*) — A genoux, Chanoine!

LE PROMOTEUR *a un regard de bête traquée et s'agenouille.*

L'INQUISITEUR (*qui n'ose pas regarder, demande à* LADVENU *qui est près de lui, tendant la croix à* JEANNE) — Elle regarde droit devant elle?

LADVENU — Oui, Messire.

L'INQUISITEUR — Sans faiblir?

LADVENU — Oui, Messire.

L'INQUISITEUR (*demande presque douloureusement*) — Et il y a presque comme un sourire, n'est-ce pas, sur ses lèvres?

LADVENU — Oui, Messire. 30

L'INQUISITEUR (*baisse la tête accablé, et constate sourdement*) — Je ne le vaincrai jamais.

LADVENU (*resplendissant de confiance et de joie*) — Non, Messire!

JEANNE (*murmure, se débattant déjà*) — O Rouen, Rouen, tu seras donc ma dernière demeure?

Elle gémit soudain.

O Jésus!

AGNÈS (*agenouillée dans un coin, avec* CHARLES *et les reines*) — Pauvre petite Jeanne. C'est trop bête . . . Vous croyez qu'elle souffre déjà?

CHARLES (*qui s'éponge le front et regarde autre part*) — C'est un mauvais moment à passer.

Le murmure de la prière des morts couvre tout. Soudain, BEAUDRICOURT *arrive en courant, essoufflé, bousculant tout le monde du fond de la scène ou peut-être même de la salle. Il crie:*

BEAUDRICOURT — Arrêtez! Arrêtez! Arrêtez!

Tout le monde s'est dressé, il y a un moment d'incertitude.

CRIS DANS LA FOULE — Quoi? Arrêter quoi? Qu'est-ce qu'il veut?

— Qu'est-ce qu'il dit? C'est un fou! 10

BEAUDRICOURT — Ouf! J'arrive à temps!

Il crie à CAUCHON.

On ne peut pas finir comme ça, Monseigneur! On n'a pas joué le sacre! On avait dit qu'on jouerait tout! Ce n'est pas juste! Jeanne a droit à jouer le sacre, c'est dans son histoire! 10

CAUCHON (*frappé*) — C'est exact! Nous allions commettre une injustice!

CHARLES — Vous voyez! J'étais sûr qu'on oublierait mon sacre! On n'y pense jamais à mon sacre. Il m'a pourtant coûté assez cher.

WARWICK (*atterré*) — Allons bon! Le sacre, maintenant! C'est d'un mauvais goût! Ma présence à cette cérémonie serait indécente, Monseigneur, je m'éclipse. De toute façon, pour moi c'est fini, elle est brûlée. Le Gouvernement de Sa Majesté a atteint 20 son objectif politique.

Il sort.

CAUCHON (*crie au bourreau*) — Défais le bûcher, l'homme! Détache Jeanne! Et qu'on lui apporte son épée et son étendard!

Tout le monde se précipite joyeusement sur le bûcher et les fagots. CHARLES *qu'on commence à habiller pour son sacre s'avance au public, souriant*

CHARLES — Cet homme a raison. La vraie fin de l'histoire de Jeanne, la vraie fin qui n'en finira plus, celle qu'on se redira toujours, quand on aura oublié ou confondu tous nos noms, ce n'est pas dans sa misère de bête traquée à Rouen, c'est l'alouette en plein ciel, c'est Jeanne à Reims dans toute sa gloire . . . La vraie 30 fin de l'histoire de Jeanne est joyeuse. Jeanne d'Arc c'est une histoire qui finit bien!

BEAUDRICOURT (*ravi, enlevant les fagots avec les autres*) — Heureusement que je suis arrivé à temps. . . . Les imbéciles, ils allaient brûler Jeanne d'Arc! Vous vous rendez compte?

LE PÈRE (*qui enlève aussi les fagots avec le frère*) — Avance, toi. Et tire tes doigts de ton nez! Prends modèle sur ta sœur! Regarde comme elle est à l'honneur, qu'on se sent fier d'être son père! . . . J'avais toujours dit, moi, que cette petite avait de l'avenir . . . 40

On a rapidement élevé un autel au fond de la scène

avec les moyens du bord, à la place du bûcher. Cloches éclatantes soudain, orgues.[182] Un cortège se forme avec CHARLES, JEANNE un peu en retrait, puis les reines, LA TRÉMOUILLE, etc.

Le cortège se met en marche vers l'autel. Tout le monde s'agenouille dans l'assistance. Seule JEANNE est toute droite, appuyée sur son étendard, souriant au ciel, comme sur les images. L'ARCHEVÊQUE pose la couronne sur la tête de CHARLES . . .

Orgues triomphantes, cloches, coups de canon, envol[183] de colombes, jeux de lumière, peut-être, qui donnent les reflets des vitraux de la cathédrale et transforment le décor. Le rideau tombe lentement sur cette belle image de livre de prix . . .

FIN DE L' « ALOUETTE »

1. Quels traits de caractère discerne-t-on chez les ennemis de Jeanne dans la parenthèse de Warwick (pp. 389, II 6–12)?

2. Lorsque Cauchon prétend que nous ne sommes pas assez nombreux pour jouer les batailles, parle-t-il en personnage historique ou en acteur qui joue le rôle de Cauchon?

3. Quelle importance doit-on attribuer au fait que Jeanne joue les voix elle-même?

4. Pourquoi, comme le dit Cauchon, est-il nécessaire de lui laisser raconter encore une fois les menus détails de sa vie de paysanne et de ses visions?

5. Commentez le parler de Jeanne: est-il simple ou compliqué, concret ou abstrait, direct ou imagé, etc.?

6. Quel effet dramatique produisent les interruptions des juges (par exemple, celle du promoteur à la page 390, II 34)? Détruisent-elles l'illusion dramatique?

7. Le père de Jeanne est-il injuste en doutant de la vertu de sa fille?

8. Pourquoi Anouilh tient-il à décrire si longuement le caractère des parents?

9. Quels traits du caractère de Jeanne ressortent du dialogue avec le promoteur (pp. 391–392)?

10. De quoi le promoteur est-il sans cesse préoccupé?

11. Quelle critique sociale Anouilh met-il dans la réplique de Jeanne: On n'a pas toujours son curé avec soi, sauf les riches?

12. Dans les paroles de Warwick à la page 393, I 35–40, et ailleurs trouvez-vous des allusions à l'histoire de l'Europe depuis 1940?

13. Pourquoi Warwick, esprit aristocratique et hautain, trouve-t-il la simple Jeanne plutôt sympathique?

14. Pourquoi Anouilh insiste-t-il tant sur les côtés sordides et vils de cette histoire: par exemple, les soupçons vulgaires des parents, la grossièreté de Beaudricourt?

15. Quels traits du caractère de Jeanne ressortent de la rencontre avec Beaudricourt?

16. Pourquoi Cauchon tient-il tellement à l'Eglise malgré le silence d'un Dieu disparu? (p. 401, II 33 et sq.).

17. Pourquoi Anouilh donne-t-il tant de place à la scène des hennins?

18. Doit-on juger la reine-mère (Yolande) comme on juge Agnès et sa fille?

19. La réplique de Charles concernant le règne du peuple (p. 405, I 22–42) a-t-elle la valeur d'une prédiction vérifiée par l'histoire?

20. Pourquoi Charles décide-t-il de voir Jeanne? Serait-ce par force de caractère?

21. Commentez la religion de l'Archevêque.

22. Quels nouveaux traits du caractère de Jeanne ressortent de la rencontre avec Charles VII?

23. Croyez-vous valables les conseils de Jeanne sur la manière de se donner courage (p. 410, I 39)?

24. Cauchon a-t-il tort de ne pas croire aux voix de Jeanne?

25. En ce qui concerne les miracles, quelles sont d'une manière précise les différences entre Jeanne et les juges? (p. 414, I 8–20.)

26. Que veut dire l'Inquisiteur en prétendant que le seul ennemi de l'Eglise est l'Homme?

27. Quels traits du caractère de Jeanne ressortent de la rencontre avec La Hire?

28. Quels sont les échos modernes de l'Idée dont parle l'Inquisiteur? (p. 419, II 42.)

[182] sound of organs
[183] flight

29. *Quel argument décide Jeanne à se soumettre enfin?*

30. *Comment expliquer que les voix de Jeanne ne lui répondent plus?*

31. *Pourquoi Jeanne refuse-t-elle d'abjurer? Y voyez-vous de l'orgueil?*

32. *Pourquoi l'Inquisiteur se montre-t-il si inquiet lors de l'exécution?*

33. *Après le dénouement logique de l'exécution, pourquoi Anouilh termine-t-il la pièce avec le sacre?*

QUESTIONS GÉNÉRALES:

34. *Bien que la pièce n'ait pas de divisions formelles (en actes et scènes) y trouvez-vous des divisions naturelles? Lesquelles?*

35. *Anouilh développe-t-il tous les personnages au même point?*

36. *Pensez à L'Alouette sans les scènes des juges qui encadrent les événements essentiels de la mission de Jeanne: La pièce perd-elle ainsi de sa valeur et de son intérêt?*

37. *Est-ce le soldat ou plutôt la sainte qui apparaît dans la Jeanne d'Anouilh?*

38. *Quelle vertu Jeanne incarne-t-elle surtout pour Anouilh: sincérité, courage, intelligence, tendresse, etc.?*

39. *Sous quel aspect Anouilh nous présente-t-il la guerre?*

40. *Quelle est l'image des petites gens qui apparaît dans toute la pièce? Quelle pourrait être l'appartenance politique d'Anouilh?*

41. *Les voix de Jeanne sont-elles réelles? Les a-t-elle inventées? Se fait-elle des illusions à leur sujet?*

42. *Commentez le titre de la pièce.*

APPENDIX

PLANS SCHÉMATIQUES POUR L'EXPLICATION DE TEXTE

PLAN A: EXPLICATION D'UN POÈME

1. *Titre du poème, auteur, date. Dans quel recueil a-t-il paru? (par exemple, si c'est tel sonnet de Du Bellay, fait-il partie des Antiquités de Rome ou des Regrets? Consultez un répertoire ou manuel d'histoire littéraire).*

2. *Sources et histoire du poème. A quel genre appartient-il? (par exemple, « Laustic » de Marie de France s'insère, par son thème, dans la tradition de l'amour courtois; par sa forme c'est un lai. Le lai est une forme littéraire d'origine bretonne. Ce fut d'abord une composition musicale, ensuite un conte, assez bref, de 100 à 1,800 vers octosyllabiques rimant par couples, contant une aventure choisie dans la matière bretonne). Est-ce que le poème se rattache à un événement historique? à un incident de la vie du poète? (Voir, par exemple, « Le Balcon » de Baudelaire).*

3. *Etude du fond. Résumez l'argument du poème. Quel en est le thème? Le poème est-il dramatique? Résumez l'action dramatique du poème.*

4. *Etude de la forme. Est-ce un sonnet? une ode? Versification: les vers, le système de rimes, les accents.*

5. *Le poète emploie-t-il des métaphores ou des comparaisons? Y a-t-il une image qui domine? Le choix des mots, les mots-clef, le mouvement rythmique.*

6. *Montrez de quelle manière la forme exprime le fond.*

7. *Conclusion. Jugement sur l'œuvre. Votre analyse est-elle d'accord avec l'opinion générale? (Consultez une étude critique ou une édition définitive). Avez-vous découvert quelque chose de neuf?*

PLAN B: EXPLICATION D'UN CONTE, UN EXTRAIT DE ROMAN OU DE PIÈCE

1. *Titre, auteur, date.*
2. *Sources et histoire.*
3. *Choix d'un sujet. Y a-t-il un aspect particulier de l'ouvrage que vous voulez étudier? Voyez-vous une interprétation du texte qui s'impose? un problème qui demande à être résolu? Par exemple, dans Une Partie de campagne de Maupassant:*

   a) *Où l'auteur se situe-t-il par rapport à ses personnages?*
   b) *Illustrez de quelle façon Maupassant prépare à l'avance chaque péripétie de l'action. (Ces deux sujets sont de nature purement esthétique).*
   c) *Quelle est la moralité de ce conte concernant la famille? l'amour? le mariage? (Analyse des idées).*
   d) *Maupassant comme critique social. (Analyse des idées avec une portée historique et sociale).*

4. *Parcourez le texte en notant toutes les références qui semblent porter sur votre sujet.*
5. *Essayez d'arriver à une hypothèse ou conclusion générale qui illumine le texte en vue du sujet que vous avez choisi. Par exemple:*

   A propos du premier sujet Maupassant reste toujours objectif, ou même indifférent au destin de ses personnages. Pourquoi? Sans doute parce qu'il veut en faire la satire.

6. *Appuyez cette hypothèse de références précises au texte. Ici, vous montrerez comment chaque référence modifie légèrement l'hypothèse originale. Par exemple:*

N'est-il pas vrai que Pétronille, la mère, malgré ce qu'elle a de grotesque, est assez sympathique et même touchante? Son énergie, son goût de la vie sont d'excellentes qualités qui lui ont permis de résister à l'abrutissement qui a eu raison de son mari. Et Henriette de même. Elle est pleine de poésie et de tendresse qui ne demandent qu'un prétexte pour s'épancher.

7. *Etude de structure et de style. Employez les catégories critiques elaborées dans la discussion de la fiction (pp. 119–120). A quel genre appartient le conte, la piece, etc.? A quel degré les effects artistiques sont-ils déterminés par le genre? (Par exemple, le conte naturaliste exige normalement un certain recul, une certaine objectivité.) Etudiez les descriptions, les portraits, l'emploi des images, le rythme de la prose. Quelle est la part de ces éléments dans l'effet artistique intégral? (Par exemple, le style de Maupassant est sobre, ironique. C'est pourquoi les quelques passages lyriques prennent un relief extraordinaire).*

8. *Jugement fondé sur cette analyse du texte. Par exemple:*

La satire de Maupassant est dirigée contre M. Dufour et le jeune homme blond qui représentent, eux, toutes les laideurs de la petite bourgeoisie. Pétronille et Henriette sont trop faibles pour se révolter contre leur milieu. Maupassant ne peut pas épouser leur point de vue précisément à cause de leur faiblesse, mais il nous fait sentir, et surtout par les quelques phrases lyriques qu'il donne à Henriette (Moi, j'y pense tous les soirs . . .), qu'il y a dans leur muette acceptation du statu quo quelque chose d'admirable. Conclusion. Malgré le détachement apparent de Maupassant il y a chez lui une certaine complicité avec ses personnages.

GLOSSARY OF CRITICAL TERMS

POETRY

(Note: See also essay on versification pp. 31–32)

L'ALEXANDRIN (m)   *alexandrine line of 12 syllables*

L'ANTITHÈSE (f)   *opposition or contrast of words or thoughts*

L'ASSONANCE (f)   *imperfect rime depending on vowel alone, often internal*

LE CALEMBOUR   *pun*

LA CÉSURE   *cesura or strong pause in a line of verse*

LA COUPE   *generic term for the pause (or pauses) in a line of verse*

L'ELLIPSE (f)   *suppression of one or more words (e.g. « Je t'aimais inconstant; qu'eussé-je fait fidèle? » i.e. «si tu avais été fidèle »)*

L'ÉPITHÈTE (f)   *adjective or qualifying word*

L'HÉMISTICHE (m)   *part of a line of verse before or after the cesura*

L'HYPERBOLE (f)   *hyperbole, extreme exaggeration (e.g. to call a tall man a « giant »)*

L'IMAGE (f)   *image or figure of speech*

IMPAIR   *line of odd-numbered syllables*

LE JEU DE MOTS   *play on words*

LA MESURE   *number of syllables which form a rhythmical unit*

LA MÉTAPHORE   *metaphor*

LE MÈTRE   *meter*

PAIR   *line of even-numbered syllables*

LE REJET   *sense unit carried over without pause from preceding line in an enjambement (e.g. « Même il m'est arrivé quelquefois de manger / Le berger »)*

LE RYTHME   *rhythm*

LA RIME   *rime*

LA STROPHE   *stanza*

LE VERS   *line of verse*

LE VERSET   *verse form used by poets, such as Claudel, similar in rhythm and tone to a paragraph division in the Bible*

FICTION

L'ACTION (f)   *series of events which make up the story*

L'ARRIÈRE-PLAN (m)   *background*

LA CADENCE   *pace of narration*

LE CARACTÈRE   *character of a fictional character*

LE CONTE   *short story*

LA DURÉE   *duration, time scheme*

L'ÉVÉNEMENT (m)   *event*

L'HÉROINE   *heroine*

LE HÉROS   *hero*

LE MILIEU   *setting or environment*

LES MŒURS (f)   *manners and morals, customs*

LE NARRATEUR   *narrator*

LA NOUVELLE   *long story*

LE PERSONNAGE   *character in a story or play*

LE RÉCIT   *narrative*

LE ROMAN   *novel*

LE ROMAN D'ANALYSE   *novel in which psychological analysis is more important than action*

LE ROMAN ÉPISTOLAIRE   *novel told through letters*

LE ROMAN PERSONNEL   *autobiographical novel*

LE ROMAN PICARESQUE   *novel of diverse adventures and settings usually unified through the hero*

DRAMA

L'ACTE (m)   *act, formal division of a play*

L'ACTEUR (m)   *actor, often used to distinguish movie actor from stage actor (*comédien *or* artiste*)*

L'ACTRICE (f)

L'APARTÉ (m)   *side remark or aside*

LE CANEVAS   *broad lines of an action as in ''tracer son canevas''*

LA COMÉDIE   *originally a play, now usually a comedy*

LE COMÉDIEN   *originally an actor, now usually a comic actor*

CÔTÉ COUR   *stage right*

CÔTÉ JARDIN   *stage left*

LA COULISSE   *wing of the stage*

LE DÉCOR   *stage set*

LE DÉNOUEMENT   *resolution of the conflict*

LE DEUS EX MACHINA   *character or event that resolves the conflict arbitrarily from without*

LE DRAMATURGE   *dramatist or playwright*

LA DRAMATURGIE   *dramaturgy*

LE DRAME   *drama but also a genre mixing pathetic and comic elements and using characters of low or middle social status*

L'ENTRE-ACTE (m)   *intermission*

L'ÉPILOGUE (m)   *epilogue*

L'EXPOSITION (f)   *exposition*

LE FOUR   *flop play*

L'INTRIGUE (f)   *plot*

LE JEU DE SCÈNE   *stage business*

LE MÉLODRAME (also: LE MÉLO)   *melodrama*

LA MISE-EN-SCÈNE   *staging of the play*

LE MONOLOGUE   *monologue*

LE MUR IDÉAL   *the fourth or imaginary wall through which the audience sees a play*

LA PIÈCE   *the play*

LA PIÈCE BIEN FAITE   *well made play, the dramatic formula brought to perfection by Scribe near the end of the 19 century*

LA PIÈCE À THÈSE   *didactic play with a single thesis*

LE PORTE-PAROLE   *the author's spokesman in the play*

LE PROLOGUE   *prologue*

LE PUBLIC   *the audience*

LA RAMPE   *the footlights*

LA REPARTIE   *spirited reply or a series of them*

LA RÉPLIQUE   *line of dialogue or reply to a question; also a "cue"*

LA REPRÉSENTATION   *the staging or playing of the play*

LA SCÈNE   *the stage; also the scene as formal division of the act*

LE SOLILOQUE   *soliloquy*

LE TABLEAU   *formal division of an act comparable to a scene*

LA TENSION   *tension, suspense*

LA TIRADE   *long speech*

LA TRAGÉDIE   *tragedy*

LA TRAGI-COMÉDIE   *tragedy which contains comic elements and has a happy ending*

LE TROU DU SOUFFLEUR   *the prompter's box*

LES UNITÉS   *the unities of time, place and action*

STYLISTICS

AFFECTIF   *emotional*

L'AGENCEMENT (m) / DES MOTS, DES PENSÉES   *order or arrangement of words, thoughts*

ALAMBIQUÉ   *subtle, complicated*

L'AMBIANCE (f)   *atmosphere*

AMPOULÉ   *ornate, flowery*

L'APOSTROPHE (f)   *direct address to someone (e.g. « O Temps, suspends ton vol, et vous heures propices . . »)*

L'ATMOSPHÈRE (f)   *atmosphere*

BANAL   *unoriginal, banal*

LES BIENSÉANCES (f)   *rules of propriety or good taste*

LE CHEF-D'ŒUVRE   *masterpiece*

LE CHOIX DES MOTS   *diction or choice of language*

LE CLICHÉ   *hackneyed expression or device*

LA CONVENTION   *assumption or rule about what may or may not be done (for example the use of poetry to represent conversation was an accepted convention in the 17th century but is no longer)*

COULANT   *flowing, smooth*

LA COULEUR LOCALE   *local color*

LA CRISE   *crisis, climax (usually precedes the dénouement)*

LA CRITIQUE   *criticism*

LE CRITIQUE   *the critic*

LE DÉCOR   *the setting*

LE DÉNUEMENT   *bareness, sobriety*

L'ÉCRIVAIN (m)   *writer (man or woman)*

L'EMPHASE (f) *bombast*

EMPHATIQUE *bombastic* not *emphatic*

L'ENCHAINEMENT (m) *linking of events, ideas, etc.*

L'EXPLICATION DE TEXTE *rigorous stylistic and formal analysis*

FAIRE RESSORTIR *emphasize*

LA FANTAISIE *fantasy*

LE FIL CONDUCTEUR *main thread of the plot*

LE GOÛT *taste*

L'IDÉE MAÎTRESSE (f) *central or guiding idea*

IMAGÉ *rich in images*

L'INVERSION (f) *inverted word order (e.g. « Grande fut ma surprise »)*

LE LECTEUR *the reader*

LE LIEU COMMUN *cliche or commonplace*

LA LITOTE *understatement (e.g. « Va, je ne te hais point, » i.e. « je vous aime »)*

METTRE EN VALEUR *(EN RELIEF)* *to highlight*

LA MISE AU POINT *definitive evaluation*

LE MOBILE *motive*

LE MOMENT PIVOTAL *key moment*

LE MOT-CLEF *key word*

LE MOT JUSTE *the right word*

LE MOTIF *distinctive theme or pattern; also the motive of a character*

LA NUANCE *fine distinction*

LA PÉRIPÉTIE *sudden reversal of the action*

LE POINT CULMINANT *climax or crucial moment*

LE POINT DE REPÈRE *reference point*

PRÉCIEUX *precious, elaborate* not *valuable as in English (Esp. overuse of paraphrase and metaphor)*

LE PROCÉDÉ *device or technique*

LE PROTAGONISTE *protagonist*

RÉALISTE *realistic*

SACCADÉ *jerky, abrupt*

LE SENS *meaning*

LA SENSIBILITÉ *sensibility or feeling*

LA SIGNIFICATION *meaning*

LA STRUCTURE *structure*

LE SUSPENSE *(Ang.)* *suspense* [also: *c'est un roman à suspens* (Ads.)]

LA TEXTURE *texture*

LE TON *tone, the impression created through the affective use of language*

L'UNITÉ D'IMPRESSION *unity of impression*

LA VIGUEUR *vigor*

LA VRAISEMBLANCE *verisimilitude*

VRAISEMBLABLE *true to life*

INDEX OF AUTHORS AND TITLES

(Note: Numbers in boldface refer to critical or historical discussions of the text).